2012年 护士执业资格考试

通关宝典

张爱珍 主编

化学工业出版社
·北京·

本书根据新考试大纲编写，增加了新考试内容，并根据考生学习和复习习惯将有关内容进行了新的编排；在考试指导单元，将考试要点、历年考点进行提炼和总结，使重点突出、简明扼要；同时针对重要考点编写和整理了典型的练习题，编排于指导内容之后，便于考生练习。本书能帮助考生提高复习效率，可供参加护士执业资格考试的考生考前复习和练习。

图书在版编目（CIP）数据

2012年护士执业资格考试通关宝典/张爱珍主编．北京：化学工业出版社，2011.10
ISBN 978-7-122-12246-9

Ⅰ.2… Ⅱ.张… Ⅲ.护士-资格考试-自学参考资料 Ⅳ.R192.6

中国版本图书馆CIP数据核字（2011）第180490号

责任编辑：赵兰江　　装帧设计：关　飞
责任校对：徐贞珍

出版发行：化学工业出版社（北京市东城区青年湖南街13号　邮政编码100011）
印　　刷：北京市振南印刷有限责任公司
装　　订：三河市宇新装订厂
787mm×1092mm　1/16　印张28¼　字数811千字　2011年11月北京第1版第1次印刷

购书咨询：010-64518888（传真：010-64519686）　售后服务：010-64518899
网　　址：http://www.cip.com.cn
凡购买本书，如有缺损质量问题，本社销售中心负责调换。

定　　价：58.00元

编写人员名单

主　　编　张爱珍

副 主 编　李景花　周翠玲　高玉霞　崔岩芳

编　　者　（以姓氏笔画为序）

王　芳　王　新　邓玉兰　石召强
刘　宁　刘　珍　刘　莉　刘秀香
许　琦　孙华宁　孙晓霞　杨　静
杨高华　李　丽　李　璇　李景花
张　娜　张红梅　张爱珍　岳桂华
周翠玲　赵　芳　赵瑞雪　高玉霞
唐丽萍　崔岩芳

前　言

卫生部于2011年颁布了新的全国护士执业资格考试大纲，与往年考试大纲相比，新大纲增加了较多的考试内容，如扩大了内科、外科、妇产科、儿科疾病范围，增加了精神疾病护理、中医基本知识、护理相关法律法规、护理管理、护理伦理等。大多数考生为临床一线护理专业人员，其在繁忙的临床工作之余，通过全面复习各种教材准备考试是不现实的，不但需要较多的时间，同时也难以抓住重点，复习效率较低。为此，我们组织了各个专业富有经验的教师，根据最新考试大纲和历年考点，将考试大纲要求的重点和历年考点进行提炼、总结；并根据考点和要点编写和整理了相对应的练习题，列于每章的指导内容之后。帮助考生进一步加深对要点的理解，并供自我检查重要知识的掌握情况。

新考试大纲将疾病护理按照系统、器官分类，打破了传统的内、外、妇、儿划分。但考生无论在校学习还是临床工作均是按照传统的内、外、妇、儿分类的，如果考生按照新大纲的分类来组织资料学习的话，会打破以往的学习和思维模式、习惯，而且非常繁琐。所以我们在编写这部分内容时，参考大中专院校护理教材及往年考试大纲疾病的分类，将新大纲考核的疾病按照内、外、妇、儿、神经的顺序重新分类，分别编为内科常见病患者的护理、外科常见病患者的护理、妇产科常见病患者的护理、儿科常见病患儿的护理、精神疾病患者的护理和中医基础知识。本书将新增加的护理相关法律法规、护理管理、护理伦理等社会人文知识单独编为一篇，将新增加的中医基础知识与精神疾病患者的护理合为一篇。

为了帮助考生顺利通过考试，我们从各个方面做了不懈的努力，由于时间比较紧，编写内容多，不当之处在所难免，恳请同行专家和广大考生批评指正。如有意见和建议，请发送至kstgbd2012@126.com。

编者

2011年9月

目　录

第一篇　护理相关的社会人文知识

第二篇　基础护理和技能

第三篇　内科常见病患者的护理

第四篇 外科常见病患者的护理

第五篇 妇产科常见病患者的护理

第六篇　儿科常见病患者的护理

第七篇　精神疾病患者的护理与中医基础知识

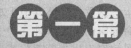

第一篇 护理相关的社会人文知识

第一章 与护士执业相关的法律法规

第一节 护士管理条例

一、执业注册

（一）申请护士执业注册应当具备的条件

（1）具有完全民事行为能力；

（2）在中等职业学校、高等学校完成国务院教育主管部门和国务院卫生主管部门规定的普通全日制3年以上的护理、助产专业课程学习，包括在教学、综合医院完成8个月以上护理临床实习，并取得相应学历证书；

（3）通过国务院卫生主管部门组织的护士执业资格考试；

（4）符合国务院卫生主管部门规定的健康标准。

护士执业注册申请，应当自通过护士执业资格考试之日起3年内提出；逾期提出申请的，除应当具备上述第（1）项、第（2）项和第（4）项规定条件外，还应当在符合国务院卫生主管部门规定条件的医疗卫生机构接受3个月临床护理培训并考核合格。

（二）注册方法

申请护士执业注册的，应当向拟执业地省、自治区、直辖市人民政府卫生主管部门提出申请。收到申请的卫生主管部门应当自收到申请之日起20个工作日内做出决定，对具备本条例规定条件的，准予注册，并发给护士执业证书；对不具备本条例规定条件的，不予注册，并书面说明理由。

护士执业注册有效期为5年。

（三）执业地点变更

护士在其执业注册有效期内变更执业地点的，应当向拟执业地省、自治区、直辖市人民政府卫生主管部门报告。收到报告的卫生主管部门应当自收到报告之日起7个工作日内为其办理变更手续。护士跨省、自治区、直辖市变更执业地点的，收到报告的卫生主管部门还应当向其原执业地省、自治区、直辖市人民政府卫生主管部门通报。

（四）注册有效期延续

护士执业注册有效期届满需要继续执业的，应当在护士执业注册有效期届满前30日向执业地省、自治区、直辖市人民政府卫生主管部门申请延续注册。收到申请的卫生主管部门对具备本条例规定条件的，准予延续，延续执业注册有效期为5年；对不具备本条例规定条件的，不予延续，并书面说明理由。

护士有行政许可法规定的应当予以注销执业注册情形的，原注册部门应当依照行政许可法的规定注销其执业注册。

二、权利和义务

（一）权利

(1) 护士执业，有按照国家有关规定获取工资报酬、享受福利待遇、参加社会保险的权利。任何单位或者个人不得克扣护士工资，降低或者取消护士福利等待遇。

(2) 护士执业，有获得与其所从事的护理工作相适应的卫生防护、医疗保健服务的权利。从事直接接触有毒有害物质、有感染传染病危险工作的护士，有依照有关法律、行政法规的规定接受职业健康监护的权利；患职业病的，有依照有关法律、行政法规的规定获得赔偿的权利。

(3) 护士有按照国家有关规定获得与本人业务能力和学术水平相应的专业技术职务、职称的权利；有参加专业培训、从事学术研究和交流、参加行业协会和专业学术团体的权利。

(4) 护士有获得疾病诊疗、护理相关信息的权利和其他与履行护理职责相关的权利，可以对医疗卫生机构和卫生主管部门的工作提出意见和建议。

（二）义务

(1) 护士执业，应当遵守法律、法规、规章和诊疗技术规范的规定。

(2) 护士在执业活动中，发现患者病情危急，应当立即通知医师；在紧急情况下为抢救垂危患者生命，应当先行实施必要的紧急救护。

(3) 护士发现医嘱违反法律、法规、规章或者诊疗技术规范规定的，应当及时向开具医嘱的医师提出；必要时，应当向该医师所在科室的负责人或者医疗卫生机构负责医疗服务管理的人员报告。

(4) 护士应当尊重、关心、爱护患者，保护患者的隐私。

(5) 护士有义务参与公共卫生和疾病预防控制工作。发生自然灾害、公共卫生事件等严重威胁公众生命健康的突发事件，护士应当服从县级以上人民政府卫生主管部门或者所在医疗卫生机构的安排，参加医疗救护。

三、医疗卫生机构的职责

(1) 医疗卫生机构配备护士的数量不得低于国务院卫生主管部门规定的护士配备标准。

(2) 医疗卫生机构不得允许下列人员在本机构从事诊疗技术规范规定的护理活动：

① 未取得护士执业证书的人员；

② 未依照本条例第九条的规定办理执业地点变更手续的护士；

③ 护士执业注册有效期届满未延续执业注册的护士。

(3) 在教学、综合医院进行护理临床实习的人员应当在护士指导下开展有关工作。

(4) 医疗卫生机构应当为护士提供卫生防护用品，并采取有效的卫生防护措施和医疗保健措施。

(5) 医疗卫生机构应当执行国家有关工资、福利待遇等规定，按照国家有关规定为在本机构从事护理工作的护士足额缴纳社会保险费用，保障护士的合法权益。

(6) 对在艰苦边远地区工作，或者从事直接接触有毒有害物质、有感染传染病危险工作的护士，所在医疗卫生机构应当按照国家有关规定给予津贴。

(7) 医疗卫生机构应当制定、实施本机构护士在职培训计划，并保证护士接受培训。

(8) 护士培训应当注重新知识、新技术的应用；根据临床专科护理发展和专科护理岗位的需要，开展对护士的专科护理培训。

(9) 医疗卫生机构应当按照国务院卫生主管部门的规定，设置专门机构或者配备专（兼）职人员负责护理管理工作。

(10) 医疗卫生机构应当建立护士岗位责任制并进行监督检查。

(11) 护士因不履行职责或者违反职业道德受到投诉的，其所在医疗卫生机构应当进行调查。经查证属实的，医疗卫生机构应当对护士做出处理，并将调查处理情况告知投诉人。

四、医疗卫生机构的法律责任

1. 医疗卫生机构有下列情形之一的，由县级以上地方人民政府卫生主管部门依据职责分工责令限期改正，给予警告；逾期不改正的，根据国务院卫生主管部门规定的护士配备标准和在医疗卫生机构合法执业的护士数量核减其诊疗科目，或者暂停其6个月以上1年以下执业活动；国家举办的医疗卫生机构有下列情形之一、情节严重的，还应当对负有责任的主管人员和其他直接责任人员依法给予处分：

(1) 违反本条例规定，护士的配备数量低于国务院卫生主管部门规定的护士配备标准的；

(2) 允许未取得护士执业证书的人员或者允许未依照本条例规定办理执业地点变更手续、延续执业注册有效期的护士在本机构从事诊疗技术规范规定的护理活动的。

2. 医疗卫生机构有下列情形之一的，依照有关法律、行政法规的规定给予处罚；国家举办的医疗卫生机构有下列情形之一、情节严重的，还应当对负有责任的主管人员和其他直接责任人员依法给予处分：

(1) 未执行国家有关工资、福利待遇等规定的；

(2) 对在本机构从事护理工作的护士，未按照国家有关规定足额缴纳社会保险费用的；

(3) 未为护士提供卫生防护用品，或者未采取有效的卫生防护措施、医疗保健措施的；

(4) 对在艰苦边远地区工作，或者从事直接接触有毒有害物质、有感染传染病危险工作的护士，未按照国家有关规定给予津贴的。

五、护士执业中的法律责任

1. 护士在执业活动中有下列情形之一的，由县级以上地方人民政府卫生主管部门依据职责分工责令改正，给予警告；情节严重的，暂停其6个月以上1年以下执业活动，直至由原发证部门吊销其护士执业证书：

(1) 发现患者病情危急未立即通知医师的；

(2) 发现医嘱违反法律、法规、规章或者诊疗技术规范的规定，未依照本条例第十七条的规定提出或者报告的；

(3) 泄露患者隐私的；

(4) 发生自然灾害、公共卫生事件等严重威胁公众生命健康的突发事件，不服从安排参加医疗救护的。

2. 护士在执业活动中造成医疗事故的，依照医疗事故处理的有关规定承担法律责任。

3. 护士被吊销执业证书的，自执业证书被吊销之日起2年内不得申请执业注册。

4. 扰乱医疗秩序，阻碍护士依法开展执业活动，侮辱、威胁、殴打护士，或者有其他侵犯护士合法权益行为的，由公安机关依照治安管理处罚法的规定给予处罚；构成犯罪的，依法追究刑事责任。

第二节 护士执业注册管理办法

一、首次注册

1. 申请护士执业注册，应当具备下列条件：

(1) 具有完全民事行为能力；

(2) 在中等职业学校、高等学校完成教育部和卫生部规定的普通全日制3年以上的护理、助产专业课程学习，包括在教学、综合医院完成8个月以上护理临床实习，并取得相应学历证书；

(3) 通过卫生部组织的护士执业资格考试；

(4) 符合本办法第六条规定的健康标准。

2. 申请护士执业注册，应当符合下列健康标准：

(1) 无精神病史；

(2) 无色盲、色弱、双耳听力障碍；

(3) 无影响履行护理职责的疾病、残疾或者功能障碍。

3. 申请护士执业注册，应当提交下列材料：

(1) 护士执业注册申请审核表；

(2) 申请人身份证明；

(3) 申请人学历证书及专业学习中的临床

实习证明；

(4) 护士执业资格考试成绩合格证明；

(5) 省、自治区、直辖市人民政府卫生行政部门指定的医疗机构出具的申请人6个月内健康体检证明；

(6) 医疗卫生机构拟聘用的相关材料。

4. 卫生行政部门应当自受理申请之日起20个工作日内，对申请人提交的材料进行审核。审核合格的，准予注册，发给《护士执业证书》；对不符合规定条件的，不予注册，并书面说明理由。

5. 护士执业注册申请，应当自通过护士执业资格考试之日起3年内提出；逾期提出申请的，除本办法第七条规定的材料外，还应当提交在省、自治区、直辖市人民政府卫生行政部门规定的教学、综合医院接受3个月临床护理培训并考核合格的证明。

6. 护士执业注册有效期为5年。

二、延期注册

1. 护士执业注册有效期届满需要继续执业的，应当在有效期届满前30日，向原注册部门申请延续注册。

2. 注册部门自受理延续注册申请之日起20日内进行审核。审核合格的，予以延续注册。

3. 有下列情形之一的，不予延续注册：

(1) 不符合本办法第六条规定的健康标准的；

(2) 被处暂停执业活动处罚期限未满的。

三、重新注册

1. 有下列情形之一的，拟在医疗卫生机构执业时，应当重新申请注册：

(1) 注册有效期届满未延续注册的；

(2) 受吊销《护士执业证书》处罚，自吊销之日起满2年的。

2. 中断护理执业活动超过3年，重新申请注册的还应当提交在省、自治区、直辖市人民政府卫生行政部门规定的教学、综合医院接受3个月临床护理培训并考核合格的证明。

四、执业注册变更

1. 护士在其执业注册有效期内变更执业地点等注册项目，应当办理变更注册。但承担卫生行政部门交办或者批准的任务以及履行医疗卫生机构职责的护理活动，包括经医疗卫生机构批准的进修、学术交流等除外。

2. 注册部门应当自受理之日起7个工作日内为其办理变更手续。

五、注销执业注册

1. 护士执业注册后有下列情形之一的，原注册部门办理注销执业注册：

(1) 注册有效期届满未延续注册；

(2) 受吊销《护士执业证书》处罚；

(3) 护士死亡或者丧失民事行为能力。

2. 护士执业注册申请人隐瞒有关情况或者提供虚假材料申请护士执业注册的，卫生行政部门不予受理或者不予护士执业注册，并给予警告；已经注册的，应当撤销注册。

第三节　传染病防治法

一、立法目的和方针

(1) 制定本法的目的是为了预防、控制和消除传染病的发生与流行，保障人民健康和公共卫生。其中包含三层含义，即强调疾病发生前的预防措施、已发生后采取的控制措施，最终达到消除传染病的目的。

(2) 国家对传染病防治实行预防为主的方针，防治结合，分类管理、依靠科学、依靠群众。

二、传染病分类

1. 本法规定的传染病分为甲类、乙类和丙类。

(1) 甲类传染病是指：鼠疫、霍乱。

(2) 乙类传染病是指：传染性非典型肺炎、艾滋病、病毒性肝炎、脊髓灰质炎、人感染高致病性禽流感、麻疹、流行性出血热、狂犬病、流行性乙型脑炎、登革热、炭疽、细菌性和阿米巴性痢疾、肺结核、伤寒和副伤寒、流行性脑脊髓膜炎、百日咳、白喉、新生儿破伤风、猩红热、布鲁氏菌病、淋病、梅毒、钩端螺旋体病、血吸虫病、疟疾。

(3) 丙类传染病是指：流行性感冒、流行性腮腺炎、风疹、急性出血性结膜炎、麻风病、流行性和地方性斑疹伤寒、黑热病、包虫病、丝虫病，除霍乱、细菌性和阿米巴性痢疾、伤寒和副伤寒以外的感染性腹泻病。

2. 对乙类传染病中传染性非典型肺炎、炭疽中的肺炭疽和人感染高致病性禽流感，采取本法所称甲类传染病的预防、控制措施。

三、预防

(1) 医疗机构必须严格执行国务院卫生行政部门规定的管理制度、操作规范，防止传染病的医源性感染和医院感染。

(2) 医疗机构应当确定专门的部门或者人员，承担传染病疫情报告、本单位的传染病预防、控制以及责任区域内的传染病预防工作；承担医疗活动中与医院感染有关的危险因素监测、安全防护、消毒、隔离和医疗废物处置工作。

(3) 疾病预防控制机构、医疗机构的实验室和从事病原微生物实验的单位，应当符合国家规定的条件和技术标准，建立严格的监督管理制度，对传染病病原体样本按照规定的措施实行严格监督管理，严防传染病病原体的实验室感染和病原微生物的扩散。

(4) 采供血机构、生物制品生产单位必须严格执行国家有关规定，保证血液、血液制品的质量。禁止非法采集血液或者组织他人出卖血液。

(5) 疾病预防控制机构、医疗机构使用血液和血液制品，必须遵守国家有关规定，防止因输入血液、使用血液制品引起经血液传播疾病的发生。

四、疫情的报告

(1) 疾病预防控制机构、医疗机构和采供血机构及其执行职务的人员发现本法规定的传染病疫情或者发现其他传染病暴发、流行以及突发原因不明的传染病时，应当遵循疫情报告属地管理原则，按照国务院规定的或者国务院卫生行政部门规定的内容、程序、方式和时限报告。

军队医疗机构向社会公众提供医疗服务，发现前款规定的传染病疫情时，应当按照国务院卫生行政部门的规定报告。

(2) 任何单位和个人发现传染病患者或者疑似传染病患者时，应当及时向附近的疾病预防控制机构或者医疗机构报告。

五、控制

1. 医疗机构发现甲类传染病时，应当及时采取下列措施。

(1) 对患者、病原携带者，予以隔离治疗，隔离期限根据医学检查结果确定。

(2) 对疑似患者，确诊前在指定场所单独隔离治疗。

(3) 对医疗机构内的患者、病原携带者、疑似患者的密切接触者，在指定场所进行医学观察和采取其他必要的预防措施。

拒绝隔离治疗或者隔离期未满擅自脱离隔离治疗的，可以由公安机关协助医疗机构采取强制隔离治疗措施。

医疗机构发现乙类或者丙类传染病患者，应当根据病情采取必要的治疗和控制传播措施。

医疗机构对本单位内被传染病病原体污染的场所、物品以及医疗废物，必须依照法律、法规的规定实施消毒和无害化处置。

2. 疾病预防控制机构发现传染病疫情或者接到传染病疫情报告时，应当及时采取下列措施。

(1) 对传染病疫情进行流行病学调查，根据调查情况提出划定疫点、疫区的建议，对被污染的场所进行卫生处理，对密切接触者，在指定场所进行医学观察和采取其他必要的预防措施，并向卫生行政部门提出疫情控制方案。

(2) 传染病暴发、流行时，对疫点、疫区进行卫生处理，向卫生行政部门提出疫情控制方案，并按照卫生行政部门的要求采取措施。

(3) 指导下级疾病预防控制机构实施传染病预防、控制措施，组织、指导有关单位对传染病疫情的处理。

3. 对已经发生甲类传染病病例的场所或者该场所内的特定区域的人员，所在地的县级以上地方人民政府可以实施隔离措施，并同时向上一级人民政府报告；接到报告的上级人民政府应当即时作出是否批准的决定。上级人民政府作出不予批准决定的，实施隔离措施的人民政府应当立即解除隔离措施。

在隔离期间，实施隔离措施的人民政府应当对被隔离人员提供生活保障；被隔离人员有工作单位的，所在单位不得停止支付其隔离期间的工作报酬。

第四节　医疗事故处理条例

一、医疗事故的定义

本条例所称医疗事故，是指医疗机构及其医务人员在医疗活动中，违反医疗卫生管理法律、行政法规、部门规章和诊疗护理规范、常规，过失造成患者人身损害的事故。“医务人员”，是指依法取得执业资格的医疗卫生专业技术人员，如医师和护士等。

二、医疗事故的分级

(1) 一级医疗事故：造成患者死亡、重度残疾的。

(2) 二级医疗事故：造成患者中度残疾、器官组织损伤导致严重功能障碍的。

(3) 三级医疗事故：造成患者轻度残疾、器官组织损伤导致一般功能障碍的。

(4) 四级医疗事故：造成患者明显人身损害的其他后果的。

三、医疗事故的预防

(1) 医疗机构及其医务人员在医疗活动中，必须严格遵守医疗卫生管理法律、行政法规、部门规章和诊疗护理规范、常规，恪守医疗服务职业道德。

(2) 医疗机构应当按照国务院卫生行政部门规定的要求，书写并妥善保管病历资料。因抢救急危患者，未能及时书写病历的，有关医务人员应当在抢救结束后6小时内据实补记，并加以注明。

(3) 严禁涂改、伪造、隐匿、销毁或者抢夺病历资料。

(4) 患者有权复印或者复制其门诊病历、住院志、体温单、医嘱单、化验单（检验报告）、医学影像检查资料、特殊检查同意书、手术同意书、手术及麻醉记录单、病理资料、护理记录以及国务院卫生行政部门规定的其他病历资料。

四、医疗事故的处置

1. 发生医疗事故的，医疗机构应当按照规定向所在地卫生行政部门报告。发生下列重大医疗过失行为的，医疗机构应当在12小时内向所在地卫生行政部门报告：

(1) 导致患者死亡或者可能为二级以上的医疗事故；

(2) 导致3人以上人身损害后果；

(3) 国务院卫生行政部门和省、自治区、直辖市人民政府卫生行政部门规定的其他情形。

2. 发生或者发现医疗过失行为，医疗机构及其医务人员应当立即采取有效措施，避免或者减轻对患者身体健康的损害，防止损害扩大。

3. 发生医疗事故争议时，死亡病例讨论记录、疑难病例讨论记录、上级医师查房记录、会诊意见、病程记录应当在医患双方在场的情况下封存和启封。封存的病历资料可以是复印件，由医疗机构保管。

4. 疑似输液、输血、注射、药物等引起不良后果的，医患双方应当共同对现场实物进行封存和启封，封存的现场实物由医疗机构保管；需要检验的，应当由双方共同指定的、依法具有检验资格的检验机构进行检验；双方无法共同指定时，由卫生行政部门指定。

5. 患者死亡，医患双方当事人不能确定死因或者对死因有异议的，应当在患者死亡后48小时内进行尸检；具备尸体冻存条件的，可以延长至7日。尸检应当由按照国家有关规定取得相应资格的机构和病理解剖专业技术人员进行。拒绝或者拖延尸检，超过规定时间，影响对死因判定的，由拒绝或者拖延的一方承担责任医疗事故的技术鉴定。

五、医疗事故的技术鉴定

1. 卫生行政部门接到医疗机构关于重大医疗过失行为的报告或者医疗事故争议当事人要求处理医疗事故争议的申请后，对需要进行医疗事故技术鉴定的，应当交由负责医疗事故技术鉴定工作的医学会组织鉴定；医患双方协商解决医疗事故争议，需要进行医疗事故技术鉴定的，由双方当事人共同委托负责医疗事故技术鉴定工作的医学会组织鉴定。

2. 医疗事故中医疗过失行为的责任程度

(1) 完全责任，指医疗事故损害后果完全由医疗过失行为造成。

(2) 主要责任，指医疗事故损害后果主要由医疗过失行为造成，其他因素起次要作用。

(3) 次要责任，指医疗事故损害后果主要由其他因素造成，医疗过失行为起次要作用。

(4) 轻微责任，指医疗事故损害后果绝大部分由其他因素造成，医疗过失行为起轻微作用。

3. 不属于医疗事故的情形

(1) 在紧急情况下为抢救垂危患者生命而采取紧急医学措施造成不良后果的。

(2) 在医疗活动中由于患者病情异常或者患者体质特殊而发生医疗意外的。

(3) 在现有医学科学技术条件下，发生无法预料或者不能防范的不良后果的。

(4) 无过错输血感染造成不良后果的。

(5) 因患方原因延误诊疗导致不良后果的。

(6) 因不可抗力造成不良后果的。

4. 当事人对首次医疗事故技术鉴定结论不服的，可以自收到首次鉴定结论之日起 15 日内向医疗机构所在地卫生行政部门提出再次鉴定的申请。

六、医疗事故赔偿

1. 应当考虑下列因素，确定具体赔偿数额：

(1) 医疗事故等级；

(2) 医疗过失行为在医疗事故损害后果中的责任程度；

(3) 医疗事故损害后果与患者原有疾病状况之间的关系。

2. 事故赔偿按照下列项目和标准计算

(1) 医疗费：按照医疗事故对患者造成的人身损害进行治疗所发生的医疗费用计算，凭据支付，但不包括原发病医疗费用。结案后确实需要继续治疗的，按照基本医疗费用支付。

(2) 误工费：患者有固定收入的，按照本人因误工减少的固定收入计算，对收入高于医疗事故发生地上一年度职工年平均工资 3 倍以上的，按照 3 倍计算；无固定收入的，按照医疗事故发生地上一年度职工年平均工资计算。

(3) 住院伙食补助费：按照医疗事故发生地国家机关一般工作人员的出差伙食补助标准计算。

(4) 陪护费：患者住院期间需要专人陪护的，按照医疗事故发生地上一年度职工年平均工资计算。

(5) 残疾生活补助费：根据伤残等级，按照医疗事故发生地居民年平均生活费计算，自定残之月起最长赔偿 30 年；但是，60 周岁以上的，不超过 15 年；70 周岁以上的，不超过 5 年。

(6) 残疾用具费：因残疾需要配置补偿功能器具的，凭医疗机构证明，按照普及型器具的费用计算。

(7) 丧葬费：按照医疗事故发生地规定的丧葬费补助标准计算。

(8) 被扶养人生活费：以死者生前或者残疾者丧失劳动能力前实际扶养且没有劳动能力的人为限，按照其户籍所在地或者居所地居民最低生活保障标准计算。对不满 16 周岁的，扶养到 16 周岁。对年满 16 周岁但无劳动能力的，扶养 20 年；但是，60 周岁以上的，不超过 15 年；70 周岁以上的，不超过 5 年。

(9) 交通费：按照患者实际必需的交通费用计算，凭据支付。

(10) 住宿费：按照医疗事故发生地国家机关一般工作人员的出差住宿补助标准计算，凭据支付。

(11) 精神损害抚慰金：按照医疗事故发生地居民年平均生活费计算。造成患者死亡的，赔偿年限最长不超过 6 年；造成患者残疾的，赔偿年限最长不超过 3 年。

3. 参加医疗事故处理的患者近亲属所需交通费、误工费、住宿费，参照本条例第五十条的有关规定计算，计算费用的人数不超过 2 人。

4. 医疗事故造成患者死亡的，参加丧葬活动的患者的配偶和直系亲属所需交通费、误工费、住宿费，参照本条例第五十条的有关规定计算，计算费用的人数不超过 2 人。

5. 医疗事故赔偿费用，实行一次性结算，由承担医疗事故责任的医疗机构支付。

七、对医疗机构的处罚

有以下情形可给予医疗机构行政处罚：

(1) 未如实告知患者病情、医疗措施和医疗风险的。

(2) 没有正当理由，拒绝为患者提供复印或者复制病历资料服务的。

(3) 未按照国务院卫生行政部门规定的要求书写和妥善保管病历资料的。

(4) 未在规定时间内补记抢救工作病历内容的。

(5) 未按照本条例的规定封存、保管和启封病历资料和实物的。

(6) 未设置医疗服务质量监控部门或者配备专（兼）职人员的。

(7) 未制定有关医疗事故防范和处理预案的。

(8) 未在规定时间内向卫生行政部门报告重大医疗过失行为的。

(9) 未按照本条例的规定向卫生行政部门报告医疗事故的。

(10) 未按照规定进行尸检和保存、处理尸体的。

第五节 献血法

一、血站的职责

(1) 血站是采集、提供临床用血的机构，是不以营利为目的的公益性组织。设立血站向公民采集血液，必须经国务院卫生行政部门或者省、自治区、直辖市人民政府卫生行政部门批准。血站应当为献血者提供各种安全、卫生、便利的条件。血站的设立条件和管理办法由国务院卫生行政部门制定。

(2) 血站对献血者必须免费进行必要的健康检查；身体不符合献血条件的，血站应当向其说明情况，不得采集血液。献血者的身体健康条件由国务院卫生行政部门规定。

(3) 血站对献血者每次采集血液量一般为二百毫升，最多不得超过四百毫升，两次采集间隔期不少于六个月。

(4) 严格禁止血站违反前款规定对献血者超量频繁采集血液。

(5) 血站采集血液必须严格遵守有关规程和制度，采血必须由具有采血资格的医务人员进行，一次性采血器材用后必须销毁，确保献血者的身体健康。

(6) 血站应当根据国务院卫生行政部门规定的标准，保证血液质量。

(7) 血站对采集的血液必须进行检测；未经检测或检测不合格的血液，不得向医疗机构提供。

二、医疗机构的职责

(1) 临床用血的包装、储存、运输，必须符合国家规定的卫生标准和要求。

(2) 医疗机构对临床用血必须进行核查，不得将不符合国家规定标准的血液用于临床。

(3) 公民临床用血时，只交付用于血液采集、储存、分离、检验等费用；具体收费标准由国务院卫生行政部门会同国务院价格主管部门制定。

(4) 无偿献血者临床需要用血时，免交前款规定的费用；无偿献血者的配偶和直系亲属临床需要用血时，可以按照省、自治区、直辖市人民政府的规定免交或者减交前款规定的费用。

(5) 为保障公民临床急救用血的需要，国家提倡并指导择期手术的患者自身储血，动员家庭、亲友、所在单位以及社会互助献血。

(6) 为保证应急用血，医疗机构可以临时采集血液，但应当依照本法规定，确保采血用血安全。

(7) 医疗机构临床用血应当制定用血计划，遵循合理、科学的原则，不得浪费和滥用血液。

(8) 医疗机构应当积极推行按血液成分针对医疗实际需要输血。

三、法律责任

医疗机构的医务人员违反本法规定，将不符合国家规定标准的血液用于患者的，由县级以上地方人民政府卫生行政部门责令改正；给患者健康造成损害的，应当依法赔偿，对直接负责的主管人员和其他直接责任人员，依法给予行政处分；构成犯罪的，依法追究刑事责任。

第六节　侵权责任法

1. 患者在诊疗活动中受到损害，医疗机构及其医务人员有过错的，由医疗机构承担赔偿责任。

2. 医务人员在诊疗活动中应当向患者说明病情和医疗措施。需要实施手术、特殊检查、特殊治疗的，医务人员应当及时向患者说明医疗风险、替代医疗方案等情况，并取得其书面同意；不宜向患者说明的，应当向患者的近亲属说明，并取得其书面同意。

医务人员未尽到前款义务，造成患者损害的，医疗机构应当承担赔偿责任。

3. 因抢救生命垂危的患者等紧急情况，不能取得患者或者其近亲属意见的，经医疗机构负责人或者授权的负责人批准，可以立即实施相应的医疗措施。

4. 医务人员在诊疗活动中未尽到与当时的医疗水平相应的诊疗义务，造成患者损害的，医疗机构应当承担赔偿责任。

5. 患者有损害，因下列情形之一的，推定医疗机构有过错：

(1) 违反法律、行政法规、规章以及其他有关诊疗规范的规定；

(2) 隐匿或者拒绝提供与纠纷有关的病历资料；

(3) 伪造、篡改或者销毁病历资料。

6. 因药品、消毒药剂、医疗器械的缺陷，或者输入不合格的血液造成患者损害的，患者可以向生产者或者血液提供机构请求赔偿，也可以向医疗机构请求赔偿。

7. 患者有损害，因下列情形之一的，医疗机构不承担赔偿责任：

(1) 患者或者其近亲属不配合医疗机构进行符合诊疗规范的诊疗；

(2) 医务人员在抢救生命垂危的患者等紧急情况下已经尽到合理诊疗义务；

(3) 限于当时的医疗水平难以诊疗。

前款第一项情形中，医疗机构及其医务人员也有过错的，应当承担相应的赔偿责任。

8. 医疗机构及其医务人员应当按照规定填写并妥善保管住院志、医嘱单、检验报告、手术及麻醉记录、病理资料、护理记录、医疗费用等病历资料。

患者要求查阅、复制前款规定的病历资料的，医疗机构应当提供。

9. 医疗机构及其医务人员应当对患者的隐私保密。泄露患者隐私或者未经患者同意公开其病历资料，造成患者损害的，应当承担侵权责任。

10. 医疗机构及其医务人员不得违反诊疗规范实施不必要的检查。

11. 医疗机构及其医务人员的合法权益受法律保护。干扰医疗秩序，妨害医务人员工作、生活的，应当依法承担法律责任。

【考点强化】

1. 下列哪项不符合申请护士执业注册的条件

A. 具有完全民事行为能力

B. 符合国务院卫生主管部门规定的健康标准

C. 通过国务院卫生主管部门组织的护士执业资格考试

D. 在中等职业学校、高等学校完成国务院教育主管部门和国务院卫生主管部门规定的普通全日制3年以上的护理、助产专业课程学习

E. 在教学、综合医院完成3个月护理临床实习

2. 护士执业注册申请，应当自通过护士执业资格考试之日起几年内提出

A. 5年　B. 4年　C. 3年

D. 2年　E. 1年

3. 护士执业注册有效期为

A. 1年　B. 2年　C. 3年

D. 4年　E. 5年

4. 护士执业注册有效期届满需要继续执业的，应当在护士执业注册有效期届满前多长时间向执业地卫生主管部门申请延续注册

A. 10天　B. 20天　C. 30天

D. 60天　E. 90天

5. 下列哪项不是护士执业应具有的权利

A. 按照国家有关规定获取工资报酬、享受福利待遇、参加社会保险的权利

B. 获得与其所从事的护理工作相适应的卫

生防护、医疗保健服务的权利

C. 有按照国家有关规定获得与本人业务能力和学术水平相应的专业技术职务、职称的权利

D. 有获得疾病诊疗、护理相关信息的权利和其他与履行护理职责相关的权利等

E. 有拒绝参加危险性抢救工作的权利

6. 下列哪项不是护士的义务

A. 护士执业，应当遵守法律、法规、规章和诊疗技术规范的规定

B. 护士在执业活动中，发现患者病情危急，应当立即通知医师；在紧急情况下为抢救垂危患者生命，应当先行实施必要的紧急救护

C. 护士发现医生有违反法律、法规、规章或者诊疗技术规范规定的，应当及时向医疗卫生管理部门举报

D. 护士应当尊重、关心、爱护患者，保护患者的隐私

E. 护士有义务参与公共卫生和疾病预防控制工作

7. 医疗卫生机构不得允许下列哪种人员在本机构从事诊疗技术规范规定的护理活动

A. 取得护士执业证书满3年的护士

B. 取得护士执业证书满4年的护士

C. 依照规定办理执业地点变更手续的护士

D. 护士执业注册有效期届满后延续执业注册的护士

E. 仅通过护士执业资格考试的护士

8. 医疗卫生机构有下列哪种情形的，由县级以上地方人民政府卫生主管部门依据职责分工责令限期改正，给予警告

A. 未执行国家有关工资、福利待遇等规定的

B. 对在本机构从事护理工作的护士，未按照国家有关规定足额缴纳社会保险费用的

C. 未为护士提供卫生防护用品，或者未采取有效的卫生防护措施、医疗保健措施的

D. 护士的配备数量低于国务院卫生主管部门规定的护士配备标准的

E. 对在艰苦边远地区工作，或者从事直接接触有毒有害物质、有感染传染病危险工作的护士，未按照国家有关规定给予津贴的

9. 护士被吊销执业证书的，自执业证书被吊销之日起几年内不得申请执业注册

A. 5年　B. 4年　C. 3年

D. 2年　E. 1年

10. 扰乱医疗秩序，阻碍护士依法开展执业活动，侮辱、威胁、殴打护士，或者有其他侵犯护士合法权益行为的，由什么部门给予处罚

A. 人民政府　B. 卫生主管部门

C. 公安机关　D. 医学会

E. 妇联

11. 护士在执业活动中，由县级以上地方人民政府卫生主管部门依据职责分工责令改正，给予警告的情形不包括

A. 发现患者病情危急未立即通知医师的

B. 发现医嘱违反法律、法规、规章或者诊疗技术规范的规定，未依照本条例第十七条的规定提出或者报告的

C. 泄露患者隐私的

D. 护士在执业活动中造成医疗事故的

E. 发生自然灾害、公共卫生事件等严重威胁公众生命健康的突发事件，不服从安排参加医疗救护的

12. 申请护士执业注册，应当符合的健康标准不包括

A. 无精神病史　B. 无色盲、色弱

C. 双耳听力障碍　D. 无残疾

E. 无传染性疾病史

13. 以下情形中，不应撤销护士执业注册的是

A. 注册有效期届满未延续注册

B. 受吊销《护士执业证书》处罚

C. 护士死亡或者丧失民事行为能力

D. 护士执业注册申请人隐瞒有关情况或者提供虚假材料注册的

E. 中断护理执业活动超过半年的

14. 《传染病防治法》规定，国家对传染病实行的方针与管理办法是

A. 预防为主，防治结合，统一管理

B. 预防为主，防治结合，分类管理

C. 预防为主，防治结合，划区管理

D. 预防为主，防治结合，分片管理

E. 预防为主，防治结合，层级管理

15. 我国甲类传染病是指

A. 肺结核、血吸虫

B. 病毒性肝炎、细菌性痢疾

C. 鼠疫、霍乱　　D. 百日咳、白喉

E. 包虫病、麻风病

16.《传染病防治法》规定的乙类传染病有

A. 鼠疫　　B. 流行性感冒

C. 艾滋病　　D. 肺结核

E. 霍乱

17.《医疗事故处理条例》规定，残疾生活补助费应根据伤残等级，自定残之日起最长赔偿

A. 5 年　　B. 10 年

C. 15 年　　D. 20 年

E. 30 年

18.《医疗事故处理条例》规定，对 60 周岁以上的患者因医疗事故致残的，赔偿其残疾生活补助费的时间不超过

A. 5 年　　B. 10 年

C. 15 年　　D. 20 年

E. 30 年

19. 青年李某，右下腹疼痛难忍，到医院就诊。经医师检查，检验，当即诊断为急性阑尾炎，遂对其施行阑尾切除术。手术情况正常，但拆线时发现伤口愈合欠佳，有淡黄色液体渗出。手术医师告知，此系缝合切口的羊肠线不为李某人体组织吸收所致，在临床中少见。经过近 1 个月的继续治疗，李某获得痊愈。根据《医疗事故处理条例》规定，李某被拖延近 1 个月后才得以痊愈这一客观后果，应当属于

A. 二级医疗事故　　B. 三级医疗事故

C. 四级医疗事故

D. 因患者体质特殊而发生的医疗意外

E. 因不可抗力而造成的不良后果

20. 三级医疗事故的确切内涵是

A. 造成患者死亡、重度残疾的

B. 造成患者中度残疾、器官组织损伤导致严重功能障碍的

C. 造成患者轻度残疾、器官组织损伤导致一般功能障碍的

D. 造成患者明显人身损害的其他后果的

E. 没有造成患者明显人身损害的其他后果的

21. 护士赵某，因疏忽大意误将青霉素当成链霉素给患者注射，但未给患者造成严重后果。这种过失属于

A. 医疗意外　　B. 医疗责任事故

C. 护理差错　　D. 医疗技术事故

E. 医疗意外

22. 医疗事故是指

A. 虽有诊疗护理错误，但未造成患者死亡、残疾、功能障碍的

B. 由于病情或患者体质特殊而发生难以预料的不良后果的

C. 在诊疗护理中，因医务人员诊疗护理过失，直接造成患者死亡、残疾、功能障碍的

D. 发生难以避免的并发症

E. 医务人员在诊疗护理中存在失误，导致患者不满意

23. 为保障公民临床急救用血的需要，国家提倡并指导择期手术的患者

A. 率先献血　　B. 互助献血

C. 自愿献血　　D. 自身储血

E. 同型输血

24. 献血者两次采血的间隔时间不得少于

A. 2 个月　　B. 3 个月

C. 4 个月　　D. 5 个月

E. 6 个月

25. 医疗机构的医务人员违反《献血法》规定，将不符合国家规定标准的血液用于患者的，由县级以上卫生行政部门给予的行政处罚是

A. 警告　　B. 罚款

C. 吊销《医疗机构执业许可证》

D. 责令改正　　E. 限期整顿

26. 患者有损害，不能根据下列哪种情形推定医疗机构有过错

A. 违反法律、行政法规、规章以及其他有关诊疗规范的规定

B. 隐匿与纠纷有关的病历资料

C. 拒绝提供患者的住院或门诊治疗及检查资料

D. 伪造、篡改或者销毁病历资料

E. 违反诊疗规范实施不必要的检查

【参考答案】

1. E　2. C　3. E　4. C　5. E
6. C　7. E　8. D　9. D　10. C
11. D　12. E　13. E　14. B　15. C
16. C　17. E　18. C　19. D　20. C
21. C　22. C　23. D　24. E　25. D
26. E

第二章 护理管理

一、医院护理管理的组织原则

（1）等级和统一指挥的原则：将组织的职权、职责按照上下级关系划分，上级指挥下级，下级听从上级指挥；在管理中需要统一领导、统一指挥。组织的每一个层级只能有一个人负责，下级只接受一位上级管理人员的命令和指挥。下级只向直接上级请示，只有在确认直接指挥错误时可越级上报。

（2）专业化分工与协作的原则：分工是根据组织的任务、目标，按照专业进行合理分工，使每一个部门和个人明确各自任务、完成的手段、方式和目标。协作是以明确各部门之间的关系为前提，协作是各项工作顺利进行的保证，协调是促进组织成员有效协作的手段。

（3）管理层次的原则：要做到组织有效地运转，组织中的层次应越少越好。护理管理模式由原来的三级管理变成扁平式二级管理模式。

（4）有效管理幅度的原则：管理幅度是指不同层次管理人员能直接领导的隶属人员人数，管理幅度应是合理有限的。

（5）职责与权限一致的原则：职位和权利是相对等的，要根据组织中的一些部门或者人员所负责的任务，赋予相应的职权。授予的权利不应大于或小于其职责，下级也不能超越自身的权利范围。

（6）集权分权结合原则：集权能够强化领导的作用，有利于协调组织的各项活动；分权能够调动每一个管理者的积极性，使他们根据需要灵活有效地组织活动。

（7）任务和目标一致的原则：强调各部门的目标与组织的总目标保持一致，各部门或者科室的分目标必须服从组织的总目标。

（8）稳定适应的原则：组织内部结构要有相对的稳定性，但需要随着组织内外环境的变化作出适应性的调整。

（9）精干高效原则。

（10）执行与监督分设原则：执行机构与监督机构分开设立，赋予监督机构相对独立性，才可能发挥作用。

二、临床护理工作组织结构

我国医院护理组织结构主要有如下几种形式。

（1）在院长领导下，设护理副院长、护理部主任、科护士长、护士长，实施垂直管理；

（2）在主管医疗护理副院长领导下，设护理部主任、科护士长、护士长；

（3）床位不满300张的医院，不设护理部主任，只设立总护士长、护士长的二级管理；

（4）在主管院长的领导下，设立护理部主任、科护士长、护士长，但科护士长纳入护理部合署办公，实行扁平化的二级管理模式。

三、护理工作模式

1. 个案护理：由专人负责实施个体化护理，一名护理人员负责一位患者全部护理的护理工作方式。适用于抢救患者或某些特殊患者，也适用于临床教学需要。

2. 功能制护理：以工作为导向，按工作内容分配护理工作，各司其职。护士分工明确，易于组织管理，节省人力。

3. 小组制护理：以小组形式（3～5位护士）对一组患者（10～20位）进行整体护理。组长制定护理计划和措施，小组成员共同合作完成患者的护理。

4. 责任制护理：由责任护士和辅助护士按护理程序对患者进行全面、系统和连续的整体护理。责任制护理具有整体性、连续性、协调性、个体化的特点。

5. 系统性整体护理：整体护理是以患者的健康为中心，以现代护理观为指导，以护理程序为核心，为患者提供心理、生理、社会、文化等全方位的最佳护理，并将护理临床业务和护理管理环节系统化的工作模式。是责任制护理的进一步完善。

四、医院常用的护理质量标准

护理质量标准是指在护理质量管理中，以标准化的形式，根据护理工作内容及特点、流程、管理要求、护理人员及服务对象的特点，以患者满意为标准，制定护理人员严格遵循和掌握的护理工作准则、规定、程序和办法。护理质量标准是衡量护理质量的准则，是规范护理行为的依据，使护理工作科学化、制度化、规范化。

（1）技术操作质量总标准：实施以患者为中心的整体护理，严格执行三查七对，操作正确及时、安全、节力、省时、省物。严格执行无菌原则及操作程序，操作熟练。

（2）病房护理工作质量标准

① 病房管理：病房内清洁、整齐、安静、舒适。病室规范，工作有序；贵重药、毒麻药有专人管理，药柜加锁，账物符合；病室陪伴率符合医院标准；预防医院感染和护理合并症的发生；有健康教育制度。

② 基础护理与重症护理：病情观察全面及时，掌握患者基本情况，如诊断、病情、治疗、检查结果及护理等；患者六洁［口腔、头发、皮肤、指（趾）甲、会阴、床单位］、四无（无压疮、无坠床、无烫伤、无交叉感染）；落实基础护理和专科护理，有效预防并发症。各种引流管、瓶清洁通畅，达到要求；晨晚护理符合规范；危重患者有护理计划、专科护理到位，无合并症；急救物品齐全、抢救技术熟练，医嘱执行准确及时。做好监护抢救护理及护理记录，整齐、舒适、安全、无并发症。

③ 无菌操作及消毒隔离：各项无菌技术操作符合无菌要求；消毒物品方法正确；浸泡器械的消毒液浓度、更换时间及液量达到标准；扫床套及患者小桌擦布“一人一套”、“一人一巾”，用后浸泡消毒；餐具及便器用后消毒；治疗室、处置室、换药室严格执行消毒隔离制度，定期消毒并做空气细菌培养，做好记录；传染病患者按病种进行隔离；应使用一次性注射器、输液器；所有无菌物品均注明灭菌日期，单独放置，确保无过期物品；了解各种消毒液使用的浓度、范围及配制方法；医疗垃圾使用黄塑料袋集中处理。建立预防院内感染的质检机构，制度及措施，有检测消毒、灭菌效果的手段。

④ 岗位责任制健全：明确护理部主任、科护士长、护士长、护士、护理员等工作职责。

⑤ 护士素质：服装清洁整齐、举止大方；对患者态度和蔼，语言文明，待人礼貌，热情主动做好各项护理工作，贯彻保护性医疗制度；关心热爱集体，团结协作，努力学习业务；遵守规章制度，坚守岗位；热心为患者做好健康宣教工作。

（3）门诊护理工作质量标准

① 门诊管理：工作人员要坚守岗位，衣帽整齐、举止大方；诊室清洁整齐，维持良好就诊秩序；采用不同形式进行健康宣教；各项工作制度健全并严格执行。

② 服务台工作：做好分诊工作，做到传染病患者不漏诊；服务态度好；做好开诊前准备工作；组织维持患者候诊、就诊，配合医生诊疗工作；做到无菌操作和消毒隔离。

（4）手术室质量标准

① 无菌操作和消毒隔离：严格执行无菌操作规程，无菌手术感染率小于0.5%，三类切口感染有追踪登记制度；有严格的消毒隔离制度并认真贯彻；每月定期进行细菌培养及对手术室空气、医护人员的手、物品进行监测；无过期无菌物品；对感染手术严格执行消毒隔离制度。

② 手术室应清洁、卫生、安静，有定期清扫制度；工作人员的衣、帽、鞋按要求穿戴；对参观人员、实习人员有管理要求；高压灭菌达到无菌要求，有灭菌效果监测；各种登记制度健全。

③ 手术室各岗位工作制度：巡回护士根据手术要求做好准备工作，保证物品及时供应和性能良好，能主动准确配合手术及抢救工作，无差错。作好术前访视，术中护理，注意与患者交流与宣教，保证患者舒适及安全；洗手护士能熟练配合手术，严格执行无菌操作，和巡回护士共同认真查对患者、手术部位、用药、输血、器械敷料及手术标本，保证术后伤口内无遗留物等，做好记录。

（5）供应室质量标准

① 无菌操作和消毒隔离：所供应的灭菌物品均注明灭菌日期，无过期物品；定期抽样

做细菌培养，监测灭菌效果，高压灭菌达到无菌要求，每锅均有指示剂监测灭菌效果；无菌物品存放室、清洗与包装间、高压灭菌消毒室定期做空气培养；无菌、有菌物品分开放置。

② 物品供应：各种物品能下收下送，收发无差错；物品灭菌达要求，无热源；物品种类齐全适用，质量合格；救急物品供应齐全、备足数量；物资保管好，定期清点维修，防止浪费和丢失。做好一次性物品发放及回收管理工作。

(6) 护理文件书写的质量标准：护理记录书写客观、真实、可靠、准确、及时、完整，体现以患者为中心，使用碳素或蓝黑色水笔书写，病情描述确切、简要、动态反映病情变化，重点突出，运用医学术语。字迹清晰、端正、无错别字，不得用刮、粘、涂等方法掩盖或去除原字迹。体温单绘制清晰，不间断、无漏项。执行医嘱时间准确，双人签名。

(7) 临床护理的质量标准

① 特级护理、一级护理

a. 特级护理：设专人24小时护理，备齐各种急救药品、器材。制订并执行护理计划，严密观察病情。正确及时做好各项治疗、护理，并做好特护记录。做好各项基础护理，患者无并发症。

b. 一级护理：按病情需要准备急救用品，制订并执行护理计划，每小时巡视，密切观察病情变化，并做好记录。做好晨晚间护理，保护皮肤清洁无压疮。

② 急救物品：配备完好的急救物品及药品、物品完好，完整无缺，处于备用状态。做到及时检查维修、及时领取报销，定专人保管、定时检查核对、定点放置、定量供应、定期消毒。合格率100%。

③ 基础护理标准：患者清洁、整齐、舒适、安全、安静、无并发症。

④ 消毒灭菌标准：有负责消毒隔离的健全的组织机构，有预防院内感染的规定和措施，有监测消毒灭菌的技术手段；严格区分无菌区及有菌区，无菌物品必须放置在无菌专用柜内储存，有明显标签，注明时间；熟练掌握各种消毒方法及消毒液的浓度及用法；手术室、供应室、产房、婴儿室、治疗室、换药室等定期做空气培养。应用紫外线空气消毒应有登记检查制度。各项无菌物品灭菌合格率100%。

五、医院护理质量缺陷及管理

1. 概念

(1) 护理质量缺陷：指在护理活动中，出现技术、服务、管理等方面的失误。护理质量缺陷表现为患者对护理的不满意、医疗事故、医疗纠纷，包括护理事故、护理差错、护理投诉等。

(2) 护理差错：指护理活动中，由于责任心不强、工作疏忽、不严格执行规章制度、违反医疗卫生管理法律、行政法规、部门规章和诊疗护理规范、常规，过失造成患者直接或间接的影响，但未造成严重后果，未构成医疗事故的。

(3) 医疗纠纷：指患者或者其家属对医疗护理服务的过程、内容、结果、收费或者服务等不同方面存在不满而发生的诉求，或者对同一医疗事件的原因、后果、处理方式或其轻重程度产生分歧，发生争执。

2. 护理质量缺陷的管理

(1) 护理质量缺陷的控制关键在预防。

(2) 认真履行差错事故上报制度。发生护理事故后，当事人应立即报告科室护士长及科室领导，科室护士长应立即向护理部报告，护理部应随即报告给医务处或者相关医院负责人。发生护理差错后，当事人应立即报告护士长及科室相关领导，护士长应在24小时内填写报表上报护理部。

(3) 加强教育，增强各级护理人员的护理质量安全意识。

(4) 增强护理人员的法律意识和法制观念，自觉遵守法律法规，防范由于法制观念不强造成的护理疏忽或护理缺陷。

(5) 不断学习和培训，提高护理人员的专业技能和业务水平。

(6) 建立健全不同层次的护理质量控制系统。

(7) 建立健全护理安全管理制度、突发事件应急预案等及各类安全管理制度。

(8) 运用PDCA循环的护理管理的基本方法，对护理质量和安全持续改进。

① P代表计划，即检查质量状况，找出存在问题，查出产生质量问题的原因，针对主要原因制订具体实施计划。

② D代表实施，即贯彻和实施预定的计

划和措施。

③ C代表检查，即检查预定目标执行情况。

④ A代表处理，即总结经验教训。

（9）强化经济杠杆的监督促进作用。

【考点强化】

1. 针对某病房近期出现护理投诉和差错，有两位科护士长介入帮助整改，病房护士长对于两位科护士长的不同要求感到无所适从。从管理的角度来看，违背的组织原则是

A. 管理层次的原则
B. 专业化分工与协作的原则
C. 有效管理幅度的原则
D. 集权分权结合原则
E. 等级和统一指挥的原则

2. 既能够强化领导的作用，有利于协调组织的各项活动，又能够调动每一个管理者的积极性，这种组织原则是

A. 集权分权结合原则
B. 任务和目标一致的原则
C. 精干高效原则
D. 专业化分工与协作的原则
E. 执行与监督分设原则

3. 儿科护士长指派护士小李负责新生儿组的护理工作，为了提高小李的工作积极性和创造性，遂任命其为新生儿组组长。这种做法体现的组织原则是

A. 职责与权限一致的原则
B. 集权分权结合原则
C. 任务和目标一致的原则
D. 稳定适应的原则
E. 精干高效原则

4. 组织内部结构要有相对的稳定性，但需要随着组织内外环境的变化做出适应性的调整。这种组织原则是

A. 等级和统一指挥的原则
B. 职责与权限一致的原则
C. 精干高效的原则
D. 执行与监督分设原则
E. 稳定适应的原则

5. 我国医院护理组织结构形式不包括

A. 在院长领导下，设护理副院长、护理部主任、科护士长、护士长
B. 在主管医疗护理副院长领导下，设护理部主任、科护士长、护士长
C. 床位不满300张的医院，不设护理部主任，只设立总护士长、护士长的二级管理
D. 在主管院长的领导下，设立护理部主任、科护士长、护士长
E. 在院长领导下，设护理副院长、护理部主任、总护士长、科护士长、护士长

6. 由专人负责实施个体化护理，一名护理人员负责一位患者全部护理的护理工作模式为

A. 个案护理　B. 功能制护理
C. 责任制护理　D. 小组护理
E. 临床路径

7. 以工作为导向，按工作内容分配护理工作，各司其职的工作模式是

A. 个案护理　B. 功能制护理
C. 责任制护理　D. 小组护理
E. 临床路径

8. 以小组形式对一组患者进行整体护理；组长制定护理计划和措施，小组成员共同合作完成患者的护理。这种工作模式为

A. 个案护理　B. 功能制护理
C. 责任制护理　D. 小组护理
E. 临床路径

9. 由责任护士和其辅助护士负责一定数量患者从入院到出院，以护理计划为内容，包括入院教育、各种治疗、基础护理和专科护理、护理病历书写、观察病情变化、心理护理、健康教育、出院指导。这种形式的护理方式是

A. 个案护理　B. 功能制护理
C. 责任制护理　D. 小组护理
E. 临床路径

10. 在手术室质量标准中，无菌手术感染率要求小于

A. 0.1%　B. 0.5%　C. 1.0%
D. 1.5%　E. 2.0%

11. 在手术室质量标准中，要求对手术室医护人员的手、物品进行定期细菌培养的周期是

A. 每天　B. 每周　C. 每两周
D. 每月　E. 每季度

12. 不属于对洗手护士的工作要求是

A. 做好术前访视，术中护理，注意与患者交流与宣教，保证患者舒适及安全
B. 和巡回护士共同认真查对患者

C. 熟练配合手术
D. 严格执行无菌操作
E. 保证术后伤口内无遗留物

13. 一级护理患者巡视的时间是
A. 每半小时　B. 每 1 小时
C. 每 2 小时　D. 每 3 小时
E. 随时

14. 急救物品和药品的管理标准不包括
A. 定专人保管　B. 定人使用
C. 定时检查核对
D. 定点放置　E. 定期消毒

15. 急救物品的合格率是
A. 100%　B. 99%以上
C. 98%以上　D. 95%以上
E. 90%以上

16. 不需要做定期空气培养的场所是
A. 手术室　B. 供应室
C. 药房　D. 产房
E. 婴儿室

17. 无菌物品灭菌合格率是
A. 100%　B. 99%以上
C. 98%以上　D. 95%以上
E. 90%以上

18. 病房护士发生护理差错后，护士长应在多长时间内填写报表上报护理部
A. 12 小时　B. 24 小时　C. 36 小时
D. 48 小时　E. 72 小时

19. 运用 PDCA 循环的护理管理方法，对护理质量持续改进，其中“C”代表
A. 计划　B. 检查　C. 实施
D. 循环　E. 处理

20. 护理质量控制以预防为主，鼓励上报分析的是
A. 护理差错　B. 护理纠纷　C. 护理事故
D. 不良事件　E. 护理缺陷

【参考答案】

1. E　2. A　3. C　4. E　5. E
6. A　7. B　8. D　9. C　10. B
11. D　12. A　13. B　14. B　15. A
16. C　17. A　18. B　19. B　20. A

第三章　护理伦理与人际沟通

第一节　护理伦理

一、护士执业中的伦理原则

1. 自主原则：自主原则是指自我选择、自主行动或依照个人意愿做自我的管理和决策。自主原则是尊重患者自己做决定的原则，自主原则的含义是指医护人员在为患者提供医疗照护活动之前，事先向患者说明医护活动的目的、益处以及可能的结果，然后征求患者的意见，由患者自己决定。自主原则使用于能够做出理性决定的人，不适用于自主能力减弱、没有自主能力的患者，如婴儿、严重智障者、昏迷患者等。自主原则将患者自我决定视为护患关系中的最高价值。自主原则中最能代表尊重患者自主的方式是“知情同意”。自主原则要求护理人员尊重患者的自主权，承认患者有权根据自己的考虑就其自己的事情做出合乎理性的决定。

2. 不伤害原则：不伤害原则是指不给患者带来本来可以避免的肉体和精神上的痛苦、损伤、疾病甚至死亡。不伤害原则实质上就是“权衡利害”原则的运用。不伤害原则要求护理人员积极了解评估各项护理活动可能对患者造成的影响；重视患者的愿望和利益，提供应有的最佳照顾。

3. 公正原则；在医疗照护方面，公正原则是以公平合理的处事态度对待患者和相关家

属、其他患者以及直接或间接受影响的社会大众。公正包括平等对待患者、合理分配医疗资源两方面的内容。公正原则要求护理人员平等的对待患者，要尊重每一个患者，以同样的热忱对待每一个患者，以认真负责的作风和态度对待每个患者，任何患者的正当愿望和合理要求应予以尊重和满足，要尊重和维护患者平等的基本医疗照护权。

4. 行善原则：行善原则是指医护人员对患者直接或间接履行仁慈、善良和有力的德行。行善原则要求护理人员积极做对患者有益的事，排除既存的损伤、伤害、损害或丧失能力等情况，尽力减轻患者受伤害的程度。

二、护士的权利和义务

参见护理法规相关内容。

三、患者的权利

（1）隐私权：患者有个人隐私和个人尊严被保护的权利，患者有权要求对其病情资料、治疗内容和记录应保守秘密。患者有权要求对其医疗计划，包括病例讨论、会诊、检查和治疗都应审慎处理，未经同意不允许泄露，不允许任意将患者姓名、身体状况、私人事务公开，更不能与其他不相关人员讨论患者的病情和治疗。

（2）知情权：患者有获得全部实情的知情权，患者有权获知有关自己的诊断、治疗和预后的最新信息。在医疗活动中，医疗机构及其医务人员应当将患者的病情、医疗措施、医疗风险等如实告知患者，及时解答其咨询；但是，应当避免对患者产生不利后果。

（3）平等权：患者有平等享受医疗的权利，享受的医疗权利也是平等的。任何医护人员和医疗机构都不得拒绝患者的求医要求。医护人员应平等地对待每一个患者，自觉维护一切患者的权利。

第二节　人际沟通

一、人际沟通的基本理论与技术

（一）沟通的概念

沟通是信息遵循一系列共同的规则相互传递的过程。沟通是形成人际关系的手段。

（二）沟通的基本要素

沟通包括沟通的背景或情景、信息发出者、信息、信息传递途径、信息接受者和反馈6个基本要素。

（三）沟通的基本层次

（1）一般性沟通：是沟通的最低层次，沟通的双方只使用一些表面性的、社会应酬性的话题，如“今天天气不错”、“您好吗”等。

（2）陈述事实的沟通：是一种纯工作性质的沟通，不掺加个人意见、判断，不涉及人与人之间关系的一种客观性沟通。如“我曾做过剖宫产手术”、“我今年50岁”等。这一层次的沟通对护士了解患者的情况非常重要。

（3）分享个人的想法：患者对护士表达自己的想法，表示护患之间已建立起信任感。

（4）分享感觉：在沟通双方相互信任的基础上才会发生。

（5）一致性的沟通：是沟通的最高层次，指沟通双方对语言和非语言性行为的理解一致，达到分享彼此感觉的最高境界。

（四）沟通的基本类型

1. 语言性沟通：使用语言、文字或符号进行的沟通称为语言性沟通。语言沟通可分为书面语言及口头语言两种。

（1）书面语言：以文字及符号为传递信息的工具的交流方法。包括报告、信件、文件、书本、报纸、电视等形式。

（2）口头语言：以言语为传递信息的工具，包括交谈、演讲、汇报、电话、讨论等形式。

（3）类语言：伴随沟通所产生的声音，包括音质、音域及音调的控制、嘴形的控制，发音的清浊、节奏、共鸣、语速、语调、语气等的使用。类语言可以影响沟通过程中人的兴趣及注意力。

2. 非语言性沟通：非语言沟通是通过躯体姿势和运动、面部表情、空间、声音和触觉等来进行信息的沟通。非语言沟通具真实性、广泛性、持续性、情景性的特点。其主要形式如下。

(1) 体语：指通过人体运动表达的信息，如仪表、面部表情、眼神、姿态、手势、触摸等。

(2) 空间距离及个人的空间位置：指沟通双方对他们沟通中的空间和距离的理解与运用。个体沟通时的空间与距离会影响个体的自我暴露程度与舒适感。人际交往中的距离分类如下。

① 亲密距离：是人际沟通中最小的间隔或无间隔的距离。沟通双方距离小于 50cm。这种距离主要在极亲密的人之间或护士进行某些技术操作时应用。

② 个人距离：指沟通双方距离在 50～100cm 之间，人们与亲友交谈、护士与患者进行交谈时主要使用此距离。

③ 社会距离：是一种社交性的或礼节性的较为正式的关系，沟通双方距离在 1.0～4m 之间。在工作单位和社会活动时常用，如同事一起工作时或护士通知患者吃饭等。

④ 公众距离：是一种大众性、群体性的沟通方式。沟通双方距离在 4m 以上，一般用于正式公开讲话中，如上课、开会等。

(3) 反应时间。

(4) 类语言。

(五) 影响有效沟通的因素

(1) 信息发出者和信息接收者的个人因素：包括生理因素、情绪状态、知识水平、社会背景、个性特征、外观形象等。

(2) 信息因素：包括信息本身是否清楚、完整、符合逻辑、是否相互矛盾等。

(3) 环境因素：包括物理环境和社会环境，如人际关系、沟通的距离、氛围等。

(4) 不适当的沟通方式：如突然改变话题、急于陈述自己的观点、匆忙下结论或表达个人的判断、虚假或不适当的安慰、针对性不强的解释、引用事实不当等。

(六) 常用的沟通技巧

1. 沉默：以和蔼的态度表示沉默将会给人以舒服的感觉。沉默会给对方充分的思考及调节的时间和机会，使人能充分宣泄自己的感情，并调节沟通的气氛。

2. 触摸：触摸是人际沟通时最亲密的动作。在触摸时必须选择合适的时机及触摸对象。护士可通过适当的触摸表达对患者的关心、理解和支持，也是护士与视觉或听觉有障碍的患者进行有效沟通的重要方法。

3. 倾听：倾听时，护士要做到注意力集中，全神贯注，避免分心；耐心，不随意打断患者的谈话；不急于做判断；除关注患者的语言信息外还要关注患者的非语言信息，以了解患者真正要表达的意思。此外，护士应注意做到与患者经常保持眼神的交流，进行适当的提问以及采用适当的非语言信息时常给患者以响应。

4. 反应：即信息接收者（护士）将部分或全部的沟通内容反述给发出者（患者），使其能对自己的谈话和表现进行评估。

5. 提问：提问时，护士应注意组织好提问的内容，围绕谈话中心，避免跑题；所用语言应能为患者理解，避免应用术语；此外，应注意提问的时机、语气、语调和句式，避免诱导式的提问和不愉快的提问。

6. 重复：指将患者关键的话重复一遍；或保持患者原意不变，将患者的话用自己的语言给予复述。

7. 澄清和阐明：澄清是将患者模棱两可、含糊不清或不够完整的谈话弄清楚，以增强沟通的准确性。阐明是对患者所表达的问题进行解释的过程，目的是为患者提供一个新的观点。

二、护士与患者的关系

(一) 护患关系的性质

(1) 护患关系是以治疗为目的的专业性、帮助性关系。

(2) 护患关系是一种工作关系。

(3) 护患关系是一种以服务对象为中心的关系。

(4) 护患关系是一种多方位的人际关系。

(5) 护患关系是一种互动关系。

(6) 护患关系是一种治疗关系。

(7) 护患关系是一种短暂性的人际关系。

(二) 护患关系的基本模式

1. 主动-被动型：这是一种最常见的单向性的，以生物医学模式及疾病的护理为主导思想的护患关系模式。其特征为“护士为服务对象做什么”。护士在护患关系中占主导地位，而患者则处于完全被动的、接受的从属地位。

即所有的护理活动，只要护士认为有必要，不需经患者同意就可实施。这种模式主要适用于对昏迷、休克、全麻、有严重创伤及精神病的服务对象进行护理时的护患关系。

2. 指导-合作型：这是一种微弱单向，以生物医学-社会心理及疾病的护理为指导思想的护患关系，其特征是“护士教会服务对象做什么”。在护理活动过程中，护患双方都具有主动性。由护理人员决定护理方案、护理措施，而患者则尊重护理人员的决定，并主动配合，提供自己与疾病有关的信息，对方案提出意见与建议。这种模式主要适用于对急性病服务对象护理时的护患关系。

3. 共同参与型：这是一种双向性的，以生物医学-社会心理模式及健康为中心的护患关系模式。其特征为“护士帮助服务对象自我恢复”。护患双方具有大致同等的主动性和权利，共同参与护理措施的决策和实施。患者不是被动接受护理，而是积极主动配合，参与护理；护士尊重患者权利，与患者协商共同制定护理计划。此模式主要适用于患慢性病和受过良好教育的患者。

（三）护患关系的分期

1. 第一期（初始期）：从患者与护士开始接触时就开始了。此期的主要任务是护患之间建立信任关系，并确定患者的需要。信任关系是建立良好护患关系的决定性因素之一。

2. 第二期（工作期）：此期护患之间在信任的基础上开始合作，主要任务是护理人员通过实施护理措施来帮助患者解决健康问题，满足患者需要，达到护理目标。

3. 第三期（结束期）：在达到护理目标后，护患关系就进入结束阶段，此期的主要任务是圆满地结束护患关系。

三、护士与医生的关系

护士与医生的关系简称医护关系，是指医生和护士两种不同职业的人们在医疗护理活动中形成的相互关系，是护理人际关系中重要的组成部分。

1. 医护关系的模式

（1）主导-从属模式：医生为主导，护士为从属。

（2）独立-协作关系：在医疗过程中，医生起主要作用，是疾病诊断治疗的主导者；在护理过程中，护士发挥主导作用。医疗和护理相互依从，相互促进，没有医生的诊断治疗，护理工作无从谈起，没有护士护理，医生的诊治方案也无法落实。

2. 影响医护关系的主要因素

（1）角色心理差位：部分护士对医生产生依赖、服从的心理，在医生面前感到自卑、低人一等。部分高学历的年轻护士或年资高、经验丰富的老护士与年轻医生不能密切配合。

（2）角色压力过重：一些医院由于医护人员比例严重失调、岗位设置不合理、医护待遇悬殊等因素，导致护士心理失衡、角色压力过重，心理和情感变得脆弱、紧张和易怒，从而导致医护关系紧张。

（3）角色理解欠缺：医护双方对彼此专业、工作模式、特点和要求缺乏必要的了解，导致工作中相互埋怨、指责，从而也影响医护关系的和谐。

（4）角色权利争议：在某些情况下，医护常常会觉得自己的自主权受到对方侵犯，从而引发矛盾冲突。

四、护士实践工作的沟通方法

（一）语言沟通

1. 护患语言沟通的原则

语言沟通是护患交往中的主要沟通形式。护士在与患者进行语言沟通过程中，应遵循以下六个原则。

（1）目标性：护患之间的语言沟通应做到目标明确、有的放矢。

（2）规范性：护士应做到发音纯正、吐字清楚，用词朴实、准确，语法规范、精练，同时要有系统性和逻辑性。

（3）尊重性：尊重是确保沟通顺利进行的首要原则。在沟通过程中，护士应尊重患者。

（4）治疗性：在护患的沟通过程中，护士的言语可起到辅助治疗的作用，也可起到加重患者病情的作用。因此，护士应避免使用对患者有伤害的任何刺激性语言。

（5）情感性：护士应以真心诚意的态度与患者交流，要做到态度谦和、语言文雅、语音温柔。

（6）艺术性：艺术性的语言沟通可以拉近医患的距离，可以化解医患、护患之间的矛盾。

2. 交谈的类型

交谈是语言沟通的一种形式，是以口头语言为载体进行的信息传递。在护理工作中，常用的交谈类型有如下几种：

(1) 个别交谈：指两个人之间的交谈。

(2) 小组交谈：指三人或三人以上的交谈。参与交谈的人数以 3～7 人为宜，最多不超过 20 人。

(3) 面对面交谈：护患交谈多采用此种形式。交谈双方在彼此视觉范围内的交谈，可使双方的信息表达和接受更加准确。

(4) 非面对面交谈：指通过电话、互联网等非面对面方式进行交谈。非面对面交谈可以使交谈双方心情更加放松、话题更加自由。

(5) 一般性交谈：一般用于解决一些个人或家庭的问题。交谈的内容比较广泛，一般不涉及健康与疾病问题。

(6) 治疗性交谈：一般用于解决健康问题或减轻病痛、促进康复等问题。护患之间交谈多为治疗性交谈。

3. 护患交谈的技巧

(1) 倾听

① 目的明确：善于寻找患者传递信息的价值和含义。

② 控制干扰：尽量降低外界的干扰。

③ 目光接触：护士应与患者保持良好的目光接触，用 30%～60% 的时间注视患者的面部，并面带微笑。

④ 姿势投入：身体稍微向患者方向倾斜，表情不要过于丰富、手势不要太多、动作不要过大。

⑤ 及时反馈：护士应适时适度地给患者发出反馈。护士可通过微微点头、轻声应答“嗯”、“哦”、“是”等，以表示自己正在倾听。

⑥ 判断慎重：在倾听时，护士不要急于作出判断，应让患者充分诉说，以全面完整地了解情况。

⑦ 耐心倾听：不要随意插话或打断患者的话题，要待患者诉说完后再表达自己的观点。

(2) 核实：核实既可保证护士接受信息的准确性，也可使患者感受到自己的谈话得到护士的重视。护士可通过重述、澄清两种方式进行核实。

(3) 提问：提问是收集信息和核对信息的重要方式，也是确保交谈围绕主题持续进行的基本方法。提问包括开放式提问和封闭式提问。

① 开放式提问：指所问问题的回答没有范围限制。其优点是护士可获得更多、更真实的资料；其缺点是需要的时间较长。

② 封闭式提问：指将问题限制在特定的范围内，患者可以通过简单的“是”、“不是、“有”、“无”等回答。其优点是护士可以在短时间内获得需要的信息；其缺点是患者没有机会解释自己的想法。

(4) 阐释：阐述时要做到将需要解释的内容以通俗易懂的语言向患者阐述，使用委婉的语气向患者阐释自己的观点和看法。

(5) 移情：是感情进入的过程，是从他人的角度感受、理解、分享他人的感情。

(6) 沉默：在交谈过程中，护士采用适度的沉默可起到如下作用。

① 表示对患者的同情和支持。

② 给患者提供思考、回忆的时间和诉说的机会。

③ 缓解患者过激的情绪和行为。

④ 给自己提供思考、冷静和观察的时间。

(7) 鼓励。

(二) 非语言沟通的基本知识

护士非语言沟通的基本要求为尊重患者、适度得体、因人而异。在护患沟通过程中，护士使用的主要非语言沟通形式为表情和触摸。

1. 表情

(1) 目光

① 目光的作用：表达情感、调控互动、显示关系。

② 目光交流技巧

a. 注视角度：最好以平视注视患者。

b. 注视部位：护士注视患者的部为以双眼为上线、唇心为下顶角所形成的倒三角区内。

c. 注视时间：护士与患者目光接触的时间应不少于全部谈话时间的 30%，也不超过谈话全部时间的 60%；如果是异性患者，每次目光对视时间应不超过 10 秒。

(2) 微笑：微笑在护理工作中具有传情达意、改善关系、优化形象、促进沟通的作用。微笑要真诚、自然、适度、适宜。

2. 触摸：触摸包括抚摸、握手、拥抱等。

(1) 触摸的作用

① 有利于改善人际关系。

② 有利于儿童生长发育。

③ 有利于传递各种信息。

(2) 触摸在护理工作中的应用：健康评估；给予心理支持；辅助疗法。

(3) 注意事项：护士在运用触摸沟通方式时，应保持敏捷和谨慎。

① 根据情境、场合等不同的实际情况，采取不同的触摸方式。

② 根据患者性别、年龄、病情等特点，采取患者易于接受的触摸方式。

③ 根据沟通双方关系的程度，选择恰当的触摸方式。

【考点强化】

1. 护理伦理中的基本原则不包括

A. 公正原则　B. 平等原则
C. 自主原则　D. 行善原则
E. 不伤害原则

2. 护理伦理基本原则中的自主原则要求护理人员

A. 帮助患者确认健康问题，自主决定
B. 对于缺乏或丧失自主能力的患者，护理人员必须尊重家属、监护人的选择权利
C. 重视患者的愿望和利益，提供应有的最佳照顾
D. 任何患者的正当愿望和合理要求应予以尊重和满足
E. 积极做对患者有益的事

3. 治疗要获得患者的知情同意，其实质是

A. 尊重患者自主性
B. 尊重患者社会地位
C. 尊重患者人格尊严
D. 患者不会作出错误决定
E. 患者提出的要求总是合理的

4. 关于患者的权利，下述说法中正确的是

A. 患者有个人隐私和个人尊严被保护的权利
B. 患者有权获知有关自己的诊断、治疗和预后的信息
C. 患者有权要求对其病情资料保守秘密
D. 患者被免除社会责任的权利是随意的
E. 患者有平等享受医疗的权利

5. 以下哪点不是患者的义务

A. 如实提供病情和有关信息
B. 避免将疾病传播他人
C. 尊重医师和他们的劳动
D. 不可以拒绝医学科研试验
E. 配合医师的检查和治疗

6. 在护患关系建立初期，护患关系发展的主要任务是

A. 对患者收集资料
B. 确定患者的健康问题
C. 为患者制订护理计划
D. 与患者建立信任关系
E. 为患者解决健康问题

7. 下列关于护患关系的理解不正确的是

A. 护患关系是一种帮助与被帮助的关系
B. 护患关系以护士为中心的关系
C. 护患关系是一种治疗关系
D. 护患关系是多方面、多层面的专业性互动关系
E. 护患关系是在护理活动中形成的

8. 对于昏迷患者，护患关系属于

A. 主动-被动型模式
B. 管理-被管理型模式
C. 帮助-被帮助型模式
D. 指导-合作型模式
E. 共同参与型模式

9. 对于一位接受过高等教育的高血压病人，护患关系属于

A. 主动-被动型模式
B. 管理-被管理型模式
C. 帮助-被帮助型模式
D. 指导-合作型模式
E. 共同参与型模式

10. 不属于人际关系主要特点的是

A. 社会性　B. 复杂性　C. 稳定性
D. 多重性　E. 目的性

11. 影响护患关系的主要因素不包括

A. 信任危机　B. 角色模糊
C. 责任不明　D. 权益影响
E. 角色心理差位

12. 一位护士正在为一位即将出院的术后患者进行出院前的健康指导。此时护患关系处于

A. 准备期　B. 初始期
C. 工作期　D. 结束期
E. 熟悉期

13. 患者因年轻护士进行静脉输液时，静脉穿刺多次而失败，而产生不满，从此拒绝年轻护士为其输液注射。该类护患关系发生冲突的主要因素是

A. 角色压力 B. 责任不明
C. 角色模糊 D. 信任危机
E. 理解差异

14. 部分护士对医生产生依赖、服从的心理，在医生面前感到自卑、低人一等，这种情况属于
A. 角色心理差位 B. 角色压力过重
C. 角色理解欠缺 D. 角色权利争议
E. 角色期望冲突

15. 不属于非语言性沟通的形式是
A. 面部表情 B. 手势
C. 交流的空间距离
D. 反应时间 E. 健康宣教资料

16. 属于语言性交流的是
A. 手势 B. 沉默 C. 倾诉
D. 面部表情 E. 专业性皮肤接触

17. 与患者交谈的正确方法是
A. 不要与患者有眼神的交流
B. 及时纠正患者叙述的内容
C. 适当点头或轻声说“是”
D. 对患者谈话及时作出是非判断
E. 不断提问引导谈话的进行

18. 倾听是非语言交流技巧之一，其正确方法是
A. 患者叙述时，护士要思考问题
B. 避免眼神的接触
C. 用心倾听，表示对所谈话题有兴趣
D. 避免看清对方表情
E. 说话声音宜大，避免听不清楚

19. 可促进护患有效沟通的行为是
A. 不评论患者所谈到的内容
B. 及时陈述自己的观点和看法
C. 对患者的问题迅速作出解答
D. 当患者叙述过多时及时打断叙述
E. 患者担心疾病预后时，应立即作出保证

20. 下列哪项不是沟通的基本因素
A. 信息的发现者和接受者
B. 沟通的背景 C. 信息反馈过程
D. 信息的内容 E. 沟通的方式

21. 患者女，22岁，未婚。宫外孕10周入院。护士在收集资料时可促进有效沟通的措施是
A. 在大病房内进行提问，不必回避任何人
B. 告诉患者自己对婚前性行为的看法
C. 当患者谈话离题时立即打断患者
D. 选择在没有其他人员的房间内进行交流
E. 用亲密距离进行交流

22. 肿瘤晚期女性患者，全身极度衰竭，意识有时模糊，为安慰患者，护士与其交流时应使用的距离是
A. 亲密距离 B. 个人距离
C. 社会距离 D. 工作距离
E. 公众距离

23. 护士为患者进行静脉穿刺时应使用的距离是
A. 亲密距离 B. 个人距离
C. 工作距离 D. 公众距离
E. 社会距离

24. 参与小组交谈的人数最好控制在
A. 1～2人 B. 3～7人 C. 8～10人
D. 10～15人 E. 16～20人

25. 在护患交谈过程中，护士可获得更多、更真实的资料的交谈技巧为
A. 阐释 B. 核实 C. 重述
D. 开放式提问 E. 沉默

26. 在护患交谈过程中，能给护士提供思考和观察的时间的交谈技巧为
A. 阐述 B. 核实 C. 鼓励
D. 沉默 E. 移情

27. 在护患交谈中，护士移情是指护士
A. 同情患者 B. 怜悯患者
C. 鼓励患者 D. 表达自我感情
E. 理解、分享患者的感情

【参考答案】

1. B 2. A 3. A 4. D 5. D
6. D 7. B 8. A 9. E 10. C
11. E 12. D 13. D 14. A 15. E
16. C 17. C 18. C 19. A 20. E
21. D 22. A 23. A 24. B 25. D
26. D 27. E

第二篇 基础护理和技能

第一章 护士的素质和行为规范

一、专业素质

（1）合理的知识结构：是良好的业务素质的支持。

（2）一定的文化修养：是学习护理学理论的必备条件。

（3）具有人文、社会科学知识：可以使护士学会尊重人、理解人、关心人、体谅人。

（4）掌握医学、护理学理论：是从事护理专业工作的理论基础和护理工作的重要理论依据。

（5）具有较强的实践技能，能运用护理程序的工作方法解决患者存在或潜在的健康问题。

（6）护士应具有良好的心理素质。

二、仪表

1. 衣着服饰

（1）护士服：应整洁、平整，衣扣要扣齐，内衣不外露。

（2）袜子：以单色为主，肉色或浅色；袜口不能露在裙摆或裤脚外边。

（3）护士鞋：鞋面保持清洁；注意与整体装束搭配。

（4）饰物：应与环境和服装协调，不宜佩戴过分夸张的饰物。

2. 仪容：化淡妆，以自然、清新、高雅、和谐为宜。

3. 姿态：在姿态的训练中站姿是基础，是保持良好姿态的关键。

（1）站姿：抬头、颈直，下颌微收，嘴唇自然闭合，目视前方；面带微笑；平肩、挺胸、收腹、收臀，两臂下垂于身体两侧，手指自然弯曲，两腿直立，两膝和脚跟并拢，脚尖分开。

（2）坐姿：抬头，下颌微收，目视前方，上半身挺直，挺胸立腰，双肩平正放松，上身与大腿、大腿与小腿均呈90°，两膝、两脚并拢，平落在地或一前一后，足尖向前，坐在椅子的前部1/2～2/3处，双手置于两腿上。

（3）走姿：抬头、下颌微收、目视前方，面带微笑，上身正直，挺胸收腹，立腰，脚尖向前、重心稍向前倾，两臂自然摆动。要求步态轻盈、稳健、步幅适中、匀速前进。

三、护士的语言行为

1. 护士语言的基本要求

（1）语言的规范性：护士的语言内容要求严谨、高尚，符合伦理道德原则。语言表达要清晰、温和，措辞准确、达意，语调适中，交代护理意图简洁、通俗、易懂。

（2）语言的情感性：护士的语言应融入爱心、同情心、真诚相助的情感。

（3）语言的保密性：尊重患者的隐私权，对生理缺陷、精神病、性病等要予保密。

2. 符合礼仪要求的日常护理用语：包括招呼用语、介绍用语、迎送用语、安慰用语等。

3. 护理操作中的解释用语：包括操作前解释、操作中指导、操作后嘱咐等。

四、护士的非语言行为

1. 倾听

（1）谈话中要注意保持眼神的接触。

（2）双方保持的距离以能看清对方表情、说话不费力但能听清楚为度。

（3）在倾听过程中，要集中精力、全神贯注。

（4）要使用点头、微笑等表达信息的举动。

（5）身体稍向患者倾斜，高度保持平视，不要使患者处于仰视位。

2. 面部表情：真诚、亲切的微笑。

3. 皮肤接触：皮肤接触可使患者感到舒适、放松。抚摸是一种无声的安慰，可传递关怀之情。

4. 沉默：沉默可表示关心、同情和支持；沉默片刻可提供护患双方进行思考和调适的时间，利于进一步的沟通。

5. 人际距离

（1）亲密距离：0～0.46m，适用于彼此关系亲密或亲属之间。

（2）熟人距离：0.46～1.2m，适用于老同学、老同事及关系融洽的师生、邻里之间。

（3）社交距离：1.2～3.6m，适用于参加正式社交活动或会议，彼此不十分熟悉的人之间。

（4）演讲距离：＞3.6m，适用于教师上课、参加演讲、做报告等。

【考点强化】

1. 除下列哪项外都是护士必须具备的素质
A. 反应敏捷　B. 关怀体贴
C. 勇于实践　D. 情绪始终愉快
E. 遇烦事要忍耐

2. 以下哪项不属于护士的专业素质
A. 具有较强的实践技能
B. 敏锐的观察力
C. 扎实的理论基础
D. 慎独修养
E. 不断钻研业务知识，勇于开拓创新

3. 保持乐观、开朗、稳定的情绪，宽容豁达的胸怀，建立良好的人际关系，属于对护士哪一方面的要求
A. 思想素质　B. 文化素质
C. 专业素质　D. 心理素质
E. 体态素质

4. 下述坐姿不妥的是
A. 轻轻坐在椅面的后 1/2～2/3
B. 单手或双手向后把衣裙下端掠平
C. 两腿并拢
D. 小腿略后收或小交叉
E. 两手轻握，置于腹部或腿上

5. 不正确的走姿是
A. 行走时以胸带步，弹足有力
B. 步幅大而均匀
C. 目视前方，面带微笑
D. 两肩外展放松
E. 左右脚沿一直线前进

6. 护士语言的基本要求
A. 语言的规范性、保密性和情感性
B. 语言的规范性、职业性和情感性
C. 语言的规范性、道德性和情感性
D. 语言的规范性、整体性和情感性
E. 语言的规范性、保密性和道德性

7. 与患者沟通时，不符合护理用语要求的是
A. 内容要严谨　B. 措辞要准确
C. 言语要温和　D. 语调要适中
E. 用专业术语

8. 护士的语言表达要清晰、温和，措辞准确、达意，语调适中，体现了护士语言的
A. 情感性　B. 规范性　C. 专业性
D. 礼貌性　E. 道德性

9. 不属于非语言性沟通技巧的是
A. 沉默　B. 微笑　C. 容貌
D. 倾听　E. 眼神接触

10. 正确的非语言沟通技巧是

A. 谈话时直视对方眼睛

B. 边写病例边和患者交流

C. 交流时，使患者处于仰视位

D. 交谈时身体稍向患者倾斜

E. 双方的距离越近越好

11. 护士与患者第一次交往时的人际距离是

A. 0～0.6m　　B. 0.46～1.2m

C. 1.2～3.6m　　D. 3.6～5m

E. >5m

12. 患儿，3岁，因急性支气管炎入院治疗3天。现病情好转，但时常哭闹不安，最合适的沟通技巧是

A. 仔细倾听　　B. 细语安慰

C. 亲切抚摸　　D. 沉默不语

E. 交流意见

13. 护士为患者做口腔护理前说“先生，您好，因为您现在口臭厉害，需要给您做口腔护理”。患者面色不悦，其原因可能是护士表达中

A. 用词不当　　B. 态度生硬

C. 没有诚意　　D. 距离太近

E. 环境嘈杂

14. 患者男性，45岁，因慢性贫血收住院。护士收集资料时，不利于交谈有效进行的因素是

A. 不断改变话题

B. 注意倾听，及时反馈

C. 说明交谈的目的

D. 安排合适的环境

E. 护士可事先准备好谈话提纲

【参考答案】

1. D　2. D　3. D　4. A　5. B

6. A　7. E　8. B　9. C　10. D

11. C　12. C　13. A　14. A

第二章　护理程序

一、护理程序的概念

护理程序是以促进和恢复患者的健康为目标所进行的一系列有目的、有计划的护理活动，是一个综合的、动态的、具有决策和反馈功能的过程，对护理对象进行主动、全面的整体护理，使其达到最佳健康状态。护理程序是一种科学的确认问题、解决问题的工作方法和思想方法。

二、护理程序的步骤

(一) 护理评估

1. 资料的类型

(1) 主观资料：患者的主诉，是通过与患者及有关人员交谈获得的资料，包括患者的感觉、经历，以及看到的、听到的、想到的内容，也包括亲属的代诉。

(2) 客观资料：护士经观察、体检、借助仪器检查或实验室检查等所获得的患者的健康资料。

2. 资料的内容：包括一般资料、过去健康状况、生活状况和自理程度、护理体验、心理社会状况。

3. 收集资料的方法

(1) 观察：包括视觉观察、触觉观察、听觉观察和嗅觉观察。

(2) 护理体检：是收集客观资料的方法之一；护士通过视、触、叩、听和嗅等方法，按照身体各系统顺序对患者进行全面的体格检查。

(3) 交谈

① 安排合适的环境：交谈环境应安静、舒适、不受干扰，光线、温度适宜。

② 说明交谈的目的和所需要的时间，使患者有思想准备。

③ 引导患者抓住交谈的主题：事先了解患者的资料，准备交谈提纲，按主诉、一般资料到过去健康状况及心理社会情况的顺序引导患者交谈；患者叙述时，要引导患者抓住主

题，不要随意打断或提出新的话题，要注意倾听；对患者的陈述或提出的问题，应给予合理的解释和适当的反应；交谈完毕，应对交谈内容做一总结。

(4) 查阅：包括查阅患者的医疗与护理病历及各种辅助检查结果等。

(二) 护理诊断

护理诊断由名称、定义、诊断依据以及相关因素四部分组成。

1. 名称类型

(1) 现存的：指护理对象目前已经存在的健康问题。

(2) 危险的：是对现在未发生，但健康状况和生命过程中可能出现的反应的描述，若不采取护理措施将会发生问题。

(3) 可能的：有可疑因素存在，但缺乏资料支持或有关原因不明，要进一步收集资料来确认或否定的问题。

(4) 健康的：个人、家庭、社区从特定的健康水平向更高的健康水平发展的护理诊断。

2. 定义：护理诊断是对名称的一种清晰的、正确的表达，并以此与其他诊断相鉴别。

3. 诊断依据

(1) 必要依据：做出某一护理诊断所必须具备的依据。

(2) 主要依据：做出某一护理诊断通常需具备的依据。

(3) 次要依据：对做出某一护理诊断有支持作用，但每次不一定必须存在的依据。

4. 相关因素：是指影响健康状况的直接因素、促成因素或危险因素，包括病理生理方面的因素、治疗方面的因素、情境方面的因素、年龄方面的因素等。

5. 护理诊断的陈述方式：包括问题 (P)、相关因素 (E)、症状和体征 (S) 三个要素。PES 公式陈述法多用于陈述现存的护理诊断；PE 公式陈述法多用于“有危险的”的护理诊断；P 陈述法用于健康的护理诊断。

6. 书写护理诊断时应注意的问题

(1) 问题要简明、准确、陈述规范。

(2) 一项护理诊断针对一个健康问题。

(3) 不要与护理目标、护理措施、医疗诊断相混淆。

(4) 以所收集到的资料为诊断依据。

(5) 确定的问题必须是用护理措施能解决的问题。

(6) 护理诊断不应有易引起法律纠纷的描述。

(三) 护理计划

1. 设定优先次序

(1) 排序原则

① 优先解决直接危及生命，需要立即解决的问题。

② 优先解决现存的问题，但不要忽视潜在的问题。

③ 优先解决低层次需要，再解决高层次需要。

④ 在不违反治疗、护理原则的基础上，可优先解决患者主观上认为重要的问题。

(2) 排列顺序

① 首优问题：直接危及护理对象的生命，需要立即解决的问题。

② 中优问题：不直接危及护理对象的生命，但能损害躯体或精神的问题。

③ 次优问题：在护理过程中，可稍后解决的问题。

2. 设定预期目标

(1) 陈述方式：预期目标的陈述由主语、谓语、行为状语、条件状语四个部分组成。

(2) 目标分类：分远期目标和近期目标，近期目标的期限一般少于 7 天。

3. 陈述目标的注意事项

(1) 目标陈述的应是护理活动的结果，主语应是患者或患者身体的一部分。

(2) 目标陈述应简单明了、切实可行，患者认可并乐于接受，属于护理工作范围。

(3) 目标应具有针对性，一个目标对应一个护理诊断，但一个护理诊断可有多个目标。

(4) 目标陈述中应有具体日期，可被观察和测量。

(5) 目标应与医疗工作相协调。

4. 制订护理措施

(1) 内容：包括护理级别、心理护理、饮食护理、病情观察、基础护理、检查前后护理、手术前后护理、对症护理、医嘱执行、功能锻炼、健康教育等。

(2) 类型

① 依赖性护理措施：护士遵医嘱执行的具体措施。

② 独立性护理措施：护士在职责范围内，

根据所收集的资料，经过独立思考、判断所决定的措施。

③ 协作性护理措施：护士与其他医务人员之间合作完成的护理活动。

(3) 注意事项

① 要针对护理目标。

② 内容要具体、明确、全面。

③ 要符合实际，体现个体化的护理。

④ 要有科学的理论依据。

⑤ 保证患者安全，患者乐于参与。

⑥ 要与医疗工作相协调。

⑦ 要充分利用现有的设备、经济实力和人力资源。

（四）实施

1. 实施步骤：准备；执行计划；记录。

2. 实施方法：直接提供护理；与医务人员合作完成护理措施；指导患者及家属参与护理。

（五）评价

1. 评价方式：护士自我评价；护士长、护理教师、护理专家的检查评定；护理查房。

2. 评价内容：最重要的是护理效果的评价，还包括护理过程的评价和护理目标实现程度的评价。

3. 评价步骤：收集资料；判断护理效果；分析原因；修订计划。

三、护理病案的书写

1. 护理记录单：护理记录单采用PIO记录格式。

(1) P（问题）：患者的健康问题。

(2) I（措施）：针对患者的健康问题所采取的护理措施。

(3) O（结果）：护理效果。

2. 患者出院护理评估单

(1) 健康教育：包括宣教计划、有益的或有害的卫生习惯、现存的或潜在的健康问题、出院指导。

(2) 护理小结：包括护理目标是否达到、护理问题是否解决、护理措施是否落实、护理效果是否满意等。

【考点强化】

1. 关于护理程序，描述正确的是
A. 是一种技术操作的程序
B. 是一种护理工作的简化形式
C. 是一种护理工作的分工类型
D. 是一种护理活动的循环过程
E. 是一种系统地解决护理问题的方法

2. 有关“护理程序”概念的解释，哪项不妥
A. 是指导护士工作及解决问题的工作方法
B. 其目标是增进或恢复服务对象的健康
C. 是以系统论为理论框架
D. 是有计划、有决策和反馈功能的过程
E. 是由估计、诊断、计划、实施四个步骤组成

3. 组成护理程序框架的理论是
A. 人的基本需要论
B. 系统论　C. 方法论
D. 信息交流论　E. 解决问题论

4. 贯穿于护理程序全过程的是
A. 护理方法　B. 护理诊断
C. 护理计划　D. 护理实施
E. 护理评价

5. 护理程序的第一步“评估”在何时进行
A. 患者入院时　B. 患者入院及出院时
C. 患者入院开始到患者出院为止
D. 遵照医嘱　E. 患者住院期间

6. 进行护理评估时，资料的来源不包括
A. 患者　B. 病历
C. 患者家属　D. 其他医务人员
E. 护士的主观判断

7. 提供病史最可靠的是
A. 家属　B. 转诊资料
C. 同来者　D. 患者自己
E. 单位领导

8. 下列收集的资料哪项属于客观资料
A.“我的头痛”B.“咽部充血”
C.“感到头晕”D.“睡眠不好，多梦”
E.“感到恶心”

9. 属于主观方面健康资料的是
A. 血压16.3/10.6kPa
B. 头晕脑胀
C. 骶尾部皮肤破损1cm×2cm
D. 膝关节红肿、压痛
E. 肌张力3级

10. 在收集资料时，下列哪项资料无须收集
A. 家人对工作的态度
B. 患者对疾病的认识
C. 家人对患者的态度
D. 家庭经济状况

E. 患者的文化背景

11. 护士收集资料时，不利于交谈有效进行的因素是

A. 不断改变话题

B. 注意倾听，及时反馈

C. 说明交谈的目的

D. 安排合适的环境

E. 事先准备好谈话提纲

12. 健康的护理诊断常用的陈述方式为

A. PES公式　　B. PE公式

C. ES公式　　D. PS公式

E. P公式

13. 护理诊断陈述方式中的“E”指的是

A. 症状和体征　B. 相关因素

C. 护理问题　　D. 诊断名称

E. 临床表现

14. 患者，T 39.1℃、P 98次/分、R 30次/分，咳嗽，痰不易咳出，颜面潮红。其中一项护理诊断为体温过高，请选出主要的诊断依据是

A. 皮肤发红、触之有热感

B. 体温高于正常范围

C. 呼吸、心跳均加快

D. 痰液不能排出

E. 不能出汗

15. 女性老年患者，腹胀、腹痛，在下蹲或腹部用力时，出现不由自主的排尿。对现症状正确的护理诊断是

A. 功能性尿失禁：与膀胱过度膨胀有关

B. 压力性尿失禁：与腹压升高有关

C. 反射性尿失禁：与膀胱收缩减弱有关

D. 完全性尿失禁：与神经传导减退有关

E. 功能性尿失禁：与膀胱括约减退有关

16. 关于资料记录，下列说法不妥的是

A. 所记录的资料要实事求是

B. 避免使用模糊不清、无法衡量的词

C. 对睡眠的描述可以是“睡眠严重不足”

D. 应客观地记录护理对象的诉说和临床所见

E. 对疼痛的描述可以是“痛如刀割”

17. 将多个护理诊断排列优先顺序时，其次优问题是

A. 威胁患者生命，需立即解决的问题

B. 生命体征发生了不可逆变化的问题

C. 不直接威胁患者生命，但导致身体上不健康的问题

D. 不威胁患者生命，但影响患者情绪变化的问题

E. 在护理的过程中，可稍后解决的问题

18. 男性患者，30岁。因在高温环境下持续工作8h，出现头晕、目眩入院。患者自述口渴难耐、恶心、憋气。查体：皮肤湿冷，血压9.31/6.65kPa（70/50mmHg），脉搏细速，体温37.5℃，心率116次/分，双肺（一）。此时优先考虑的护理诊断是

A. 体液不足　　B. 体温过高

C. 清理呼吸道无效　D. 有感染的危险

E. 知识缺乏

19. 以下护理目标陈述正确的是

A. 住院期间患者不发生感染

B. 每天雾化吸入两次

C. 3天后教会患者自我护理

D. 3天后患者能学会自我注射胰岛素

E. 使患者呼吸困难减轻

20. 属于独立性护理措施的是

A. 持续低浓度低流量吸氧

B. 地西泮2.5mg qn　C. 胸腔穿刺术护理

D. 更换卧位q2h　E. 大量不保留灌肠st

21. 关于护理措施，下列说法错误的是

A. 护理措施应切实可行，符合患者的年龄、体力和病情

B. 护理措施应有理论依据

C. 护理措施不应与其他医务人员的措施相矛盾

D. 一个护理目标须采取一项护理措施

E. 护理措施要被患者接受

22. 护理评价中最重要的是

A. 护理目标的评价

B. 护理措施的评价

C. 护理效果的评价

D. 护理过程的评价

E. 护理内容的评价

23. 护理记录中的PIO格式，其中I代表

A. 护理效果　　B. 护理目标

C. 健康问题　　D. 护理步骤

E. 护理措施

【参考答案】

1. E　2. E　3. B　4. E　5. C
6. E　7. D　8. B　9. B　10. A
11. A　12. E　13. B　14. B　15. B
16. C　17. E　18. A　19. D　20. D
21. D　22. C　23. E

第三章 医院和住院环境

一、医院的任务

以医疗工作为中心，在提高医疗质量的基础上，保证教学和科研任务的完成，并不断提高教学质量和科研水平。同时做好扩大预防、指导基层和计划生育的技术工作。

二、门诊的护理工作

1. 预检分诊：先预检分诊，再指导患者挂号就诊。

2. 安排候诊和就诊

（1）准备各种检查器械和用品，收集整理病案和检验报告。

（2）按挂号顺序安排就诊。

（3）根据病情测量体温、脉搏、呼吸等，并记入门诊病案。

（4）随时观察候诊患者的病情，高热、剧痛、呼吸困难、出血、休克等病情较严重者及年老体弱者提前就诊或送急诊室处理。

3. 健康教育。

4. 消毒隔离：传染病或疑似传染病者应分诊到隔离门诊。

5. 实施需要在门诊进行的治疗。

6. 做好保健门诊的护理工作。

三、急诊的护理工作

1. 预检分诊：要有专人负责出迎，按照一看、二问、三检查、四分诊顺序评估病情，并及时分诊到各专科诊室。

（1）危重患者立即通知值班医生和抢救室护士。

（2）灾害性事件应立即通知护士长和有关科室。

（3）法律纠纷、交通事故、刑事案件等应立即通知医院的保卫部门或公安部门，并请家属或陪送者留下。

2. 抢救工作

（1）准备急救物品。

（2）配合抢救

① 实施抢救措施：医生到达前，护士应根据病情进行紧急处理；医生到达后，汇报抢救情况，积极配合抢救。

② 做好抢救记录和核对工作：记录要及时、准确、字迹清晰。记录内容包括患者和医生到达的时间、抢救措施落实的时间、执行的医嘱和病情变化。在抢救过程中，口头医嘱须向医生复述一遍，当双方确认无误后方可执行；抢救完毕，请医生及时补写医嘱与处方。各种急救药品的空安瓿要经两人查对，记录后再弃去。输液瓶、输血袋等用后要统一放置，以便查对。

四、病区的设置和布局

（1）每个病区均设普通病室、危重病室及抢救室、治疗室、医生办公室、护士办公室、配膳室、盥洗室、浴室、洗涤间、厕所、库房、医护休息室、示教室等。

（2）每个病区设 30～40 张床，每间病室设 1～6 张床。两床之间的距离不少于 1m，两床之间设隔帘。

五、病区的环境管理

1. 安静：白天病区的声音强度应维持在 35～40dB。高强度声音会引起患者不同的症状。

① 在 50～60dB 的环境中，可引起疲倦。

② 在 90dB 以上的环境中，可引起烦躁、头痛、头晕、血压升高等。

③ 在 120dB 以上环境中，可引起听力丧失或永久性失聪。

为减少噪声，护理人员在工作中应做到：

① 说话轻、走路轻、操作轻、开关门轻。

② 门、窗、桌、椅脚应钉上橡皮垫。

③ 推车轮轴定期注润滑油和检查。

④ 教育患者及家属保持病室安静。

2. 保持护理单元的整洁。

3. 温度和湿度：一般病室适宜的温度为18～22℃；婴儿室、手术室、产房等，室温调高至22～24℃为宜。病室相对湿度以50%～60%为宜。体温过高可使患者感到烦躁，过低易受凉；湿度过高可使患者感到闷热、尿量增多，过低可导致口干、咽痛等。

4. 通风：定时开窗通风，每次30分钟左右。冬季通风时避免吹对流风。

5. 光线：应避免阳光直接照射眼睛；午睡时应用窗帘遮挡光线。夜间可打开地灯或罩壁灯。

6. 色调：绿色使人安静、舒适；浅蓝色使人心胸开阔、情绪稳定；白色使人感到冷漠、单调，反光强，易刺激眼睛产生疲劳；奶油色给人一种柔和、悦目、宁静感。儿科病区墙壁可采用柔和的暖色；手术室墙壁可选用蓝色或绿色；墙壁尽量不选择全白色。

7. 绿化：病室、走廊可适当摆放鲜花、绿色植物，过敏性疾病病室除外。

六、铺床法

1. 铺床的节力原则

(1) 操作前：要备齐物品；按顺序放置，计划周到，以减少无效动作，避免多次走动。

(2) 铺床前：能升降的床应将床升至便于铺床的高度，以防腰部过度弯曲。

(3) 铺床时：身体尽量靠近床边，上身保持直立，两膝稍弯曲以降低重心，两脚根据活动情况左右或前后分开，以扩大支撑面，有利于操作及维持身体的稳定性。

(4) 操作中：使用肘部力量，动作要平稳连续。

2. 备用床

(1) 移床旁桌、床旁椅：移开床旁桌距床约20cm，移床旁椅至床尾正中，距床尾约15cm。

(2) 铺床褥：检查床垫，将床褥齐床头平铺于床垫上，将对折处下拉至床尾。

(3) 铺大单：将大单横、纵中线对齐床的横、纵中线，放于床褥上，正面向上展开大单，铺床头角、床尾角（直角或斜角），两手将大单中部拉紧，平塞于垫下，护士转至对侧，同法铺好对侧。

(4) 套被套：用"S"形法或卷筒法，使其成被筒。

(5) 套枕套：将枕套套于枕芯上，系好带；将枕头拍松，使四角充实；枕头横放于床头盖被上，开口端背对门。

3. 暂空床

(1) 在备用床的基础上，将床头盖被上端向内反折1/4，再扇形三折于床尾，使之平齐。

(2) 铺橡胶单、中单：将橡胶单和中单的中线与床中线对齐铺在床中部，上端距床头45～50cm，床沿的下垂部分平塞入床垫下。

4. 麻醉床

(1) 同备用床铺好一侧大单。

(2) 铺橡胶单、中单；腹部手术铺在床中部，下肢手术铺在床尾；如铺在床头，应对齐床中线，上端与床头平齐，下端压在中部橡胶单和中单上，下垂部分平塞入床垫下。如铺在床尾，下端与床尾平齐。

(3) 同法铺好对侧大单、橡胶单、中单。各单要铺平、拉紧，防皱褶。

(4) 盖被尾端向内折25cm与床尾平齐；将背门侧盖被塞于床垫下，对齐床沿；将近门侧盖被边缘向上反折，对齐床沿。

(5) 将麻醉护理盘放置于床旁桌上，输液架置于床尾，其他用物按需放置。

5. 卧床患者更换床单法

(1) 将护理车推至床尾正中处，距床尾20cm左右。

(2) 放平床头和膝下支架。

(3) 移床旁桌距床20cm左右。

(4) 移患者至对侧，患者侧卧，背向护士。

(5) 松近侧污单，清扫近侧橡胶单和床褥；中单和大单污染面向上卷；清扫顺序为自床头至床尾，自床中线至床外缘。

(6) 铺近侧清洁橡胶单和中单：先铺橡胶单，铺中单于橡胶单上，近侧部分下拉至床缘，远侧部分内折后卷至床中线处，塞于患者身下。

(7) 移患者于近侧，护士转至对侧，铺好对侧。

【考点强化】

1. 医院的任务不包括

A. 医疗　　B. 教学

C. 制订卫生政策　　D. 预防保健

E. 指导基层和计划生育的技术工作

2. 下列不属于预检分诊内容的是

A. 询问病史　　B. 指导挂号诊疗

C. 科普宣教　　D. 初步判断
E. 观察病情

3. 门诊发现传染病患者时应立即
A. 安排患者提前就诊
B. 将患者隔离诊治　C. 转急诊室处理
D. 开展候诊教育与卫生宣教
E. 消毒候诊环境

4. 危重患者入院时，下列工作不属于护士应做的是
A. 安置危重病室　　B. 发病危通知单
C. 迅速通知医生
D. 医生到达前，给予应急处理
E. 准备急救物品

5. 病床之间的距离不得少于
A. 0.5m　　B. 1m　　C. 1.5m
D. 2m　　E. 2.5m

6. 白天病区的声音强度应维持在
A. 25～30dB　　B. 35～40dB
C. 45～50dB　　D. 55～60dB
E. 95～120dB

7. 保持病区环境安静，下列措施哪项不妥
A. 推平车进门，先开门后推车
B. 医务人员讲话应附耳细语
C. 轮椅要定时注润滑油
D. 医务人员应穿软底鞋
E. 病室门应钉橡胶垫

8. 婴儿室温度和相对湿度是
A. 18～20℃、60%～70%
B. 18～20℃、50%～60%
C. 22～24℃、60%～70%
D. 22～24℃、50%～60%
E. 18～22℃、50%～60%

9. 病室内湿度过低，患者感觉
A. 烦躁、倦怠、头晕、食欲缺乏
B. 呼吸道黏膜干燥、咽痛、口渴
C. 血压升高、头晕、面色苍白
D. 多汗、发热、面色潮红
E. 出汗抑制、潮湿、气闷

10. 一般开窗多长时间可达到置换室内空气的目的
A. 4 小时　　B. 3 小时
C. 2 小时　　D. 30 分钟　E. 10 分钟

11. 为了使患者舒适，利于观察病情应做到
A. 病室内光线充足 B. 病室内放花卉
C. 提高病室温度　D. 注意室内通风
E. 注意室内色调

12. 某破伤风患者，神志清楚，全身肌肉阵发性痉挛、抽搐，所住病房环境，下列哪项不符合病情需要
A. 室温 18～20℃
B. 相对湿度 50%～60%
C. 门、椅脚钉橡皮垫
D. 保持病室光线充足
E. 开门关门动作轻

13. 不适宜支气管哮喘患者康复的住院环境是
A. 室温 20℃左右　B. 室内放置鲜花
C. 相对湿度 60%　D. 病室光线明亮
E. 定时开窗通风

14. 不符合铺床节力原则的是
A. 用物按使用顺序放置
B. 身体靠近床沿
C. 上身前倾，两膝直立
D. 两腿前后或左右分开，稍屈膝
E. 使用肘部力量，动作轻柔

15. 铺麻醉床时，错误的步骤是
A. 换铺清洁被单
B. 按要求将橡胶单和中单铺于床头、床中部
C. 盖被三折于一侧床边，开口背门
D. 枕横立于床头，开口背门
E. 椅子置于门对侧床边

16. 绿色使人
A. 安静、舒适
B. 心胸开阔、情绪稳定
C. 冷漠、单调　D. 宁静感　E. 疲劳

17. 胃大部切除术后需要准备
A. 备用床　　B. 暂空床
C. 备用床加橡胶单、中单
D. 麻醉床　　E. 手术床

18. 供暂时离床活动的患者卧床休息用需要准备
A. 备用床　　B. 暂空床
C. 备用床加橡胶单、中单
D. 麻醉床　　E. 手术床

(19～20 题共用病例)
老年患者，有高血压病史，1 周前因骨折入院。患者所住病房靠近马路，现马路正施工，机器轰鸣。患者感觉心烦、焦躁、失眠，心率加快，血压波动较大。

19. 该患者出现上述症状的主要原因是
A. 对新环境不适应
B. 入院后心情激动、兴奋

C. 室内通风不佳

D. 长期噪声的影响

E. 室内采光不佳

20. 针对该患者的情况，护士在其住院期间病室安排上不必考虑

A. 病室噪声强度符合要求，并建立有关安静的制度

B. 安置患者到重危病房

C. 门轴、车轴经常滑润

D. 病室温度、湿度适宜

E. 工作人员做到“四轻”

【参考答案】

1. C　2. C　3. B　4. B　5. B
6. B　7. B　8. D　9. B　10. D
11. A　12. D　13. B　14. C　15. C
16. A　17. D　18. B　19. D　20. B

第四章　医院内感染的预防和控制

一、医院内感染

1. 概念：医院内感染指住院患者在医院内获得的感染，包括住院期间发生的感染和在医院获得而出院后发生的感染，不包括入院前已开始或入院时已处于潜伏期的感染，医院工作人员在医院内获得的感染也属于院内感染。

2. 分类

(1) 外源性感染：又称交叉感染，指来自于患者体外的病原体引起的感染。

(2) 内源性感染：又称自身感染，指来自于患者自身病原体所引起的感染。

3. 医院内感染的主要因素

(1) 个体抵抗力下降，免疫功能受损。

(2) 侵入性诊疗机会增多。

(3) 滥用抗生素。

(4) 医院管理制度不完善。

二、清洁、消毒和灭菌

(一) 概念

1. 清洁：指用物理方法清除物体表面的污垢、尘埃和有机物。

2. 消毒：指用物理或化学方法清除或杀灭除芽胞外的所有病原微生物，使其数量减少达到无害化。

3. 灭菌：指用物理或化学方法杀灭所有微生物。

(二) 消毒、灭菌的方法

1. 物理消毒灭菌法的选择：见下表。

方法名称		用途
干热法	燃烧法	无保留价值的污染物品，如污染的纸张，以及破伤风、气性坏疽、铜绿假单胞菌等感染的敷料等；金属器械及搪瓷类物品急用，或无条件用其他方法消毒时，锐利刀剪除外，以免锋刃变钝
	干烤法	用于油剂、粉剂；玻璃器皿、金属制品、陶瓷制品等在高温下不变质、不损坏、不蒸发的物品
湿热法	煮沸消毒法	用于耐湿、耐高温的搪瓷、金属、玻璃、橡胶类物品，不能用于外科手术器械的灭菌
	压力蒸汽灭菌法	用于耐高温、耐高压、耐潮湿的物品，如各种器械、敷料、搪瓷类、玻璃制品、橡胶类、某些药品溶液、细菌培养基等的灭菌
光照消毒	日光曝晒法	常用于床垫、毛毯、书籍、衣服等的消毒
	臭氧灭菌灯消毒法	主要用于空气、医院污水、诊疗用水、物品表面的消毒
电离辐射灭菌法		适用于不耐热的物品灭菌，如橡胶、塑料、高分子聚合物(一次性注射器、输液输血器等)、精密医疗仪器、生物医学制品、节育用具及金属等
微波消毒灭菌法		常用于食品、餐具的处理，化验单据、票证的消毒，医疗药品、耐热非金属材料及器械的消毒灭菌。不能用于金属物品的消毒
过滤除菌		用于手术室、烧伤病房、器官移植病房等

2. 热力消毒灭菌法原理

(1) 干热法：通过空气传导热力，导热较慢，因此干热灭菌所需的温度较高，时间较长。

(2) 湿热法：通过水、水蒸气及空气传导热力，导热较快，穿透力较强，因此湿热灭菌所需温度较低，时间较短。

3. 热力消毒灭菌的方法及注意事项

(1) 燃烧法：是简单、迅速、彻底的灭菌方法。

① 金属器械可在火焰上烧灼20秒。

② 搪瓷类容器可倒入少量95%乙醇，慢慢转动使之分布均匀，点火燃烧至熄灭。

(2) 干烤法：效果可靠。

① 消毒：箱温120～140℃，时间10～20分钟。

② 灭菌：箱温160℃，时间2小时；箱温170℃，时间1小时；箱温180℃，时间30分钟。

(3) 煮沸消毒法

① 方法：将物品刷洗干净后浸没水中。煮沸杀菌时间：细菌繁殖体5～10分钟，一般细菌芽胞15分钟，破伤风杆菌芽胞60分钟。配成浓度为1%～2%的碳酸氢钠溶液时，沸点可达105℃，既可增强杀菌作用，又可去污防锈。

② 注意事项

a. 物品需全部浸入水中，盖子、轴结打开，空腔导管预先灌水，各种容器不能重叠。

b. 玻璃类物品需用纱布包裹，并在冷水或温水中放入。

c. 橡胶类物品需用纱布包好，水沸后放入。

(4) 压力蒸汽灭菌法：是临床应用最广、效果最为可靠的首选灭菌方法。

① 清洗干燥：物品灭菌前需洗净擦干或晾干。

② 物品包装合适，装载重量适当：灭菌包不宜过大、过紧。

③ 灭菌包放置合理：灭菌包之间要留有空隙，以利于蒸汽进入，布类物品放在金属、搪瓷物品上面。

④ 装物品的容器如有孔，灭菌前将孔打开，灭菌后关上。

⑤ 尽量排除灭菌器内的冷空气。

⑥ 控制加热速度，随时观察压力、温度情况。

⑦ 灭菌后处理：灭菌物品干燥后方可取出；如果灭菌包破损、湿包、有明显水渍则不作为无菌包使用。

⑧ 注意安全操作。

⑨ 定期监测灭菌效果：化学检测法通过观察指示卡或指示胶的颜色和形状改变来判断灭菌效果；生物监测法是通过含嗜热脂肪杆菌的菌纸片培养，来检测灭菌效果。

4. 辐射消毒法

(1) 日光曝晒：在直射阳光下曝晒6小时，并定时翻动。

(2) 紫外线消毒：最佳杀菌波长为250～270nm。

① 方法

a. 空气消毒：首选紫外线空气消毒器；紫外线灯管消毒时，有效距离为2m，消毒时间为30～60分钟。

b. 物品表面消毒：有效距离是25～60cm，消毒时间为20～30分钟。

c. 液体消毒：水层厚度小于2cm。

② 注意事项

a. 保持灯管清洁：每周用乙醇擦洗2遍。

b. 消毒条件：温度为20～40℃，湿度为40%～60%。

c. 消毒时间：计时从灯亮5～7分钟后开始。

d. 消毒后：应开窗通风，如再次使用需间隔3～4分钟。

e. 灯管使用超过1000小时应更换。

f. 加强防护：直接照射30分钟，可引起眼炎和皮肤炎。

5. 化学消毒灭菌法

(1) 化学消毒剂的使用原则

① 坚持合理使用原则，能不用则不用。

② 根据物品的性能及各种微生物的特性，选择合适的消毒剂。

③ 严格掌握消毒剂的有效浓度、消毒时间及使用方法。

④ 消毒剂应定期更换、检测、调整浓度，易挥发的要加盖。

⑤ 消毒剂中一般不放置纱布、棉花等物，以免因吸附消毒剂而降低消毒效力。

⑥ 待消毒的物品须先洗净、擦干。

⑦ 消毒物品应全部浸没在消毒剂中，器械的轴结应打开、套盖应掀开，管腔灌满消

毒液。

⑧ 浸泡消毒后的物品在使用前应先用无菌生理盐水冲洗；气体消毒后的物品使用前应待气体散发后，以免残留消毒剂刺激组织。

（2）化学消毒剂的使用方法

① 浸泡法：常用于耐湿、不耐热的物品，如锐利器械、精密器材等的消毒。

② 擦拭法：常用于桌椅、墙壁、地面等的消毒。

③ 喷雾法：常用于空气及墙壁、地面等物品表面的消毒。

④ 熏蒸法：常用于室内空气和不耐湿、不耐高温物品的消毒。

⑤ 环氧乙烷气体密闭消毒灭菌法：适用于电子仪器、光学仪器、医疗器械、化纤织物、皮毛、棉、塑料制品、书籍、一次性使用的诊疗用品等的消毒灭菌。

（3）常用的化学消毒剂

名　称	种　类	应　用	注 意 事 项
过氧乙酸	高效消毒剂	皮肤消毒、黏膜冲洗消毒、浸泡消毒、环境喷洒消毒	①对金属及织物有腐蚀性，消毒后应及时冲洗干净；②须加盖保存并现用现配；③须存放在阴凉通风处；④使用时须防止溅入眼中及皮肤、黏膜上，配制时需戴口罩及橡胶手套
戊二醛	高效消毒剂	用于浸泡不耐热的医疗器械、精密仪器，如内镜等。消毒时间 20～45 分钟，灭菌时间 10 小时	①对碳钢类制品有腐蚀性，使用前应加入 0.5%亚硝酸钠防锈；②每 2～3 周更换一次消毒液；③操作时防止溅入眼内及吸入体内；④宜现用现配；⑤灭菌后的物品在使用前应用无菌蒸馏水冲洗
甲醛	高效消毒剂	用于物体表面、对湿热敏感、不耐高温和高压的医疗器械的消毒灭菌	①消毒时，应严格控制环境的温度和湿度；②消毒物品应摊开或挂起，污染面尽量暴露，物品中间应留有空隙；③甲醛箱消毒物品时，不能用自然挥发法；④消毒后，可用抽气通风或氨水中和法去除残留甲醛气体；⑤甲醛不宜用于空气消毒，以防致癌
过氧化氢	高效消毒剂	用于丙烯酸树脂制成的外科埋置物、不耐热的塑料制品、餐具、服装、饮水等消毒，及漱口、外科冲洗伤口等	①存放于阴凉、通风处；②应现用现配；③对金属有腐蚀，对有色织物有漂白作用；④应防止溅入眼中和皮肤、黏膜上；⑤消毒被血液或脓液污染的物品，应适当延长消毒时间
碘酊	中效消毒剂	用于注射部位、手术、创面周围等的皮肤消毒	①刺激性强，不能用于黏膜消毒；②皮肤对碘过敏者禁用；③对金属有腐蚀性，不能浸泡金属器械；④保存需加盖
乙醇	中效消毒剂	用于皮肤、物品表面、医疗器械的消毒	①乙醇易挥发，应加盖保存，并定期测定有效浓度；②乙醇浓度超过 80%，消毒效果会降低；③乙醇有刺激性，不宜用于黏膜和创面的消毒；④乙醇易燃，应注意加盖并避火保存
含氯消毒剂（漂白粉、漂白粉精、次氯酸钠及 84 消毒液）	高浓度的为高效消毒剂，低浓度的为中效消毒	用于餐具、水、环境、疫源地等的消毒	①消毒液应保存在密闭容器中，放置阴凉、干燥、避光处，以减少有效氯的丧失；②因溶液不稳定，故应现配现用；③消毒液有腐蚀性和漂白作用，不适用于金属、有色织物及油漆家具的消毒
碘附	中效消毒剂	用于皮肤和黏膜等的消毒	①应保存在密闭容器中，置于阴凉、避光、防潮处；②对二价金属有腐蚀性，故不用于相应金属制品的消毒；③碘附应现用现配，因其稀释后稳定性较差；④如待消毒物品上存有大量有机物，应适当增加浓度，延长作用时间
氯己定	低效消毒剂	用于外科洗手消毒、手术部位的皮肤消毒和黏膜消毒等	①不可在肥皂和洗衣粉等阴离子表面活性剂前、后使用和混合使用；②易受有机物影响，使用前应先进行消毒部位的清洁，带污垢的不能使用

注：高效消毒剂能杀灭芽胞；中效消毒剂不能杀灭芽胞，可杀灭细菌繁殖体、病毒；低效消毒剂不能杀灭芽胞及部分细菌、病毒。

（三）医院清洁、消毒、灭菌工作

1. 医院用品的危险性分类

（1）高度危险性物品：此类物品是穿过皮肤、黏膜进入无菌组织或器官内部的器械或与破损组织、皮肤黏膜密切接触的器材和用品，如手术器械、输液器、血液及血制品、注射器、脏器移植物等。

（2）中度危险性物品：此类物品仅与皮肤、黏膜相接触，而不进入无菌组织内部，如血压计袖带、体温计、鼻镜、耳镜、音叉、压舌板、便器等。

（3）低度危险性物品：此类物品不进入人体组织，不接触黏膜，仅直接或间接地与健康无损的皮肤相接触。如衣物、被服、口罩等。

2. 选择消毒、灭菌方法的原则

（1）根据物品污染后的危害程度选择消毒、灭菌方法：高度危险性物品选用高效灭菌法，中度危险性物品选择中效或高效消毒法，低度危险性物品一般用低效消毒法或只作清洁处理。

（2）根据污染微生物的种类和数量选择消毒、灭菌方法及使用剂量。

（3）根据消毒物品的性质选择消毒方法。

（4）严格遵守消毒程序。

3. 清洁、消毒、灭菌的监测与效果评价

（1）凡进入人体无菌组织、器官或接触破损皮肤、黏膜的医疗用品必须无菌；接触黏膜的医疗用品细菌菌落总数应≤20CFU/g 或 $100cm^2$；接触皮肤的医疗用品细菌菌落总数应≤200CFU/g 或 $100cm^2$。

（2）使用中的消毒液含菌量≤100CFU/ml。

（3）压力蒸汽灭菌效果的监测可用化学监测法，即利用化学指示卡或化学指示胶带在121℃、20分钟或130℃、4分钟后颜色或性状改变来判定灭菌是否合格；也可使用生物监测法，在56℃温箱中培养48小时～1周，全部菌纸片无细菌生长为灭菌合格。

三、无菌技术

（一）操作原则

1. 环境：环境要宽敞、清洁，定期消毒；操作台要清洁、干燥、平坦、物品布局合理；操作前半小时停止清扫，减少走动，避免尘土飞扬。

2. 工作人员：操作前要戴好衣帽及口罩、修剪指甲、洗手，必要时穿无菌衣、戴无菌手套。

3. 物品放置有序，标志明显。

（1）无菌物品与有菌物品分开放，并标明。

（2）无菌物品应放于无菌包或容器中，不可暴露于空气中。

（3）无菌包外标明灭菌日期，并按失效期先后顺序摆放。

（4）无菌包的有效期：5月1日到10月1日有效期为1周；10月1日到次年的5月1日有效期为2周。

（5）一套无菌物品仅供一位患者使用。

4. 操作中的无菌观念

（1）进行操作时，身体与无菌区保持一定距离。

（2）取无菌物时，操作者要面向无菌区，并使用无菌持物钳。

（3）手臂保持在腰部或操作台面以上，不可跨越无菌区，手不可触及无菌物品。

（4）无菌物品一经取出，即使未用，也不得放回无菌容器。

（5）不能面对无菌区说话、咳嗽、打喷嚏。

（6）无菌物品疑有或已有污染时不可再用，应予以更换或重新灭菌。

（二）无菌技术基本操作法

1. 无菌持物钳

（1）不同种类无菌持物钳（镊）的临床常用

① 卵圆钳：用于夹取钳、镊、刀、剪、弯盘及治疗碗等较小无菌物品。

② 三叉钳：用于夹取盆、盒、罐等较重的无菌物品。

③ 镊子：用于夹取棉球、棉签、缝针、针头、注射器等较小的无菌物品。

（2）无菌持物钳（镊）的存放：每个容器内只能放置一把无菌持物钳。

① 湿式保存法：常用于病室存放。浸泡在盛有消毒溶液、底部垫无菌纱布的无菌广口有盖容器内，消毒液液面需浸没轴节以上2～3cm或镊子的1/2。

② 干燥保存法：常用于手术室存放。放

置在无菌广口有盖的干燥容器中。

(3) 无菌持物钳（镊）的使用方法

① 取钳：手持持物钳上 1/3 部分，使钳端闭合，移钳至容器中央，垂直取出，在容器上方滴尽消毒液再使用，不可触及容器口边缘及液面上的容器内壁。

② 使用：始终保持钳端向下，不可倒转向上。在胸、腹部视线范围内活动。

③ 放回：用后闭合钳端，快速垂直放回容器，并打开轴节，关闭容器盖。

(4) 注意事项

① 不能夹取未经消毒、灭菌的物品，也不能夹取油纱布或进行换药、消毒等操作。

② 到距离较远处取物时，应将无菌持物钳放入容器内一同搬移使用。

③ 使用无菌持物钳后立即放回容器内，以防在空气中暴露过久。

④ 无菌持物钳如被污染或可疑污染应重新灭菌。

⑤ 无菌持物钳及其容器每周清洁、消毒、更换消毒液 2 次；手术室、门诊换药室、注射室等应每天消毒、清洁；干燥存放时应每 4～6 小时更换 1 次。

2. 无菌容器

(1) 无菌容器的使用

① 检查：检查无菌容器的名称及有效期。

② 开盖：打开盖，手不可触及其盖的边缘及内面，内面朝上放置在桌面上。

③ 取物：使用无菌持物钳（镊）从无菌容器内取出无菌物品，无菌持物钳及无菌物品均不能触及无菌容器的边缘。

④ 盖盖：取物后立即手持无菌容器盖的外面将盖盖严，以免容器内的无菌物品在空气中暴露过久而造成污染。

(2) 注意事项

① 托住容器底部移动无菌容器，手不可触及无菌容器内边缘。

② 未使用的从无菌容器中取出的无菌物品，不可再放回无菌容器内。

③ 无菌容器一般每周灭菌 1 次。

3. 无菌溶液取用法

(1) 操作要点

① 检查：核对名称、剂量、浓度、有效期，检查瓶盖有无松动，瓶壁有无裂痕，有无沉淀、浑浊、变色、絮状物等。

② 揭开铝盖后消毒瓶口。

③ 倒液：瓶签朝向掌心，先倒少量溶液以冲洗瓶口，再由原处倒出溶液至无菌容器中。

④ 盖瓶塞：倒后塞好瓶塞，注明开瓶日期及时间。

(2) 注意事项

① 倒溶液时，不可触及无菌容器口，不可伸入无菌瓶内蘸取溶液。

② 盖瓶塞时，手不可触及瓶塞盖住瓶口的部分。

③ 已倒出的无菌溶液不能倒回瓶内。

④ 开瓶后的未用无菌溶液 24 小时内可再使用。

4. 无菌包的使用法

(1) 操作要点

① 无菌包布的选择：选质厚、致密、未脱脂的棉布制成双层包布。

② 无菌包的打开：解开系带并卷放在包布角下，按原折叠顺序逐层打开。

③ 取物品

a. 取包内部分物品：用无菌钳取出所需无菌物品，放在备好的无菌区内。

b. 取包内全部物品：将无菌包托在手上，系带夹于指缝，另一手打开包布三角，并抓住包布四角，准确地将包内物品放入无菌区域内。

④ 无菌包的包扎：则按原折痕包扎好，注明开包日期及时间。

(2) 注意事项

① 打开无菌包时，手只能接触包布外面，不可触及包布内面。

② 打开过的无菌包，再包扎后的有效期为 24 小时。

③ 无菌包内无菌物品被污染或被浸湿，则须重新灭菌。

5. 铺无菌盘

(1) 操作要点

① 开包：打开无菌包，取出无菌治疗巾。

② 单层底铺盘法：将无菌治疗巾双折，铺于治疗盘上，将上层折成扇形，边缘向外。取无菌物品放入无菌区内；手持无菌治疗巾的外面覆盖上层无菌巾，使上层、下层边缘对齐，开口侧边缘向上反折。

③ 注明铺无菌盘的名称及时间。

(2) 注意事项

① 铺盘区域应保持清洁干燥，无菌巾避

免潮湿、污染。

② 不要跨越无菌区。

③ 铺好的无菌盘应尽早使用，有效期不得超过4小时。

6. 戴、脱无菌手套注意事项

① 修剪指甲，选择与手掌大小匹配的手套尺码。

② 未戴手套的手不可触及手套的外面，已戴手套的手不可接触未戴手套的手及另一手套的内面。

③ 戴手套后双手应始终在腰部或操作台面以上视线范围内。

④ 必须冲洗干净后，方可进行操作。

⑤ 脱手套时应翻转脱下，避免强拉，不可用力强拉手套边缘或手指部分，以免损坏。

⑥ 手套破损或被污染，应立即更换。

四、隔离技术

（一）隔离区域的设置和划分

1. 隔离区的设置：隔离区域应与普通病区分开并远离水源、食堂和其他公共场所。未确诊、发生混合感染、有强烈的传染性及危重患者应住单独隔离室。同病种患者可住在同一病室，但病原体不同者应分室收治。

2. 隔离区的划分

分类	定义	举例
清洁区	凡未被病原微生物污染的区域	更衣室、配膳室、值班室及库房、食堂、药房、营养室等
半污染区	凡有可能被病原微生物污染的区域	医护办公室、化验室、病区内走廊等
污染区	凡患者直接接触或间接接触，被病原微生物污染的区域	病房、厕所、浴室等

（二）隔离消毒原则

1. 隔离标志明确，卫生设施齐全：病房门口和病床应悬挂隔离标志。门口备有用消毒液浸润的脚垫、消毒液、悬挂架或立柜。

2. 工作人员进出隔离室应符合要求：必须戴工作帽、口罩，穿隔离衣，在规定范围内活动。离开隔离室前消毒双手。

3. 每天消毒隔离室：用紫外线照射或消毒液喷洒消毒病室及空气每天1次。每天晨间用消毒溶液擦拭病床及床旁桌椅。

4. 解除隔离的标准：传染性分泌物经三次培养均为阴性或已过隔离期，经医生开出医嘱方可解除隔离。

5. 分类处理隔离室内物品

（1）患者接触过的物品或落地的物品，须经消毒后方可给他人使用。

（2）患者的排泄物、分泌物、呕吐物须经消毒后方可排放。

（3）需送出病区处理的物品，应放入污物袋内，要有明显标志。

6. 终末消毒处理

（1）患者的终末处理

① 出院或转科患者：出院或转科前应沐浴，换上清洁衣服，个人用物须经消毒后带出。

② 死亡的患者：用消毒液擦拭尸体，并用浸透消毒液的棉球填塞口、鼻、耳、肛门、阴道等孔道，伤口更换敷料，用一次性尸单包裹。

（2）病室的终末处理：摊开被褥、竖起床垫，关闭门窗、打开床头桌，用紫外线灯或消毒液熏蒸消毒病室，消毒后通风；用消毒溶液擦拭家具、地面、墙面。被服消毒后清洗；床垫、棉被、枕芯可用日光曝晒或紫外线照射消毒。

（三）隔离技术操作法

1. 帽子的使用：帽子应遮住全部头发，并保持清洁。

2. 口罩的使用

（1）先洗手，再戴口罩；先洗手，再摘口罩。

（2）口罩应遮住口鼻。

（3）戴上口罩后，不可悬挂于胸前，不可用污染手触摸口罩。

（4）口罩摘下后，将污染面向内折叠后放入小袋内，不能挂在胸前反复使用。

（5）有潮湿应立即更换。若接触传染患者，应每次更换。

（6）纱布口罩使用2～4小时应更换；一次性口罩不得超过4小时。

3. 手的清洁与消毒

（1）六步洗手法顺序

① 掌心对掌心，两手并拢相互搓擦。

② 手心对手背，手指交错相互搓擦（交换）。

③ 掌心相对，手指交叉沿指缝相互搓擦。

④ 用一手握另一手拇指旋转搓擦（交换）。

⑤ 弯曲一手手指各关节，在另一手掌心旋转搓擦（交换）。

⑥ 指尖在掌心转动搓擦（交换）。持续时间不少于15秒。

（2）消毒

① 顺序：按前臂、腕关节、手背、手掌、指缝及指甲顺序刷洗。

② 时间：每只手刷30秒，刷两遍，共2分钟。

③ 注意事项。

a. 刷手范围应超过被污染的范围。

b. 刷手时，身体应与洗手池保持一定距离。

c. 流动水冲洗时，腕部应低于肘部。

d. 刷手完毕，刷子要放回治疗碗内。

4. 穿脱隔离衣注意事项

（1）隔离衣的内面和衣领为清洁区。

（2）系衣领时污染的袖口不可触及衣领、面部和帽子。

（3）穿隔离衣时，手不可触及隔离衣的内面。

（4）穿好隔离衣后，双臂保持在腰部以上，在视线范围内；不得进入清洁区，避免接触清洁品。

（5）隔离衣要无潮湿、无破损，能完全覆盖工作服。

（6）洗手时，隔离衣不得污染洗手设备。

（7）隔离衣应每天更换一次；如有潮湿或被污染时，立即更换。

（8）脱下的隔离衣挂在半污染区，隔离衣的清洁面向外，不得露出污染面；挂在污染区，则污染面朝外，不得露出清洁面。

（9）如隔离衣不再穿用。脱下后将清洁面向外折好，放入污染袋内。

（四）隔离种类和措施

1. 隔离种类

（1）严密隔离：适用于经飞沫、分泌物、排泄物直接或间接传播的烈性传染病，如霍乱、鼠疫等。

（2）呼吸道隔离：适用于通过空气中的飞沫传播的感染性疾病，如肺结核、百日咳、流脑等。

（3）肠道隔离：适用于由患者的排泄物直接或间接污染了食物或水源而引起传播的疾病，如伤寒、甲型肝炎、细菌性痢疾等。

（4）接触隔离：适用于经体表或伤口直接或间接接触而感染的疾病，如破伤风、气性坏疽等。

（5）血液-体液隔离：适用于预防直接或间接接触血液和体液传播的传染性疾病，如艾滋病、梅毒、乙型肝炎等。

（6）昆虫隔离适用于以昆虫为媒介而传播的疾病，如疟疾、乙型脑炎、流行性出血热、斑疹伤寒、回归热等。

（7）保护性隔离：适用于抵抗力低下或极易感染的患者，如早产儿、严重烧伤、白血病、脏器移植、免疫缺欠等患者。

2. 隔离措施

（1）严密隔离

① 室外门上挂有明显隔离标志。

② 患者应住单间病室，通向过道的门窗须关闭。

③ 禁止探视、陪护及患者出病室。

④ 患者的分泌物、呕吐物及排泄物须严格消毒处理。

⑤ 污染敷料装袋标记后进行焚烧处理。

⑥ 病室内空气及地面用消毒液喷洒，每天1次。

（2）呼吸道隔离

① 同一病原菌感染者可住同一病室。

② 通向过道的门窗须关闭，患者离开病室时需戴口罩。

③ 医务人员进入病室时需戴口罩，并保持口罩干燥，必要时穿隔离衣。

④ 为患者准备专用的痰杯，口、鼻分泌物须经消毒处理后方可丢弃。

⑤ 病室内空气用消毒液喷洒或紫外线照射消毒，每天1次。

（3）肠道隔离

① 不同病种患者最好分室居住，患者之间不可互换物品。

② 接触不同病种患者时需分别穿隔离衣，接触污物时戴手套。

③ 病室应有防蝇设备，并做到无蟑螂、

无鼠。

④ 患者食具、便器各自专用，严格消毒，剩余食物及排泄物均应消毒处理后才能排放。

⑤ 被粪便污染的物品要随时装袋，做好标记后送消毒或焚烧处理。

（4）接触隔离

① 患者应住单间病室，不许接触他人。

② 接触患者时需戴帽子、口罩、手套、穿隔离衣，必要时戴手套。

③ 凡患者接触过的一切物品均应先灭菌，然后再进行清洁、消毒、灭菌。

④ 被患者污染的敷料应装袋，做好标记后送焚烧处理。

（5）保护性隔离

① 设专用隔离室，患者住单间病室隔离。

② 凡是进入病室人员，应穿、戴灭菌后的隔离衣、帽子、口罩、手套及拖鞋。

③ 接触患者前、后或护理另一位患者前均要洗手。

④ 凡患呼吸道疾病或咽部带菌者均应避免接触患者。

⑤ 未经消毒处理的物品不得带入隔离区。

⑥ 病室内空气、地面、家具等均应严格消毒并通风换气。

⑦ 探视者应采取相应的隔离措施。

【考点强化】

1. 医院获得性感染的发生对象不包括
A. 患者　B. 医生　C. 护士
D. 探视者　E. 传染病院周边的居民

2. 消毒的含义是
A. 消除物品上的一切污秽
B. 消灭除细菌芽胞外的各种病原微生物
C. 杀灭物品上的所有微生物
D. 杀灭物品上的芽胞
E. 消灭包括细菌芽胞在内的各种病原微生物

3. 清除或杀灭物品上的一切微生物，包括细菌芽胞的处理称为
A. 消毒　B. 灭菌　C. 无菌
D. 清洁　E. 抑菌

4. 不属于物理消毒灭菌的方法是
A. 燃烧法　B. 臭氧灭菌灯消毒法
C. 机械除菌法　D. 浸泡法
E. 电离辐射灭菌法

5. 热力消毒灭菌法的原理是
A. 干扰细菌酶的活性
B. 破坏细菌膜的结构
C. 使菌体蛋白发生光解变性
D. 抑制细菌代谢和生长
E. 使菌体蛋白及酶变性凝固

6. 燃烧法灭菌，不能用于
A. 污染的敷料　B. 治疗碗
C. 镊子　D. 拆线剪
E. 坐浴盆

7. 用煮沸法消毒物品，正确的是
A. 水沸后放橡胶管
B. 杀灭细菌繁殖体时间为20～30分钟
C. 水沸后放入玻璃物品
D. 大小相同的治疗碗可重叠
E. 煮沸中途加入物品应从加入开始计时

8. 煮沸消毒时为提高沸点，可加入
A. 氯化铵　B. 亚硝酸钠
C. 碳酸钠　D. 碳酸氢钠
E. 碳酸铵

9. 肛管煮沸消毒时，操作错误的一项是
A. 先将肛管洗刷干净
B. 肛管腔内注水，用纱布包好
C. 冷水时放入
D. 水沸后开始计时
E. 在沸水中持续5～10分钟

10. 禁用高压蒸汽灭菌的物品是
A. 金属类　B. 化纤织物
C. 搪瓷类　D. 棉织品
E. 细菌培养基

11. 为检验高压蒸汽灭菌效果，目前常用的方法是
A. 温度计监测
B. 灭菌包中试纸变色
C. 灭菌包中明矾熔化
D. 术后患者是否有切口感染
E. 灭菌后物品细菌培养

12. 紫外线杀菌的最佳波长是
A. 254nm　B. 245nm　C. 250nm
D. 450nm　E. 425nm

13. 用紫外线灯管消毒空气时，下述哪项错误
A. 灯管应每周2次擦拭除尘
B. 消毒过程让患者戴防护镜
C. 照射后应开窗通风
D. 物品消毒时，物品距灯管的有效距离为25～60cm
E. 使用时间超过2000h灯管应更换

14. 用紫外线灯消毒空气，下述哪项错误

A. 灯管用无水乙醇纱布擦净
B. 照射前房间内应保持清洁干燥
C. 灯亮 5～7 分钟开始计时
D. 关灯后须冷却 3～4 分钟再开
E. 消毒适宜湿度为 30%～40%

15. 内窥镜用 2%戊二醛浸泡消毒时，下述哪项正确
A. 用清水冲洗后即可浸泡
B. 打开轴节全部浸于液面下
C. 加入 5%亚硝酸钠防锈
D. 浸泡时间需 15 分钟
E. 浸泡取出后即可使用

16. 过氧乙酸不能用于
A. 手的消毒　B. 空气消毒
C. 浸泡金属器械　D. 擦拭家具
E. 浸泡搪瓷类物品

17. 下列不属于化学消毒灭菌方法的是
A. 浸泡法　B. 擦拭法
C. 喷雾法　D. 微波消毒法
E. 熏蒸法

18. 用戊二醛浸泡消毒手术刀片等碳钢类制品前应加入的防锈剂为
A. 0.5%亚硝酸钠
B. 0.9%氯化钠　C. 50%硫酸镁
D. 1%～2%碳酸氢钠
E. 5%葡萄糖溶液

19. 不能杀灭芽胞的化学消毒剂是
A. 环氧乙烷　B. 碘伏
C. 过氧乙酸　D. 甲醛
E. 戊二醛

20. 在使用化学消毒剂时，以下哪种方法是不正确的
A. 碘酊不能用于黏膜消毒
B. 苯扎溴铵不能与肥皂合用
C. 戊二醛可用于浸泡内镜
D. 过氧乙酸可用于浸泡金属器械
E. 40%甲醛溶液不宜用于空气消毒

21. 正确的无菌技术操作是
A. 用无菌持物钳夹取无菌油纱布
B. 将无菌敷料接触无菌溶液瓶口倒溶液
C. 打开无菌容器盖使外面向上放于桌上
D. 解开无菌包系带卷放在包布上
E. 操作时手臂保持在腰部水平以上

22. 关于无菌技术，以下操作错误的是
A. 治疗室要湿式清扫，每日紫外线照射一次
B. 衣帽要整齐，口罩遮住口鼻，修剪指甲，洗手
C. 将无菌盘盖巾扇形折叠开口边向外
D. 一份无菌物品，仅供一位患者使用
E. 消毒液应浸没钳的 2/3 左右

23. 无菌持物钳的正确使用方法是
A. 取放时钳端应闭合
B. 使用时保持钳端向上
C. 可夹取任何无菌物品
D. 到远处取物时应速去速回
E. 钳端可触碰搪瓷罐的内面和罐口

24. 使用无菌容器正确的操作是
A. 盖的内面朝下，以便放置稳妥
B. 手抓边缘，以便持物牢靠
C. 容器内无菌物取出后，未污染物品可放回
D. 开盖 30 分钟内盖好，以防污染
E. 手指不可触及容器内面及边缘，盖的内面朝上

25. 取用无菌溶液，正确的操作是
A. 取用前首先检查瓶签是否符合、溶液性状
B. 手指触及瓶盖内面
C. 倒溶液时溶液瓶口触碰无菌容器
D. 将无菌敷料直接伸入瓶内蘸溶液
E. 溶液未用完应注明开瓶日期和时间，可保存 48 小时

26. 已开启的无菌溶液可保存
A. 48h　B. 24h　C. 12h
D. 8h　E. 4h

27. 下列哪项保管无菌物品方法是错误的
A. 无菌包被无菌等渗盐水浸湿应重新灭菌
B. 无菌包必须注明灭菌日期
C. 打开过的无菌包，48h 后必须重新灭菌
D. 取出的无菌敷料不得再放回无菌包内
E. 解开无菌包系带卷放在包布上

28. 无菌盘铺好后有效时间不超过
A. 4h　B. 5h　C. 6h
D. 7h　E. 8h

29. 以下戴无菌手套的错误做法是
A. 戴前将手洗净擦干
B. 核对手套号码及无菌日期
C. 手涂滑石粉后将粉袋立即放回原处
D. 注意手套有无破裂

E. 戴后避免污染

30. 下列属于传染病区中半污染区的是

A. 病室、厕所

B. 治疗室、库房

C. 浴室、洗涤间

D. 配餐室、更衣室

E. 走廊、病区化验室

31. 传染病患者出院时的终末消毒处理，错误的是

A. 患者洗澡、换清洁衣裤

B. 个人用物经消毒方可带出病区

C. 被服及时送洗衣房清洗

D. 室内空气可用喷洒消毒

E. 病床、桌椅可用喷洒消毒

32. 传染病区内使用口罩，符合要求的是

A. 口罩应遮住口部

B. 污染的手只能触摸口罩外面

C. 取下口罩后外面向外折叠

D. 口罩潮湿应晾干再用

E. 脱下口罩后勿挂在胸前

33. 刷手的顺序正确的是

A. 前臂、腕部、手背、手掌、手指、指缝、指甲

B. 手指、指甲、指缝、手背、手掌、腕部、前臂

C. 前臂、腕部、指甲、指缝、手指、手背、手掌

D. 手掌、腕部、手指、指甲、指缝、手背

E. 腕部、前臂、手掌、手背、手指、指甲

34. 刷手的注意事项正确的是

A. 手刷每 48h 高压消毒 1 次

B. 肥皂液每日更换 1 次

C. 刷手的时间为 4 分钟

D. 刷洗的范围限于被污染的部位

E. 手刷放在刷手盆中

35. 穿脱隔离衣的操作步骤正确的是

A. 双手伸入袖内后扣袖扣

B. 扣好领扣后系腰带

C. 将腰带交叉在背后打结

D. 消毒手后先解开领扣

E. 将隔离衣内面向外，挂传染病室

36. 有关使用隔离衣的要求，正确的是

A. 每周更换一次

B. 要保持袖口内外面清洁

C. 必须完全盖住工作服

D. 隔离衣潮湿后晾干即可

E. 隔离衣挂在走廊内应外面向外

37. 浸泡纤维胃镜的消毒液宜用 D

A. 0.1%新洁尔灭

B. 0.2%过氧乙酸

C. 70%乙醇　　D. 2%戊二醛

E. 过氧乙酸

38. 可以用作空气消毒的化学消毒剂是

A. 过氧化氢　　B. 乙醇

C. 碘伏　　D. 过氧乙酸

E. 环氧乙烷

39. 脱隔离衣的步骤是

A. 先解领子、袖口，再刷手

B. 先解袖口、领子，再刷手

C. 先刷手，后解领子、袖口

D. 先解腰带、解袖口，再刷手

E. 先解领子、解腰带，再刷手

40. 林某，53 岁，因发热、食欲减退、恶心、呕吐伴巩膜黄染，被疑为肝炎。他的工作证、电话本、钱包等用下列何种消毒方法

A. 喷雾法　　B. 擦拭法

C. 熏蒸法　　D. 高压蒸汽灭菌法

E. 光照法

41. 李某，男性，62 岁，因急性黄疸性肝炎收入院。此时的护理措施不妥的是

A. 接触患者应穿隔离衣

B. 患者的排泄物倒入马桶冲洗

C. 护理患者前后均应洗手

D. 病房每日应用紫外线灯照射

E. 患者剩余饭菜可用含氯石灰混合搅拌后倒掉

42. 齐某，女性，30 岁，高热、腹泻，诊断为细菌性痢疾。应对其进行

A. 严密隔离　　B. 消化道隔离

C. 昆虫隔离　　D. 接触隔离

E. 保护性隔离

（43～45 题共用病例）

患者，男性，32 岁，1 周前不慎被钉子扎伤左脚，近 2 天开始发热、厌食，说话张口费力，咀嚼困难，急诊入院。

43. 患者最可能的诊断是

A. 伤口化脓感染 B. 发热待查

C. 破伤风　　D. 败血症

E. 消化系统疾病

44. 患者应施行

A. 严密隔离　B. 呼吸道隔离

C. 消化道隔离　D. 接触隔离

E. 保护性隔离

45. 患者换药后所用的器械消毒方法是

A. 先灭菌，然后再进行清洁、消毒、灭菌

B. 单独煮沸消毒　C. 焚烧灭菌

D. 先清洁后高压灭菌

E. 清洁后浸泡灭菌

【参考答案】

1. E	2. B	3. B	4. D	5. E
6. D	7. A	8. D	9. C	10. B
11. B	12. A	13. E	14. E	15. B
16. C	17. D	18. A	19. B	20. D
21. E	22. E	23. A	24. E	25. E
26. B	27. C	28. A	29. C	30. E
31. C	32. E	33. A	34. B	35. D
36. C	37. D	38. D	39. D	40. C
41. B	42. B	43. C	44. D	45. A

第五章　入院和出院患者的护理

一、入院患者的护理

（一）住院处的护理

1. 办理入院手续：住院处将住院手续办完后，立即通知病区做好接收新患者的准备。

2. 进行卫生处置：护士根据患者的病情和身体状况，在卫生处置室进行卫生处置，如理发、沐浴、更衣、修剪指（趾）甲等。危、急、重症患者可酌情免浴。有虱者，先行灭虱处理，再进行卫生处置。传染病或疑似传染病者应送隔离室处置。患者换下的衣物交家属带回或暂存于住院处。

3. 护送患者入病区：携门诊病历护送患者入病区，要注意安全和保暖，必要的治疗不能中断；要与病区值班护士对患者的病情、个人卫生情况、物品等进行交接。

（二）患者入病区后的初步护理

1. 一般患者的护理

（1）准备床单位，传染病患者应安置到隔离病室。

（2）迎接新患者。

（3）通知医生诊查患者。

（4）测量体温、脉搏、呼吸、血压及体重，并记录。

（5）向患者及家属介绍病区环境、作息时间及有关规章制度、床单位及设备的使用方法等。指导常规标本留取的方法、时间、注意事项。

（6）填写有关表格

① 用蓝黑墨水笔或碳素墨水笔填写住院病历眉栏及各种表格。

② 用红色水笔在体温单40～42℃横线之间入院时间栏内，纵行填写入院时间。

③ 住院病历排列顺序：体温单、医嘱单、入院记录、病史和体格检查单、病程记录、各种检验检查报告单、护理记录单、住院病历首页、门诊或急诊病历。

④ 填写入院登记本、诊断小卡（插在患者住院一览表上）、床尾卡（插在床头或床尾牌内）。

（7）执行入院医嘱及给予紧急护理措施。

（8）入院护理评估。

（9）通知营养室为患者准备膳食。

2. 急诊患者的护理

（1）通知医生做好抢救准备。

（2）准备好急救器材和药品。

（3）配合抢救患者，观察病情变化，做好护理记录。

（4）询问病史：对语言障碍、意识不清的患者或婴幼儿等，需暂留陪送人员，以便询问病史。

（三）分级护理

1. 特级护理

（1）适用对象：病情危重，需随时观察、抢救。如严重创伤、大面积烧伤、疑难复杂大手术后、器官移植以及严重的内科疾病等。

（2）护理内容

① 专人24小时护理，严密观察患者病情及生命体征变化；

② 备好急救所需药品和用物；

③ 做好基础护理，严防并发症，确保患者安全；

④ 制定护理计划，严格执行各项诊疗及护理措施，及时准确、逐项填写特别护理记录。

2. 一级护理

（1）适用对象：病情危重，需绝对卧床。如大出血、肝肾功能衰竭者、各种大手术后、休克、昏迷、瘫痪、高热和早产儿等。

（2）护理内容

① 每15～30分钟巡视患者一次，观察病情及生命体征变化；

② 做好基础护理，严防并发症，满足患者身心需要；

③ 制订护理计划，严格执行各项诊疗及护理措施，及时、准确、逐项填写特别护理记录。

3. 二级护理

（1）适用对象：病情较重，生活不能自理。如大手术后病情稳定者、年老体弱、慢性病不宜多活动者以及幼儿等。

（2）护理内容

① 每1～2小时巡视患者一次，观察病情；

② 按护理常规护理；

③ 给予必要的生活协助及心理护理，满足患者身心需要。

4. 三级护理

（1）适用对象：病情较轻，生活能基本自理。如一般慢性病，疾病恢复期及选择手术前的准备阶段等。

（2）护理内容

① 每天巡视患者两次，观察病情；

② 按护理常规护理；

③ 给予卫生保健指导，督促患者遵守医院规章制度，满足患者身心需要。

二、出院患者的护理

（一）出院前的护理

（1）通知患者和家属，协助做好出院准备。

（2）进行适时、恰当的健康教育。

（3）注意患者的情绪变化。

（4）征求患者对医疗、护理等各项工作的意见。

（二）有关文件的处理

1. 执行出院医嘱

（1）停止一切医嘱，用红笔在各种执行卡片或有关表格上填写出院字样，注明日期并签名。

（2）填写出院患者登记本。

（3）在体温单40～42℃横线之间相应时间栏内，用红色水笔填写出院时间。

2. 填写护理评估单。

3. 出院病历的排列顺序：住院病历首页、出院（或死亡）记录、入院记录、病史和体格检查单、病程记录、各种检查检验报告单、护理记录单、医嘱单、体温单。

（三）床单位的处理

（1）撤去病床上的污被服，放入污衣袋，清洗、消毒。

（2）用消毒溶液擦拭病床及床旁桌、床垫、椅。

（3）非一次性使用的脸盆、痰杯用消毒溶液浸泡。

（4）床垫、被褥、枕芯在日光下曝晒6小时或用紫外线灯照射消毒。

（5）病室开窗通风。

（6）传染病患者出院后，需按传染病终末消毒法处理。

三、运送患者法

（一）轮椅运送法

1. 放置轮椅：检查轮椅，将椅背与床尾齐平，椅面朝向床头，将轮椅制动，翻起脚踏板。

2. 上轮椅：嘱患者将双手置于护士肩上，护士双手环抱患者腰部，协助患者坐于轮椅上；患者坐稳后，翻下脚踏板，将患者双脚置于踏板上。

3. 推轮椅：嘱患者手扶轮椅扶手，身体尽量向后靠，勿向前倾或自行下车；下坡时要减慢速度，过门槛时翘起前轮。推行中注意观察患者病情。

4. 协助患者下轮椅：将轮椅推至床尾，椅背与床尾平齐，患者面向床头，固定车闸，翻起脚踏板，协助患者下轮椅。

（二）平车运送法

1. 挪动法：适用能在床上配合的患者。

（1）移开床旁桌、椅，松开盖被。

（2）将平车与床平行，紧靠床边，大轮端靠床头，制动闸止动。

（3）按上半身、臀部、下肢的顺序向平车移动，头部枕于大轮端。

（4）患者离开平车时，先移动下肢，再移上半身。

2. 单人搬运法：适用于体重较轻、上肢活动自如的患者。

（1）推平车至床旁，大轮端靠近床尾，平车与床呈钝角，固定好车闸。

（2）搬运者屈膝、屈髋，两脚前后分开，一臂自患者近侧腋下伸至对侧肩部外侧，另一臂伸至患者臀下。患者双臂交叉于搬运者颈后。将患者抱起，轻放于平车中央。

3. 两人搬运法：适用于不能活动且体重较重的患者。

（1）一人的手臂托住患者头、颈、肩部，另一手臂托住腰部；另一人的手臂托住臀部，另一手臂托住腘窝处。

（2）两人同时托起患者，并使其身体向搬运者倾斜，同时向平车移步，将患者轻放于平车中央。

4. 三人搬运法：适用于不能活动且体重超重的患者。

（1）搬运者甲托住患者头、颈、肩和背部，搬运者乙托住患者腰和臀部，搬运者丙托住患者腘窝和小腿部。

（2）三人同时托起患者，并使其身体向搬运者倾斜，同时向平车移步，将患者轻放于平车中央。

5. 四人搬运法：适用于颈椎、腰椎骨折，或病情较重的患者。

（1）搬运者甲站在床头，搬运者乙站在床尾，搬运者丙和丁分别站在病床和平车两侧。

（2）搬运者甲托住患者头、颈、肩部；搬运者乙托住患者双腿；搬运者丙和丁紧紧抓住帆布兜或中单四角。

（3）四人同时将患者抬起，轻稳放置于平车中央。

6. 注意事项

① 搬运前要仔细检查平车。

② 多人搬运时要协调一致。

③ 患者头部应卧于大轮端。

④ 运送骨折患者时，平车上要垫木板，并将骨折部位固定好。

⑤ 有引流管及输液管时，要固定妥当并保持通畅。

⑥ 为利于观察病情，护士站在患者头侧。

⑦ 平车上、下坡时，患者的头部应在高处。

⑧ 运送过程中要保持车速平稳。

⑨ 进出门时，应先将门打开，不可用车撞门。

⑩ 注意观察病情变化，冬季要注意保暖。

【考点强化】

1. 护送患者入病区时下列不妥的是

A. 能步行的患者嘱其自己去病区

B. 不能步行的患者用轮椅护送去病区

C. 危重患者用平车护送去病区

D. 护送时注意保暖

E. 轮椅、平车护送要注意安全

2. 一般患者入院，值班护士接住院处通知后，应先

A. 准备病床单位　B. 迎接新患者

C. 填写入院病历　D. 通知医生

E. 通知营养室

3. 一般患者入病区后的初步护理，应首先

A. 介绍住院规章制度

B. 扶助患者上床，护士自我介绍

C. 测量生命体征

D. 通知医生，协助体检

E. 填写住院病历有关栏目

4. 对患者进行入院介绍和指导的内容不包括

A. 病区及病室环境　B. 医院的规章制度

C. 常规标本的送检方法

D. 床单位及设备的使用方法

E. 医院的作息时间

5. 李某，女，53岁，因哮喘急性发作急诊入院。护士在入院初步护理中，下列哪项不妥

A. 准备抢救用物
B. 立即给患者氧气吸入
C. 安慰患者，减轻焦虑
D. 介绍常规标本留取法
E. 通知医生，给予诊治

6. 下列不属于一级护理的是
A. 高热患者　B. 瘫痪患者
C. 昏迷患者　D. 休克患者
E. 病情较重，生活不能自理者

7. 完成肾脏移植术后患者，病区护士为其制订的护理措施应是
A. 特级护理　B. 一级护理
C. 二级护理　D. 三级护理
E. 普通护理

8. 不需要特级护理的患者是
A. 严重创伤患者　B. 大面积烧伤患者
C. 器官移植患者　D. 严重内科疾病患者
E. 肾功能不全患者

9. 二级护理适用于
A. 肾功能衰竭　B. 脏器移植手术后
C. 年老体弱　D. 高热
E. 大面积灼伤

10. 不应给予三级护理的患者是
A. 术前检查准备阶段的患者
B. 大手术后病情稳定者
C. 早产婴儿
D. 一般慢性病患者
E. 疾病恢复期患者

11. 有关特级护理表述不正确的是
A. 每 10 分钟巡视患者一次
B. 严密观察病情及生命体征变化
C. 周密制订护理计划
D. 严格执行各项诊疗及护理措施
E. 备齐急救药品以便急用

12. 一级护理内容，下述哪项错误
A. 每 2h 巡视患者一次
B. 观察病情及生命体征变化
C. 及时准确填写特别护理记录单
D. 严格执行各项诊疗及护理措施
E. 认真做好各项基础护理

13. 一位大手术后病情稳定的患者，巡视病房一次应该间隔的时间为
A. 15～30 分钟　B. 30～60 分钟
C. 1～2h　D. 12h
E. 24h

14. 出院护理中错误的是
A. 通知患者及家属做好出院准备
B. 凭医生处方领取患者出院后需服药物
C. 协助患者整理用物
D. 介绍出院后注意事项
E. 停止给药

15. 传染病患者出院时终末消毒处理，错误的是
A. 患者洗澡，换清洁衣裤
B. 被服及时送洗衣房清洗
C. 个人用物经消毒后方可带出病区
D. 病室空气可用消毒液熏蒸消毒
E. 病床、桌椅可用消毒液擦拭消毒

16. 患者刚出院，对病床单元的处理下列哪项不妥
A. 污床单被套等撤下送洗
B. 被褥曝晒 6h
C. 床、床旁桌、椅用消毒溶液擦拭
D. 脸盆、痰杯用清水刷净
E. 铺成备用床

17. 使用轮椅时，下列操作不妥的是
A. 推轮椅至床旁，椅背与床头平齐
B. 上下轮椅前须扳制动闸将轮椅止动，翻起脚踏板
C. 嘱患者手扶轮椅扶手，尽量靠后坐
D. 推车时嘱患者上身勿向前倾身，以免感觉不适或发生意外
E. 翻下脚踏板，协助患者将脚置于脚踏板上

18. 用挪动法协助患者从床上向平车移动的顺序为
A. 下肢，臀部，上半身
B. 上身，下肢，臀部
C. 上半身，臀部，下肢
D. 臀部，下肢，上半身
E. 臀部，上半身，下肢

19. 单人搬运患者时，平车与床边适宜的位置是
A. 平车与床平行
B. 平车头端与床头呈钝角
C. 平车头端与床头呈锐角
D. 平车头端与床尾呈钝角
E. 平车头端与床尾呈锐角

20. 两人搬运患者的正确方法是
A. 甲托头肩部，乙托臀部
B. 甲托背部，乙托臀、腘窝部
C. 甲托颈、腰部，乙托大腿和小腿

D. 甲托头、背部，乙托臀和小腿

E. 甲托颈肩、腰部，乙托臀、腘窝部

21. 患者因颈椎骨折入院，需要做 CT 检查，用平车运送时，应选的搬运法为

A. 挪动法

B. 一人搬运法

C. 二人搬运法

D. 三人搬运法

E. 四人搬运法

22. 错误的四人搬运法搬运患者的操作是

A. 将帆布兜或中单放于患者腰、臀下

B. 检查平车性能

C. 将平车推至患者床旁，核对患者

D. 甲抬患者头、颈、肩部，乙抬患者双足，丙、丁分别抓住帆布兜或中单四角

E. 甲、乙分别站于床头和床尾，丙、丁站于病床两侧

23. 搬运病情较轻，但自己不能活动且体重又较重的患者用

A. 轮椅运送法　B. 挪动法

C. 一人搬运法　D. 二人搬运法

E. 四人搬运法

24. 叶先生，20 岁，因车祸造成严重颅脑损伤，在用平车运送该患者中，推平车上下坡时患者头部应在高处一端的主要目的是

A. 防止血压下降

B. 避免呼吸不畅

C. 减轻头部充血不适

D. 预防坠车

E. 有利于与患者交谈

25. 用平车搬运患者，下述不正确的是

A. 搬运腰椎骨折患者，平车上放置木板

B. 上坡时，患者头部在平车前端

C. 护士应站于患者头侧

D. 进门时，先将门打开

E. 暂停输液，以免针头脱出

（26～27 题共用病例）

李某，男，32 岁，因车祸外伤急诊入院。患者烦躁不安，面色苍白，血压 75/45mmHg，脉搏 110 次/分钟。

26. 该患者入院护理的首要步骤为

A. 热情接待，介绍环境

B. 填写各种表格，完成入院护理评估单

C. 安置休克卧位，测量生命体征，输液，通知医生

D. 了解健康情况

E. 准备急救物品，等待值班医生

27. 患者须用平车送 CT 室检查，下列操作方法不正确的是

A. 根据体重采用单人搬运法

B. 患者头部卧于平车大轮端

C. 护士在患者头侧

D. 输液、吸氧不可中断

E. 注意保暖

【参考答案】

1. A　2. A　3. B　4. C　5. D
6. E　7. A　8. E　9. C　10. C
11. A　12. A　13. C　14. E　15. B
16. D　17. A　18. C　19. D　20. E
21. E　22. E　23. D　24. C　25. E
26. C　27. A

第六章　卧位和安全的护理

一、卧位

（一）卧位的分类

1. 主动卧位：患者自主采取的卧位。

2. 被动卧位：患者自身无力改变卧位，躺于被他人安置的卧位。

3. 被迫卧位：患者意识清晰，有改变卧位的能力，因减轻疾病所致的痛苦或治疗需要而被迫采取的卧位，如支气管哮喘发作时，患者因呼吸困难而采取端坐位。

（二）常用的卧位

体　位	要　求	适用范围
去枕仰卧位	去枕仰卧，头偏向一侧，两臂放于身体两侧，两腿伸直，自然放平	①适用于昏迷或全身麻醉未清醒的患者，可防止呕吐物误入气管而引起窒息或肺部并发症；②适用于椎管麻醉或腰椎穿刺术后6～8小时的患者，可预防颅内压降低所引起的头痛
中凹卧位	头胸抬高10°～20°，下肢抬高20°～30°	适用于休克患者。头胸部抬高，利于保持呼吸道通畅，改善缺氧；下肢抬高，利于静脉回流，增加心排血量，缓解休克症状
屈膝仰卧位	仰卧，两臂放于身体两侧，两膝屈起，并稍向外分开	适用于腹部检查、导尿的患者
侧卧位	侧卧，两臂屈肘，一手放于枕旁，另一手放于胸前，下腿伸直，上腿弯曲	①适用于灌肠、肛门检查，配合胃镜、肠镜检查；②适用于臀部肌内注射；③预防压疮：与仰卧位交替以减少局部受压时间
半坐卧位	(1) 摇床法：卧于床上，先摇起床头，使上半身与床成30°～50° (2) 靠背架法：在床头褥下垫一靠背架，将上半身抬高，下肢屈膝	①适用于心肺疾患引起呼吸困难的患者；②适用于胸、腹、盆腔手术后或有炎症的患者；③适用于腹部手术后患者；④适用于某些面部及颈部手术后患者；⑤适用于疾病恢复期体质虚弱的患者
端坐位	患者坐位，身体稍前倾；摇起床头支架呈70°～80°，膝下支架呈15°～20°	急性肺水肿、心包积液、支气管哮喘急性发作时的患者，因极度呼吸困难而被迫端坐
俯卧位	患者俯卧，两臂屈曲放于头两侧，两腿伸直，在胸、腹、髋部及踝部的下面各放一软枕，头偏向一侧	①适用于腰、背部检查，配合胰、胆管造影等；②适用于腰、背、臀部有伤口或脊椎手术后，患者不能平卧或侧卧；③适用于胃肠胀气所致腹痛，可使腹腔容积增大，以缓解胃肠胀气
头低足高位	患者仰卧，枕头横立于床头（保护头部），床尾垫高15～30cm	①适用于肺部分泌物引流，使痰液易于咳出；②适用于十二指肠引流，以利于胆汁引流；③适用于妊娠时胎膜早破，以防止脐带脱垂；④适用于跟骨及胫骨结节牵引时，以利用人体重力作为反牵引力
头高足低位	患者仰卧，枕头横立于床尾，床头垫高15～30cm	①适用于颈椎骨折患者进行颅骨牵引时；②适用于减轻颅内压，以预防脑水肿；③适用于开颅手术后患者
膝胸位	患者跪于床上，小腿平放，大腿与床面垂直，两腿稍分开，胸部贴于床面，腹部悬空，臀部抬起，两臂屈肘放于头两侧，头转向一侧	①适用于肛门、直肠、乙状结肠的检查、治疗；②适用于矫正子宫后倾和胎位不正；③适用于产后促进子宫复原
截石位	患者仰卧在检查台上，两腿分开并放于支腿架上，臀部齐床沿，两手放于身体两侧或胸前	①适用于会阴、肛门部位的检查、治疗、手术；②适用于产妇分娩时

（三）更换卧位的方法

1. 帮助患者移向床头

(1) 一人协助法：适用于体重较轻的轻症患者。患者仰卧屈膝，双手握住床头栏杆。护士一手托住患者肩部，一手托住患者臀部，患者两臂用力，脚蹬床面，挺身上移至床头。

(2) 二人协助法：适用于体重较重或病情较重的患者。患者仰卧屈膝，两位护士站在床的两侧，交叉托住患者的颈肩部及臀部，或一人托住颈肩、腰部，另一人托住臀部、腘窝部，同时抬起患者移向床头。

2. 帮助患者翻身侧卧法

（1）一人协助法：适用于体重较轻的患者。患者仰卧，两手放于腹部，两腿屈曲。先将患者肩、臀部移向护士侧，再移双下肢，护士一手扶肩一手扶膝部，轻推患者转向护士对侧。

（2）二人协助法：适用于体重较重或病情较重的患者。两位护士站在床的同侧，一人托住患者的颈肩部及腰部，另一人托住臀部及腘窝，两人同时抬起患者移向近侧；扶住患者肩、腰、臀和膝部，轻轻将患者翻向对侧。

3. 特殊患者的翻身注意事项

（1）有各种导管或输液装置者：先将导管妥善安置，翻身后保持通畅。

（2）颈椎、颅骨牵引者：翻身时不可放松牵引，并使头、颈、躯干保持在同一水平翻身。

（3）一般手术后患者：翻身前检查伤口敷料，先换药再翻身。

（4）颅脑手术后患者：取健侧卧位或平卧位；头部不可剧烈翻动。

（5）石膏固定、伤口较大的患者：翻身后应注意将患处置于合适位置，以防受压。

二、保护具的应用

（一）目的

（1）防止小儿、高热、谵妄、昏迷、躁动、危重患者等因意识不清或虚弱等原因而发生坠床、撞伤、抓伤等意外。

（2）确保治疗、护理工作顺利进行。

（二）方法

1. 床档：主要用于保护患者，预防坠床。

2. 约束带：主要用于躁动或精神科患者，以限制身体或肢体活动。

（1）宽绷带：主要用于固定手腕及踝部。

（2）肩部约束带：主要用于固定肩部，以限制患者坐起。

（3）膝部约束带：主要用于固定膝部，以限制患者下肢活动。

（4）尼龙搭扣约束带：适用于手腕、上臂、踝部、膝部等的固定。

3. 支被架：主要用于肢体瘫痪、极度虚弱的患者，也可用于烧伤患者暴露疗法时保暖。

（三）注意事项

（1）制动性保护具只能短期使用，保持肢体及关节处于功能位。

（2）使用时，约束带下须垫衬垫，松紧适宜，定时松解，一般每 2 小时松解 1 次。经常观察局部皮肤颜色，必要时按摩局部，以促进血液循环。

【考点强化】

1. 处于被动体位的是

A. 心包积液患者　B. 心力衰竭患者
C. 昏迷患者　D. 支气管哮喘患者
E. 胸膜炎患者

2. 李某，男，50 岁。发热咳嗽、左侧胸痛，喜左侧卧位，自诉此卧位时胸部疼痛减轻。此卧位性质属于

A. 主动卧位　B. 被动卧位
C. 被迫卧位　D. 习惯卧位
E. 特异卧位

3. 一人帮助患者翻身侧卧，下列步骤哪项正确

A. 协助患者手臂放于身体两侧
B. 使患者两腿平放伸直
C. 协助患者先将臀部移向床缘
D. 护士手扶患者肩、膝部协助翻身
E. 翻身后使患者上腿伸直

4. 王某，男，28 岁。胆囊切除术后，两人扶助患者翻身侧卧，下述哪项正确

A. 协助患者手臂放于身体两侧
B. 协助患者先将臀部移向床缘
C. 两人协助翻身时手的着力点分别在肩、腰、臀和膝部
D. 翻身后助患者上腿伸直，下腿弯曲
E. 翻身后更换敷料

5. 帮助患者翻身侧卧，下述正确的是

A. 二人操作时将患者稍抬起再移动
B. 患者肥胖应两人同时对称托住后翻身
C. 为颅骨牵引患者翻身先放松牵引
D. 患者身上置引流管，应夹闭再移动
E. 敷料潮湿时先翻身再更换

6. 下列需用保护具的患者是

A. 休克　B. 腹痛　C. 谵妄
D. 发热　E. 妊娠

7. 使用约束带时应重点观察

A. 衬垫是否垫好
B. 局部皮肤颜色有无变化
C. 约束带是否牢靠
D. 体位是否舒适
E. 神志是否清楚

8. 患儿，6 岁，右腿Ⅱ度烧伤面积达 20%，需使用保护具，以下措施错误的是
A. 使用保护具前应取得患者及家属的理解
B. 保护性制动只是暂时使用
C. 将患者的双上肢外展固定于身体两侧
D. 约束带下应放软衬垫，松紧合适
E. 经常观察约束部位的皮肤颜色

9. 吴某，男，56 岁。因脑出血入院，为预防脑水肿可取
A. 端坐位　　B. 头偏向一侧
C. 膝胸位　　D. 头高足低位
E. 中凹位

10. 黄女士，68 岁，患慢性肺心病近 8 年，近日咳嗽、咳痰加重，明显发绀，给予半坐卧位的目的是
A. 使回心血量增加
B. 使肺部感染局限化
C. 使膈肌下降，呼吸通畅
D. 减轻咽部刺激及咳嗽
E. 促进排痰，减轻发绀

11. 张某，女性，25 岁，产前检查胎儿臀位，为矫正胎位，护士告诉孕妇有利于纠正胎位的体位是
A. 头低足高位　　B. 截石位
C. 侧卧位　　D. 膝胸位
E. 俯卧位

12. 章某，男性，32 岁，因车祸致脾破裂急诊入院。患者胸闷、气促、出冷汗、脉细速，血压 9.1/6.7kPa (68/50mmHg)，该患者最适宜的体位是
A. 平卧位　　B. 中凹卧位
C. 侧卧位　　D. 俯卧位
E. 头低足高位

13. 腹腔感染术后患者取半坐卧位，是为了
A. 预防脑压减低
B. 促进腹腔引流，使炎症局限
C. 防止呕吐物流入呼吸道
D. 减轻伤口缝合处的张力
E. 使膈肌下降，呼吸通畅

14. 腰椎穿刺术后 6h 内去枕平卧的目的是
A. 预防脑压减低
B. 促进腹腔引流，使炎症局限
C. 防止呕吐物流入呼吸道
D. 减轻伤口缝合处的张力
E. 使膈肌下降，呼吸通畅

15. 李某，男性，29 岁，因外伤下肢骨折，需做胫骨结节牵引，患者采取最合适的体位是
A. 去枕仰卧位　　B. 头低足高位
C. 头高足低位　　D. 截石位
E. 膝胸卧位

16. 秦某，男性，62 岁，因肝癌晚期入院治疗。入院后患者出现肝昏迷，烦躁不安、躁动，为保证患者的安全，可采取的措施是
A. 纱布包裹压舌板，放于上下臼齿之间
B. 加床档，用约束带约束患者
C. 室内取暗光线，避免刺激患者
D. 工作人员动作要轻，避免刺激患者
E. 减少外界刺激

（17～18 题共用病例）
李某，男性，42 岁，在高空作业时不慎坠落，诊断为颈椎骨折、左下肢骨折。入院后为患者积极治疗，行颅骨牵引、左下肢石膏固定、留置导尿及静脉输液等。

17. 为该患者翻身时的注意事项不包括
A. 翻身时不可放松牵引
B. 翻身后应将伤口侧处于适当位置，防止受压
C. 翻身前应将各种导管安置妥当
D. 翻身时须将导尿管夹闭
E. 翻身后应检查导管是否脱落、移位、扭曲、受压，以保持通畅

18. 护士为患者翻身时需注意
A. 为防止坠床，可令患者躺卧于床中央再帮其翻身
B. 翻身时尽量节力，可轻微在床面上拖动患者
C. 护士双脚应一字形分开，以利于用力
D. 头、颈、躯干要保持在同一水平上位上翻动
E. 两护士应分别站于床两侧，保护患者

【参考答案】
1. C　2. C　3. D　4. C　5. A
6. C　7. B　8. C　9. D　10. C
11. D　12. B　13. B　14. A　15. B
16. B　17. D　18. D

第七章 患者的清洁护理

一、口腔护理

（一）用物

名　称	药理作用	适用原则
0.9%氯化钠溶液	清洁口腔，预防感染	口腔pH值为中性时适用
复方硼酸溶液	轻微抑菌，消除口臭	口腔pH值为中性时适用
0.02%呋喃西林溶液	清洁口腔，有广谱抗菌作用	口腔pH值为中性时适用
1%～3%过氧化氢溶液	有抗菌、防臭作用	口腔pH值偏酸性时适用
1%～4%碳酸氢钠溶液	属碱性药，用于真菌感染	口腔pH值偏酸性时适用
2%～3%硼酸溶液	可改变细菌的酸碱平衡，起抑菌作用	口腔pH值偏碱性时适用
0.1%醋酸溶液	用于铜绿假单胞菌感染时	口腔pH值偏碱性时适用

（二）操作方法

(1) 体位：协助患者侧卧或仰卧，头偏向右侧。

(2) 漱口。

(3) 按顺序擦拭。

① 嘱患者咬合上、下齿，用压舌板轻轻撑开一侧颊部，擦洗一侧牙齿外面。沿纵向由上至下，由臼齿至门齿。同法擦洗另一侧。

② 嘱患者张口，依次擦洗左上内侧、左上咬合面、左下内侧面、左下咬合面，以弧形擦洗左侧颊部，同法擦洗右侧。

(4) 擦洗后漱口，擦净口周。

(5) 口腔黏膜如有溃疡，可酌情涂药，口唇干裂可涂液状石蜡或唇膏。

（三）注意事项

(1) 擦洗时动作要轻。勿触及咽部，以免引起恶心。每擦洗一个部位，更换1个湿棉球。

(2) 昏迷患者禁忌漱口，擦洗时棉球不宜过湿。

(3) 传染病患者用物须按消毒隔离原则处理。

(4) 长期应用抗生素者，应观察口腔黏膜有无真菌感染。

二、头发护理

1. 常用灭虱药液：30%含酸百部酊、30%百部含酸煎剂。

2. 操作要点

(1) 穿隔离衣，戴手套，将用物携至床旁，向患者解释以取得合作。

(2) 男性或儿童应剃发，女性患者应将头发剪短后再行灭虱。

(3) 将头发分为若干小股，用纱布蘸灭虱液，擦洗并反复揉搓头发，时间为10分钟，后用帽子包裹头发。

(4) 24小时后取下帽子，用篦子去除死虱和虮，清洗头发。

(5) 更换被服、衣裤并消毒处理。

3. 注意事项

(1) 操作中应防止灭虱药液沾污面部及眼部。

(2) 用药后，应注意观察患者局部及全身有无反应。

(3) 注意保护自己，免受感染。

三、皮肤护理

（一）淋浴和盆浴

(1) 适用患者：适用于病情较轻、生活能自理、全身情况良好的患者。

(2) 禁忌患者：妊娠7个月以上的孕妇禁用盆浴，衰弱、创伤、患心脏病需卧床的患者，不宜淋浴和盆浴。

(3) 调节室温在24℃左右，水温调节至

40～45℃，浴室不宜闩门。

（4）了解患者入浴时间，如时间过久应予询问，以防意外发生。

（5）饭后须过1小时才能进行沐浴，以免影响消化。

（6）防止患者滑倒、受凉、晕厥、烫伤等意外情况发生。

（7）传染患者进行沐浴，应按隔离原则进行。

（二）床上擦浴

1. 适用患者：适用于病情较重，长期卧床、活动受限，生活不能自理的患者。

2. 操作要点

（1）准备：调节室温至24℃左右。调节水温至50～52℃。

（2）擦洗方法：先用小毛巾涂浴皂擦洗，再用湿毛巾擦净皂液，然后用清洗后的毛巾再擦洗，最后用浴巾边按摩边擦干。

（3）擦洗顺序

① 洗脸、颈部：依次擦洗眼、额、面颊部、鼻翼、人中、耳后、下颌直至颈部。

② 清洗上肢和胸腹部：先擦洗两上肢和胸腹部，再协助患者侧卧清洗双手。

③ 擦洗颈、背、臀部：患者侧卧，依次擦洗后颈、背部及臀部。

④ 擦洗双下肢、踝部，清洗双足。

⑤ 擦洗会阴部。

（4）协助患者穿脱衣服

① 协助患者脱衣顺序：先脱近侧，后脱远侧；如有外伤则先脱健肢，后脱患肢，在擦洗部位下面铺上大毛巾。

② 协助患者穿上清洁衣服顺序：先穿远侧，再穿近侧；先穿患肢，再穿健肢。

3. 注意事项

（1）节力原则：两脚稍分开，降低身体重心，端水盆时，水盆尽量靠近身体。动作要轻稳。

（2）注意保暖，及时更换温水，擦浴时间一般为15～30分钟。

（3）注意遮挡，以保护患者自尊。

（4）腋窝、腹股沟等皮肤皱褶处应擦洗干净。

（5）注意患者病情变化，如出现寒战、面色苍白等变化，应立即停止擦洗，给予适当处理。

四、压疮的预防及护理

（一）压疮发生的原因

（1）力学因素中垂直压力是造成压疮的最主要因素。局部组织持续受压超过2小时，就可能导致压疮的发生。多见于长期卧床、长时间坐轮椅的患者。

（2）皮肤受潮湿或排泄物刺激。

（3）全身营养不良或水肿。

（4）老年人。

（5）体温升高。

（6）矫形器使用不当：受限制的患者使用石膏绷带、夹板及牵引时，松紧不适，衬垫不当。

（二）压疮的好发部位

1. 仰卧位：好发于枕骨粗隆、肩胛部、肘部、骶尾部、足跟等，最常发生于骶尾部。

2. 侧卧位：好发于耳廓、肩部、肋骨、髋部、膝关节内外侧、内外踝等处。

3. 俯卧位：好发于面颊、耳廓、肩部、髂嵴、肋缘突出部、膝前部、足尖等处。

4. 坐位：好发于坐骨结节处。

（三）压疮的分期及临床表现

1. Ⅰ期（淤血红润期）：受压的皮肤出现红、肿、热、痛或麻木，解除压力30分钟后皮肤颜色无恢复，但皮肤表面无破损，为可逆性改变。

2. Ⅱ期（炎性浸润期）：受压部位呈紫红色，皮下产生硬结，表皮出现水疱。

3. Ⅲ期（浅度溃疡期）：轻者有脓液流出，溃疡形成，患者感觉疼痛加重。

4. Ⅳ期（坏死溃疡期）：坏死组织发黑，脓性分泌物增多，有臭味。

（四）压疮的预防

预防的关键在于消除诱发因素，要做到勤观察、勤翻身、勤擦洗、勤按摩、勤整理、勤更换、勤交班。

1. 避免局部组织长期受压

（1）定时翻身：一般每2小时翻身一次。

（2）保护骨隆突处和支撑身体空隙处。

（3）正确使用石膏、夹板、绷带固定。衬垫应平整、松紧适度、位置合适，尤其要注意骨骼突起部位的衬垫；应仔细观察局部皮肤和肢端皮肤颜色的变化。

2. 避免摩擦力和剪切力作用

(1) 平卧位时，床头抬高不要大于30°。

(2) 半卧位时，防止身体下滑。

(3) 长期坐椅时，适当约束。

(4) 协助患者翻身、搬运时，将身体抬离床面。

(5) 使用便器时，应选择无破损的便器，使用时抬高患者腰骶部，避免强塞硬拉。必要时可在便器边缘垫上纸或柔软的布垫，以免擦伤皮肤。

3. 保护患者皮肤

(1) 每天用肥皂或含乙醇的清洁用品清洁皮肤，皮肤干燥后可适当应用润肤品。

(2) 床单、被褥要保持清洁、平整、干燥、无碎屑。

4. 促进局部血液循环：长期卧床者应每天进行全身关节的运动；进行温水拭浴，定时用50%乙醇进行局部或全背按摩。

5. 加强全身营养：高蛋白、高热量、高维生素饮食，保持正氮平衡，注意补充维生素C和锌。

6. 健康教育：使患者及家属掌握预防压疮的知识和技能，参与预防工作。

(五) 压疮的护理

1. 淤血红润期：去除病因，增加翻身次数，避免摩擦、潮湿和排泄物等对皮肤的刺激，保持局部清洁、干燥，促进局部血液循环，加强营养摄入。

2. 炎性浸润期：防止感染，继续上述护理措施，对有水疱的皮肤进行特殊护理。

(1) 未破小水疱：无菌纱布包扎。

(2) 未破大水疱：先局部皮肤消毒，再抽出水疱内液体（不可剪去表皮），涂消毒液后用无菌敷料包扎。

(3) 破溃的水疱：先创面及其周围皮肤消毒，再用无菌敷料包扎。

3. 浅度溃疡期：尽量保持局部创面清洁，使用保湿敷料保护创面。

4. 坏死溃疡期：用生理盐水、3%过氧化氢等溶液冲洗创面，去除坏死组织，再外敷抗生素，并用无菌敷料包扎。可辅以物理疗法。对大面积、深达骨质的压疮，如上述治疗效果差，可采用外科治疗。

【考点强化】

1. 口腔铜绿假单胞菌感染，宜使用的漱口液是

A. 1%～3%过氧化氢溶液

B. 2%～3%硼酸溶液

C. 1%～4%碳酸氢钠溶液

D. 0.2%呋喃西林溶液

E. 0.1%醋酸溶液

2. 某患者因病使用抗生素数周，近日发现口腔黏膜有乳白色分泌物，做口腔护理时应选择哪种漱口液

A. 2%过氧化氢　　B. 2%硼酸

C. 4%碳酸氢钠　　D. 0.02%呋喃西林

E. 0.1%醋酸

3. 为昏迷患者进行口腔护理，错误的操作是

A. 认真检查口腔黏膜

B. 有活动义齿应取下

C. 用止血钳夹紧棉球　　D. 擦洗动作要轻稳

E. 用吸水管协助漱口

4. 为凝血功能差的患者进行口腔护理时应特别注意

A. 动作轻稳　　B. 先取下义齿

C. 夹紧棉球

D. 擦拭时勿触及咽后壁

E. 不可漱口

5. 灭头虱的方法中，错误的一项是

A. 用纱布蘸百部酊，按顺序擦遍头发

B. 反复揉搓头发10分钟

C. 24h后用篦子篦去死虱，洗发

D. 患者换下污衣裤高压蒸汽灭菌

E. 梳子和篦子先清洗后消毒

6. 下列可以使用盆浴、淋浴的患者是

A. 术后体质衰弱患者

B. 妊娠8个月孕妇

C. 心肌梗死急性期患者

D. 传染病患者　　E. 腿部外伤患者

7. 盆浴时水温保持在

A. 24℃左右　　B. 30℃左右

C. 35～40℃　　D. 40～45℃

E. 45～50℃

8. 住院患者自行沐浴时，下列哪项不妥

A. 水温调节在40～45℃

B. 饭后马上即可进行

C. 浴室不应闩门

D. 入浴时间太长应予以询问

E. 教会患者使用浴室内的呼叫器

9. 下列患者应进行床上擦浴的是

A. 心梗急性期患者

B. 左腿骨折石膏固定患者

C. 大出血患者　　　　D. 截瘫患者

E. 腹部手术术后当天患者

10. 给一位左上肢骨折患者床上擦浴，下述哪项正确

A. 由外眦向内眦擦拭眼部

B. 脱上衣时先脱左肢

C. 擦浴时间一般为 30～45 分钟

D. 穿上衣时先穿右肢

E. 擦洗动作要轻稳

11. 林某，女，53 岁。因股骨骨折行骨牵引已 4 周，护士为其床上擦洗过程中，患者突然感到心慌、气急、面色苍白、出冷汗，护士应立即

A. 请家属协助擦洗

B. 加快操作速度完成擦洗

C. 边洗发边通知医生

D. 鼓励患者再坚持片刻

E. 停止操作，让患者平卧

12. 发生压疮的最主要原因是

A. 局部组织受压过久

B. 病原体侵入皮肤

C. 机体营养不良

D. 用夹板时衬垫不平

E. 皮肤受潮、摩擦刺激

13. 下列不属于压疮诱发因素的是

A. 石膏夹板内衬垫放置不当

B. 皮肤受汗液、尿液等的刺激

C. 局部组织长期受压

D. 肌肉萎缩

E. 全身营养缺乏

14. 下列体位与褥疮好发部位的关系不正确的是

A. 仰卧—骶尾部　　B. 侧卧—髂部

C. 俯卧—内踝　　D. 坐位—坐骨结节

E. 侧卧—肩峰部

15. 压疮淤血红润期表现有

A. 静脉淤血，表面青紫

B. 局部破溃、流水

C. 红、肿、热、触痛

D. 组织坏死、发黑　E. 皮肤水泡、肿胀

16. 长期卧床患者为预防压疮，下列做法不妥的是

A. 鼓励患者增加营养

B. 每 4～6h 翻身一次

C. 翻身时避免拖、拉、推动作

D. 适当调节夹板或矫形器械的松紧度

E. 骨突部位处垫软枕、海绵垫

17. 李某，男，48 岁。截瘫，骶尾部有一疮面，面积 2.0cm×1.5cm，深达肌层，有脓性分泌物，疮面周围有黑色坏死组织，该疮面应如何处理

A. 用 50％乙醇按摩疮面及周围皮肤

B. 用生理盐水冲洗并敷盖新鲜鸡蛋内膜

C. 暴露疮面，紫外线每日照射 1 次

D. 剪去坏死组织，用过氧化氢冲洗，置引流纱条

E. 涂厚层滑石粉包扎

18. 张某，女，67 岁。因髋骨骨折，在家卧床已 1 个月。主诉：臀部触痛麻木。检查：臀部皮肤局部红肿。下列指导中，哪项不妥

A. 避免局部长期受压

B. 适当增加营养

C. 避免潮湿、摩擦

D. 局部可用棉垫包扎，避免直接与床铺接触

E. 红外线照射

19. 患者女性，75 岁，左侧股骨颈骨折手术后 10 天，生活不能自理，为其行晨间护理的最佳顺序是

A. 用便器→皮肤护理→扫床→口腔护理

B. 口腔护理→用便器→皮肤护理→整理床单位

C. 扫床→用便器→皮肤护理→口腔护理

D. 皮肤护理→扫床→口腔护理→用便器

E. 用便器→口腔护理→皮肤护理→整理床单位

20. 患者李某，男性，40 岁，因外伤截肢 2 个月，骶尾部受压处因淤血而呈紫红色，有皮下硬结和水疱形成，患者有疼痛感。该患者正确的压疮分期是

A. 淤血红润期　　B. 炎性浸润期

C. 溃疡期　　D. 感染期

E. 早期

21. 褥疮炎性浸润期的表现为

A. 红、肿、热、触痛

B. 浅层组织感染，脓液流出，溃疡形成

C. 局部红肿部分向外扩大，有水泡，皮肤呈紫红色

D. 坏死组织发黑，脓性分泌物增多，有臭味

E. 感染向周围及深部扩展

（22～24 题共用病例）

王某，女，60 岁，卧床 3 周，近日骶尾部皮肤破溃，护士仔细观察后认为是压疮溃疡期。

22. 支持判断为溃疡期的典型表现是

A. 患者主诉骶尾部疼痛，麻木感

B. 骶尾部皮肤呈紫红色，皮下有硬结

C. 局部皮肤发红，水肿

D. 疮面湿润，有脓性分泌物

E. 皮肤上有大小水泡

23. 对王某局部压疮的处理方法不妥的是

A. 局部按外科换药处理

B. 清除坏死组织，用生理盐水冲洗

C. 大水泡剪去表皮，涂以消毒溶液

D. 伤口湿敷

E. 用高压氧治疗

24. 发生压疮的患者如病情许可，应给予哪种膳食

A. 高蛋白质、高维生素

B. 高蛋白质、高脂肪

C. 高碳水化合物、高脂肪

D. 高脂肪、高维生素

E. 高碳水化合物、高维生素

【参考答案】

1. E	2. C	3. E	4. A	5. E
6. D	7. D	8. B	9. D	10. E
11. E	12. A	13. D	14. C	15. C
16. B	17. D	18. D	19. E	20. B
21. C	22. D	23. C	24. A	

第八章 生命体征的评估

一、体温的评估及护理

（一）体温的评估

1. 产热和散热

（1）产热过程：肝脏和骨骼肌是人体主要产热部位，成人的产热方式以战栗产热为主。

（2）散热过程：人体最重要的散热部位是皮肤。人体散热方式有辐射、对流、蒸发和传导。在安静状态下及低温环境中，辐射是主要的散热方式；在环境温度等于或高于皮肤温度时，蒸发是主要的散热方式。

2. 正常体温：口腔舌下温度为 36.3～37.2℃，直肠温度为 36.5～37.7℃，腋下温度为 36.0～37.0℃。

3. 影响体温的生理性因素

（1）年龄因素：新生儿体温易受环境温度的影响而发生波动。儿童体温高于成人。老年人体温偏低。

（2）性别因素：女性在月经前期和妊娠早期体温可轻度升高，而排卵期较低。

（3）昼夜因素：清晨 2～6 时最低，午后 13～18 时最高，变化范围在 0.5～1℃。

（4）其他：情绪激动、精神紧张、进食时体温升高；安静、睡眠、饥饿时体温下降

（二）异常体温

1. 体温过高：临床上最常见感染性发热。

（1）发热程度（口腔温度）

① 低热：37.3～38.0℃。

② 中等度热：38.1～39.0℃。

③ 高热：39.1～41.0℃。

④ 超高热：41.1℃以上。

（2）发热的临床过程

① 体温上升期：特点为产热大于散热。主要表现为疲乏无力、皮肤干燥无汗、畏寒、皮肤苍白、寒战。肺炎球菌肺炎、疟疾等为体温骤升，而伤寒为体温渐升。

② 高热持续期：特点为产热和散热在较高水平趋于平衡。主要表现为颜面潮红、皮肤灼热、口唇干燥、呼吸和脉搏加快、尿量减少。

③ 退热期：特点为散热大于产热。主要表现为大量出汗，皮肤温度下降。体温骤退者有发生虚脱及休克的危险。

(3) 热型

① 稽留热：体温持续在 39.0～40.0℃，达数天或数周，24 小时波动范围不超过 1℃。见于伤寒、肺炎球菌肺炎等。

② 弛张热：体温在 39.0℃以上，24 小时内体温差达 1℃以上，最低体温仍超过正常水平。见于败血症、风湿热、化脓性疾病等。

③ 间歇热：体温骤升至 39℃以上，持续数小时或更长，然后很快下降至正常，经数小时、数天的间歇后，又升高。见于疟疾等。

④ 不规则热：体温在 24 小时内变化不规则，持续时间不定。见于流行性感冒、肿瘤性发热等。

(4) 体温过高患者的护理

① 加强病情观察：高热患者每隔 4 小时测体温一次，体温恢复正常 3 天后改为每天1～2 次。观察生命体征、伴随症状，观察发热的病因和诱因；观察治疗效果，观察摄入量和排出量。

② 降温：体温超过 39.0℃，可用冰袋冷敷头部；体温超过 39.5℃时，可用乙醇拭浴、温水拭浴或做大动脉冷敷。实施降温措施 30 分钟后应测体温。

③ 补充营养和水分：给予患者高热量、高蛋白的流质或半流质饮食，鼓励患者少量多餐，多饮水，以每天 3000ml 为宜。

④ 促进患者舒适：卧床休息，减少能量消耗；体温上升期注意保暖；应在晨起、餐后、睡前协助患者漱口，口唇干裂应涂润滑油保护；及时擦汗、更换衣服及床单。

2. 体温过低

(1) 概念：体温在 35.0℃以下。

(2) 临床表现：主要表现为发抖、血压降低、心跳呼吸减慢、躁动、嗜睡，甚至昏迷，皮肤苍白、四肢冰冷。

(3) 临床分级

① 轻度：32～35℃。

② 中度：30～32℃。

③ 重度：<30℃。

④ 致死温度：23～25℃。

(4) 护理

① 环境温度：维持室温 24～26℃。

② 给以保暖措施。

③ 加强监测：密切观察生命体征，每小时测量体温 1 次。

(三) 体温测量的方法

1. 测量前准备

(1) 进食、饮水、蒸汽吸入、面颊冷热敷等后，须隔 30 分钟后测口腔温度。

(2) 腋窝局部冷热敷后应隔 30 分钟再测量腋温。

(3) 灌肠、坐浴后须隔 30 分钟，方可经直肠测温。

2. 测量方法的选择

(1) 婴幼儿、呼吸困难、口鼻腔手术或精神异常、昏迷的患者，不宜测口温。

(2) 消瘦夹不紧体温计、腋下出汗较多、腋下有炎症、创伤或手术的患者，不宜测腋温。

(3) 直肠或肛门手术、腹泻以及心肌梗死的患者不宜测肛温。

3. 测量方法

(1) 口腔测温法：将口表水银端斜放于舌系带两侧；紧闭口唇用鼻呼吸；3 分钟后取出。

(2) 腋下测温法：体温计水银端放于腋窝深处；患者屈臂过胸夹紧；10 分钟后取出。

(3) 直肠测温法：侧卧、俯卧或屈膝仰卧位；将肛表水银端插入肛门 3～4cm；3 分钟后取出。

(四) 水银体温计的清洁、消毒和检查法

1. 清洁消毒方法：用后于消毒容器浸泡 5 分钟后取出，冲洗，将水银柱甩至 35℃以下，再于另一消毒容器内浸泡 30 分钟后取出，冲洗、擦干后存放于清洁的容器内备用。

2. 检查方法：将体温计的水银柱甩至 35℃以下，同时放入 40℃以下的温水中，3 分钟后取出。若读数相差 0.2℃以上、玻璃管有裂隙、水银柱自动下降的体温计则取出，不再使用。

二、脉搏的评估与护理

(一) 脉搏的评估

(1) 脉率：正常成人在安静状态下的脉率为 60～100 次/分；脉率随年龄的增加而逐渐减低，到老年时轻度增加；女性比男性稍快，相差 5 次/分；运动、情绪变化时可暂时增快，休息、睡眠时较慢。

(2) 脉律：正常人可出现吸气时增快，呼气时减慢。

(3) 脉搏的强弱：脉搏的强弱取决于动脉的充盈程度和周围血管阻力，与心排出量、脉压大小、动脉管壁的弹性有关。

(二) 异常脉搏

1. 脉率异常

（1）速脉：成人在安静状态下脉率超过100次/分，称为速脉。常见于发热、甲状腺功能亢进、心力衰竭、血容量不足的患者。体温升高1℃，成人脉率增加10次/分，儿童增加15次/分。

（2）缓脉：成人在安静状态下脉率低于60次/分，称为缓脉。常见于颅内压增高、房室传导阻滞、甲状腺功能减退等。

2. 节律异常

（1）间歇脉：在一系列正常均匀的脉搏中，出现一次提前而较弱的搏动，其后有一较正常延长的间歇（代偿性间歇），称间歇脉。多见于各种心脏病或洋地黄中毒的患者。

（2）脉搏短绌：在单位时间内脉率少于心率称脉搏短绌。常见于心房纤颤的患者。

3. 强弱异常

（1）洪脉：当心排出量增加，动脉充盈度和脉压较大时，脉搏强大有力，称洪脉。常见于高热、甲状腺功能亢进、主动脉瓣关闭不全。

（2）丝脉或细脉：当心排出量减少，动脉充盈度降低，脉搏细弱无力，扪之如细丝，称丝脉。常见于心功能不全、大出血、休克、主动脉瓣狭窄。

（3）交替脉：节律正常，而强弱交替出现，为心肌损害的表现。见于高血压心脏病、冠状动脉粥样硬化性心脏病。

（4）水冲脉：脉搏骤起骤降，急促而有力。为脉压增大所致。见于主动脉瓣关闭不全、甲状腺功能亢进症。

（5）重搏脉：见于伤寒、肥厚性梗阻性心肌病。

（6）奇脉：吸气时脉搏明显减弱或消失。见于心包积液或缩窄性心包炎。

（三）脉搏测量的方法

1. 测量部位：常用的是桡动脉，其次有颞浅动脉、颈动脉、肱动脉、足背动脉、股动脉等。

2. 测量方法：用示指、中指、环指的指端按压在患者桡动脉处，按压力量要适中；测30秒脉搏数。如脉搏异常或危重患者应测1分钟。若脉搏细弱而触不清时，应用听诊器听心率1分钟代替触诊。发现脉搏短绌的患者，应由两位护士同时测量，一人听心率，另一人测脉率，测1分钟。记录方法为心率/脉率。

三、呼吸的评估及护理

（一）呼吸的评估

1. 呼吸正常：成人的呼吸频率为16～20次/分，正常呼吸表现为节律规则。

2. 生理性变化：年龄越小，呼吸频率越快；女性较男性呼吸频率稍快；劳动或情绪激动时呼吸频率增快；休息和睡眠时呼吸频率减慢。

（二）异常呼吸

异常呼吸		特征	病因
频率异常	呼吸增快	安静状态下超过24次/分	发热、疼痛、缺氧、甲亢。体温每升高1℃，呼吸每分钟增加3～4次
	呼吸缓慢	安静状态下少于12次/分	颅内压增高、巴比妥类药物中毒
节律异常	潮式呼吸	由浅慢渐变为深快，又有深快渐变浅变慢，然后呼吸暂停5～20秒后，再重复出现以上过程，如此周而复始	脑炎、脑膜炎、颅内压增高、酸中毒、巴比妥类药物中毒
	间断呼吸	有规律地呼吸几次后，突然暂停呼吸，间隔一个短时间，随后又开始呼吸；如此反复交替	临终前出现
深浅度异常	深度呼吸	深而规则的大呼吸	代谢性酸中毒
	浮浅呼吸	浅表而不规则的呼吸，有时呈叹息样	见于濒死患者
声音异常	蝉鸣样呼吸	吸气时有一种高音调的音响，声音似蝉鸣	喉头水肿、痉挛或喉头有异物等
	鼾声呼吸	呼气时发出粗糙鼾声	深昏迷患者
呼吸困难	吸气性呼吸困难	吸气费力，吸气时间显著长于呼气时间，出现明显三凹征	喉头水肿、喉头有异物等上呼吸道部分梗阻
	呼气性呼吸困难	呼气费力，呼气时间显著长于吸气时间	支气管哮喘、肺气肿等下呼吸道部分梗阻
	混合性呼吸困难	吸气和呼气均感费力，呼吸的频率加快而表浅	重症肺炎、广泛性肺纤维化、大量胸腔积液
形态异常	胸式呼吸减弱，腹式呼吸增强		肺炎、胸膜炎、肋骨骨折、肋神经痛
	胸式呼吸增强，腹式呼吸减弱		腹膜炎、腹水、腹腔大的肿瘤

（三）呼吸测量的方法

1. 患者准备：保持安静状态，如患者情绪激动或有剧烈运动，应休息 30 分钟。

2. 测量方法：胸部或腹部一起一伏为一次，观察 30 秒，将测得数值乘以 2，呼吸异常患者观察 1 分钟。危重或呼吸微弱患者，可用少许棉花置于患者鼻孔前，观察棉花被吹动的次数，计数 1 分钟。

四、血压的评估及护理

（一）血压的评估

1. 基本概念

(1) 收缩压：心室收缩时，动脉血压上升达到的最高值，称为收缩压。

(2) 舒张压：当心室舒张时，动脉血压下降达到的最低值，称为舒张压。

(3) 脉压：为收缩压与舒张压之差。

(4) 平均动脉压：在一个心动周期中，动脉血压的平均值称平均动脉压。等于舒张压＋1/3 脉压。

2. 影响血压的因素

(1) 每搏排出量：每搏排出量增大时，收缩压、脉压明显升高。

(2) 心率：心率增快时，舒张压明显升高，脉压减小。

(3) 外周血管阻力：外周血管阻力增加时，舒张压升高明显，脉压减小。

(4) 主动脉和大动脉弹性：弹性降低时，收缩压升高、舒张压降低、脉压增大。

3. 血压正常值：正常成人收缩压为 90～139mmHg(12～18.5kPa)，舒张压为 60～89mmHg(8～11.8kPa)，脉压为 30～40mmHg (4～5.3kPa)。

4. 生理性变化

(1) 年龄：动脉血压随年龄的增长而逐渐增高，收缩压升高较舒张压升高明显。

(2) 性别：更年期前女性血压比男性偏低，更年期后差别较小。

(3) 昼夜和睡眠：清晨血压最低，傍晚血压最高，夜间睡眠血压降低。

(4) 环境：在寒冷环境中血压略升高；在高温环境中，血压略下降。

(5) 部位：右上肢血压高于左上肢。下肢血压比上肢高。

(6) 其他：紧张、恐惧、害怕、兴奋及疼痛等可致血压升高。

（二）异常血压

1. 高血压：成人收缩压≥140mmHg (18.7kPa) 和（或）舒张压≥90mmHg (12kPa)。

2. 低血压：成人血压低于 90/(60～50) mmHg[12/(8～6.65)kPa]。

3. 脉压增大：见于主动脉瓣关闭不全、主动脉硬化等患者。

4. 脉压减小：见于心包积液、缩窄性心包炎、主动脉瓣狭窄等患者。

（三）血压测量的方法

(1) 测量前嘱患者休息 20～30 分钟，取坐位或卧位，伸直肘部，手掌向上。

(2) 测量前应检查血压计。

(3) 为偏瘫患者测血压，应选择健侧。

(4) 将袖带平整地缠于上臂中部，袖带下缘距肘窝 2～3cm，松紧以能放入一指为宜。

(5) 血压计“0”点应与心脏、肱动脉在同一水平位上。坐位时肱动脉平第四肋软骨，仰卧位时肱动脉平腋中线。

(6) 在袖带下缘将听诊器胸件紧贴肱动脉搏动最强点（勿塞在袖带内），向袖带内打气至肱动脉搏动音消失，再上升 20～30mmHg (2.67～4.00kPa)。

(7) 保持眼睛视线与水银柱弯月面在同一水平。听诊器出现第一声搏动音时汞柱所指刻度，即为收缩压；当搏动音突然变弱或消失时汞柱所指刻度为舒张压。

(8) 当发现血压异常或听不清时，应重测血压。注意应先将袖带内的气体驱尽，使汞柱降至“0”点，稍待片刻，再进行测量。

(9) 需要密切观察血压的患者，应做到定时间、定部位、定体位、定血压计。

(10) 操作中影响测量值的因素

① 袖带过宽时测得的血压值偏低，袖带过窄时测得的血压值偏高。

② 缠袖带过紧时测得的血压值偏低；过松时测得的血压值偏高。

③ 放气过慢时测得的舒张压值偏高。

④ 视线低于水银柱弯月面时读数偏高，反之，读数偏低。

【考点强化】

1. 有关体温生理性变化的错误描述是

A. 一昼夜中以清晨 2～6 时最低，下午 1～

8时最高
B. 儿童体温略高于成人
C. 老年人体温为正常范围低值
D. 女性月经前期体温略降低
E. 进食、运动后体温一过性增高

2. 体温上升期患者表现为
A. 畏寒、皮肤潮红、无汗
B. 畏寒、皮肤苍白、无汗
C. 畏寒、皮肤苍白、出汗
D. 畏寒、皮肤潮湿、出汗
E. 畏寒、皮肤潮红、出汗

3. 高热患者的护理措施不妥的是
A. 卧床休息
B. 口腔护理每日2～3次
C. 体温每隔4h测量1次
D. 冰袋放置枕后部
E. 给予高热量流质饮食

4. 不宜测腋下温度的患者是
A. 昏迷患者 B. 热坐浴的患者
C. 极度消瘦的患者 D. 呼吸困难的患者
E. 口鼻手术的患者

5. 患者在测口腔温度时不慎咬破体温计，护士首先应采取的措施是
A. 了解咬破体温计的原因
B. 检查体温计破损程度
C. 清除口腔内玻璃碎屑
D. 让患者喝500ml牛奶
E. 给予电动吸引洗胃

6. 检查体温计不合格的误差是
A. 0.1℃以上 B. 0.2℃以上
C. 0.3℃以上 D. 0.4℃以上
E. 0.5℃以上

7. 关于检测和消毒体温计的方法，以下不正确的是
A. 将体温计水银甩至35℃以下
B. 分别放入41℃的水中，3分钟后取出检视
C. 若体温计之间相差0.2℃以上者不能再用
D. 使用后的水银体温计可采取浸泡消毒法消毒
E. 某些电子体温计可采用熏蒸的方法消毒

8. 脉搏短绌的特点是
A. 心音强弱不等，但心律整齐，心率大于脉率
B. 心音强弱不等，心律等于脉律，心律齐
C. 心率大于脉率，心音强弱不等，心律不齐
D. 心率小于脉率，心律不齐，心音强弱一致
E. 心音强弱一致，心律不齐，心率、脉率一致

9. 奇脉的特征性表现为
A. 单位时间内脉率小于心率
B. 脉搏一强一弱交替出现
C. 吸气时脉搏明显减弱，甚至消失
D. 脉搏骤起骤落，急促有力
E. 脉搏强大有力

10. 测量脉搏的首选部位是
A. 颞动脉 B. 桡动脉
C. 肱动脉 D. 足背动脉
E. 颈动脉

11. 一般体检测量脉搏时，正确的是
A. 可用拇指诊脉
B. 患者剧烈活动后立即测量
C. 有脉搏短绌，应两人同时分别测量心率、脉率
D. 测量部位只有桡动脉
E. 测量前不必做解释工作

12. 代谢性酸中毒患者的呼吸表现为
A. 吸气性呼吸困难B. 呼气性呼吸困难
C. 呼吸间断
D. 呼吸深大而规则
E. 呼吸浅表而不规则

13. 喉头有异物，呼吸可呈
A. 库斯莫尔呼吸 B. 呼气性呼吸困难
C. 鼾声呼吸 D. 蝉鸣样呼吸
E. 毕奥呼吸

14. 昏迷患者呼吸道有较多分泌物蓄积时，可出现
A. 库斯莫氏呼吸 B. 叹息样呼吸
C. 蝉鸣样呼吸 D. 鼾声呼吸
E. 潮式呼吸

15. 属于节律改变的呼吸是
A. 潮式呼吸 B. 呼吸缓慢
C. 蝉鸣样呼吸 D. 深度呼吸
E. 鼾声呼吸

16. 李某，男，40岁，交通事故致复合创伤后1h入院，患者呼吸呈由浅慢逐渐加深加快，又由深快逐渐变为浅慢，继之暂停30s后再度出现上述状态的呼吸，该患者的呼吸为

A. 间断呼吸　　B. 潮式呼吸
C. 毕奥呼吸　　D. 鼾声呼吸
E. 呼吸困难

17. 下列因素除哪项外，可使血压值升高
A. 睡眠不佳　　B. 寒冷环境
C. 高热环境　　D. 兴奋
E. 精神紧张

18. 关于血压的生理性变化，错误的叙述是
A. 小儿血压低于成年人
B. 女性中年以前血压低于男性
C. 清晨血压低于傍晚
D. 上肢血压低于下肢
E. 寒冷环境血压低于高温环境

19. 脉压增大主要见于
A. 心包积液　　B. 心肌梗死
C. 心动过速　　D. 动脉硬化
E. 休克

20. 上肢血压测量法，下述哪项不妥
A. 测量前让患者休息 15 分钟
B. 患者卧位时肱动脉平腋中线
C. 将患者的衣袖上卷，露出上臂
D. 袖带平整缠在上臂下部
E. 袖带松紧度以能放入 1 指为宜

21. 取坐位测量血压应使肱动脉位置平
A. 锁骨　　B. 胸骨柄
C. 第 2 肋间隙　　D. 第 4 肋软骨
E. 剑突下

22. 测血压时袖带缠得过紧可使
A. 血压偏低　　B. 脉压加大
C. 收缩压偏高　　D. 舒张压偏高
E. 舒张压偏低

23. 为了准确观察患者的血压，测量时应尽量做到四定，即
A. 定时间、定部位、定体位、定血压计
B. 定时间、定部位、定血压、定人员
C. 定时间、定部位、定体位、定记录格式
D. 定时间、定体位、定部位、定听诊器
E. 定时间、定体位、定部位、定袖带

24. 使血压测量值相对准确的措施不包括
A. 被测者坐位时，肱动脉平第 4 肋软骨
B. 缠袖带松紧以放入 1 指为宜
C. 重测血压必须使汞柱降至“0”
D. 偏瘫患者在健侧肢体测量
E. 须密切观察血压的患者，应固定测量者

25. 王某，男，62 岁，因心房纤颤住院治疗，心率 114 次/分，心音强弱不等，心律不规则，脉搏细弱，且极不规则，此时护士观察脉搏与心率做法正确的是
A. 先测心率，后测脉率
B. 先测脉率，后测心率
C. 两人分别测脉率和心率，但应同时起止
D. 两人分别测脉率和心率半分钟
E. 一人测心率，一人测脉率，可不同时起止

26. 李某，男，63 岁，处于濒死期。呼吸浅表微弱，不易观察。此时测量呼吸频率的方法是
A. 仔细听呼吸声响并计数
B. 手置患者鼻孔前，以感觉气流通过计数
C. 手按胸腹部，以胸腹壁起伏次数计数
D. 用少许棉花置患者鼻孔前，观察棉花飘动次数计呼吸频率
E. 测脉率乘以 1/4，以推测呼吸次数

（27～28 题共用病例）

王某，25 岁，“发热原因待诊”入院。测体温 39.0℃，速脉，呼吸粗大，皮肤苍白无汗。

27. 护士为该患者测量体温时，下列错误的是
A. 在患者喝完冷饮 30 分钟后再测量口温
B. 若测量肛温，插入肛门 3～4cm
C. 测量腋温 5 分钟
D. 测量肛温前润滑温度计前端
E. 测量肛温 3 分钟

28. 此时护理措施错误的是
A. 体温每 4h 测量 1 次
B. 乙醇拭浴降温
C. 安置患者卧床休息，保持病室安静
D. 适当保暖，加盖棉被
E. 鼓励患者多饮水

（29～30 题共用备选答案）
A. 产热与散热平衡
B. 产热大于散热　C. 产热小于散热
D. 产热和散热在较高水平上趋于平衡
E. 产热散热不平衡

29. 体温上升期特点是

30. 高热持续期特点是

（31～33 题共用备选答案）
A. 稽留热　B. 弛张热　C. 间歇热

D. 超高热　E. 不规则热

31. 肿瘤性发热常见的热型为

32. 疟疾患者发热常见的热型是

33. 体温高低不一，日差大于 2℃，但最低温度仍在正常水平以上的热型是

（34～36 题共用备选答案）

A. 水冲脉　B. 间歇脉　C. 洪脉

D. 奇脉　　E. 丝脉

34. 缩窄性心包炎的脉搏可表现为

35. 洋地黄中毒患者的脉搏为

36. 失血性休克患者的脉搏特征是

【参考答案】

1. D　2. B　3. D　4. C　5. C
6. B　7. B　8. C　9. C　10. B
11. C　12. D　13. D　14. D　15. A
16. B　17. C　18. E　19. D　20. D
21. D　22. A　23. A　24. E　25. C
26. D　27. C　28. B　29. B　30. D
31. E　32. C　33. B　34. D　35. B
36. E

第八章　患者饮食的护理

一、医院饮食

（一）基本饮食

类　型	适　用　范　围
普通饮食	消化功能正常、病情较轻、疾病恢复期，无发热、无消化道疾病，以及不需限制饮食的患者
软质饮食	消化吸收功能差，老、幼患者，消化道术后恢复期阶段，以及咀嚼不便和低热的患者
半流质饮食	口腔及消化道疾病、体弱、手术后患者，以及发热等患者
流质饮食	口腔疾病、急性消化道疾病、病情危重、高热和各种大手术后、全身衰竭患者

（二）治疗饮食

类　型	饮　食　原　则	适　用　范　围
高热量饮食	总热能供给为 12.5MJ/d。在基本饮食的基础上加餐两次	甲亢、结核病、肝炎、高热、大面积烧伤、产妇等热能消耗较高的患者
高蛋白饮食	总热能供给为 10.5～12.5MJ/d；蛋白质供给量为 1.5～2g/kg·d，但每日总量不超过 120g。在基本饮食的基础上增加富含蛋白质的食物	结核病、大面积烧伤、严重贫血、营养不良、肾病综合征、大手术后及癌症晚期等患者，孕妇、乳母及低蛋白血症者
低蛋白饮食	成人蛋白质供给量为 40g/d，根据病情酌情减至 20～30g/d。肾功能不全的患者应摄入动物蛋白，忌用豆制品；肝性脑病患者应以摄入植物蛋白为主	急性肾炎、尿毒症、肝昏迷等限制蛋白质摄入的患者
低脂肪饮食	脂肪摄入量＜50g/d，肝、胆、胰疾患患者＜40g/d	肝、胆、胰疾病、高脂血症、动脉粥样硬化、冠心病、肥胖症和腹泻患者
低盐饮食	成人进食盐量＜2g/d，禁食腌制品，	急慢性肾炎、心脏病、肝硬化腹水、重度高血压等水肿较轻的患者
无盐低钠饮食	①无盐饮食：除食物中自然存在的钠盐以外，烹调时不放食盐；②低钠饮食：除无盐外，摄入食物中自然存在的含钠量＜0.5g/d	急慢性肾炎、心脏病、肝硬化腹水、重度高血压等水肿较重的患者

（三）试验饮食

项　目	适用范围	方　法
潜血试验饮食	用于大便潜血试验准备，以协助诊断消化道出血	① 试验前 3 天禁食肉类、动物血、肝脏、含铁药物及绿色蔬菜；②可食用牛奶、豆制品、冬瓜、白菜、土豆、粉丝、马铃薯等
胆囊造影饮食	需要进行造影检查有无胆囊、胆管及肝胆管疾病的患者	① 造影前一天午餐进高脂肪饮食；②造影前一天晚餐进无脂肪、低蛋白、高糖类、清淡的食物；③造影前一天晚餐后口服造影剂，禁食、禁烟至次日上午；④造影检查当天，禁食早餐⑤第一次摄 X 线片后患者进食高脂肪餐，待 30 分钟后第二次摄 X 线片
肌酐试验饮食	用于协助检查、测定肾小球滤过功能	试验期 3 天，试验期间禁食肉类、禽类、鱼类、茶、咖啡，限制蛋白质摄入量
吸碘试验饮食	用于协助甲状腺功能检查	①检查或治疗前 7～60 天，禁食含碘量高的食物；②需禁食 60 天的食物包括海带、海蜇、紫菜、淡菜、苔菜等；③需禁食 14 天的食物包括海蜒、毛蚶、干贝、蛏子等；④需禁食 7 天的食物包括带鱼、鲳鱼、黄鱼、目鱼、虾等

二、饮食护理

（一）饮食护理措施

（1）祛除干扰性因素：必要时于餐前 30 分钟给予镇痛药；高热患者及时降温；餐前对非急需的治疗、检查应暂停。

（2）在不违反医疗原则的情况下，尽量照顾患者的饮食习惯。

（3）检查探视者带来的食物，符合患者的治疗原则方可食用。

（4）对不能自行进餐者的喂食应做到：每匙量为 1/3 满；待第一口完全咽下后再喂第二口；温度适宜；顺序依据患者的饮食习惯。可用饮水管吸吮。

（二）鼻饲法

1. 概念和目的

（1）食管的三个狭窄：环状软骨水平处、平气管分叉处、食管通过膈肌处。

（2）适应证：适用于昏迷、口腔疾患、食管狭窄、食管-气管瘘、拒绝进食的患者，以及早产儿、病情危重的婴幼儿和某些手术后或肿瘤患者。

（3）禁忌证：凡上消化道出血、食管静脉曲张或梗阻，以及鼻腔、食管手术后的患者禁用鼻饲法。

2. 操作方法

（1）体位：患者取半坐卧位、坐位或仰卧位。

（2）鼻腔准备：选择通气侧鼻腔，清洁鼻腔。

（3）插管长度

① 从发际到剑突的距离。

② 从鼻尖至耳垂再到剑突的距离。

③ 成人插入胃内的长度约 45～55cm。

（4）当导管插至咽喉部（14～16cm 处）时，嘱患者做吞咽动作。

（5）插管中患者不适的处理：如患者出现恶心，应暂停插管，嘱患者做深呼吸或吞咽动作；如出现呛咳、呼吸困难、发绀等现象，可能误入气管，应立即拔出。

（6）昏迷患者插管的注意事项

① 患者去枕，将头后仰。

② 当胃管插至 14～16cm 时，用左手将患者头部托起，使下颌尽量靠近胸骨柄。

（7）证实胃管在胃内的方法

① 将胃管末端接无菌注射器回抽，可插出胃液。

② 将导管末端放入盛有水的碗中，无气泡溢出。

③ 置听诊器体件置于患者胃部，用无菌注射器快速注入 10ml 空气，听到气过水声。

（8）灌注食物：鼻饲前先检查胃管是否在胃中，再注入少量温开水，缓慢注入鼻饲液。鼻饲量每次不超过 200ml，间隔时间大于 2 小时，食物温度以 38～40℃为宜。鼻饲完后再注入少量温开水，将胃管末端反折。

（9）拔胃管：用夹子夹紧胃管末端，嘱患者做深呼吸，在患者呼气时拔管，到咽喉部时迅速拔出。

3. 注意事项

(1) 插管后必须先证实胃管在胃内，方可灌注食物。

(2) 灌注食物及药物前先注入少量温开水，再缓慢注入流质食物或药物，最后，再注入适量温开水冲洗胃管。

(3) 通过鼻饲管给药时，应将药片先研碎、溶解后，再灌入。

(4) 长期鼻饲患者，每天给予口腔护理，每周更换胃管。

(5) 更换胃管的方法：晚上最后一次鼻饲后，拔出胃管，第二天早晨再由另一侧鼻孔插入。

(三) 要素饮食

1. 供给方法

(1) 口服法：开始剂量 50ml/次，逐渐增加至 100ml/次，6～10 次/天。

(2) 鼻饲、胃造口或空肠造口法

① 分次注入：主要用于非危重患者。4～6 次/天，每次 250～400ml。

② 间歇滴入：4～6 次/天，每次 400～500ml，每次滴入时间 30～60 分钟。

③ 连续滴入：浓度宜从 5%开始，逐渐增加至 20%～25%；速度从 40～60 滴/分开始，逐渐递增至 120ml/h，最高可达到 150ml/h。可 12～24 小时内持续滴入。

2. 护理

(1) 配制液保存在 4℃以下冰箱内冷藏，24h 配制一次。

(2) 配制要素饮食时，应严格遵守无菌操作原则，配制用物均需灭菌后方可使用。

(3) 保持鼻饲及造口管道通畅，管喂前后应用温开水或生理盐水冲洗管腔。

(4) 要素饮食口服温度是 37℃；鼻饲或造口管滴入液温度是 41～42℃。

(5) 要素饮食一般原则是由低浓度、少剂量、慢速度开始。

(6) 长期使用要素饮食者，需要补充维生素、矿物质及微量元素。

(7) 停用要素饮食时，需要逐渐减量，不可突然停用。

三、出入液量的记录

1. 目的

(1) 目的：了解病情，为明确诊断、制订治疗方案及护理计划提供依据。

(2) 适应证：肾脏病、肝硬化伴腹水、心力衰竭、休克、大面积烧伤、大手术后等患者

2. 记录的内容和要求

(1) 每天摄入量：包括每天饮水量、输液量、输血量、食物中的含水量等。

(2) 每天排出量：包括尿量、粪便量、呕吐液量、痰液量、胃肠减压吸出液量、各种引流液量、伤口渗出液量等。

(3) 记录方法：晨 7 时至晚 7 时用蓝笔、晚 7 时至次晨 7 时用红笔记录在出入液量记录单上。晚 7 时做 12 小时的小结；次晨 7 时做 24 小时总结。

【考点强化】

1. 流质饮食适用于

A. 高热、口腔疾病患者

B. 老年病患者、幼儿　C. 咀嚼不便者

D. 术后恢复期患者　E. 体弱患者

2. 不属于治疗膳食的是

A. 忌碘膳食　B. 低盐膳食

C. 无盐膳食　D. 低脂膳食

E. 低蛋白质膳食

3. 一般不选用低盐饮食的疾病是

A. 心力衰竭

B. 贫血　C. 高血压病

D. 急性肾炎　E. 肝硬化腹水

4. 低盐饮食每日限用食盐

A. 2g　B. 4g　C. 6g　D. 8g　E. 10g

5. 高蛋白饮食适用于下列哪类疾病的患者

A. 肝炎　B. 胆囊炎

C. 高血压病　D. 贫血

E. 肾功能衰竭

6. 孙某，男，26 岁。慢性肾衰竭，饮食中每日蛋白含量不应超过

A. 20g　B. 3%　C. 40g

D. 5%　E. 60g

7. 患者张某，男，52 岁，有胃溃疡病史。近日来上腹部疼痛加剧，医嘱做粪便隐血试验，可为患者提供的菜谱是

A. 茭白、鸡蛋　B. 青菜、炒猪肝

C. 油豆腐、鸡血汤　D. 菠菜、红烧青鱼

E. 卷心菜、五香牛肉

8. 忌碘饮食要求在检查治疗前禁食海带、紫菜等含碘高的食物的具体时间是

A. 3 天　B. 7 天　C. 10 天

D. 1 个月　E. 2 个月

9. 以下关于鼻饲患者的护理措施，正确的是

A. 鼻饲液温度为40～42℃
B. 每次鼻饲量不超过300ml
C. 药物可以与奶一同注入
D. 鼻饲完后可注入少量温开水冲净胃管
E. 鼻饲的时间间隔不超过1h

10. 为患者进行鼻饲时，不正确的做法是
A. 每次灌食前检查胃管是否在胃内
B. 不能从鼻饲管内灌入药物
C. 长期鼻饲者应每天进行口腔护理
D. 每次灌入量不宜超过200ml
E. 乳胶胃管应每周更换一次

11. 在给患者鼻饲插管时，如果患者出现呛咳，呼吸困难，正确处理的方法是
A. 嘱患者深呼吸，喝温开水
B. 休息片刻后嘱患者做吞咽动作
C. 托起患者头部，使下颌骨靠近胸骨柄
D. 停止操作，取消鼻饲
E. 拔出胃管休息，症状缓解后再重新插管

12. 鼻饲患者的护理，下述不妥的是
A. 每次灌注前回抽胃液
B. 每次鼻饲量500ml
C. 每次灌注流质后应注入温开水
D. 每日进行口腔护理
E. 每周更换鼻饲管

13. 插入鼻饲管至会厌部时，托起患者头部，使其下颌靠近胸骨柄的目的是
A. 使鼻道通畅　B. 避免咽后壁刺激
C. 加大咽喉部通道的弧度
D. 使喉肌放松便于胃管通过
E. 使食管第一狭窄消失

14. 拔除胃管操作，不正确的是
A. 嘱患者做深呼吸
B. 边拔胃管边擦拭
C. 胃管至咽喉处缓慢拔出
D. 待患者呼气时拔管
E. 整理患者及用物

15. 无须记入排出量内容的是
A. 呕吐物　B. 胸水和腹水
C. 胃肠减压液　D. 胆汁
E. 汗液

16. 小儿使用要素饮食时最大的浓度是
A. 10%　B. 11.5%
C. 12.5%　D. 15%
E. 25%

17. 赵某，男性，43岁，患慢性胆囊炎。护士指导患者正确的饮食是
A. 低盐　B. 低脂肪
C. 低蛋白　D. 低糖
E. 无盐

18. 王某，男性，25岁，因肺结核入院。查体：体温38.7℃，脉搏98次/分，呼吸22次/分，血压130/88mmHg。应给予
A. 高蛋白、高热量饮食
B. 高脂肪、高热量饮食
C. 高热量、低脂肪饮食
D. 低盐、高蛋白饮食
E. 高热量、低蛋白饮食

19. 患者，男性，52岁，有胃溃疡病史，近日来上腹部疼痛加剧，医嘱做粪便隐血试验，试验前3天应给患者哪一组菜谱
A. 茭白、鸡蛋
B. 卷心菜、五香牛肉
C. 菠菜、红烧青鱼
D. 油豆腐、鸡血汤
E. 青菜、炒猪肝

20. 患者，男性，45岁，有胆囊结石病史，近日有发烧、黄疸症状，医嘱行胆囊造影，护士给予饮食指导，错误的是
A. 检查当日早晨禁食
B. 检查前一日中午低脂肪餐
C. 如胆囊造影良好，可进高脂肪餐
D. 晚餐后服造影剂，禁食禁烟至次日上午
E. 晚餐为无脂肪、低蛋白、高糖类饮食

21. 患者女性，47岁，高胆固醇血症。护士为其制定饮食计划，告知患者全日胆固醇摄入量应小于
A. 100mg　B. 200mg　C. 300mg
D. 400mg　E. 500mg

22. 患者男性，38岁，因急性肾炎入院治疗。住院期间营养师为其配餐，科学合理搭配饮食，该患者每日蛋白质摄入量不应超过
A. 40g　B. 45g
C. 50g　D. 55g
E. 60g

【参考答案】

1. A　2. A　3. B　4. A　5. D
6. C　7. A　8. E　9. D　10. B
11. E　12. B　13. C　14. C　15. E
16. C　17. B　18. A　19. A　20. B
21. C　22. A

第十章 冷热疗法

一、冷疗法

（一）冷疗的作用

（1）减轻局部充血或出血：冷可使毛细血管收缩，血流量减少，流速减慢，从而减轻局部充血和出血。常用于局部软组织损伤早期、扁桃体摘除术后、鼻出血。

（2）减轻疼痛：冷可使神经末梢敏感性降低而减轻疼痛。常用于急性炎症初期、牙痛、烫伤。

（3）控制炎症扩散：适用于炎症早期。

（4）降低体温：常用于高热、中暑。

（5）利于脑细胞功能的恢复：用于脑外伤、脑缺氧。

（二）冷疗的影响因素

（1）方式：湿法比干法效果好，故干冷法的温度应比湿冷法低。

（2）面积：冷疗效果与用冷疗面积成正比。

（3）时间：效果随着时间的增长而增强，一般冷疗时间为15～30分钟。

（4）温度差：温度差越大冷效应越强。

（5）部位：颈部、腋下、腹股沟等皮肤较薄的部位冷疗效果好。

（6）个体差异：老年人疗效差；婴幼儿疗效好；女性较男性效果好。

（三）冷疗的禁忌证

（1）局部血液循环障碍：大面积组织受损、全身微循环障碍、休克、水肿、周围血管疾病。

（2）慢性炎症或深部有化脓病灶。

（3）组织损伤、破裂。

（4）对冷刺激过敏。

（5）禁忌用冷的部位：枕后、耳廓、阴囊处；心前区；腹部；足底。

（6）昏迷、感觉异常、年老体弱者慎用。

（四）冷疗的方法

1. 冰袋：目的为降温、止血、镇痛、消炎。

（1）准备冰袋：敲碎冰块，用冷水冲去棱角；将小冰块装袋1/2～1/3满，排出袋内空气，扎紧袋口，擦干冰袋，然后倒提抖动检查有无漏水，装入布套。

（2）放置部位：高热降温放在前额、头顶和体表大血管流经处（颈部两侧、腋下、腹股沟）；扁桃体摘除术后，将冰袋放在颈前、颌下。

（3）放置时间：不超过30分钟，如再用应间隔60分钟。

（4）观察事项：注意观察冷疗部位血液循环情况，随时观察冰袋有无漏水、融化；用于降温时，冰袋使用后30分钟测体温，体温降至39℃以下时，取下冰袋。

2. 冰帽：用于头部降温，预防脑水肿。

（1）准备冰帽：同冰袋。

（2）降温

① 冰帽降温：将患者头部置于冰帽中，后颈部、双耳廓垫海绵垫，排水管放入水槽内。

② 冰槽降温：头部置于冰槽中，两耳塞未脱脂棉，两眼覆盖凡士林纱布。

（3）监测效果：每30分钟测肛温一次，维持肛温在33℃左右，不宜低于30℃。

（4）用冷时间：不超过30分钟。

3. 冷湿敷：目的为降温、消炎、止痛、止血及减轻早期扭伤的水肿。

（1）在冷敷部位下面垫橡胶单及治疗巾，局部涂凡士林，上面盖一层纱布。

（2）用长钳将浸泡彻底的敷布拧至不滴水后，敷于患处。

（3）每2～3分钟1次，冷敷时间为15～

20分钟。

4. 乙醇拭浴：目的是为高温患者降温。

(1) 拭浴方法：将大毛巾垫于擦拭部位下，将浸湿后的小毛巾拧至半干，缠于手上成手套状，以离心方向拭浴，每侧3分钟，拭浴毕用大毛巾擦干皮肤。在擦拭腋窝、肘部、腹股沟、腘窝等处时，应稍用力、延长停留时间。

(2) 拭浴顺序

① 双侧上肢：颈外侧、上臂外侧、手背。侧胸、腋窝、上臂内侧、手心。

② 腰背部：从颈下肩部向下擦拭到臀部。

③ 双下肢

a. 外侧：髋部、大腿外侧、足背。

b. 内侧：腹股沟、大腿内侧、踝部。

c. 后侧：股下、腘窝、足跟。

(3) 拭浴时间：15～20分钟。

(4) 注意事项

① 患者有面色苍白、寒战或脉搏、呼吸异常时，应立即停止拭浴，并报告医生。

② 禁忌证：新生儿、血液病。

③ 擦拭禁忌区：后颈部、心前区、腹部和足底。

5. 温水拭浴：用于高热患者降温。水温为32～34℃，操作方法、注意事项同乙醇拭浴。

二、热疗法

(一) 热疗的作用

(1) 促进炎症的消散和局限：炎症早期可促进炎性渗出物的吸收和消散，后期可使炎症局限。

(2) 减轻疼痛：热可使肌肉、肌腱和韧带等松弛而减轻疼痛。常用于腰肌劳损、肾绞痛、胃肠痉挛等。

(3) 减轻深部组织充血：热可使局部血管扩张而减轻充血。

(4) 保暖与舒适：用于危重、年老体弱、小儿及末梢循环不良

(二) 热疗的影响因素

(1) 方式：湿热法的效果好于干热法，故使用湿热法时，水温应低于干热法。

(2) 面积：热疗的效果与用热面积大小成正比。

(3) 时间：热疗时间与热效应不成比例关系，用热时间多为10～30分钟。

(4) 温度：热疗的温度与体表皮肤的温度差与机体对热刺激的反应成正比。

(5) 部位：皮肤较薄及经常不暴露的部位对热更为敏感。

(6) 个体差异：老年人对热疗反应比较迟钝；婴幼儿对热疗反应较为强烈；女性对热疗反应较男性强。

(三) 热疗的禁忌证

(1) 未明确诊断的急性腹痛。

(2) 面部危险三角区的感染。

(3) 各种脏器内出血。

(4) 软组织损伤后48小时内。

(5) 其他：心、肝、肾功能不全者；皮肤湿疹；急性炎症；孕妇；金属移植部位。

(四) 热疗的方法

1. 热水袋：常用于保暖、解痉、镇痛。

(1) 温度：成人60～70℃。对昏迷、婴幼儿、老年人、感觉障碍、循环不良等患者应低于50℃。

(2) 容量：灌至热水袋容积的1/2～2/3满。

(3) 用热时间：30分钟。

(4) 热水袋使用过程中，应经常观察局部皮肤的颜色。

2. 烤灯：目的为消炎、解痉、镇痛，促进创面干燥结痂，保护肉芽组织生长。

(1) 选择灯泡：胸、腹、腰、背用500～1000W，手、足等小部位用250W的灯头。

(2) 调节：移动红外线灯头至治疗部位斜上方或侧方，一般灯距为30～50cm，以患者感觉温热为宜，如灯头有保护罩，可以垂直照射。

(3) 照射时间：20～30分钟。

(4) 保护：面颈部、前胸照射时，戴有色的眼镜或用湿纱布遮盖眼睛。

(5) 效果：皮肤出现红斑为合适。

3. 湿热敷：常用于消炎、消肿、解痉、镇痛。

(1) 患处准备：垫橡胶单及治疗巾于热敷部位下，局部涂凡士林，上面盖一层纱布。

(2) 方法：将敷布浸于50～60℃水中，拧至不滴水，用手腕内侧试温，如不烫手即可折好敷于患处。每3～5分钟更换敷布1次，热湿敷时间为15～20分钟。

(3) 注意观察局部皮肤状况。

(4) 面部热敷者，间隔30分钟后方可外出，防止感冒。

4. 热水坐浴：常用于会阴、肛门疾病及手术后。女患者在月经期、妊娠末期、产后两周内及阴道出血、盆腔器官有急性炎症时，不宜坐浴。

(1) 准备：坐浴液以浴盆的1/2满为宜，水温以40～45℃为宜。

(2) 方法：先清洁阴部，待臀部皮肤适应水温后再坐入盆中，臀部要完全泡入水中；随时调节水温，添加热水时嘱患者偏离浴盆，以防烫伤。

(3) 坐浴时间：15～20分钟。

(4) 坐浴过程中，注意观察患者面色、脉搏等，如有异常应立即停止坐浴。

5. 温水浸泡：目的为消炎、镇痛、清洁及消毒伤口，用于手、足、前臂、小腿部感染。

(1) 配药、调温：配溶液至浸泡盆的1/2满，调水温至40～45℃。

(2) 浸泡：将需浸泡的肢体慢慢放入盆中，用镊子夹取纱布反复清洗创面，维持水温。

(3) 持续时间：30分钟。

(4) 浸泡部位有伤口时，浸泡盆及浸泡液需无菌，且浸泡后按换药法处理伤口。

(5) 浸泡过程中应注意观察患者局部皮肤情况。

【考点强化】

1. 冷疗的目的不包括
A. 促进炎症消散　B. 减轻出血
C. 减轻疼痛　D. 降低体温
E. 减轻局部充血

2. 不可用冷疗的病情是
A. 鼻出血　B. 头皮下血肿的早期
C. 中暑　D. 压疮　E. 牙痛

3. 乙醇拭浴时，禁忌擦拭的部位有
A. 头部、四肢　B. 手掌、肘窝
C. 腋窝、腹股沟　D. 前胸、腹部
E. 腰背部

4. 李女士，20岁，踝关节扭伤12小时，经检查局部肿胀、疼痛明显，医生嘱其冷敷，其目的是
A. 减轻深部组织充血
B. 促进炎症局限
C. 减轻局部出血、充血
D. 使血管扩张减轻充血
E. 促进末梢循环加快

5. 下列部位可放置冰袋降温的是
A. 前额、足底　B. 头顶、腹股沟
C. 枕部、腘窝　D. 颈部、腹部
E. 腋窝、胸部

6. 有关热疗应用目的说法正确的是
A. 促进浅表炎症消退和局限
B. 抑制炎症的扩散
C. 减轻局部充血或出血
D. 传导发散体内的热
E. 提高痛觉神经的兴奋性

7. 下列患者使用热水袋时，水温可以是60～70℃的是
A. 昏迷患者　B. 瘫痪患者
C. 老年患者　D. 婴幼儿患者
E. 神志清醒的青年人

8. 刘先生，40岁，左前臂Ⅱ度烧伤5天，局部创面湿润、疼痛。可在局部进行的处理是
A. 红外线照射，每次20～30分钟
B. 湿热敷，水温40～60℃
C. 冷湿敷，促进炎症吸收
D. 放置热水袋，水温60～70℃
E. 放置冰袋，减轻疼痛

9. 陈某，男，68岁。因长期卧床，尾骶部皮肤红肿、破溃，护士给予红外线灯照射创面，灯距和照射时间为
A. 30～50cm，20～30分钟
B. 30～50cm，30～60分钟
C. 50～60cm，20～30分钟
D. 50～60cm，30～60分钟
E. 90～100cm，20～30分钟

10. 影响热效的因素，下列哪项表述不正确
A. 湿热比干热穿透力强
B. 个体对热的耐受性不同
C. 热效应与热敷面积成正比
D. 热效应与热敷时间成正比
E. 室温过低，热效应减低

11. 不宜热水坐浴的患者是
A. 肛门部充血　B. 外阴部炎症
C. 痔手术后　D. 肛门周围感染
E. 妊娠后期痔疼痛

12. 使用热水袋时，错误的一项是
A. 小儿患者水温不超过60℃

B. 水袋内热水应灌 1/2～2/3 满
C. 排气后拧紧塞子
D. 热水袋擦干后加布袋
E. 时间不超过 30 分钟
(13～15 题共用病例)
许某，男，34 岁。牙痛，并放射到耳根部 3 天，疼痛加剧 12h，护士叮嘱其进行局部冷疗，以减轻疼痛。

13. 用冷湿敷减轻疼痛，其机制是
A. 血管收缩，降低神经末梢的敏感性
B. 血管收缩，增加神经末梢的敏感性
C. 血管扩张，降低神经末梢的敏感性
D. 血管扩张，增加神经末梢的敏感性
E. 血管扩张，加速致痛物质的运出

14. 冷湿敷的时间一般为
A. 10～15 分钟　B. 15～20 分钟
C. 20～25 分钟　D. 25～30 分钟
E. 30～35 分钟

15. 冷湿敷时间过长可导致
A. 肌肉、肌腱和韧带等组织松弛
B. 使皮肤抵抗力减低
C. 增进局部免疫功能
D. 血液循环障碍以致组织坏死
E. 增加痛觉神经的兴奋性

16. 热疗法减轻疼痛的机制是
A. 增强新陈代谢和白细胞的吞噬功能
B. 降低细胞新陈代谢和微生物活力
C. 降低痛觉神经的兴奋性
D. 使神经末梢的敏感性降低
E. 增加毛细血管通透性减轻肿胀

17. 患者男性，18 岁，面部疖肿处理不当发生感染。对该患者的处理措施不妥的是
A. 局部换药　B. 局部热湿敷
C. 局部冷敷　D. 口服抗生素
E. 有开放性伤口时，注意

18. 患者女性，23 岁，扁桃体切除术后 5 小时。现患者自述局部疼痛，查体有少量渗血，下列护理措施中止血效果最好的是
A. 颈部用冰袋　B. 颈部用热水袋
C. 颈部酒精热敷　D. 颈部热湿敷
E. 颈部用红外线照射

【参考答案】
1. A　2. D　3. D　4. C　5. B
6. A　7. E　8. A　9. A　10. D
11. E　12. A　13. A　14. B　15. D
16. A　17. B　18. A

第十一章　排泄护理

一、排尿的护理

（一）尿液的评估

1. 正常尿液

(1) 排尿次数：白天 3～5 次，夜间 0～1 次。

(2) 尿量：每次尿量 200～400ml，每 24 小时尿量 1000～2000ml。

(3) 颜色和透明度：淡黄色、澄清、透明，放置后可出现微量絮状沉淀物。

(4) 酸碱度：pH4.5～7.5，平均值为 6。

(5) 比重：1.015～1.025。

(6) 气味：一般陈旧尿液有氨臭味；尿路感染时新鲜尿液有氨臭味；糖尿病酮症酸中毒有烂苹果味。

2. 异常尿液

异常		特征	病因
尿量异常	多尿	24 小时尿量超过 2500ml	糖尿病、尿崩症等
	少尿	24 小时尿量少于 400ml 或每小时尿量少于 17ml	心脏、肾脏疾病和发热、休克
	无尿或尿闭	24 小时尿量少于 100ml 或 12 小时内无尿	严重的心脏、肾脏疾病和休克

续表

异常		特征	病因
颜色异常	肉眼血尿	尿液呈红色或棕色	肾肿瘤、膀胱炎、泌尿系结石等
	胆红素尿	尿液呈黄褐色	阻塞性黄疸、肝细胞性黄疸
	乳糜尿	尿液呈乳白色	丝虫病
	血红蛋白尿	尿液呈酱油色或浓茶色	阵发性睡眠性血红蛋白尿、血型不合的输血反应、蚕豆病
	脓尿	尿液为白色浑浊	肾盂肾炎、膀胱炎
比重异常		尿比重固定在1.010左右	肾功能严重受损
气味异常		新鲜尿液即有氨臭味	泌尿道感染
		尿液呈烂苹果气味	糖尿病酮症酸中毒

（二）影响排尿的因素

（1）心理因素：焦虑、紧张、恐惧可引起尿频、尿急或出现尿潴留；排尿受暗示影响。

（2）排尿习惯。

（3）环境因素：暴露的环境影响排尿。

（4）治疗因素：利尿药可使尿量增加；术后疼痛致尿潴留。

（5）疾病因素：神经系统受损、肾脏疾病、泌尿系结石、肿瘤、狭窄等可造成排尿功能障碍。

（6）饮食与气候：咖啡、茶、酒等饮料有利尿作用。食物中含钠盐多可导致尿量减少。气温较高时尿量减少。

（7）年龄和性别：老年人常有尿频现象；女性在月经期、妊娠期时，排尿有改变。

（三）排尿异常的护理

1. 尿潴留的护理

（1）心理护理：消除患者焦虑和紧张情绪。

（2）提供隐蔽环境：关闭门窗，屏风遮挡，适当调整治疗、护理时间，使患者安心排尿。

（3）调整体位和姿势：尽量以患者习惯姿势排尿；绝对卧床或手术的患者，事先应训练床上排尿。

（4）诱导排尿：听流水声，或用温水冲洗会阴。

（5）按摩、热敷患者下腹部可促进排尿。

（6）药物或针灸，肌注卡巴胆碱，也可采用导尿术。

（7）指导患者养成及时、定时排尿的习惯。

2. 尿失禁的护理

（1）心理护理：消除患者紧张、羞涩、焦虑、自卑等情绪。

（2）皮肤护理：保持患者会阴部清洁干燥。

（3）设法接尿：应用接尿装置，但此法不宜长期使用。

（4）留置导尿管引流：用于长期尿失禁患者。

（5）室内环境：定时开窗通风换气，以除去不良气味。

（6）健康教育

① 摄入适当液体：指导患者每天白天摄入2000～3000ml液体，入睡前可适当限制饮水量。

② 膀胱功能训练方法：开始时，白天每隔1～2小时送一次便器；以后，逐渐延长送便器时间。排尿时指导患者用手轻按膀胱，并向尿道方向压迫，使尿液被动排空。

③ 肌肉力量训练方法：患者取坐位、立位或卧位，试做排尿（排便）动作，先慢慢收紧盆底肌肉，再缓缓放松，每次10秒左右，连续10遍，每天5～10次，以患者不感到疲乏为宜。

（四）导尿术

1. 女性导尿术

（1）第一次消毒：用止血钳夹消毒棉球按阴阜、两侧大阴唇、两侧小阴唇、尿道口的顺序由上至下、由外向内消毒。最后一个棉球消毒尿道口至肛门，每个棉球只用一次。

（2）第二次消毒：打开导尿包，铺好洞巾后第二次消毒，用止血钳夹消毒棉球按尿道口、两侧小阴唇、尿道口的顺序由上向下、由内向外消毒。每个棉球只用一次。

（3）插入尿管：嘱患者张口呼吸，左手固定小阴唇，右手持止血钳将导尿管轻轻插入尿道4～6cm（女性尿道长约3～5cm），见尿流出后再插入 1～2cm。左手松开小阴唇，固定导尿管。

（4）引流尿液：对膀胱高度膨胀且极度虚弱的患者，第一次放尿量不可超过 1000ml。

（5）尿培养留尿：用无菌标本瓶或试管接取中段尿 5ml。

2. 男性导尿术

（1）男性尿道解剖：成年男性尿道全长 18～20cm，有耻骨前弯、耻骨下弯两个弯曲；有尿道内口、膜部和尿道外口三个狭窄。

（2）初步消毒：右手用止血钳夹消毒棉球依次消毒阴阜、阴茎背侧、阴茎腹侧、阴囊。左手持止血钳夹消毒棉球严格消毒尿道口、阴茎头、冠状沟，每个棉球限用一次。在阴茎与阴囊之间垫一块无菌纱布。

（3）消毒尿道口：在两腿间打开导尿包后，左手持无菌纱布包住阴茎，后推包皮，暴露尿道口，右手持止血钳夹消毒液棉球，再次自尿道口螺旋向外消毒尿道口、阴茎头、冠状沟，污染物放于床尾弯盘内。

（4）插入尿管：左手持无菌纱布包住并提起阴茎，使之与腹壁成 60°，使耻骨前弯消失。嘱患者张口呼吸，用止血钳持导尿管轻轻插入尿道 20～22cm，见尿液流出后再插入 2cm。

（五）导尿管留置术

1. 气囊固定法：将双腔气囊导尿管插入尿道 20～22cm，见尿再插入 5～7cm。向气囊内注入 0.9%无菌氯化钠注射液 5～10ml，向外轻拉导尿管至有阻力感。

2. 保持引流通畅：导尿袋高度要低于膀胱的高度，引流管应妥善放置，避免受压、扭曲、堵塞等。

3. 防止逆行感染

（1）保持尿道口清洁：女患者用消毒液棉球擦拭外阴及尿道口，男患者用消毒液棉球擦拭尿道口、龟头及包皮，每天 1～2 次。

（2）每天定时更换集尿袋，及时排空。

（3）每周更换导尿管一次，硅胶导尿管可酌情适当延长更换时间。

（4）患者下床活动时，集尿袋应不高于耻骨联合。

（5）鼓励患者多饮水，勤更换卧位。

4. 训练膀胱功能：间歇性夹闭尿管，每 3～4 小时开放 1 次。

5. 每周查尿常规一次。若发现尿液浑浊、沉淀或出现结晶，应及时进行膀胱冲洗。

二、排便的护理

（一）粪便的评估

1. 排便次数：成人每天 1～3 次，婴幼儿每天 3～5 次，成人每天排便超过 3 次或每周少于 3 次为排便异常。

2. 排便量：每天 100～300g。

3. 性状：正常为成形、软便。便秘时，粪便干结、坚硬。消化不良或急性肠炎时，粪便呈糊状或水样；直肠、肛门狭窄时，粪便呈扁条形或带状。

4. 颜色：正常成人呈黄褐色或棕黄色，婴儿呈黄色或金黄色。上消化道出血为柏油样便；下消化道出血为暗红色便；肛裂或痔疮出血时粪便表面有鲜血或排便后有鲜血滴出；胆道完全阻塞为陶土色便；阿米巴痢疾或肠套叠为果酱样便。

5. 气味：气味与食物种类有关。消化不良呈酸臭味；上消化道出血呈腥臭味；直肠溃疡或肠癌呈腐臭味。

6. 混合物：正常时主要为食物残渣和极少量黏液。肠道炎症时混有大量的黏液；痢疾和直肠癌时混有脓血；肠道寄生虫感染时，粪便内可见寄生虫。

（二）排便异常的护理

1. 便秘护理

（1）消除患者紧张心理。

（2）提供隐蔽的排便环境和充足的排便时间。

（3）排便姿势：患者使用便器时取坐位或蹲位，将床头抬高；病情允许则到厕所排便，厕所应装置扶手；手术患者术前训练床上排便。

（4）腹部按摩：排便时，按照升结肠、横结肠、降结肠的顺序做环形按摩。指端轻压肛门后端可促进排便。

（5）应用番泻叶、果导片等缓泻药。

（6）应用开塞露、甘油栓等简易通便药。

（7）以上方法无效，可灌肠。

（8）健康教育：定时排便、增加富含膳食纤维和维生素的食物、多饮水，每天清晨起床后饮一杯温开水。要有适当的运动、保证充足的休息与睡眠。

2. 腹泻护理

(1) 去除病因、卧床休息。

(2) 多饮水，流质或半流质饮食，腹泻严重者暂时禁食。

(3) 防治水、电解质紊乱及护理皮肤。

(4) 应注意观察、记录粪便的性质、颜色及次数。

(5) 给予合理的安慰和解释，指导患者选择合理的饮食。

3. 大便失禁护理

(1) 消除患者紧张、羞涩、焦虑、自卑等情绪。

(2) 保持肛门周围皮肤清洁，每次便后用温水清洗；床上用品一经污染立即更换。

(3) 对排便无规律的患者，可定时给予便盆试行排便，以帮助建立排便反射。

(4) 定时打开门窗通风换气。

(5) 肛门括约肌及盆底肌收缩运动锻炼方法：患者取坐位、立位或卧位，试做排尿（排便）动作，先慢慢收紧盆底肌肉，再缓缓放松，每次 10 秒左右，连续 10 遍，每次锻炼 20～30 分钟，每天 5～10 次，以患者不感到疲乏为宜。

（三）灌肠法

1. 大量不保留灌肠

(1) 目的

① 解除便秘、肠胀气。

② 清洁肠道，为肠道手术，检查或分娩做准备。

③ 稀释并清除肠道内有害物质。

④ 降温。

(2) 禁忌证：妊娠、急腹症、严重心血管疾病、消化道出血等患者禁忌灌肠。

(3) 灌肠溶液：常用 0.9%氯化钠溶液或 0.1%～0.2%肥皂水。肝昏迷者禁用肥皂水灌肠，充血性心衰和水钠潴留者禁用 0.9%氯化钠溶液。

(4) 用量：成人每次 500～1000ml，小儿每次 200～500ml。伤寒患者不可高于 500ml。

(5) 温度：一般为 39～41℃，降温时为 28～32℃，中暑者用 4℃的 0.9%氯化钠溶液。

(6) 操作要点

① 体位：患者取左侧卧位，双腿屈曲。不能控制排便者取床边仰卧位。

② 挂灌肠筒：灌肠筒液面高于肛门 40～60cm。伤寒病患者灌肠筒液面距肛门不得超过 30cm。

③ 插入肛管：嘱患者做排便动作，左手分开肛门，右手持肛管轻轻插入直肠 7～10cm 后固定肛管，松开止血钳，使溶液缓缓流入。

④ 保留时间：一般灌肠，保留 5～10 分钟后排出。降温灌肠保留 30 分钟。

⑤ 如果患者感有腹胀或便意，让患者张口呼吸、适当放低灌肠筒、减慢流速。

⑥ 若患者出现面色苍白、出冷汗、剧烈腹痛、脉速、心慌气急、应立即停止灌肠。

2. 小量不保留灌肠

(1) 目的：软化粪便，解除便秘，排除肠道积气。

(2) 常用溶液：“1、2、3”溶液（50%硫酸镁 30ml、甘油 60ml、温开水 90ml）、油剂（甘油 50ml 加等量温开水）、植物油。溶液温度为 38℃。

(3) 操作方法

① 患者取左侧卧位，不能控制排便者取床边仰卧位。

② 固定灌肠筒，筒内液面距肛门的距离应小于 30cm。

③ 肛管插入直肠 7～10cm，固定肛管，缓缓注入溶液，每次抽吸灌肠液时，应反折肛管，最后注入 5～10ml 温开水。

④ 完毕后，嘱患者尽可能保留 10～20 分钟后排便。

3. 保留灌肠

(1) 目的：镇静、催眠、治疗肠道感染。

(2) 禁忌：肛门、直肠、结肠等手术后及大便失禁者。

(3) 常用溶液

① 镇静、催眠：10%水合氯醛。

② 治疗肠道感染：2%小檗碱、0.5%～1%新霉素及其他抗生素溶液。

(4) 量及温度：溶液量不超过 200ml，温度 38℃。

(5) 操作方法

① 体位：慢性细菌性痢疾用左侧卧位；阿米巴痢疾取右侧卧位。

② 抬高臀部：臀部移至床边，垫高臀部 10cm。

③ 插管与注药：嘱患者做排便动作，将肛管轻轻插入直肠 10～15cm，固定肛管，缓缓注入药液。最后注入 5～10ml 温开水，抬高肛管尾端。

④ 保留时间：尽可能保留1小时以上。

(6) 注意事项

① 灌肠前嘱患者排便、排尿。

② 以晚上睡前灌肠为宜，药物易于保留吸收。

③ 选用较细的肛管，插入要深，液量不宜过大，压力要低，速度要慢。

4. 清洁灌肠

(1) 目的：清除结肠内的粪便，为直肠、结肠X线摄片检查和手术做肠道准备。

(2) 常用溶液：0.1%～0.2%肥皂液，0.9%氯化钠溶液。禁用清水反复灌洗。

(3) 操作方法：第一次用肥皂液灌肠，进行排便，然后用0.9%氯化钠溶液灌肠多次，直至排出的液体清洁无粪块为止。每次灌肠后让患者休息片刻。

【考点强化】

1. 排尿异常的是

A. 24h尿量2000ml　B. 尿呈淡黄色

C. 尿比重1.015　D. 夜间排尿0～1次

E. 新鲜尿有氨臭味

2. 多尿指昼夜尿量超过

A. 2000ml　B. 2300ml　C. 2500ml

D. 2800ml　E. 3000ml

3. 为男性患者导尿，提起阴茎与腹壁呈60°，可使

A. 耻骨下弯消失　B. 耻骨前弯消失

C. 尿道膜部扩张

D. 尿道三个狭窄都消失

E. 耻骨下弯和耻骨前弯均消失

4. 解除尿潴留的措施中哪一项是错误的

A. 嘱患者坐起排尿　B. 让其听流水声

C. 口服利尿药　D. 轻轻按摩下腹部

E. 用温水冲洗会阴

5. 女患者导尿，下列步骤中哪项是错误的

A. 严格无菌操作

B. 患者取仰卧屈膝位

C. 插管动作宜轻慢

D. 导管插入尿道4～6cm

E. 导管误插入阴道，应立即拔出用原管重插

6. 对尿失禁患者的护理中，措施不当的是

A. 做好皮肤护理

B. 可采用接尿器或尿壶接尿

C. 嘱患者少饮水，以减少尿量

D. 指导患者进行盆底肌肉锻炼

E. 对长期尿失禁患者可给予留置导尿管

7. 帮助留置导尿患者锻炼膀胱反射功能，护理措施是

A. 温水冲洗外阴，每日2次

B. 每周更换导尿管　C. 间歇性引流夹管

D. 定时给患者翻身　E. 鼓励患者多饮水

8. 长期留置导尿患者，需要定期换管的主要目的是

A. 锻炼膀胱反射功能

B. 使患者暂时休息

C. 防止导尿管老化、折断

D. 防止逆行感染

E. 保持尿液引流通畅

9. 长期留置尿管的患者，发生尿液浑浊、沉淀或有结晶时应

A. 经常清洗尿道口

B. 热敷下腹部

C. 膀胱内滴药

D. 及时更换卧位

E. 多饮水并进行膀胱冲洗

10. 护理留置导尿管患者，不妥的是

A. 每日更换集尿袋

B. 每周检查尿常规一次

C. 每周清洁尿道口2次

D. 嘱患者多喝水

E. 停止留置导尿前，间歇性夹闭引流管

11. 小量不保留灌肠的目的不包括

A. 解除便秘　B. 软化粪便

C. 排出肠腔积气

D. 减轻腹胀　E. 治疗肠道感染

12. 禁用生理盐水灌肠的患者是

A. 肝昏迷　B. 充血性心力衰竭

C. 顽固性便秘　D. 伤寒

E. 高热惊厥

13. 肝昏迷患者灌肠时禁用肥皂水是因为

A. 肥皂水易引起腹胀

B. 肥皂水易造成肠穿孔

C. 可以减少氨的产生和吸收

D. 可以防止发生水肿

E. 可以防止发生酸中毒

14. 下列保留灌肠哪项是错误的

A. 灌肠前排便排尿

B. 患者随意取侧卧位

C. 插管深度为15cm

D. 液面距肛门30cm

E. 拔管后嘱患者保留1h以上

15. 为保胎孕妇解除便秘应选用的灌肠溶液为

A. 0.2%肥皂水 200ml

B. 生理盐水 500ml

C. 温开水 200ml

D. 50%硫酸镁 50ml 加等量温开水

E. 甘油 50ml 加等量温开水

16. 下列插管长度不妥的是

A. 大量不保留灌肠：7～10cm

B. 小量不保留灌肠：7～10cm

C. 保留灌肠：10～15cm

D. 肛管排气：7～10cm

E. 男患者导尿：22～24cm

17. 为解除便秘进行大量不保留灌肠时，液体的温度为

A. 28～32℃　B. 33～35℃

C. 36～38℃　D. 39～41℃

E. 42～45℃

18. 需用保留灌肠的患者有

A. 小儿高热惊厥

B. 子宫切除术后腹胀

C. 孕妇保胎　D. 大便失禁　E. 高热

19. 保留灌肠时药物量不超过

A. 500ml　B. 400ml　C. 300ml

D. 200ml　E. 100ml

20. 周先生，49 岁，患慢性痢疾，医嘱给予0.5%新霉素溶液保留灌肠，下列操作不正确的是

A. 嘱患者先排尿，排便

B. 安置左侧卧位

C. 插入肛管 10～15cm

D. 液面距肛门小于 30cm

E. 保留灌肠溶液 30 分钟

21. 林女士，45 岁，因外伤致失血性休克，经抢救后给予留置导尿，24h 内引流尿液350ml，此状况属于

A. 无尿　B. 少尿　C. 尿潴留

D. 尿量正常　E. 尿量偏少

22. 张某，53 岁，因外伤瘫痪尿失禁采用留置导尿管，引流通畅，但尿色黄、浑浊，医嘱抗感染治疗，护理时应注意

A. 鼓励患者多饮水，并进行膀胱冲洗

B. 用无菌蒸馏水膀胱冲洗

C. 每天更换导尿管

D. 用温水清洗尿道口

E. 指导患者锻炼膀胱充盈和排空

23. 陈某，女性，68 岁，尿失禁 1 月余，该患者的护理措施不正确的是

A. 尊重患者，给予安慰和鼓励

B. 加强皮肤护理，保持床单清洁与干燥

C. 保持室内空气清新，使患者舒适

D. 指导患者训练膀胱功能

E. 必要时每隔 2～3h 插导尿管一次

24. 王某，女性，39 岁，患肺炎。体温持续39℃以上，医嘱为生理盐水大量不保留灌肠降温，灌肠过程中，患者感觉腹胀、有便意，处理方法是

A. 拔出肛管，停止灌肠

B. 降低灌肠筒，嘱患者深呼吸

C. 稍移动肛管，观察流速

D. 加大灌肠压力，加速灌入

E. 挤捏肛管，嘱患者忍耐片刻

(25～27 题共用病例)

患者，女，45 岁。子宫切除术术后 10h 未排尿，主诉腹部胀痛，检查下腹膨隆，触之呈囊性，轻压有尿意，诊断为尿潴留，经诱导排尿无效，行导尿术

25. 体位正确的是

A. 仰卧屈膝位　B. 去枕平卧位

C. 平卧位　D. 截石位　E. 侧卧位

26. 打开导尿包前消毒会阴的顺序应为

A. 由内而外，由上而下

B. 由内而外，由下而上

C. 由外而内，由上而下

D. 由外而内，由下而上

E. 由前而后，由上而下

27. 为该患者导尿，第一次放尿量不能超过

A. 200ml　B. 400ml　C. 600ml

D. 800ml　E. 1000ml

(28～30 题共用备选答案)

A. 鲜红色便　B. 陶土色便

C. 果酱样便　D. 柏油便

E. 暗红色便

28. 上消化道出血的患者粪便为

29. 胆道完全阻塞的患者粪便为

30. 阿米巴痢疾的患者粪便为

【参考答案】

1. E	2. C	3. B	4. C	5. E
6. C	7. C	8. D	9. E	10. C
11. E	12. B	13. C	14. B	15. E
16. D	17. D	18. A	19. D	20. E
21. B	22. A	23. E	24. B	25. A
26. C	27. E	28. D	29. B	30. C

第十二章　药物疗法和过敏试验法

一、给药的基本知识

（一）药物的领取和保管

1. 药物的领取

（1）病室内常用药：由专人负责领取、保管，根据消耗定期到药房领取补充。

（2）剧毒药和麻醉药：病区备有固定数，应凭医生处方和空安瓿领取补充。

（3）贵重药品：凭医生处方领取。

2. 药物的保管

（1）药柜：应放在通风、干燥、光线明亮处，避免阳光直射，保持清洁，由专人负责。

（2）药品放置：按内服、外用、注射、剧毒等分类放置，现领现用，以免失效。剧毒药和麻醉药，应加锁保管，专人负责，专本登记，严格交班。

（3）药瓶标签明显：内服药用蓝色边，外用药用红色边，剧毒药用黑色边的标签。

（4）不同性质药物的保存

① 乙醇、糖衣片、酵母片等容易挥发、潮解、风化的药物装密封瓶并盖紧。

② 盐酸肾上腺素、维生素 C、氨茶碱等容易氧化和遇光变质的药物应装在深色密封瓶中，或放在有黑纸遮盖的纸盒中，并置于阴凉处。

③ 乙醚、乙醇、环氧乙烷等易燃、易爆的药物应单独存放，并密闭置于阴凉处，同时远离明火。

④ 各种疫苗、抗毒血清、白蛋白、青霉素皮试液等易被热破坏的药物应按要求冷藏在2～10℃的冰箱内，或置于阴凉干燥处（约 20℃）。

⑤ 患者个人专用的特种药物，应注明床号、姓名，并单独存放。

（二）药疗原则

（1）应根据医嘱给药：对有疑问的医嘱，应确认无误方可给药。

（2）严格执行查对制度："三查七对"指操作前、操作中、操作后查床号、姓名、药名、浓度、剂量、方法、时间。

（3）安全正确用药：严格检查药物，确保药物不变质、未过有效期。按需做药物过敏试验，给药前应询问有无过敏史。及时用药，做到药名、给药浓度、给药剂量、给药方法、给药时间、患者准确。

（4）观察用药反应：用药后应注意观察药物的疗效及不良反应。

（5）做好用药指导。

（三）给药的途径

1. 给药途径：口服、舌下含化、吸入、外敷、直肠给药及注射（皮内、皮下、肌内、静脉注射）。

2. 非静脉用药吸收顺序：吸入、舌下含服、直肠给药、肌内注射、皮下注射、口服、皮肤

（四）给药的次数和时间

给药的次数和时间取决于药物的半衰期和人体的生理节奏。常用的给药次数、时间的英文缩写与中文译意见下表。

项目	英文缩写	中文意义
给药次数	qd	每天 1 次
	bid	每天 2 次
	tid	每天 3 次
	qid	每天 4 次
	qod	隔天 1 次
	q2d	每 2 天 1 次
	qw	每周 1 次
	qiw	每 2 周 1 次
	qow	隔周 1 次
	qm	每晨 1 次
	qn	每晚 1 次
	qh	每小时 1 次
	q1/2h	每半小时 1 次

续表

项目	英文缩写	中文意义
给药次数	q4h	每4小时1次
	q6h	每6小时1次
	q8h	每8小时1次
	am	上午
	pm	下午
	hn	今晚
给药时间	st	立即
	prn	必要时(长期)
	sos	需要时(临时)
	DC	停止
	ac	饭前(晚餐前)
	pc	饭后(晚餐后)
	12n	中午12时
	12mn	午夜
	aj	早餐前
	pj	早餐后
	ap	中餐前
	pp	中餐后
	hs	临睡前

二、口服给药法

(一) 方法

1. 备药

(1) 核对药卡与服药本，按照床号顺序进行配药，先配固体药，再配液体药，一个患者的药配好后，再配另一患者的。

(2) 根据药物剂型采取相应取药方法。

① 固体药：一手取药瓶，瓶签朝向自己，另一手用药匙取出，药粉或含化药应用纸包好。

② 液体药：摇匀药液，持量杯手的拇指置于所需刻度，刻度与视线平行，另一手取药瓶，瓶签朝向自己，倒药液至量杯所需刻度处，将药液倒入药杯。同时服用几种药液时，应分别倒入不同药杯。如更换药液品种，应洗净量杯。

③ 药液不足1ml、油剂、按滴计算的药液：药杯内应先倒入少量温开水；应用滴管吸取药液。滴药时应稍倾斜滴管，1ml按15滴计算。

2. 发药

(1) 发药前须另一护士再次核对，于规定时间内送药给患者。

(2) 核对患者无误后发药，每一个患者的所有药应一次取离药盘，不同患者的药不可同时取出。

(3) 解释服药目的和注意事项。如果患者不在或不能服药，要将药物带回保管。

(4) 确定患者将药物服下后方可离开。随时观察患者服药后反应。

(二) 注意事项

(1) 需吞服的药物用40～60℃温开水送下，不要用茶水服药。

(2) 酸剂、铁剂等对牙齿有腐蚀作用的药物，可由饮水管吸入，服后再漱口。

(3) 宜在饭前服刺激食欲的药物。对胃黏膜有刺激的药物或助消化药宜在饭后服用。催眠药在睡前服，驱虫药在空腹或半空腹时服用。

(4) 缓释剂、肠溶片、胶囊吞服时不可咀嚼。

(5) 服磺胺类药物后，要多饮水。

(6) 服发汗类药后多饮水。

(7) 服用强心苷类药物前，先测脉率、心率。如脉率低于60次/分或节律不齐，则应停止服用。

(8) 服止咳糖浆后不宜立即饮水。同时服用多种药物时，应最后服用止咳糖浆。

三、雾化吸入疗法

(一) 超声雾化吸入法

1. 目的

(1) 湿化气道：用于呼吸道干燥、痰液黏稠、气管切开术后。

(2) 控制呼吸道感染：用于呼吸道感染。

(3) 改善通气功能：用于支气管哮喘。

(4) 预防呼吸道感染：用于胸部手术前后。

2. 常用药物的选择

(1) 稀化痰液、帮助祛痰：选用α-糜蛋白酶等。

(2) 解除支气管痉挛：选用氨茶碱、沙丁胺醇等。

(3) 预防和控制呼吸道感染：选用庆大霉素等抗生素。

(4) 减轻呼吸道黏膜水肿：选用地塞米松等。

3. 操作方法

(1) 加水：水槽内加冷蒸馏水至浸没雾化罐底部的透声膜，忌加温水或热水，水槽无水时忌开机。

(2) 加药：用生理盐水将药液稀释至30～50ml，倒入雾化罐内，将雾化罐放入水槽，盖紧水槽盖。

(3) 雾化：先开电源开关，预热3～5分钟，再开雾化开关，调节雾量。每次时间为15～20分钟。连续使用雾化器时，中间应间歇30分钟。

(4) 结束：治疗毕，先关雾化开关，再关电源开关，避免损坏电子管。

4. 注意事项

(1) 水槽要保持足够水量，水槽内水温不要超过60℃。

(2) 当水温超过50℃或水量不足时，应关机，再更换冷蒸馏水。

(3) 增加药量时，不必关机，从盖上小孔向内注入。

(4) 操作和清洗过程中，动作应轻，以免损坏水槽底部的晶体换能器和雾化罐底部的透声。

(二) 膜氧气雾化吸入法

1. 准备：检查氧气雾化吸入器连接是否完好，有无漏气，将药液稀释至5ml注入药杯。

2. 连接：连接氧气装置与雾化器，氧气湿化瓶内勿放水，以防液体进入雾化器内使药液稀释。

3. 调节氧气流量：氧气流量一般为6～8L/min。

4. 开始雾化：将雾化器口含嘴放入患者口中，让患者紧闭口唇深吸气，用鼻呼气，如此反复至药液吸完。深吸气后屏气1～2秒可提高治疗效果。

5. 结束：取下雾化器，关闭氧气开关。

四、注射给药法

(一) 注射原则

1. 严格遵守无菌操作原则

(1) 注射前，护士洗手，戴口罩。

(2) 注射部位皮肤消毒，保持无菌。

(3) 常规消毒法：用棉签蘸2%碘酊，以注射点为中心，由内向外呈螺旋形涂擦，直径应在5cm以上，待干后，用70%乙醇脱碘，待干后注射；如用0.5%碘伏消毒，以同法消毒两遍，不用脱碘。

2. 严格执行查对制度：做好“三查七对”，仔细检查药物质量，注意查对药物有无配伍禁忌。

3. 严格执行消毒隔离制度：做到一人一套用物，所有物品按消毒隔离制度处理，一次性物品进行分类处理。

4. 选择合适的注射器和针头。

5. 选择合适的注射部位：注射部位应避开神经和血管（动静脉注射除外）、皮肤损伤、炎症、硬结、瘢痕等。需长期注射的患者，应经常更换注射部位。

6. 注射药液应现用现配。

7. 注射前排尽空气。

8. 注药前检查回血。

9. 掌握合适的进针角度和深度。

10. 应用减轻患者疼痛的注射技术

(1) 解除患者思想顾虑，分散其注意力，取合适体位。

(2) 注射时做到进针快、拔针快、推药慢、注药速度均匀。

(3) 注射刺激性强的药液，应选择细长针头，进针要深。同时注射多种药物时，应先注射刺激性较弱的药物，再注射刺激性强的药物。

(二) 注射前准备

1. 自安瓿内吸取药液

(1) 用70%乙醇消毒瓶颈部，在瓶颈部划一锯痕，再次消毒后折断。如瓶颈部有蓝色标记，则不需划痕，用70%乙醇消毒颈部后折断。

(2) 抽吸药液：将针尖斜面向下，插入安瓿内的液面下，吸取药液。

(3) 排尽空气：将针头垂直向上，轻拉活塞使针头中的药液流入注射器内，并使气泡聚集于乳头口，轻推活塞，驱出气体。

2. 自密封瓶内抽吸药液法

(1) 除去铝盖中心部分，常规消毒瓶塞，待干。

(2) 注射器内吸入与所需药液等量的空气后注入瓶内，注入空气，可增加瓶内压力，利于吸药。

(3) 倒转药瓶，使针头在液面下，抽吸药液至所需药量，以示指固定针栓，拔出针头。

(4) 排尽空气。

3. 吸取结晶、粉剂、油剂、混悬剂等注

射剂法

(1) 混悬液：摇匀后立即吸取。

(2) 结晶、粉剂：先用生理盐水或注射用水将其充分溶解后吸取。

(3) 油剂：稍加温或用双手对搓药瓶后，用较粗针头抽吸药液。

(三) 各种注射法

1. 皮内注射法（ID）

(1) 目的：药物过敏试验、预防接种、局部麻醉的起始步骤。

(2) 操作方法

① 做药物过敏试验前，详细询问药物过敏史，备 0.1%盐酸肾上腺素。

② 选择注射部位：药物过敏试验多选取前臂掌侧下段；预防接种选取上臂三角肌下缘。

③ 消毒皮肤：用 70%乙醇消毒皮肤，忌用碘酊，以免影响结果的观察。

④ 穿刺、注射：针头斜面向上，与皮肤呈 5°刺入皮内。针头斜面完全进入皮内后，放平注射器，注入 0.1ml 药液，使局部形成一个半球形皮丘。做对照试验时，在另一侧的相同部位，注入 0.1ml 生理盐水。

⑤ 拔针：注射完毕，迅速拔出针头，勿按揉注射部位，以免影响结果的观察。15～20 分钟后观察局部反应。

2. 皮下注射法（H）

(1) 目的：不宜口服给药，而需在一定时间内达到药效时，预防接种、局部麻醉用药。

(2) 操作方法

① 选择注射部位：常用部位为上臂三角肌下缘、腹部、后背、大腿前侧及外侧。对于长期进行皮下注射的患者，要有计划的选择注射部位，经常更换。

② 皮肤消毒，排尽空气。

③ 穿刺：针头斜面向上，与皮肤呈 30°～40°，进针角度不宜超过 45°，迅速将针梗的 1/2～2/3 刺入皮下，不要全部刺入。

④ 注射：回抽无回血后缓慢、均匀推注药物，注射少于 1ml 的药液，应用 1ml 注射器。

⑤ 拔针、按压：注射完毕，用无菌干棉签轻按针刺处，快速拔针后按压片刻。

3. 肌内注射法（IM/im）

(1) 注射部位定位

① 臀大肌注射定位法

a. 十字法：先从臀裂顶点向左或右侧划一水平线，再从髂嵴最高点作一垂直平分线，将一侧臀部分为 4 个象限，其中外上象限非内角部位即为注射部位。

b. 连线法：注射部位为髂前上棘和尾骨连线的外上 1/3 处。

② 臀中肌、臀小肌注射定位法

a. 以示指尖和中指尖分别置于髂前上棘和髂嵴下缘处，使示指、中指与髂嵴构成一个三角形，其示指和中指构成的内角为注射部位；

b. 髂前上棘外侧三横指处为注射部位。

③ 股外侧肌注射定位法：膝关节上 10cm 与髋关节下 10cm 处的约 7.5cm 宽的大腿中段外侧部位为注射部位。

④ 上臂三角肌注射定位法：自肩峰向下 2～3 横指处的上臂外侧为注射部位。

(2) 注射方法：以握毛笔姿势持注射器，针头与皮肤呈 90°，迅速刺入针头的 2/3。回抽无回血后缓慢推注药液。注射完毕，用无菌干棉签轻按进针处，快速拔针后按压片刻。

(3) 注意事项

① 为避免引起肌肉萎缩或损伤坐骨神经，2 岁以下婴幼儿不宜进行臀部肌内注射。

② 需长期肌内注射者，应交替使用注射部位，以免硬结的发生。

③ 同时注射的两种药物应无配伍禁忌。

4. 静脉注射法（IV/iv）

(1) 目的：用于药物不宜口服、皮下或肌内注射，或需迅速产生药效；静脉注入药物做某些诊断性检查；用于输液或输血；静脉营养治疗。

(2) 部位：常用的有贵要静脉、正中静脉、头静脉和手背、腕部、踝部、足背的浅静脉。

(3) 选择注射静脉的原则

① 选择粗、直、弹性好、易于固定的静脉。

② 避开关节及静脉瓣。

③ 长期静脉给药者，应由远心端到近心端选择静脉进行注射。

(4) 操作要点

① 系止血带：止血带应扎在穿刺部位上方约 6cm 处，且止血带的末端应向上。

② 穿刺

a. 四肢静脉：针头斜面向上，与皮肤呈15°～30°，由静脉上方或侧方刺入皮下，再沿静脉方向潜行刺入静脉，回血后可顺静脉方向再进针少许。

b. 小儿头皮静脉：助手固定头部，操作者用一手示指、拇指固定静脉两端，一手持头皮针小翼，沿静脉向心方向平行刺入。

c. 股静脉：用一手示指于股动脉搏动最明显处将其固定，一手持注射器，针头与皮肤呈90°或45°，在股动脉内侧0.5cm处刺入。如抽出血液为鲜红色，提示刺入股动脉，应拔出针头，用无菌纱布紧压穿刺处5～10分钟，直至无出血，改由另一侧穿刺。

③ 注入药物

a. 在推注药物前和推注药液过程中，应定期试抽回血，以检查针头是否在静脉内。

b. 根据患者的年龄、病情和药液的性质严格掌握静脉推注药液的速度。

c. 在注射过程中，如出现局部肿胀疼痛，则提示针头脱出静脉，应拔出针头，更换部位，重新进行注射。

d. 注射对组织有强烈刺激的药物前，应先抽吸少量0.9％氯化钠溶液，再行静脉穿刺，穿刺成功后，注入少量0.9％氯化钠溶液以确认针头是否在静脉内，最后再更换有对组织有强烈刺激的药液的注射器缓慢注液，以防药液外溢，造成组织坏死。

(5) 静脉注射失败的常见原因

① 针头刺入静脉过少：抽吸有回血，但松解止血带时静脉回缩，针头滑出血管，药液注于皮下。

② 针头斜面未完全刺入静脉：针尖斜面部分在静脉内，部分在静脉外。表现为抽吸有回血，注药时局部皮肤隆起，患者有疼痛感。

③ 针头刺入较深：针尖斜面一半穿破对侧静脉壁。表现为抽吸可有回血，注药时患者有疼痛感，局部不一定隆起。

④ 针头刺入过深：针尖穿透对侧静脉壁。表现为抽吸无回血。

五、药物过敏试验法

(一) 青霉素过敏试验法

1. 皮试液（每毫升含青霉素200～500U）的配制

(1) 配制每毫升含20万U的皮试液：用5ml注射器向含有80万U青霉素的瓶内加入0.9％氯化钠溶液4ml。

(2) 配制每毫升含2万U的皮试液：用1ml注射器取上液0.1ml，加0.9％氯化钠溶液至1ml，则每毫升含2万U。

(3) 配制每毫升含2000U的皮试液：用1ml注射器取上液0.1ml，加0.9％氯化钠溶液至1ml。

(4) 配制每毫升含200U的皮试液：用1ml注射器取上液0.1ml，加0.9％氯化钠溶液至1ml。

2. 试验方法：在前臂掌侧下段皮内注射青霉素皮试液0.1ml，20分钟后观察。

3. 试验结果

(1) 阴性：皮丘大小无改变，周围不红肿，无红晕。

(2) 阳性：局部出现皮丘隆起、红晕硬块，直径大于1cm或周围有伪足、局部有痒感。

4. 青霉素过敏性休克

(1) 临床表现：最早出现的是呼吸道症状或皮肤瘙痒。

① 呼吸道阻塞症状：胸闷、气急、呼吸困难，伴濒死感。

② 循环衰竭症状：面色苍白、出冷汗、血压下降等。

③ 中枢神经系统症状：四肢麻木、意识丧失、抽搐、大小便失禁等。

④ 其他过敏症状：皮肤瘙痒，出现荨麻疹及其他皮疹，恶心、呕吐、腹痛或腹泻。

(2) 急救

① 立即停药，让患者平卧，就地抢救。

② 立即皮下注射0.1％盐酸肾上腺素1ml（成人），症状无缓解时，可每隔半小时皮下或静脉注射该药0.5ml。

③ 吸氧；静脉注射糖皮质激素（地塞米松、氢化可的松）或抗组胺药物（异丙嗪、苯海拉明）。

④ 如呼吸受抑制，应立即人工呼吸，按医嘱肌内注射尼可刹米或洛贝林等呼吸兴奋药；如喉头水肿影响呼吸，应立即气管插管或气管切开。如心跳呼吸骤停，应立即进行心肺复苏。

(二) 其他药物过敏试验法

1. 链霉素过敏试验法

(1) 皮试液的配制：每毫升皮试液含链霉

素2500U为标准配制。

(2) 试验方法：取皮试液0.1ml（含链霉素250U）皮内注射，20分钟后观察，其结果判断标准同青霉素过敏试验。

(3) 过敏反应：急救时静脉缓慢推注10%葡萄糖酸钙或氯化钙，因钙离子与链霉素络合，从而减轻中毒症状。

2. 破伤风抗毒素过敏试验法

(1) 皮试液的配制：每毫升皮试液含破伤风抗毒素150U。

(2) 试验方法：皮内注射皮试液0.1ml，20分钟后观察。

(3) 试验结果

① 阴性：局部无红肿，全身无反应。

② 阳性：局部皮丘红肿、硬结，直径大于1.5cm，红晕直径超过4cm。

③ 当试验结果不能肯定时，应做对照试验。

④ 试验结果为阴性者，应将余液0.9ml做肌内注射；试验结果为阳性者采用脱敏注射法。

(4) 脱敏注射法

① 破伤风抗毒素0.1ml（1ml含1500U破伤风抗毒素）加0.9%氯化钠溶液稀释到1ml，肌内注射。

② 20分钟后，破伤风抗毒素0.2ml加0.9%氯化钠溶液稀释到1ml，肌内注射。

③ 20分钟后，破伤风抗毒素0.3ml加0.9%氯化钠溶液稀释到1ml，肌内注射。

④ 20分钟后，破伤风抗毒素余量加0.9%氯化钠溶液稀释到1ml，肌内注射。

3. 普鲁卡因过敏试验法

(1) 试验方法：皮内注射普鲁卡因皮试液（0.25%普鲁卡因）0.1ml，20分钟后观察。

(2) 试验结果的判断及过敏反应的处理与青霉素过敏试验相同。

4. 碘过敏试验法

(1) 试验方法

① 口服法：口服5%～10%碘化钾5ml，每天3次，共3天，观察结果。

② 皮内注射法：在前臂掌侧下段皮内注射碘造影剂0.1ml，20分钟后观察。

③ 静脉注射法：在静脉内缓慢推注30%泛影葡胺1ml，5～10分钟后观察。

(2) 试验结果的判断

① 口服法

a. 阴性：无任何症状；

b. 阳性：出现口麻、头晕、心慌、恶心、呕吐、流泪、荨麻疹等症状。

② 皮内注射法

a. 阴性：局部无反应；

b. 阳性：局部有红肿、硬块，直径超过1cm。

③ 静脉注射法

a. 阴性：无任何症状；

b. 阳性：出现血压、脉搏、呼吸、面色等改变。

5. 细胞色素C过敏试验法

(1) 皮内试验：皮内注射细胞色素C皮试液（每毫升含细胞色素C 0.75mg）0.1ml，20分钟后观察。

(2) 划痕试验：在前臂掌侧下段皮肤上滴1滴细胞色素C原液（每毫升含7.5mg），并用无菌针头在表皮划痕两道，长约0.5cm，深度以微量渗血为宜；20分钟后观察。

(3) 试验结果：局部发红，直径大于1cm，有丘疹者为阳性。

【考点强化】

1. 剧毒药及麻醉药的保管原则是
A. 药名用中、外文对照
B. 应加锁并严格交班
C. 装密封瓶中保存　D. 放于阴凉干燥处
E. 与内服药分别放置

2. 用蓝边瓶签，有色密封瓶盛放的药物是
A. 乙醇　B. 酵母片
C. 氨茶碱片　D. 糖衣片
E. 高锰酸钾

3. 取水剂药，下列不妥的是
A. 将药液摇匀后再倒
B. 所需刻度与视线平
C. 倒药时药瓶标签向下
D. 不同药液分杯放置
E. 取药后放回原处，并重新核对

4. 不符合取药操作要求的是
A. 取固体药用药匙
B. 取水剂药液前将药液摇匀
C. 药液量不足1ml，用滴管吸取
D. 油剂药液滴入杯内后加入适量冷开水
E. 患者个人专用药不可互相借用

5. 下列服药方法，不正确的是
A. 健胃药饭前服
B. 发汗药服后多饮水

C. 助消化药饭前服
D. 服铁剂时应避免与牙齿接触
E. 鼻饲患者应将药片研碎溶解后自胃管注入

6. 正确指导患者服止咳糖浆的方法是
A. 饭前服，服后少饮水
B. 饭后服，服后多饮水
C. 睡前服，服后少饮水
D. 在其他药后服，服后不饮水
E. 咳嗽即服，服后多饮水

7. 下列哪类药物服用后须多饮水
A. 铁剂　B. 止咳糖浆
C. 助消化药　D. 健胃药
E. 磺胺类药

8. 发口服药操作，下述哪项正确
A. 患者不在，药物放床旁桌上
B. 患者服洋地黄类药物后要测其脉率
C. 嘱患者服止咳糖浆后不要立即饮水
D. 患者提出疑问，即予解释
E. 鼻饲患者不给口服药

9. 服用时应避免与牙齿接触的药物是
A. 止咳糖浆　B. 棕色合剂
C. 稀盐酸　D. 碳酸氢钠
E. 颠茄合剂

10. 发口服药不符合要求的是
A. 根据医嘱给药　B. 做好心理护理
C. 患者提出疑问须重新核对
D. 鼻饲患者暂缓发药
E. 危重患者应予喂药

11. 王某，女，66 岁，患慢性心功能不全，医嘱地高辛 0.25mg qd，护士发药前应首先
A. 了解心理反应
B. 测脉率（心率）及脉律（心律）
C. 观察意识状态
D. 测量血压　E. 检查瞳孔

12. 为患者稀释痰液做雾化吸入，药物首选
A. 卡那霉素　B. 地塞米松
C. α-糜蛋白酶　D. 氨茶碱
E. 沙丁胺醇（舒喘灵）

13. 超声雾化吸入器连续使用时，应间隔
A. 10 分钟　B. 20 分钟　C. 30 分钟
D. 40 分钟　E. 60 分钟

14. 超声波雾化吸入时，水槽内水温不可超过
A. 60℃　B. 40℃　C. 50℃
D. 30℃　E. 70℃

15. 氧气雾化吸入时，下述步骤哪项不妥
A. 药物用蒸馏水稀释在 5ml 以内
B. 嘱患者吸气时松开出气口
C. 湿化瓶内不能放水
D. 患者吸入前漱口
E. 氧流量用 6～10L/min

16. 超声波雾化吸入时，下述哪项操作正确
A. 水槽内加冷蒸馏水 50ml
B. 用冷蒸馏水稀释药液至 10ml
C. 添加药液应先关机
D. 治疗毕，先关电源开关
E. 雾化罐、螺纹管治疗毕需浸泡消毒

17. 超声波雾化吸入治疗毕，先关雾化开关，再关电源开关，目的是避免损坏
A. 晶体换能器　B. 透声膜
C. 电子管　D. 水槽　E. 雾化罐

18. 注射时为预防感染，最重要的一项措施是
A. 选择合适的针头
B. 选择合适的注射器
C. 严格核对
D. 严格执行无菌技术操作原则
E. 选择合适的注射部位

19. 下列哪项不属于减轻疼痛的注射方法
A. 进针要快　B. 分散注意力
C. 拔针要快　D. 推药要快
E. 先注射刺激性弱的药物，再注射刺激性强的药物

20. 为患者进行注射时，首先要检查药液
A. 有无配伍禁忌
B. 有无沉淀　C. 有无浑浊
D. 有效期　E. 标签是否符合

21. 皮下注射的部位不包括
A. 上臂三角肌下缘
B. 前臂掌侧　C. 腹部
D. 后背　E. 大腿外侧方

22. 皮内注射选前臂掌侧下端的原因是
A. 皮肤薄，颜色浅
B. 没有大血管　C. 离大神经较远
D. 皮下脂肪薄　E. 操作较方便

23. 接种乙型脑炎疫苗的部位是
A. 三角肌上缘　B. 前臂掌侧下端
C. 前臂外侧　D. 三角肌下缘
E. 股外侧肌

24. 皮内注射过程中，不正确的操作是
A. 针尖与皮肤呈 5°角刺入
B. 用 70％乙醇消毒皮肤
C. 拔针后，用无菌棉签按压进针处

D. 注药量0.1ml

E. 严格"三查七对"

25. 皮下注射给药，下述步骤哪项是错误的

A. 选择无菌2ml注射器和6号针头

B. 用2%碘酊和70%乙醇消毒皮肤针头

C. 与皮肤呈10～20°角进针

D. 抽吸无回血后推注药液

E. 注射毕用干棉签轻压进针处，快速拔针

26. 肌内注射部位的选择叙述错误的是

A. 皮肤无炎症处B. 皮肤无瘢痕处

C. 远离大神经，大血管处

D. 肌肉较厚处

E. 皮下脂肪较丰厚处

27. 肌内注射时，下列措施哪项不妥

A. 注射前做好解释

B. 侧卧位时上腿应弯曲

C. 推药液宜慢

D. 注射油剂，针头宜粗长

E. 刺激性强的药液后注射

28. 肌内注射两种药物时，首先需注意的是

A. 药物有无刺激B. 药物的有效期

C. 安瓿有无裂缝D. 药物配伍禁忌

E. 药物有无变质

29. 静脉注射不正确的步骤是

A. 在穿刺点上方约6cm处扎止血带

B. 常规消毒皮肤后嘱患者握拳

C. 针头与皮肤成20°角进针

D. 见回血后即推注药液

E. 注射后用干棉签按压拔针

30. 选择静脉注射穿刺部位，下列哪项不妥

A. 选择粗直、弹性好的静脉

B. 穿刺部位应避开关节

C. 由近心端到远心端选择血管

D. 避免在皮肤炎症处进针

E. 不宜在静脉瓣部位进针

31. 王某，男，33岁，在静脉注射过程中，主诉注射部位疼痛，检查：局部肿胀，抽吸无回血应考虑

A. 静脉痉挛

B. 针头斜面部分在血管内

C. 针头划出血管外

D. 针头斜面穿透对侧血管壁

E. 针头阻塞

32. 做青霉素皮试前首先应了解

A. 护理需要　B. 治疗需要

C. 心理反应　D. 有无家族史

E. 有无过敏史

33. 配制青霉素快速过敏试验液时，稀释溶液用

A. 生理盐水　B. 注射用水

C. 5%葡萄糖盐水

D. 5%葡萄糖溶液

E. 0.25%普鲁卡因

34. 发生青霉素过敏反应，患者最早出现的症状是

A. 意识丧失　B. 血压下降

C. 面色苍白　D. 喉头水肿、气促

E. 幻觉、谵妄

35. 当患者发生青霉素过敏性休克时，在皮下注射0.1%盐酸肾上腺素1ml的同时应立即

A. 报告医师　B. 置患者平卧位

C. 氧气吸入　D. 建立静脉通道

E. 注射抗组胺类药物

36. 应用于链霉素过敏反应的药物有

A. 氯丙嗪　B. 去甲肾上腺素

C. 葡萄糖酸钙　D. 氯化钾

E. 氯苯那敏

37. 下列药物中，无须做过敏试验的是

A. 普鲁卡因　B. 链霉素

C. 破伤风抗毒素D. 细胞色素C

E. 利多卡因

38. 下列注射方法，错误的部位是

A. 皮内注射—三角肌下缘

B. 皮下注射—大腿外侧处

C. 肌内注射—臀大肌

D. 静脉注射—正中静脉

E. 股静脉注射-股三角区股动脉外侧0.5cm处

39. 不符合破伤风抗毒素皮试结果阳性的表现是

A. 局部皮丘红肿扩大

B. 硬结直径大于1.5cm

C. 红晕大于4cm

D. 皮丘周围有伪足、痒感

E. 患者出现气促、发绀、荨麻疹

40. 某患者需注射破伤风抗毒素，皮试为阳性反应，脱敏注射的第一次剂量为多少

A. 15U　B. 50U　C. 100U

D. 150U　E. 200U

41. 王某，40岁，脚底被铁锈钉刺伤，遵医嘱注射破伤风抗毒素，皮试结果为阳性。采

取脱敏注射的方法和药物剂量是

A. 分 4 等份分次注射

B. 分 5 等份分次注射

C. 分 3 次注射剂量渐增

D. 分 4 次注射剂量渐增

E. 分 5 次注射剂量渐增

(42～45 题共用病例)

马某，男，56 岁，糖尿病，同时伴有慢性支气管炎，住院治疗。医嘱：胰岛素 8U 饭前 30 分钟皮下注射；青霉素 80 万单位肌内注射，每日 2 次；超声雾化吸入，每日 2 次。

42. 护士在准备给患者注射胰岛素时，下列操作不妥的是

A. 饭前 30 分钟注射

B. 选用 2mL 注射器

C. 注射部位选择上臂三角肌下缘

D. 常规消毒注射部位皮肤

E. 针头与皮肤呈 40°角进针

43. 青霉素过敏试验 20 分钟后观察结果：局部皮丘隆起，周围有充血红肿，应判断为

A. 阴性　B. 假阴性

C. 假阳性　D. 弱阳性　E. 阳性

44. 在为患者做超声雾化吸入时，不正确的操作步骤是

A. 水槽内盛冷蒸馏水

B. 雾化罐内药液稀释至 30～50ml

C. 先开电源开关，再开雾化开关

D. 使用中水槽内换水时不必关机

E. 治疗毕，先关雾化开关，再关电源开关

45. 超声波雾化吸入治疗结束后，不需消毒的物品是

A. 雾化罐　B. 水槽

C. 螺纹管　D. 口含嘴　E. 面罩

(46～47 题共用病例)

患者，女性，52 岁，诊断为肺炎，有高热、胸痛伴咳嗽、咳痰症状，需青霉素治疗。

46. 术前准备做青霉素皮试时，错误的做法是

A. 如青霉素过敏需做皮试

B. 停用青霉素超过 3 天重做皮试

C. 青霉素试验液应现配现用

D. 青霉素更换批号重做皮试

E. 皮试前应准备急救药物

47. 做皮试 2 分钟后，患者面色苍白、冷汗、发绀、脉搏 120 次/分钟，血压 69/45mmHg，四肢湿冷，烦躁不安，应立即注射的药物是

A. 盐酸肾上腺素

B. 氢化可的松

C. 异丙嗪　D. 去甲肾上腺素

E. 尼可刹米

【参考答案】

1. B	2. C	3. C	4. D	5. C
6. D	7. E	8. C	9. C	10. D
11. B	12. C	13. C	14. A	15. B
16. E	17. C	18. D	19. D	20. E
21. B	22. A	23. D	24. C	25. C
26. E	27. B	28. D	29. D	30. C
31. C	32. E	33. B	34. D	35. B
36. C	37. E	38. E	39. E	40. D
41. D	42. B	43. E	44. D	45. B
46. A	47. A			

第十三章　静脉输液和输血法

一、静脉输液法

(一) 静脉输液的目的

(1) 补充水分和电解质，纠正水、电解质紊乱，维持酸碱平衡。

(2) 补充血容量，改善微循环，维持血压。

(3) 补充营养，供给热能。

(4) 输入药物，治疗疾病。

(二) 常用溶液和作用

种　类		临床应用
晶体溶液	葡萄糖溶液(5%葡萄糖溶液、10%葡萄糖溶液)	供给水分和热能
	等渗电解质溶液(0.9%氯化钠、5%葡萄糖氯化钠、复方氯化钠)	供给水分、电解质
	碱性溶液(5%碳酸氢钠、11.2%乳酸钠溶液)	纠正酸中毒,调节酸碱平衡
	高渗溶液(20%甘露醇、25%山梨醇、25%～50%葡萄糖)	用于利尿脱水
胶体溶液	中分子右旋糖酐	提高血浆胶体渗透压,扩充血容量
	低分子右旋糖酐	降低血液黏稠度,改善微循环
	羟乙基淀粉(706代血浆)、氧化聚明胶、聚维酮	增加血浆渗透压及循环血量,
	浓缩白蛋白注射液	提高胶体渗透压,补充蛋白质,减轻组织水肿
	水解蛋白注射液	补充蛋白质,纠正低蛋白血症,促进组织修复
静脉营养液(复方氨基酸、脂肪乳剂)		供给热能,维持正氮平衡,补充多种维生素及矿物质

(三) 常用静脉输液法

1. 周围静脉输液法

(1) 密闭式输液法

① 加药：检查瓶口有无松动、瓶身有无破裂、药液有无浑浊、沉淀、絮状物等。套上瓶套，启开铝盖中心部分，常规消毒瓶口至铝盖下端瓶颈部，按医嘱加入药物，将填好的输液卡倒贴在输液瓶上。

② 插输液器：打开输液器，关闭调节器，将输液管和通气管针头同时插入瓶塞至针头根部，关闭调节器。

③ 排气：将输液瓶倒挂于输液架上，倒置茂菲滴管，挤压滴灌，使输液瓶内的液体流出，当茂菲滴管内液面达1/3～1/2满时，转正滴灌，打开调节器，使药液顺输液管缓慢流下至输液管与头皮针相交处，关闭调节器。

④ 系止血带：在穿刺点上方10～15cm处扎止血带。

⑤ 消毒皮肤：常规消毒穿刺点部位皮肤，消毒范围为8cm×10cm。

⑥ 穿刺：嘱患者握拳，再次排气后静脉穿刺，成功后，固定针柄，松开止血带和调节器，嘱患者松拳。

⑦ 调节滴速：成人40～60滴/分，儿童20～40滴/分。

⑧ 更换液体：在滴管中的高度至少1/2满时，拔出第一瓶内的通气管和输液管，快速插入第二瓶，需24小时输液时，每天更换输液器。

⑨ 结束：输液完毕，关闭调节器，用无菌纱布轻按压穿刺点上方，迅速拔出针头，按压1～2分钟至不出血。

(2) 静脉留置针输液法

① 封管：输液完毕，拔出输液器针头，消毒静脉冒的胶塞，将封管液注入静脉，一边推注一边退针，直至针头全部退出，以确保正压封管。常用封管液有生理盐水和稀释肝素溶液。

② 再次输液：常规消毒肝素帽胶塞，把排好气的输液器头皮针全部刺入即可。

③ 留置针一般可保留3～5天，最多不超过7天，一旦针管内有回血，立即用肝素液冲洗。

(3) 注意事项

① 需长期输液者，应合理使用静脉，要先从四肢远端小静脉开始。

② 有计划地安排药物输液的顺序。

③ 输液前排尽空气，输液中防止液体流空，输液完及时拔针。

④ 输血管刺激性大的药物时，要充分稀释，并待穿刺成功后再加药，药物输完后再输入一定量的0.9%氯化钠溶液。

2. 颈外静脉插管输液法

(1) 适应证：需要长期输液，而周围静脉不易穿刺的患者；测量中心静脉压；长期静脉内滴注高浓度的、刺激性强的药物，或采用静脉营养疗法的患者。

(2) 操作要点

① 体位：患者取去枕平卧位，将头部转向对侧，肩下垫小枕，以使颈部伸直。

② 确定穿刺部位：在下颌角与锁骨上缘中点连线的上1/3处，颈外静脉外侧缘进针。

③ 局麻：用1%普鲁卡因在穿刺部位行局部麻醉，用10ml注射器抽吸无菌生理盐水，以平针头连接硅胶管，排尽空气备用。

④ 穿刺：先用刀片尖端刺破穿刺部位皮肤，助手用手指按压颈静脉三角处，阻断血流使静脉充盈。穿刺针与皮肤呈45°进针，入皮后成25°沿颈外静脉方向刺入。

⑤ 插管：见回血后，立即抽出穿刺针内芯，左手拇指堵住针栓孔，右手持备好的硅胶管送入针孔内约10cm。

(四) 输液速度的调节

1. 输液速度的计算

(1) 已知输入液体的总量和预计输完所用

的时间

每分钟滴数＝液体的总量(ml)×滴系数(滴/毫升)/输液所用时间(分钟)

(2) 已知输入液体的总量和每分钟滴数

输液所用时间(h)＝液体的总量(ml)×滴系数(滴/毫升)/每分钟滴数(滴/分)×60(分钟)

2. 调节输液速度的原则

(1) 一般输液速度：成人 40～60 滴/分，儿童 20～40 滴/分。

(2) 宜慢的情况：年老、体弱、婴幼儿、有心肺疾患的患者输入速度宜慢；高渗盐水、含钾药物、升压药物等输入速度宜慢。

(3) 宜快的情况：严重脱水、心肺功能良好的患者输液速度可稍快。

3. 输液泵：常用于输入升压药物、抗心律失常药物等。

(五) 常见输液故障和处理

溶液不滴的原因及处理见下表。

原　因	临床表现及诱因	处　理　方　法
针头滑出静脉外	局部肿胀、疼痛	拔针并更换针头，另选静脉重新穿刺
针头斜面紧贴静脉壁	液体滴入不畅或不滴	调整针头位置或适当变换肢体位置
针头阻塞	表现为药液不滴，轻轻挤压输液管有阻力，且无回血	拔针并更换针头，重新穿刺
压力过低	输液瓶位置过低、患者肢体抬举过高或周围循环不良	抬高输液架高度，或放低患者肢体
静脉痉挛	穿刺肢体长时间暴露在冷环境中，或所输入的药液温度过低	局部热敷、按摩

(六) 常见输液反应及护理

输液反应	典　型　表　现	紧　急　处　理
发热反应	发冷、寒战及发热	立即停止输液，给予抗过敏药物或激素治疗
急性肺水肿	呼吸困难，咯粉红色泡沫样痰，肺部可闻及湿啰音	立即停止输液；患者取端坐位，两腿下垂；高流量吸氧；给予扩血管药、强心药、利尿药等
静脉炎	沿静脉走向出现条索状红线，局部红、肿、热、痛	立即停止输液，抬高患肢并制动；局部用 95%乙醇或 50%硫酸镁进行热湿敷；中药外敷；超短波理疗
空气栓塞	首先出现胸部不适或胸痛，随即出现呼吸困难、发绀；心前区听诊可闻及响亮的、持续的“水泡声”；心电图可表现为心肌缺血和急性肺心病的改变	立即停止输液；立即使患者取左侧卧位和头低足高位；高流量吸氧；通知医生，进行抢救

二、静脉输血法

(一) 目的

补充血容量；补充血红蛋白；补充抗体；补充白蛋白；补充各种凝血因子和血小板。

(二) 血液制品的种类

种　类			适　用　范　围
全血	新鲜血		适用于血液病患者，可补充各种血细胞、凝血因子和血小板
	库存血		适用于各种原因引起的大出血(可导致酸中毒和高钾血症)
	自体血	术中失血回输	脾切除、宫外孕等手术
		术前预存自体血	采用体外循环的患者
成分血	红细胞	浓缩红细胞	适用于血容量正常而需补充红细胞的贫血患者
		洗涤红细胞	适用于免疫性溶血性贫血患者、脏器移植术后、需反复输血的患者
		红细胞悬液	适用于战地急救和中、小手术患者
	白细胞浓缩悬液		适用于粒细胞缺乏合并严重感染的患者
	血小板浓缩悬液		适用于血小板减少或功能障碍所致的出血患者
	血浆	新鲜血浆	适用于凝血因子缺乏的患者
		保存血浆	适用于低血容量、低血浆蛋白的患者
	白蛋白液		适用于低蛋白血症患者
	纤维蛋白原		适用于纤维蛋白缺乏症、弥散性血管内凝血(DIC)的患者
	抗血友病球蛋白浓缩剂		适用于血友病患者

（三）静脉输血法

1. 输血前准备

（1）静脉输全血、红细胞、白细胞、血小板等血制品前必须抽取血标本 2ml，做血型鉴定和交叉配血试验。输入血浆前须做血型鉴定。

（2）护士应与血库人员共同查对血液制品的有效期、质量、输血装置是否完好，并查对患者床号、姓名、住院号、血袋（瓶）号、血型、交叉配血试验结果、血制品的种类及剂量。在输血前应与另一护士再次核对。

（3）勿剧烈震荡血制品；不能加温血制品；在室温下放置 15～20 分钟后再输入，一般应在 4 小时内输完。

2. 直接输血法：适用于无血库而患者又急需输血时，以及婴幼儿的少量输血。

3. 间接输血法：开始输血速度宜慢，应少于 20 滴/分；然后观察 10～15 分钟，再根据病情需要调节滴速，成人一般 40～60 滴/分。

4. 注意事项：输血前后及输两袋血之间，应输入少量生理盐水。

（四）常见输血反应及护理

输血反应	临床表现	紧急处理
发热反应	发冷、寒战、体温升高	症状较严重的患者应立即停止输血，维持静脉通道，给予物理降温。给予解热镇痛药、抗过敏药物或肾上腺皮质激素等
过敏反应	轻者表现为皮肤瘙痒、荨麻疹；重者可出现呼吸困难，双肺哮鸣音，甚至发生过敏性休克	轻者可减慢滴速，重者应立即停止输血；皮下注射 0.1%盐酸肾上腺素 0.5～1ml，或给予异丙嗪、苯海拉明、地塞米松等抗过敏药物。呼吸困难者吸氧；喉头水肿影响呼吸者气管插管或气管切开；循环衰竭者抗休克治疗
溶血反应	开始阶段：头胀痛、四肢麻木、胸闷、腰背部剧烈疼痛等；中间阶段：黄疸和血红蛋白尿（酱油色）；最后阶段：少尿、无尿	立即停止输血；维持静脉通道；保护肾脏；碱化尿液；记尿量
大量输血后反应	肺水肿、出血倾向、枸橼酸钠中毒反应、酸中毒和高钾血症	出血倾向的预防：在大量输库存血时，应间隔输入新鲜血液、血小板浓缩悬液或凝血因子；枸橼酸钠中毒反应的预防：每输入库存血超过 1000ml 时，给予 10%葡萄糖酸钙或氯化钙 10ml 静脉注射

【考点强化】

1. 静脉输液的目的不包括

A. 纠正水、电解质及酸碱失衡

B. 增加血红蛋白，纠正贫血

C. 补充营养，维持能量

D. 输入药物，治疗疾病

E. 增加循环血量，维持血压

2. 右旋糖酐-70 的主要作用是

A. 改善微循环

B. 提高血浆晶体渗透压

C. 维持酸碱平衡

D. 补充葡萄糖

E. 扩充血容量

3. 以下有关输液的叙述不正确的是

A. 需长期输液者，一般从远端静脉开始

B. 需大量输液时，一般选用较大静脉

C. 输入多巴胺时应调节较慢的速度

D. 24h 连续输液时，应每 12h 更换输液管

E. 颈外静脉穿刺拔管时在穿刺点加压数分钟，避免空气进入

4. 留置针输液一般可保留

A. 1～3 天　　B. 2～3 天

C. 3～5 天　　D. 5～7 天

E. 7～10 天

5. 颈外静脉输液，最佳穿刺点在

A. 下颌角与锁骨上缘中点连线下 1/3 处

B. 下颌角与锁骨下缘中点连线下 1/3 处

C. 下颌角与锁骨下缘中点连线上 1/3 处

D. 下颌角与锁骨上缘中点连线上 1/3 处

E. 下颌角与锁骨上缘中点连线中 1/3 处

6. 某患者 5h 内需输液 1000ml，滴系数为 15 滴/mL，应调节滴速为每分钟

A. 40 滴　　B. 45 滴　　C. 50 滴

D. 55 滴　　E. 60 滴

7. 输液时如何处理因静脉痉挛导致的滴注不畅

A. 减小滴液速度　　B. 加压输液

C. 局部热敷　　D. 适当更换肢体位置

E. 降低输液瓶位置

8. 下列哪项不属于输液不滴的原因

A. 针头滑出血管外

B. 针头阻塞

C. 针头斜面紧贴血管壁

D. 压力过低　　E. 压力过高

9. 造成茂菲管内液面自行下降的原因是

A. 液面压力过大　B. 患者肢体位置不当

C. 茂菲管有裂隙　D. 输液管太粗

E. 针头处漏水

10. 护士巡视病房时，发现患者静脉输液的溶液不滴，挤压时感觉输液管有阻力，松手时无回血，此种情况是

A. 针头阻塞　B. 静脉痉挛

C. 输液压力过低

D. 针头滑出血管外

E. 针头斜面紧贴血管壁

11. 输液时，液体滴入不畅，局部肿胀、疼痛，检查无回血，此时应

A. 改变针头方向　B. 提高输液瓶位置

C. 用注射器推注　D. 更换针头重新穿刺

E. 局部热敷

12. 患者在输液 1h 后出现畏寒发抖，体温达 40℃，处理方法是

A. 继续输液，给予物理降温

B. 继续输液，给予药物降温

C. 减慢滴速，给予物理降温

D. 减慢滴速，给予药物降温

E. 停止输液，给予物理降温

13. 输液过程中，患者突然出现呼吸困难、气促、咳血性泡沫痰的原因是

A. 输入致热物质　B. 输入速度过快

C. 输入药液浓度过高

D. 输入空气栓子　E. 输入变质溶液

14. 在输液过程中患者出现呼吸困难、咳嗽、咳血性泡沫痰，下列哪项措施正确

A. 继续输液，减慢滴速

B. 置患者于坐位，两腿下垂

C. 持续低浓度吸氧

D. 50%乙醇湿化吸氧

E. 皮下注射盐酸肾上腺素

15. 血小板减少性紫癜患者适宜输入

A. 库存血　B. 血小板

C. 洗涤红细胞　D. 新鲜全血

E. 冰冻血浆

16. 静脉输液引起的静脉炎，局部热敷可用

A. 10%硫酸镁　B. 1%普鲁卡因

C. 30%乙醇　D. 95%乙醇

E. 10%葡萄糖酸钙

17. 患者，男，66 岁，输液时主诉胸部不适，呼吸困难，严重发绀，心前区听诊闻及持续响亮的“水泡音”，其原因为

A. 过敏反应　B. 发热反应

C. 右心衰竭　D. 空气栓塞

E. 肺水肿

18. 林某，男，34 岁，肺炎，入院后按医嘱给予红霉素静脉滴注，用药 5 天后，输液部位组织红、肿、灼热、疼痛沿静脉走向出现条索状红线，下列护理措施错误的是

A. 用 50%硫酸镁热湿敷

B. 患肢放低并制动

C. 局部超短波理疗

D. 经常更换输液部位

E. 防止药液溢出血管

19. 关于输血前准备错误的是

A. 抽取血标本做血型鉴定

B. 采血时禁止同时采集两位患者的血标本

C. 从血库取血时应认真核对

D. 应检查血的质量

E. 若血的温度太低，可稍加温

20. 关于输血操作的描述，下列哪项错误

A. 应两人进行“三查八对”

B. 勿剧烈振动血液，以免红细胞破坏

C. 输血前应先输注少量生理盐水

D. 库血可在阳光下放置 15～20 分钟后再输入

E. 输血前做血型鉴定和交叉配血试验

21. 大量输注库存血后要防止发生

A. 碱中毒和低血钾

B. 碱中毒和高血钾

C. 酸中毒和低血钾

D. 酸中毒和高血钾

E. 低血钾和低血钠

22. 患者输血后出现皮肤瘙痒，眼睑、口唇水肿，应考虑是

A. 发热反应　B. 过敏反应

C. 溶血反应　D. 枸橼酸钠中毒

E. 肺水肿

23. 溶血反应发生时，护士首先应

A. 通知医生　B. 立即停止输血

C. 测量血压及尿量

D. 皮下注射肾上腺素

E. 静脉滴注 4%碳酸氢钠

24. 叶先生，26 岁，因患白血病住院治疗，为增加其机体抵抗力，可给予输入的血液制

品是

A. 洗涤红细胞　B. 白细胞浓缩悬液

C. 血小板浓缩悬液

D. 库存血　E. 新鲜血

（25～26 题共用病例）

患者男性，45 岁，患肝硬化 8 年，突然呕血，面色苍白，脉搏 120 次/分钟，血压 60/45mmHg。医嘱：输血 400ml。

25. 给患者输血的目的是补充

A. 凝血因子　B. 血红蛋白

C. 血小板　D. 抗体　E. 血容量

26. 为患者输两袋血之间应输入少量

A. 5%葡萄糖溶液

B. 5%葡萄糖氯化钠溶液

C. 0.9%氯化钠溶液

D. 复方氯化钠溶液

E. 10%葡萄糖溶液

（27～29 题共用病例）

患者女性，因失血性休克立即给予输血，10 分钟后患者主诉头痛、发热、四肢麻木、腰背部剧烈疼痛伴胸闷、气促。

27. 护士应首先考虑患者发生了

A. 发热反应　B. 过敏反应

C. 溶血反应　D. 空气栓塞

E. 急性肺水肿

28. 病情继续发展可能出现的典型症状是

A. 寒战，高热不退

B. 喉头水肿，呼吸困难

C. 严重缺氧，心搏骤停

D. 黄疸，血红蛋白尿

E. 咳嗽，咳粉红色泡沫样痰

29. 针对上述症状护理措施正确的是

A. 静脉滴注碳酸氢钠

B. 端坐位，加压吸氧

C. 皮下注射肾上腺素

D. 置患者于左侧卧位或头低脚高位

E. 静脉注射 10%葡萄糖酸钙

【参考答案】

1. B　2. E　3. D　4. C　5. D
6. C　7. C　8. E　9. C　10. A
11. D　12. E　13. B　14. B　15. B
16. D　17. D　18. B　19. E　20. D
21. D　22. B　23. B　24. B　25. E
26. C　27. C　28. D　29. A

第十四章　标本采集

（一）标本采集的原则

（1）按医嘱采集标本。

（2）做好采集前准备。

（3）确保标本质量。

（4）培养标本的采集：在患者使用抗生素之前采集，严格无菌操作，标本放入无菌容器内。

（二）静脉血标本采集法

1. 静脉血标本的种类及用途

（1）全血标本：用于测定血糖、尿素氮、血氨等。

（2）血清标本：用于测定电解质、脂类、血清酶、肝功能等。

（3）血培养标本：用于查找血液中的病原体。

2. 采集方法要点

（1）全血标本：静脉取血后，取下针头，将血液沿管壁缓慢注入盛有抗凝剂的试管内，并轻轻摇动，以使血液和抗凝剂充分混匀。

（2）血清标本：静脉取血后，取下针头，将血液沿管壁缓慢注入干燥试管内，勿将泡沫注入，并避免震荡，以防红细胞破裂溶血。

（3）血培养标本：一般取血 5ml；亚急性细菌性心内膜炎取血 10～15ml。

3. 注意事项

（1）不同血标本注入顺序为：先注入血培养瓶，再注入抗凝管，最后注入干燥管。

（2）严禁在输液、输血的针头处或同侧肢体抽取血标本，应在对侧肢体采集血标本。

（三）尿标本采集方法

1. 常规尿标本：取患者晨起第一次尿，量约 100ml。晨尿浓度较高，未受饮食的影响，故检验结果准确。

2. 尿培养标本：清洁、消毒外阴部后，嘱患者自行排尿，用试管夹夹住无菌试管，并在酒精灯上消毒试管口后，留取中段尿液约 5ml。

3. 留 12 小时尿标本：嘱患者于晚 7 时排空膀胱后，开始留取尿液，至次晨 7 时留取最后一次尿，将全部尿液盛于集尿瓶。

4. 留 24 小时尿标本：嘱患者于清晨 7 时排空膀胱后，开始留取尿液，至次晨 7 时留取最后一次尿，将全部尿液盛于集尿瓶。

5. 常用防腐剂的作用

（1）甲醛：用于固定尿液中有机成分，防止细菌生长。用于尿爱迪计数等。

（2）浓盐酸：使尿液在酸性环境中，防止尿中激素被氧化。用于 17-羟类固醇、17-酮类固醇等的检查。

（3）甲苯：防止细菌污染，延缓尿液中化学成分的分解。用于尿蛋白定量、尿糖定量、测定尿中钾、钠、氯、肌酐、肌酸等。

（四）粪便标本采集方法

1. 目的

（1）常规标本：用于检验粪便的性状、颜色、细胞、混合物等。

（2）培养标本：用于检查粪便中的致病菌。

（3）隐血标本：用于检查粪便中肉眼不能察见的微量血液。

（4）寄生虫或虫卵标本：用于检查粪便中的寄生虫、幼虫、虫卵及虫卵计数检查。

2. 收集粪便标本

（1）粪便常规标本：让患者排便于清洁便盆内，用检便匙取粪便中央部分或黏液、脓血部分约 5g，放入检便盒内。腹泻患者的水样便应盛于容器中。

（2）粪便培养标本：嘱患者排便于消毒便盆内，用无菌棉签取粪便中央部分或黏液、脓血部分约 2～5g，放入培养瓶内，塞紧瓶塞送检。如患者无排便，可用无菌长棉签蘸 0.9% 氯化钠溶液，插入肛门约 6～7cm 后，沿相同方向轻轻旋转棉签，然后将退出的棉签放入培养瓶中，塞紧瓶塞送检。

（3）隐血标本：嘱患者检查前 3 天禁食肉类、动物血、肝脏、含铁丰富的药物和食物及绿色蔬菜，3 天后按常规标本留取粪便。

（4）寄生虫及虫卵标本

① 检查寄生虫卵：让患者排便于清洁便盆内，用检便匙取带血或黏液部分约 5～10g。

② 检查蛲虫：睡觉前或早晨未起床前，将透明胶带贴在肛门周围；取下并将粘有虫卵的透明胶带面贴在载玻片上，或将透明胶带对合。

③ 检查阿米巴原虫：为保持阿米巴原虫的活动状态，将便盆加温至接近人体的体温，让患者排便于便盆内，连同便盆送检，为防止阿米巴原虫死亡需及时送检。

④ 做血吸虫孵化检查：应留取全部粪便。

⑤ 服用驱虫药者应留取全部粪便。

（五）痰标本采集法

1. 常规痰标本：晨起后，清水漱口，用力咳出气管深处的痰，留于痰盒中。无力咳痰或不合作者，采取合适体位后，叩击胸背部后吸痰。

2. 痰培养标本：晨起后，先用朵贝尔溶液漱口，再用清水漱口，用力咳出气管深处的痰液，留于无菌集痰器中。

3. 24 小时痰标本：早晨 7 时漱口后第一口痰至次日晨 7 时漱口后的第一口痰为止。将全部痰液收集于痰盒中。

4. 查找癌细胞：用 10% 甲醛溶液或 95% 乙醇溶液固定痰液后立即送检。

（六）咽拭子标本采集法

1. 暴露咽喉部：让患者张口发“啊”音，或用压舌板轻压舌部。

2. 采集方法：用无菌长棉签快速擦拭两侧腭弓和咽、扁桃体的分泌物。采集真菌培养标本时，应在口腔溃疡面采集分泌物。

3. 消毒、送检：用酒精灯消毒管口及塞子，将棉签插入培养管，盖紧送检。

4. 注意事项：避免在进食后 2 小时内留取标本。

【考点强化】

1. 采集血标本时，错误的操作是

A. 血清标本应注入干燥试管

B. 生化检验标本在空腹时采集

C. 全血标本不可摇动以防溶血

D. 严禁在输液的针头处采血

E. 血培养标本应注意无菌操作

2. 不符合血培养标本采集原则的是
A. 标本容器外贴标签
B. 血液注入标本瓶后轻轻摇匀
C. 在使用抗生素前采集
D. 采集时严格执行无菌操作
E. 采集量一般为 3ml

3. 防止血标本溶血，下列哪项是错误的
A. 选用干燥注射器和针头
B. 避免过度震荡血标本
C. 采血后带针头沿管壁将血液注入
D. 标本应及时送检
E. 需全血标本时，应采用抗凝管

4. 若同时需抽取不同种类的血标本，向容器内注入标本的顺序是
A. 血培养瓶、抗凝试管、干燥试管
B. 抗凝试管、血培养瓶、干燥试管
C. 干燥试管、血培养瓶、抗凝试管
D. 抗凝试管、干燥试管、血培养瓶
E. 血培养瓶、干燥试管、抗凝试管

5. 留 24h 尿标本时下列哪项不妥
A. 备清洁带盖的大容器
B. 贴上标签，按要求注明各项内容
C. 天气炎热，选用合适防腐剂
D. 告知患者晨 7 时开始留尿于容器内
E. 次晨 7 时排最后一次尿于容器内

6. 采集痰标本查癌细胞，固定标本可用
A. 甲苯　B. 2%过氧乙酸
C. 浓盐酸　D. 95%乙醇
E. 40%甲醛

7. 采集粪便培养标本，不正确的做法是
A. 嘱患者排便于消毒便盆内
B. 取带脓血或黏液的粪便 2～5g 于无菌容器内
C. 立即送检
D. 无便意时可用无菌长棉签插入肛门 6～7cm 左右旋转后退出
E. 留取粪便前先嘱患者排尿

8. 检查蛲虫时，标本采集时间为
A. 清晨起床后　B. 午后 2h
C. 餐后 2h　D. 晚上入睡前
E. 上午 9 时

9. 以下有关痰标本的采集不正确的是
A. 痰常规标本应用清水漱口后取
B. 24h 痰标本是指留取晨起 7 点至次晨 7 点的全部痰液
C. 留取 24h 痰标本时应将唾液、漱口水等一起送检
D. 找癌细胞的痰标本应立即送检
E. 找癌细胞的痰标本应置于清洁容器内

10. 取咽部培养标本时，以下叙述正确的是
A. 先用清水漱口
B. 用力擦拭咽部，取足量的分泌物
C. 用无菌干燥棉签蘸取
D. 将棉签前端剪下置入试管中
E. 避免在进食后 2 小时内留取标本

11. 做血液生化检查，适宜的采集时间是
A. 饭后　B. 晚间　C. 下午
D. 中午　E. 清晨空腹

12. 做尿糖定量检查，为保持尿液的化学成分不变，尿标本中需加入
A. 甲苯　B. 浓盐酸　C. 甲醛
D. 草酸　E. 乙醇

13. 因口腔溃烂需做咽拭子培养，采集标本部位应选
A. 口腔溃疡面　B. 两侧腭舌弓
C. 舌根部　D. 腭扁桃体
E. 咽部

14. 做尿培养，患者神志清楚，一般情况好，护士指导患者留尿标本的方法是
A. 随机留尿　B. 收集 12h 尿
C. 留取中段尿　D. 收集 24h 尿
E. 留晨起第一次尿

15. 患者因亚急性细菌性心内膜炎入院，需抽血做血培养，采集血量为
A. 2ml　B. 4ml　C. 5ml
D. 8ml　E. 10ml

16. 采血进行哪项检查时，需用抗凝管采血
A. 甘油三酯的测定
B. 肝功能检查　C. 血清酶测定
D. 尿素氮测定　E. 血钠测定

17. 采集粪便标本做隐血试验时应禁食
A. 牛奶　B. 西红柿　C. 动物肝脏
D. 豆制品　E. 土豆

(18～20 题共用病例)

患者女性，66 岁，半年前诊断为心绞痛。今日午后无明显诱因出现心前区疼痛，服硝酸甘油不能缓解，急诊入院，医嘱要求检查磷酸肌酸激酶（CPK）。

18. 适宜的采血时间为
A. 即刻　B. 睡前　C. 晚饭前
D. 服药后 2 小时　E. 次日晨起空腹

19. 采集血标本时，正确的措施是

A. 取血 1ml

B. 采血后避免振荡，防止溶血

C. 采血后更换针头再注入试管内

D. 可在静脉留置针处取血

E. 快速将血液注入试管内

20. 试管外标签注明的内容不包括

A. 科室　B. 床号　C. 姓名

D. 采血量　E. 送检目的

【参考答案】

1. C　2. E　3. C　4. A　5. D

6. D　7. D　8. D　9. C　10. E

11. E　12. A　13. A　14. C　15. E

16. D　17. C　18. A　19. B　20. D

第十五章　病情观察和危重患者的抢救

一、病情观察

1. 病情观察的意义

(1) 为疾病的诊断、治疗和护理提供科学依据。

(2) 有助于判断疾病的发展趋势和转归。

(3) 可及时了解治疗效果和用药反应。

(4) 有助于及时发现危重症患者的病情变化的征象。

2. 病情观察方法

(1) 直接观察法：包括视诊、听诊、触诊、叩诊、嗅诊。

(2) 间接观察法：通过与医生、家属亲友的交流、床边和书面交接班、阅读病历、检验报告、会诊报告及其他相关资料，获取有关病情的信息。

3. 一般情况的观察

(1) 一般情况

① 发育与体型

a. 发育正常的判断指标：头长等于身高的1/7～1/8；胸围为身高的1/2；双上肢展开的长度等于身高；下肢的长度等于坐高。

b. 体型：均匀型：身体各部位匀称适中；瘦长型（无力型）：身体瘦长，颈长肩宽，胸廓扁平，腹上角<90°；矮胖型（超力型）：身短粗壮，颈粗肩宽，胸廓宽厚，腹上角>70°。

② 饮食与营养状态：营养状态可根据皮肤、毛发、指甲、皮下脂肪、肌肉的发育状况等综合判断。一般分为良好、中等和不良三个等级描述。

③ 面容与表情：

a. 急性病容：表现为表情痛苦、面色潮红、呼吸急促、兴奋不安、口唇干裂等。

b. 慢性病容：表现为面色苍白或灰暗、面容憔悴、精神委靡、双目无神等。

c. 二尖瓣面容：表现为双颊紫红，口唇发绀。

d. 贫血面容：表现为面色苍白，唇舌及结膜色淡。

④ 体位：包括自主体位、被动体位、强迫体位。昏迷及极度衰竭者多呈被动卧位；急性腹痛患者呈双腿蜷曲的被迫体位。

⑤ 姿势和步态：常见异常步态有蹒跚步态、醉酒步态、共济失调步态、慌张步态、剪刀步态、间歇性跛行、保护性跛行。

(2) 意识状态的观察

① 嗜睡：处于持续睡眠状态，能被唤醒，醒后能正确回答问题，但反应迟钝，去除刺激后很快入睡。

② 意识模糊：表现为思维和语言不连贯，对时间、地点、人物定向力完全或部分缺失，可有错觉、幻觉、躁动不安、谵语或精神错乱。

③ 昏睡：处于熟睡状态，不易唤醒，强刺激可唤醒，醒后答非所问，停止刺激后很快进入熟睡状态。

④ 浅昏迷：意识大部分丧失，无自主运动，对声光刺激无反应，压迫框上缘可有痛苦表情，各种反射存在，生命体征平稳。

⑤ 深昏迷：意识完全丧失，对各种刺激

均无反应，深浅反射消失，肌肉松弛，呼吸不规则，血压下降。

(3) 瞳孔的观察：正常瞳孔直径为 2.5～5mm，瞳孔直径小于 2mm 称为瞳孔缩小，小于 1mm 为针尖样瞳孔，双侧瞳孔缩小常见于有机磷农药、吗啡、氯丙嗪等中毒；瞳孔直径大于 5mm 为瞳孔扩大，常见于颅内压增高、颅脑损伤、颠茄类药物中毒等。瞳孔对光反应消失，常见于深昏迷或危重患者。

二、危重患者的支持性护理

1. 病情监测：密切观察生命体征，有条件可使用监测仪器进行持续监测。

2. 保持呼吸道通畅：清醒患者定时做深呼吸、变换体位或轻叩背部；昏迷患者头偏向一侧，并及时吸出呼吸道分泌物。

3. 加强临床基础护理

(1) 保持患者良好的个人卫生：保持患者口腔清洁，每天做口腔护理 2～3 次，对眼睑不能自行闭合的患者，可涂金霉素眼膏或覆盖凡士林纱布，保持会阴部清洁。

(2) 皮肤护理：对长期卧床的患者，保持皮肤清洁干燥，预防发生压疮。做到勤翻身、擦洗、按摩、更换、整理，注意交接班。

(3) 维持排泄功能。

(4) 保持肢体功能：指导并协助患者做肢体的被动运动或主动运动，每天 2～3 次，防止出现肌肉萎缩、关节强直、静脉血栓等并发症。

(5) 做好呼吸、咳嗽训练。

(6) 安全护理：对谵妄、躁动不安、意识丧失的患者，合理使用保护具，以防坠床或自行拔管。对牙关紧闭或抽搐的患者，可用牙垫或开口器，以防舌咬伤。

(7) 补充营养和水分。

(8) 保持引流管通畅。

三、吸氧法

(一) 缺氧程度的判断和吸氧适应证

1. 缺氧程度的判断：动脉血氧分压 (PaO_2) 正常值为 10.6～13.3kPa。

(1) 轻度：PaO_2 ＞6.67kPa (50mmHg)，SaO_2 ＞80%，无发绀，一般无需氧疗，有呼吸困难时低流量低浓度（氧流量 1～2L/min）吸氧。

(2) 中度：PaO_2 4～6.67kPa（30～50mmHg)，SaO_2 60%～80%，有发绀、呼吸困难，需吸氧。

(3) 重度：PaO_2 ＜ 4kPa（30mmHg)，SaO_2 ＜60%，显著发绀，重度呼吸困难，有三凹征，为吸氧的绝对适应证。

2. 吸氧适应证：PaO_2 低于 6.6kPa 时，应给予吸氧；呼吸系统疾病、心功能不全、各种中毒引起的呼吸困难、昏迷、休克、先天性心脏病、手术后患者、大出血休克等。

(二) 氧气筒和氧气表的装置

1. 氧气筒：为柱形无缝钢筒，耐高压达 14.71MPa，容纳氧约 6000L。

2. 氧气表：由压力表、减压器、流量表、湿化瓶和安全阀组成。

(1) 压力表：可测知筒内氧气的压力，以 MPa (kg/cm^2) 表示。

(2) 减压器：可将来自氧气筒内的压力减低至 0.2～0.3kg/cm^2，使流量平衡，保证安全。

(3) 流量表：用来测量每分钟氧气的流出量。

(4) 湿化瓶：内装 1/3～1/2 的冷开水或蒸馏水，用以湿润氧气，通气管浸入水中，出气管和鼻导管相连。

(5) 安全阀：作用是当氧气流量过大、压力过高时，其内部活塞即自行上推，使过多的氧气由四周小孔流出，以保证安全。

(三) 吸氧法

1. 双侧鼻导管法：适用于长期吸氧的患者。将双侧鼻导管与流量表连接，调节氧流量，将导管插入双鼻孔内，再用松紧带固定。

2. 单侧鼻导管法：将鼻导管与流量表连接，调节氧流量，测量插入长度（约为鼻尖至耳垂距离的 2/3 长)，将鼻导管头端蘸水，自一侧鼻孔插管至鼻咽部。停止时，先拔出鼻导管，再关闭总开关，放完余氧，最后关闭流量开关。

3. 鼻塞法：适用于长期吸氧的患者。将鼻塞与流量表连接，调节氧流量，将鼻塞塞入鼻孔，鼻塞大小以恰能塞住鼻孔为宜。

4. 面罩法：适用于用口呼吸及病情较重的患者。将导管与面罩连接，氧流量调节为 6～8L/min，面罩要紧贴患者口鼻部，并用松紧带固定。

5. 头罩法：适用于患儿吸氧。将患儿头部置于头罩内，头罩要与颈部间留有适当的空隙，将氧气导管与头罩的进气孔相连接，通过头罩顶部的小孔调节氧流量。

6. 漏斗法：适用于婴幼儿或气管切开的患者。将氧气导管与漏斗相连接，调节氧流量，将漏斗置于距离患者口鼻1～3cm处，用绷带固定。

7. 氧气枕法：适用于家庭氧疗、抢救危重患者或转移患者途中。将湿化瓶接在氧气枕上，连接导管，调节氧流量，让患者头枕氧气枕。

8. 安全用氧操作规程

① 搬运氧气筒时，避免倾倒，勿撞击。

② 氧气筒应放在阴凉处，距火炉至少5m、暖气1m。

③ 氧气表及螺旋口上勿涂油，不要用带油的手装卸。

④ 氧气筒内氧气不可用尽，压力表指针降至0.5MPa时，不再使用。

9. 注意事项

(1) 持续鼻吸氧时，鼻导管应每天更换2次以上，鼻塞应每天更换，面罩应4～8小时更换一次。

(2) 使用氧时，应先调节氧流量，再插管应用；停用氧时，应先拔管，再关氧气开关。

(3) 中途改变氧流量时，应先将氧气管与吸氧管分开，调节好氧流量后再接上。

(四) 氧气吸入的浓度及公式换算法

1. 氧气吸入浓度

(1) 氧气吸入浓度过低（浓度低于5%）无治疗价值。

(2) 氧气吸入浓度过高（高于60%）、持续时间过长（超过24小时），则会发生氧中毒（恶心、烦躁不安、面色苍白、干咳、胸痛、进行性呼吸困难等）。

(3) 同时并存缺氧和二氧化碳滞留者，给予低流量、低浓度持续吸氧。如给予高浓度吸氧，则会发生二氧化碳麻醉，甚至呼吸停止。

2. 氧流量的换算公式

吸氧浓度（%）＝21＋4×氧流量（L/min）

四、吸痰法

1. 目的

(1) 清除呼吸道分泌物，保持呼吸道通畅。

(2) 促进呼吸功能，改善肺通气。

(3) 预防并发症的发生

2. 电动吸引器吸痰法

(1) 调节：打开开关，调节负压，成人负压为40.0～53.3kPa（300～400mmHg），小儿应小于40kPa。

(2) 试吸：连接吸痰管，试吸少量生理盐水，以检查负压大小、吸痰管是否通畅并润滑导管前端。

(3) 吸痰：一手反折吸痰管末端，另一手用无菌镊或止血钳夹住其前端，将吸痰管插入至口咽部，放松吸痰管末端。先吸口咽部分泌物，再吸气管内分泌物。采用左右旋转并向上提拉的手法。

(4) 吸痰后，用生理盐水抽吸冲洗吸痰管，防止堵塞。

3. 注意事项

(1) 每次吸痰时间应在15秒内，以免引起缺氧。

(2) 吸痰所用物品应每天更换1～2次，吸痰导管应每次更换。

(3) 储液瓶内的吸出液应及时倾倒，一般不应超过瓶的2/3。

(4) 严格无菌操作，动作要轻柔。

五、洗胃法

1. 目的

(1) 解毒：清除胃内毒物或刺激物，减少毒物吸收，也可利用不同灌洗液中和解毒。服毒后4～6小时内洗胃最有效。

(2) 减轻胃黏膜水肿：适用于幽门梗阻的患者。

(3) 手术或某些检查前的准备。

2. 方法

(1) 口服催吐法：适用于清醒、能主动配合的患者。指导患者每次自饮300～500ml灌洗液，自呕或用压舌板压其舌根部催吐；如此反复，直至吐出的液体澄清无味为止。

(2) 胃管洗胃法

① 体位：因左侧卧位可延缓胃排空，延缓毒物进入十二指肠，故取左侧卧位，昏迷者取平卧位，头偏向一侧。

② 插洗胃管：同鼻饲法。

③ 洗胃：置漏斗低于胃部的位置，挤压

橡胶球，抽尽胃内容物，留取第一次标本送检。举漏斗高过头部30～50cm，缓慢倒入300～500ml洗胃液，最多不超过500ml，当漏斗内尚余少量溶液时，速将漏斗降低至胃部以下的位置，并倒向污水桶内。如此反复，直至洗出液澄清无味为止。

(3) 电动吸引器洗胃法：适用于抢救急性中毒。负压保持在13.3kPa左右；吸引器上连接的储液瓶容量应在5000ml以上。

(4) 注洗器洗胃法：适用于幽门梗阻、胃手术前患者的洗胃。患者取坐位或半坐卧位，插入胃管后，用注洗器抽尽胃内容物，注入洗胃液约200ml，再抽吸弃去，如此反复冲洗，直至吸出的液体澄清无味为止。冲洗完毕，反折胃管末端，用纱布包裹拔出。

(5) 自动洗胃机洗胃法注意事项

① 严格掌握洗胃的禁忌证与适应证

a. 禁忌证：强腐蚀毒物中毒，肝硬化伴胃底静脉曲张，胸主动脉瘤，近期有上消化道出血或胃穿孔，胃癌，昏迷患者洗胃应慎重。

b. 适应证：非腐蚀性毒物中毒。

② 急性中毒者，应先采用口服催吐法，必要时进行胃管洗胃，以减少毒物吸收。

③ 插管时动作要轻、快，不要损伤食管黏膜或误入气管。

④ 洗胃过程中应随时观察患者面色、生命体征、病情、洗出液的变化等。

⑤ 在饭后4～6小时或空腹时为幽门梗阻患者洗胃。

⑥ 合理选择洗胃液：当中毒物质不明时，可先选用温开水或0.9%氯化钠溶液。若患者误服强酸或强碱等腐蚀性药物，可给予豆浆、牛奶、米汤、蛋清等。

3. 各种药物中毒的灌洗液和禁忌药物

毒物种类	常用溶液	禁忌药物
酸性物	镁乳、蛋清水、牛奶	—
碱性物	5%醋酸、白蜡、蛋清水、牛奶	—
氰化物	3%过氧化氢溶液引吐后，1∶15000～1∶20000高锰酸钾	—
敌敌畏	2%～4%碳酸氢钠，1%盐水，1∶15000～1∶20000高锰酸钾	—
乐果(4049)	2%～4%碳酸氢钠	高锰酸钾
美曲膦脂(敌百虫)	1%盐水或清水，1∶15000～1∶20000高锰酸钾	碱性药物
666、灭害灵(DDT)	温开水或生理盐水洗胃，50%硫酸镁导泻	油性药物
巴比妥类	1∶15000～1∶20000高锰酸钾，硫酸钠导泻	硫酸镁
抗凝血类灭鼠药	催吐、温水洗胃、硫酸钠导泻	碳酸氢钠溶液
磷化锌	1∶1500～1∶2000高锰酸钾、0.1%硫酸铜	牛奶、鸡蛋、脂肪及油类食物

六、人工呼吸器使用法

1. 简易呼吸器：操作者站于患者头顶处，患者头后仰，托起下颌，面罩紧扣口、鼻部，有规律地进行挤压、放松呼吸气囊，速率为16～20次/分，一次挤压有500～1000ml气体进入肺内。如患者有自主呼吸，人工呼吸应与之同步。

2. 人工呼吸机

(1) 呼吸机主要参数的调节

① 呼吸频率（R）：10～16次/分。

② 每分钟通气量（VE）：8～10L/min。

③ 潮气量（Vr）：10～15ml/kg（600～800ml）。

④ 吸/呼时间比(I/E)：1∶1.5～1∶3.0。

⑤ 供氧浓度：30%～40%(一般<60%)。

(2) 判断通气量是否合适的方法

① 通气量合适：吸气时能看到胸廓起伏，肺部呼吸音清晰，生命体征较平稳。

② 通气量不足：因二氧化碳潴留，患者皮肤潮红、多汗、烦躁、血压升高、脉率加快、表浅静脉充盈消失。

③ 通气过度：患者出现昏迷、抽搐等碱中毒的症状。

(3) 预防和控制感染

① 每天更换呼吸机各管道，更换螺纹管、呼吸机接口、雾化器等，并用消毒液浸泡消毒。

② 病室空气用紫外线照射1～2次/天，15～30分钟/次。

③ 病室的地面、病床、床旁桌等，用消毒液擦拭，2次/天。

【考点强化】

1. 观察患者昏迷深浅度的最可靠指标是

A. 生命体征　　B. 瞳孔反应

C. 对疼痛刺激的反应

D. 皮肤的温度　　E. 肌张力

2. 患者处于浅昏迷时，可出现

A. 随意运动丧失　B. 浅、深反射均消失

C. 全身肌肉松弛　D. 呼吸不规则

E. 对任何刺激无反应

3. 针尖样瞳孔是指瞳孔直径小于

A. 1mm　　B. 2mm　　C. 2.5mm

D. 5mm　　E. 6mm

4. 双侧瞳孔缩小见于

A. 颅内压增高　　B. 阿托品中毒

C. 脑疝　　　　　D. 乐果中毒

E. 硬脑膜下血肿

5. 破伤风患者是

A. 急性病容　　B."苦笑"面容

C. 表情淡漠　　D. 慢性病容

E. 眼球突出呈恐惧表情

6. 男性，36 岁，因脑震荡急诊入院已 3 天，患者呈睡眠状态，可以唤醒，可以回答问题但有时不正确，很快又入睡，请判断患者的意识状态是

A. 浅昏迷　B. 昏睡　　C. 嗜睡

D. 意识模糊　　E. 谵妄

7. 患者，男性，25 岁。肝硬化腹水。近日来神志恍惚，答非所问，行为反常，呼吸中嗅到异味。该异味可能的特点是

A. 刺激性蒜味　　B. 肝腥味

C. 烂苹果味　　　D. 氨味

E. 恶臭味

8. 患者，女性，65 岁。行走方式为初起步时步伐缓慢，步幅小，以后步频增快，身体前倾似踉跄状，不能马上停止。该步态称为

A. 慌张步态　　B. 剪刀式步态

C. 蹒跚步态　　D. 醉酒步态

E. 舞蹈步态

9. 不是氧气吸入适应证的是

A. CO 中毒　　B. 心力衰竭

C. 颅脑损伤　　D. 哮喘发作时

E. 骨折

10. 对氧气湿化瓶的处理不妥的是

A. 装入冷开水

B. 瓶内水量为 2/3 满

C. 通气管浸入液面下

D. 雾化吸入时瓶内不放水

E. 湿化瓶定期更换

11. 给肺心病患者吸氧操作，不妥的是

A. 宜用鼻塞法吸氧

B. 氧浓度为 25%～29%

C. 鼻塞用清水湿润

D. 先调节氧流量再插鼻塞

E. 停用时先关闭氧气开关

12. 鼻导管吸氧的患者吸氧浓度为 37%时，应为患者调节氧流量为

A. 3L/min　　B. 4L/min　　C. 5L/min

D. 6L/min　　E. 7L/min

13. 当患者的动脉血氧分压低于多少时需给予吸氧

A. 4.0kPa（30mmHg）

B. 5.6kPa（42mmHg）

C. 6.67kPa（50mmHg）

D. 7.6kPa（57mmHg）

E. 8.6kPa（65mmHg）

14. 下述用氧方法正确的是

A. 氧气筒应至少距火炉 1m、暖气 5m

B. 氧气表及螺旋口上应涂油润滑

C. 用氧时，先插入鼻导管再调节氧流量

D. 停用氧时，先拔出鼻导管再关闭氧气开关

E. 中途可随意改变氧流量

15. 关于鼻导管给氧操作，下述正确的是

A. 给氧前用干棉签清洁患者鼻孔

B. 导管插入长度为鼻尖到耳垂的 1/2

C. 给氧时，调节氧流量后插入鼻导管

D. 停止给氧时，应先关氧气开关

E. 氧气筒放置距暖气应 5m

16. 用吸痰管进行气管内吸痰的方法应

A. 自上而下抽吸　B. 自下而上抽吸

C. 左右旋转向上提吸

D. 上下移动导管进行抽吸

E. 固定于一处抽吸

17. 吸痰时，如痰液黏稠，下列哪项处理错误

A. 滴少量生理盐水 B. 增大负压吸引力

C. 叩拍胸背部　　D. 协助更换卧位

E. 雾化吸入

18. 气管内吸痰一次吸引时间不易超过 15s，其主要原因是

A. 吸痰器工作时间过长易损坏

B. 吸痰管通过痰液过多易阻塞

C. 避免引起患者刺激性呛咳造成不适

D. 避免引起患者缺氧和发绀

E. 吸痰用托盘暴露时间过久会造成细菌感染

19. 以下关于吸引器吸痰的注意事项错误的是
A. 检查电压、管道连接和吸引性能
B. 吸痰管要每日更换
C. 为小儿吸痰时负压要小
D. 储液瓶内的吸出液要及时倾倒
E. 吸痰过程中要注意观察患者的反应

20. 男性，50 岁，喉癌手术进行气管切开，患者痰液较多，为其吸痰时应避免的操作是
A. 一根管吸净口腔痰液后再吸气管内痰液
B. 插管时，反折吸痰管末端
C. 一次吸引不超过 15 秒
D. 从深部向上提拉，左右旋转
E. 痰液未吸净需休息 2 分钟后再吸

21. 洗胃的目的不包括
A. 清除胃内刺激物
B. 减轻胃黏膜水肿
C. 用灌洗液中和毒物
D. 手术或检查前准备
E. 排除肠道积气

22. 关于洗胃的操作，正确的是
A. 幽门梗阻者可在饭后 1～2h 洗胃
B. 食物中毒者可选用注洗器洗胃
C. 强酸强碱中毒可选用清水洗胃
D. 消化性溃疡、食管阻塞、胃癌不宜洗胃
E. 清除胃内毒物，最好在 6 小时以后洗胃

23. 急性中毒患者，当中毒物质不明时，应选择的洗胃液是
A. 1∶15000 高锰酸钾
B. 温开水或生理盐水
C. 牛奶　　D. 3%过氧化氢
E. 2%～4%碳酸氢钠

24. 应立即用 2%～4%碳酸氢钠溶液洗胃的是
A. 美曲膦酯（敌百虫）中毒
B. 磷化锌中毒　　C. 巴比妥中毒
D. 乐果中毒　　E. 硝酸中毒

25. 磷化锌中毒患者忌服牛奶、鸡蛋及其他油类食物，目的是避免
A. 分解成毒性更强的物质
B. 分解成更易吸收的物质
C. 促进磷的溶解吸收
D. 促进锌的溶解吸收
E. 与蛋白结合后不易排出

26. 药物中毒忌用碳酸氢钠溶液洗胃的是
A. 美曲膦酯（敌百虫）
B. 敌敌畏　　C. 乐果
D. 1605 农药　　E. 1059 农药

27. 巴比妥类药物中毒，洗胃液应选择
A. 5%醋酸　　B. 0.1%硫酸铜
C. 2%～4%碳酸氢钠
D. 10%硫酸镁
E. 1∶15000～1∶20000 高锰酸钾

28. 下列哪种情况禁忌洗胃
A. 胃黏膜水肿　　B. 误服氢氧化钠
C. 催眠药中毒　　D. 深度昏迷
E. 有机磷中毒

29. 患者李某，女，21 岁，因抑郁服用敌敌畏，被同学及时发现，送医院诊治。最能够反映病情变化的观察指标是
A. 表情　　B. 面容
C. 呕吐物　　D. 瞳孔
E. 皮肤与黏膜

30. 机械呼吸器的主要作用是
A. 减低气道阻力
B. 改善心脏循环功能
C. 保持呼吸道的充分湿化
D. 维持有效通气量
E. 持续低浓度的氧疗

31. 急救时使用简易呼吸器挤压的频率是
A. 20～24 次/分　　B. 16～20 次/分
C. 14～16 次/分　　D. 12～14 次/分
E. 10～12 次/分

32. 使用人工呼吸机，通气过度的症状是
A. 皮肤潮红　B. 出汗
C. 抽搐　　D. 浅静脉充盈
E. 吸气时胸廓隆起

33. 患者男性，35 岁，溺水致呼吸突然停止，使用简易呼吸器急救，首要步骤是
A. 患者头后仰，托起下颌，扣紧面罩
B. 清除呼吸道异物及分泌物
C. 挤压简易呼吸器
D. 加压给氧
E. 立即注射呼吸兴奋药

（34～35 题共用病例）

患者王某，因服毒昏迷不醒，被送入急诊室抢救。其家属不能准确地说出毒物的名称及性质，观察患者双侧瞳孔缩小。

34. 根据患者瞳孔变化初步判断患者可能为何种毒物中毒
A. 碱性物中毒　　B. 酸性物中毒

C. 有机磷、吗啡类中毒

D. 颠茄类中毒　　E. 酒精中毒

35. 洗胃时胃管插入的长度是

A. 30～35cm　　B. 35～40cm

C. 40～45cm　　D. 45～55cm

E. 55～60cm

【参考答案】

1. C　2. A　3. A　4. D　5. B
6. C　7. B　8. A　9. E　10. B
11. E　12. B　13. C　14. D　15. C
16. C　17. B　18. D　19. B　20. A
21. E　22. D　23. B　24. D　25. C
26. A　27. E　28. B　29. D　30. D
31. B　32. C　33. B　34. C　35. E

第十六章　临终患者的护理

一、概述

（一）死亡的概念

1. 死亡的传统判断标准：呼吸、心脏停搏。

2. 脑死亡的判断标准

（1）中华医学会脑死亡标准：自发呼吸停止；不可逆性深度昏迷；脑干反射消失；脑电图呈平直线；如果符合上述标准，且这种状态经过12小时的反复检查都相同，就可以诊断脑死亡。

（2）WHO死亡标准：对环境失去一切反应，完全无反射和肌肉活动；停止自主呼吸；动脉压下降；脑电图平直。

（二）死亡过程的分期

1. 濒死期（临终状态）：是死亡过程的开始阶段。主要特点是脑干以上的神经中枢功能处于抑制或丧失状态，而脑干功能仍存在。此期人体主要器官生理功能趋于衰竭。此期生命仍可复苏。

2. 临床死亡期：临床死亡期是临床上判断死亡的标准，此期持续时间一般为5～6分钟，若得到及时、有效的救治，仍有复苏的可能。此期中枢神经系统的抑制过程由大脑皮质扩散至皮质下部位，延髓处于深度抑制状态。表现为心跳、呼吸停止，各种反射消失，瞳孔散大，但各种组织细胞仍有微弱而短暂的代谢活动。

3. 生物学死亡期：是死亡过程的最后阶段。此期中枢神经系统和机体各器官的新陈代谢完全停止。此期无复活的可能。随着此期的进展，相继出现尸冷、尸斑、尸僵、尸体腐败等。

（1）尸冷：24小时左右尸温与周围环境温度相同。

（2）尸斑：死亡2～4小时出现尸斑，最先出现在身体的最低部位。

（3）尸僵：一般在死后1～3小时开始出现，4～6小时发展到全身，12～16小时最硬，24小时后开始缓解。尸僵先从咬肌、颈肌开始。

（4）尸体腐败：一般死后24小时首先出现在右下腹。

二、临终患者的护理

（一）临终患者的躯体状况和心理反应

1. 临终患者的躯体状况

（1）肌肉张力丧失：肢体软弱无力，不能进行自主活动，无法维持功能体位，大小便失禁，吞咽困难；呈希氏面容，即面肌消瘦、面色铅灰、下颌下垂、嘴微张、眼眶凹陷、双眼半睁、目光呆滞。

（2）循环功能减退：表现为皮肤苍白、四肢发绀、体表发凉、血压降低或测不出。

（3）胃肠道蠕动减弱：表现为食欲减退、恶心、呕吐、腹胀、便秘或腹泻。

（4）呼吸功能减退：表现为呼吸不规则、呼吸由深变浅、鼻翼呼吸、经口呼吸、潮式呼吸、痰鸣音或鼾声呼吸。

(5) 知觉改变：表现为视力减退、视物模糊、只有光感，最后视力消失。听觉常是人体最后消失的一个感觉。

(6) 意识改变：表现为嗜睡、意识模糊、昏睡或昏迷等。

(7) 疼痛：表现为全身不适或疼痛，大声呻吟，出现疼痛面容。

2. 临终患者的心理反应

(1) 否认期：常没有思想准备，极力否认，拒绝接受事实。继而会四处求医，希望是误诊。

(2) 愤怒期：通常会生气、愤怒、怨恨、嫉妒，内心不平衡，常迁怒于周围的人，发泄愤怒。

(3) 协议期：开始承认和接受临终的事实。患者变得非常和善、宽容，对病情抱有一线希望，能积极配合治疗。

(4) 忧郁期：产生很强烈的失落感，表现为情绪低落、消沉、退缩、悲伤、沉默、哭泣等，甚至有轻生的念头。患者常要求会见亲朋好友，希望有喜爱的人陪伴，并开始交代后事。

(5) 接受期：是临终的最后阶段，患者对死亡已有所准备，一切未完事宜均已处理好，因而变得平静、安详。患者因精神和肉体的极度疲劳和衰弱，故常常处于嗜睡状态，情感减退，静等死亡的来临。

(二) 临终患者的护理措施

1. 临终患者的身体护理

(1) 改善呼吸功能：保持室内空气清新，定时通风换气；保持呼吸道通畅，吸氧；防止呼吸道分泌物误入气管，神志清醒者可采用半坐卧位；昏迷者可采用仰卧位，头偏向一侧或侧卧位。

(2) 减轻疼痛：稳定情绪、转移注意力；协助患者选择减轻疼痛的最有效方法，可采用WHO推荐的三步阶梯疗法控制疼痛。

(3) 促进患者舒适：维持良好、舒适的体位；加强皮肤、口腔护理；加强保暖。

(4) 加强营养，增进食欲。

(5) 减轻感知觉改变的影响

① 眼部的护理：神志清醒患者可以用清洁的温湿毛巾将眼睛的分泌物和皮屑等从内眦向外眦进行清洁，应使用两条毛巾或一条毛巾的不同部位，分别擦洗双眼。处于昏迷状态患者，除清洁眼睛外还要保持眼睛湿润，可以用刺激性小的眼药膏敷在裸露的角膜上，如涂红霉素、金霉素眼膏或覆盖凡士林纱布。

② 听觉是临终患者最后消失的感觉，护理人员在与患者交谈时语调应柔和，语言要清晰，也可采用触摸患者的非语言交谈方式。

(6) 观察病情变化

① 密切观察患者的生命体征、瞳孔、意识状态等。

② 监测心、肺、脑、肝、肾等重要脏器的功能。

③ 观察治疗反应与效果。

2. 临终患者的心理护理

(1) 否认期：不要揭露患者的防卫机制和欺骗患者。坦诚温和地回答患者的询问，并注意保持与其他医护人员及家属对患者病情说法的一致性。注意维持患者适当的希望，根据患者对其病情的认识程度进行沟通，耐心倾听患者的诉说，在沟通中注意因势利导，循循善诱。经常陪伴在患者身旁，注意非语言交流技巧的使用，尽量满足患者心理方面的需求。

(2) 愤怒期：认真地倾听患者的倾诉，允许患者有发怒、抱怨、不合作行为，给予患者关爱、理解、同情和宽容。

(3) 协议期：积极主动地关心、指导、护理患者，尽量满足患者的需要；患者提出的各种合理要求，护士应尽可能地予以答应，以满足患者的心理需求，还要给予患者更多的关爱。鼓励患者说出内心的感受，尊重患者的信仰，积极教育和引导患者，减轻患者的压力。

(4) 忧郁期：多给予患者同情和照顾、鼓励和支持，经常陪伴患者，允许其以不同的方式发泄情感，创造舒适环境，鼓励患者保持自我形象和尊严。给予精神上的安慰，安排亲朋好友见面，并尽量让家属多陪伴在其身旁。密切观察患者，注意心理疏导和合理的死亡教育，预防患者的自杀倾向。

(5) 接受期：积极主动地帮助患者了却未完成的心愿，不要强迫与其交谈。给予临终患者安静、舒适的环境，减少外界干扰。

三、尸体护理

1. 操作方法

(1) 劝慰家属，请家属暂离病房或共同进行尸体护理，屏风遮挡，撤去一切治疗用品。

(2) 体位：将床支架放平，使尸体仰卧，头下置一软枕，两臂置于身体两侧。

(3) 清洁面部，整理遗容：洗脸，闭合口、眼。若眼睑不能闭合，可用毛巾湿敷或于上眼睑下垫少许棉花，使上眼睑下垂闭合。嘴不能闭紧者，轻揉下颌或用四头带固定。

(4) 填塞孔道：用血管钳将棉花垫塞于口、鼻、耳、肛门、阴道等孔道。

(5) 尸体清洁：脱去衣裤，擦净全身，更衣梳发。用松节油或乙醇擦净胶布痕迹，有伤口者更换敷料，有引流管者应拔出后缝合伤口或用蝶形胶布封闭并包扎。

(6) 填写死亡通知单，体温单上填写死亡时间。

(7) 按出院患者护理进行床单位、用物的消毒及文件整理

2. 注意事项

(1) 如为传染病患者，应用消毒液清洁尸体，孔道应用浸有1%氯胺溶液的棉球进行填塞，包裹尸体应用一次性的尸单，并装入不透水的袋子中，外面做传染标志。

(2) 做尸体护理时，态度应严肃、认真，要满足家属的合理要求。

【考点强化】

1. 目前医学界对死亡的判断标准是
A. 呼吸停止 B. 心脏停搏
C. 各种反射消失 D. 脑死亡
E. 瞳孔散大，对光反应消失

2. 脑死亡的诊断依据不包括
A. 自发呼吸停止 B. 循环衰竭
C. 不可逆的深度昏迷
D. 脑干反射消失 E. 脑电波消失

3. 大脑出现不可逆变化的阶段是
A. 濒死期 B. 临床死亡期
C. 生物学死亡期 D. 临终状态
E. 以上都不是

4. 濒死期患者最后消失的感觉是
A. 视觉 B. 味觉 C. 听觉
D. 嗅觉 E. 触觉

5. 不属于临床死亡期特征的是
A. 瞳孔散大 B. 心搏、呼吸停止
C. 体温消失 D. 反射性反应消失
E. 代谢活动微弱而短暂

6. 一般情况下临床死亡期持续时间为
A. 3～4分钟 B. 5～6分钟
C. 6～10分钟 D. 10～1h
E. 1h以上

7. 出现尸僵是在死后
A. 1～3h B. 4～6h
C. 12～16h D. 24h
E. 48h

8. 尸斑多出现在尸体的
A. 头顶 B. 面部 C. 腹部
D. 胸部 E. 最低部位

9. 临终患者最早出现的心理反应期是
A. 否认期 B. 愤怒期 C. 协议期
D. 忧郁期 E. 接受期

10. 临终患者最后出现的心理反应期是
A. 忧郁期 B. 否认期 C. 协议期
D. 愤怒期 E. 接受期

11. 周某，男，60岁，肝癌晚期，发展快，情绪低落，悲愤、冷漠、哭泣，患者处于哪种心理反应
A. 愤怒期 B. 接受期 C. 协议期
D. 忧郁期 E. 否认期

12. 护理濒死患者时，不正确的措施是
A. 每天口腔护理2～3次
B. 提供单独的病室并保持安静
C. 帮助患者选择最有效的镇痛药物
D. 用湿纱布盖于张口呼吸者的口部
E. 撤去各种治疗性的管道

13. 对临终患者的护理措施错误的是
A. 尽量满足患者的意愿
B. 理解患者，倾听患者诉说
C. 保持病室适度的光亮，以增加安全感
D. 对患者否认期的行为应及时指出纠正
E. 注意语言交流与非语言交流并用

14. 某晚期癌症患者，处于临终状态，感到恐惧和绝望。当其发怒时，护士应
A. 热情鼓励，帮助患者树立信心
B. 指导用药，减轻患者痛苦
C. 说服教育，使患者理智地面对病情
D. 同情照顾，满足患者的要求
E. 理解忍让，陪伴保护患者

15. 某女性，56岁，得知自己患肺癌晚期后，认为医生搞错了，抱着侥幸心理到处求医，希望是误诊。患者属于哪一临终时期；对此期的患者护士应
A. 愤怒期：尽量让患者表达其愤怒
B. 否认期：不要轻易揭露患者的防御机制，也不欺骗患者
C. 协议期：主动关心患者鼓励其说出内心

感受，尽量满足患者的要求

D. 协议期：医务人员与家属口径一致

E. 愤怒期：主动关心患者鼓励其说出内心感受，尽量满足患者的要求

16. 临床上进行尸体护理的前提是

A. 医师做出死亡诊断后

B. 呼吸停止　C. 各种反射消失

D. 心脏停搏　E. 意识丧失

17. 进行尸体护理，下列做法不妥的是

A. 置尸体去枕平卧　B. 装上活动假牙

C. 必要时用绷带托扶下颌

D. 有伤口者要更换敷料

E. 各孔道用棉花填塞

18. 尸体料理时，头下垫枕的目的是

A. 防止面部变色

B. 使尸体包裹外观良好

C. 防止下颏下垂

D. 保持尸体位置良好

E. 便于家属认领

19. 患者死亡后，用棉花填塞的孔道是

A. 肛门、尿道、双耳、双鼻孔、口腔

B. 器官、双耳、双鼻孔、口腔、肛门

C. 双耳、双眼、口腔、阴道、肛门

D. 咽喉部、双耳、双眼、阴道、肛门

E. 口腔、双耳、双鼻孔、阴道、肛门

（20～22 题共用病例）

患者男性，32 岁，因高空作业不慎坠落，全身粉碎性骨折，急诊入院。抢救 2 小时无效死亡，护士对其进行尸体护理。

20. 进行尸体护理的目的不包括

A. 保持尸体整洁

B. 减少不必要的医疗纠纷

C. 保持尸体姿势良好

D. 给家属以安慰，减轻哀痛

E. 易于辨认

21. 进行尸体护理前评估内容不包括

A. 死者的诊断、死亡时间

B. 死者面容

C. 有无伤口或引流管等

D. 死者的职业

E. 是否有传染病

22. 护士进行尸体护理时，操作不当的是

A. 护士洗手、戴口罩

B. 医生开具死亡诊断书后，护士应尽快进行尸体护理，以防僵硬

C. 正确放置尸体识别卡，以便于识别尸体

D. 满足家属的任何要求

E. 按出院患者进行床单位、用物的消毒

【参考答案】

1. D	2. B	3. C	4. C	5. C
6. B	7. A	8. E	9. A	10. E
11. D	12. E	13. D	14. E	15. B
16. A	17. A	18. A	19. E	20. B
21. D	22. D			

第十七章　医疗和护理文件的书写

一、概述

1. 医疗和护理文件的书写要求：及时；准确、真实；完整；简明扼要；清晰。如有错误，应在相应文字上画双横线，就近书写正确文字并签全名。

2. 医疗和护理文件的保管要求

(1) 住院期间由病房保管，出院或死亡后由病案室保管，按规定放置，用后放回原处。保管至所规定的保存期。

(2) 注意保持医疗护理文件的清洁、整齐、完整，防止破损、污染、拆散、丢失，收到化验单等检验报告单应及时进行粘贴。

(3) 患者及家属有复印体温单、医嘱单、护理记录单的权力。

二、护理文件的书写

(一) 体温单

1. 眉栏

（1）用蓝墨水或碳素墨水笔填写姓名、科别、病室、床号、入院日期（年、月、日）、住院号。

（2）日期栏：每页第一天应写年、月、日，其余6天只写日，如在6天内出现换年或月份，应填写年、月、日或月、日。

（3）住院天数：入院当天为第一天开始填写，至出院。

（4）手术后天数：用红色钢笔填写，以手术或分娩次日为第1天，连续写14天，如在14天内进行第二次手术，则第一次手术天数作分母，第二次手术天数作分子依次填写。

2. 在40～42℃横线之间：用红色水笔纵行填写入院、转入时间，手术、分娩时间，转科、出院时间，死亡时间，时间采用24小时制。

3. 体温曲线的绘制

（1）体温符号：口腔温度以蓝"●"表示，腋下温度以蓝"×"表示，直肠温度以蓝"○"表示。

（2）实际测量数值用蓝笔绘制。

（3）物理降温或药物降温后30分钟所测的体温，绘制在降温前体温的相应纵格内，以红"○"表示，并用红色虚线与降温前的体温相连。下一次体温应与降温前体温相连。

（4）当体温＜35℃时，则用蓝笔在35℃线上画蓝"●"，并在蓝点处向下画箭头，长度不超过两个小格，再与相邻温度相连。

（5）如未能测体温，在相应时间纵格内填写未测原因，如"外出"、"据测"，前后两次体温曲线应断开不连。

（6）如体温与前次数值差异较大或与病情不符，应重新测量，无误后在原体温符号上方写蓝"V"，以示核实过。

4. 脉率、心率曲线的绘制

（1）符号：脉率以红"●"表示，心率以红"○"表示，相邻符号用红线相连。

（2）将实际测量的心率、脉率用红笔绘制于体温但相应时间格内，相邻脉率或心率用红线相连。

（3）体温与脉率重叠时，先绘制体温符号，再用红笔在体温外面画红"○"表示脉率。

（4）脉搏短绌时，在心率与脉率曲线之间以红笔画直线填满。

5. 呼吸记录

（1）呼吸符号：用蓝"●"表示。

（2）呼吸次数用蓝笔以阿拉伯数字记录，相邻呼吸次数应上下错开。

（3）呼吸与脉率重叠时，先画呼吸符号，再用红笔在外画红"○"。

6. 底栏：用蓝笔，数据以阿拉伯数字记录，不写计量单位。

（1）大便次数

① 每24小时记录1次，记前1天的大便次数，从入院第2天开始填写。

② 大便符号：未解大便用"0"表示；大便失禁用"※"表示；灌肠用"E"表示，灌肠后的大便次数用"E"作分母、排便次数作分子表示，0/E表示灌肠后无排便，12/E表示自行排便1次，灌肠后又排便2次，4/2E表示两次灌肠后排便4次。

（2）尿量

① 记录前一天24小时的总尿量。

② 小便符号：导尿用"C"表示；小便失禁用"※"表示；导尿排尿1500ml表示为1500/C。

（3）出入液量：记录前一天24小时的总出入液量。分子为出量，分母为入量。

（4）血压：单位为"mmHg"，以分式表示。一天内连续测量血压时，上午血压写在前半格内，下午写在后半格内；术前血压写在前面，术后血压写在后面。

（5）页码：用蓝墨水或碳素墨水笔逐页填写。

（二）医嘱单

1. 医嘱的种类

（1）长期医嘱：医嘱有效时间在24小时以上，医生注明停止时间后失效。

（2）临时医嘱：医嘱有效时间在24小时以内，一般只执行1次，并在短时间内执行。

（3）备用医嘱

① 长期备用医嘱（prn）：有效时间在24小时以上，需要时使用，医生注明停止时间医嘱方为失效。

② 临时备用医嘱（SOS）：仅在12小时内有效，必要时使用，只执行1次，过期未执行即失效。

2. 医嘱的处理

（1）医嘱的处理原则：先执行临时医嘱，再执行长期医嘱，最后转抄到医嘱单上，执行者签全名。

(2) 医嘱的处理方法

① 长期医嘱：护士先将医生直接写在长期医嘱单上的医嘱分别抄至各种长期治疗单或治疗卡上，核对后签全名。

② 临时医嘱：护士先将临时医嘱单上的临时医嘱转抄到各种临时治疗单或治疗卡上，需立即执行的临时医嘱应马上执行，注明执行时间并签全名。

③ 长期备用医嘱：护士每次执行后在临时医嘱单上记录，注明执行时间并签全名。

④ 临时备用医嘱：执行后注明执行时间并签全名。过期未执行时，由护士在该医嘱后用红笔注明“未用”两字。

⑤ 停止医嘱：医生直接在长期医嘱单相应医嘱的停止栏内注明日期、时间、签名。护士在各有关治疗单或治疗卡上注销该医嘱，写明停止日期、时间并签名。

⑥ 重整医嘱：长期医嘱调整项目较多时，以及患者转科、手术、分娩时，均需要重整医嘱。

3. 注意事项

(1) 所有医嘱必须有医生签名方为有效。

(2) 有疑问，应核对清楚，无误方可执行。一般情况下不执行口头医嘱，在手术过程中或抢救时，医生提出口头医嘱，护士必须复诵一遍，双方确认无误，方可执行。抢救结束后，须由医生及时补写医嘱。

(3) 医嘱须每班、每天查对，每周进行总查对，查对者在登记本上注明查对时间，并签全名。

(4) 护士应认真、及时、准确地处理医嘱，字迹整齐、清楚，不得进行涂改。

(5) 对需下一班执行的临时医嘱，应进行交接班，并在交班记录上注明。

(三) 特别护理记录单

1. 记录内容：包括患者生命体征、出入液量、病情动态、护理措施、药物治疗效果及反应等。

2. 记录方法

(1) 用蓝墨水笔填写眉栏各项，包括患者的姓名、科别、病室、床号、住院号、诊断及页数等。

(2) 日间 7 时至 19 时用蓝钢笔记录，夜间 19 时至次晨 7 时用红钢笔记录。

(3) 记录出入液量时，除填写量外，还应将颜色、性状记录于病情栏内，出入液量应每 12 小时和 24 小时做一总结，并记录于体温单上。

(4) 应详细记录患者的病情变化、症状表现、治疗、护理措施及其效果，签全名。

(5) 12 小时或 24 小时就患者的总出入液量、病情、治疗护理做一次小结或总结。12 小时小结用蓝钢笔书写，24 小时总结用红钢笔书写。

(6) 患者出院或死亡后，特别护理记录单应随病历留档保存。

(四) 病室报告

1. 交班内容

(1) 出院、转出、死亡患者：出院者写明离开时间；转出者注明转往的医院、科别及转出时间；死亡者简要记录抢救过程及死亡时间。

(2) 新入院及转入患者：应写明入院或转入的原因、时间、主诉、主要症状、体征、既往史，存在的护理问题以及下一班需观察及注意的事项，给予的治疗，护理措施及效果。

(3) 危重患者、有异常情况以及做特殊检查或治疗的患者：应写明主诉、生命体征、神志、病情动态、特殊抢救及治疗护理，下一班需重点观察和注意的事项。

(4) 手术患者：准备手术的患者应写明术前准备和术前用药情况；当天手术患者需写明麻醉种类、手术名称及过程、麻醉清醒时间，回病房后的生命体征、引流、伤口、排尿及镇痛药使用情况。

(5) 产妇：报告胎次、产式、产程、分娩时间、会阴切口或腹部切口、恶露情况、自行排尿时间、新生儿性别及评分。

(6) 老年、小儿及生活不能自理的患者：应报告生活护理情况。

(7) 报告上述患者的心理状况和需要接班者重点观察及完成的事项。夜间记录还应注明患者的睡眠情况。

2. 书写顺序

(1) 用蓝钢笔填写眉栏各项，如病室、日期、时间、患者总数和入院、出院、转出、转入、手术、分娩、病危及死亡患者数等。

(2) 先写出院、转出、死亡的患者，再写入院、转入的患者，最后写本班手术、分娩、危重及有异常情况的患者。同一栏内的内容，按床号先后顺序书写。

【考点强化】

1. 根据医疗护理文件的书写要求，下列哪项不妥
   A. 记录必须及时、准确、真实、完善
   B. 内容简明扼要，医学术语应用确切
   C. 文笔通顺
   D. 眉栏、页码无须填写
   E. 日班用蓝色墨水钢笔书写，夜班用红色墨水钢笔书写
2. 对于病案的保管，下述哪项不妥
   A. 要求整洁
   B. 不能撕毁
   C. 不能擅自带出病区
   D. 不能随意拆散
   E. 病员希望查看，护士应满足他的要求
3. 关于体温单记录法，下列哪项是错误的
   A. 体温单上的姓名、科别等项目用蓝黑色水笔或碳素墨水笔填写
   B. 填写“日期”栏时，每页第1日应填写年、月、日，其余6日只填日
   C. 如在6日当中遇到新的月份或年度应填月、日或年、月、日
   D. 填写“手术日期”，做手术当日为手术第1日，依次填写至第14日
   E. “住院天数”栏内自住院日起连续写至出院
4. 在体温单40～42℃填哪项是不正确的
   A. 入院时间 B. 手术时间
   C. 患病时间 D. 转科时间
   E. 死亡时间
5. 物理降温后的体温，绘制符号及连线是
   A. 红点红虚线 B. 红圈红虚线
   C. 蓝点蓝虚线 D. 蓝圈蓝虚线
   E. 红圈蓝虚线
6. 在体温单上填写术后日期的具体方法是
   A. 术后当日依次填写至第7天止
   B. 术后次日依次填写至第7天止
   C. 术后当日依次填写至第14天止
   D. 术后次日依次填写至第14天止
   E. 术后次日依次填写至第7天或14天止
7. 患儿方某，3岁，腹泻入院，给其测体温及记录，下述正确的是
   A. 口腔测量法：3min，用蓝点“●”表示
   B. 直肠测量法：3min，用蓝圈“○”表示
   C. 直肠测量法：3min，用蓝点“●”表示
   D. 腋下测量法：5min，用蓝圈“○”表示
   E. 腋下测量法：10min，用蓝叉“×”表示
8. 有关医嘱的种类，表述错误的是
   A. 只执行一次的医嘱为临时医嘱
   B. 静脉输液的医嘱是长期医嘱
   C. 术前准备的医嘱为临时医嘱
   D. 须医生注明停止时间的医嘱为长期医嘱
   E. 必要时应用的医嘱为备用医嘱
9. 临时备用医嘱，从医生开出始，有效时间为
   A. 22h B. 20h C. 18h
   D. 14h E. 12h
10. 不属于长期医嘱的是
    A. 心电监护 B. 氧气吸入
    C. 阿托品 0.5mg H prn
    D. 维生素C 0.1g po tid
    E. 索米痛 0.5g po sos
11. 应先执行的医嘱是
    A. 新开出的长期医嘱
    B. 临时医嘱
    C. 定期执行的医嘱
    D. 备用医嘱 E. 以上都不是
12. 医嘱：哌替啶 50mg im q6h prn，下述处理哪项是错误的
    A. 医生需将医嘱写在长期医嘱栏内
    B. 护士每次执行即在临时医嘱栏内记录
    C. 两次使用间隔可小于6h
    D. 须用停止医嘱方可取消
    E. 停止医嘱时应写明停止日期
13. 不需要重整医嘱的是
    A. 患者术后 B. 患者转入
    C. 医嘱栏写满时 D. 患者转院
    E. 孕妇分娩后
14. 当对医嘱内容有疑问时，护士应
    A. 拒绝执行 B. 询问护士长后执行
    C. 与同组护士商量后执行
    D. 询问医生，核对无误后执行
    E. 凭经验执行
15. 处理医嘱时的注意事项不包括
    A. 医嘱必须经医生签名后方有效
    B. 医嘱每日核对一次
    C. 凡需下一班执行的医嘱要交班
    D. 需交班的医嘱要写在病区报告上
    E. 饮食单、透视单、会诊单要及时送有

关科室

16. 填写特别护理记录单的要求错误的是
A. 眉栏各项用蓝色墨水钢笔填写
B. 日班用蓝色墨水钢笔填写，夜班用红色墨水钢笔填写
C. 每班对病情扼要小结并签名
D. 24h 出入量于午夜总结记录
E. 24h 出入量于次晨总结记录

17. 宋女士昨日经阴道分娩一男婴，母子健康状态均好，将于明日出院，该情况属于
A. 长期医嘱　B. 临时医嘱
C. 长期备用医嘱
D. 临时备用医嘱
E. 立即执行医嘱

18. 医生开出下列医嘱，应抄至治疗卡上的是
A. 血常规　B. 粪便隐血试验
C. 奥美拉唑 20mg 口服 bid
D. 5% 葡萄糖 500ml ＋ 西咪替丁 0.4mg 静脉滴注 st
E. 胃镜检查

19. 下午 2 时医生开出医嘱：阿法罗定 10mg im sos，此医嘱的失效时间是
A. 晚 8 时　B. 第 2 日凌晨 2 时
C. 晚 12 时　D. 第 2 日下午 2 时
E. 医生注明的停止时间

20. 患者，手术后行留置导尿，护士总结其 24h 尿量为 1500ml，体温单底栏尿量正确的记录方法为
A. 1500/C　B. 1500ml/C　C. 1500ml
D. 1500　E. 尿量 1500ml

21. 患者今晨行乳腺部分切除术，手术顺利，现已回到病房，医生对其术后医嘱的正确处理是在原医嘱最后一行划一红横线，然后
A. 在下方用蓝色水笔写上“重整医嘱”
B. 将术后医嘱开于原医嘱下方
C. 在下方用蓝色水笔写上“术后医嘱”
D. 将原长期医嘱按时间顺序抄于下方
E. 在下方用红色水笔写上“术后医嘱”

22. 病室交班报告一般应由
A. 护士长书写　B. 值班护士书写
C. 高年资护士书写　D. 办公护士书写
E. 巡回护士书写

23. 书写病室交班报告的要求不包括
A. 查阅病历，只简要记录患者的病情
B. 内容要全面、真实
C. 字迹清楚，不得随意涂改
D. 日间用蓝钢笔书写，夜间用红钢笔书写
E. 书写要简明扼要，重点突出

24. 护士于下午 4 时巡视病房后书写交班报告，首先应写的是
A. 3 床，李某，于上午 11 时转科
B. 7 床，季某，于上午 9 时入院
C. 21 床，叶某，于上午 8 时手术
D. 35 床，刘某，病情危重
E. 48 床，华某，下午行胸腔穿刺术

(25～27 题共用病例)

患者男性，65 岁。高血压病史 30 年，因情绪激动，呼吸急促，左胸部剧烈疼痛，出冷汗伴濒死感而急诊入院。体格检查：腋温 38.5℃，脉搏 102 次/分，呼吸 22 次/分，血压 70/50 mmHg。入院诊断为急性广泛前壁心肌梗死。

25. 关于生命体征的绘制方法，正确的是
A. 呼吸的记录符号为红“○”
B. 脉搏的记录符号为红“○”
C. 体温的记录符号为蓝“×”
D. 心率以蓝“○”表示
E. 物理降温后的体温以蓝“×”表示

26. 应立即执行的医嘱是
A. 禁食　B. 记录 24h 出入量
C. 10% 葡萄糖 500ml ＋ 10% 氯化钾 15ml＋胰岛素 8U 静脉滴注 qd
D. 一级护理
E. 哌替啶 50mg 肌内注射 st

27. 关于该患者的护理记录，错误的是
A. 需要应用特别护理记录单
B. 记录的内容要准确、简要，用医学术语
C. 定时记录生命体征和病情动态
D. 要记录患者的心理变化
E. 患者出院后，特别护理记录单随病历留档保存

【参考答案】

1. D　2. E　3. D　4. C　5. B
6. D　7. E　8. B　9. E　10. E
11. B　12. C　13. D　14. D　15. B
16. D　17. B　18. C　19. B　20. A
21. E　22. B　23. A　24. A　25. C
26. E　27. C

第三篇 内科常见病患者的护理

第一章 呼吸系统疾病

第一节 肺炎患者的护理

（一）分类及特点

1. 大叶性肺炎：病变起于肺泡，为肺实质炎症，累及多个肺叶或肺段，通常不累及支气管。致病菌多为肺炎链球菌。

2. 小叶性肺炎：病变起于支气管，病灶不受肺叶和肺段限制。

3. 间质性肺炎：以肺间质炎症为主，呼吸道症状轻，异常体征少。

（二）病因和发病机制

1. 社区获得性肺炎：主要病原菌为肺炎链球菌、肺炎支原体、肺炎衣原体等。

2. 医院获得性肺炎：常见病原菌为革兰阴性杆菌，包括铜绿假单胞菌、肺炎杆菌、肠杆菌等。

（三）临床表现

1. 肺炎链球菌肺炎：以寒战、高热、咳嗽及咳铁锈色痰为特点。

2. 中毒型（休克型）肺炎

（1）体温过高。

（2）血压在80/60mmHg以下。

（3）面色及皮肤苍白，四肢厥冷，脉搏细速，唇指发绀。

（4）消化道症状：可出现呕吐、腹泻、肠麻痹、黄疸等。

（5）心脏症状：心动过速、心律失常，甚而心功能不全等表现。

（6）神经系统症状：谵妄、幻觉、昏迷等。

（四）辅助检查

X线胸片 ：肺炎链球菌肺炎病变早期肺纹理增多或局限于一个肺段或肺叶的淡薄、均匀阴影，实变期可见大片均匀致密的阴影。

（五）治疗要点

肺炎链球菌肺炎首选青霉素治疗。

（六）护理措施

1. 肺炎的护理

(1) 饮食护理：给予高蛋白质、高热量饮食，多饮水。

(2) 高热护理：给予物理降温，尽量不用退热药。

(3) 胸痛护理：胸痛时取患侧卧位。

(4) 护理观察：密切观察生命体征和神志、尿量的变化。

2. 中毒型肺炎的护理

(1) 体位：平卧，头部抬高15°。

(2) 观察病情：严密监测血压变化，注意体温、脉搏、呼吸及神志的变化，记录24小时总出入液量。

(3) 补充血容量：建立两条静脉通道，先输5%葡萄糖氯化钠溶液或低分子右旋糖酐，以维持血容量。输液速度不宜过快，以免发生心力衰竭和肺水肿。

(4) 维持血压：维持收缩压在90～100mmHg，必要时用血管扩张药改善微循环。

(5) 纠正水电解质和酸碱失衡；监测血气及电解质。

(6) 抗感染治疗：宜选用2～3种广谱抗生素联合、大剂量、静脉给药。

第二节　支气管扩张患者的护理

（一）病因和发病机制

支气管-肺组织感染是支气管扩张最常见的原因

（二）临床表现

(1) 临床上以慢性咳嗽、大量脓痰和反复咯血为特征。

(2) 痰放置数小时后分为三层。上层为泡沫黏液，中层为浆液，下层为脓性物和坏死组织。

(3) 合并有厌氧菌感染，则痰及呼气具有臭味。

(4) 干性支气管扩张平时无明显咳嗽、咳痰，而以咯血为惟一症状。

（三）治疗要点

1. 保持呼吸道通畅：先用药物稀释痰液和促进排痰，再经体位引流清除痰液，体位引流与抗生素治疗同等重要。

2. 控制感染：是急性感染期的主要治疗措施。

（四）护理措施

(1) 体位引流

① 禁忌证：高血压、心力衰竭及高龄患者禁止体位引流。

② 时间：引流宜在饭前1小时或饭后1～3小时进行；每天1～3次，每次15～20分钟。

③ 体位：根据病变部位不同选择痰液易于流出的体位。原则上抬高患部位置，引流支气管开口向下；首先引流上叶。

④ 操作要领：嘱患者间歇做深呼吸后用力咳痰，同时护士用手轻拍患部；痰量较多的患者，应逐渐将痰液咳出，以防发生窒息。

⑤ 观察：患者出现咯血、发绀、头晕、出汗、疲劳等情况，应及时终止。

(2) 大咯血者应绝对卧床。

(3) 进行口腔护理，以减少感染并增进食欲。

第三节　慢性阻塞性肺疾病患者的护理

（一）病因和发病机制

1. 病因：吸烟为重要的发病因素，其他包括呼吸道感染、职业性粉尘和化学物质、空气污染、冷空气刺激、气候突然变化、α1抗胰蛋白酶缺乏等。

2. 病理：慢性阻塞性肺气肿（COPD）的主要病理改变为慢性支气管炎和肺气肿的病理改变，阻塞性肺气肿分为小叶中央型、全小叶型和混合型；发生气流阻塞时，小气道病变是主要原因。

（二）临床表现

1. 慢支典型症状：“咳”、“痰”、“喘”、“炎”。

2. 阻塞性肺气肿的症状：有慢支典型症状，并出现逐渐加重的呼吸困难。

3. 阻塞性肺气肿的典型体征：桶状胸，胸部呼吸运动减弱；语颤减弱；叩诊过清音；听诊呼吸减弱。

（三）辅助检查

1. 肺功能检查：第一秒用力呼气容积占用力肺活量的百分比（FEV_1/FVC）是评价气流受限的敏感指标；第一秒用力呼气容积占预计值百分比（$FEV_1\%$预计值）是评价 COPD 严重程度的良好指标。

2. 胸片：肺纹理增粗、紊乱，透亮度增加，胸廓前后径增大等。

（四）治疗要点

1. 控制诱因。

2. 急性发作期控制感染，祛痰止咳，解痉平喘。

（五）护理措施

1. 促进排痰

(1) 鼓励患者咳嗽、有效咳嗽，促进排痰。

(2) 痰量较多不易咳出时，使用祛痰药或给予超声雾化吸入。

2. 吸氧：持续低流量（1～2L/min）给氧，每天 15 小时以上，因患者睡眠时会出现呼吸中枢兴奋性降低或上呼吸道阻塞，从而加重缺氧，故睡眠时不可停止吸氧。

3. 呼吸训练

(1) 缩唇呼气

① 目的：防止呼气时小气道过早陷闭，促进肺泡气体排出。

② 动作要领：将口唇缩成吹笛子状，缓慢呼气。

(2) 腹式呼吸

① 目的：减低呼吸阻力，增加肺泡通气量，提高呼吸效率。

② 动作要领

a. 预备：采用半卧位、膝半屈曲位或上半身略向前倾的立位；全身放松。

b. 呼吸：呼吸要缓慢均匀。用鼻吸气，吸气时腹肌放松；用口呼气，呼气时腹肌收缩。

c. 呼与吸时间比例为(2～3)：1，每分钟10次左右；每天训练 2 次，每次 10～15 分钟。

4. 家庭氧疗：可提高 COPD 患者生活质量和生存率。持续低流量（1～2L/min）给氧，每天 15 小时以上。

第四节 支气管哮喘患者的护理

（一）病因和发病机制

1. 病因：呼吸道感染（尤其病毒感染）是哮喘急性发作常见的诱因。其他诱因包括：环境、气候因素；异性蛋白食物如海鲜；阿司匹林、β受体阻滞药（普萘洛尔）等药物；精神因素；剧烈运动。

2. 发病机制：哮喘发病与气道的变应性炎症有关。速发型哮喘反应属 IgE 介导的 I 型变态反应；迟发型哮喘反应是气道变应性炎症的结果 。

（二）临床表现

(1) 哮喘发作的典型表现为呼气性呼吸困难，伴有哮鸣音。

(2) 外源性哮喘发作前常有鼻痒、打喷嚏、流鼻涕等症状。

(3) 并发症：感染、呼吸衰竭及自发性气胸。

（三）辅助检查

1. 血象：嗜酸性粒细胞常升高。

2. 胸部 X 线检查：发作时可见两肺透亮度增加。

3. 血气分析：早期 PaO_2、$PaCO_2$ 下降；当重症哮喘伴有气道严重阻塞时，$PaCO_2$ 升高

（四）治疗要点

1. $β_2$ 受体激动药：轻度哮喘首选沙丁胺醇。

2. 茶碱类：有松弛支气管平滑肌作用。常用口服或静脉注入、滴注，因其局部刺激性强，不采用肌内注射。禁忌证为急性心肌梗死及血压降低者。不良反应为头晕、心悸、心律失常、血压下降，严重者可致心搏骤停。

3. 糖皮质激素：用于中、重度哮喘，不宜长期应用。有抑制气道变应性炎症，降低气道高反应性的作用。

4. 色甘酸钠：对预防运动和过敏原诱发的哮喘最有效。

（五）护理措施

1. 体位：坐位或半坐位。

2. 吸氧：低流量鼻导管持续吸氧。

3. 协助排痰

① 咳嗽时坐起，身体前倾，尽量将痰咳出。

② 痰液黏稠时多饮水或蒸汽吸入，给予祛痰药。

③ 定期为患者翻身、拍背。

④ 注意补充体液以稀释痰液。

⑤ 哮喘患者不宜用超声雾化吸入。

第五节　慢性肺源性心脏病患者的护理

（一）病因和发病机制

1. 病因：病因以慢支并发阻塞性肺气肿为多见，加重的诱因以呼吸道感染最常见。

2. 发病机制：肺血管阻力增加，肺动脉血管的结构重塑，引起肺动脉高压。肺动脉高压使右心后负荷加重，久之使右心室扩大。

（二）临床表现

（1）低氧血症：呼吸困难、心率加快、发绀和脑功能紊乱。

（2）肺性脑病：表现为神志恍惚、淡漠、谵妄、抽搐、昏迷、球结膜充血水肿。

（3）心力衰竭：颈静脉怒张、肝颈静脉回流征阳性、肝大有压痛、下肢水肿、舒张期奔马律。

（4）体征：肺动脉瓣区第二心音亢进，剑突下搏动。

（三）辅助检查

1. 血液检查：红细胞和血红蛋白可升高。

2. 血气分析：低氧血症和高碳酸血症。

3. 心电图：右心房、右心室肥大。

4. X线检查和B超检查：肺动脉高压，右心肥大。

（四）治疗要点

急性加重期治疗。

1. 控制感染：根据感染的环境（院内或院外）、痰涂片、痰培养和药敏选用抗生素。

2. 保持气道通畅：使用止喘、祛痰药，每2～3小时翻身一次、胸部叩击、拍背、雾化吸入，对神志不清者，行机械吸痰。

3. 纠正缺氧：经鼻导管持续低浓度、低流量吸氧。

4. 利尿：以缓慢、小量、间歇为原则。

5. 强心：洋地黄类药应以快速、小剂量为原则。

（五）护理措施

1. 及时清除痰液，改善肺泡通气。

2. 持续低流量吸氧：氧浓度25%～29%；氧流量1～2L/min。

3. 饮食护理：水肿患者限制水、盐摄入；改善营养状况，高蛋白、高热量、低盐、易消化饮食。

4. 加强呼吸肌锻炼。

5. 药物护理：禁用麻醉药和吗啡、哌替啶、巴比妥类影响呼吸中枢的药物，镇静药可选用地西泮。

第六节　肺结核患者的护理

（一）病因和发病机制

结核病的传染源主要是继发性肺结核的患者，飞沫传播是最重要的传播途径。

（二）临床类型

1. 原发型肺结核：为结核菌初次感染在肺内发生病变。病变多位于上叶底部、中叶或下叶上部。X线所见典型者，由原发病灶、结核性淋巴管炎与局部淋巴结炎性肿大构成“哑铃形”影像，称为原发综合征。

2. 血行播散型肺结核：儿童多来源于原发性肺结核；成人则多为肺及肺外结核破溃到

血管引起。X线检查表现为粟粒样病灶，等大、均匀弥散分布于两肺。

3. 浸润型肺结核：为成人继发性肺结核最常见类型。X线检查见病灶多在锁骨上下。

4. 慢性纤维空洞型肺结核：X线检查见有厚壁空洞。是结核菌重要的社会传染源。

（三）临床表现

1. 全身中毒症状：表现为乏力、午后低热伴颧部潮红，食欲减退、体重减轻、盗汗等。

2. 呼吸系统症状

（1）咳嗽、咳痰：咳黏液脓性或脓性痰提示继发感染。

（2）咯血：咯血后常伴数天低热。

（3）胸痛：炎症波及壁层胸膜时出现相应部位胸痛，随咳嗽、呼吸而加重。

（4）呼吸困难：突然出现明显的呼吸困难时，提示并发气胸或大量胸腔积液。

3. 有诊断意义的体征：在肩胛间区或锁骨上下部位出现咳嗽后湿啰音时，对诊断具有重要意义。

（四）辅助检查

（1）痰结核菌检查是确诊肺结核最特异的方法，痰菌阳性说明病灶是开放的。

（2）X线检查是早期诊断肺结核的主要方法，可观察病情变化及治疗效果。

（3）结核菌素试验用于测定人体是否感染过结核菌。

（五）治疗要点

1. 化疗原则：对活动性结核病坚持早期、联用、适量、规律和全程使用敏感药物的原则。

2. 化疗方法：过去采用12～18个月疗法，称"标准"化疗；现在采用6～9个月疗法（短程化疗）。短程化疗方案中要求必须包括两种杀菌药物（异烟肼及利福平）。

3. 抗结核药物：异烟肼与利福平为全杀菌药。链霉素及吡嗪酰胺作为半杀菌药。乙胺丁醇、对氨基水杨酸钠等均为抑菌药。

（1）异烟肼：杀菌力强，抑制结核菌DNA合成，阻碍细胞壁合成。口服吸收快，渗入组织，通过血脑屏障，杀灭细胞内外的代谢活跃或静止的结核菌。胸水、干酪样病灶及脑脊液中的药物浓度亦相当高。

（2）利福平：对细胞内、外代谢旺盛及偶尔繁殖的结核菌均有杀灭作用，抑制结核菌体RNA聚合酶，阻碍mRNA合成。常与异烟肼联合应用。

（3）链霉素：干扰菌酶活性，阻碍蛋白质合成。主要不良反应为第8对脑神经损害，严重者应及时停药。

（4）吡嗪酰胺：能杀灭吞噬细胞内、酸性环境中的结核菌。

（5）乙胺丁醇：对结核菌有抑菌作用，结合其他抗结核药物时，可延缓细菌对其他药物产生耐药性。剂量过大可引起球后视神经炎、中心盲点、红绿色盲等。

（6）对氨基水杨酸钠：抑菌药，与链霉素、异烟肼或其他抗结核药联用，可延缓对其他药物发生耐药性，影响结核菌代谢。

（六）护理措施

1. 病情观察

（1）观察抗结核药物的不良反应

① 异烟肼（INH）：周围神经炎、肝功能损害。

② 利福平（RFP）：过敏反应、肝功能损害。

③ 链霉素（SM）：听力损害、眩晕、肾功能损害。

④ 吡嗪酰胺（PZA）：高尿酸血症、关节痛、胃肠道不适、肝功能损害。

⑤ 乙胺丁醇（EMB）：视神经炎。

⑥ 对氨水杨酸（PAS）：过敏反应、胃肠道不适、肝功能损害。

⑦ 卡那霉素（KM）：听力障碍、眩晕、肾功能损害。

（2）观察生命体征变化：若高热持续不退，脉速、呼吸急促，均提示病情较重，应加强护理。

（3）观察有无咯血窒息先兆表现。

2. 咯血的护理

（1）咯血量大者：取患侧半卧位，将气管内积血咯出。

（2）年老体弱、肺功能不全者：慎用强镇咳药，以免抑制咳嗽反射发生窒息。

（3）应用药物止血：可应用垂体后叶素。

3. 胸腔穿刺的护理

（1）抽液量不宜过大：抽液过多可引起循环障碍；一般每次抽液量不超过1L。

（2）抽液速度不宜过快：抽液过快可引起肺水肿。

(3) 注意观察“胸膜反应”表现：出现“胸膜反应”时，患者出现头晕、出汗、面色苍白、心悸、脉细、四肢发凉。

(4)“胸膜反应”的处理：立即停止抽液，让患者平卧，必要时皮下注射 0.1% 肾上腺素 0.5ml，并密切观察血压变化，预防休克发生。

4. 预防传染

(1) 控制传染源：早发现、早治疗，治愈肺结核。

(2) 处理呼吸道排出物：嘱患者将痰吐在纸上用火焚烧。

(3) 用品消毒：每个患者使用专有用物，并定期消毒。

(4) 防护易感人群

① 接种卡介苗。

② 预防性用药：高危人群可口服异烟肼预防。高危人群指结核菌素试验阳性且与有排菌患者密切接触的家庭成员、结核菌素试验新近转为阳性的儿童 。

(七) 健康教育

(1) 用药指导：最重要的教育内容是督促患者坚持规则、全程化疗；观察药物不良反应；不规则用药或过早停药是治疗失败的主要原因。

(2) 让患者及家属了解疾病常识、并发症和急救方法、消毒隔离方法。

(3) 嘱患者定期复查。

第七节 原发性支气管肺癌患者的护理

(一) 病因和分类

1. 鳞状上皮细胞癌（鳞癌）：多发于老年男性，为最常见、与吸烟的关系最密切的肺癌，以中央型肺癌为主。鳞癌生长慢，转移晚。治疗以手术切除为主。

2. 小细胞未分化癌（小细胞癌）：恶性程度最高。对化疗、放疗最敏感。

3. 大细胞未分化癌（大细胞癌）：转移较小细胞癌晚，手术切除机会较大。

4. 腺癌：多发于女性，与吸烟关系不大，在周围性肺癌中腺癌最多见。

(二) 临床表现

1. 原发肿瘤引起的症状

(1) 早期首发症状：多为阵发性刺激性呛咳，咳嗽呈高金属音。

(2) 咯血：多为持续性痰中带血。

(3) 喘鸣。

(4) 体重下降、发热。

2. 肿瘤局部扩散引起的症状

(1) 胸痛：病变累及胸膜或胸壁。

(2) 呼吸困难：肿瘤压迫气道。

(3) 咽下困难：肿瘤压迫食道。

(4) 声音嘶哑：喉返神经受压迫。

(5) 上腔静脉压迫综合征：肿瘤压迫上腔静脉引起颈部、胸部浅表静脉怒张。

(6) Horner 综合征：肿瘤压迫颈部交感神经引起病侧眼睑下垂、瞳孔缩小、额部无汗等。

3. 其他表现：高钙血症、杵状指、肥大性骨关节病等 。

(三) 治疗要点

① 非小细胞肺癌：对于局限性病变可采用手术切除、根治性放疗或根治性综合治疗，对于播散性病变，采取化疗、放疗或靶向治疗，同时治疗转移灶。

② 小细胞肺癌：推荐以化疗为主的综合治疗，以延长患者生存期。

第八节 慢性呼吸衰竭患者的护理

(一) 病因和发病机制

1. 病因

(1) 气道阻塞性病变：慢性阻塞性肺疾病、哮喘。

(2) 肺组织病变：肺结核、肺水肿。

(3) 肺血管病变：肺栓塞。

(4) 胸廓和胸膜病变：气胸、血胸、胸腔积液、胸廓畸形。

(5) 神经肌肉病变：脑血管病变、脊髓颈段损伤、重症肌无力。

2. 发病机制：肺泡通气不足（有效通气量为4L/min），通气/血流比例（正常为0.8）失调，气体弥散障碍。

（二）临床表现

1. 诊断：动脉血氧分压（PaO_2）<8.0kPa（60mmHg）或/动脉血二氧化碳分压（$PaCO_2$）>6.7kPa（50mmHg）。

2. 分型

（1）低氧血症型（Ⅰ型）：PaO_2 下降，$PaCO_2$ 正常。

（2）高碳酸血症型（Ⅱ型）：$PaCO_2$ 升高，同时有 PaO_2 下降。

3. 临床表现

（1）呼吸困难：是最早出现的症状。

（2）发绀：是缺氧的典型表现，出现于Ⅰ型呼吸困难。

（3）肺性脑病：神志淡漠、间歇抽搐、昏睡、昏迷等二氧化碳麻醉现象。

（三）护理措施

1. 病情观察

（1）观察有无神志淡漠、间歇抽搐、昏睡、昏迷等肺性脑病表现。

（2）观察有无呼吸变浅、减慢、节律不齐或呼吸暂停等呼吸中枢受抑制的表现。

（3）观察有无心功能衰竭的表现。

（4）观察痰量及颜色的改变，观察尿量和粪便颜色。

（5）观察并发症，如弥漫性血管内凝血（DIC）。

（6）应用呼吸兴奋药后，观察有无药物过量的表现，如出现颜面潮红、面部肌肉颤动、烦躁不安等现象，则提示过量。

2. 保持呼吸道通畅、改善肺泡通气：及时清除痰液，应用支气管扩张药，对病情重或昏迷患者气管插管或气管切开，使用人工机械呼吸器。

3. 吸氧护理：Ⅱ型呼吸衰竭患者应给予低浓度（21%～29%）、低流量（1～2L/min）鼻导管持续吸氧。给氧过程中若呼吸困难缓解、心率减慢、发绀减轻，表示氧疗有效；若呼吸过缓或意识障碍加深，须警惕二氧化碳潴留。

第九节　成人急性呼吸窘迫综合征

（一）病因、病理

1. 病因

（1）直接原因：包括误吸综合征、溺水、吸入毒气或烟雾、肺挫伤、肺炎及机械通气引起的肺损伤。

（2）间接原因：包括各类休克、脓毒血症、急性胰腺炎、大量输库存血、脂肪栓塞及体外循环。全身性感染、全身炎性反应综合征（SIRS）、脓毒血症时ARDS的发生率最高。

2. 病理：非心源性肺水肿（漏出性肺水肿）是ARDS特征性病理改变。

（二）临床表现

临床上以进行性呼吸困难为特征，主要临床表现为：严重的呼吸困难、呼吸频率增快，呼吸做功增加和顽固性低氧血症；气道阻力增加和肺顺应性降低。血流动力学表现为肺动脉楔压（PAOP）正常（<18mmHg），而肺血管阻力（PVR）和肺动脉压（PAP）升高；X线显示双肺有弥漫性片状浸润和非心源性肺水肿。根据其病变程度分为以下三期：

（1）初期：病人出现呼吸困难，呼吸频率加快，呼吸有窘迫感，无明显体征，X线检查也无显著变化。血气分析动脉血氧分压下降，一般性给氧病情不能缓解。

（2）进展期：临床上呼吸困难加重，同时出现发绀，此时听诊双肺可有中小水泡音，呼吸音变化出现管状呼吸音，病情继续恶化，病人出现昏迷，体温升高，X线胸部摄片可见网状阴影，继之肺出现斑点状或呈片状的阴影，血液生化检查呈现呼吸性及代谢性酸中毒。

（3）末期：病人出现深度昏迷，呼吸困难及缺氧更加严重，由于长时间通气不良导致严重酸中毒、心律失常。

（三）辅助检查

1. X线：早期无异常或肺纹理增多，继之出现双肺部分或大部分斑片状阴影，后期出现双肺广泛大片致密阴影。

2. 动脉血气分析：PaO_2 < 60mmHg,

$PaCO_2$＞35mmHg或正常。

（四）治疗要点

(1) 迅速纠正低氧血症的主要方法是机械通气，选用呼气终末正压通气（PEEP）。

(2) 维持有效循环。

(3) 治疗感染：不论治疗原发疾病或治疗ARDS抗感染措施始终是非常重要的。

(4) 营养支持。

（五）护理措施

1. 人工气道的护理：封闭气管内插管或气管切开插管的气囊压力一般维持在20cmH_2O，气囊压太高会阻止气管黏膜的血液循环，造成气管的坏死、硬化和软化。气囊平时应保持充气状态。

2. 保持呼吸道通畅：每小时评估患者的呼吸状况，必要时抽吸呼吸道分泌物，每天定时做好胸部物理治疗，每2小时变动一次体位，指导患者咳嗽、深呼吸。

3. 给氧护理：给予高浓度（＞50%）、高流量（4～6L/min）氧以提高氧分压，在给氧过程中氧气应充分湿化，防止气道黏膜干裂受损。给氧时，应记录吸氧方式、吸氧浓度和时间，并观察氧疗效果和副反应，防止发生氧中毒。

第十节　自发性气胸

（一）病因和发病机制

自发性气胸以继发于慢性阻塞性肺疾病及肺结核最为常见，其次是原发性气胸。原发性自发性气胸多见于瘦高体形的男性青壮年，常规X线检查除可发现胸膜下肺大疱外，肺部无显著病变。

（二）临床表现

1. 症状

(1) 胸痛：部分患者可能有抬举重物、用力过猛、剧咳、屏气或大笑等诱因存在，多数患者发生在正常活动或安静休息时，偶有在睡眠中发生。患者突感一侧针刺样或刀割样胸痛，持续时间较短，继之出现胸闷、呼吸困难。

(2) 呼吸困难：严重程度与有无肺基础疾病及肺功能状态、气胸发生速度、胸膜腔内积气量及压力三个因素有关。大量气胸，尤其是张力性气胸时，可迅速出现呼吸循环障碍，表现为烦躁不安、挣扎坐起、表情紧张、胸闷、发绀、冷汗，脉速、虚脱、心律失常，甚至出现休克、意识丧失和呼吸衰竭。

(3) 咳嗽：可有轻到中度刺激性咳嗽，由气体刺激胸膜所致。

2. 体征：少量气胸时体征不明显。大量气胸时，出现呼吸增快，呼吸运动减弱，发绀，患侧胸部膨隆，患侧呼吸音减弱或消失；气管向健侧移位，肋间隙增宽，语颤减弱；叩诊过清音或鼓音，左侧气胸时心浊音界缩小或消失，右侧气胸时肝浊音界下降。

（三）辅助检查

X线胸片是诊断气胸的重要方法。典型表现为：被压缩肺边缘呈外凸弧形线状阴影，线外透亮度增强，无肺纹理。

（四）治疗要点

1. 非手术治疗：适用于稳定型小量闭合性气胸。具体方法包括严格卧床休息、给氧、酌情给予镇静和镇痛等药物、积极治疗肺基础疾病。高浓度吸氧能加快胸膜腔内气体的吸收。在非手术治疗过程中需密切观察病情，尤其在气胸发生后24～48h内。

2. 排气疗法

(1) 紧急排气：适用于张力性气胸患者，可将无菌粗针头经患侧肋间插入胸膜腔，使胸腔内高压气体得以排出。

(2) 胸腔穿刺排气：适用于少量气胸、呼吸困难较轻、心肺功能尚好的患者。通常选择患侧锁骨中线外侧第2肋间为穿刺点（局限性气胸除外），1次抽气量不宜超过1000ml，每天或隔天抽气1次。

(3) 胸腔闭式引流：对于呼吸困难明显、肺压缩程度较大的不稳定型气胸患者，包括交通性气胸、张力性气胸和气胸反复发作的患者，无论气胸容量多少，均应尽早行胸腔闭式引流。肺复张不满意时可采用负压吸引。

3. 化学性胸膜固定术：适用于气胸反复发生，肺功能欠佳，不宜手术治疗的患者，可胸腔内注入硬化剂，如多西环素、无菌滑石粉等，产生无菌性胸膜炎症，使两层胸膜粘连、胸膜腔闭锁，达到防治气胸复发的目的。

4. 手术治疗：适用于反复性气胸、长期气胸、张力性气胸引流失败、双侧自发性气胸、血气胸或支气管胸膜瘘的患者。手术治疗的成功率高，复发率低。

（五）护理措施

（1）应绝对卧床休息。

（2）给予鼻导管或鼻塞吸氧，氧流量控制在2～5L/min。

（3）严密观察呼吸频率、深度、呼吸困难是否加重和血氧饱和度变化，必要时监测血气。大量气胸，尤其是张力性气胸时，注意观察心律、血压变化。

（4）预防感染。

（5）保持大便通畅，防止用力引起的胸痛或伤口疼痛，以及气胸的复发。

【考点强化】

1. 支气管扩张患者出现咯血时首选

A. 巴曲酶（立止血）　B. 垂体后叶素

C. 凝血酶

D. 氨甲苯酸（止血芳酸）

E. 卡巴克洛（安络血）

2. 对于小量咯血的肺结核患者应该采取的体位是

A. 患侧卧位　B. 健侧卧位

C. 端坐卧位　D. 仰卧位

E. 俯卧位

3. 大量咯血是指24h咯血量超过

A. 200ml　B. 300ml　C. 400ml

D. 500ml　E. 700ml

4. 咯血直接的致死原因为

A. 肺不张　B. 肺部感染

C. 窒息　D. 情绪紧张

E. 左心衰竭

5. 支气管哮喘最典型的临床表现是

A. 流清鼻涕，连打喷嚏

B. 发作性吸气性呼吸困难

C. 混合性呼吸困难

D. 端坐呼吸

E. 发作性呼气性呼吸困难

6. 控制哮喘急性发作的首选药物是

A. 茶碱类　B. 糖皮质激素

C. β_2 肾上腺素受体激动药

D. 抗胆碱药　E. 色苷酸钠

7. 哮喘发作时以下护理措施不妥当的是

A. 限制水摄入　B. 半坐位

C. 防止患者坠床　D. 禁用吗啡

E. 吸氧

8. 下列哪项是COPD发生和加重的主要原因

A. 吸烟　B. 感染

C. 粉尘刺激　D. 寒冷

E. 免疫功能减退

9. 关于缩唇呼吸的作用机制最恰当的描述是

A. 增强吸气力量　B. 增强呼气力量

C. 降低气道内压，延缓小气道的陷闭

D. 增加气道内压，延缓小气道的陷闭

E. 增强膈肌收缩力

10. COPD患者学习腹式呼吸时，护士指导错误的是

A. 用鼻吸气　B. 用口呼气

C. 每天训练2次　D. 呼与吸之比为1∶2

E. 避免大口吸气

11. COPD最常见的并发症是

A. 肺气肿　B. 慢性肺源性心脏病

C. 呼吸衰竭　D. 自发性气胸

E. 肺不张

12. 慢性阻塞性肺疾病标志性的症状是

A. 长期反复咳嗽　B. 反复咳脓性痰

C. 间歇少量咯血　D. 气短或呼吸困难

E. 活动后喘

13. 慢性肺源性心脏病的发病机制是

A. 右心前负荷加重

B. 右心后负荷加重

C. 左心前负荷加重

D. 左心后负荷加重

E. 以上都不是

14. 慢性肺源性心脏病的肺、心功能失代偿期的护理中心环节是

A. 做呼吸操　B. 预防上呼吸道感染

C. 纠正缺氧和二氧化碳潴留

D. 低盐饮食　E. 注意神志变化

15. 慢性肺心病早期可出现

A. 全心肥大　B. 右室肥大

C. 左室肥大　D. 左房肥大

E. 心包积液

16. 剑突下搏动提示

A. 左室大　B. 肺气肿伴右室大

C. 心包积液　D. 右房大

E. 左房大

17. 下列疾病一般无杵状指（趾）的是
A. 支气管扩张
B. 慢性风湿性心脏病
C. 肺脓肿　D. 支气管肺癌
E. 先天性心脏病

18. 支气管扩张患者最典型的临床表现为
A. 慢性咳嗽、大量脓痰、伴有喘息
B. 慢性咳嗽、大量脓痰、伴寒战高热
C. 慢性咳嗽、大量脓痰、反复咯血
D. 慢性咳嗽、大量脓痰、长期胸痛
E. 慢性咳嗽、大量脓痰、呼吸困难

19. 可导致慢性肺源性心脏病的疾病下列哪项除外
A. COPD　B. 急性上呼吸道感染
C. 肺炎球菌肺炎　D. 支气管扩张
E. 重症肺结核

20. COPD 患者施行长期家庭氧疗，错误的是
A. 吸氧流量 4～5L/min
B. 昼夜吸氧时间超过 15h
C. 鼻导管给氧
D. 氧疗目标为 SaO_2 达 90%以上
E. 氧疗过程中监测血气分析

21. 肺炎球菌肺炎在红色肝样变期痰的特点是
A. 黑色　B. 黄色
C. 粉红色　D. 铁锈色
E. 绿色

22. 细菌性肺炎最常见的病原菌是
A. 葡萄球菌　B. 大肠杆菌
C. 肺炎球菌　D. 铜绿假单胞菌
E. 克雷白杆菌

23. 不属于肺炎球菌肺炎表现的是
A. 寒战　B. 高热　C. 胸痛
D. 大量咯血　E. 气急

24. 治疗肺炎球菌性肺炎，首选的药物是
A. 青霉素　B. 卡那霉素
C. 庆大霉素　D. 红霉素
E. 四环素

25. 确诊肺结核最特异的方法是
A. X线检查　B. CT 检查
C. 痰结核菌检查
D. PPD 试验　E. B超

26. 最常见的成人继发性肺结核类型是
A. 原发型肺结核　B. 浸润性肺结核
C. 血行播散型肺结核
D. 慢性纤维空洞性肺结核
E. 结核性胸膜炎

27. 早期诊断肺结核的主要方法和观察治疗效果的方法是
A. X线检查　B. CT 检查
C. 痰结核菌检查
D. PPD 试验　E. B超

28. 多见于老年男性，且与吸烟关系最密切相关的肺癌类型是
A. 鳞状上皮细胞癌
B. 小细胞未分化癌
C. 大细胞未分化癌
D. 腺癌　E. 肺泡癌

29. 刺激性呛咳或带金属音的咳嗽应首先考虑
A. 上呼吸道感染　B. 肺部病变早期
C. 左心功能不全　D. 支气管扩张
E. 支气管肺癌

30. 慢性呼吸衰竭最早出现的临床表现是
A. 发热　B. 咳嗽　C. 发绀
D. 呼吸困难　E. 神志恍惚

31. 缺氧伴二氧化碳潴留的呼吸衰竭患者宜采用
A. 高压给氧　B. 乙醇湿化给氧
C. 间歇给氧　D. 高浓度持续给氧
E. 低浓度持续给氧

32. 肺癌局部扩展可引起的症状下列哪项除外
A. 胸痛　B. 声音嘶哑
C. 体重下降　D. 咽下困难
E. Horner 综合征

33. 急性呼吸窘迫综合征的病理基础是
A. 低氧血症　B. 肺动脉高压
C. 碱中毒　D. 肺淤血
E. 高碳酸血症

34. 诊断急性呼吸窘迫综合征最重要的依据是
A. 呼吸频率逐渐加快
B. 一般吸氧治疗无效
C. 肺部听诊啰音
D. X线片有广泛点、片状阴影
E. 血气分析为低氧血症

35. 急性呼吸窘迫综合征最突出的表现为
A. 发绀，吸氧后减轻
B. 呼吸增快，吸氧后减慢
C. 动脉血氧分压降低，吸氧后改善
D. 动脉血氧分压降低，大量给氧也不能改善
E. 严重胸痛，镇痛药无效

36. 患者女性，68 岁。患 COPD 17 年，肺心病 4 年，体质虚弱，近日来因上感，大量

脓痰不易咳出，神志恍惚，昏睡。护士为其清理呼吸道最适宜的护理措施是

A. 指导有效咳嗽 B. 胸部叩击震颤

C. 湿化呼吸道 D. 体位引流

E. 机械吸痰

37. 支气管扩张患者咯血约200ml后，出现呼吸困难，表情恐怖，两手乱抓，护士首先要做的是

A. 立即通知医师 B. 立即气管插管

C. 清除呼吸道积血

D. 给予高流量氧气吸入

E. 应用呼吸兴奋药

38. 患者男性，77岁。有COPD病史25年。近日受凉后咳嗽加重，咳大量脓性黏痰，不易咳出。护理查体体温37.5℃，气促，听诊可闻痰鸣音，伴喘息。此患者最首要的护理措施是

A. 保持患者呼吸道通畅

B. 教会患者缓解焦虑的方法

C. 给予输氧

D. 指导患者进行有效呼吸

E. 指导患者安排适当活动量

39. 患者女性，61岁。慢性阻塞性肺气肿缓解期。此时护士为其选择改善肺功能的最佳方法是

A. 有效咳嗽 B. 胸部理疗

C. 雾化吸入 D. 缩唇腹式呼吸

E. 氧疗

40. 患者男性，58岁。因肺心病呼吸衰竭入院。入院查体神志清晰，血气分析：PaO_2 30mmHg，$PaCO_2$ 60mmHg。吸氧后神志不清，血气分析：PaO_2 70mmHg，$PaCO_2$ 80mmHg。该患者病情恶化的原因最可能是

A. 感染加重 B. 气道阻力增加

C. 氧疗不当 D. 心力衰竭加重

E. 周围循环衰竭

41. 患者男性，28岁。发热、胸痛，痰中带血丝，伴恶心、纳差，吸烟6年；X线胸片示右上肺大片实密阴影；血常规示白细胞为28×10^9/L，中性粒细胞为89%，下列治疗应首选哪项最适宜

A. 氯霉素 B. 庆大霉素

C. 红霉素 D. 青霉素

E. 异烟肼

42. 王女士，26岁。患支气管扩张10年，间断咳嗽、咳脓痰，痰量40ml/d，下列哪项治疗措施是错误的

A. 长期应用抗生素

B. 体位引流 C. 免疫治疗

D. 体育锻炼 E. 练习有效咳嗽

43. 某老年呼吸衰竭患者，因近日咳嗽、咳痰、气急明显，又出现神志不清、发绀、多汗及皮肤湿润温暖，做血气分析示pH 7.3，PaO_2 45mmHg，$PaCO_2$ 80mmHg，应给予

A. 高浓度、高流量持续吸氧

B. 高浓度、高流量间断吸氧

C. 低浓度、低流量持续吸氧

D. 低浓度、低流量间断吸氧

E. 乙醇（酒精）湿化吸氧

44. 一老年患者以COPD、Ⅱ型呼衰收入院，入院第一天晚上，因咳嗽、痰多、呼吸困难，并对医院环境不适应而不能入睡，不正确的护理措施是

A. 给镇咳镇静药，帮助入睡

B. 减少夜间操作，保证患者睡眠

C. 给低流量持续吸氧

D. 减少白天睡眠次数和时间

E. 和患者一同制订白天活动计划

45. 患者女性，50岁。乏力，盗汗，咳嗽2个月入院，痰涂片抗酸杆菌（+），治疗过程中患者出现视物不清，视力减退，应立即停用下列哪种药物

A. 吡嗪酰胺 B. 乙胺丁醇

C. 链霉素 D. 异烟肼

E. 利福平

46. 患者女性，69岁。因呼吸衰竭收入院。该患者应用辅助呼吸和呼吸兴奋药过程中，出现恶心、呕吐、烦躁、面颊潮红、肌肉颤动等现象，考虑为

A. 肺性脑病先兆 B. 呼吸兴奋药过量

C. 痰液阻塞 D. 通气量不足

E. 呼吸性碱中毒

47. 患者男性，25岁。经常在春天哮喘发作，护士指导其预防哮喘发作宜使用的药物是

A. 氨茶碱 B. 色甘酸钠

C. 二丙酸倍氯米松气雾剂

D. 氯喘 E. 沙丁胺醇气雾剂

48. 患者男性，25岁。因肺心病导致呼吸困难，采用半坐卧位的原因是

A. 减少局部出血

B. 使患者逐渐适应体位变化，利于向站立过渡
C. 减轻腹部切口疼痛
D. 防止感染向上蔓延
E. 减轻心脏负担

49. 李先生，21岁。咳嗽、咳脓痰10年，间断咯血，体检左下肺背部闻及湿啰音，有杵状指，诊断首先考虑
A. 肺结核　B. 支气管扩张
C. 慢性肺脓肿　D. 慢性支气管炎
E. 肺癌

50. 患者男性，49岁。发热一月余，体温37.2～38.0℃，轻咳，少量白痰，带血丝。胸部X线检查见右上肺锁骨上下区有云雾状阴影，密度不均，诊断最可能为
A. 浸润性肺结核
B. 金黄色葡萄球菌肺炎
C. 干酪性肺炎　D. 克雷白杆菌肺炎
E. 肺脓肿

51. 患者男性，50岁。30年吸烟史，支气管镜活检可见鳞状上皮和支气管腺体，此种病理变化属于
A. 支气管黏膜化生
B. 支气管黏膜肥大
C. 支气管黏膜萎缩
D. 支气管鳞状细胞癌
E. 支气管腺癌

（52～57题共用病例）

患者，男性，60岁。咳嗽2个月，干咳为主，有午后低热，今上午突然咯血400ml，来院急诊。

52. 该患者最主要的护理诊断是
A. 气体交换受损　B. 清理呼吸道无效
C. 有窒息的危险　D. 体液过多
E. 焦虑

53. 咯血时，患者应采取的体位是
A. 端坐位　B. 仰卧位
C. 俯卧位　D. 健侧卧位
E. 患侧卧位

54. 对此患者的病情观察，尤其要密切注意
A. 体温变化　B. 脉搏变化
C. 呼吸变化　D. 有无窒息先兆
E. 有无休克早期表现

55. ［假设信息］剧烈咳嗽后，患者咯血400ml后表情恐怖、张口瞠目、双手乱抓。此时护士应做的首要护理措施是
A. 让患者情绪放松
B. 指导患者有效咳嗽
C. 立即清除呼吸道内血块
D. 给予氧气吸入
E. 给予呼吸兴奋药

56. 患者大咯血，首选给予的止血药为
A. 止血敏　B. 维生素K
C. 垂体后叶素静脉滴注
D. 安络血　E. 云南白药

57. 经治疗患者咯血停止，下列护理措施不妥的是
A. 暂禁食　B. 保持大便通畅
C. 告诉患者避免剧烈咳嗽
D. 多活动，利于康复
E. 监测生命体征

（58～64题共用病例）

患者男性，80岁，有慢性支气管炎病史20年。一周前受凉后再次出现咳嗽、咳痰，痰白色黏稠，伴有呼吸困难、胸闷、乏力。以“慢性支气管炎合并慢性阻塞性肺气肿”入院治疗。

58. 患者最有可能出现的并发症是
A. 心力衰竭　B. 上消化道出血
C. 急性肾衰竭　D. 呼吸衰竭　E. DIC

59. 患者最主要的护理问题是
A. 体液过多　B. 清理呼吸道无效
C. 生活自理能力缺陷
D. 营养失调，低于机体需要量
E. 肺脓肿

60. 氧疗时，护理措施正确的是
A. 间断吸氧　B. 持续低流量吸氧
C. 高流量吸氧　D. 高浓度吸氧
E. 酒精湿化吸氧

61. 氧疗时的给氧浓度和氧流量应为
A. 29%，2L/min　B. 33%，3L/min
C. 37%，4L/min　D. 41%，5L/min
E. 45%，6L/min

62. ［假设信息］患者病情进一步发展，呼吸困难加重，查体：口唇发绀，颈静脉怒张，双肺散在湿啰音。心率120次/分，律齐。肝肋下3cm，双下肢可见凹陷性水肿。此时患者应避免使用
A. 溴己新　B. 氨茶碱
C. 可待因　D. 盐酸氨溴索
E. 沙丁胺醇气雾剂

63. 该患者适宜的体位是

A. 仰卧位　　B. 侧卧位
C. 头高足低位　　D. 半坐卧位
E. 俯卧位

64. ［假设信息］患者出现了神志恍惚、昼睡夜醒，气促、不能平卧，痰色黄、较稠、不易咳出。血气分析示 PaO_2 56mmHg、$PaCO_2$ 67mmHg。考虑此患者发生了
A. 电解质紊乱　　B. 呼吸性酸中毒
C. 脑梗死先兆　　D. 肺性脑病
E. 自发性气胸

（65～67 题共用病例）
患者男性，29 岁。呼吸困难 2 天就诊，发作前有鼻痒，打喷嚏。既往有类似病史。体检：呼吸 26 次/分，呼气末可闻哮鸣音，心率 96 次/分。

65. 最可能的诊断是
A. 上呼吸道感染　　B. 心源性哮喘
C. 支气管哮喘　　D. 自发性气胸
E. 慢性阻塞性肺疾病

66. 该患者居住环境，下列哪项是被允许的
A. 悬挂化纤布料窗帘
B. 铺垫全毛地毯
C. 使用羽毛枕头
D. 放置鲜花　　E. 饲养小狗

67. 为缓解症状，首选的药物是
A. 酮替芬　　B. 色甘酸钠
C. 苯海拉明　　D. 泼尼松
E. 沙丁胺醇

（68～71 题共用病例）
患者女性，25 岁，重度烧伤，出现呼吸困难，吸氧无效。查体：呼吸 28 次/分，双肺闻及细湿啰音。动脉血气分析：PaO_2 50mmHg，$PaCO_2$ 45mmHg。胸部 X 线片示双肺密度增高的大片状阴影。

68. 该患者最可能的临床诊断是
A. 哮喘　　B. 心力衰竭
C. 肺炎
D. 急性呼吸窘迫综合征
E. 气胸

69. 该患者的最主要的护理诊断是
A. 气体交换受损　　B. 清理呼吸道无效
C. 焦虑　　D. 活动无耐力
E. 知识缺乏

70. 给患者氧疗时应采取
A. 吸入高浓度高流量氧
B. 低浓度、低流量间断给氧
C. 低浓度、低流量持续给氧
D. 短期高压给氧
E. 不需给氧

71. 该患者机械通气，最有效的通气方式是
A. 间歇正压通气　　B. 间歇指令通气
C. 压力支持通气
D. 持续气道正压通气
E. 呼气终末正压通气

（72～74 题共用病例）
患者男性，63 岁，确诊慢性阻塞性肺病近 10 年，今日中午在家拾重物时，突感右侧胸部刺痛，逐渐加重，伴胸痛、气急，送来急诊。

72. 体检重点应是：
A. 肺下界位置及肺下界移动度
B. 肺部啰音
C. 病理性支气管呼吸音
D. 胸部叩诊音及呼吸音的双侧比较
E. 颈动脉充盈

73. ［假设信息］查体：患侧胸壁叩诊呈鼓音，听诊呼吸音消失。最可能的诊断是
A. 心肌梗死　　B. 胸腔积液
C. 自发性气胸　　D. 肺栓塞
E. 支气管阻塞

74. 确诊最有价值的辅助检查是
A. B 型超声显像
B. 心电图　　C. X 线透视或摄片
D. MRI　　E. 核素肺扫描

（75～76 题共用备选答案）
A. 黏液痰　　B. 脓血痰
C. 铁锈色痰　　D. 红棕色胶冻样痰
E. 粉红色泡沫样痰

75. 肺炎球菌肺炎患者其痰液呈
76. 葡萄球菌肺炎患者其痰液呈

（77～80 题共用备选答案）
A. 鳞癌　　B. 小细胞未分化癌
C. 大细胞未分化癌
D. 腺癌
E. 细支气管肺泡癌

77. 肺癌最常见的病理类型是
78. 肺癌恶性程度最高的类型是
79. 手术切除机会最大的类型是
80. 对化疗最敏感的类型是

（81～82 题共用备选答案）
A. 声音嘶哑
B. 上腔静脉阻塞综合征

C. 吞咽困难　　D. Horner综合征

E. 血性胸腔积液

81. 肺癌压迫喉返神经可发生

82. 肺癌压迫颈交感神经可引起

【参考答案】

1. B　2. A　3. D　4. C　5. E
6. C　7. A　8. B　9. D　10. D
11. B　12. D　13. B　14. C　15. B
16. B　17. B　18. C　19. B　20. A
21. D　22. C　23. D　24. A　25. C
26. B　27. A　28. A　29. E　30. D
31. E　32. C　33. A　34. E　35. D
36. E　37. C　38. A　39. D　40. C
41. D　42. A　43. C　44. A　45. B
46. B　47. B　48. E　49. B　50. A
51. D　52. C　53. E　54. D　55. C
56. C　57. D　58. D　59. B　60. B
61. A　62. C　63. D　64. D　65. C
66. A　67. E　68. D　69. A　70. A
71. E　72. D　73. C　74. C　75. C
76. B　77. A　78. B　79. C　80. B
81. A　82. D

第二章　循环系统常见疾病及其护理

第一节　心力衰竭患者的护理

一、慢性心力衰竭

（一）病因

1. 长期心脏负荷过重

（1）压力负荷（后负荷）过重：左室压力负荷过重常见于高血压、主动脉瓣狭窄；右室压力负荷过重常见于肺动脉高压、肺动脉瓣狭窄、肺栓塞等。

（2）容量负荷（前负荷）过重：见于心脏瓣膜关闭不全，血液反流；左、右心或动静脉分流性先天性心脏病；伴有全身血容量增多或循环血量增多的疾病如慢性贫血、甲状腺功能亢进症等。

2. 心肌损害：各种原发心血管疾病。

3. 心室舒张充盈受限：缩窄性心包炎、肥厚性心肌病。

（二）诱因

1. 感染：呼吸道感染是最常见、最重要的诱因。

2. 心律失常：特别是快速心律失常，心房颤动是诱发心力衰竭的重要因素。

3. 生理或心理压力过大：如劳累过度、情绪激动、精神过于紧张。

4. 血容量增加：如妊娠和分娩、钠盐摄入过多、输液或输血过快、过多。

5. 治疗不当：如不恰当停用洋地黄类药物或用量不足、利尿药使用不当。

6. 其他：风湿性心脏瓣膜病出现风湿活动；合并甲状腺功能亢进或贫血等。

（三）发病机制

心脏能通过三种代偿机制维持足够的心输出量。

（1）心室扩张以增加前负荷，从而使心肌收缩力增加。

（2）心室肥大以增加心肌收缩力。

（3）交感神经张力增高引起静脉和小动脉收缩，使外周血管阻力增加，增加心脏后负荷。

（四）临床表现

1. 左心衰竭：主要表现为肺循环淤血。

（1）症状：呼吸困难，劳力性呼吸困难最早出；干咳或有带血丝的泡沫痰；容易疲倦、乏力。

（2）体征：左心室增大，中心性发绀；奔

马律和交替脉；可有干湿啰音和哮鸣音。

2. 右心衰竭：主要表现为体循环淤血。

（1）症状：厌食、恶心、呕吐、少尿等。

（2）体征：颈静脉怒张和肝颈静脉回流征阳性；肝脏肿大和压痛；身体的下垂部位出现凹陷性水肿，长期卧床的患者以腰背部和骶尾部水肿明显。

（五）心功能分级

1. 心功能一级：体力活动不受限制。

2. 心功能二级：体力活动轻度受限制，日常活动可引起气急、心悸。

3. 心功能三级：体力活动明显受限制，稍事活动即引起气急、心悸，有轻度脏器淤血体征。

4. 心功能四级：体力活动重度受限制，休息时亦气急、心悸，有重度脏器淤血体征。

（六）治疗要点

1. 减轻心脏负担：限制体力，控制钠盐的摄入量，水肿明显时应限制水的摄入量；持续吸氧；应用利尿药、扩血管药物。

2. 增强心肌收缩力

（1）洋地黄类药物

① 适应证：充血性心力衰竭，尤其适用于伴有心房颤动和心室率增快的心力衰竭。

② 禁忌证：洋地黄中毒或过量，急性心肌梗死24小时内、严重房室传导阻滞、梗阻性肥厚型心肌病。

（2）β受体兴奋药：常用多巴酚丁胺；小剂量多巴胺能扩张肾动脉，增加肾血流量和排钠利尿，大剂量多巴胺可维持血压，用于心源性休克的治疗。特别适用于急性心肌梗死伴心力衰竭的患者。

（3）磷酸二酯酶抑制药：常用氨力农。

二、急性心衰

（一）病因

（1）急性广泛前壁心肌梗死、乳头肌梗死断裂、室间隔破裂穿孔等。

（2）感染性心内膜炎引起的瓣膜穿孔、腱索断裂所致急性反流。

（3）其他：如高血压急症、严重心律失常、输液过多过快等。

（二）临床表现

突发严重呼吸困难，端坐呼吸，咳粉红色泡沫样痰；有极度烦躁不安、恐惧；面色灰白或发绀，大汗，皮肤湿冷；两肺满布湿啰音和哮鸣音，心尖部可闻及舒张期奔马律。

（三）处理

（1）患者取两腿下垂坐位或半卧位。

（2）乙醇湿化高流量(6～8L/min) 吸氧。

（3）皮下注射或静推吗啡，以镇静和扩张静脉及小动脉。

（4）静脉注射呋塞米，减轻心室前负荷。

（5）使用洋地黄药物、血管扩张药硝普钠、平喘药物氨茶碱等。

（6）糖皮质激素有减少肺毛细血管通透性从而减轻肺水肿的作用，可用地塞米松或琥珀酸氢化可的松静脉滴注。

三、心力衰竭患者的护理

1. 一般护理

（1）根据心功能情况指导患者的休息和活动。

① 心功能一级：不限制活动，增加午休时间。

② 心功能二级：可起床稍事轻微活动，增加活动的间歇时间和睡眠时间。

③ 心功能三级：卧床休息、限制活动量。

④ 心功能四级：严格卧床休息，取半卧位或坐位。

（2）选择高蛋白、高维生素、适量纤维素、易消化的清淡食物；避免进食产气、刺激性食物；限制水、钠摄入；少食多餐；保持大便通畅。

（3）加强皮肤口腔护理；控制静脉补液速度（20～30滴/分）；吸氧（流量2～4L/min）

2. 病情观察：严密监测血压、呼吸、血氧饱和度、心率、心电图。记出入液量。观察呼吸频率和深度、意识、精神状态、皮肤颜色及温度、肺部啰音的变化。定期观测水电解质变化及酸碱平衡情况。

3. 并发症护理

（1）保持室内空气流通，注意保暖，长期卧床者鼓励翻身，协助拍背，以防发生呼吸道感染。

（2）鼓励患者在床上活动下肢和做下肢肌肉收缩、肌肉按摩，以减少下肢血栓形成。

4. 应用洋地黄类药物的护理

(1) 预防洋地黄中毒

① 老年人、心肌缺血缺氧、重度心力衰竭、低钾低镁血症、肾功能减退等情况对洋地黄较敏感，使用时应严密观察患者用药后反应。

② 在给药前应询问有无奎尼丁、胺碘酮、维拉帕米、阿司匹林等用药史，上述药物与可增加洋地黄中毒机会。

③ 必要时监测血清地高辛浓度。

④ 严格按时、按医嘱给药，给药前数脉搏，当脉搏<60 次/分或节律不规则应暂停服药并告诉医师。

(2) 观察洋地黄中毒表现

① 心律失常：是洋地黄中毒最重要的反应，室性期前收缩最常见。

② 胃肠道反应：食欲下降、恶心、呕吐。

③ 神经系统症状：黄视、绿视、视物模糊、头痛等。

(3) 洋地黄中毒的处理：停洋地黄类药；停用排钾利尿药；低血钾者补充钾盐；纠正心律失常，快速性心律失常可用利多卡因或苯妥英钠，一般禁用电复律；可使用阿托品治疗缓慢心律失常。

5. 应用扩血管药物的护理

(1) 血管紧张素转换酶抑制药：主要不良反应包括咳嗽、低血压和头晕、肾损害、高钾血症、血管神经性水肿等。用药期间需监测血压，避免体位的突然改变，监测血钾水平和肾功能。若患者出现不能耐受的咳嗽或血管神经性水肿应停止用药。

(2) β受体阻滞药：主要不良反应有液体潴留（可表现为体重增加）和心衰恶化、疲乏、心动过缓和心脏传导阻滞、低血压等。用药期间应监测心率和血压，当心率低于 50 次/分时，暂停给药。

(3) 静脉用扩血管药物：用药过程中监测血压变化，注意根据血压调节滴速。为防发生低血压，起床和改变体位时要缓慢。

6. 使用利尿药的护理：利尿药的应用时间选择早晨或日间为宜。避免夜间应用，因排尿过频而影响患者的休息，利尿药应间断使用，定期测量体重、每天记录出入液量。

(1) 袢利尿药和噻嗪类利尿药最主要的不良反应是低钾血症。应监测血钾及有无乏力、腹胀、肠鸣音减弱等低钾血症的表现。应与保钾利尿药同时使用，同时多补充含钾丰富的食物，必要时补充钾盐。防止低钾血症诱发洋地黄中毒和心律失常。

(2) 氨苯蝶啶的不良反应有胃肠道反应、嗜睡、乏力、皮疹，长期用药可产生高钾血症，少尿或无尿者应慎用。

(3) 螺内酯的不良反应有嗜睡、运动失调、男性乳房发育、面部多毛等，肾功能不全及高钾血症者禁用 。

第二节 心律失常患者的护理

(一) 窦性心律失常

1. 窦性心动过速：成人窦性心律的频率超过 100 次/分，称为窦性心动过速。

2. 窦性心动过缓：成人窦性心律的频率低于 60 次/分，称为窦性心动过缓。

3. 窦性停搏：指窦房结在一个不同长短的时间内不能产生冲动。心电图表现为比正常 PP 间期显著长的时间内无 P 波发生或 P 波与 QRS 波群均不出现，长的 P-P 间期与基本的窦性 P-P 间期无倍数关系。

4. 病态窦房结综合征：简称病窦综合征，是由窦房结病变导致多种心律失常的综合表现。临床表现为与心动过缓有关的心、脑等脏器供血不足的症状，严重者可发生晕厥。心电图特征如下。

① 持续而显著的窦性心动过缓（50 次/分以下）。

② 窦性停搏与窦房传导阻滞。

③ 窦房传导阻滞与房室传导阻滞并存。

④ 心动过缓-心动过速综合征（慢-快综合征）：是指心动过缓与房性快速性心律失常交替发作。

⑤ 房室交界区性逸搏心律。

5. 窦性心律不齐：窦性心律频率在 60～100 次/分，快慢不规则称之为窦性心律不齐；心电图 P-P 或 R-R 间期长短不一，相差>0.12秒以上。

（二）期前收缩

1. 心电图特征

(1) 房性期前收缩：房性期前收缩的P波提前发生，与窦性P波形态不同；有不完全性代偿间歇；下传的QRS波群形态通常正常。

(2) 室性期前收缩：QRS波群提前出现，形态宽大畸形，QRS时限＞0.12秒，其前无相关的P波；T波常与QRS波群的主波方向相反；期前收缩后有完全代偿间歇。

2. 临床表现：偶发期前收缩大多无症状，可有心悸或感到1次心跳加重或有心跳暂停感。频发期前收缩可引起乏力、头晕、胸闷等。有脉搏不齐、心律不齐，期前收缩的第一心音常增强。

（三）颤动

1. 心房颤动

(1) 心电图特征：P波消失，代之以小而不规则的等电位线波动，形态与振幅均变化不定，称f波，频率350～600次/分：心室率通常在100～160次/分，心室律极不规则；QRS波群形态一般正常。

(2) 临床表现：房颤心室率＜150次/分钟，患者可有心悸、气促、心前区不适等症状；心室率极快者（＞150次/分钟）可因心排出量降低而发生晕厥、急性肺水肿、心绞痛或休克。心脏听诊第一心音强弱不一致，心律绝对不规则。脉搏表现为短绌脉。持久性房颤，易形成左心房附壁血栓，若脱落可引起动脉栓塞。

(3) 心房颤动治疗

① 急性心房颤动：初次发生的房颤且在24～48小时以内，称急性房颤。通常发作可在短时间内自行终止。对于症状显著者，应迅速给予治疗，如静注洋地黄类药物、β受体阻滞药或钙通道阻滞药，使安静时心室率保持在60～80次/分，轻微活动后不超过100次/分。

② 慢性心房颤动：持续性房颤可选用普罗帕酮、索他洛尔、胺碘酮进行复律，持续性房颤选择减慢心室率治疗的同时注意血栓栓塞的预防；慢性房颤经复律与维持窦律治疗无效者，称为永久性房颤，可选用地高辛、β受体阻滞药或钙通道阻滞药控制过快的心室率。慢性房颤患者若过往有栓塞病史、瓣膜病、高血压、糖尿病、左心房扩大、冠心病等或是老年患者，均应接受长期口服华法林抗凝治疗，使凝血酶原时间国际标准化比值（INR）维持在2.0～3.0。

2. 心室颤动

是最严重的心律失常，是器质性心脏病和其他疾病危重患者临终前发生的心律失常。

(1) 临床表现：表现为迅速意识丧失、心音消失、脉搏触不到，血压测不到。

(2) 心电图特征：QRS波群与T波消失，呈完全无规则的波浪状曲线。

(3) 治疗原则：发生室颤应立即作非同步直流电除颤，同时进行胸外心脏按压及人工呼吸、药物等抢救措施。

（四）房室传导阻滞

1. 心电图主要特征

(1) 第一度房室传导阻滞：P-R间期＞0.20秒，无QRS波群脱落。

(2) 第二度房室传导阻滞

① Ⅰ型（文氏型）：P-R间期进行性延长，直至一个P波受阻不能下传心室；相邻R-R间期进行性缩短，直至一个P波不能下传心室；包含受阻P波在内的R-R间期小于正常窦性P-P间期的2倍。

② Ⅱ型（莫氏型）：心房冲动传导突然阻滞，但P-R间期恒定不变。

(3) 第三度房室传导阻滞（完全性房室传导阻滞）：心房和心室独立活动，P波与QRS波群完全脱离，心室率慢于心房率。

2. 治疗要点

(1) 第一度或第二度Ⅰ型房室阻滞：心室率不太慢者无需特殊治疗。

(2) 第二度Ⅱ型或第三度房室阻滞：如心室率慢伴有明显症状或血流动力学障碍，甚至阿-斯综合征发作者，应给予心脏起搏治疗。

（五）护理措施

1. 一般护理

(1) 休息与活动：保证患者充分的休息与睡眠，保持情绪稳定，避免劳累；窦性停搏、第二度Ⅱ型或第三度房室传导阻滞、持续性室性心动过速等严重心律失常患者应卧床休息，直至病情好转后，再逐渐起床活动。当心律失常发作导致胸闷、心悸、头晕等不适时，采取高枕卧位、半卧位或其他舒适体位，尽量避免左侧卧位。

（2）给氧：伴呼吸困难、发绀等缺氧表现时，给予流量 2～4L/min 氧气吸入。

（3）饮食：进高营养、高维生素的易消化食物，少量多餐，避免过饱及刺激性食物。

2. 心电监护

（1）适用于严重心律失常者。

（2）安放监护电极前注意清洁皮肤，用乙醇棉球去除油脂，电极放置部位应避开胸骨右缘及心前区，以免影响做心电图和紧急电复律；1～2 天更换电极片 1 次或电极片松动时随时更换，观察有无皮肤发红、发痒等过敏反应。

（3）严密监测心率、心律、心电图、生命体征、血氧饱和度变化。

（4）发现频发（每分钟在 5 次以上）、多源性、成对的或呈“R on T”现象的室性期前收缩，阵发性室性心动过速，窦性停搏，第二度Ⅱ型或第三度房室传导阻滞等，立即报告医生。

3. 用药护理

（1）按时按量给予抗心律失常药物，静注时速度宜慢（腺苷除外），一般 5～15 分钟注完。

（2）观察患者意识和生命体征，必要时监测心电图，注意用药前、用药过程中及用药后的心率、心律、P-R 间期、Q-T 间期等的变化，以判断疗效和有无不良反应。

（3）常用抗心律失常药物的不良反应

① 奎尼丁：厌食、恶心、呕吐、腹痛、腹泻；视听觉障碍、意识模糊；皮疹、发热、血小板减少、溶血性贫血。

② 普鲁卡因胺：胃肠道反应较奎尼丁少见，中枢神经系统反应较利多卡因多见；发热、粒细胞减少症；药物性狼疮。

③ 利多卡因：眩晕、感觉异常、意识模糊、谵妄、昏迷。

④ 普罗帕酮：眩晕、口内金属味、视物模糊；胃肠道不适；可能加重支气管痉挛。

⑤ β受体阻滞药：加重哮喘与慢性阻塞性肺疾病；间歇性跛行、雷诺现象、精神抑郁。

⑥ 胺碘酮：最严重的心外毒性为肺纤维化；转氨酶升高，偶致肝硬化；光过敏；甲状腺功能亢进或减退；胃肠道反应。

⑦ 维拉帕米：偶有肝毒性，增加地高辛血浓度。

⑧ 腺苷：面部潮红、呼吸困难、胸部压迫感。

4. 对症护理

（1）晕厥：有头晕、晕厥发作或曾有跌倒病史者应卧床休息，避免单独外出。嘱患者避免剧烈活动、情绪激动或紧张、快速改变体位等，一旦有头晕、黑矇等先兆时立即平卧，以免跌伤。

（2）心脏骤停：其临床表现为突然意识丧失、大动脉搏动消失、心音消失、血压测不到、呼吸停止、瞳孔放大及发绀。

（3）心悸：严密观察病情，加强对心律、心率和血压的监测；帮助患者进行自我情绪调节；严重心律失常者应卧床休息和心电监护。

5. 心脏电复律护理

（1）心脏电复律适应证：非同步电复律适用于室颤、持续性室性心动过速；同步电复律适用于房颤、室性阵发性心动过速等。

（2）操作：患者仰卧于绝缘床上，连接心电监护仪，建立静脉通路，静脉注射地西泮 0.3～0.5mg/kg。放置电极板，电极板须用盐水纱布包裹或均匀涂上导电糊，并紧贴患者皮肤。放电过程中医护人员注意身体的任何部位均不要直接接触铁床及患者。

（3）电复律后要严密观察心律、心率、呼吸、血压，每半小时测量并记录 1 次直至平稳，并注意面色、神志、肢体活动情况。电击局部皮肤如有烧伤，应给予处理；遵医嘱给予抗心律失常药物维持窦性心律，观察药物不良反应。

6. 心脏起搏器安置术后护理

（1）术后心电监护 24 小时，注意起搏频率和心率是否一致，监测起搏器工作情况。

（2）取平卧位或半卧位，绝对卧床 1～3 天。

（3）6 周内限制体力活动。

（4）不要压迫植入侧，植入侧手臂、肩部应避免过度活动，避免剧烈咳嗽等以防电极移位或脱落。

（5）遵医嘱给予抗生素治疗，同时注意伤口有无渗出和感染。

（6）做好患者的术后宣教，如如何观察起搏器工作情况和故障、定期复查的必要、日常生活中要随身携带“心脏起搏器卡”等。

第三节 高血压病患者的护理

（一）病因和发病机制

1. 病因：目前认为原发性高血压是在一定的遗传背景下，由于多种后天环境因素作用，使正常血压调节机制失代偿所致。一般认为遗传因素占40%，环境因素约占60%。环境因素包括摄盐过多、饮酒、精神应激，肥胖与高血压的发生也有关。

2. 发病机制：血压主要决定于心排血量及体循环的外周血管阻力。高血压的血流动力学特征主要是总外周阻力增高。高血压的发病机制主要包括：交感神经系统活动亢进；肾性水钠潴留；肾素-血管紧张素-醛固酮系统（RAAS）激活；细胞膜离子转运异常；胰岛素抵抗。

（二）临床表现

1. 症状：高血压患者可有头痛、眩晕、疲劳、心悸、耳鸣等症状，也可出现视物模糊、鼻出血等较重症状。

2. 体征：听诊可闻及主动脉瓣区第二心音亢进。

3. 恶性或急进型高血压：发病急骤，血压显著升高，舒张压可持续高于130mmHg，伴有头痛、视物模糊，眼底检查可发现眼底出血、渗出和视盘水肿。肾损害突出，表现为持续蛋白尿、血尿与管型尿，进展迅速，预后差，如不及时治疗可发展为肾衰竭、脑卒中或心力衰竭。

4. 并发症

（1）高血压危象：多由于紧张、劳累、寒冷、突然停服降压药物等引起血压急剧升高，患者表现为头痛、烦躁、眩晕、心悸、胸闷、气急、视物模糊等严重症状。

（2）高血压脑病：血压极度升高突破了脑血流自动调节范围，可发生高血压脑病，临床以脑病的症状与体征为特点，表现为严重头痛、恶心、呕吐及不同程度的意识障碍、昏迷或惊厥，血压降低即可逆转。

（3）脑血管病：包括脑出血、脑血栓形成、腔隙性脑梗死、短暂性脑缺血发作。

（4）心力衰竭、慢性肾衰竭、主动脉夹层。

（三）治疗要点

1. 降压目标：高血压患者血压应降到140/90mmHg以下，对于高血压合并糖尿病或慢性肾脏病变的患者，应降到130/80mmHg以下。老年收缩期性高血压应使收缩压降至140～150 mmHg，舒张压降至90mmHg以下，但不低于65～70mmHg。

2. 非药物治疗：减轻体重；限制钠盐摄入；补充钙和钾盐；减少食物中饱和脂肪酸的含量和脂肪总量；戒烟、限制饮酒；适当运动；减少精神压力，保持心理平衡。

3. 降压药物治疗

（1）降压药物种类：利尿药、β受体阻滞药、钙通道阻滞药、血管紧张素转换酶抑制药及血管紧张素Ⅱ受体拮抗药。

（2）降压药物应用方案：降压药物和治疗方案选择应个体化。药物治疗应从小剂量开始，逐步递增剂量，达到满意血压水平所需药物的种类与剂量后进行长期降压治疗。推荐应用长效制剂，可以减少血压的波动，降低主要心血管事件的发生危险和防治靶器官损害，并提高用药的依从性。联合用药治疗可以增强药物疗效，减少不良反应。

4. 并发症的治疗原则

（1）迅速降血压：在血压严密监测的情况下，静脉给予降压药，根据血压情况及时调整给药剂量。

（2）控制性降压：要逐渐降压，在24小时内降压20%～25%，48小时内血压不低于160/100mmHg。

（3）选择合适降压药：一般情况下首选硝普钠。

（四）护理措施

1. 一般护理：注意休息；以低盐、低动物脂肪饮食为宜，避免进食高胆固醇食物，多食含维生素和蛋白质食物；不酗酒，不吸烟。

2. 用药护理：遵医嘱应用降压药物治疗，测量血压的变化以判断疗效，观察药物不良反应。如钙通道阻滞药硝苯地平有头痛、面色潮红、下肢水肿等不良反应，地尔硫卓可致负性肌力作用和心动过缓。当出现头晕、眼花、恶心、眩晕时，应立即平卧。

3. 直立性低血压的预防和处理

① 直立性低血压的表现：乏力、头晕、心悸、出汗、恶心、呕吐等，在联合用药、服首剂药物或加量时应特别注意。

② 预防直立性低血压的方法：避免长时间站立，尤其在服药后最初几个小时；改变姿势时动作宜缓慢；服药时间可选在平静休息时，服药后继续休息一段时间再下床活动；避免用过热的水洗澡或蒸汽浴，更不宜大量饮酒。在直立性低血压发生时采取下肢抬高位平卧。

4. 高血压急症的护理：患者绝对卧床休息，抬高床头，避免一切不良刺激和不必要的活动，协助生活护理。保持呼吸道通畅，吸氧。安定患者情绪，必要时用镇静药。连接好心电、血压、呼吸监护。迅速建立静脉通路，遵医嘱尽早应用降压药物，用药过程中注意监测血压变化，避免出现血压骤降。

5. 病情监测：定期监测血压，一旦发现血压急剧升高、剧烈头痛、呕吐、大汗、视物模糊、面色及神志改变、肢体运动障碍等症状，立即通知医生，准备快速降压药物、脱水药和止惊药备用。

（五）健康教育

(1) 限制钠摄入：摄入钠盐＜6g/d。

(2) 减轻体重：应限制患者每天摄入总热量。

(3) 坚持合理服药，注意药物不良反应，忌饮酒。

(4) 避免情绪激动、精神紧张、身心过劳、精神创伤等诱因。

(5) 避免突然改变体位，不用过热的水洗澡和蒸汽浴，禁止长时间站立。

(6) 教患者自测血压。

(7) 告知患者需要就医的症状：胸痛、水肿、鼻出血、血压突然升高、心悸、剧烈头痛、视物模糊、恶心、呕吐、肢体麻木、偏瘫、嗜睡、昏迷等。

第四节　冠状动脉粥样硬化性心脏病患者的护理

（一）病因和临床分型

1. 病因

(1) 年龄、性别：本病多见于40岁以上人群，女性发病率较低，但在更年期后发病率增加。

(2) 血脂异常：脂质代谢异常是动脉粥样硬化最重要的危险因素。

(3) 高血压：血压增高与本病密切相关，收缩压和舒张压增高都与本病关系密切。

(4) 吸烟、糖尿病和糖耐量异常。

(5) 次要的危险因素：肥胖；缺少体力活动；进食过多的动物脂肪、胆固醇、糖和钠盐；遗传因素；A型性格等。

2. 临床分型：无症状性心肌缺血；心绞痛；心肌梗死；缺血性心肌病；猝死。

（二）心绞痛

1. 病因：本病的基本病因是冠状动脉粥样硬化。冠状动脉粥样硬化所致的冠脉管腔狭窄和痉挛是心绞痛发生的最主要原因。

2. 临床表现：以发作性胸痛为主要临床表现，典型的疼痛特点如下。

(1) 部位：主要在胸骨体中段或上段之后，常放射至左肩、左臂内侧达环指和小指，或至颈、咽或下颌部。

(2) 性质：为压迫、发闷、紧缩、烧灼感，发作时患者常不自觉地停止原来的活动。

(3) 诱因：体力劳动、情绪激动、饱餐、寒冷、吸烟、心动过速、休克等。

(4) 持续时间：3～5分钟逐渐消失。

(5) 缓解方式：休息或含服硝酸甘油可缓解。

3. 治疗要点

(1) 终止心绞痛发作：硝酸甘油舌下含化。

(2) 缓解期治疗：去除诱因，使用硝酸酯制剂、β受体阻滞药、钙离子拮抗药。

(3) 预防发作：用抑制血小板聚集的药物如肠溶阿司匹林。

4. 护理措施

(1) 休息与活动：心绞痛发作时应就地休息，立即停止活动；不稳定型心绞痛者，应卧床休息。

(2) 心理护理：安慰患者，解除紧张不安情绪，以减少心肌耗氧量。

（3）吸氧。

（4）疼痛观察：评估患者疼痛的部位、性质、程度、持续时间，严密监测心率、心律、血压变化。

（5）用药护理：心绞痛发作时给予患者舌下含服硝酸甘油，含服硝酸甘油后应平卧，以防低血压发生，用药后注意观察患者胸痛变化情况；静滴硝酸甘油者，应控制滴速，并告知患者及家属不可擅自调节滴速；告知患者用药后可有头胀、面红、头晕、心悸等血管扩张的表现。

（6）减少或避免诱因。

（三）急性心梗

1. 病因：心肌梗死的原因多数是不稳定粥样斑块破溃，继而出血或管腔内血栓形成，使血管腔完全闭塞。

2. 发病机制：在冠状动脉严重狭窄的基础上，心肌需血量猛增或冠脉血供锐减，使心肌缺血达1小时以上，即可发生急性心肌梗死。

3. 临床表现

（1）疼痛：为最先出现的症状，多发生于清晨，持续时间较长，休息和含化硝酸甘油多不能缓解。

（2）全身症状：有发热、心动过速等。

（3）胃肠道症状：常伴有频繁的恶心、呕吐。

（4）心律失常：以室性心律失常最多见，室颤是急性心肌梗死早期的主要死因。

（5）低血压和休克。

4. 辅助检查

（1）心电图

① 特征性改变：ST段抬高呈弓背向上型，在面向坏死区周围心肌损伤区的导联上出现；宽而深的Q波，在面向透壁心肌坏死区的导联上出现；T波倒置，在面向坏死区周围心肌缺血区的导联上出现。

② 动态性变化：起病数小时内，可尚无异常或出现异常高大两肢不对称T波。数小时后，ST段明显抬高，弓背向上，与直立的T波连接，形成单相曲线。数小时到2日内出现病理性Q波，同时R波减低，是为急性期改变。ST段抬高持续数日至两周左右，逐渐回到基线水平，T波则变为平坦或倒置。数周至数月后，T波呈V形倒置，两肢对称，波谷尖锐。

（2）心肌酶

① CK（磷酸肌酸激酶）：起病6小时内升高，24小时达高峰，3～4日恢复正常。

② CK-MB（磷酸肌酸激酶同工酶）：起病4小时内升高，16～24小时达高峰，3～4日恢复正常，其诊断特异性最高。

③ LDH（乳酸脱氢酶）：起病8～10小时升高，2～3天达高峰，1～2周恢复正常。

④ AST（天门冬酸氨基转移酶）：起病6～12小时升高，24～48小时达高峰，3～6日恢复。

⑤ Mb（肌红蛋白）：起病1.5～4小时升高，2～6小时达高峰，24～48小时恢复，对急性心肌梗死早期诊断更具有优越性，但特异性差。

⑥ TnT（肌钙蛋白T）：起病3小时升高，第2～5天出现平坦峰，可持续3周。TnT具有特异性，对心肌梗死早期和亚急性期均有较高诊断价值。

5. 护理措施

（1）一般护理

① 饮食：第1周宜流质或半流质饮食，提倡少量多餐。心功能不全及有高血压者限制钠盐摄入。

② 休息：前3天绝对卧床休息，保持环境安静，限制探视；第4天可进行关节主动运动，坐位洗漱、进餐；第2周坐椅子上进餐、洗漱；第3周逐步离床在室内缓步走动。

③ 给氧：鼻导管给氧，氧流量2～5L/min。

④ 心理护理：给予心理支持，鼓励患者战胜疾病的信心，缓解患者的恐惧心理，烦躁不安者可肌注地西泮。

⑤ 止痛治疗的护理：遵医嘱给予吗啡或哌替啶止痛，注意有无呼吸抑制等不良反应。给予硝酸酯类药物时应随时监测血压的变化，维持收缩压在100mmHg以上。

⑥ 保持大便通畅：合理饮食，及时增加富含纤维素的食物如水果、蔬菜的摄入；无糖尿病者每天清晨给予蜂蜜加温开水同饮；适当腹部按摩；无腹泻者常规应用缓泻药；出现排便困难，可使用开塞露或低压盐水灌肠。

（2）溶栓治疗的护理

① 询问患者是否有溶栓禁忌证。

② 溶栓前先检查血常规、出凝血时间和血型。

③ 迅速建立静脉通路，遵医嘱应用溶栓

药物，注意观察有无不良反应。

④ 溶栓疗效观察：可根据下列指标间接判断溶栓是否成功：胸痛2小时内基本消失；心电图ST段于2小时内回降＞50%；2小时内出现再灌注性心律失常；血清CK-MB峰值提前出现（14小时以内）。

(3) 潜在并发症的护理

① 心律失常：急性期严密心电监测。发现频发室性期前收缩、成对出现或呈短阵室速、多源性或“R on T”现象的室性期前收缩及严重的房室传导阻滞时，应立即通知医生，遵医嘱使用利多卡因等药物。监测电解质和酸碱平衡状况。准备好急救药物和抢救设备，随时准备抢救。

② 心力衰竭：应严密观察患者有无呼吸困难、咳嗽、咳痰、少尿、颈静脉怒张、低血压、心率加快等，听诊肺部有无湿啰音。避免情绪激动、饱餐、用力排便等可加重心脏负担的因素。一旦发生心力衰竭，则按心力衰竭进行护理。

第五节 心脏瓣膜病患者的护理

（一）常见临床类型临床表现

1. 二尖瓣狭窄：症状一般在二尖瓣中度狭窄（瓣口面积$<1.5cm^2$）时始有明显症状。

(1) 呼吸困难：为最常见的早期症状。

(2) 咯血：突然咯大量鲜血，通常见于严重二尖瓣狭窄，可为首发症状。阵发性夜间呼吸困难或咳嗽时可有血性痰或带血丝痰；急性肺水肿时咳大量粉红色泡沫样痰。

(3) 咳嗽：冬季明显。

(4) 声嘶：较少见，由于扩大的左心房和肺动脉压迫左侧喉返神经所致。

(5) 体征：重度二尖瓣狭窄常有“二尖瓣面容”，双颧发红。心尖区可闻及第一心音亢进和开瓣音，提示前叶柔顺、活动度好；心尖区有低调的隆隆样舒张中晚期杂音；常可触及舒张期震颤。当肺动脉扩张引起相对性肺动脉瓣关闭不全时，可在胸骨左缘第2肋间闻及舒张早期吹风样杂音，称Graham-Steel杂音。

2. 二尖瓣关闭不全

(1) 症状：急性轻度二尖瓣反流仅有轻微劳力性呼吸困难。严重反流有心排血量减少，首先出现的突出症状是疲乏无力，肺淤血的症状出现较晚。

(2) 体征：心尖冲动为高动力型。第二心音肺动脉瓣成分亢进。非全收缩期杂音，低调，呈递减型。严重反流时心尖区可闻及第三心音和短促舒张期隆隆样杂音。

3. 主动脉瓣狭窄

(1) 症状：呼吸困难、心绞痛和晕厥是典型主动脉瓣狭窄的常见三联征。

(2) 体征：收缩期喷射性杂音：在第一心音稍后或紧随喷射音开始，止于第二心音前，为吹风样、粗糙、递增-递减型，在胸骨右缘第2肋间或左缘第3肋间最响，主要向颈动脉传导，常伴震颤。狭窄越重，杂音越响。有细迟脉。

4. 主动脉瓣关闭不全

(1) 症状：有心悸、心前区不适、头部强烈搏动感等症状，常有体位性头晕。重者出现急性左心衰竭和低血压。

(2) 体征：血管收缩压升高，舒张压降低，脉压增大，周围血管征常见De Musset征、水冲脉、股动脉枪击音（Traube征）、Duroziez征、毛细血管搏动征；心尖冲动向左下移位，呈心尖抬举性搏动。与第二心音同时开始的高调叹气样递减型舒张早期杂音。重度反流者，在心尖区听到舒张中晚期隆隆样杂音（Austin-Flint杂音），是由于严重的主动脉瓣反流使左心室舒张压快速升高，导致二尖瓣处于半关闭状态。

（二）并发症

1. 充血性心力衰竭：是最常见的并发症，是本病就诊和致死的主要原因。

2. 心律失常：以心房颤动最多见。

3. 亚急性感染性心内膜炎：见于主动脉瓣关闭不全，常见致病菌为草绿色链球菌。

4. 栓塞：多见于二尖瓣狭窄伴有房颤的患者。

（三）治疗要点

1. 经皮球囊二尖瓣成形术：为缓解单纯二尖瓣狭窄的首选方法。

2. 人工瓣膜置换术：为治疗成人主动脉瓣狭窄的主要方法。

3. 人工瓣膜置换术：为严重主动脉瓣关

闭不全的主要治疗方法。

（四）护理措施

1. 减轻心脏负担：风湿活动时卧床休息，合并主动脉瓣病变时应限制活动，防止便秘，按心功能分级安排活动量。

2. 预防和护理风湿热复发：风湿热复发时应注意休息，病变关节应制动、保暖，并用软垫固定、避免受压和碰撞，减轻疼痛。

3. 预防和护理心衰

（1）避免诱因：积极预防和控制感染，纠正心律失常，严格控制入量及输液滴速，避免劳累和情绪激动，保持大便通畅、注意休息。

（2）心力衰竭的观察：监测生命体征，评估患者有无呼吸困难、乏力、食欲减退、少尿等症状，检查有无肺部湿啰音、肝大、下肢水肿等体征。

4. 防止栓塞发生

（1）腿部活动：以防发生下肢静脉血栓形成，避免长时间盘腿或蹲坐，避免穿高弹袜裤，勤换体位、肢体保持功能位。

（2）用药：应用抗心律失常、抗血小板聚集的药物，预防附壁血栓形成和栓塞。

（3）休息与活动：避免剧烈运动和突然改变体位，以免诱发附壁血栓脱落而栓塞动脉；病情允许时应鼓励并协助患者翻身、活动下肢、按摩及用温水泡脚或下床活动，防止下肢深静脉血栓形成。

（4）栓塞的观察与处理：密切观察有无栓塞征象。

第六节　病毒性心肌炎患者的护理

（一）病因和发病机制

1. 病因：柯萨奇B组病毒感染约占30%～50%。

2. 发病机制：包括病毒直接对心肌的损害、细胞免疫介导的心肌损害和微血管损伤。

3. 典型病变：心肌间质增生、水肿及充血，内有多量炎性细胞浸润等。

（二）临床表现

1. 病毒感染症状：约半数患者在发病前1～3周有病毒感染前驱症状。

2. 心脏受累症状：心悸、胸闷、呼吸困难、胸痛、乏力等表现。严重者出现阿-斯综合征、心源性休克、猝死。

3. 体征：与发热程度不平行的心动过速，心律失常，第一心音减弱。

（三）治疗要点

1. 一般治疗：急性期应卧床休息，补充富含维生素和蛋白质的食物。

2. 对症治疗。

3. 抗病毒治疗。

（四）护理措施

1. 一般护理

（1）休息：无并发症者急性期应卧床休息1个月；重症病毒性心肌炎患者应卧床休息3个月以上，直至患者症状消失、血液学指标等恢复正常后方可逐渐增加活动量。保持环境安静，限制探视，减少不必要的干扰，保证患者有充分的休息和睡眠时间。

（2）饮食：进高蛋白、高维生素的易消化饮食。

（3）心理护理：病毒性心肌炎患者易产生焦急、烦躁等情绪，应向患者说明本病的演变过程及预后，使患者安心休养。

2. 病情观察：注意心率、心律、心电图变化，密切观察生命体征、尿量、意识、皮肤黏膜颜色，注意有无呼吸困难、咳嗽、颈静脉怒张、水肿、奔马律、肺部湿啰音等表现。

第七节　感染性心内膜炎患者的护理

（一）病因与发病机制

1. 病因：感染性心内膜炎主要是由链球菌和葡萄球菌感染。急性感染性心内膜炎主要由金黄色葡萄球菌引起。亚急性感染性心内膜炎由草绿色链球菌感染最常见。

2. 发病机制：感染性心内膜炎是心内膜

表面的微生物感染，伴赘生物形成，瓣膜是最常受累部位。

（二）临床表现

1. 症状

（1）发热：发热是感染性心内膜炎最常见的症状；亚急性感染性心内膜炎，可有弛张性低热，一般<39℃，午后和晚上高。急性感染性心内膜炎呈暴发性败血症过程，有高热、寒战。

（2）非特异性症状：脾大、贫血、杵状指（趾）。

（3）动脉栓塞：脑栓塞的发生率最高。

2. 周围体征

① 淤点：多见病程长者，以锁骨、皮肤、口腔黏膜和睑结膜常见。

② 指、趾甲下线状出血。

③ Roth 斑：表现为视网膜的卵圆形出血斑，其中心呈白色。

④ Osler 结节：指和趾垫出现豌豆大的红或紫色痛性结节。

⑤ Janeway 损害：是手掌和足底处直径 1～4mm 无痛性出血红斑。

3. 并发症：心力衰竭是最常见并发症，主要由瓣膜关闭不全所致，以主动脉瓣受损患者最多见。

（三）辅助检查

1. 血培养：是诊断菌血症和感染性心内膜炎的最有价值的方法。近期未接受过抗生素治疗的患者血培养阳性率可高达 95%以上。血培养的阳性率降低，常由于 2 周内用过抗生素或采血、培养技术不当所致。

2. 超声心动图：超声心动图发现赘生物、瓣周并发症等支持心内膜炎的证据，对明确感染性心内膜炎诊断有重要价值。经食管超声（TTE）可以检出<5mm 的赘生物，敏感性高达 95%以上。

（四）治疗原则

抗微生物药物治疗是治疗本病最重要的措施。用药原则为：早期应用；充分用药，选用灭菌性抗微生物药物，大剂量和长疗程；静脉用药为主，保持稳定、高的血药浓度。

（五）护理措施

1. 发热护理：观察体温和皮肤黏膜，每 4～6 小时测量 1 次。高热患者应卧床休息，给予物理降温。患者高热、大汗要及时补充水分，必要时注意补充电解质。

2. 留取血培养标本

（1）对于未开始治疗的亚急性感染性心内膜炎患者应在第一日每间隔 1 小时采血 1 次，共 3 次。如次日未见细菌生长，重复采血 3 次后，开始抗生素治疗。已用过抗生素患者，应停药 2～7 天后采血。

（2）急性感染心内膜炎患者应在入院后 3 小时内，每隔 1 小时 1 次共取 3 个血标本后开始治疗。

（3）每次取静脉血 10～20ml，做需氧和厌氧培养，至少应培养 3 周。

3. 病情观察：严密观察体温、心律、血压等生命体征的变化；观察心脏杂音的部位、强度、性质有无变化；注意观察脏器动脉栓塞有关症状。

4. 用药护理：要严格按时间、剂量准确地用药，以确保维持有效的血药浓度。注意保护患者静脉血管。在用药过程中要注意观察用药效果和可能出现的毒副反应。

第八节　心肌病患者的护理

一、扩张型心肌病

（一）病因与病理生理

1. 病因：扩张型心肌病常表现出家族性发病趋势，扩张型心肌病的发病与持续病毒感染和自身免疫反应有关，尤其与柯萨奇病毒 B 感染最为密切。

2. 病理生理：心肌损害表现为非特异性心肌细胞肥大、变性，出现不同程度的纤维化。主要特征是单侧或双侧心腔扩大，室壁多变薄，纤维瘢痕形成，常伴有附壁血栓。心肌收缩功能减退。

（二）临床表现

1. 症状：常出现充血性心力衰竭的症状

和体征。

2. 体征：心脏扩大为主要体征。

（三）辅助检查

1. X线检查：心影明显增大、心胸比>0.5，肺淤血。

2. 超声心动图：本病早期即可有心腔轻度扩大，以左心室扩大显著，后期各心腔均扩大，室壁运动减弱。

（四）治疗原则

治疗原则是针对充血性心力衰竭和各种心律失常，预防栓塞和猝死，提高生活质量和生存率。

二、肥厚型心肌病

（一）病理生理

（1）肥厚型心肌病是以心室非不对称性肥厚，并累及室间隔使心室腔变小为特征，以左心室血液充盈受阻、舒张期顺应性下降为基本病态的心肌病。

（2）肥厚型心肌病的主要病理改变是心肌为显著肥厚、心腔缩小，以左心室为多见。

（3）根据左心室流出道有无梗阻又可分为梗阻性肥厚型和非梗阻性肥厚型心肌病。

（4）本病主要死亡原因是心源性猝死，室性心律失常、室壁过厚、左室流出道压力阶差大，常是引起猝死的主要危险因素。

（二）临床表现

1. 症状：绝大多数患者可有劳力性呼吸困难；部分患者可有胸痛、心悸、多种形态的心律失常；伴有流出道梗阻的患者可出现黑矇。

2. 体征：心尖部也常可听到收缩期杂音。使用β受体阻滞药、下蹲位、举腿或体力运动，使心肌收缩力下降或使左心容量增加，均可使杂音减轻；相反如含服硝酸甘油或做Valsalva动作，会使左心室容量减少或增加心肌收缩力，均可使杂音增强。

（三）辅助检查

1. 超声心动图是主要诊断手段，可示室间隔的非对称性肥厚，舒张期室间隔的厚度与后壁之比≥1.3，间隔运动低下。

2. 心导管检查：心室舒张末期压上升。梗阻性肥厚型心肌病在左心室腔与流出道间有收缩压差，心室造影显示左心室变形。

（四）治疗原则

本病的治疗原则是弛缓肥厚的心肌，防止心动过速，维持正常窦性心律，减轻左心室流出道狭窄，抗室性心律失常。建议应用β受体阻滞药、钙通道阻滞药治疗。其他治疗有介入治疗、手术治疗。在任何治疗无效情况下，可考虑心脏移植。

（五）护理措施

1. 避免诱因：避免激烈运动、情绪激动、突然起立或屏气等。避免使用增强心肌收缩力的药物如洋地黄等，禁用硝酸酯类药，以减少加重左室流出道梗阻。

2. 晕厥护理

（1）避免诱因：嘱患者避免过度疲劳、情绪激动或紧张、突然改变体位等情况，一旦有头晕、黑矇等先兆时立即平卧，以免摔伤。

（2）发作时处理将患者置于通风处，头低脚高位，解松领口，及时清除口、咽中分泌物，以防窒息。

第九节　心包疾病患者的护理

一、急性心包炎

（一）病因与病理生理

1. 病因：常见病因为风湿热、结核、细菌感染，原因不明者，称为急性非特异性心包炎。

2. 病理生理：急性心包炎是心包脏层与壁层间的急性炎症，根据急性心包炎病理变化，可以分为纤维蛋白性或渗出性两种。

（二）临床表现

1. 症状

（1）胸痛：心前区疼痛是纤维蛋白性心包

炎主要症状，疼痛常位于心前区或胸骨后，疼痛性质呈压榨样或锐痛，常因咳嗽、深呼吸、变换体位或吞咽而加重。

(2) 呼吸困难：是心包积液时最突出的症状。

(3) 心包压塞：急性心包压塞表现为气促、心动过速、血压下降、大汗淋漓、四肢冰凉，严重者可发生急性循环衰竭、休克等。亚急性或慢性心脏压塞，表现为颈静脉怒张、静脉压升高、奇脉。

2. 体征

(1) 心包摩擦音：是纤维蛋白性心包炎的典型体征，心前区听到心包摩擦音就可做出心包炎的诊断。以胸骨左缘第 3、4 肋间、坐位时身体前倾、深吸气最为明显。

(2) 心包积液：心浊音界向两侧增大，心尖冲动弱，心音低钝、遥远；积液大量时可出现心包积液征（Ewart 征），即在左肩胛骨下叩诊浊音和闻及因左肺受压引起的支气管呼吸音。

(3) 心包压塞：脉搏减弱或出现奇脉（吸气桡动脉搏动显著减弱或消失，呼气时又复原）。

（三）辅助检查

(1) X 线检查：肺部无明显充血而心影显著增大是心包积液的 X 线表现特征。

(2) 心电图：急性心包炎时 ST 段抬高，呈弓背向下，见于除 aVR 导联以外的所有导联，aVR 导联中 ST 段压低。心包积液时有 QRS 低电压。

(3) 超声心动图对诊断心包积液迅速可靠。

(4) 心包穿刺抽取积液检查可确定病因、缓解心脏压塞症状。

(5) 心包镜及心包活检有助于明确病因。

（四）治疗原则

(1) 病因治疗：根据病因给予相应治疗。

(2) 非特异性心包炎：应用非甾体类抗炎药物治疗；在非甾体类抗炎药物治疗无效情况下，应用糖皮质激素药物治疗。

(3) 复发性心包炎：应用秋水仙碱。

(4) 心包积液：心包积液中等、大量，行心包穿刺引流。

(5) 心脏压塞：紧急心包穿刺引流。

二、缩窄性心包炎

1. 病因：缩窄性心包炎继发于急性心包炎，病因以结核性心包炎为最常见。

2. 临床表现

(1) 症状：劳力性呼吸困难、疲乏、食欲缺乏、上腹胀满或疼痛。

(2) 体征：颈静脉怒张、肝大、腹水、下肢水肿、心率增快，可见 Kussmaul 征（吸气时颈静脉扩张更明显）。

3. 辅助检查

(1) 心电图：QRS 波群低电压、T 波低平或倒置。

(2) 超声心动图：对缩窄性心包炎的诊断价值远不如对心包积液诊断价值，可见心包增厚、僵硬、钙化，室壁活动减弱。

4. 治疗原则：应尽早施行心包剥离术。

三、护理措施

1. 体位与休息：呼吸困难者采取半卧位或前倾坐位，有胸痛的患者，要卧床休息。

2. 病情观察：密切观察心包压塞的表现。如血压明显下降、口唇发绀、面色苍白、心动过速，应及时向医生报告，并做好心包穿刺的准备工作。

3. 饮食护理：加强营养，给予高热量、高蛋白、高维生素的易消化饮食，限制钠盐摄入。

4. 心包穿刺术的护理

(1) 术前护理：术前需行超声心动图检查，确定积液量和穿刺部位。根据需要手术前用镇静药，建立静脉通道，备静脉用阿托品，以备术中发生迷走反射时使用。择期操作者可禁食 4～6 小时。

(2) 术中护理：嘱患者勿剧烈咳嗽或深呼吸；要注意随时夹闭胶管；抽液要缓慢；第一次抽液量不超过 200ml；若抽出液为鲜血时，应立即停止抽液，观察有无心脏压塞征象，准备好抢救物品和药品；记录抽出液体量、性质；及时送检；注意观察患者的反应。

(3) 术后护理：观察心脏压塞症状是否有所缓解；观察体温变化，以防发生感染；注意穿刺处有无渗液；心包引流时做好引流管护理，记录心包积液引流量。

第十节　心脏骤停

（一）病因

意外事故、各种严重创伤、心脑血管疾病、药物过敏、中毒、麻醉及手术意外。在心源性原因中以冠心病最为多见。

（二）临床表现

（1）心音消失，大动脉（成人以颈动脉、股动脉，幼儿以股动脉、肱动脉为准）搏动消失，血压测不出。

（2）突然意识丧失或伴有全身抽搐。

（3）呼吸停止或呈叹息样呼吸。

（4）瞳孔散大，对光反射消失。

（5）皮肤苍白或发绀。

（三）辅助检查

心电图表现为心室颤动或扑动（最常见）、心电-机械分离、心室静止（呈无电波的一条直线，或仅见心房波）。

（四）诊断

诊断心脏骤停的主要依据是清醒者意识突然丧失伴有大动脉搏动消失、呼吸停止。

（五）治疗原则

一旦确定心脏骤停，立即就地进行抢救。

1. 初期复苏：初期复苏包括保持呼吸道通畅、建立人工呼吸、人工循环三个步骤。复苏有效的标志为大动脉出现搏动、收缩压在8.0kPa以上、自主呼吸恢复、瞳孔缩小、发绀减退。

2. 气道开放（A）：维持气道通畅是复苏的关键。

3. 人工呼吸（B）：口对口人工呼吸是最简单、有效的方法。首先连吹2次，之后每分钟吹气10～12次。每次吹气要见胸廓有明显起伏才表示有效。

4. 人工循环（C）：胸外心脏按压最为常用。人工循环与人工呼吸同时进行时，两者的比例为30：2。

（六）二期复苏

1. 继续保持呼吸道通畅：可放置各种类型的导气管，行气管内插管，必要时行气管切开术。

2. 复苏药物：首选静脉输注，肾上腺素是心脏复苏的首选药，阿托品对心动过缓有较好疗效，利多卡因是抗心律失常首选药，碳酸氢钠是纠正代谢性酸中毒的首选药物。

3. 电除颤：复苏时最常用的方法是胸外除颤，成人除颤电能用200～400焦（J）。

（七）脑复苏及护理

大脑缺血缺氧超过4～6分钟脑细胞损伤不可逆。心跳呼吸骤停引起脑损伤的基本病理是脑缺氧和脑水肿。减轻脑水肿是复苏后处理的重点之一。

（八）复苏后的治疗和护理

（1）保持呼吸道通畅，吸氧。

（2）补充血容量，维持血压在略高水平，纠正水、电解质和酸碱紊乱。

（3）警惕再次出现心跳、呼吸骤停，严密监测中心静脉压、血气分析、心电图等。

（4）处理原发疾病，预防并发症。

【考点强化】

1. 心脏病患者出现心源性呼吸困难时，下列护理措施不正确的是

A. 密切观察生命体征、呼吸困难、心功能变化情况

B. 持续中流量吸氧

C. 加强生活护理，减少体力活动

D. 嘱患者侧卧位，以减轻心脏负担

E. 保持情绪稳定

2. 心源性呼吸困难最早表现为

A. 心源性哮喘　　B. 急性肺水肿

C. 劳力性呼吸困难　D. 端坐呼吸

E. 阵发性夜间呼吸困难

3. 心源性水肿的特点

A. 易伴胸水

B. 从身体疏松部位开始

C. 易伴腹水

D. 骶尾部、会阴部位

E. 从身体下垂部位开始

4. 护理心源性水肿患者，不正确的是

A. 嘱患者要保持身心休息

B. 每日进液量控制在500ml左右

C. 保持皮肤清洁、干燥，防止破损感染
D. 限制钠盐摄入，可用糖、醋调味
E. 老年人输液不可太快

5. 下列哪项不是右心衰竭的临床表现
A. 早期在身体疏松部位出现水肿
B. 颈静脉怒张
C. 肝大、肝区胀痛
D. 食欲缺乏　　E. 口唇发绀

6. 引起心前区疼痛最常见的原因是
A. 心脏神经官能症
B. 结核性胸膜炎
C. 心绞痛、心肌梗死
D. 急性心包炎
E. 房室传导阻滞

7. 下列药物中属于保钾利尿药的是
A. 氢氯噻嗪　　B. 螺内酯
C. 环戊噻嗪　　D. 呋塞米
E. 布美他尼

8. 洋地黄药物常见的心血管系统毒性作用为各种心律失常，其中最常见的是
A. 窦性心动过缓
B. 长期房颤患者心律变得规律
C. 室性期前收缩　　D. 房室传导阻滞
E. 室上性心动过速伴房室传导阻滞

9. 洋地黄与钙剂应避免同时应用，如有必要至少应间隔
A. 2 小时　　B. 4 小时　　C. 7 小时
D. 8 小时　　E. 10 小时

10. 洋地黄药物中毒后处理措施中，下列不正确的一项是
A. 停用排钾利尿药
B. 对快速型心律失常可用阿托品治疗
C. 补充钾盐
D. 纠正心律失常
E. 停用洋地黄药物

11. 急性肺水肿的特征性表现是
A. 咳粉红色泡沫样痰
B. 气促、发绀、烦躁不安
C. 肺动脉瓣区第二心音分裂
D. 下肢水肿
E. 心尖区舒张期奔马律

12. 急性肺水肿的护理措施中，下列不妥的是
A. 指导患者取坐位或半卧位，两腿下垂
B. 遵医嘱给予毛花苷 C 缓慢注射
C. 给予持续低流量吸氧
D. 皮下注射或静推吗啡
E. 给予利尿药、血管扩张药及氨茶碱缓慢静脉滴注

13. 急性心肌梗死主要是由于
A. 心肌炎　　B. 冠状动脉痉挛
C. 冠状动脉堵塞　　D. 肺动脉供血不足
E. 主动脉供血不足

14. 下列哪项不是反应心肌梗死的指标
A. 血清肌凝蛋白轻链降低
B. 肌红蛋白升高　　C. 肌钙蛋白 I 增高
D. 肌钙蛋白 T 增高　　E. 肌酸激酶增高

15. 急性心肌梗死患者最早出现变化的心肌酶是
A. 肌酸磷酸激酶同功酶
B. 丙氨酸氨基转移酶
C. 乳酸脱氢酶
D. 转肽酶　　E. 胆碱酯酶

16. 风湿性心脏病心房颤动患者突然抽搐、偏瘫，首先考虑
A. 心力衰竭加重　　B. 洋地黄中毒
C. 低钾血症　　D. 脑栓塞
E. 蛛网膜下腔出血

17. 风湿性心瓣膜病最常受累的是
A. 主动脉瓣　　B. 肺动脉瓣
C. 主动脉瓣及肺动脉瓣
D. 二尖瓣　　E. 三尖瓣

18. 风湿性心脏病二尖瓣狭窄最主要的体征是
A. 心尖区舒张期隆隆样杂音
B. 心房颤动　　C. 周围血管征
D. 肺动脉区第一心音增强
E. 心尖区第一心音增强

19. 下列哪一项是二尖瓣狭窄最常见的早期症状
A. 阵发性夜间呼吸困难
B. 胸水　　C. 急性肺水肿
D. 双下肢水肿　　E. 劳力性呼吸困难

20. 二尖瓣狭窄患者易发生血管栓塞的原因是
A. 肺淤血　　B. 下肢静脉淤血
C. 肺动脉淤血　　D. 血管本身病变
E. 房颤易致栓子

21. 二尖瓣关闭不全最重要的体征是
A. 全收缩期粗糙吹风样杂音
B. 心尖搏动增强　　C. 第一心音下降
D. 肺动脉瓣区第二心音亢进
E. 舒张期隆隆样杂音

22. 主动脉瓣关闭不全时可出现
A. 主动脉区可听到收缩期杂音

B. 缓脉
C. 心尖搏动向左下移动
D. 奇脉　E. 交替脉

23. 风湿性心瓣膜病的首要潜在并发症，也是本病就诊及致死的主要原因是
A. 心律失常　B. 充血性心力衰竭
C. 亚急性感染性心内膜炎
D. 肺部感染　E. 栓塞

24. 风湿性心瓣膜病最易引起心绞痛和晕厥的是
A. 二尖瓣狭窄　B. 二尖瓣关闭不全
C. 主动脉狭窄　D. 主动脉关闭不全
E. 二尖瓣狭窄合并主动脉瓣关闭不全

25. 治疗风湿性心脏病的根本方法是
A. 预防上呼吸道感染
B. 改善心功能，防止心室重构
C. 手术如二尖瓣交界分离术、人工瓣膜置换术
D. 积极预防风湿活动
E. 按医嘱服药，控制风湿活动

26. 心绞痛发作的典型疼痛部位主要位于
A. 心前区　B. 剑突附近
C. 胸骨下段后部　D. 心尖区
E. 胸骨中、上段后部

27. 心绞痛发作时心电图表现是
A. 心肌缺血改变 ST 段抬高
B. 出现宽大畸形的病理性 Q 波
C. T 波高尖
D. ST 段压低>0.1mV，可有 T 波低平或倒置
E. P-R 间期延长

28. 控制典型心绞痛发作的首选药物是
A. 阿托品　B. 硝酸甘油
C. 普萘洛尔（心得安）
D. 双嘧达莫（潘生丁）
E. 阿司匹林

29. 典型心绞痛较少发生于
A. 卧床时　B. 寒冷时
C. 情绪激动时　D. 饱餐时
E. 吸烟时

30. 急性心肌梗死最早出现、最突出的临床表现是
A. 心律失常　B. 恶心、呕吐
C. 心源性休克　D. 心前区剧烈疼痛
E. 心力衰竭

31. 缓解急性心肌梗死胸痛的首选药物
A. 休息和吸氧　B. 硝酸甘油
C. 异山梨酯（消心痛）
D. 硝酸异戊酯　E. 吗啡

32. 急性心肌梗死早期主要的死亡原因是
A. 心脏破裂　B. 严重心律失常
C. 心源性休克　D. 急性左心衰竭
E. 剧烈持久的心绞痛

33. 急性心肌梗死患者血清心肌酶测定中出现最早、恢复最早的是
A. 缓激肽酶　B. 乳酸脱氢酶
C. 肌酸磷酸激酶同功酶
D. 细胞色素氧化酶
E. 天冬氨酸酶

34. 下列不属于急性心肌梗死并发症的是
A. 心脏破裂　B. 心力衰竭
C. 乳头肌断裂　D. 心室壁瘤
E. 心肌梗死后综合征

35. 急性心肌梗死患者疼痛缓解后，除哪项外，发生下列表现应考虑发生心源性休克
A. 四肢厥冷　B. 脉快细弱
C. 心律失常　D. 尿少或无尿
E. 大汗淋漓

36. 下列不属于冠心病的主要危险因素的是
A. 高血压　B. 高脂血症
C. 肾功能损害　D. 吸烟
E. 糖尿病

37. 下列对处于急性期心肌梗死患者的护理中，错误的是
A. 绝对卧床休息
B. 防压疮，每 2h 翻身一次
C. 限制探视
D. 保持大便通畅
E. 少食多餐

38. 下列哪项是心电图确定室性心动过速诊断的最主要依据
A. QRS 波群形态畸形
B. 心室率 100～200 次/分
C. 心室率可稍不规则
D. 心室夺获与室性融合波
E. 房室分离

39. 阵发性室性心动过速发作时治疗的首选药物是
A. 洋地黄　B. 普萘洛尔
C. 苯妥英钠　D. 维拉帕米
E. 利多卡因

40. 一旦发生心室颤动应立即给予的处理是

A. 苯妥英钠　B. 射频消融术
C. 非同步直流电复律
D. 安装人工心脏起搏器
E. 同步直流电复律

41. 引起心肌炎最常见的病毒是
A. 柯萨奇病毒 B
B. 脊髓灰质炎病毒
C. 疱疹病毒　D. 埃可病毒
E. 流感

42. 哪项不是病毒性心肌炎的临床表现
A. 与发热程度不成比例的心动过速
B. 剧烈胸痛　C. 心律失常
D. 第一心音减弱
E. 呼吸困难

43. 关于急性病毒性心肌炎患者的护理措施不妥的是
A. 活动期应绝对卧床休息 4 周
B. 给予富含维生素和优质蛋白饮食
C. 只要患者症状消失即可指导增加活动
D. 避免刺激性食物
E. 注意有无心律失常和心功能改变

44. 下列与原发性高血压发病相关的因素中，不包括
A. 遗传因素　B. 摄入钠盐较多
C. 精神长期过度紧张
D. 年龄增大及体重超重
E. 自身免疫缺陷

45. 心房颤动的心脏听诊特点不正确的是
A. 第一心音强弱不等
B. 心律绝对不规则
C. 脉搏快慢不均
D. 脉搏强弱不等
E. 水冲脉

46. 非同步电复律适用于
A. 心房扑动　B. 心房颤动
C. 心室纤颤　D. 室上性心动过速
E. 房性心动过速

47. 成人心脏骤停的心电图表现不正确的是
A. 心室颤动　B. 心室扑动
C. 心房颤动　D. 心电-机械分离
E. 心室静止

48. 心室颤动的治疗原则不正确的是
A. 同步直流电除颤
B. 非同步直流电除颤
C. 胸外心脏按压
D. 人工呼吸　E. 建立静脉通路

49. 房颤常见的合并症是
A. 严重心力衰竭　B. 心源性休克
C. 体循环动脉栓塞　D. 神志模糊、抽搐
E. 肺内感染

50. 不符合心房颤动的心电图特征是
A. 出现形态、大小不一的 f 波
B. P-P 间期绝对不等
C. QRS 波群形态多数正常
D. 窦性 P 波消失
E. 心室率 350～600 次/分

51. 二尖瓣狭窄并发心律失常时，最常见的类型是
A. 房性期前收缩　B. 室性期前收缩
C. 心房颤动　D. 心房扑动
E. 房室传导阻滞

52. 心脏起搏器安置术后限制体力活动的时间为
A. 2 周内　B. 1 个月
C. 6 周内　D. 2 个月
E. 半年

53. 肥厚性心肌病的主要死亡原因是
A. 心源性猝死　B. 心力衰竭
C. 心源性休克　D. 心包填塞
E. 心肌梗死

54. 急性心包炎的临床症状不包括
A. 胸疼　B. 呼吸困难
C. 心包压塞　D. 全身症状
E. 咯血

55. 关于心包摩擦音下列说法错误的是
A. 是纤维蛋白性心包炎的典型体征
B. 多位于心前区
C. 坐位时身体前倾、深吸气时最为明显
D. 心前区听到心包摩擦音就可作出心包炎的诊断
E. 以胸骨左缘第二、三肋间最为明显

56. 心包穿刺时，第一次抽液量最多不得超过
A. 50ml　B. 100ml
C. 200ml　D. 300ml
E. 500ml

57. 缩窄性心包炎的体征不包括
A. 颈静脉怒张　B. 肝大
C. 腹水　D. 心率减慢
E. Kussmaul 征

58. 以下哪项属于心包炎的潜在并发症
A. 心力衰竭　B. 心律失常
C. 晕厥　D. 猝死

E. 心包填塞

59. 心脏骤停患者的临床表现不包括

A. 心音消失　B. 大动脉波动消失

C. 血压测不出

D. 瞳孔缩小，对光反射消失

E. 突然意识丧失

60. 心脏骤停后，下列哪个器官对缺氧最敏感

A. 大脑　B. 心脏　C. 肾脏

D. 肝脏　E. 胃

61. 患者男性，69岁。患高血压心脏病15年，近1年来患者明显感觉体力活动受限，休息时亦可引起呼吸困难、心悸，此患者目前心功能处于

A. 代偿期　B. Ⅰ级　C. Ⅱ级

D. Ⅲ级　E. Ⅳ级

62. 患者男性，56岁。患风湿性心脏病近30年，近半年活动后易发生心悸、气短，医生诊断为心功能Ⅱ级，责任护士指导患者正确的活动和休息原则是

A. 需严格卧床休息

B. 以卧床休息、限制活动量为宜

C. 以卧床休息为主

D. 可起床轻微活动，需增加活动间歇时间

E. 可不限制活动，适当增加午休时间

63. 患者女性，66岁。患高血压病8年，近半年来夜间间断胸骨后或心前区疼痛，持续3～5min，经入院检查确诊为冠心病心绞痛，医生嘱用硝酸甘油，责任护士讲解用药知识，其中哪项不妥

A. 应卧位或坐位服药，以防发生体位性低血压

B. 该药应舌下含服，不可吞服或嚼服

C. 出现不良反应需立即停药，不可再服用

D. 该药不良反应有头面部皮肤潮红，搏动性头痛等

E. 该药可扩张外周血管，减轻心脏负担

64. 患者男性，50岁。突感胸骨后压迫窒息感，伴恶心、呕吐及冷汗，含服硝酸甘油不能缓解。最大可能是

A. 急性心肌梗死

B. 急性胆囊炎　C. 急性胃炎

D. 急性胰腺炎　E. 心肌炎

65. 患者女性，28岁。2周前发热，体温38℃，伴咽痛、流涕，治疗后好转。2天来感胸闷、气促。心电图示普遍导联ST-T波改变，Ⅲ度房室传导阻滞；化验血沉增快，磷酸肌酸激酶增高。首先考虑的疾病是

A. 缩窄性心包炎　B. 扩张型心肌病

C. 心肌梗死　D. 心肌炎

E. 心脏神经官能症

66. 患者男性，66岁。突发头痛、视物模糊、失语，测血压210/130mmHg，下列降压药物应首选

A. 卡托普利

B. 呋塞米（速尿）

C. 普萘洛尔（心得安）

D. 硝普钠

E. 维拉帕米（异搏定）

67. 患者男性，67岁，因风湿性心脏瓣膜病20年，夜间阵发性呼吸困难1周入院。下列措施中优先选取的是

A. 给予镇静药　B. 加强夜间巡视

C. 监测生命体征　D. 安置于半卧位

E. 备气管插管及呼吸机

68. 患者女性，20岁。反复关节红肿疼痛4年，活动后心悸气促3天，心尖部闻及舒张期隆隆样杂音，应诊断为

A. 主动脉瓣狭窄　B. 二尖瓣关闭不全

C. 主动脉瓣狭窄伴关闭不全

D. 主动脉瓣关闭不全

E. 二尖瓣狭窄

69. 李某，心肌梗死入院后第二周，护理措施不正确的是

A. 协助患者翻身

B. 鼓励患者床上活动下肢，做下肢肌肉收缩运动

C. 低脂、低热量、适量蛋白饮食

D. 保持大便通畅，必要时给予硫酸镁导泻

E. 指导散步，打太极拳

70. 患者男性，65岁，心肌梗死2小时，入院后护士最先进行的护理措施是

A. 介绍病房规章制度

B. 抽血做血生化试验

C. 静脉注射吗啡

D. 描计心电图

E. 进行健康教育

71. 患者女性，60岁，因充血性心力衰竭住院，医嘱地高辛0.25mg，每日一次，护

士发药时应特别注意

A. 研碎药片再喂服

B. 服药后不宜多饮水

C. 给药前测量脉率

D. 叮嘱患者按时服药

E. 患者服药后再离开

72. 患者女性，68 岁，既往风心病病史 10 余年，当并发哪种心律失常时，易引起栓塞

A. 房颤　B. 窦性心动过速

C. 窦性心动过缓　D. 房室传导阻滞

E. 房性早搏

73. 患者女性，52 岁，风心病病史 5 年，近 1 月出现心悸、活动时明显，行心电图检查提示：心率 158 次/分，心房颤动，应用洋地黄药物治疗期间应定时复查心电图，达到洋地黄化时，其心电图可表现为

A. 出现病理性 Q 波

B. ST 段压低　C. ST 段抬高

D. ST 段出现鱼钩样改变

E. T 波倒置

74. 患者男性，55 岁，因急性心肌梗死入院治疗，大便后突然面色死灰，意识丧失，血压测不到，颈动脉搏动消失，心电监护示：心室颤动，即刻采取的最有效的措施是

A. 静脉推注肾上腺素

B. 人工呼吸

C. 同步直流电复律

D. 非同步直流电复律

E. 再次溶栓

75. 患者男性，28 岁，电击伤后出现意识丧失，心音消失，脉搏触不到，瞳孔散大，此时若为患者行心电图检查，最可能的心电图表现是

A. 心-电机械分离

B. 心室静止　C. 心室颤动

D. 心房颤动　E. 心房扑动

76. 患者男性，52 岁，反复发作晕厥，查心率 40 次/分，行心电图检查示：三度房室传导阻滞。药物治疗效果不佳，遂行心脏起搏器安置术，术后护理措施不妥的是

A. 心电监护 24 小时

B. 绝对卧床 1～3 天

C. 3 周内限制体力活动

D. 植入侧手臂、肩部避免过度活动

E. 平卧位或半卧位

77. 患者女性，36 岁，劳累后心悸、气短 5 年，休息可缓解，近 1 年活动中曾有发作过晕厥 2 次，诊断为肥厚型心肌病，对于该患者治疗原则不正确的是

A. 避免剧烈运动

B. 长期服用硝酸酯类药物

C. β受体阻滞药

D. 重症梗阻可做介入

E. 心脏移植

78. 患者女性，56 岁，因极度乏力、心悸、气急来院就诊，查体：心脏扩大，肝大，X 线检查示：心影明显增大、心胸比＞0.5、肺淤血，诊断为扩张型心肌病，与该病发病最为密切的是

A. 抗癌药物

B. 柯萨奇病毒 B 感染

C. 酒精中毒

D. 心肌能量代谢紊乱

E. 神经激素受体异常

79. 患者男性，28 岁，一次查体中发现患有肥厚性心肌病，未给予治疗，1 年后出现劳累后心悸气短，休息后缓解，遂来院就诊，对该病的治疗原则不正确的是

A. 弛缓肥厚的心肌

B. 防止心动过速

C. 维持正常窦性心律

D. 减轻右心室流出道狭窄

E. 抗室性心律失常

80. 患者男性，58 岁，有马方综合征家族史，心脏彩超提示：扩张型心肌病，此患者因该病不可能出现

A. 水肿　B. 肝大　C. 栓塞

D. 心律失常　E. 间歇性跛行

81. 患者男性，56 岁，因诊断为缩窄性心包炎入院治疗。入院后护士测量生命体征，该患者最可能出现的脉搏是

A. 间歇脉　B. 奇脉

C. 丝脉　D. 洪脉

E. 水冲脉

82. 患者男性，66 岁，因心前区疼痛，呼吸困难来院就诊，查体：体温：38.2℃，胸骨左缘第三、四肋间可闻及心包摩擦音，含服硝酸甘油无效，此患者最可能的诊断为

A. 急性心肌梗死

B. 心绞痛　C. 心包炎

D. 肋软骨炎　E. 心血管神经症

83. 患者女性，53岁，因胸痛、胸闷来院就诊，查体：T38℃，双下肢轻度水肿，端坐呼吸，心电图示：窦性心动过速，ST段弓背向下抬高，QRS低电压，考虑心包积液，为进一步明确诊断需先做以下哪项检查

A. 心包穿刺　　B. X线检查
C. 超声心动图　　D. 动态心电图
E. 化验检查

84. 患者女性，43岁，突然意识丧失伴抽搐，呼吸断续，瞳孔散大。该患者最可能的诊断是

A. 脑死亡　　B. 生物学死亡
C. 终末事件　　D. 临床死亡
E. 心脏骤停

85. 救治心脏骤停首选药物是

A. 阿托品　　B. 盐酸胺碘酮
C. 肾上腺素　　D. 甘露醇
E. 碳酸氢钠

(87～88题共用病例)

患者女性，30岁。有风湿性心脏病史、心律失常4年，每天上午服用地高辛1片治疗，近来自感食欲减退、恶心，前来就医。测心率94次/分，心律绝对不齐，心电图示房颤、频发室早。

86. 上述情况提示很可能发生了

A. 心力衰竭　　B. 阵发性房颤
C. 胃肠型感冒　　D. 药物过敏
E. 洋地黄中毒

87. 接诊护士马上要做的工作是

A. 遵医嘱立即停用地高辛
B. 电除颤
C. 抽血查电解质
D. 询问患者服药情况
E. 测量血压

(89～90题共用病例)

患者男，70岁。原有高血压病，近来工作繁忙，常有头痛。昨日下午，突然咳出大量粉红色泡沫样痰，大汗淋漓，口唇青紫，面色灰白，测血压26.64/5.99kPa，双肺满布湿啰音。

88. 患者咳大量粉红色泡沫样痰的原因是

A. 支气管扩张　　B. 急性左心衰竭
C. 肺炎　　D. 支气管哮喘
E. 肺梗死

89. 对该患者采取的正确护理措施是

A. 低浓度吸氧　　B. 给止血药
C. 端坐位，双腿下垂
D. 静推垂体后叶素
E. 口服维生素K

(91～92共用病例)

患者男性，50岁，干部。因心前区压榨样疼痛5h不缓解，伴冷汗、恐惧，有精神紧张和濒死感，速来院急诊。

90. 当考虑为急性心肌梗死时，护士必须迅速采取的措施不包括

A. 马上给予吸氧
B. 准备好急救药品
C. 立即肌注哌替啶（度冷丁）
D. 进行心电监护
E. 使用溶栓药物

91. 针对患者的精神状态，较适宜的护理措施是

A. 让患者独处
B. 让患者说出精神紧张的原因
C. 和患者说一些轻松的话题
D. 注意抚慰性非语言交流
E. 向患者说明精神紧张对本病的影响，做好心理护理

(93～96题共用病例)

患者男性，58，因寒战、高热、头痛、肌肉关节痛来院就诊，查体：体温39.5℃，可闻及心脏杂音，手掌和足底处有直径约3mm的无痛性出血红斑，考虑为急性感染性心内膜炎。

92. 为明确诊断，最有价值的诊断方法是

A. 尿常规　　B. 血常规
C. X线检查　　D. 血培养
E. 心电图

93. 护士为该患者抽血做血培养，每次所取静脉血量为

A. 5～6ml　　B. 6～8ml
C. 8～10ml　　D. 10～20ml
E. 20～30ml

94. 引起该病的最主要的致病菌是

A. 金黄色葡萄球菌
B. 草绿色链球菌
C. 肠链球菌　　D. 牛链球菌
E. 表皮葡萄球菌

95. [假设信息] 患者被确诊为急性感染性心内膜炎，该患者抗微生物药物治疗的用药原则错误的是

A. 选用灭菌性抗微生物药物，大剂量、短疗程

B. 早期用药　　C. 充分用药

D. 静脉用药为主

E. 保持稳定、高的血药浓度

【参考答案】

1. D　2. C　3. E　4. B　5. A
6. C　7. B　8. C　9. B　10. B
11. A　12. C　13. C　14. A　15. A
16. D　17. D　18. A　19. E　20. E
21. A　22. C　23. B　24. C　25. C
26. E　27. D　28. B　29. A　30. D
31. E　32. B　33. C　34. B　35. C
36. C　37. B　38. D　39. E　40. C
41. A　42. B　43. C　44. E　45. E
46. C　47. C　48. A　49. C　50. E
51. C　52. C　53. A　54. E　55. E
56. C　57. D　58. E　59. D　60. A
61. E　62. D　63. C　64. A　65. D
66. D　67. D　68. E　69. E　70. C
71. C　72. A　73. D　74. D　75. C
76. C　77. B　78. B　79. D　80. E
81. B　82. C　83. C　84. E　85. C
86. E　87. A　88. B　89. C　90. E
91. E　92. D　93. D　94. A　95. A

第三章　消化系统疾病患者的护理

第一节　慢性胃炎患者的护理

（一）病因和发病机制

幽门螺杆菌（HP）感染是慢性浅表性胃炎最主要的病因，其机制如下。

① 幽门螺杆菌具有鞭毛结构，可直接侵袭胃黏膜。

② 幽门螺杆菌分泌的尿素酶，能分解尿素产生 NH_3，中和胃酸，既形成了有利于幽门螺杆菌定居和繁殖的中性环境，又损伤了上皮细胞膜。

③ 幽门螺杆菌能产生细胞毒素使上皮细胞空泡变性，造成黏膜损害和炎症。

④ 幽门螺杆菌的菌体胞壁还可作为抗原诱导自身免疫反应。

（二）临床表现

（1）病程迁延，多无明显症状，部分有消化不良的表现。

（2）上腹饱胀不适，进餐后加重。

（3）无规律性隐痛、嗳气、反酸、烧灼感，食欲缺乏、恶心、呕吐等。

（4）少数可有上消化道出血表现，一般为少量出血。

（5）A 型胃炎可出现明显厌食和体重减轻，可伴有贫血。

（6）体征多不明显，有时可有上腹轻压痛。

（三）辅助检查

（1）胃镜及胃黏膜活组织检查是最可靠的诊断方法。

（2）幽门螺杆菌检测。

（3）血清学检查：自身免疫性胃炎时，抗壁细胞抗体和抗内因子抗体可呈阳性，血清促胃液素水平明显升高。多灶萎缩性胃炎时，血清促胃液素水平正常或偏低。

（4）胃液分析：自身免疫性胃炎时，胃酸缺乏；多灶萎缩性胃炎时，胃酸分泌正常或偏低

（四）治疗要点

（1）消除和避免引起急性胃炎的因素：戒除烟酒、避免进食刺激胃的食物、药物。

（2）饮食治疗：多次少餐，软食为主，避

免进食生冷刺激性食物。

(3) 根除 HP 治疗：多采用的治疗方案为一种胶体铋剂或一种质子泵抑制药加上两种抗菌药物，如常用枸橼酸铋钾与阿莫西林及甲硝唑联用，2 周为 1 个疗程。抗菌药物还有克拉霉素（甲红霉素）、呋喃唑酮等。

(4) 消化不良症状的治疗：应用抑酸或抗酸药、促胃肠动力药、胃黏膜保护药等。

(5) 异型增生：重度可行内镜下胃黏膜切除术。

(6) 有恶性贫血者，可注射维生素 B_{12} 加以纠正。

（五）护理措施

1. 休息与活动：急性发作时应卧床休息，病情缓解时，进行适当的锻炼，以增强机体抗病力。

2. 饮食：鼓励患者少量多餐进食，以高热量、高蛋白、高维生素、易消化的饮食为原则。避免摄入过咸、过甜、过辣的刺激性食物。

3. 用药护理

(1) 胶体铋剂：常用制剂为枸橼酸铋钾(CBS)，宜在餐前半小时服用。服 CBS 过程中可使齿、舌变黑，可用吸管直接吸入。部分患者服药后出现便秘和粪便变黑；少数患者有恶心、一过性血清转氨酶升高等。

(2) 抗菌药物：阿莫西林服用前应询问患者有无青霉素过敏史，应用过程中注意有无迟发性过敏反应；甲硝唑可引起恶心、呕吐等胃肠道反应，应在餐后半小时服用，并可遵医嘱用甲氧氯普胺、维生素 B_{12} 等拮抗.

第二节　消化性溃疡病患者的护理

（一）病因和发病机制

1. 病因：消化性溃疡病是一种多因素疾病，幽门螺杆菌（HP）感染和服用非甾体类抗炎药（NSAID）是已知的主要病因，其他因素包括吸烟、遗传因素、胃十二指肠运动异常、急性应激。

2. 发病机制：消化性溃疡的最终形成是由于胃酸/胃蛋白酶对黏膜自身消化所致，溃疡发生是黏膜侵袭因素和防御因素失衡的结果。

（二）临床表现

1. 症状

(1) 长期性、周期性、规律性上腹痛。

① 胃溃疡：疼痛部位为剑突下正中或偏左，一般规律为进食-疼痛-缓解，多于进食 30～60 分钟后出现疼痛，至下次进食前消失，夜晚较少发生疼痛。

② 十二指肠溃疡：疼痛部位为上腹正中获稍偏右，一般规律为进食—缓解—疼痛，多于进食后 2～3 小时发生疼痛，常有夜间痛。

(2) 消化不良症状：胀满、畏食、嗳气、反酸、胃灼热等。

(3) 溃疡活动时上腹部可有局限性压痛，缓解期无明显体征。

2. 并发症

(1) 出血：一般出血 50～100ml 即可出现黑粪。超过 1000ml，可发生循环障碍，1 小时内出血超过 1500ml，可发生休克。

(2) 穿孔：可引起三种后果：

① 溃破入腹腔引起弥漫性腹膜炎（游离穿孔）；

② 溃疡穿孔至并受阻于毗邻实质性器官如肝胰脾等（穿透性溃疡）；

③ 溃疡穿孔入空腔器官形成瘘管。

(3) 幽门梗阻：主要由十二指肠溃疡或幽门管溃疡引起，溃疡急性发作时可因炎性水肿和幽门平滑肌痉挛而引起暂时性梗阻。

(4) 癌变：少数胃溃疡（GU）可发生癌变，十二指肠溃疡（DU）不发生癌变。

（三）辅助检查

(1) HP 检测：侵入性试验首选快速尿素酶试验，非侵入性试验中的 ^{13}C 尿素呼气试验或 ^{14}C 尿素呼气试验作为根除治疗后复查的首选。

(2) 胃液分析：GU 患者胃酸分泌正常或降低，部分 DU 患者胃酸分泌增加。胃液分析诊断不做常规应用。

(3) 胃镜检查：为确诊消化性溃疡的首选。

(4) 大便隐血试验：DU 或 GU 有少量渗血，该试验可阳性，但治疗 1～2 周可转阴。

(5) X 线钡餐检查：适用于对胃镜检查有禁忌或不愿行胃镜检查者。

(四) 治疗要点

1. 降低胃酸的药物治疗：包括抗酸药和抑制胃酸分泌药两类。常用碱性抗酸药有氢氧化铝、铝碳酸镁及其复方制剂等；常用的抑制胃酸分泌的药物有 H_2 受体拮抗药（H_2RA）和质子泵抑制药（PPI）两大类。H_2RA 常用药物有西咪替丁、雷尼替丁、法莫替丁；PPI 常用药物有奥美拉唑、兰索拉唑和泮托拉唑。

2. 保护胃黏膜治疗：常用的胃黏膜保护药有硫糖铝和枸橼酸铋钾（CBS）。

3. 根除幽门螺杆菌治疗：对于幽门螺杆菌阳性的消化性溃疡患者，应首先给予抗幽门螺杆菌治疗。目前推荐以 PPI 或胶体铋剂为基础加上两种抗生素的三联治疗方案。如奥美拉唑或枸橼酸铋钾加上克拉霉素和阿莫西林或甲硝唑。

4. 手术治疗：对于大量出血经内科治疗无效、急性穿孔、瘢痕性幽门梗阻、胃溃疡疑有癌变及正规治疗无效的顽固性溃疡可选择手术治疗。

(五) 护理措施

1. 指导患者去除病因

① 对服用非甾体抗炎药（NSAID）者应停药。若必须用药，可换用对胃黏膜损伤少的 NSAID。

② 避免暴饮暴食和进食刺激性食物。

③ 戒烟酒。

2. 休息与活动：较重的活动性溃疡或大便隐血试验阳性患者应卧床休息 1～2 周。病情较轻者可适当活动。

3. 用药护理：根据医嘱给予药物治疗，并注意观察药效及不良反应。

(1) 抗酸药：如氢氧化铝，应在饭后 1 小时和睡前服用。服用片剂时应嚼服，乳剂给药前应充分摇匀。抗酸药应避免与奶制品同时服用，酸性的食物及饮料不宜与抗酸药同服。

(2) H_2 受体拮抗药：药物应在餐中或餐后即刻服用，也可把 1 天的剂量在睡前一次服用。若需同时服用抗酸药，则两药应间隔 1 小时以上。若静脉给药应注意控制速度。

(3) 质子泵抑制药：奥美拉唑可引起头晕，特别是用药初期，应嘱患者用药期间避免开车或做其他必须高度集中注意力的工作。此外，奥美拉唑有延缓地西泮及苯妥英钠代谢和排泄的作用，联合应用时需慎重。

(4) 其他药物：硫糖铝片宜在进餐前 1 小时服用，不能与多酶片同服。抗胆碱能药及胃动力药如多潘立酮、西沙必利等应在餐前 1 小时及睡前 1 小时服用。枸橼酸铋钾应在饭前半小时服用。

4. 饮食：选择营养丰富，易消化的食物；应避免食用机械性和化学性刺激性强的食物；脂肪摄取应适量；症状较重的患者以面食为主；可适量摄取脱脂牛奶，宜安排在两餐之间饮用，但不宜多饮。指导患者有规律地定时进食，在溃疡活动期应少食多餐，避免餐间零食和睡前进食，饮食不宜过饱，进餐时应细嚼慢咽，避免急食。

5. 腹痛的观察：包括疼痛的部位、程度、持续时间、诱发因素，与饮食的关系，饭后疼痛或饭前疼痛，有无放射痛及有无恶心、呕吐等伴随症状出现。

第三节 溃疡性结肠炎

溃疡性结肠炎是一种病因不明的慢性直肠和结肠非特异性炎性疾病。多反复发作。多发生于青壮年。

(一) 病因与病理生理

1. 病因：本病可能与遗传、感染、精神因素和免疫机制异常有关。

2. 病理生理：病变位于大肠，呈连续性、非节段性分布。一般限于黏膜及黏膜下层。

(二) 临床表现

主要症状有腹泻、黏液脓血便和腹痛，病程漫长，常反复发作。

(1) 黏液脓血便是本病活动期的重要表现。

(2) 排便次数和便血程度可反映病情程

度，轻者每天排便2～4次，粪便呈糊状，可混有黏液、脓血，便血轻或无；重者腹泻每天可达10次以上，大量脓血，甚至呈血水样粪便。

（3）腹痛：有疼痛→便意→便后缓解的规律，大多伴有里急后重，为直肠炎症刺激所致。

（4）根据病情程度分型

① 轻型：多见，腹泻每天4次以下，便血轻或无，无发热、脉速，贫血轻或无，血沉正常；

② 重型：腹泻频繁并有明显黏液脓血便，有发热、脉速等全身症状，血沉加快、血红蛋白下降；

③ 中型：介于轻型和重型之间。

（三）并发症

（1）中毒性巨结肠：表现为病情急剧恶化，毒血症状明显，白细胞显著升高。

（2）直肠结肠癌变。

（3）其他并发症：如穿孔、梗阻瘘管、肛门直肠周围脓肿等，较少见。

（四）辅助检查

1. 血液检查：红细胞沉降率增快和C反应蛋白增高是活动期的标志。

2. 结肠镜检查：是本病诊断的最重要手段之一，可直接观察病变肠黏膜并进行活检。内镜下可见病变黏膜充血和水肿，粗糙呈颗粒状，质脆易出血。

3. X线钡剂灌肠检查：可见黏膜粗乱或有细颗粒改变，有时病变肠管缩短，结肠袋消失，肠壁变硬，可呈铅管状。重型或暴发型一般不宜做此检查。

（五）治疗原则

（1）治疗目的是控制急性发作，维持缓解，减少复发，防治并发症。

（2）氨基水杨酸制剂：柳氮磺胺吡啶（SASP）是治疗本病的常用药物，适用于轻型、中型或重型经肾上腺糖皮质激素治疗已有缓解患者。

（3）糖皮质激素：适用于对氨基水杨酸制剂疗效不佳的轻型、中型患者，特异适用于重型活动期患者及暴发型患者。

（4）免疫抑制药：硫唑嘌呤可试用于对糖皮质激素治疗效果不佳或对糖皮质激素依赖的慢性活动性病例。

（5）手术治疗：并发大出血、肠穿孔、重型患者特别是合并中毒性结肠扩张经积极内科治疗无效，且伴严重毒血症者需紧急手术。

（六）护理措施

1. 休息：注意劳逸结合，生活要有规律，保持心情舒畅。急性起病、全身症状明显的患者应卧床休息，注意腹部保暖。

2. 病情观察：注意观察腹泻、腹部压痛及肠鸣音情况，如出现鼓肠、肠鸣音消失、腹痛加剧等情况，要考虑中毒性巨结肠的发生，及时报告医生，积极采取抢救措施。

3. 饮食：指导患者食用质软、易消化、少纤维素又富含营养、有足够热量的食物。避免食用冷饮、水果、多纤维的蔬菜及其他刺激性食物，忌食牛乳和乳制品。急性发作期患者，应进流质或半流质饮食，病情严重者应禁食。

4. 肛周皮肤护理：排便后应用温水清洗肛周，保持清洁干燥，涂无菌凡士林或抗生素软膏以保护肛周皮肤，对排便次数多和排稀水样便者，便后用1∶5000高锰酸钾溶液温热坐浴，或会阴部热敷，以保护肛门周围皮肤和黏膜。

5. 用药护理

（1）应用SASP者，患者可出现恶心、呕吐、皮疹、粒细胞减少及再生障碍性贫血等。应嘱患者餐后服药，服药期间定期复查血象；

（2）应用糖皮质激素者，要注意激素不良反应，不可随意停药，防止反跳现象。

（3）应用硫唑嘌呤或巯嘌呤时，患者可出现骨髓抑制的表现，应注意监测白细胞计数。

第四节　慢性便秘

便秘是指便次太少或排便困难、不畅、粪便干结、太硬、量少。引起便秘的病因有肠道病变、全身性疾病和神经系统病变，肠易激综合征为常见病因。

治疗原则

1. 食疗：含膳食纤维最多的食物是麦麸，还有水果、蔬菜、燕麦、胶质、玉米、纤维质、大豆、果胶等。

2. 养成定时排便习惯：常用通过清肠、服用轻泻药并训练排便习惯的方法治疗习惯性便秘。

(1) 在训练以前，先用生理盐水灌肠清洁肠道，2次/天，共3天。

(2) 清肠后腹部检查并摄腹部X线平片，确定肠内已无粪便嵌塞。

(3) 清肠后可给轻矿物油或乳果糖，使便次至少达到1次/天。

(4) 一旦餐后排便有规律地发生，且达到2～3个月以上，可逐渐停用矿物油或乳果糖。在以上过程中，如有2～3天不解便，仍要清肠，以免再次发生粪便嵌塞。

3. 药物治疗

(1) 容积性泻剂：能起到膳食纤维的作用，使液体摄取增加。

(2) 润滑性泻剂：石蜡油能软化粪便，可口服或灌肠，以餐间服用较合适。

(3) 高渗性泻剂：如聚乙烯二醇和不吸收的糖类（乳果糖、山梨醇）混合的电解质溶液。

(4) 盐类泻剂：有肾功能不全的便秘患者谨慎服用。

(5) 刺激性泻剂：如蓖麻油、蒽醌类药物、酚酞及双醋苯啶等。

4. 手术治疗：适用于先天性巨结肠病。

第五节　病毒性肝炎

肝炎病毒有甲型、乙型、丙型、丁型及戊型。甲型及戊型主要表现为急性肝炎。而部分乙型、丙型及丁型可转化为慢性肝炎并可发展为肝硬化，且与肝癌的发生有密切的关系。甲型肝炎以儿童发病率高，而戊型肝炎则主要发生于青壮年。

一、传播途径

(1) 粪-口途径传播：甲型肝炎和戊型肝炎。

(2) 血液途径传播：乙型肝炎、丙型肝炎及丁型肝炎。

(3) 母婴传播：主要是乙型肝炎。

二、潜伏期

甲型肝炎5～45天，平均30天；乙型肝炎30～180天，平均70天；丙型肝炎15～150天，平均50天；丁型肝炎28～140天；戊型肝炎10～70天，平均40天。

三、临床表现

1. 急性肝炎

(1) 急性黄疸型肝炎

① 黄疸前期：平均5～7天。表现为食欲减退、厌油、恶心、呕吐、腹胀、腹痛和腹泻等消化系统症状。甲型及戊型肝炎起病较急，常有38℃以上的发热。乙型肝炎起病较缓慢，多无发热或发热不明显。

② 黄疸期：可持续2～6周。尿呈浓茶样，巩膜和皮肤黄染；黄疸可逐渐加深，约2周达到高峰。

③ 恢复期：本期平均持续4周。症状消失，黄疸逐渐消退。

(2) 急性无黄疸型肝炎：较黄疸型肝炎多见，主要表现为消化道症状，此类型常不易被发现，成为容易被忽略的重要传染源。

2. 慢性肝炎：病程超过半年者为慢性肝炎，常见于乙型、丙型、丁型肝炎。多无发热，有类似急性肝炎的症状；可有蜘蛛痣、肝掌、肝脾大、面色灰暗等体征。

3. 重型肝炎

(1) 临床表现：重型肝炎主要表现为肝衰竭，肝衰竭的临床表现如下。

① 黄疸迅速加深，血清胆红素高于171μmol/L；

② 肝脏进行性缩小，出现肝臭；

③ 出血倾向，凝血酶原活动度（PTA）低于40%；

④ 迅速出现腹水、中毒性鼓肠；

⑤ 精神神经系统症状，主要为肝性脑病表现。

⑥ 肝肾综合征，出现少尿甚至无尿，电解质酸碱平衡紊乱，血尿素氮升高等。

(2) 临床分型：重型肝炎可分急性重型肝

炎、亚急性重型肝炎、慢性重型肝炎三种，以慢性重型肝炎最为常见。

① 急性重型肝炎：起病较急，早期即出现重型肝炎的临床表现。在病后10天内出现肝性脑病、肝脏明显缩小、肝臭等。

② 亚急性重型肝炎：急性黄疸型肝炎起病10天以上，出现重型肝炎的临床表现。肝性脑病多出现在疾病的后期，腹水往往较明显。

③ 慢性重型肝炎：在慢性肝炎或肝炎后肝硬化基础上发生的重型肝炎。

4. 淤胆型肝炎：以肝内胆汁淤积为主要表现。自觉症状较轻，而黄疸较重，伴全身皮肤瘙痒，粪便颜色变浅或灰白色。

5. 肝炎后肝硬化：在肝炎基础上发展为肝硬化，表现为肝功能异常及门静脉高压症。

四、肝炎病毒标记物检测

1. 甲型肝炎

(1) 血清抗-HAV-IgM：是确诊甲型肝炎最主要的标记物。

(2) 血清抗-HAV-IgG：为保护性抗体，出现于甲型肝炎疫苗接种后或既往感染HAV的患者。

2. 乙型肝炎

(1) 表面抗原（HBsAg）与表面抗体（抗-HBs）：HBsAg阳性见于乙肝病毒（HBV）感染者。抗-HBs阳性主要见于预防接种乙型肝炎疫苗后或过去感染HBV并产生免疫力的恢复者。

(2) e抗原（HBeAg）：HBeAg阳性提示HBV复制活跃，传染性较强。

(3) 核心抗原（HBcAg）：HBcAg主要存在于受感染的肝细胞核内，如检测到HBcAg，表明HBV有复制。

(4) 乙型肝炎病毒脱氧核糖核酸（HBV-DNA）和DNAP：是反映HBV感染最直接、最特异和最灵敏的指标。两者阳性提示HBV的存在、复制，传染性强。

(5) HBV-DNA定量检测：有助于抗病毒治疗病例选择及判断疗效。

3. 丙型肝炎：丙型肝炎病毒抗体（抗-HCV）是丙肝病毒（HCV）感染的标记。

4. 丁型肝炎：血清或肝组织中的HDAg和（或）HDV-RNA阳性有确诊意义。

五、治疗原则

1. 隔离与预防

(1) 甲、戊型肝炎按肠道传染病隔离3～4周；

(2) 乙型、丙型、丁型肝炎按血源性传染病及接触传染病隔离，乙型、丁型肝炎急性期应隔离到HBsAg转阴；

(3) 丙型肝炎急性期隔离至病情稳定。

(4) 乙型肝炎表面抗原携带者需要随诊，可以工作（但不应从事饮食、幼儿、自来水、血制品等工作；且不能献血并应严格遵守个人卫生）。

(5) 为阻断母婴传播，对新生儿最适宜的预防方法是应用乙肝疫苗＋高效价乙肝免疫球蛋白注射。

(6) 甲型肝炎易感者可接种甲型肝炎疫苗，对接触者可接种人血清免疫球蛋白，以防止发病。

2. 慢性乙型肝炎治疗：慢性乙型肝炎治疗主要包括抗病毒、免疫调节、抗炎保肝、抗纤维化和对症治疗，其中抗病毒治疗是关键，只要有适应证，且条件允许，就应进行规范的抗病毒治疗。抗病毒治疗常用药物有干扰素、拉米夫定等。

六、护理措施

1. 消化道隔离注意事项

(1) 患者单位要有隔离标记，设立泡手桶、泡器械桶等消毒设施。

(2) 患者餐具要固定，与其他患者分开消毒或使用一次性餐具。

(3) 排泄物要使用5%含氯消毒剂消毒后再倾倒。

(4) 单独使用体温表、血压计，听诊器、止血带等，隔离解除后要使用含氯消毒剂或过氧乙酸进行终末消毒。

(5) 被污染的物品可在0.5%的洗消净中浸泡30分钟或沸水煮30分钟消毒。

(6) 使用一次性注射器，妥善处理好污染的锐利的医疗器械，避免伤人。

(7) 医护人员进行有创检查或操作应注意做好自我防护，一旦出现针刺伤，要挤出伤口的血，并用流动水冲，边挤边冲，立即注射高效的免疫球蛋白，检查病毒的抗原与抗体，以后三个月、半年复查。

2. 休息与活动：急性肝炎、慢性肝炎活动期、重型肝炎的患者应卧床休息；肝功能正常1～3个月后可恢复日常活动及工作，但仍应避免过度劳累和重体力劳动。

第六节　肝硬化患者的护理

（一）病因及发病机制

1. 病毒性肝炎：在我国以病毒性肝炎引起肝硬化为主要原因，其中主要是乙型病毒性肝炎和丙型病毒性肝炎。甲型病毒性肝炎和戊型病毒性肝炎不发展为肝硬化。

2. 慢性酒精中毒：长期大量饮酒，每天摄入乙醇80g达10年以上者，可发展为肝硬化。

3. 药物或化学毒物：双醋酚丁、甲基多巴等药物，或长期反复接触磷、砷、四氯化碳等化学毒物。

4. 胆汁淤积：持续存在肝外胆管阻塞或肝内胆汁淤积时可导致肝硬化。

5. 循环障碍：慢性充血性心力衰竭、缩窄性心包炎、肝静脉或下腔静脉阻塞等致肝脏长期淤血，最后发展为肝硬化。

6. 遗传和代谢性疾病：如肝豆状核变性、血色病、半乳糖血症。

7. 营养失调、免疫紊乱和血吸虫病。

各种病因引起的肝硬化，其病理变化和发展演变过程是基本一致的。特征为：广泛的肝细胞变性坏死，结节性再生，弥漫性结缔组织增生，假小叶形成。

（二）临床表现

1. 代偿期：早期以乏力、食欲缺乏为主要表现，可伴有恶心、厌油腻、腹胀、上腹隐痛及腹泻等。肝轻度大，可有轻度压痛，脾轻至中度大。肝功能多在正常范围或轻度异常。

2. 失代偿期

（1）肝功能减退的临床表现

① 全身症状和体征：一般状况较差，疲倦、乏力、精神不振、消瘦、面色灰暗黝黑（肝病面容）、皮肤干枯粗糙等。

② 消化系统症状：最常见症状为食欲减退，常见腹胀不适，可有腹痛。

③ 出血倾向和贫血：常出现鼻出血、牙龈出血、皮肤紫癜和胃肠出血等倾向，女性常有月经过多。患者可有不同程度的贫血。

④ 内分泌失调

a. 雌激素增多、雄激素和糖皮质激素减少：男性患者常有性欲减退、睾丸萎缩、毛发脱落及乳房发育；女性患者可有月经失调、闭经、不孕等。部分患者出现蜘蛛痣、肝掌、面部和其他暴露部位皮肤色素沉着。

b. 醛固酮和抗利尿激素增多：尿少、水肿。

（2）门静脉高压的临床表现：脾大、侧支循环的建立和开放、腹水。

3. 并发症：上消化道出血为本病最常见的并发症；感染；肝性脑病是晚期肝硬化的最严重并发症；肝肾综合征；低钠血症、低钾低氯血症与代谢性碱中毒。

（三）辅助检查

1. 血常规：失代偿期常有不同程度的贫血。脾功能亢进时白细胞和血小板计数减少。

2. 尿液检查：失代偿期可有蛋白尿、血尿和管型尿。

3. 肝功能试验：重症患者血清胆红素增高，胆固醇酯低于正常。转氨酶轻、中度增高；白蛋白降低，球蛋白增高，白蛋白/球蛋白比值降低或倒置。

4. 腹水检查：一般为漏出液。

5. X线钡餐检查：食管静脉曲张者显示虫蚀样或蚯蚓状充盈缺损。

（四）治疗要点

目前尚无特效治疗，应重视早期诊断，加强病因治疗及一般治疗，以缓解病情，延长代偿期和保持劳动力。肝硬化代偿期患者可服用抗纤维化的药物（如秋水仙碱）及中药，不宜滥用护肝药物，避免应用对肝有损害的药物。失代偿期主要是对症治疗、改善肝功能和处理并发症，有手术适应证者慎重选择时机进行手术治疗。

（五）护理措施

1. 休息：代偿期患者可参加轻体力活动，避免过度疲劳。失代偿期患者，应卧床休息。

2. 饮食护理：高热量、高蛋白质、高维

生素、易消化饮食，并根据病情变化及时调整。戒酒及避免食入粗糙或刺激性食物。有腹水者应低盐或无盐饮食。避免损伤曲张静脉，食管胃底静脉曲张者应食菜泥、肉末、软食，进餐时细嚼慢咽，咽下的食团宜小且外表光滑，切勿混入糠皮、硬屑、鱼刺、甲壳等，以防损伤曲张的静脉导致出血。

3. 体液过多的护理

（1）体位：应多卧床休息。可抬高下肢，以减轻水肿。阴囊水肿者可用托带托起阴囊。大量腹水者取半卧位，使横膈下降，增加肺活量，减轻呼吸困难。

（2）避免腹内压骤增：应避免使腹内压突然剧增的因素，例如剧烈咳嗽、打喷嚏、用力排便等。

（3）限制水钠摄入。每天液体摄入量不超过1000ml。

（4）做好皮肤护理，预防压疮发生。

（5）病情观察：观察腹水和下肢水肿的消长，准确记录出入液量，测量腹围、体重，监测血清电解质和酸碱度的变化

4. 腹腔穿刺放腹水的护理：术前说明注意事项，测量体重、腹围、生命体征，排空膀胱以免误伤；术中及术后监测生命体征，观察有无不适反应；术毕用无菌敷料覆盖穿刺部位，缚紧腹带，以防腹内压骤然下降；记录抽出腹水的量、性质和颜色，标本及时送检。

5. 食管-胃底静脉曲张破裂出血的护理：患者取平卧位，头偏向一侧；禁食、吸氧；立即建立静脉通路，配血，备新鲜血；准备抢救用物和药品；密切观察血压、脉搏、呼吸、面色、呕吐物及粪便量、颜色和性质，注意有无肝性脑病先兆表现。

第七节　原发性肝癌患者的护理

（一）病因和发病机制

1. 病毒性肝炎：乙型和丙型肝炎病毒均为肝癌发生的促发因素。

2. 肝硬化。

3. 黄曲霉毒素：黄曲霉毒素的代谢产物黄曲霉毒素B_1（AFB_1）有强烈的致癌作用。

4. 其他因素：池塘中生长的蓝绿藻产生的微囊藻毒素可污染水源，造成饮用水污染而致肝癌。此外，遗传、酗酒、有机氯类农药、亚硝胺类化学物质、寄生虫等，可能与肝癌发生有关。

（二）临床表现

1. 症状

（1）肝区疼痛：多呈持续性钝痛或胀痛。肝痛原因与肿瘤增长迅速使肝包膜被牵拉有关。

（2）消化道症状：常有食欲减退、腹胀，也可有恶心、呕吐、腹泻等。

（3）全身症状：有乏力、进行性消瘦、发热、营养不良，晚期患者可呈恶病质等。

（4）转移灶症状：转移至肺可引起胸痛和血性胸水；胸腔转移可有胸水征。

2. 体征：肝呈进行性肿大，质地坚硬，表面及边缘不规则，有大小不等的结节或巨块，常有不同程度的压痛。一般在晚期出现黄疸。

（三）辅助检查

（1）甲胎蛋白（AFP）：现已广泛用于肝癌的普查、诊断、判断治疗效果和预测复发。AFP浓度通常与肝癌大小呈正相关。AFP检查诊断肝细胞癌的标准为：

① AFP大于500μg/L，持续4周；

② AFP由低浓度逐渐升高不降；

③ AFP在200μg/L以上的中等水平持续8周。

（2）超声显像可显示直径为2cm以上的肿瘤，对早期定位诊断有较大价值。

（3）CT是目前诊断小肝癌和微小肝癌的最佳方法。

（四）治疗要点

早期肝癌应尽量采取手术切除，对不能切除的大肝癌可运用多种治疗措施。

（1）手术治疗：手术切除是目前根治原发性肝癌最好的方法。

（2）肝动脉化疗：栓塞治疗（TACE）是肝癌非手术疗法中的首选方法。

（3）放射治疗：本病对放疗效果不佳。

（五）护理措施

1. 疼痛的护理

（1）观察疼痛特点：疼痛的强度、性质、部位及伴随症状。

（2）指导并协助患者减轻疼痛。

（3）按医嘱采取镇痛措施。

2. 肝动脉栓塞化疗患者的护理

（1）术前护理：向患者及家属解释有关治疗的必要性、方法和效果；做好各种检查；行碘过敏试验和普鲁卡因过敏试验；术前6小时禁食、禁水；术前半小时可遵医嘱给予镇静药；测量血压。

（2）术后护理

① 术后禁食2～3天，逐渐过渡到流质饮食，并注意少量多餐，以减轻恶心、呕吐。

② 穿刺部位压迫止血15分钟，再加压包扎，沙袋压迫6小时，保持穿刺侧肢体伸直24小时，并观察穿刺部位有无血肿及渗血。

③ 密切观察病情变化、准确记录出入液量。

④ 鼓励患者深呼吸，必要时吸氧。

⑤ 栓塞术1周后，应根据医嘱静脉输注白蛋白，适量补充葡萄糖液。

第八节　肝性脑病患者的护理

（一）病因和发病机制

1. 病因：肝炎后肝硬化是引起肝性脑病最常见的原因，少数还可由原发性肝癌、妊娠期急性脂肪肝、严重胆道感染等引起。

2. 诱因：肝性脑病特别是门体分流性脑病常有明显的诱因，常见的有上消化道出血、高蛋白饮食、大量排钾利尿和放腹水。

3. 发病机制

（1）氨中毒学说：氨代谢紊乱引起氨中毒是肝性脑病，特别是门体分流性脑病的重要发病机制。

① 氨的形成和代谢：血氨主要来自胃肠道、肾和骨骼肌生成的氨，其中胃肠道是氨进入身体的主要门户。

② 肝性脑病时血氨增高的原因：血氨增高主要是由于氨的生成过多和（或）代谢清除减少所致。

③ 氨对中枢神经系统的毒性作用：一般认为氨对大脑的毒性作用是干扰脑的能量代谢，引起高能磷酸化合物浓度降低，使脑细胞的能量供应不足，不能维持正常功能。

（2）假神经递质：肝衰竭时，食物中的芳香族氨基酸，形成β羟酪胺和苯乙醇胺，二者的化学结构与正常神经递质去甲肾上腺素相似，但不能传递神经冲动或作用很弱，故称为假性神经递质。

（3）氨基酸代谢不平衡学说：肝硬化患者血浆芳香族氨基酸增多而支链氨基酸减少，两组氨基酸呈代谢不平衡现象。

（二）临床表现

1. 一期（前驱期）：轻度性格改变和行为异常，如欣快激动或淡漠少言、衣冠不整或随地便溺。应答尚准确，但吐词不清楚且较缓慢。可有扑翼样震颤，脑电图多数正常。

2. 二期（昏迷前期）：以意识错乱、睡眠障碍、行为异常为主要表现。前一期的症状加重。定向力和理解力均减退，对时间、地点、人物的概念混乱，不能完成简单的计算和智力构图，言语不清、书写障碍、举止反常，并多有睡眠时间倒错，昼睡夜醒，甚至有幻觉、恐惧、狂躁而被视为一般精神病。患者有明显神经体征，如腱反射亢进、肌张力增高、踝阵挛及锥体束征阳性等。此期扑翼样震颤存在，脑电图有特异性异常。患者可出现不随意运动及运动失调。

3. 三期（昏睡期）：以昏睡和精神错乱为主，大部分时间患者呈昏睡状态，但可以唤醒，醒时尚可应答，但常有神志不清和幻觉。各种神经体征持续存在或加重，肌张力增高，四肢被动运动常有抵抗力，锥体束征阳性。扑翼样震颤仍可引出，脑电图明显异常。

4. 四期（昏迷期）：神志完全丧失，不能唤醒。浅昏迷时，对疼痛等强刺激尚有反应，腱反射和肌张力亢进，由于患者不能合作，扑翼样震颤无法引出；深昏迷时，各种腱反射消失，肌张力降低，瞳孔散大，可出现阵发性惊厥、踝阵挛和换气过度。脑电图明显异常。

（三）辅助检查

1. 血氨：多有血氨增高。

2. 脑电图检查：典型改变为节律变慢。

（四）治疗要点

1. 减少肠内毒物的生成和吸收

（1）饮食：开始数天内禁食蛋白质，食物以碳水化合物为主。神志清楚后，可逐渐增加蛋白质。

（2）灌肠或导泻：可用生理盐水或弱酸性溶液灌肠，或口服33%硫酸镁导泻。

（3）抑制肠道细菌生长：口服新霉素或甲硝唑。

2. 促进有毒物质的代谢清除

（1）降氨药物：谷氨酸钾和谷氨酸钠可与氨结合形成谷氨酰胺而降低血氨；精氨酸可促进尿素合成而降低血氨。

（2）GABA/BZ复合受体拮抗药：氟马西尼对三期、四期患者具有催醒作用。

（3）减少或拮抗假神经递质：应用支链氨基酸制剂。

（4）人工肝。

（五）护理措施

1. 避免各种诱发因素

（1）避免应用催眠镇静药、麻醉药等。

（2）避免快速利尿和大量放腹水，及时处理严重的呕吐和腹泻。

（3）防止感染，发生感染时有效控制感染。

（4）防止大量输液。

（5）保持大便通畅，防止便秘。肝性脑病患者可采用灌肠和导泻的方法清除肠内毒物。灌肠应使用生理盐水或弱酸性溶液，忌用肥皂水。

（6）积极预防和控制上消化道出血。

2. 饮食护理：肝性脑病患者应限制蛋白质的摄入，在发病开始数天内禁食蛋白质；昏迷患者可鼻饲25%葡萄糖液供给热量，以减少体内蛋白质分解。患者神志清楚后，可逐步增加蛋白质饮食，以植物蛋白为宜。脂肪可延缓胃的排空，应尽量少用。不宜用维生素B_6，因其可减少中枢神经系统的正常传导递质。

3. 观察病情：密切注意肝性脑病的早期征象；观察患者思维及认知的改变；监测并记录患者血压、脉搏、呼吸、体温及瞳孔变化；定期复查血氨、肝、肾功能、电解质。

4. 加强临床护理，提供情感支持，对烦躁患者应注意保护，可加床栏或使用约束带，防止发生坠床及撞伤等意外。

5. 药物护理

① 服用新霉素不宜超过1个月，用药期间应监测听力和肾功能。

② 应用谷氨酸钾和谷氨酸钠时，谷氨酸钾、钠比例应根据血清钾、钠浓度和病情而定。患者尿少时少用钾剂，明显腹水和水肿时慎用钠剂。谷氨酸盐为碱性，使用前可先注射维生素C 3～5g，碱血症者不宜使用。

③ 应用精氨酸时，滴注速度不宜过快，不宜与碱性溶液配伍使用。

④ 乳果糖应用时应从小剂量开始。

⑤ 大量输注葡萄糖的过程中，必须警惕低钾血症、心力衰竭和脑水肿。

第九节　急性胰腺炎患者的护理

（一）病因和发病机制

我国以胆道疾病为常见病因，西方国家则以大量饮酒引起者多见。

（二）临床表现

1. 症状

（1）腹痛：为本病的主要表现和首发症状，常在暴饮暴食或酗酒后突然发生。疼痛剧烈而持续，呈钝痛、钻痛、绞痛或刀割样痛，可有阵发性加剧。腹痛常位于中上腹，向腰背部呈带状放射，取弯腰抱膝位可减轻疼痛，一般胃肠解痉药无效。

（2）恶心、呕吐及腹胀。

（3）发热。

（4）水、电解质及酸碱平衡紊乱。

（5）低血压和休克：见于急性坏死型胰腺炎。

2. 体征：水肿型患者上腹有轻度压痛，无腹肌紧张与反跳痛；出血坏死型患者上腹压痛明显，并发急性腹膜炎时全腹显著压痛与肌紧张，有反跳痛。

（三）辅助检查

（1）血、尿淀粉酶测定：血淀粉酶6～12小时开始升高，48小时开始下降，超过正常值3倍可确诊。尿淀粉酶12～14小时开始升高，持续1～2周。

（2）血清脂肪酶：常在起病后14～72小时开始上升，持续7～10天，特异性较高。

（3）出血坏死型者可出现低钙血症及血糖升高。

（4）腹部X线平片：可见肠麻痹，可排除其他急腹症。

（5）腹部B超：初筛检查，可见胰腺肿大，胰腺内及胰腺周围回声异常。

（6）CT：有重要诊断价值，可见胰腺弥漫性增大，边界模糊不清，坏死区呈低回声或低密度图像。

（四）治疗要点

（1）禁食、胃肠减压、静脉输液补充血容量及维持水电解质和酸碱平衡、止痛治疗、抗感染、抑酸治疗。

（2）监护：密切监测血压、血氧、尿量等。

（3）营养支持：可增强肠道黏膜屏障，防止肠内细菌移位引起胰腺坏死合并感染。

（4）减少胰液分泌：应用生长抑素或奥曲肽。

（5）抑制胰酶活性：抑肽酶、氟尿嘧啶、加贝酯。

（五）护理措施

1. 休息与体位：患者应绝对卧床休息，协助患者取弯腰、屈膝侧卧位，以减轻疼痛。因剧痛辗转不安者应防止坠床，周围不要有危险物品。

2. 饮食护理：禁食1～3天，禁食期间一般不能饮水，患者口渴时可含漱或湿润口唇，并做好口腔护理。明显腹胀者需行胃肠减压。

3. 用药护理：腹痛剧烈者，可给予哌替啶等镇痛药。禁用吗啡，以防引起Oddi括约肌痉挛，加重病情。注意监测用药前、后患者疼痛有无减轻，疼痛的性质和特点有无改变。

第十节　上消化道出血

（一）病因和发病机制

上消化道出血的病因常见的有消化性溃疡、急性糜烂出血性胃炎、食管胃底静脉曲张破裂和胃癌。

（二）临床表现

1. 呕血与黑便：是上消化道出血的特征性表现。出血部位在幽门以上者常有呕血和黑便，在幽门以下者可仅表现为黑便。

2. 失血性周围循环衰竭：患者可出现头昏、心悸、乏力、出汗、口渴、晕厥等一系列组织缺血的表现。呈现休克状态时，患者表现为面色苍白、口唇发绀、呼吸急促，皮肤湿冷，收缩压降至80mmHg以下，脉压小于25～30mmHg，心率加快至120次/分以上。

3. 发热：大量出血后，多数患者在24h内出现发热，一般不超过38.5℃。

4. 氮质血症：血尿素氮多在一次出血后数小时上升，约24～48h达到高峰。

（三）辅助检查

1. 内镜检查：是上消化道出血病因诊断的首选检查方法。

2. X线钡剂造影检查：主要适用于不宜或不愿进行内镜检查者；或胃镜检查未能发现出血原因，需排除十二指肠降段以下的小肠段有无出血病灶者。一般主张在出血停止且病情基本稳定数天后进行检查。

（四）治疗要点

1. 迅速补充血容量，纠正水电解质失衡，预防和治疗失血性休克。

2. 消化性溃疡出血的止血

（1）抑制胃酸分泌药：临床常用H_2受体拮抗药或质子泵阻滞剂，以提高和保持胃内较高的pH，有利于血小板聚集及血浆凝血功能所诱导的止血过程。

（2）内镜直视下止血：适用于有活动性出血或暴露血管的溃疡。

3. 食管胃底静脉曲张破裂出血的止血

（1）血管加压素：为常用药物，其作用机制是使内脏血管收缩，从而减少门静脉血流量，降低门静脉及其侧支循环的压力，以控制食管胃底曲张静脉的出血。同时用硝酸甘油静滴或舌下含服，可减轻大剂量用血管加压素的不良反应，并且硝酸甘油有协同降低门静脉压力的作用。

(2) 生长抑素：此药止血效果肯定，能明显减少内脏血流量，临床使用14肽天然生长抑素和生长抑素的人工合成制剂奥曲肽。

(3) 三（四）腔二囊管压迫止血：用气囊压迫食管胃底曲张静脉，其止血效果肯定，但不推荐作为首选止血措施，宜用于药物不能控制出血时暂时使用。

(4) 内镜直视下止血：在用药物治疗和气囊压迫基本控制出血，病情基本稳定后，进行急诊内镜检查和止血治疗。

(5) 手术治疗：食管胃底静脉曲张破裂大量出血内科治疗无效时，应考虑外科手术或经颈静脉肝内门体静脉分流术。

（五）护理措施

1. 出血量的估计

① 大便隐血试验阳性提示每天出血量＞5～10ml。

② 出现黑便表明出血量在50～70ml以上。

③ 胃内积血量达250～300ml时可引起呕血。

④ 1次出血量在400ml以下时，可因组织液与脾贮血补充血容量而不出现全身症状。

⑤ 出血量超过400～500ml，可出现头晕、心悸、乏力等症状。

⑥ 出血量超过1000ml，临床即出现急性周围循环衰竭的表现，严重者引起失血性休克。

注：呕血与黑便的频度与数量不能准确判断出血量。

2. 继续或再次出血的判断：观察中出现下列迹象，提示有活动性出血或再次出血。

① 反复呕血，甚至呕吐物由咖啡色转为鲜红色；

② 黑便次数增多且粪质稀薄，色泽转为暗红色，伴肠鸣音亢进；

③ 周围循环衰竭的表现经补液、输血而未改善，或好转后又恶化，血压波动，中心静脉压不稳定；

④ 红细胞计数、血细胞比容、血红蛋白测定不断下降，网织红细胞计数持续增高；

⑤ 在补液足够、尿量正常的情况下，血尿素氮持续或再次增高；

⑥ 门静脉高压的患者原有脾大，在出血后常暂时缩小，如不见脾恢复肿大亦提示出血未止。

3. 食管胃底静脉曲张破裂出血的特殊护理

(1) 饮食护理：活动性出血时应禁食。止血后1～2天渐进高热量、高维生素流质，限制钠和蛋白质摄入，避免粗糙、坚硬、刺激性食物，且应细嚼慢咽，防止损伤曲张静脉而再次出血。

(2) 用药护理：血管加压素可引起腹痛、血压升高、心律失常、心肌缺血，甚至发生心肌梗死，故滴注速度应准确，并严密观察不良反应。患有冠心病的患者忌用血管加压素。

(3) 三腔二囊管的应用与护理

① 插管前仔细检查，确保食管引流管、胃管、食管囊管、胃囊管通畅并分别做好标记，检查两气囊无漏气后抽尽囊内气体，备用。

② 协助医生为患者做鼻腔、咽喉部局部麻醉，经鼻腔或口腔插管至胃内。

③ 插管至65cm时抽取胃液，检查管端确在胃内，并抽出胃内积血。

④ 先向胃囊注气约150～200ml，至囊内压约50mmHg（6.7kPa）并封闭管口，缓缓向外牵引管道，使胃囊压迫胃底部曲张静脉。如单用胃囊压迫已止血，则食管囊不必充气。如未能止血，继向食管囊注气约100ml至囊内压约40mmHg（5.3kPa）并封闭管口，使气囊压迫食管下段的曲张静脉。

⑤ 管外端以绷带连接0.5kg沙袋，经牵引架作持续牵引。

⑥ 将食管引流管、胃管连接负压吸引器或定时抽吸，观察出血是否停止，并记录引流液的性状、颜色及量。

⑦ 出血停止后，放松牵引，放出囊内气体，保留管道继续观察24h，未再出血可考虑拔管。拔管前口服液状石蜡20～30ml，润滑黏膜及管、囊的外壁，抽尽囊内气体，以缓慢、轻巧的动作拔管。

⑧ 气囊压迫一般以3～4天为限，留置管道期间，定时做好鼻腔、口腔的清洁，用液状石蜡润滑鼻腔、口唇。

⑨ 留置三腔二囊管期间，定时测量气囊内压力，以防压力不足而不能止血，或压力过

高而引起组织坏死。气囊充气加压12～24h应放松牵引，放气15～30分钟，如出血未止，再注气加压，以免食管胃底黏膜受压时间过长而发生糜烂、坏死。

⑩ 当胃囊充气不足或破裂时，食管囊和胃囊可向上移动，阻塞于喉部而引起窒息，一旦发生应立即抽出囊内气体，拔出管道。

【考点强化】

1. 下列关于消化系统疾病症状护理措施中，不妥的是
   A. 腹泻时可多吃高蛋白、高脂饮食
   B. 便秘时可多吃蔬菜水果
   C. 呕吐停止后给予漱口
   D. 阻塞性黄疸者给予低脂饮食
   E. 消化道出血后不宜立即灌肠
2. 严重呕血患者饮食护理正确的是
   A. 禁食8～24h　B. 温热流食
   C. 温凉流食　D. 软食
   E. 普食
3. 确诊慢性胃炎最可靠的检查方法
   A. 活组织检查　B. 胃肠钡餐检查
   C. 血清学检查　D. 胃液分析
   E. 纤维胃镜检查
4. 关于上消化道出血，不正确的是
   A. 最常见的原因为消化性溃疡
   B. 出血量为400ml即出现全身症状
   C. 出血量为250ml可出现呕血
   D. 出血量为50～70ml可出现黑便
   E. 出血量为5ml大便隐血实验阳性
5. 下面关于胃溃疡的叙述不正确的是
   A. 慢性病程
   B. 可见于任何年龄，青少年居多
   C. 周期性发作
   D. 节律性上腹痛
   E. 春秋季节易发作，容易复发
6. 十二指肠溃疡患者上腹部疼痛的典型节律是
   A. 缓解→疼痛→进食
   B. 进食→缓解→疼痛
   C. 疼痛→进食→疼痛
   D. 进食→疼痛→缓解
   E. 疼痛→进食→缓解
7. 消化性溃疡的发生与何种病原菌感染有关
   A. 幽门螺杆菌　B. 肺炎球菌
   C. 链球菌　D. 金黄色葡萄球菌
   E. 大肠杆菌
8. 消化性溃疡最常见的并发症是
   A. 穿孔　B. 出血
   C. 幽门梗阻　D. 癌变
   E. 营养不良
9. 以下哪种药既保护胃黏膜又消灭幽门螺杆菌
   A. 甲硝唑　B. 枸橼酸铋钾
   C. 小檗碱（黄连素）
   D. 替硝唑　E. 呋喃唑酮
10. 幽门螺杆菌根治后复查的首选方法是
    A. 快速尿素酶试验
    B. 幽门螺杆菌培养
    C. 粪便幽门螺杆菌抗原试验
    D. ^{13}C或^{14}C尿素呼气试验
    E. 病理检测幽门螺杆菌
11. 肝性脑病患者可以使用的药物有
    A. 甘露醇
    B. 大剂量速效利尿药
    C. 镇静药　D. 含氨药
    E. 麻醉药
12. 慢性胃炎的临床表现是
    A. 呕血　B. 黑便
    C. 上腹不适或疼痛
    D. 体重减轻　E. 易饥饿
13. 消化性溃疡的好发季节是
    A. 秋冬季节　B. 夏秋季节
    C. 春秋季节　D. 夏季
    E. 冬季
14. 对于幽门螺旋杆菌阳性的消化性溃疡患者，采用如下哪种三联疗法
    A. 阿莫西林＋克拉霉素＋奥美拉唑
    B. 庆大霉素＋青霉素＋链霉素
    C. 利福霉素＋乙胺丁醇＋庆大霉素
    D. 红霉素＋氯霉素＋甲硝唑
    E. 庆大霉素＋小苏打＋呋喃唑酮
15. 关于十二指肠溃疡，下列错误的是
    A. 上腹痛多在饭后2～3h发作
    B. 上腹痛进食后缓解
    C. 上腹痛多偏右
    D. 比胃溃疡易发生癌变
    E. 发病年龄比胃溃疡年轻
16. 溃疡病患者宜少吃多餐的意义是
    A. 中和胃酸　B. 加快胃排空
    C. 减少胆汁反流
    D. 避免胃窦部过度扩张
    E. 促进胃液分泌

17. 大便潜血持续阳性多提示
A. 浅表性胃炎　B. 胃癌
C. 胃溃疡
D. 十二指肠壶腹部溃疡
E. 萎缩性胃炎

18. 下列不符合溃疡病临床表现的是
A. 十二指肠溃疡不引起幽门梗阻
B. 溃疡病疼痛可位于剑突下正中
C. 胃溃疡多为餐后痛
D. 溃疡病大出血后疼痛减轻
E. 溃疡病穿孔时可出现休克

19. 王先生，40岁，上腹隐痛伴反酸、嗳气2个月。检查上腹部有轻度压痛，粪便隐血试验阳性。对下列用药指导错误的是
A. 硫糖铝在餐前服用
B. 吗丁啉在餐前服用
C. 法莫替丁在餐后1即刻口服
D. 氢氧化铝可在睡前服用
E. 奥美拉唑应在餐前服用

20. 肝硬化患者全血细胞减少最主要的原因是
A. 营养吸收障碍　B. 脾功能亢进
C. 骨髓造血功能下降
D. 上消化道出血　E. 肝肾综合征

21. 肝硬化患者出现内分泌紊乱症状，下列哪项不正确
A. 雌激素增多　B. 男性乳房发育
C. 醛固酮增多
D. 肾上腺皮质激素增多
E. 抗利尿激素增多

22. 门脉高压症形成后，首先出现的是
A. 肝大　B. 脾大
C. 腹水　D. 呕血
E. 交通支扩张

23. 肝硬化失代偿期最突出的临床表现为
A. 肝大　B. 脾大　C. 腹水
D. 呕血　E. 血管交通支扩张

24. 下列对诊断早期原发性肝癌最有价值的血清学检查是
A. 碱性磷酸酶测定　B. 血清转氨酶测定
C. 甲胎蛋白测定　D. 癌胚抗原测定
E. 异常凝血酶原测定

25. 原发性肝癌患者最突出的体征是
A. 腹水呈血性　B. 腹膜刺激征
C. 肝进行性肿大　D. 黄疸与发热
E. 腹壁静脉曲张

26. 在我国引起门静脉高压症的主要病因是
A. 肿瘤　B. 门静脉血栓形成
C. 肝硬化　D. 门静脉炎
E. 门静脉主干先天畸形

27. 肝硬化腹水患者每日进水量限制在
A. 2500ml　B. 1000ml　C. 2000ml
D. 500ml　E. 300ml

28. 肝昏迷患者发生便秘时，灌肠时应禁用
A. 生理盐水　B. 液状石蜡
C. 新霉素液　D. 弱酸性溶液
E. 肥皂水

29. 三腔二囊管压迫止血适用于
A. 食管胃底静脉曲张破裂出血
B. 急性出血性糜烂性胃炎
C. 胃癌引起的上消化道出血
D. 消化性溃疡并发出血
E. 食管癌溃烂所致出血

30. 肝硬化腹水主要是由下列哪种原因造成的
A. 血清白蛋白减少　B. 血清醛固酮减少
C. 门静脉压升高　D. 血小板数量增加
E. 血尿素氮增加

31. 肝硬化最常见的并发症是
A. 原发性肝癌　B. 肝肾综合征
C. 上消化道出血　D. 肝性脑病
E. 感染

32. 肝硬化晚期最严重的并发症是
A. 肝性脑病　B. 肝肾综合征
C. 原发性肝癌　D. 上消化道出血
E. 感染

33. 肝硬化患者因食管胃底静脉曲张破裂引起上消化道出血时，下列护理措施不恰当的是
A. 去枕平卧，头偏向一侧
B. 给予流质饮食
C. 密切观察生命体征及神志变化
D. 立即建立静脉通道
E. 备好三腔二囊管

34. 肝硬化患者可建立和开放的侧支循环不包括
A. 食管下端和胃底静脉曲张
B. 腹壁静脉曲张　C. 下肢静脉曲张
D. 脐周静脉曲张　E. 痔静脉扩张

35. 肝硬化腹水形成的原因不包括
A. 门静脉压力增高
B. 低白蛋白血症
C. 肝淋巴液生成过多
D. 抗利尿激素分泌减少

E. 排钠和排尿量减少

36. 肝性脑病患者暂停蛋白质饮食是为了

A. 降低血尿素氮　B. 减少氨的吸收

C. 促使氨的转化　D. 降低肠道内 pH 值

E. 减少氨的形成

37. 关于肝性脑病的诱因，不正确的是

A. 上消化道出血　B. 快速利尿

C. 大量放腹水　D. 低蛋白饮食

E. 感染

38. 下列哪项是肝性脑病的前驱期表现

A. 应答准确但有时吐字不清且较缓慢

B. 腱反射亢进　C. 扑翼样震颤无法引出

D. 睡眠障碍　E. 精神错乱

39. 在我国引起急性胰腺炎的最常见病因为

A. 大量饮酒和暴饮暴食

B. 手术创伤　C. 胆道疾病

D. 流行性腮腺炎　E. 高钙血症

40. 急性胰腺炎患者禁食、胃肠减压主要目的是

A. 防止感染扩散　B. 减少胃酸分泌

C. 减少胰液分泌　D. 避免胃扩张

E. 减轻腹痛

41. 最能提示急性出血坏死型胰腺炎的化验结果是

A. 低血磷　B. 低血糖

C. 低血钙

D. 血清淀粉酶显著增高

E. 白细胞计数明显增高

42. 以下哪项提示急性胰腺炎预后不良

A. 代谢性酸中毒　B. 代谢性碱中毒

C. 低钾血症　D. 低钙血症

E. 低镁血症

43. 急性出血坏死型胰腺炎的配合抢救措施中不包括

A. 配血、备血、测定血型

B. 患者取半卧位

C. 按医嘱给升压药和氢化可的松

D. 做好耻骨上切开引流的术前准备

E. 必要时测定中心静脉压

44. 某消化性溃疡患者，大量出血停止后，护士在对他进行饮食指导时应告诉他

A. 继续禁食 24h

B. 可以吃馒头、软饭

C. 可以吃煮鸡蛋

D. 可以吃肉　E. 可以喝豆浆

45. 下列不能提示消化性溃疡发生癌变的表现是

A. 消化不良症状加重

B. 胃酸分泌增多

C. 大便隐血实验持续阳性

D. 进行性消瘦

E. 疼痛失去原有规律性

46. 引起便秘的最常见病因是

A. 肠道病变　B. 全身性疾病

C. 神经系统病变　D. 肠易激综合征

E. 利尿药

47. 便秘患者的护理，下列哪项不妥

A. 指导患者建立正常排便习惯

B. 进食纤维素丰富的蔬菜水果

C. 给予足够水分

D. 排便时注意采取适当体位

E. 每天晚上灌肠一次

48. 患者女性，26 岁。反复右下腹部疼痛、腹泻 3 个月，大便成糊状、无黏液及脓血，每日 2～4 次。X 线钡剂检查发现回盲部有跳跃征。对该患者的诊断，首先考虑

A. 溃疡性结肠炎　B. 肠结核

C. 上消化道出血　D. 结肠癌

E. 急性胃肠炎

49. 患者女性，65 岁，脑血栓病史一年，伴一侧下肢活动不灵，进食量正常，饮食结构合理，胃肠蠕动缓慢，经常便秘，为预防便秘，可指导患者

A. 自右向左环形按摩腹部

B. 多吃新鲜蔬菜　C. 增加活动量

D. 空腹饮水 500ml　E. 肥皂水灌肠

50. 张某，主诉一周内排便 2 次，排便困难，粪便干燥呈栗子一样，并伴有乏力，消化不良，该患者属于

A. 大便干结　B. 便秘

C. 腹泻　D. 消化不良

E. 排便不畅

51. 患者男性，68 岁，肾功能不全病史 10 年余，习惯性便秘 5 年，需谨慎服用的泻药是

A. 容积性泻药　B. 高渗性泻药

C. 润滑性泻药　D. 盐类泻药

E. 刺激性泻药

52. 患者男性 52 岁，高血压病史 5 年，坚持服用降压药物，近半年来出现大便次数减

少，2次/周，排便时间有时长达30分钟以上，医生嘱其多食膳食纤维减轻便秘程度，关于膳食纤维说法不妥的是

A. 纤维本身可被吸收
B. 纤维能使粪便膨胀
C. 可刺激结肠动力
D. 能改变粪便性质
E. 能改变排便习惯

53. 患者女性，25岁，既往体健，体检时发现肝功能正常，抗-HBS阳性，反复查HBV其他血清标记物均为阴性。表示此患者为

A. 乙型肝炎有传染性
B. 乙型肝炎病情稳定
C. 乙型肝炎病毒携带者
D. 乙型肝炎恢复期
E. 对乙型肝炎病毒有免疫力

54. 某学校3周内有6位学生相继出现乏力、食欲减退、巩膜黄染。HBsAg(－)，抗HAV-IgM(＋)、抗HAV-IgG(－)。最可能的诊断是

A. 急性甲型病毒肝炎
B. 急性乙型病毒肝炎
C. 急性丙型病毒肝炎
D. 急性丁型病毒肝炎
E. 急性戊型病毒肝炎

55. 某护士在给HBeAg阳性的慢性肝炎患者采血时，不慎刺破左手拇指，此时急需采取的重要措施时

A. 立即注射乙肝疫苗
B. 立即进行酒精消毒
C. 定期复查肝功能和HBV-IgM
D. 立即注射高效介乙肝免疫球蛋白和查血HBsAg及HBsAb
E. 立即接种乙肝疫苗，一周内注射高效介乙肝免疫球蛋白

56. 患者女性，25岁，既往体健，体检时发现肝功能正常，抗-HBs阳性，反复查HBV其他血清标记物均为阴性。表示此患者为

A. 乙型肝炎有传染性
B. 乙型肝炎病情稳定
C. 乙型肝炎病毒携带者
D. 乙型肝炎恢复期
E. 对乙型肝炎病毒有免疫力

57. 一孕妇，29岁，既往体健，近1年来发现HBsAg阳性，但无任何症状，肝功能正常。经过十月怀胎，足月顺利分娩一4500克男婴，为阻断母婴传播，对此新生儿最适宜的预防方法是

A. 乙肝疫苗　　B. 丙种球蛋白
C. 乙肝疫苗＋丙种球蛋白
D. 高效价乙肝免疫球蛋白
E. 乙肝疫苗＋高效价乙肝免疫球蛋白

58. 患者男性，52岁，因上消化道出血急诊入院，遵医嘱给予输血、补液治疗，为明确诊断需行内镜检查，最适宜的时间是

A. 出血停止后3天
B. 出血停止后7天
C. 出血后24～48小时内
D. 出血后72小时
E. 出血停止后14天

59. 患者男性，56岁，因肝硬化并上消化道出血急症入院，医护人员积极采取抢救措施，治疗护理方法不妥的是

A. 密切观察病情变化
B. 立即建立静脉通路
C. 平卧位、吸氧、禁饮食
D. 烦躁时用苯巴比妥镇静
E. 做好三腔二囊管护理

60. 患者女性，56岁，因上消化道出血使用三腔二囊管止血，放置24小时后，食管气囊应放气

A. 5～10分钟　　B. 10～15分钟
C. 15～30分钟　　D. 30～45分钟
E. 45～60分钟

61. 患者男性，70岁，冠心病病史20余年，肝硬化病史8年，因突发上消化道出血急症入院，入院后其治疗措施不妥的是

A. 三腔二囊管压迫止血
B. 去甲肾上腺素胃内灌注
C. 垂体后叶素静脉滴注
D. 内镜直视下止血
E. 冰盐水洗胃

62. 有一消化性溃疡患者，反复黑便，每天3次或4次。护理体检：面色苍白；脉率100次/分，血压13.3/10.7kPa。此时应采取的护理措施不恰当的是

A. 卧床休息
B. 建立静脉通路、补液
C. 温凉、清淡流质饮食
D. 注意判断继续出血的情况
E. 备好三腔二囊管

63. 肝硬化患者，2h前呕鲜红色血液约

800ml，测血压 18.0/8.0kPa，脉率 120 次/分，此时采取的护理措施不当的是

A. 去枕平卧，头偏向一侧
B. 立即输血　C. 建立静脉通路
D. 备好三腔二囊管　E. 暂禁食

64. 患者男，35 岁。饮酒后不久出现剧烈上腹疼痛，面色苍白。有消化性溃疡病 5 年。护理体检腹肌紧张、全腹明显压痛及反跳痛，血压 11.3/10.0kPa。此时首要护理措施是

A. 安慰患者、服用镇静药
B. 立即给予吸氧　C. 继续观察
D. 立即输血
E. 立即禁食和胃肠减压

65. 一患者在进行腹部穿刺放液时，突然出现头晕、恶心、心慌、面色苍白。血压 13.0/10.0kPa，脉搏 104 次/分，此时应

A. 拔出针头停止放液
B. 让患者平卧继续抽液
C. 安慰患者，放松情绪
D. 给患者静脉注射地西泮
E. 放慢抽液速度

66. 某慢性肝病患者近日有嗜睡现象，护士于今晨巡视病房时发现该患者呼之不应，压迫其眶上神经仍有痛苦表情，应判断为

A. 病情无变化　B. 肝性脑病前驱期
C. 肝昏迷前期　D. 昏迷期
E. 昏睡期

67. 患者女性，50 岁。胃溃疡病史 10 年。近 3 个月上腹痛无规律，恶心、腹胀、食欲减退，钡餐造影检查胃窦部可见 3.5cm×3.8cm 龛影，边缘不齐，大便潜血多次阳性。患者最可能的诊断是

A. 胃溃疡出血　B. 胃溃疡合并胃息肉
C. 胃溃疡合并慢性胃炎
D. 胃溃疡合并幽门梗阻
E. 胃溃疡癌变

68. 患者男，67 岁。因肝癌晚期住院，入院后患者出现肝昏迷、烦躁不安、躁动，为了保证患者的安全，下列措施中正确的是

A. 室内取暗光线，避免刺激患者
B. 纱布包裹压舌板，放于上、下磨牙之间
C. 加床挡，用约束带约束患者
D. 减少外界刺激
E. 工作人员动作要轻，避免刺激患者

69. 患者女性，48 岁。反复发作性上腹痛 3 年。今早饱餐后，突然出现上腹刀割样疼痛，腹肌紧张，出冷汗，休克。首先考虑该患者发生了

A. 上消化道大出血
B. 幽门梗阻　C. 急性穿孔
D. 癌变　E. 急性胰腺炎

70. 患者女性，30 岁。因暴饮暴食突发中上腹剧烈疼痛阵发性加剧，测血清淀粉酶明显增高，请问下列哪项处理不妥

A. 卧床休息，取弯腰、屈膝侧卧位，并予心理支持
B. 完全禁食 1～3 天，减少胃液和食物刺激胰液分泌
C. 胃肠减压
D. 禁食期间可喝水，以免发生水电解质失衡
E. 按医嘱给解痉镇痛药物

71. 肝硬化患者，3 天前发生呕血，量约 1500ml。经治疗后出血停止，但逐渐出现意识模糊，记忆力减退，定向力障碍。对患者的治疗不正确的是

A. 禁食蛋白质
B. 生理盐水灌肠
C. 肥皂水灌肠清除肠道积血
D. 口服新霉素抑制肠道菌群
E. 静滴谷氨酸钠降低血氨

72. 有一急性胰腺炎患者，目前病情已趋稳定，待出院。此时最重要的保健指导内容是

A. 注意饮食卫生
B. 教会患者如何采用减轻疼痛的方法
C. 戒除烟酒　D. 适当休息
E. 避免暴饮暴食

73. 患者男性，42 岁。4 年前出现皮肤瘙痒和黄疸，诊断为原发性胆汁性肝硬化，近 1 周黄疸加深，出现大量腹水，在护理中不正确的是

A. 按医嘱给予利尿药
B. 限制每日食盐 5g 左右
C. 定期测量腹围
D. 进水量限制在 1000ml/d 左右
E. 指导患者取半卧位，以减轻呼吸困难

74. 患者男性，56 岁。有胃溃疡病史 5 年，突然呕血 2000ml，血压 8/4kPa（60/30mmHg），心率 200 次/分，此时首先应

采取的措施是

A. 准备给予止血药物

B. 立即开放静脉补充血容量

C. 嘱患者禁食　D. 准备急查B超

E. 嘱患者严格卧床休息，采取平卧位，头偏向一侧

75. 患者男性，38岁。昨天饮酒出现上腹部疼痛，向背部放射，送到医院急诊，怀疑为急性胰腺炎，此时最具诊断意义的实验室检查是

A. 血清脂肪酶测定　B. 尿淀粉酶测定

C. 血钙测定　D. 血清淀粉酶测定

E. 白细胞计数

76. 患者男性，50岁。反复上腹痛伴消瘦，X线钡餐检查发现胃窦呈持续性向心性狭窄伴充盈缺损。进一步处理首选的是

A. 手术探查　B. B超

C. 胃液分析　D. 胃镜及活检

E. 治疗后分析

（77～79题共用病例）

患者男性，35岁。于大量饮酒和饱餐后突然出现中上腹持续性绞痛，伴有频繁性呕吐，吐出食物和胆汁，呕吐后腹痛并不减轻。查体：上腹压痛，腹肌紧张，反跳痛，肠鸣音减弱。测定血清淀粉酶1200U/L。

77. 初步诊断是

A. 急性胰腺炎　B. 消化道溃疡

C. 胃穿孔　D. 幽门梗阻

E. 急性腹膜炎

78. 下列治疗措施首选

A. 禁食，胃肠减压　B. 应用升压药

C. 应用肝素　D. 使用抑肽酶

E. 使用肾上腺皮质激素

79. 经治疗后，腹痛呕吐基本消失，患者的饮食宜给予

A. 可恢复正常饮食　B. 少量糖类流食

C. 高蛋白、高热量饮食

D. 高脂低糖饮食

E. 低脂、低糖、低蛋白

（80～82题共用病例）

患者男性，55岁。意识不清1日入院。3日前上呼吸道感染后出现躁动不安、淡漠少言，患者既往有乙肝病史20年。入院查体：体温37℃，心率110次/分，呼吸22次/分，血压90/60mmHg。患者神志不清，呼吸急促，面色晦暗，巩膜无黄染。瞳孔反应迟钝，面部和颈部可见3枚蜘蛛痣。颈软，无颈静脉怒张，两肺未闻及啰音，心率110次/分，律齐，未闻及杂音，腹部隆起，移动性浊音阳性。

80. 该患者的初步诊断可能是

A. 肝性脑病昏迷期

B. 肝性脑病昏迷前期

C. 肝性脑病昏睡期

D. 肝性脑病前驱期

E. 肝性脑病终末期

81. 下列对该患者采取的治疗措施，不妥的是

A. 给予高蛋白饮食，辅以葡萄糖供给能量

B. 避免使用含氨药物、镇静药及麻醉药

C. 使用降血氨药物

D. 口服新霉素及用等渗盐水灌肠

E. 积极控制感染

82. 对该患者给予的措施中，不妥的是

A. 头偏向一侧，保持呼吸道畅通，必要时给予吸氧

B. 密切观察病情，尤其是意识状态

C. 快速静脉滴注精氨酸，并观察降血氨药物的疗效及副作用

D. 严格记录24h出入量

E. 静脉补充葡萄糖供给能量

（83～85题共用病例）

患者男性，45岁。3年前中上腹间歇性隐痛，常于饭前或饭后4～5h发生，偶尔在睡眠时发生，进食后疼痛可好转，当地医务室诊为“胃炎”，服药后缓解，4天前上腹疼痛加剧，服阿托品无效，进食后不缓解，昨日解柏油样便3次，每次约150g，故来院诊治。体检：口唇发绀，两肺（－）；心律齐，无病理性杂音。腹软，中上腹有轻度压痛，肝脾未及，移动性浊音（－）。白细胞 5.0×10^9/L，血红蛋白100g/L，尿常规（－），大便隐血（＋＋＋）。

83. 患者可能的医疗诊断是

A. 溃疡性结肠炎　B. 急性胃炎

C. 急性胰腺炎　D. 胃癌

E. 上消化道出血

84. 为明确诊断，可做何检查

A. X线钡餐检查

B. 血尿淀粉酶检查

C. 纤维胃镜检查
D. 腹部 X 线平片
E. 肝功能检查

85. 该患者的责任护士采取的护理措施中不妥的是
A. 指导患者进食温凉、清淡流质
B. 告知患者应禁食 24h
C. 观察生命体征，注意皮肤颜色和肢端温度变化
D. 大便潜血阴性后可以进食营养丰富、易消化无刺激性半流质、软食
E. 告知患者应养成细嚼慢咽，定时进食的习惯

(86～89 题共用病例)

患者男性，28 岁，反复发作腹泻、大便有黏液脓血、腹痛及里急后重 2 年，诊断为溃疡性结肠炎。间断口服药物治疗，1 周前劳累后再次引发该病。

86. 对该病可能的病因描述不正确的是
A. 遗传　B. 精神因素
C. 免疫因　D. 感染因素
E. 外伤

87. 关于溃疡性结肠炎以下说法不正确的是
A. 粪便呈黏液、脓血便
B. 有里急后重感　C. 腹痛位于右下腹
D. 排便后疼痛缓解
E. 轻度、中度腹痛

88. 对该患者腹泻护理不正确的是
A. 安排离卫生间近的病房
B. 室内留置便器
C. 便后禁用肥皂水清洗肛门
D. 手纸要柔软
E. 皮肤清洗晾干后涂护肤软膏

89. 首选治疗药物是
A. 氢化可的松　B. SASP
C. 泼尼松　D. 阿托品
E. 奥美拉唑

(90～94 题共用病例)

患者男性，68 岁，肝硬化病史 10 余年，近日食欲明显减退，黄疸加重，今晨进食油炸糕后突然呕吐咖啡色液体约 1000ml、黑便 2 次，伴头晕、眼花、心悸。急诊入院。入院查体：神志清楚，面色苍白，脉搏细弱，皮肤湿冷，血压 85/50mmHg，心率 120 次/分。

90. 此患者呕血的主要原因可能是
A. 胃溃疡出血　B. 胃癌
C. 血小板过低引起出血
D. 食管胃底静脉破裂出血
E. 急性胃黏膜病变

91. 该患者首要的护理措施是
A. 迅速开放静脉　B. 准备急救药品
C. 备血　D. 应用止血药
E. 去枕平卧，头偏向一侧

92. ［假设信息］经药物治疗后，出血基本控制，患者情况基稳定，此时为明确诊断和进一步治疗，首选的措施是
A. 实验室检查　B. 内镜检查
C. X 线钡餐造影检查
D. 选择性动脉造影
E. 吞线实验

93. ［假设信息］因患者年龄偏大又处于休克状态无法行内镜治疗，且不能耐受手术，可考虑采用的止血措施是
A. 生长抑素止血　B. 气囊管压迫止血
C. 介入治疗
D. 垂体后叶素止血治疗
E. 输血及血浆代用品治疗

94. 患者出院时，护士对其进行预防上消化道出血的健康指导，哪项最重要
A. 心理指导　B. 合理饮食指导
C. 活动、休息指导　D. 用药指导
E. 提高自我护理能力的指导

【参考答案】

1. A	2. A	3. E	4. B	5. B
6. E	7. A	8. B	9. B	10. D
11. A	12. C	13. C	14. A	15. D
16. D	17. B	18. A	19. E	20. B
21. D	22. B	23. C	24. C	25. C
26. C	27. B	28. E	19. A	30. C
31. C	32. A	33. B	34. C	35. D
36. E	37. D	38. A	39. C	40. B
41. C	42. D	43. B	44. E	45. B
46. D	47. E	48. B	49. A	50. B
51. D	52. A	53. E	54. A	55. D
56. E	57. E	58. C	59. D	60. C
61. C	62. E	63. B	64. E	65. A
66. D	67. E	68. C	69. C	70. D
71. C	72. E	73. B	74. B	75. D
76. D	77. A	78. A	79. E	80. A
81. A	82. D	83. E	84. C	85. B
86. E	87. C	88. C	89. B	90. D
91. A	92. B	93. C	94. B	

第四章 泌尿系统疾病患者的护理

第一节 慢性肾小球肾炎患者的护理

（一）病因和发病机制

1. 病因：慢性肾小球肾炎系由各种原发性肾小球疾病迁延不愈发展而成，病因尚不清楚。

2. 主要机制

（1）免疫介导性炎症导致持续性进行性肾实质受损。

（2）高血压引起肾小动脉硬化性损伤。

（3）健存肾单位代偿性肾小球毛细血管高灌注、高压力和高滤过，促使肾小球硬化。

（4）长期大量蛋白尿导致肾小球及肾小管慢性损伤。

（5）脂质代谢异常引起肾小血管和肾小球硬化。

（二）临床表现

以青年、中年为主，男性多见。多数起病缓慢、隐袭。临床表现呈多样性，蛋白尿、血尿、高血压、水肿为基本临床表现，可有不同程度的肾功能减退。

（三）治疗要点

本病治疗原则为防止和延缓肾功能进行性恶化、改善临床症状以及防止严重并发症。

（1）积极控制高血压：力争把血压控制在理想水平，即当尿蛋白≥1g/d，血压应控制在125/75mmHg以下；尿蛋白＜1g/d，血压控制在130/80mmHg以下。血管紧张素转换酶抑制药（ACEI）可作为慢性肾炎患者控制高血压的首选药物。

（2）限制食物中蛋白质及磷摄入量。

（3）抗血小板药：大剂量的双嘧达莫和小剂量阿司匹林有抗血小板聚集的作用。

（4）防治引起肾损害的各种原因。

（5）利尿：水肿较明显的患者，可利尿消肿。

（四）护理措施

1. 饮食护理：慢性肾炎患者肾功能减退时应予以优质低蛋白饮食，0.6～0.8g/(kg·d)。低蛋白饮食时，应适当增加碳水化合物的摄入。控制磷的摄入。注意补充多种维生素。

2. 预防及控制感染：遵医嘱给予抗生素，保持口腔及皮肤的清洁，预防感冒。

3. 病情观察：观察水肿、高血压及贫血的程度；观察尿液改变和肾功能减退程度；注意有无尿毒症早期征象、有无心脏损害的征象、有无高血压脑病征象。

（五）健康教育

（1）指导患者加强休息，优质低蛋白、低磷、高热量饮食。

（2）避免加重肾损害的因素。

（3）用药指导：坚持用药，不得自行停药或减量，避免应用对肾脏有损害药物。

（4）女性患者不宜妊娠。

第二节 肾病综合征患者的护理

（一）病因和发病机制

1. 病因：肾病综合征可由原发于肾脏本身的肾小球疾病引起，也可继发于全身性或其他系统的疾病，如系统性红斑狼疮、糖尿病、过敏性紫癜、肾淀粉样变性、多发性骨髓瘤等。

2. 发病机制：本病为免疫介导性炎症所致的肾损害。

（二）临床表现

1. 大量蛋白尿：尿蛋白＞3.5g/d。

2. 低蛋白血症：血浆白蛋白低于30g/L。

3. 水肿：水肿是肾病综合征最突出的体征。

4. 高脂血症：以高胆固醇血症最为常见。

5. 并发症

（1）感染：为肾病综合征常见的并发症，也是导致本病复发和疗效不佳的主要原因；常发生呼吸道、泌尿道、皮肤感染。

（2）血栓、栓塞：以肾静脉血栓最为多见。

（3）急性肾衰竭、动脉硬化、冠心病。

（三）治疗要点

1. 一般治疗：卧床休息至水肿消退，给予高热量、低脂、高维生素、低盐及富含可溶性纤维的饮食。

2. 对症治疗

（1）利尿消肿：可选用噻嗪类、保钾利尿药或襻利尿药，必要时可使用渗透性利尿药或适当补充胶体来提高血浆胶体渗透压。

（2）减少尿蛋白：应用血管紧张素转换酶抑制药、血管紧张素受体拮抗药和长效钙拮抗药，均可有效地减少蛋白尿。

（3）降脂治疗：羟甲基戊二酰辅酶A还原酶抑制药如洛伐他汀等为首选的降脂药。

3. 糖皮质激素的应用

（1）应用原则：起始用量要足，缓慢减药，长期维持。

（2）治疗反应：根据患者对激素的治疗反应，将肾病综合征分为“激素敏感型”（用药8～12周内病情缓解）、“激素依赖型”（激素减药到一定程度即复发）和“激素抵抗型”（激素治疗无效）三类。

（四）护理措施

1. 饮食护理：给予优质蛋白；供给足够的热量；少食富含饱和脂肪酸的动物脂肪，多食富含多聚不饱和脂肪酸的植物油，以控制高脂血症；及时补充各种维生素及微量元素；给予低盐饮食，钠的摄入量不超过3g/d。

2. 用药护理：应用环孢素A的患者，服药期间应注意监测血药浓度，观察有无不良反应的出现；观察利尿药的治疗效果及有无出现不良反应。

（五）健康教育

（1）注意休息，避免劳累，同时应适当活动，以免发生肢体血栓等并发症。

（2）优质蛋白、高热量、低脂、高膳食纤维和低盐饮食。

（3）预防感染。

（4）告诉患者不可擅自减量或停用激素。

（5）定期门诊随访，密切监测肾功能的变化。

第三节　肾盂肾炎患者的护理

（一）病因和发病机制

1. 病因：致病菌以革兰阴性杆菌为主，其中以大肠杆菌最常见，铜绿假单胞菌感染常发生于尿路器械检查后或长期留置导尿的患者，性生活活跃女性以葡萄球菌感染多见。

2. 感染途径：90％为上行感染。

3. 机体防御能力：尿液的冲刷作用；尿路黏膜及其所分泌IgA和IgG等可抵御细菌入侵；尿液中高浓度尿素和酸性环境不利于细菌生长；男性前列腺分泌物可抑制细菌生长。

4. 易感因素

（1）女性：女性尿道短而直，尿道口离肛门近而易被细菌污染。

（2）尿流不畅或尿液反流：尿流不畅是尿路感染最重要的易感因素。

（3）泌尿系统局部损伤与防御机制的破坏：使用尿道插入性器械等。

（4）机体抵抗力低下。

（5）尿道口周围或盆腔炎症。

（二）临床表现

1. 全身表现：常有寒战、高热，伴有头痛、全身酸痛、无力、食欲减退。

2. 泌尿系统表现：常有尿频、尿急、尿痛等膀胱刺激症状，多伴有腰痛或肾区不适，肋脊角压痛和（或）叩击痛。

（三）辅助检查

1. 尿常规：尿中白细胞显著增加，肾盂肾炎时出现白细胞管型。

2. 尿细菌学检查：新鲜清洁中段尿细菌定量培养菌落计数≥10^5/ml，如能排除假阳性，则为真性菌尿。

（四）治疗要点

1. 应用抗生素：一般首选对革兰阴性杆菌有效的药物，可选用磺胺类和喹诺酮类。轻型肾盂肾炎宜口服有效抗菌药物14天，严重肾盂肾炎者需肌注或静脉用药。

2. 碱化尿液：口服碳酸氢钠片

（五）护理措施

1. 饮食护理：给予清淡、营养丰富、易消化食物，多饮水。

2. 休息：急性发作期的第1周应卧床休息。

3. 病情观察：监测体温、尿液性状的变化，有无腰痛加剧。

4. 用药护理：口服复方磺胺甲噁唑期间要注意多饮水，并同时服用碳酸氢钠，以增强疗效、减少磺胺结晶的形成。症状完全消失，尿检查阴性后，继续用药3～5天后停药。

5. 尿路感染的疗效评价标准：治疗后复查菌尿转阴为见效；完成抗菌药物疗程后，菌尿转阴，于停用抗菌药物1周和1个月分别复查1次，如无菌尿，则可认为尿路感染已治愈；治疗后持续菌尿或复发为治疗失败。

6. 清洁中段尿培养标本的采集

(1) 留取标本前用肥皂水清洗外阴，不宜使用消毒剂。

(2) 宜在使用抗生素药物前或停药后5天收集标本，不宜多饮水，并保证尿液在膀胱内停留6～8小时，以提高阳性率。

(3) 指导患者留取中间一段尿置于无菌容器内，于1小时内送检，以防杂菌生长

（六）健康教育

教育患者保持规律生活，避免劳累，坚持体育运动，多饮水、勤排尿，注意个人卫生；嘱患者按时、按量、按疗程服药，定期随访。

第四节　急性肾功能衰竭的护理

（一）病因、病理

1. 肾前性：由于出血、脱水、休克等病因引起血容量不足；心脏疾病、肺动脉高压、肺栓塞等所致心排出量降低；全身性疾病，如肝肾综合征、严重脓毒血症、过敏反应和药物等引起有效血容量减少以及肾血管病变。

2. 肾后性：由于尿路梗阻所致，双侧肾、输尿管或孤立肾、输尿管周围病变以及盆腔肿瘤压迫输尿管引起梗阻以上部位的积水。膀胱内结石、肿瘤以及前列腺增生、前列腺肿瘤和尿道狭窄等引起双侧上尿路积水，使肾功能急剧地下降。

3. 肾性：主要是由肾缺血和肾毒素所造成的肾实质性病变，约75%发生急性肾小管坏死。能使肾缺血的因素有大出血、休克、血清过敏反应等。肾毒素物质有庆大霉素、卡那霉素、链霉素、放射显影剂、阿昔洛韦、顺铂、异环磷酰胺、环孢素、两性霉素B。大面积深度烧伤、挤压综合征、脓毒性休克有肾缺血和肾毒素双重作用。

（二）临床表现

1. 少尿或无尿期：一般持续7～14天，临床出现少尿（24小时总尿量少于400ml）或无尿（24小时总尿量不足100ml），尿比重低，水、电解质和酸碱平衡失调。

(1) 高钾血症：是本期最主要和最危险的并发症，也是引起患者死亡的最常见原因。

(2) 水中毒：最常见的是肺水肿和脑水肿，水中毒是肾衰早期引起死亡最常见的主要原因。

(3) 代谢性酸中毒及血镁升高、低血钙、高血磷。

(4) 尿毒症：临床上出现头痛、呕吐、烦躁、意识障碍或昏迷、抽搐等症状，尿毒症持续时间长时，预后不佳。

2. 多尿期：一般持续时间1～2周。患者每天尿量超过400ml，则表示进入多尿期，此期肾功能仍未能恢复，氮质血症仍持续存在。

多尿期后期可出现脱水及低血钾、低血钠症。

3. 恢复期：多尿期之后，血肌酐及尿素氮逐渐下降，待尿素氮处于稳定后，即进入恢复期。

（三）治疗

1. 少尿期或无尿期：严格限制入量，准确记录出入液量，补液原则是“量出为入，宁少勿多”。理想控制标准是每天减轻体重0.5kg，血钠维持在130mmol/L，中心静脉压基本正常，无肺水肿、脑水肿、心功能不全等并发症。在少尿期不宜摄入蛋白质，严禁摄入含钾食物或药物等，不输库存血。

2. 多尿期：多尿期最初1～2天仍按少尿期的治疗原则处理。尿量明显增多后注重水及电解质的监测，尤其是钾的平衡。

（四）护理措施

1. 一般护理：绝对卧床休息，注意活动下肢。

2. 饮食护理

（1）限制蛋白质摄入，给予高生物效价优质蛋白质（如瘦肉、鱼、禽、蛋、奶类）饮食，每日每千克体重0.8g。

（2）保证热量供给：一般为每日每千克体重135～145kJ，主要由碳水化合物和脂肪供给。

（3）维持水平衡：少尿期应严格计算24小时的出入液量，按照“量出为人”的原则补充入液量，24小时的补液量应为显性失液量及不显性失液量之和减去内生水量。显性失液量即前一日的尿量、粪、呕吐、出汗、引流液、透析超滤量等。不显性失液量是指从皮肤蒸发丢失的水分（约300～400ml）和从呼气中丢失的水分（约400～500ml）。

（4）减少钾的摄入：尽量避免食用含钾多的食物，如白菜、萝卜、榨菜、橘子、香蕉、梨、桃、葡萄、西瓜等。

3. 病情观察：严格记录患者24小时的液体出入量，入量包括饮水量、补液量、食物所含水量等，出量包括尿量、呕吐物、粪便、透析的超滤液量等。定期测量患者的生命征、意识变化。观察水肿的情况，观察患者有无感染的征象，监测肾功能各项指标和血生化指标，监测重要器官的功能情况。

第五节　慢性肾功能衰竭患者的护理

（一）病因和发病机制

1. 病因：我国导致慢性肾衰竭的主要病因是慢性肾小球肾炎。

2. 发病机制：健存肾单位学说；矫枉失衡学说；肾小球高压力、高灌注和高滤过学说；肾小管高代谢学说。

（二）临床表现

1. 水、电解质和酸碱平衡失调：高钾血症、低钠血症、水肿、低钙血症、高磷血症、代谢性酸中毒等。

2. 各系统症状体征

（1）心血管和肺症状：心血管疾病是肾衰最常见的死因，可有心力衰竭、心包炎、冠心病。尿毒症毒素可引起“尿毒症肺炎”。

（2）血液系统表现：肾衰常有不同程度贫血，多为正细胞正常色素性贫血。患者常有出血倾向。

（3）神经、肌肉系统症状：本病常有周围神经病变，感觉神经较运动神经显著，尤以下肢远端为甚，最常见的是肢端袜套样分布的感觉丧失。患者常有肌无力，以近端肌受累较常见。

（4）胃肠道症状：胃肠道症状是尿毒症患者最早最突出的表现。

（5）皮肤症状：皮肤瘙痒是常见症状。尿毒症患者面部肤色常较深且萎黄，有轻度水肿感，称为尿毒症面容。

（6）肾性骨营养不良症（简称肾性骨病）：依常见顺序排列，依次为纤维囊性骨炎、肾性骨软化症、骨质疏松症和肾性骨硬化症。病因为继发性甲状旁腺功能亢进症、骨化三醇缺乏、营养不良、铝中毒及代谢性酸中毒等。

（三）辅助检查

1. 血常规：红细胞计数下降，血红蛋白浓度降低，白细胞与血小板正常或偏低。

2. 尿常规：尿渗透压下降。尿沉渣检查中可见红细胞、白细胞、颗粒管型和蜡样管型。

3. 肾功能检查：内生肌酐清除率降低，血肌酐、尿素、尿酸水平增高。血钙降低，血磷增高。

4. B超或X线平片：双肾体积小，肾萎缩。

（四）治疗要点

(1) 治疗原发病和纠正加重慢性肾衰竭的因素。

(2) 延缓慢性肾衰竭的发展：给予低蛋白、低磷饮食，适当地应用必需氨基酸。控制高血压和（或）肾小球内高压力，首选ACEI和血管紧张素Ⅱ受体拮抗药。

(3) 并发症的治疗

① 水、电解质失调：水肿者应限制盐和水的摄入，使用呋塞米利尿。高钾血症，应首先治疗引起高血钾的原因和限制饮食中的钾。如血钾＞6.5mmol/L，出现心电图高钾表现，甚至肌无力，必须紧急处理。

② 心血管和肺并发症：对肾素依赖性高血压，首选ACEI，将血压降至130/80mmHg以下。尿毒症性心包炎应积极透析。

③ 血液系统并发症：重组人红细胞生成素（EPO），治疗贫血疗效显著。EPO的不良反应主要是高血压。透析能改善肾衰贫血。

(4) 替代治疗

① 透析疗法：尿毒症患者经药物治疗无效时，应及早行透析治疗。

② 肾移植：同种肾移植是目前治疗终末期肾衰竭最有效的方法。

（五）护理措施

1. 饮食护理

① 改善患者食欲，加强口腔护理。

② 供给患者足够的热量，以减少体内蛋白质的消耗。

③ 根据患者的肾小球滤过率（GFR）来调整蛋白质的摄入量。

④ 给予高维生素、高热量、高生物效价低蛋白、低磷、高钙饮食，主食最好采用小麦淀粉。

⑤ 必需氨基酸有口服制剂和静滴剂，能口服者以口服为宜。静脉输入必需氨基酸时应注意输液速度，切勿在氨基酸内加入其他药物，以免引起不良反应。

2. 病情观察：观察意识改变，有无恶心、呕吐，有无电解质紊乱表现，监测肾功能和营养状况。注意血压、心率与心律，有无心衰及心包摩擦音。观察体重、尿量变化，正确记录出入液量。

3. 休息与活动：慢性肾衰竭患者应卧床休息，避免过度劳累。休息与活动的量视病情而定，病情较重或心力衰竭者，应绝对卧床休息；能起床活动的患者，则应鼓励其适当活动；贫血严重者应卧床休息。有神经系统症状者应安置于光线较暗的病室。

4. 预防感染

① 有条件时将患者安置在单人房间，病室定期通风并做空气消毒。

② 各项检查治疗严格无菌操作，避免不必要检查。

③ 加强生活护理，尤其是口腔及会阴部皮肤的清洁卫生。卧床患者应定期翻身，指导有效咳痰。

④ 尽量避免去公共场所。

⑤ 接受血液透析的患者，应进行乙肝疫苗的接种，并尽量减少输注血液制品。

5. 高钾血症的预防

(1) 观察血钾检验报告和心电图情况，及时与医师取得联系。

(2) 采集血钾标本时针筒要干燥，采血部位结扎勿过紧，血取出后沿试管壁注入，以防溶血，影响检验结果。

(3) 忌用含钾的药物如钾盐青霉素及保钾类利尿药螺内酯等。

(4) 忌输库存血。

(5) 尽量避免食用含钾多的食物，如白菜、萝卜、榨菜、橘子、香蕉、梨、桃、葡萄、西瓜等。

6. 肾性水肿护理措施

(1) 休息：轻度水肿病人限制活动量，严重水肿者应以卧床休息为主。

(2) 饮食护理：限制水、钠和蛋白质摄入。

(3) 病情观察：观察水肿消长情况，有胸腔积液者注意呼吸频率。体位要舒适，有腹水要测腹围；准确记录24小时出入量，进行透析治疗者记录超滤液量；隔日测量体重。

(4) 用药的护理；观察药物的疗效及可能出现的不良反应。使用激素和免疫抑制剂时，应特别告知病人及家属不可擅自加量、减量甚至停药。

（5）保持皮肤、黏膜清洁：告知病人应坚持每日温水擦浴或淋浴，勤换内衣裤；每日冲洗会阴1次。

（6）防止水肿皮肤破损：穿宽大柔软棉织品衣裤，保持床铺平整干燥。病人定时变换体位，避免骨隆起部位受压，引起皮肤破损。肌内及静脉注射时，应将皮下水肿液推向一侧再进针，穿刺后用无菌干棉球按压至不渗液为止。

【考点强化】

1. 肾盂肾炎最多见的致病菌是
   A. 大肠杆菌　B. 副大肠杆菌
   C. 变形杆菌　D. 葡萄球菌
   E. 粪链球菌
2. 原发性肾病综合征的主要病因是
   A. 遗传因素　B. 免疫因素
   C. 物理因素　D. 化学因素
   E. 营养因素
3. 慢性肾小球肾炎的发病机制是
   A. 病毒感染　B. 细菌感染
   C. 代谢紊乱　D. 高蛋白、高血压
   E. 免疫介导的炎症反应
4. 慢性肾炎的错误保健指导是
   A. 长期低盐饮食　B. 不宜妊娠
   C. 防止受凉　D. 避免过度疲劳
   E. 避免应用对肾脏有害的药物
5. 尿毒症最早出现的症状是
   A. 厌食、恶心、呕吐
   B. 嗜睡、定向力障碍
   C. 咳嗽、胸痛　D. 皮肤黏膜出血
   E. 血压升高
6. 慢性肾炎患者水肿明显，尿蛋白（＋＋＋＋），肾功能检查正常，其饮食宜
   A. 低盐、高糖　B. 低盐、高蛋白
   C. 低盐、低蛋白　D. 低蛋白、高糖
   E. 高热量、高蛋白
7. 慢性肾功能衰竭尿毒症期的错误护理措施是
   A. 高生物效价低蛋白饮食
   B. 每天用复方硼砂溶液漱口
   C. 口腔糜烂用甲紫涂抹
   D. 用肥皂水擦洗皮肤
   E. 睡前饮水1～2次
8. 肾病性水肿肾功能正常者，错误的护理措施是
   A. 低蛋白饮食　B. 限制钠盐摄入
   C. 保持皮肤清洁
   D. 静脉输液需控制滴速和总量
   E. 病室定期清洁、消毒
9. 急性肾盂肾炎患者的正确护理措施是
   A. 安置于光线较暗的病室
   B. 高生物效价低蛋白饮食
   C. 限制钠盐摄入　D. 鼓励多饮水
   E. 导尿留取尿培养标本
10. 尿毒症少尿期患者忌输库存血，主要是为了防止引起
    A. 出血倾向　B. 输血反应
    C. 血尿素氮升高　D. 血钙降低
    E. 血钾升高
11. 肾盂肾炎最常见的感染途径为
    A. 血源性　B. 上行性
    C. 淋巴道　D. 直接蔓延
    E. 损伤性
12. 尿毒症患者纠正酸中毒后发生抽搐，主要原因是
    A. 血浆白蛋白降低　B. 血磷增高
    C. 血游离钙降低　D. 血结合钙降低
    E. 血非蛋白氮增高
13. 慢性肾功能衰竭最早的表现是
    A. 血压升高　B. 头痛、头晕
    C. 恶心、呕吐　D. 皮肤瘙痒
    E. 呼吸深快
14. 慢性肾功能衰竭患者需严格记录出入量，是因为患者
    A. 脱水　B. 失水或水过多
    C. 低钾血症　D. 水肿
    E. 低钙血症
15. 下列哪项措施不能减轻尿路刺激征
    A. 鼓励患者多饮水　B. 限制蛋白质摄入
    C. 严重者卧床休息　D. 保持外阴清洁
    E. 酌情应用解痉药
16. 尿毒症患者最适宜的饮食应
    A. 富含钙、磷
    B. 高热量、低植物蛋白
    C. 高热量、低动物蛋白
    D. 富含钠、钾　E. 高热量、高脂肪
17. 护理肾功能衰竭少尿期患者时，下列哪项措施是正确的
    A. 大量补液　B. 摄入含钾食物
    C. 禁用库存血　D. 及时补充钾盐
    E. 加强蛋白质摄入

18. 急性肾炎严重病例多发生于起病后

A. 第1周内　B. 第2周内

C. 第3周内　D. 第4周内

E. 第5周内

19. 原发性肾病综合征水肿的主要原因是

A. 蛋白质合成障碍　B. 低白蛋白血症

C. 高脂血症　D. 循环血量不足

E. 肾小球重吸收障碍

20. 治疗肾病综合征最常用的细胞毒药物是

A. 甲氨蝶呤　B. 苯丁酸氨芥

C. 巯嘌呤　D. 三尖杉酯碱

E. 环磷酰胺

21. 多尿是指24h的尿量超过

A. 400ml　B. 1000ml

C. 1500ml　D. 2000ml

E. 2500ml

22. 肾病综合征的临床表现不包括

A. 高度水肿　B. 高脂血症

C. 大量蛋白尿　D. 高血压

E. 低蛋白血症

23. 某肾盂肾炎患者住院后，护士嘱其多饮水，目的是

A. 增加血容量　B. 降低体温

C. 冲洗尿路　D. 减少药物不良反应

E. 增加食欲

24. 某慢性肾功能衰竭患者入院治疗后出现抽搐，可能原因是

A. 心力衰竭　B. 低钙血症

C. 低钾血症　D. 血氨升高

E. 代谢性酸中毒

25. 急性肾衰竭少尿期一般持续

A. 5～7天　B. 6～9天

C. 7～14天　D. 14～20天

E. 20～28天

26. 急性肾功能衰竭少尿或无尿期致死的主要原因是

A. 高钾血症、低钙血症、水中毒

B. 低钾血症、水中毒、代谢性酸中毒

C. 高钾血症、水中毒、代谢性酸中毒

D. 高镁血症、低钠血症、水中毒

E. 高钾血症、水中毒、代谢性碱中毒

27. 急性肾功能衰竭少尿或无尿期的电解质紊乱，下列哪项不可能发生

A. 高钾血症　B. 高镁血症

C. 高钙血症　D. 低钠血症

E. 高磷血症

28. 关于急性肾衰护理，下列哪项错误

A. 尿量＜400ml/d，提示肾衰可能

B. 少尿期饮食应取低蛋白

C. 避免使用含钾食物

D. 进入多尿期表示患者已脱离危险

E. 禁用对肾有毒性作用的药物

29. 急性肾功能衰竭少尿或无尿期对体液护理要求不正确的是

A. 体重每日减轻0.5kg

B. 血钠应高于130mmol/L

C. 中心静脉压在正常范围

D. 无肺水肿、脑水肿及循环衰竭等表现

E. 及时大量补液

30. 患者因消化道出血入院，入院后患者突然尿量减少，600ml/d，血压90/60mmHg，尿素氮每日约上升36～71mmol/L，诊断急性肾衰竭，可能的病因是

A. 休克　B. 肾前性急性肾衰竭

C. 双侧肾盂输尿管梗阻

D. 肾性急性肾衰竭

E. 肾后性急性肾衰竭

31. 患者，男，40岁，尿毒症。血肌酐明显增高，近一周来夜尿量增多，晨起时恶心、呕吐。为减轻晨间呕吐，最有效的护理措施是

A. 加强晨间口腔护理

B. 饮食少量多餐　C. 避免刺激性食物

D. 减少晚餐进食量　E. 睡前饮水

32. 某肾病型慢性肾炎患者，经住院治疗后病情缓解，其向护士咨询保健知识时，护士指导不妥的是

A. 注意个人卫生　B. 长期禁盐

C. 维持激素治疗　D. 避孕

E. 感染时使用青霉素类抗生素

33. 某慢性肾小球肾炎患者，肉眼血尿，血压195/105mmHg。以下哪项处理措施对其不适用

A. 氢氯噻嗪利尿　B. 硝苯地平降压

C. 限制钠盐　D. 卧床休息

E. 应用糖皮质激素

34. 某慢性肾功能衰竭患者，伴有厌食、恶心、口臭、皮肤瘙痒。以下护理计划内容哪项是正确的

A. 给予低热量饮食　B. 每天口腔护理1次

C. 勤用温水擦洗皮肤

D. 保持病室光线充足

E. 晚间睡前不宜饮水

35. 某患者，有肾小球肾炎史。因病情稳定上班工作，近日在单位体检时发现血压升高，来医院复查，证实为慢性肾小球肾炎急性发作。为迅速有效地缓解症状，最好的处理措施是

A. 卧床休息　　B. 低盐饮食

C. 利尿降压　　D. 激素治疗

E. 中医治疗

36. 某患者，女性，24 岁，尿液浑浊不清，尿液镜检白细胞充满整个视野，伴有少许白细胞管型和大量上皮细胞。此时应考虑为

A. 急性肾炎　　B. 慢性肾炎

C. 肾脏肿瘤　　D. 急性肾盂肾炎

E. 泌尿道结石

（37～40 题共用病例）

女性 28 岁，近日来发热，腰痛伴尿急、尿频、尿痛，查尿白细胞 25 个/HP。

37. 考虑该患者可能患有以下哪种疾病

A. 急性肾炎　　B. 慢性肾炎

C. 泌尿系统感染　　D. 急进性肾炎

E. 肾病综合征

38. 本病的病因是

A. 免疫缺陷　　B. 细菌感染

C. 遗传因素　　D. 过敏反应

E. 营养过剩

39. 嘱患者多饮水目的是

A. 降低体温　　B. 缓解尿频

C. 营养需要　　D. 冲洗尿路

E. 治疗腰痛

40. 如何预防该疾病

A. 保持会阴部卫生　B. 长期锻炼

C. 加强营养　　D. 常服用抗生素

E. 戒烟酒

（41～42 题共用病例）

患者男性，57 岁。因水肿、无尿入院。入院前因上呼吸道感染曾多次使用庆大霉素和复方磺胺甲噁唑（新诺明）治疗，而后出现水肿，尿量进行性减少。查体：眼睑水肿，双下肢凹陷性水肿。

41. 该患者最可能患有

A. 急性肾功能衰竭 B. 急性呼吸衰竭

C. 急性心力衰竭

D. 多器官功能不全综合征（MODS）

E. 脑水肿

42. 针对该患者的护理措施，下列不正确的是

A. 控制水的摄入量

B. 高蛋白、高热量、高维生素饮食

C. 禁止含钾食物和药物的摄入

D. 控制感染

E. 严重时可选择透析疗法

【参考答案】

1. A　2. B　3. E　4. A　5. A
6. A　7. D　8. A　9. D　10. E
11. B　12. C　13. C　14. B　15. B
16. C　17. C　18. A　19. B　20. E
21. E　22. D　23. C　24. B　25. C
26. C　27. C　28. D　29. E　30. B
31. E　32. B　33. E　34. C　35. C
36. D　37. C　38. B　39. D　40. A
41. A　42. B

第五章　血液系统疾病患者的护理

第一节　缺铁性贫血患者的护理

（一）病因和发病机制

1. 病因

（1）铁需要量增加而摄入量不足是妇女、儿童缺铁性贫血的主要原因。

（2）铁吸收不良：常见于胃大部切除及胃空肠吻合术后、慢性萎缩性胃炎、长期腹泻等。

（3）铁丢失过多：慢性失血是成人缺铁性贫血最常见和最重要的病因。

2. 发病机制

（1）缺铁对铁代谢的影响：可出现血清铁蛋白、血清铁、转铁蛋白饱和度及总铁结合力等铁代谢指标的异常。

（2）缺铁对造血系统的影响：体内缺铁时，大量原卟啉无法与铁结合成为血红素，血红蛋白生成减少，从而发生红细胞胞浆少、体积小的小细胞低色素性贫血。

（3）缺铁对组织细胞代谢的影响：缺铁可导致黏膜组织病变和外胚叶组织营养障碍，从而引起缺铁性贫血的一些特殊临床表现。

（二）铁代谢

1. 铁的分布：正常成人含铁总量，男性为50mg/kg，女性为35mg/kg。血红蛋白铁约占绝大多数。

2. 铁的来源和吸收：正常成人造血需要的铁主要来自衰老红细胞破坏后释放的铁。十二指肠及空肠上段是铁的主要吸收部位。

3. 铁的转运和利用：吸收入血的亚铁（Fe^{2+}）被氧化为高铁（Fe^{3+}）后，部分与血浆中的转铁蛋白结合成为转铁蛋白复合体，并将铁运送到骨髓和其他组织中，被幼红细胞和其他需铁的组织摄取。

4. 铁的贮存及排泄：人体内多余的铁以铁蛋白和含铁血黄素的形式贮存。

（三）临床表现

（1）有面色苍白、乏力、易倦、头晕、头痛、心悸、气促、耳鸣等。

（2）组织缺铁表现：如皮肤干燥、角化，毛发干枯易脱落，指（趾）甲扁平、不光整、脆薄易裂，甚至出现反甲或匙状甲；黏膜损害多表现为口角炎、舌炎、舌乳头萎缩。

（3）神经、精神系统异常：过度兴奋、易激惹、好动、难以集中注意力、异食癖等。

（四）辅助检查

（1）外周血象：典型血象为小细胞低色素性贫血。

（2）骨髓象：骨髓铁染色为诊断缺铁的金指标。红细胞系增生活跃，以中、晚幼红细胞为主，细胞体积偏小、染色质颗粒致密、胞浆少，成熟红细胞中心淡染区扩大。粒细胞和巨核细胞无明显变化。

（3）铁代谢的生化检查：血清铁蛋白（SF）作为早期诊断贮存铁缺乏的一个常用指标。血清铁减少，血清总铁结合力增高，转铁蛋白饱和度（TS）下降。

（五）治疗要点

（1）治疗病因是根治缺铁性贫血的关键所在。

（2）铁剂治疗：是纠正缺铁性贫血的有效措施。首选口服铁剂。常用药物有硫酸亚铁、富马酸亚铁等。铁剂治疗有效者于用药后1周左右网织红细胞数开始上升，10天左右渐达高峰。为进一步补足体内贮存铁，在血红蛋白恢复正常后，仍需继续服用铁剂3～6个月，或待血清铁蛋白＞50μg/L后停药。

（六）护理措施

1. 饮食护理

（1）纠正不良的饮食习惯：保持均衡饮食，避免偏食或挑食；定时、定量，细嚼慢咽；尽可能减少刺激性过强食物的摄取。

（2）增加含铁丰富食物的摄取：含铁丰富的食物有肉类、肝脏、血、蛋黄、海带与黑木耳等。

（3）促进食物铁的吸收：牛奶会改变胃内的酸性环境，浓茶与咖啡中的鞣酸可与食物铁结合而妨碍食物中铁的吸收。为增加食物铁的吸收，患者多吃富含维生素C的食物或加服维生素C；尽可能避免同时进食或饮用可减少食物铁吸收的食物或饮料。

2. 补充铁剂护理

（1）口服铁剂的应用与指导

① 为预防或减轻胃肠道反应，可建议患者饭后或餐中服用。

② 应避免铁剂与牛奶、茶、咖啡、抗酸药（碳酸钙和硫酸镁）及H_2受体拮抗药同服，为促进铁的吸收，可服用维生素C、乳酸或稀盐酸等酸性药物或食物。

③ 口服液体铁剂时须使用吸管，避免牙染黑。

④ 服铁剂期间，粪便会变成黑色。

⑤ 强调要按剂量、按疗程服药，定期复查相关实验室检查。

（2）注射铁剂的护理：为减少或避免局部

疼痛与硬结形成，注射铁剂应采用深部肌内注射法，并经常更换注射部位。应避免药液外渗，注射过程中应密切观察患者反应。注射铁剂时，防止局部疼痛或坏死。

第二节　再生障碍性贫血患者的护理

（一）病因和发病机制

1. 病因：药物及化学物质为再障最常见的致病因素，最常见的是氯霉素；长期接触各种电离辐射及其他放射性物质；风疹病毒、EB病毒、流感病毒以及肝炎病毒均可引起再障。

2. 发病机制：造血干细胞的缺陷（"种子"学说）；造血微环境的异常（"土壤"学说）；免疫异常（免疫学说）。

（二）临床表现

主要为进行性贫血、出血、感染，但多无肝、脾、淋巴结肿大。

（三）辅助检查

1. 外周血象：全血细胞减少。

2. 骨髓象：为确诊再障的主要依据。重型再障骨髓显示增生低下或极度低下，粒、红二系明显减少，无巨核细胞。

（四）治疗要点

1. 对症治疗：控制感染，控制出血，纠正贫血。

2. 免疫抑制药：适用于发病与免疫机制有关的患者。抗胸腺细胞球蛋白（ATG）和抗淋巴细胞球蛋白（ALG）可用于重型再障的治疗。环孢素（CYA）是再障治疗的一线药物，适用于各种类型的再障；糖皮质激素因其疗效有限且副作用大，目前不主张单独应用。

3. 促进骨髓造血

（1）雄激素：雄激素为治疗慢性再障首选药物。

（2）造血细胞因子：主要用于重型再障。单用无效，多作为一种辅助性药物，在免疫抑制治疗时或之后应用，有促进骨髓恢复的作用。

4. 造血干细胞移植：最佳移植对象是年龄＜40岁、未接受输血、未发生感染者。

（五）护理措施

1. 一般护理：急性型以休息为主，病情危重时须卧床休息；加强营养支持；给予心理护理。

2. 用药护理

（1）雄激素类药物：丙酸睾酮需采取深部、缓慢、分层肌注，注意轮换注射部位，经常检查局部有无硬结，一旦发现须及时处理。长期应用时，用药期间应定期检查肝功能。长期用后可出现痤疮、水肿、体重增加、毛发增多等。

（2）ATG和ALG：治疗过程中可出现超敏反应、出血加重、血清病（如猩红热样皮疹、发热、关节痛）以及继发感染等，应加强病情观察，做好保护性隔离，预防出血和感染。定期复查外周血象，了解血红蛋白、白细胞计数及网织红细胞计数的变化。

3. 预防呼吸道感染：保持病室内空气清新、物品清洁，定期消毒。严格执行各项无菌操作。注意保暖，防止受凉。粒细胞绝对值$\leqslant 0.5\times10^9/L$者，应给予保护性隔离。

第三节　特发性血小板减少性紫癜患者的护理

（一）病因和发病机制

本病病因未明，可能与下列因素有关。

（1）感染：尤其与病毒感染有关。

（2）免疫因素：血小板相关抗体或抗血小板抗体等自身抗体的形成在ITP的发病中非常重要。

（3）肝、脾与骨髓因素：其中以脾脏因素最为重要。

（4）其他因素：可能与雌激素有关。

（二）临床表现

1. 急性型：多见于儿童，多数患者起病前有呼吸道感染史。起病急，常有发热，皮肤、鼻、牙龈及口腔黏膜出血。颅内出血是本病致死的主要原因。

2. 慢性型：常见于40岁以下的成年女性。起病缓慢，一般无前驱症状，出血症状较轻，常反复出现四肢皮肤散在的瘀点、瘀斑。反复发作者常有轻度脾大。

（三）辅助检查

1. 外周血象：急性型发作期血小板常 $<20\times10^9/L$，慢性型多为 $(30\sim80)\times10^9/L$。

2. 骨髓象：急性型幼稚巨核细胞比例增多，巨核细胞呈现成熟障碍；形成血小板的巨核细胞减少。

3. 其他：束臂试验阳性、出血时间延长、血块收缩不良，血小板寿命明显缩短。

（四）治疗要点

1. 药物治疗：糖皮质激素为首选药物。免疫抑制药用于糖皮质激素治疗方法无效、疗效差或不能切脾者，最常用的是长春新碱，环孢素主要用于难治性ITP患者。

2. 脾切除：主要适应证：糖皮质激素治疗3～6个月无效者；出血明显，危及生命者；泼尼松有效，但维持剂量必须大于30mg/d者；不宜用糖皮质激素者。禁忌证：妊娠期或因其他原因不能耐受手术者。

3. 输新鲜血或浓缩血小板悬液：仅用于危重出血或脾切除术。

4. 急重症的处理：紧急补充血小板；静注大剂量泼尼松龙；静注大剂量丙种球蛋白；血浆置换。

（五）护理措施

1. 休息与活动：血小板明显减少、出血严重者应卧床休息，防止外伤。

2. 病情观察：严密观察出血部位、出血症状、出血量。

3. 药物护理：避免应用降低血小板数量及抑制血小板功能的药物。注意药物不良反应的观察和预防。长期使用糖皮质激素时，应向患者解释糖皮质激素的副作用，并指导用药，如餐后服药、自我监测粪便颜色、预防各种感染等。静注免疫抑制药、大剂量丙种球蛋白时，要注意保护局部血管并密切观察，一旦发生静脉炎要及时处理。

第四节　血友病患者的护理

血友病是一组最常见的遗传性凝血因子缺乏的出血性疾病。

（一）病因与发病机制

1. 病因：为遗传性疾病，绝大多数情况下只有男性患病，女性为缺陷基因携带者。

2. 发病机制：由于凝血因子基因缺陷导致其水平和功能低下，而使血液不能正常地凝固。

（二）临床表现

临床主要表现为自发性关节和组织出血，以及出血引致的畸形。血友病出血具备下列特征：

(1) 出生即有，伴随终身；

(2) 常表现为软组织或深部肌肉内血肿；

(3) 负重关节（如膝、踝关节等）反复出血甚为突出。

（三）辅助检查

凝血时间和激活部分凝血活酶时间延长，凝血酶原消耗（PCT）不良及简易凝血酶生成试验（STGT）异常。而出血时间、血小板计数均正常。

（四）治疗原则

最有效的治疗方法仍是替代治疗，最好的治疗方式是预防性治疗。替代治疗的原则是尽早、足量和维持足够时间。

（五）护理措施

1. 出血的护理

(1) 防止外伤，预防出血。不要过度负重或做剧烈的接触性运动，避免受伤和手术治疗。

(2) 尽量采用口服用药，不用或少用肌注和静注。

(3) 注意口腔卫生，预防龋齿，避免拔牙；不食用易损伤消化道黏膜的食物。

(4) 禁忌使用阿托品、双嘧达莫等抑制血小板聚集或使血小板减少的药物。

2. 病情观察：注意观察肌肉及关节血肿引起的表现；定期监测血压、脉搏，观察患者有无呕血、咯血等内脏出血的征象；注意观察颅内出血的表现。

3. 输注凝血因子护理：应在凝血因子取回后立即输注；使用冷沉淀物时，应在37℃温水中10分钟内融化，并尽快输入；输注过程中注意观察有无输血反应。

第五节　白血病患者的护理

一、急性白血病

（一）临床表现

1. 贫血：常为首发症状，呈进行性加重。

2. 发热：是急性白血病最常见的症状。

（1）继发感染：主要表现为持续高热，可伴畏寒、寒战及出汗等。

（2）肿瘤性发热：与白血病细胞的高代谢状态及其内源性致热源物质的产生等有关。主要表现为持续低至中度发热，抗生素治疗无效，化疗药物可使患者体温下降。

3. 出血：以皮肤瘀点、瘀斑、鼻出血、牙龈出血、女性患者月经过多或持续阴道出血较为常见。

4. 器官和组织浸润的表现

（1）肝、脾和淋巴结肿大。

（2）骨骼、关节疼痛，胸骨下段局部压痛对白血病的诊断有一定价值。

（3）牙龈增生、肿胀；皮肤出现蓝灰色斑丘疹、皮下结节、多形红斑、结节性红斑等。

（4）中枢神经系统白血病：常发生在缓解期，以急淋最常见。轻者表现为头痛、头晕，重者可有呕吐、视盘水肿、视物模糊、颈项强直、抽搐、昏迷等。

（二）辅助检查

1. 血象：多数患者白细胞计数增多。

2. 骨髓象：骨髓检查是诊断白血病的重要依据，骨髓增生活跃，白血病原始细胞占非红细胞的30%以上，形成所谓“裂孔”现象，正常粒系、红系细胞及巨核细胞系统均显著减少。

（三）治疗要点

1. 对症治疗：严重感染是白血病患者主要死亡原因，要防治感染；预防和控制出血，当血小板$<20\times10^{9}/L$时可输注浓缩血小板悬液或新鲜血；纠正贫血。

2. 化学药物治疗：化疗是目前白血病治疗最主要的方法，也是造血干细胞移植的基础。完全缓解：指患者的症状和体征消失，外周血象的白细胞分类中无幼稚细胞，骨髓象中相关系列的原始细胞与幼稚细胞之和<5%。

3. 中枢神经系统白血病的防治：常用药物是甲氨蝶呤，在缓解前或后鞘内注射。

4. 骨髓移植：急性白血病第1次完全缓解时进行移植，患者年龄控制在50岁以下。

（四）护理措施

化疗不良反应的护理如下。

1. 静脉炎及组织坏死的预防与护理

（1）合理选用静脉：反复多次化疗者，最好采用中心静脉或深静脉留置导管供注射用。如使用浅表静脉，应选择有弹性且直的大血管。避免在循环功能不良的肢体进行注射。

（2）避免药液外渗：静注化疗药前，先用生理盐水冲管，确定注射针头在静脉内方可注入药物；静注时要边抽回血边注药；当有数种药物给予时，要先用刺激性强的药物；药物输注完毕再用生理盐水冲洗后拔针；拔针后局部要按压数分钟。

（3）化疗药液外渗和静脉炎的处理：发生化疗药物外渗时，立即停止注入，边回抽边退针，局部使用生理盐水加地塞米松做多处皮下注射，或选用相应的拮抗剂。若发生静脉炎需及时使用普鲁卡因局部封闭，或冷敷、休息数天直至静脉炎痊愈。

2. 骨髓抑制的预防与护理：化疗期间要定期检查血象；每次疗程结束后要复查骨髓象；避免应用其他抑制骨髓的药物。

3. 消化道反应的预防与护理

（1）提供良好的休息与进餐环境。

（2）选择合适的进餐时间，选择胃肠道症状最轻的时间进食，避免在治疗前后2小时内进食；出现恶心、呕吐时应暂缓或停止进食，保持口腔清洁，必要时用止吐药物。

（3）饮食指导：化疗期间患者饮食要清

淡、易消化或富有营养，以半流质为主，少量多餐。避免进食高糖、高脂、产气过多和辛辣的食物。进食后可依据病情适当活动，避免饭后立即平卧。

4. 心脏毒性的预防与护理：柔红霉素、阿霉素、高三尖杉酯碱类药物可引起心肌及心脏传导损害，用药前、后应监测患者的心率、节律及血压；药物要缓慢静滴；注意观察患者的面色和心率。

5. 肝功能损害的预防与护理：巯嘌呤、甲氨蝶呤、门冬酰胺酶对肝功能有损害作用，用药期间应观察患者有无黄疸，并定期监测肝功能。

6. 其他药物不良反应：长春新碱能引起末梢神经炎、手足麻木感，停药后可逐渐消失。左旋门冬酰胺酶可引起过敏反应，用药前应皮试。甲氨蝶呤可引起口腔黏膜溃疡。环磷酰胺可引起脱发和出血性膀胱炎。

二、慢性粒细胞白血病患者的护理

（一）临床表现

1. 慢性期：起病缓，早期常无自觉症状，随病情发展可出现乏力、消瘦、低热、多汗或盗汗、体重减轻等代谢亢进的表现。大多数患者可有胸骨中下段压痛。巨脾为最突出的体征。

2. 加速期：主要表现为原因不明的高热，脾迅速肿大，骨、关节痛以及逐渐出现贫血、出血。白血病细胞对原来有效的药物发生耐药。

3. 急变期：表现与急性白血病相似。

（二）辅助检查

1. 慢性期：中性粒细胞数量显著增多；骨髓增生明显或极度活跃，以粒细胞为主，原始粒细胞＜10％。

2. 加速期：外周血或骨髓原粒细胞≥10％；外周血嗜碱性粒细胞＞20％；骨髓活检显示胶原纤维显著增生。

3. 急变期：骨髓中原粒细胞或原淋＋幼淋巴细胞或原单＋幼单核细胞＞20％；外周血中原粒＋早幼粒细胞＞30％；骨髓中原粒＋早幼粒细胞＞50％。

（三）治疗要点

1. 化学治疗：首选羟基脲。

2. α-干扰素：与羟基脲联合应用，可提高疗效。

3. 异基因骨髓移植：是目前被普遍认可的根治性治疗方法。

（四）护理措施

1. 病情观察：每天测量患者脾的大小、质地并做好记录。注意脾区有无压痛，观察有无脾栓塞或脾破裂的表现。

2. 脾胀痛的护理：置患者于安静、舒适的环境中，减少活动，尽量卧床休息，并取左侧卧位，以减轻不适感。指导患者进食宜少量多餐，以减轻腹胀，尽量避免弯腰和碰撞腹部，以避免脾破裂。

3. 尿酸性肾病的护理：鼓励患者多饮水，预防性服用别嘌醇和碳酸氢钠，以抑制尿酸的生成和碱化尿液，减少尿酸结晶的析出。在化疗给药前后遵医嘱给予利尿药，以促进尿酸的稀释与排泄。

第六节　弥散性血管内凝血（DIC）

弥散性血管内凝血（DIC）是一种发生在许多疾病基础上，由致病因素激活凝血及纤溶系统，导致全身微血栓形成，凝血因子大量消耗并继发纤溶亢进，引起全身出血及微循环衰竭的临床综合征。

（一）病因与病理生理

1. 病因：感染性疾病最多见，常见的有败血症；恶性肿瘤次之，常见的有急性白血病、淋巴瘤；病理产科如胎盘早剥、羊水栓塞等；组织损伤少见，如大面积烧伤、严重创伤。

2. 病理生理：微血栓形成是DIC的基本和特异性病理变化。主要为纤维蛋白血栓及纤维蛋白-血小板血栓。

（二）临床表现

DIC按起病急缓、病情轻重分为急性型、亚急性型、慢性型。按发展过程分为高凝血期、消耗性低凝血期、继发性纤溶亢进期。

1. 出血倾向：为自发性、多发性出血。多见于皮肤、黏膜、伤口及穿刺部位出血。

2. 休克或微循环衰竭：表现为肢体湿冷、少尿、呼吸困难、发绀及神志改变等。

3. 微血管栓塞。

4. 微血管病性溶血：表现为进行性贫血。

（三）辅助检查

血小板减少、凝血酶原时间延长、D-聚体水平升高或阳性、纤维蛋白原含量逐渐减低、3P试验阳性等。

（四）治疗原则

治疗基础疾病，消除诱因。抗凝治疗，原则上使用肝素抗凝，目前临床趋向使用低分子肝素治疗。补充所减少的血浆凝血因子及血小板。

（五）护理措施

1. 病情观察：观察有无各器官栓塞的症状和体征。

(1) 肺栓塞：表现为突然胸痛、呼吸困难、咯血；

(2) 脑栓塞：有头痛、抽搐、昏迷等临床表现；

(3) 肾栓塞：出现腰痛、血尿、少尿或无尿；

(4) 胃肠黏膜栓塞：有消化道出血；

(5) 皮肤栓塞：出现干性坏死、手指、足趾、鼻、颈、耳部发绀。

2. 用药护理：给予预防低血压的药物时注意维持静脉输液畅通，以防止血压降低后进一步减少末梢循环血量。使用肝素抗凝治疗时注意观察出血减轻或加重情况，定期测凝血时间。

【考点强化】

1. 成人缺铁性贫血最常见和最重要的原因是
A. 铁摄入不足　B. 铁吸收不良
C. 骨髓造血功能不良
D. 慢性失血　E. 铁需要量增加

2. 硫酸亚铁用于治疗
A. 巨幼细胞贫血　B. 缺铁性贫血
C. 肿瘤化疗引起的贫血
D. 溶血性贫血　E. 再生障碍性贫血

3. 下列哪项是缺铁性贫血所致的特异性表现
A. 面色苍白　B. 疲乏无力
C. 反甲　D. 失眠
E. 头晕、耳鸣

4. 关于铁剂的叙述不正确的是
A. 口服液体铁剂最好使用吸管
B. 胃酸缺乏会引起铁吸收障碍
C. 服铁剂时要避免服用抗酸药
D. 铁剂可引起恶心、腹泻、便秘
E. 右旋糖酐铁是最常用的口服铁剂

5. 检查贫血患者的贫血体征，较为可靠的部位是
A. 眼睑结膜　B. 面颊皮肤
C. 甲床　D. 舌面
E. 口腔牙龈

6. 胃大部切除术术后出现贫血主要是由于减少了
A. 主细胞　B. 壁细胞
C. 黏液细胞　D. G细胞
E. 上皮细胞

7. 铁的吸收部位
A. 胃和十二指肠
B. 十二指肠及空肠上段
C. 空肠和回肠　D. 空肠和结肠
E. 以上都不是

8. 下列可引起再生障碍性贫血的药物中，最常见的是
A. 磺胺药　B. 氯霉素
C. 四环素　D. 保泰松
E. 环磷酰胺

9. 下列哪项为再生障碍性贫血的诊断依据之一
A. 网织红细胞增多　B. 肝脾肿大
C. 全血细胞减少　D. 骨髓增生活跃
E. 不易感染和出血

10. 关于雄激素描述错误的是
A. 是治疗慢性再障的首选药
B. 疗效缓慢
C. 长期应用导致骨质疏松
D. 有肝损害
E. 肌内注射易形成硬结

11. 下列哪项是急性特发性血小板减少性紫癜的特点
A. 转为慢性　B. 反复发作
C. 自限性　D. 急慢交替
E. 急性，易死亡

12. 特发性血小板减少性紫癜治疗首选
A. 雌激素　B. 糖皮质激素

C. 脾切除　　D. 免疫抑制药
E. 输血小板

13. 诊断急性白血病最可靠的依据是
A. 肝、脾、淋巴结肿大
B. 骨髓象见原始细胞超过 30%
C. 血白细胞数剧增或剧减
D. 骨髓象见较多中幼及晚幼白细胞
E. 有出血、感染、贫血三大症状

14. 白血病细胞浸润可致骨痛，临床上最常见的是
A. 颅骨压痛　　B. 上肢骨压痛
C. 下肢骨压痛　　D. 肋骨压痛
E. 胸骨压痛

15. 白血病患者突然出现剧烈头痛、呕吐、视物模糊，考虑出现下列哪种情况
A. 脑膜白血病　　B. 颅内出血
C. 感冒　　D. 不洁饮食
E. 高血压

16. 为减少化疗期间引起的呕吐，下列处理错误的一项是
A. 进餐后静卧休息　　B. 少量多餐
C. 化疗前予以止吐药
D. 餐前半小时给化疗药
E. 进无刺激性食物

17. 慢性粒细胞白血病最突出的体征
A. 乏力　　B. 巨脾
C. 发热　　D. 出血
E. 腹水

18. 应予保护性隔离的血液病患者粒细胞数低于
A. $0.5\times10^9/L$　　B. $1\times10^9/L$
C. $1.5\times10^9/L$　　D. $2\times10^9/L$
E. $2.5\times10^9/L$

19. 患者男性，45 岁。腹胀 2 个月，脾肿大脐下 2cm。此例脾大可能的原因应除外的是
A. 淋巴瘤　　B. 肝硬化
C. 慢性粒细胞性白血病
D. 脾功能亢进
E. 特发性血小板减少性紫癜

20. 营养师为某缺铁性贫血患者安排饮食，下列哪一项不适合
A. 服用铁剂之前提供牛奶，防止恶心呕吐
B. 提供含铁丰富的食物，如鸡蛋黄、豆类、海带
C. 提供含有丰富蛋白质的食物
D. 提供含丰富维生素的各种水果
E. 提供橘汁，与铁剂一起饮用

21. 白血病患者体温达到 39℃，下列哪项护理措施不正确
A. 肌内注射氨基比林
B. 冰枕冰敷
C. 酒精擦浴　　D. 双氯芬酸钠塞肛
E. 多饮水

22. 男性，48 岁，2 个月来面色苍白、乏力，体重下降 6kg，既往体健。化验 Hb65g/L，MCV75fl，MCHC30%，WBC$5.6\times10^9/L$，Plt$260\times10^9/L$，血清铁 7.6μmol/L。了解贫血病因的首选检查是
A. 粪便隐血　　B. 尿常规
C. 血清铁蛋白　　D. 腹部 B 超
E. 骨髓检查

23. 下列不会引起再生障碍性贫血的药物是
A. 青霉素　　B. 保泰松
C. 氯丙嗪
D. 抗癌药物如氮芥类
E. 苯妥英钠

24. 慢粒患者，腹部饱满，脾脐下 6 指，肝肋下 2 指，腹水征（—）。诉腹部胀痛，下列护理措施不正确的是
A. 尽量右侧位卧床休息
B. 饮食上少量多餐
C. 少活动，防止摔跤
D. 尽量避免弯腰和碰撞腹部
E. 观察脾大小的变化，有无脾栓塞或破裂表现

25. DIC 患者最早的临床表现是
A. 皮肤黏膜出血　　B. 消化道出血
C. 伤口出血　　D. 注射部位出血
E. 取血时血液不易抽出，血易凝固

26. 急性弥散性血管内凝血高凝期应及时应用
A. 肝素　　B. 氨甲苯酸
C. 6-氨基己酸　　D. 鱼精蛋白
E. 维生素 K

27. 患者女性，47 岁，血友病。医嘱：血小板 200ml 静脉点滴，护士在执行操作时不妥的是
A. 输血前遵医嘱给予抗过敏药物
B. 采 J 血后，必须在 24 小时内输入
C. 无需进行交叉配血试验
D. 护士应全程守护在患者身边
E. 输血前后滴注少量生理盐水

（28～30 题共用病例）

患者女性，30 岁。因子宫肌瘤月经量过多已 2 年。血红蛋白 60g/L，红细胞 3×10^{12}/L，红细胞平均体积 80fl。

28. 其贫血最可能属于

A. 正常细胞性　B. 大细胞性

C. 巨细胞性　D. 小细胞低色素性

E. 单纯小细胞性

29. 其贫血的病因最可能为

A. 溶血　B. 慢性失血

C. 缺乏维生素 B_{12} 和叶酸

D. 再生障碍性贫血

E. 珠蛋白生成障碍性贫血（地中海贫血）

30. 给予正确的治疗后，最先发现的实验室改变为

A. 血红蛋白增高　B. 红细胞计数增高

C. 网织红细胞计数增高

D. 红细胞苍白区缩小

E. 红细胞体积增大

（31～33 题共用病例）

患者女性，33 岁。月经量增多、牙龈出血，伴头晕、心悸1年。双下肢有散在瘀斑，肝脾未触及。实验室检查：RBC 2.13×10^{12}/L，Hb 65g/L，WBC3.1×10^{9}/L，BPC38×10^{9}/L，网织红细胞 0.5%。骨髓有核细胞减少，淋巴细胞占 33%，粒系及红系减少，巨核细胞明显减少。骨髓铁染色细胞外铁(＋＋＋)。

31. 本例最可能的诊断是

A. 急性白血病

B. 原发性血小板减少性紫癜

C. 再生障碍性贫血

D. 缺铁性贫血　E. 巨幼细胞贫血

32. 本例患者采用的首选治疗药物是

A. 糖皮质激素　B. 雄激素

C. 输血　D. 长春新碱

E. 硫酸亚铁

33. 如果疗效欠佳，下列哪种治疗较有前途

A. 环孢素　B. 干扰素

C. 胎肝输注　D. 自体干细胞移植

E. 同胞供髓的移植

（34～37 题共用备选答案）

A. 心脏毒性　B. 神经损害

C. 出血性膀胱炎　D. 口腔黏膜炎症

E. 骨质疏松

34. 环磷酰胺的副作用是

35. 长春新碱的副作用是

36. 甲氨蝶呤的副作用是

37. 三尖杉酯碱的副作用是

【参考答案】

1. D　2. B　3. C　4. E　5. A
6. B　7. B　8. B　9. C　10. C
11. C　12. B　13. B　14. E　15. B
16. D　17. B　18. A　19. E　20. A
21. C　22. A　23. A　24. A　25. E
26. A　27. C　28. D　29. B　30. C
31. C　32. B　33. E　34. C　35. B
36. D　37. A

第六章　内分泌与代谢疾病患者的护理

第一节　甲状腺功能亢进症患者的护理

（一）病因和发病机制

1. 自身免疫病：人体内可合成多种针对自身甲状腺抗原的抗体。如 Graves 病就是甲状腺刺激免疫球蛋白直接作用于甲状腺细胞膜上的 TSH 受体，刺激甲状腺细胞增生、分泌亢进。

2. 遗传因素。

3. 诱发因素：感染、创伤、精神刺激、

劳累等。

（二）临床表现

1. 甲状腺毒症表现

（1）高代谢综合征：患者常有疲乏无力、怕热多汗、皮肤潮湿、多食善饥、体重显著下降等。

（2）精神神经系统：多言好动、紧张焦虑、易怒、失眠、手和眼睑震颤。

（3）心血管系统：收缩压升高、舒张压降低，脉压增大。合并甲状腺功能亢进性心脏病时，出现心律失常、心脏增大和心力衰竭。以心房颤动等房性心律失常多见。

（4）消化系统：稀便、排便次数增加。

（5）肌肉骨骼系统：主要是甲亢性周期性瘫痪（TPP）。

（6）生殖系统：女性月经减少或闭经。男性阳痿，偶有乳腺增生（男性乳腺发育）。

2. 甲状腺肿：甲状腺肿为弥漫性、对称性，质地不等，无压痛。甲状腺上下极可触及震颤，闻及血管杂音。

3. 眼征

（1）单纯性突眼

① 突眼度不超过18mm；

② Stellwag征；瞬目减少，炯炯发亮；

③ 上睑挛缩，睑裂增宽；

④ von Graefe征：双眼向下看时，由于上睑不能随眼球下落，出现白色巩膜；

⑤ Joffroy征：眼球向上看时，前额皮肤不能皱起；

⑥ Mobius征：双眼看近物时，眼球辐辏不良。

（2）浸润性突眼：突眼度超过18mm。

4. 甲状腺危象：其发病原因可能与交感神经兴奋，垂体-肾上腺皮质轴应激反应减弱，短时间内大量T_3、T_4释放入血有关。早期表现为原有的甲亢症状加重，并出现高热、心动过速、烦躁不安、大汗淋漓、呼吸急促、畏食、恶心、呕吐、腹泻。

5. 甲状腺功能亢进性心脏病：主要表现为心脏增大、心房颤动和心力衰竭。

6. 淡漠型甲状腺功能亢进症：多见于老年人。主要表现为神志淡漠、乏力、嗜睡、反应迟钝、明显消瘦。本型甲亢易发生甲状腺危象。

7. 亚临床型甲状腺功能亢进症：其特点是血清T_3、T_4正常，TSH降低。

（三）辅助检查

1. 血清甲状腺激素测定：FT_3、FT_4不受血甲状腺结合球蛋白（TBG）影响，直接反映甲状腺功能状态，是临床诊断甲亢的首选指标；TT_4、TT_3受TBG的影响。TT_4是判定甲状腺功能最基本的筛选指标；TT_3是Graves病治疗中疗效观察及停药后复发的敏感指标，也是诊断T_3型甲亢的特异性指标。

2. 促甲状腺激素（TSH）测定：是反映下丘脑-垂体-甲状腺轴功能的敏感指标，尤其对亚临床型甲亢和亚临床型甲减的诊断有重要意义。

3. 促甲状腺激素释放激素（TRH）兴奋试验：当静注TRH后TSH升高者可排除甲亢；如TSH不增高则支持甲亢的诊断。

4. 甲状腺刺激性抗体（TSAb）测定：有早期诊断意义，可判断病情活动、复发，还可作为治疗停药的重要指标。

5. 基础代谢率（BMR）：正常BMR为$-10\%\sim+15\%$；BMR（%）＝脉压＋脉率－111。

（四）治疗要点

1. 抗甲状腺药物治疗

（1）适应证：①病情轻、中度患者；②甲状腺轻度至中度肿大者；③年龄在20岁以下，或孕妇、高龄或由于其他严重疾病不宜手术者；④手术前或放射碘治疗前的准备；⑤手术后复发而不宜放射碘治疗者。

（2）常用药物：常用的抗甲状腺药物分为硫脲类和咪唑类两类。硫脲类有甲硫氧嘧啶（MTU）及丙硫氧嘧啶（PTU）；咪唑类有甲巯咪唑（他巴唑）和卡比马唑（甲亢平）。

（3）作用机制：抑制甲状腺过氧化物酶，阻断甲状腺激素合成，具有一定的免疫抑制作用。丙硫氧嘧啶可抑制T_4转变为T_3。

（4）不良反应：主要是粒细胞减少及药疹。

2. 放射性^{131}I治疗：^{131}I被甲状腺摄取后释放β射线，破坏甲状腺组织细胞。

（1）适应证

① 中度甲亢；

② 年龄在25岁以上者；

③ 经抗甲状腺药治疗无效或对其过敏者；

④ 合并心、肝、肾等疾病不宜手术或不

愿手术者。

(2) 禁忌证

① 妊娠、哺乳期妇女；

② 年龄在25岁以下者；

③ 严重心、肝、肾衰竭或活动性肺结核者；

④ 外周血白细胞在 3×10^9/L 以下或中性粒细胞低于 1.5×10^9/L 者；

⑤ 重症浸润性突眼；

⑥ 甲状腺危象。

(3) 并发症：甲状腺功能减退；放射性甲状腺炎；甲状腺危象；加重浸润性突眼。

3. 手术治疗

(1) 适应证

① 中、重度甲亢，长期服药无效，停药后复发，或不愿长期服药者；

② 甲状腺巨大，有压迫症状者；

③ 胸骨后甲状腺肿伴甲亢者；

④ 结节性甲状腺肿伴甲亢者。

(2) 禁忌证

① 伴严重浸润性突眼者；

② 合并较严重心、肝、肾、肺等疾病，不能耐受手术者；

③ 妊娠前3个月和第6个月以后。

4. 甲状腺危象的防治：积极治疗甲亢是预防甲状腺危象的关键，尤其是防治感染和做好充分的术前准备工作。一旦发生需积极抢救。

(1) 抑制TH合成：首选PTU，口服或胃管注入。

(2) 抑制TH释放：可选用碘化钠或卢格氏碘液。

(3) 普萘洛尔口服或静注：普萘洛尔有抑制外周组织 T_4 转换为 T_3 的作用。

(4) 氢化可的松静滴。

(5) 降低和清除血浆甲状腺激素：血液透析、腹膜透析或血浆置换等。

(6) 针对诱因和对症支持治疗：积极治疗感染、肺水肿等并发症。

(五) 护理措施

1. 饮食护理：给予高热量、高蛋白、高维生素及矿物质丰富的饮食。给予充足的水分，多摄取新鲜蔬菜和水果。主食应足量，可以增加奶类、蛋类、瘦肉类等优质蛋白以纠正体内的负氮平衡。禁止摄入刺激性的食物及饮料，减少食物中粗纤维的摄入，以减少排便次数。避免进食含碘丰富的食物。

2. 用药护理：需长期用药，嘱患者不要任意间断、变更药物剂量或停药。密切观察药物的不良反应。

① 粒细胞减少：外周血白细胞低于 3×10^9/L 或中性粒细胞低于 1.5×10^9/L，应停药。

② 药疹较常见，可用抗组胺药控制，不必停药；如严重皮疹则应立即停药。

③ 若发生中毒性肝炎、肝坏死应立即停药治疗。

3. 休息与活动：活动量以不感疲劳为度，适当增加休息时间，维持充足的睡眠。病情重、有心力衰竭或严重感染者应严格卧床休息。保持环境安静，保持室温凉爽而恒定。

4. 眼部护理：外出戴深色眼镜，经常用眼药水湿润眼睛，避免过度干燥；睡前涂抗生素眼膏，眼睑不能闭合者用无菌纱布或眼罩覆盖双眼。睡觉或休息时，抬高头部，减轻球后水肿。

5. 预防甲状腺危象：避免精神刺激、感染、创伤等诱发因素。坚持治疗，不自行停药。手术或放射性碘治疗前做好充分准备。若出现发热（体温>39℃）、严重乏力、烦躁、多汗、心悸、心率达140次/分以上、食欲减退、恶心、呕吐、腹泻、脱水等应警惕甲状腺危象发生，立即报告医师并协助处理。

第二节 甲状腺功能减退症患者的护理

甲状腺功能减退症（甲减）中原发性甲减约占90%以上，系甲状腺本身疾病所引起，其病因有炎症、放疗、手术切除等。

(一) 临床表现

1. 低代谢症群：有畏寒、少汗、乏力、少言、体温偏低、动作缓慢、食欲减退而体重无明显减轻。

2. 典型黏液性水肿：表现为表情淡漠，眼睑水肿，面色苍白，唇厚舌大，皮肤干燥、增厚、粗糙、脱屑，毛发脱落。

3. 黏液性水肿昏迷：表现为嗜睡，低体温（体温＜35℃），呼吸减慢，心动过缓，血压下降，四肢肌肉松弛，反射减弱或消失，甚至昏迷、休克。

（二）辅助检查

1. 甲状腺功能检查：血清 TSH 升高；血 TT_4（或 FT_4）降低早于 TT_3（或 FT_3）；甲状腺摄 ^{131}I 率降低。

2. TRH 兴奋试验：血清 TSH 无升高反应者提示垂体性甲减；延迟升高者为下丘脑性甲减；如 TSH 基值已增高，TRH 刺激后更高，提示原发性甲减。

（三）治疗原则

甲减的治疗主要是对症处理和甲状腺素替代治疗。

1. 常规替代治疗：常用左甲状腺素口服，治疗的目标是用最小剂量纠正甲减而不产生明显不良反应，使血 TSH 值恒定在正常范围。

2. 黏液性水肿昏迷的治疗：迅速建立静脉通道，静脉注射左甲状腺素，以后每 6 小时反复应用，至患者清醒后改口服左甲状腺素片，静滴氢化可的松 200～300mg，待患者清醒及血压稳定后减量，同时每日静脉滴注 5%～10%葡萄糖盐水 500～1000ml，必要时输血。

（四）护理措施

（1）饮食护理：给予高蛋白、高维生素、低钠、低脂肪饮食，鼓励患者摄取足够水分。桥本甲状腺炎所致甲状腺功能减退症者应避免摄取含碘食物和药物，以免诱发严重的黏液性水肿。

（2）调节室温在 22～23℃之间，加强保暖。

（3）病情观察：观察生命体征的变化及全身黏液性水肿情况，每日记录患者体重。

（4）用药护理：指导患者按时服用左甲状腺素，注意观察有无发生药物服用过量的症状；替代治疗效果最佳的指标为血 TSH 恒定在正常范围内，应告知长期替代治疗者每 6～12 个月检测 1 次。

第三节　Cushing 综合征患者的护理

Cushing 综合征是指由多种原因导致肾上腺分泌过多糖皮质激素（主要是皮质醇）所引起的症状群。本症成人多于儿童，女性多于男性，20～40 岁居多。

（一）病因

1. Cushing 病：由垂体分泌 ACTH 过多引起，该类型最多见。

2. 异位 ACTH 综合征：是由垂体以外的癌瘤分泌 ACTH 引起。最常见的是肺癌。

3. 原发性肾上腺皮质肿瘤。

4. 不依赖 ACTH 的双侧小结节性增生或大结节性增生。

（二）临床表现

主要表现有满月脸、多血质、向心性肥胖、皮肤紫纹、痤疮、糖尿病倾向、高血压和骨质疏松等。

（三）辅助检查

1. 糖皮质激素分泌异常的检查

（1）血浆皮质醇水平增高且昼夜节律消失，早晨血浆皮质醇浓度高于正常，而晚上不明显低于清晨；

（2）24 小时尿 17-羟皮质类固醇和尿游离皮质醇升高；

（3）小剂量地塞米松抑制试验：尿 17-羟皮质类固醇不能被抑制到对照值的 50%以下。

2. 病因诊断检查

（1）大剂量地塞米松试验：能被抑制到对照值的 50%以下者，病变大多为垂体性；不能被抑制者，可能为原发性肾上腺皮质肿瘤或异位 ACTH 综合征。

（2）ACTH 试验：垂体性病和异位 ACTH 综合征者有反应，高于正常；原发性肾上腺皮质肿瘤则大多数无反应。

3. 影像学检查：可显示病变部位的影像学改变。

（四）治疗原则

主要治疗有手术、放射、药物治疗。药物治疗，主要使用肾上腺皮质激素合成阻滞药。

（五）护理措施

1. 病情观察：观察有无低钾血症的表现，如出现恶心、呕吐、腹胀、乏力、心律失常等表现；注意观察患者进食量和有无糖尿病表现。

2. 用药护理：肾上腺皮质激素合成阻滞药的主要副作用是引起食欲减退、恶心、呕吐、嗜睡、共济失调等，偶有皮疹和发热反应。

3. 预防感染和外伤。

第四节　糖尿病患者的护理

（一）病因和发病机制

1. 病因：引起糖尿病的病因有遗传因素及环境因素两大类。2型糖尿病有更强的遗传基础。

2. 发病机制：为不同病因导致胰岛B细胞分泌胰岛素缺陷和（或）外周组织胰岛素利用不足，而引起糖、脂肪及蛋白质等物质代谢紊乱。

(1) 1型糖尿病：胰岛B细胞破坏，通常导致胰岛素绝对缺乏。

(2) 2型糖尿病：胰岛素抵抗为主伴有或不伴有胰岛素缺乏，或胰岛素分泌不足为主伴有或不伴有胰岛素抵抗。

（二）临床表现

1. 代谢紊乱：多尿、多饮、多食和体重减轻；皮肤瘙痒。

2. 慢性并发症

(1) 糖尿病大血管病变：大、中动脉粥样硬化。

(2) 糖尿病微血管病变：微循环障碍、微血管瘤形成和微血管基膜增厚是糖尿病微血管病变的典型改变。

① 糖尿病肾病：多见于糖尿病病史超过10年者，是1型糖尿病患者的主要死亡原因。

② 糖尿病视网膜病变：是糖尿病患者失明的主要原因之一。

(3) 糖尿病神经病变：以周围神经病变最常见，通常为对称性，下肢较上肢严重，病情进展缓慢。患者常先出现肢端感觉异常，随后有肢体疼痛。

3. 急性并发症

(1) 糖尿病酮症酸中毒

① 诱因：感染、胰岛素治疗不适当减量或治疗中断、饮食不当、妊娠、分娩、创伤、麻醉、手术、严重刺激引起应激状态等。

② 临床表现：早期仅有多尿、多饮、疲乏等，随后出现食欲减退、恶心、呕吐，患者常伴头痛、嗜睡、烦躁、呼吸深快有烂苹果味（丙酮味）。后期出现严重失水、尿量减少、皮肤弹性差、眼球下陷、脉细速、血压下降。

(2) 高渗性非酮症糖尿病昏迷：起病时常先有多尿、多饮，失水随病程进展逐渐加重，出现神经-精神症状，表现为嗜睡、幻觉、定向力障碍、偏盲、偏瘫等，最后陷入昏迷。

(3) 感染：疖、痈等皮肤化脓性感染多见，肾盂肾炎和膀胱炎为泌尿系最常见感染。

（三）辅助检查

1. 尿糖测定：尿糖阳性是发现和诊断糖尿病的重要线索。

2. 血糖测定：空腹血糖值正常范围为3.9～6.0mmol/L（70～108mg/dl）；≥7.0mmol/L（126mg/dl）为糖尿病。

3. 葡萄糖耐量试验：成人口服无水葡萄糖75g，于3～5分钟内服下，服后60分钟、120分钟取静脉血测葡萄糖。

4. 糖化血红蛋白A1（GHbA1）和糖化血浆清蛋白测定：GHbA1测定可反映取血前8～12周血糖的总水平，为糖尿病病情控制的监测指标之一。

5. 血浆胰岛素和C-肽测定：主要用于胰岛B细胞功能的评价。C-肽比血浆胰岛素更能准确反映胰岛B细胞功能。

（四）治疗要点

1. 口服药物治疗

(1) 促胰岛素分泌药物

① 磺脲类：此类药物通过作用于胰岛B

细胞表面的受体促进胰岛素释放。

② 非磺脲类：如瑞格列奈和那格列奈，其作用机制是直接刺激胰岛 B 细胞分泌胰岛素。

(2) 增加胰岛素敏感性药物

① 双胍类：此类药物可增加肌肉等外周组织对葡萄糖的摄取和利用，加速无氧糖酵解，抑制糖原异生及糖原分解，降低过高的肝糖输出；并改善胰岛素敏感性，减轻胰岛素抵抗。是治疗肥胖或超重的 2 型糖尿病患者的一线药物。常用药物有二甲双胍。

② 噻唑烷二酮：也称格列酮类，主要作用是增强靶组织对胰岛素的敏感性，减轻胰岛素抵抗，有罗格列酮和吡格列酮两种制剂。

(3) α 葡萄糖苷酶抑制药：通过抑制小肠黏膜上皮细胞表面的 α 葡萄糖苷酶而延缓碳水化合物的吸收，降低餐后高血糖。尤其适用于空腹血糖正常（或偏高）而餐后血糖明显升高者。有阿卡波糖（拜糖平）、伏格列波糖（倍欣）两种制剂。

2. 胰岛素治疗

(1) 适应证

① 1 型糖尿病。

② 糖尿病伴急、慢性并发症者：如酮症酸中毒、高渗性非酮症性昏迷、乳酸性酸中毒；急性感染、创伤、手术前后的糖尿病者；妊娠合并糖尿病，尤其在分娩前的阶段；糖尿病并有心、脑、眼、肾、神经等并发症、消耗性疾病者。

③ 2 型糖尿病患者经饮食、运动、口服降糖药物治疗血糖不能满意控制者。

(2) 制剂类型：按作用快慢和维持作用时间，胰岛素制剂可分为超短效、短效、中效和长效 4 类。

(3) 使用原则和剂量调节

① 联合用药：胰岛素＋磺脲类或胰岛素＋双胍类或胰岛素＋α 葡萄糖苷酶抑制药。

② 常规胰岛素治疗：早餐和晚餐前各注射 1 次混合胰岛素或早餐前用混合胰岛素，睡前用中效胰岛素。开始剂量常为 4～8U，根据血糖和尿糖结果来调整，直至达到满意控制。

③ 胰岛素强化治疗：适用于 1 型糖尿病患者，常用每天 3～4 次（3 餐前半小时短效胰岛素及睡前中效胰岛素）皮下注射。强化胰岛素治疗的另一种方式是持续皮下胰岛素输注，亦称胰岛素泵。采用强化胰岛素治疗或在 2 型糖尿病患者中应用胰岛素时均应注意低血糖反应和低血糖后的反应性高血糖。

3. 糖尿病酮症酸中毒（DKA）的治疗

(1) 补液：输液是抢救 DKA 首要的、极其关键的措施。开始时补液速度应快，在 2h 内输入 1000～2000ml，初始在生理盐水中加胰岛素静脉滴注，待血糖降至 13.9mmol/L (250mg/dl)，改为 5% 葡萄糖或 5% 葡萄糖盐液。

(2) 小剂量胰岛素治疗：小剂量持续静脉滴注速效胰岛素，即每小时每千克体重 0.1U 的短效胰岛素加入生理盐水中持续静滴（常用剂量为 4～6U/h）。

(3) 纠正电解质及酸碱平衡失调：每小时尿量在 40ml 以上，开始补钾；pH≤7.0 的严重酸中毒者应给予小剂量的碳酸氢钠静滴，但补碱不宜过多过快，以避免诱发或加重脑水肿。

(4) 治疗并发症：积极控制感染、纠正脱水、休克、心衰等。

（五）护理措施

1. 饮食护理

(1) 制订总热量：根据理想体重计算每天所需总热量。年龄在 40 岁以下者：标准体重(kg)＝身高(cm)－105；年龄在 40 岁以上者：标准体重(kg)＝身高(cm)－100。成年人休息状态下每天每千克理想体重给予热量 105～125.5kJ (25～30kcal)，轻体力劳动 125.5～146kJ (30～35kcal)，中度体力劳动 146～167kJ (35～40kcal)，重体力劳动 167kJ (40kcal) 以上。

(2) 食物的组成和分配：碳水化合物约占饮食总热量的 50%～60%；蛋白质含量一般不超过总热量的 15%；脂肪约占总热量 30%。主食的分配应定量、定时。

(3) 其他饮食注意事项：控制总热量；严格限制各种甜食；多食含纤维素高的食物；监测体重变化。

2. 运动锻炼

(1) 运动锻炼的方式：步行活动为首选的锻炼方式。

(2) 运动量的选择：合适的运动强度为活动时患者的心率应达到个体 60% 的最大耗氧量。个体 60% 最大耗氧时心率简易计算法为：心率＝170－年龄。活动时间为 20～30 分钟。

(3) 运动的注意事项：运动前评估糖尿病的控制情况，根据患者具体情况决定运动方式、时间以及所采用的运动量；运动不宜在空腹时进行，防止低血糖发生。

3. 口服用药的护理：指导患者正确服用各类降糖药物。

(1) 磺脲类降糖药：治疗应从小剂量开始，于早餐前半小时口服，该药的主要不良反应是低血糖。

(2) 双胍类药物：餐中或餐后服药或从小剂量开始可减轻不适症状。不良反应有腹部不适、口中金属味、恶心、畏食、腹泻等，严重时发生乳酸血症。

(3) α葡萄糖苷酶抑制药：应与第一口饭同时服用，服用后常有腹部胀气等症状。

(4) 其他：瑞格列奈应餐前服用，不进餐不服药。噻唑烷二酮主要不良反应为水肿。

4. 使用胰岛素的护理

(1) 准确用药：短效胰岛素于饭前半小时皮下注射。

(2) 吸药顺序：长、短效或中、短效胰岛素混合使用时，应先抽吸短效胰岛素，再抽吸长效胰岛素。

(3) 胰岛素的保存：未开封的胰岛素放于冰箱4～8℃冷藏保存，正在使用的胰岛素在常温下（不超过28℃）可使用28天，应避免过冷、过热、太阳直晒。

(4) 注射部位的选择与更换：胰岛素采用皮下注射法，宜选择皮肤疏松部位，注射部位要经常更换。

(5) 注射胰岛素时应严格无菌操作，防止发生感染。

(6) 注意监测血糖。

(7) 胰岛素不良反应：低血糖反应；过敏反应；注射部位皮下脂肪萎缩或增生。

5. 低血糖预防措施

① 告知患者和家属不能随意更改和增加降糖药物及其剂量。

② 老年糖尿病患者血糖不宜控制过严。

③ 普通胰岛素注射后应在30分钟内进餐。

④ 初用各种降糖药时要从小剂量开始。

⑤ 1型糖尿病做强化治疗时容易发生低血糖，应按要求在患者进餐前、后测血糖，并做好记录。

⑥ 指导患者及家属了解糖尿病低血糖反应的诱因，临床表现及应急处理措施。

⑦ 患者应随身携带一些糖块、饼干等食品，以便应急时食用。

6. 酮症酸中毒的护理

(1) 病情监测：密切观察患者的生命体征、神志、24小时液体出入量等的变化，定期监测血糖、血钠和渗透压。

(2) 急救配合与护理

① 立即开放两条静脉通路，确保液体和胰岛素的输入。

② 患者绝对卧床休息，注意保暖，给予低流量持续吸氧。

③ 注意皮肤、口腔护理。

④ 昏迷者按昏迷常规护理。

第五节　痛风患者的护理

痛风是嘌呤代谢障碍引起的代谢性疾病，除高尿酸血症外可表现为急性关节炎、痛风石、慢性关节炎、关节畸形等。多见于40岁以上的男性。

(一) 诱因与发病机制

1. 诱因：酗酒、过度疲劳、关节受伤、关节疲劳、手术、感染、寒冷、摄入高蛋白和高嘌呤食物等。

2. 发病机制：在酸性环境下，尿酸可析出结晶，沉积在骨关节、肾脏和皮下等组织，造成组织病理学改变，导致痛风性关节炎、痛风性肾病和痛风石等。

(二) 临床表现

1. 急性关节炎：为痛风的首发症状；多在午夜或清晨突然起病，多呈剧痛，数小时内出现受累关节有红、肿、热、痛和功能障碍，单侧跗趾及第1跖趾关节最常见。

2. 痛风石：是痛风的特征性临床表现，常见于耳轮、跖趾、指间和掌指关节。

(三) 辅助检查

1. 血尿酸测定：正常男性为150～380μmol/L；女性为100～300μmol/L，男性

＞420μmol/L、女性＞350μmol/L 则可确定为高尿酸血症。

2. 滑囊液或痛风石内容物检查：偏振光显微镜下可见针形尿酸盐结晶，是确诊本病的依据。

3. X线检查：慢性期或反复发作后特征性改变为穿凿样、虫蚀样圆形或弧形的骨质透亮缺损。

（四）治疗原则

1. 高尿酸血症的治疗

（1）应用排尿酸药，常用药物苯溴马隆、丙磺舒，用药期间应多饮水，并服碳酸氢钠，剂量应从小剂量开始逐步递增。

（2）尿酸生成过多或不适合使用排尿酸药物的患者，可应用抑制尿酸生成药物如别嘌醇。

2. 急性痛风性关节炎期的治疗：绝对卧床，抬高患肢，避免负重，早期应用秋水仙碱，秋水仙碱是治疗急性痛风性关节炎的特效药物。止痛采用非甾体类抗炎药，如吲哚美辛、双氯芬酸、布洛芬、罗非昔布。糖皮质激素在不能使用秋水仙碱和非甾体类抗炎药时或治疗无效可考虑使用。

（五）护理措施

1. 休息与体位：急性关节炎期，患者表现为关节红、肿、热、痛和功能障碍时应绝对卧床休息，抬高患肢，避免受累关节负重。待关节痛缓解 72 小时后逐渐恢复活动。

2. 饮食护理：饮食宜清淡、易消化，忌辛辣和刺激性食物。避免进食高嘌呤食物，如动物内脏、鱼虾类、河蟹、肉类、菠菜、蘑菇、黄豆、扁豆、豌豆、浓茶饮酒等。指导患者进食碱性食物，如牛奶、鸡蛋、马铃薯、各类蔬菜、柑橘类水果；多饮水，每天应饮水 2000ml 以上。

3. 用药护理

（1）指导患者遵医嘱服药，严格按医嘱剂量、按时执行，观察药物疗效，嘱患者多饮水。

（2）秋水仙碱：不良反应表现为恶心、呕吐、厌食、腹胀和水样腹泻，该药还可以引起白细胞减少、血小板减少等骨髓抑制表现以及脱发等。如出现上述不良反应及时调整剂量或停药，若用到最大剂量症状无明显改善时应及时停药。

（3）非甾体抗炎药：禁止同时服用两种或多种非甾体抗炎药，否则会加重不良反应。有活动性消化性溃疡、消化道出血者禁用该类药物。

（4）慎用抑制尿酸排泄的药物如噻嗪类利尿药等。

4. 运动指导　教育患者在日常生活中要适度运动，注意保护关节。①运动后疼痛超过 1～2 小时，应暂时停止此项运动；②使用大肌群，如能用肩部负重者不用手提，能用手臂者不要用手指；③交替完成轻、重不同的工作，不要长时间持续进行重体力工作；④经常改变姿势，保持受累关节舒适，若有局部温热和肿胀，尽可能避免其活动。

第六节　骨质疏松症

骨质疏松症是以骨量减少、骨钙溶出、骨的强度下降，骨的微观结构退化为特征，致使骨的脆性增加以及易于发生骨折的一种全身性骨骼疾病。骨质疏松分为原发性骨质疏、继发性骨质疏松、特发性骨质疏松三类。

一、病因

1. 原发性骨质疏松：随着年龄的增长必然发生的一组生理性退行病变。

2. 继发性骨质疏松：是由其他疾病或药物等一些因素所诱发的骨质疏松。

3. 特发性骨质疏松：多伴有遗传家族史。多见于 8～12 岁的青少年或成人，女性多于男性，妊娠妇女及哺乳期女性所发生的骨质疏松也列入特发性骨质疏松。绝经后骨质疏松症的主要病因是雌激素缺乏。

二、临床表现

1. 疼痛：是骨质疏松症最常见、最主要的症状。以腰背痛多见，疼痛沿脊柱向两侧扩散。仰卧或坐位时疼痛减轻，直立时后伸或久立久坐时疼痛加剧，日间疼痛轻，夜间重。

2. 身长缩短、驼背：是继腰背痛后出现的重要体征之一。

3. 骨折：骨质疏松症骨折发生的特点是在日常活动中，即使没有较大的外力作用也可发生骨折。

三、辅助检查

（1）骨矿含量（BMC）和骨矿密度（BMD）测量：是确定骨质疏松的重要手段，是评价骨丢失率和疗效的重要指标。

（2）生化检查测定血、尿的矿物质及某些生化指标有助于判断骨代谢状态及骨更新率的快慢，对骨质疏松症的鉴别诊断有重要意义。

（3）X线检查：X线片是一种较易普及的检查骨质疏松症的方法。

四、治疗原则

采取病因治疗和对症治疗相结合的原则。治疗骨质疏松症的药物有骨吸收抑制药物、促进骨形成药物、改善骨质量药物。雌激素是女性绝经后骨质疏松症的首选药物；雄激素则可用于老年男性患者；降钙素有镇痛、抑制骨吸收的作用。

五、护理措施

1. 生活护理：注意保暖及避免寒冷刺激；避免风寒侵袭；预防跌倒，多走平地，勿持重物。睡硬板床，鼓励患者多进行户外活动，多晒太阳，应注意减少和避免患者可能受伤的因素。

2. 饮食护理：应进食富含钙质和维生素D的食物，老年人从膳食中摄取丰富的钙，才能满足骨中钙的正常代谢，一般每日应不少于850mg。若已发生了骨质疏松症，则每日应不少于1000～2000mg。

3. 疼痛护理：使用硬板床，取仰卧位或侧卧位；使用骨科辅助物；对疼痛部位给予温热敷，也可以借助超短波、微波疗法，低频及中频电疗法。

4. 用药的护理

（1）服用钙剂时注意增加饮水量，最好在用餐时间外服用，因为空腹吸收效果最好，同时服用维生素D时，不可与绿叶蔬菜同服。

（2）服用二膦酸盐时，应指导患者空腹服用，同时饮清水200～300ml，至少半小时内不能进食或喝饮料，也不能平卧，应采取立位或坐位，以减轻对食管的刺激。服药期间不加钙剂，嘱患者不要咀嚼药片。

（3）服用性激素必须在医生指导下使用。与钙剂、维生素D同时使用时，效果更好；定期检测肝功能和妇科、乳房检查；反复阴道出血时应减少用量。

【考点强化】

1. 甲状腺功能亢进症的主要病因是
A. 放射线过多　B. 对链球菌变态反应
C. 自身免疫性　D. 细菌感染
E. 病毒感染

2. 甲状腺功能亢进症的主要表现是
A. 新陈代谢旺盛　B. 心脏负荷太重
C. 消化功能减低　D. 自主神经兴奋
E. 体温调节中枢不良

3. 甲状腺功能亢进症患者具有的特征性心血管症状是
A. 心悸　B. 心力衰竭
C. 早搏多　D. 睡眠时心率仍快
E. 房颤

4. 甲状腺功能亢进症患者确诊依据是
A. 睡眠时心率仍快
B. 易饥多食
C. FT_3、FT_4 增高
D. 突眼　E. 多汗

5. 抗甲状腺药物治疗甲亢时，外周白细胞数不应低于
A. $4.0\times10^9/L$　B. $2.5\times10^9/L$
C. $2.0\times10^9/L$　D. $3.5\times10^9/L$
E. $3.0\times10^9/L$

6. 甲亢的典型表现不包括
A. 心动过速　B. 甲状腺弥漫性肿大
C. 眼球突出　D. 怕热多汗
E. 黏液性水肿

7. 对甲状腺功能亢进症重度浸润性突眼的护理不妥的是
A. 抗生素眼膏涂眼
B. 鼓励多食略咸食品
C. 外出时戴眼罩
D. 生理盐水纱布局部湿敷
E. 抬高头部

8. 对可疑糖尿病患者最有诊断价值的检查是
A. 空腹血糖检查　B. 血浆胰岛素检查
C. 24h尿糖定量
D. 口服葡萄糖耐量试验
E. 糖化血红蛋白检查

9. 糖尿病最容易并发的感染是
A. 真菌性阴道炎 B. 肾盂肾炎
C. 败血症 D. 肺结核
E. 皮肤化脓性感染

10. 糖尿病患者失明的最主要原因
A. 白内障 B. 视网膜病变
C. 角膜感染 D. 视神经炎
E. 视盘水肿

11. 下列哪一部位不可注射胰岛素
A. 腰部 B. 大腿前及外侧
C. 脐周及膀胱区 D. 上臂外侧
E. 腹部两侧

12. 糖尿病酮症酸中毒的患者一般不宜用
A. 氯化钾 B. 0.9%氯化钠溶液
C. 正规胰岛素 D. 1.25%碳酸氢钠溶液
E. 鱼精蛋白锌胰岛素

13. 患有多发性神经炎的糖尿病患者进行足部护理不当的是
A. 鞋袜不宜过紧 B. 每晚用温水洗足
C. 趾间保持湿润 D. 检查有无外伤
E. 趾甲不宜修剪过短

14. 有糖尿病症状，餐后 2h 血糖值是多少可确诊为糖尿病
A. 血糖<11.1mmol/L
B. 血糖≥11.1mmol/L
C. 血糖=12.1mmol/L
D. 血糖≥12.1mmol/L
E. 血糖≥13.1mmol/L

15. 抢救糖尿病酮症酸中毒首要的极其关键的措施是
A. 防止并发症 B. 输液
C. 纠正电解质及酸碱平衡
D. 处理诱因 E. 胰岛素治疗

16. 目前 2 型糖尿病患者死亡的主要原因是
A. 冠心病、脑血管疾病
B. 酮症酸中毒
C. 高渗性非酮症昏迷
D. 下肢动脉血栓形成
E. 糖尿病肾病

17. 抗甲状腺药物硫脲类、咪唑类的主要不良反应是
A. 肝功能受损 B. 粒细胞减少
C. 血红蛋白降低 D. 血小板减少
E. 过敏反应

18. 甲亢患者的饮食护理中，以下不正确的是
A. 高蛋白 B. 高热量
C. 高维生素 D. 高纤维素
E. 不含碘

19. 应用胰岛素的注意事项中，下列不正确的是
A. 抽吸药物时避免剧烈震荡
B. 皮下注射部位经常更换
C. 混合注射时，先抽吸正规胰岛素
D. 应用时注意有效期
E. 胰岛素宜冰冻保存

20. 患者女性，28 岁。怕热、出汗，易激动，食欲亢进但体重减轻，双眼微突。最可能的诊断是
A. 神经官能症 B. 地方性甲状腺肿
C. 慢性肝炎 D. 甲亢
E. 糖尿病酮症酸中毒

21. 患者女性，30 岁。甲状腺功能亢进症病史半年，妊娠 3 个月，甲状腺功能亢进症状加重，治疗宜选
A. 卡比马唑 B. 丙硫氧嘧啶
C. 甲硫氧嘧啶 D. 甲巯咪唑
E. 普萘洛尔

22. 患者女性，28 岁。因疲乏无力、怕热多汗、爱发脾气、体重减轻，诊断为甲状腺功能亢进症。护士为其进行饮食指导时，应告诉患者避免食用的是
A. 高热量、高蛋白食物
B. 富含钾钙食物
C. 低纤维素食物 D. 含碘丰富食物
E. 豆腐、豆浆等豆制品

23. 糖尿病患者注射胰岛素 1h 后方进餐，此时患者出现头晕、心悸、多汗、饥饿感，护士应想到患者发生哪项病情变化
A. 胰岛素过敏 B. 冠心病心绞痛
C. 低血糖反应 D. 酮症酸中毒早期
E. 高渗性昏迷先兆

24. 患者女性，50 岁。身高 158cm，体重 80kg，糖尿病病史 8 年，查空腹血糖 11.1mmol/L，血浆胰岛素水平高于正常，为提高胰岛素在周围组织中的敏感性，促进糖代谢，下列健康指导错误的是
A. 减轻体重 B. 饮食控制
C. 食用含纤维素多的食物
D. 餐后 1h 适量运动
E. 增加动物脂肪摄入量

25. 糖尿病急性并发症为
A. 酮症酸中毒 B. 视网膜病变

C. 多发性周围神经炎

D. 糖尿病足　　E. 脑血管病

26. 下列不是糖尿病酮症酸中毒诱发因素的为

A. 感染

B. 胰岛素剂量不足或治疗中断

C. 含脂类食物摄入过多

D. 创伤、手术等应激

E. 短时间内摄入大量含糖饮料

27. 应用胰岛素的不良反应不包括

A. 低血糖反应　B. 胰岛素过敏反应

C. 胃肠道反应　D. 注射部位脂肪萎缩

E. 注射部位脂肪增生

28. 下列预防低血糖反应的具体措施不当的是

A. 胰岛素、口服降糖药剂量准确

B. 每日运动量适中

C. 老年糖尿病患者血糖控制不宜过严

D. 每餐按规定食量进餐

E. 口服或注射降糖药剂量减少 1/3

29. 骨质疏松症最常见的临床表现是

A. 腰背痛　B. 身长缩短

C. 驼背　D. 骨折　E. 胸闷

30. 若建议老人补钙治疗，预防骨质疏松症，每日钙的摄入量为

A. 1000～1200 克　B. 600～800 克

C. 800～1000 克　D. 1000～2000 克

E. 500～1000 克

31. 库欣（Cushing）反应的表现为

A. 血压升高，水肿，向心性肥胖

B. 颅内压升高，脉搏慢，心率慢

C. 体温升高，脉搏慢，呼吸慢

D. 血压升高，反应慢，呼吸慢

E. 体温升高，反应慢，呼吸慢

32. 内分泌疾病中属于功能亢进的是

A. 尿崩症　B. 糖尿病

C. 库欣综合征　D. 呆小症

E. 黏液性水肿

33. 下列有关骨质疏松症的说法，错误的是

A. 原发性骨质疏松症是自然衰老过程中，骨骼系统的退行性改变

B. 特发性骨质疏松症是由于疾病或药物损害骨代谢所诱发的骨质疏松

C. 骨质疏松会导致病理性骨折

D. 男女约在 40 岁时便开始出现与年龄有关的骨持续性丢失

E. 骨重建中，骨破坏多于骨新建，则导致骨质疏松

34. 患者女性，20 岁，出现血压升高，血糖升高，向心性肥胖，脸部皮肤薄，月经量少不规则，CT 结果为垂体生长肿物，X 线显示骨质疏松，该患者可能患的是

A. 库欣综合征　B. 糖尿病

C. 高血压　D. 妇科病　E. 肿瘤

35. 患者男性，50 岁，晚饭大量饮用啤酒及进食海鲜，于午夜突发左脚第 1 跖趾关节剧痛，随后出现局部红肿、热痛。查血尿酸为 500μmol/L；X 线片示非特征性软组织肿胀。该患者可能的诊断是

A. 痛风　B. 假性痛风

C. 风湿性关节炎　D. 类风湿性关节炎

E. 化脓性关节炎

（36～38 题共用病例）

甲亢患者，突然出现烦躁不安、高热、大汗淋漓、心率加快、血压骤升。

36. 该患者可能发生

A. T_3 型甲状腺功能亢进症

B. 甲状腺功能亢进性心脏病

C. 淡漠型甲状腺功能亢进症

D. 黏液性水肿　E. 甲状腺危象

37. 该患者正确的治疗机制为

A. 迅速阻断儿茶酚胺的释放

B. 迅速增加甲状腺激素的合成和释放

C. 促使甲状腺球蛋白释出

D. 纠正肾上腺髓质功能不全

E. 增加周围组织对甲状腺激素的反应

38. 对该患者采取的措施哪项不妥

A. 物理降温、止吐，做好皮肤护理

B. 立即置于光线较暗的抢救室

C. 大量喝开水与浓茶

D. 严密观察病情变化，并准确记录

E. 迅速建立静脉通路

（39～41 题共用病例）

张女士，23 岁。主诉近几个月脾气急躁、易出汗、无力、手抖、失眠、多食，检查发现甲状腺弥漫性肿大，质软，有轻度突眼，颈部闻及血管杂音。

39. 初步诊断为

A. 甲状腺功能亢进症

B. 地方性甲状腺肿

C. 甲状腺功能亢进性心脏病

D. 生理性甲状腺肿　E. 甲状腺危象

40. 最佳治疗方法是

A. 地西泮治疗　B. 放射性碘 131 治疗

C. 普萘洛尔治疗 D. 甲巯咪唑治疗
E. 手术治疗

41. 服上述药物过程中，下列哪项指导不正确

A. 如发现白细胞计数低于 3.5×10^9/L 要停药
B. 轻度药疹可用抗过敏药物缓解
C. 开始服用时每周检查血白细胞计数1次
D. 用药疗程长至1.5～2年
E. 用药后2周左右才开始有效

(42～43题共用病例)

患者女性，39岁，既往体健，近一周来出现畏寒、乏力、少言、动作缓慢、食欲减退及记忆力减退、反应迟钝。查体：体温35℃，心率60次/分，黏液水肿。辅助检查血TSH升高，血 FT_4 降低。

42. 该患者最可能的诊断是

A. 甲状腺功能亢进 B. 甲状腺功能减退
C. 呆小症 D. 痴呆
E. 幼年型甲减

43. 该患者采用激素替代治疗时应首选

A. 性激素 B. 甲状腺片
C. 肾上腺皮质激素 D. 促甲状腺素
E. 升压激素

【参考答案】

1. C	2. A	3. D	4. C	5. E
6. E	7. B	8. D	9. E	10. B
11. A	12. E	13. C	14. B	15. B
16. A	17. B	18. D	19. E	20. D
21. B	22. D	23. C	24. E	25. A
26. E	27. C	28. E	29. A	30. D
31. A	32. C	33. D	34. A	35. A
36. E	37. A	38. C	39. A	40. D
41. A	42. B	43. B		

第七章 风湿免疫性疾病患者的护理

第一节 系统性红斑狼疮患者的护理

（一）病因和发病机制

1. 病因：本病病因未明，可能与遗传、性激素、环境因素（日光、感染、食物、药物）等有关。

2. 发病机制：具有遗传素质者，在各种致病因子的作用下，促发了异常的免疫应答，从而持续产生大量的免疫复合物和致病性自身抗体，引起组织损伤。

（二）临床表现

1. 全身症状：活动期患者可出现发热，疲倦、乏力、体重减轻等亦常见。

2. 皮肤与黏膜：蝶形红斑是系统性红斑狼疮（SLE）最具特征性的皮肤改变，表现为鼻梁和双颧颊部呈蝶形分布的红斑。

3. 骨关节和肌肉：大多数患者以关节肿痛是首发症状，受累的关节常是近端指间关节、腕、足部、膝和踝关节。呈对称分布，较少引起畸形。

4. 狼疮性肾炎：以慢性肾炎和肾病综合征较常见。患者可出现大量蛋白尿、血尿、各种管型尿、氮质血症、水肿和高血压等，晚期发生尿毒症，是SLE死亡的常见原因。

5. 心血管表现：以心包炎最常见。

6. 狼疮性肺炎：表现为发热、干咳、胸痛及呼吸困难。

7. 神经系统：脑损害最为多见。

8. 消化系统：有食欲缺乏、腹痛、呕吐、腹泻、腹水等。

9. 血液系统：有慢性贫血、白细胞减少或淋巴细胞绝对数减少。

（三）辅助检查

1. 一般检查：血沉增快。

2. 免疫学检查：抗 Sm 抗体是 SLE 的标志抗体。抗 dsDNA 抗体对确诊 SLE 和判断狼疮的活动性参考价值大，对 SLE 的诊断特异性较高。

3. 免疫病理学检查：有肾穿刺活组织检查和皮肤狼疮带试验。

（四）治疗要点

SLE 患者宜早期诊断，早期治疗。

1. 非甾体类抗炎药：主要用于有发热、关节肌肉疼痛、关节炎、浆膜炎等，常用药物有阿司匹林、吲哚美辛、布洛芬、萘普生等。

2. 抗疟药：氯喹具有抗光敏和控制 SLE 皮疹的作用，主要治疗盘状红斑狼疮。

3. 肾上腺糖皮质激素：是目前治疗重症自身免疫疾病的首选药物。用于急性暴发性狼疮、脏器受损、急性溶血性贫血、血小板减少性紫癜等。

4. 免疫抑制药：加用免疫抑制药有利于更好地控制 SLE 活动，减少 SLE 暴发以及减少激素的剂量。狼疮性肾炎采用激素联合环磷酰胺（CTX）治疗，可显著减少肾衰竭的发生率。

5. 其他：雷公藤对狼疮性肾炎有一定疗效。

（五）护理措施

1. 饮食护理：高糖、高蛋白和高维生素饮食，少食多餐，宜进软食，忌食芹菜、无花果、蘑菇、烟熏食物及辛辣等刺激性食物。

2. 口腔护理：注意保持口腔清洁及黏膜完整，坚持晨起、睡前、餐后用漱口液漱口；有细菌感染者，用 1∶5000 呋喃西林液漱口，有真菌感染者用 1%～4%碳酸氢钠液或用 2.5%制霉菌素甘油涂敷患处。有口腔溃疡者在漱口后用中药冰硼散或锡类散涂敷溃疡部。

3. 皮肤护理：防止刺激皮肤，避免在烈日下活动和日光浴，必要时遮阳，忌用碱性肥皂，避免化妆品及化学药品；保持皮肤的清洁卫生。

4. 药物护理：激素类药物勿擅自停药或减量；非甾体类抗炎药宜饭后服，伴肾炎者禁用；使用免疫抑制药时应定期查血象、肝功能；长期应用氯喹可引起视网膜退行性变，应定期检查眼底；雷公藤对性腺具有毒性作用，女性可发生停经、男性则出现精子减少。

5. 密切观察病情：注意生命体征、意识、瞳孔的变化，注意观察受累关节、肌肉的部位及疼痛的性质和程度。注意观察易感部位如口腔、皮肤的情况。

6. 休息：急性活动期应卧床休息，缓解期可适当活动。

7. 预防感染。

第二节 类风湿关节炎患者的护理

（一）病因、发病机制和病理

1. 病因：发病与环境、感染、遗传、性激素和神经精神状态等有关。

（1）感染因素：某些细菌、支原体、病毒、原虫等感染与类风湿关节炎（RA）关系密切。

（2）遗传因素：本病的发病有家族聚集趋向，RA 是一个多基因的疾病。

（3）激素：雌激素促进 RA 的发生，而孕激素则可能减轻病情或防止发生。

2. 发病机制：RA 是一种自身免疫性疾病。某些因素引起机体产生类风湿因子（RF），RF 和免疫球蛋白形成的免疫复合物是造成关节和关节外病变的重要因素。

3. 病理：滑膜炎是类风湿关节炎最基本病理改变。

（二）临床表现

1. 关节表现：典型表现为对称性多关节炎，主要侵犯小关节，以腕关节、近端指间关节、掌指关节及跖趾关节最常见。

（1）晨僵：晨僵是 RA 突出的临床表现，是观察本病活动的一个重要指标。

（2）关节痛：是最早的关节症状，呈对称性、持续性。

（3）肿胀：凡受累的关节均可肿胀，多呈对称性。

(4) 畸形：多见于较晚期患者。

(5) 功能障碍。

2. 关节外表现

(1) 类风湿结节：大多见于病程晚期，结节常发生在关节隆突部以及经常受压部位；结节约 0.2～3cm 大小，呈圆形或卵圆形，触之有坚韧感，按之无压痛。

(2) 类风湿血管炎：多影响中小血管，多见于甲床梗死、指端坏死、小腿溃疡或末端知觉神经病变。

(3) 干燥综合征：口干、眼干和肾小管中毒。

(4) 小细胞低色素性贫血：系病变本身或服用非甾体类抗炎药引起胃肠道长期少量出血所致。

3. 诊断标准：美国风湿病学会 1987 年对本病的分类标准如下：①晨僵每天持续最少 1 小时，病程至少 6 周；②有 3 个或 3 个以上的关节肿，至少 6 周；③腕、掌指、近端指关节肿，至少 6 周；④对称性关节肿，至少 6 周；⑤有皮下结节；⑥手 X 线摄片改变（至少有骨质疏松和关节间隙的狭窄）；⑦类风湿因子阳性（滴度＞1∶20）。符合其中 4 项或 4 项以上者可诊断为 RA。

（三）辅助检查

1. 血液检查：有轻至中度贫血。活动期患者血小板增高，可有血沉增快。

2. 免疫学检查：活动期患者血清补体均升高，C 反应蛋白增高，RF 阳性。RF 阳性对诊断本病的特异性较差。

3. 关节 X 线检查：本项检查对本病的诊断、关节病变的分期、监测病变的演变均很重要，其中以手指及腕关节的 X 线片最有价值。X 线片中可以见到关节周围软组织的肿胀阴影，关节端的骨质疏松（Ⅰ期）；关节间隙因软骨的破坏而变得狭窄（Ⅱ期）；关节面出现虫蚀样破坏性改变（Ⅲ期）；晚期可出现关节半脱位和关节破坏后的纤维性和骨性强直（Ⅳ期）。

4. 类风湿结节活检：其典型的病理改变有助于本病的诊断。

（四）治疗要点

1. 治疗措施：一般治疗、药物治疗、外科手术治疗，其中以药物治疗最为重要。

2. 抗风湿药：包括非甾体抗炎药（常用药物有阿司匹林、吲哚美辛、布洛芬等）、慢作用抗风湿药（常用药物有甲氨蝶呤、雷公藤、青霉胺、环磷酰胺等）、肾上腺糖皮质激素（常用药物有泼尼松）等。

3. 手术治疗：包括关节置换和滑膜切除手术，前者适用于晚期有畸形并失去功能的关节，滑膜切除术可以使病情在一定程度上缓解。

（五）护理措施

1. 休息与体位：活动期发热或关节肿胀明显时应卧床休息。限制受累关节活动，保持关节功能位。但不宜绝对卧床。病情缓解时指导患者进行功能锻炼。

2. 病情观察：了解关节疼痛的部位、性质、关节肿胀和活动受限的程度、有无畸形、晨僵的程度。注意关节外症状。注意观察患者的心理状况。

3. 晨僵护理：鼓励患者早晨起床后行温水浴，或用热水浸泡僵硬的关节，而后活动关节。夜间睡眠戴弹力手套保暖，可减轻晨僵程度。

4. 预防关节失用：在症状基本控制后，鼓励患者及早下床活动，避免长时间不活动。护士应指导患者锻炼，肢体锻炼由被动向主动渐进，活动强度应以患者能承受为限。也可配合理疗、按摩。

5. 药物护理：指导患者按照治疗计划定时、定量服药，不可随意加、减药量，或者停药。用药期间应观察药物疗效和不良反应。使用金制剂和青霉胺时应观察有无皮疹、蛋白尿、血尿，并定期做血尿常规检查。

6. 做好心理护理。

【考点强化】

1. 系统性红斑狼疮最常见的皮肤损害发生在

A. 颈部　B. 胸部　C. 腹部
D. 暴露部位　E. 腿部

2. 系统性红斑狼疮发病因素不包括

A. 长期应用糖皮质激素
B. 日光刺激　C. 雌激素影响
D. 与遗传基因有关
E. 服用了氯丙嗪、甲基多巴等药物

3. 与系统性红斑狼疮的发病可能有关的激素是

A. 甲状腺素　B. 性激素
C. 生长激素　D. 肾素

E. 血管紧张素

4. 下列哪项不是系统性红斑狼疮的特点

A. 有多系统、多器官损害

B. 病情缓解和急性发作交替

C. 是一种遗传性疾病

D. 内脏损害者预后差

E. 常出现多种自身抗体

5. 治疗系统性红斑狼疮常用的药物不包括

A. 糖皮质激素　　B. 免疫抑制药

C. 非甾体类抗炎药

D. 镇痛药　　E. 丙种球蛋白

6. 系统性红斑狼疮的最常见的死亡原因是

A. 心包炎　　B. 心肌炎

C. 消化道出血　　D. 肾衰竭

E. 颅内压增高

7. 下列防治类风湿关节炎的要点中错误的是

A. 长期持续坚持使用肾上腺糖皮质激素

B. 缓解晨僵和疼痛等关节症状

C. 使用阿司匹林等非甾体类抗炎药

D. 适当选用免疫抑制药

E. 注意锻炼关节功能

8. 下列类风湿关节炎急性期护理措施不妥的是

A. 给予抗炎镇痛药　　B. 注意活动四肢

C. 关节功能位　　D. 按摩

E. 听音乐放松心情

9. 类风湿关节炎阳性发生率最高的实验检查是

A. 血沉增快　　B. 类风湿因子阳性

C. 抗核抗体阳性

D. C_3 补体显著升高

E. 抗 Sm 抗体阳性

10. 类风湿关节炎最常侵犯的关节是

A. 双手掌指关节近端

B. 双手掌指关节远端

C. 双腿膝关节　D. 双腿踝关节

E. 双手腕关节

11. 下列不属于系统性红斑狼疮的诱发因素的是

A. 感染　B. 药物　　C. 雌激素

D. 阳光照射　E. 缺乏营养

12. 下列不是类风湿关节炎的双手表现的是

A. 爪型手　B. 掌指关节梭状畸形

C. 双手向尺侧偏斜

D. 晨僵　　E. 骨质疏松

13. 下列急性期类风湿关节炎患者的护理措施错误的是

A. 遵医嘱使用抗炎镇痛药

B. 绝对卧床休息　C. 热水浴以减轻疼痛

D. 保护关节于功能位

E. 必要时使用夹板固定关节

14. 下列哪项不是类风湿关节炎 X 线检查可有的表现

A. 关节附近骨质疏松

B. 虫蚀样改变　C. 长骨端泡沫状改变

D. 关节间隙变窄　E. 关节半脱位

15. 患者女性，36 岁。因风湿性关节炎引起关节疼痛，在服用阿司匹林时，护士嘱其饭后服用的目的是

A. 减少对消化道的刺激

B. 提高药物的疗效　　C. 降低药物的毒性

D. 减少对肝脏的损害

E. 避免尿少时析出结晶

16. 患者女性，32 岁。患系统性红斑狼疮 2 年，有发热和关节肿痛，面部发现紫红色斑块并有少量蛋白尿发生。请问下列哪项护理措施不恰当

A. 清水洗脸

B. 避免使用肾脏损害药物

C. 房间内挂厚窗帘遮光

D. 经常检查口腔和皮肤病损情况

E. 多食芹菜、香菜类绿叶蔬菜

17. 周女士，头晕乏力半年，手足关节痛 3 年余，查体双手指间肌肉萎缩，手指向尺侧偏，X 线显示关节腔变窄，关节半脱位，抗“O” 300U，血沉 380mm/h，此患者最可能的诊断是

A. 退行性骨关节病　B. 类风湿关节炎

C. 先天性关节畸形　D. 风湿性关节炎

E. 系统性红斑狼疮

18. 患者女性，22 岁。面部蝶形红斑显著，诊断为系统性红斑狼疮。护理措施错误的是

A. 避免烈日下活动　B. 外出时戴宽边帽

C. 局部用清水冲洗

D. 脱屑用碱性肥皂清洗

E. 勿用刺激性化妆品

19. 某患者双手掌指关节肿胀疼痛 3 年，晨起有黏着感，活动后渐缓，查血类风湿因子（+），诊断为类风湿关节炎，为保持关节功能应注意

A. 长期卧床休息

B. 进食高热量、高蛋白饮食
C. 小夹板固定
D. 长期服抗生素防感染
E. 坚持进行关节功能锻炼

20. 患者女性，57 岁。类风湿性关节炎病史 13 年。该患者的可能致病因素不包括
A. 日光照摄史　B. 精神状态
C. 家族史　D. 细菌或病毒感染史
E. 环境因素

（21～22 题共用病例）
患者女性，78 岁。患类风湿关节炎 20 年，现仍有反复发作的关节疼痛。目前双手有尺侧偏向性畸形，握物困难，活动受限，严重影响日常做饭洗漱等生活能力。

21. 该患者缓解期间，指导患者活动的目的是
A. 防止疾病复发　B. 保持关节功能位
C. 防止关节畸形　D. 减少晨僵发生
E. 避免关节废用

22. 下列哪种措施对此患者不合适
A. 卧床休息，减少活动
B. 服用镇痛药
C. 每天晨起用热水泡手 15 分钟
D. 进行日常必要的生活训练
E. 动员社会给予帮助

（23～24 题共用备选答案）
A. 肿胀疼痛的关节多伴关节腔积液或滑膜肥厚
B. 常累及单侧第一跖趾关节，疼痛剧烈固定
C. 受累关节多为小关节，疼痛常伴有晨僵
D. 侵犯大、小关节，呈多发对称性分布，较少引起畸形
E. 以骶髂关节等处受累为主，不对称性持续疼痛

23. 类风湿关节炎的疾病特点是

24. 系统性红斑狼疮的疾病特点是

（25～26 题共用备选答案）
A. 抗核抗体（ANA）检查
B. 抗 Sm 抗体检查
C. 抗 Ds-DNA 抗体检查
D. 总补体 CH50、补体 C_3、补体 C_4 检查
E. 狼疮带试验

25. 诊断红斑狼疮的标志性抗体是

26. 提示狼疮活动的检查是

（27～28 题共用备选答案）
A. 阿司匹林　B. 环磷酰胺
C. 肾上腺皮质激素
D. 青霉素　E. 泼尼松

27. 系统性红斑狼疮的首选药是

28. 类风湿关节炎的首选药是

【参考答案】

1. D　2. A　3. B　4. C　5. D
6. D　7. A　8. B　9. B　10. A
11. E　12. A　13. B　14. C　15. A
16. E　17. B　18. D　19. E　20. A
21. E　22. A　23. C　24. D　25. B
26. C　27. C　28. A

第八章　神经系统疾病

第一节　神经系统疾病常见症状及护理

（一）头痛

1. 病因：颅内的血管、神经和脑膜以及颅外的骨膜、血管、头皮、颈肌、韧带等受挤压、牵拉、移位、炎症、血管的扩张与痉挛、肌肉的紧张性收缩等均可引起头痛。

2. 头痛分类

（1）偏头痛：偏头痛主要是由颅内外血管收缩与舒张功能障碍引起，多为一侧颞部搏动

性头痛。典型偏头痛在头痛发作前先有视觉症状，在安静休息、睡眠后或服用镇痛药物后头痛可缓解，但常反复发作，患者多有偏头痛家族史。

（2）高颅压性头痛：常为持续性的整个头部胀痛，阵发性加剧，伴有喷射状呕吐及视力障碍。

（3）眼源性头痛：由青光眼、虹膜炎、视神经炎、眶内肿瘤、屈光不正等引起。常位于眼眶周围及前额。

（4）耳源性头痛：由急性中耳炎、外耳道的疖肿、乳突炎等引起。多表现为单侧颞部持续性或搏动性头痛，常伴有乳突的压痛。

（5）鼻源性头痛：由鼻旁窦炎症引起前额头痛，多伴有发热、鼻腔脓性分泌物等。

（6）紧张性头痛：多表现为持续性闷痛、胀痛，常伴有心悸、失眠、多梦、多虑、紧张等症状。

3. 护理措施

（1）避免诱因：保持环境安静、舒适、光线柔和。保持身心安静，休息及睡眠可以减轻头痛。告知患者可能诱发或加重头痛的因素。颅内压增高者保持大便通畅，便秘者禁止灌肠。

（2）病情观察：头痛性质、强度的变化，是否伴有其他症状或体征。

（3）指导患者减轻头痛的方法。

（4）心理疏导：要理解、同情患者的痛苦，耐心解释、适当诱导，解除其思想顾虑，身心放松，鼓励患者树立信心，积极配合治疗。

（5）用药护理：告知镇痛药物的作用与不良反应，指导患者遵医嘱、正确服药。

（二）感觉障碍

1. 感觉障碍的临床表现

四肢远端呈手套或袜套型感觉障碍称末梢型感觉障碍，后根受压为节段性带状分布的感觉障碍；脊髓不同高度的双侧损害造成躯体及四肢节段性全部感觉缺失或减退并伴有截瘫或四肢瘫和大小便功能障碍；对侧延髓中部病变表现为一侧肢体深感觉障碍而痛觉、温度觉正常的称为分离性感觉障碍；延髓外侧病变是一侧面部感觉障碍，对侧肢体痛觉、温度觉障碍，又称为交叉性感觉障碍；对侧偏身感觉障碍，是内囊病变，同时伴有对侧偏瘫和对侧同向偏盲，称为“三偏征”。

2. 护理措施

（1）日常生活护理：防止感觉障碍的身体部位受压或机械性刺激。避免高温或过冷刺激，慎用热水袋或冰袋，防止烫伤、冻伤。肢体保暖需用热水袋时，应外包毛巾，水温不宜超过50℃，且每30分钟查看、更换部位1次，对感觉过敏的患者尽量避免不必要的刺激。

（2）心理护理：关心、体贴患者，主动协助日常生活活动；多与患者沟通，解释病情，从而减少患者焦急情绪，使其正确面对，积极配合治疗和训练。

（3）感觉训练：可进行肢体的拍打、按摩、理疗、针灸、被动运动和各种冷、热、电的刺激。

（三）瘫痪

1. 临床表现：上运动神经元瘫痪特点为无肌萎缩、肌张力增强、腱反射亢进、病理反射阳性；下运动神经元瘫痪特点为有明显肌萎缩、肌张力减退、腱反射消失、无病理反射。不伴肌张力增高者称弛缓性瘫痪（又称软瘫、周围性瘫痪），伴有肌张力增高者称痉挛性瘫痪（又称硬瘫、中枢性瘫痪）。

2. 瘫痪的类型

（1）局限性瘫痪：为某一神经根支配区或某些肌群无力。如单神经病变、局限性肌病、肌炎等所致的肌肉无力。

（2）单瘫：单个肢体的运动不能或运动无力。病变部位在大脑半球、脊髓前角细胞、周围神经或肌肉等。

（3）偏瘫：一侧面部和肢体瘫痪。多见于一侧大脑半球病变。

（4）交叉性瘫痪：指病变侧脑神经麻痹和对侧肢体瘫痪。常见于脑干肿瘤、炎症和血管性病变。

（5）截瘫：双下肢瘫痪。多见于脊髓横贯性损害。

（6）四肢瘫痪：四肢不能运动或肌力减退。见于高颈段脊髓病变和周围神经病变。

3. 瘫痪程度

（1）0级：完全瘫痪。

（2）1级：可看到肌肉收缩，但无肢体运动。

（3）2级：肢体能在床上移动，但不能对抗地心引力，不能抬起。

(4) 3级：肢体可脱离床面，不能对抗阻力。

(5) 4级：能够对抗阻力而运动，但肌力弱。

(6) 5级：正常肌力。

4. 护理措施

(1) 生活护理：对卧床患者要保持床褥清洁、干燥，患侧肢体应放置功能位置，定时翻身、拍背，按摩关节和骨隆突部位。每天全身温水擦拭1～2次。鼓励患者摄取充足的水分和均衡的饮食，养成定时排便的习惯，保持大便通畅。保持口腔清洁；协助患者洗漱、进食、如厕、沐浴和穿脱衣服等。

(2) 安全护理：运动障碍的患者要防止跌倒。床铺要有保护性床栏；走廊、厕所要装扶手；地面要保持平整干燥，防湿、防滑，去除门槛；患者最好穿防滑软橡胶底鞋；上肢肌力下降的患者不要自行打开水或用热水瓶倒水；行走不稳或步态不稳者，选用合适的辅助工具，并有人陪伴。

(3) 加强心理护理：使患者有战胜疾病的信心，支持治疗及功能锻炼。

(4) 做好口腔护理、防止吸入性肺炎。

(5) 改善肢体功能

① 早期康复护理：重视患侧刺激；保持良好的肢体位置；体位变换（翻身），偏瘫、截瘫患者每2～3小时翻身1次；床上运动训练包括Bobath握手、桥式运动（选择性伸髋）、关节被动运动、起坐训练。

② 恢复期康复训练：上肢功能训练一般采用运动疗法和作业疗法相结合；下肢功能训练主要以改善步态为主。

③ 综合康复治疗：根据病情，指导患者合理选用针灸、理疗、按摩等辅助治疗，以促进运动功能的恢复。

（四）昏迷

1. 昏迷程度

(1) 浅昏迷：随意运动消失，对声、光等刺激无反应，强刺激可引起痛苦表情、呻吟及下肢防御反射等。

(2) 深昏迷：对各种刺激均无反应，各种反射消失，意识全部丧失。

2. 护理措施

(1) 病情观察：密切观察患者生命体征、昏迷程度、瞳孔变化、肢体有无瘫痪、有无脑膜刺激征及抽搐等。

(2) 预防呼吸道感染，每日清洁口腔2次。

(3) 保持皮肤清洁，预防压疮的发生。

(4) 给予鼻饲高蛋白、高维生素流质饮食，保证每天热量供应。做好鼻饲护理

(5) 确保呼吸道通畅，病人取平卧位，肩下垫高并使颈部伸展，以免舌根后坠阻塞气道。头偏向一侧防止呕吐物被误吸入呼吸道。

(6) 准备好吸引器，痰多时应随时吸痰，每次气管吸痰不超过15秒钟。可在翻身同时拍背吸痰。

(7) 应做好气管切开和使用呼吸机的准备。

(8) 张口呼吸的病人应将沾有温水的三层纱布盖在口鼻上。

(9) 长期尿潴留或尿失禁病人应留置导尿管，记录尿量、尿色。意识清醒后及时撤掉导尿管并诱导病人自行排尿。

(10) 保持大便通畅，以防病人排便用力时导致颅内压高。大便失禁时随时做好肛门及会阴部清洁。

第二节　急性脑血管疾病患者的护理

（一）病因和发病机制

1. 脑出血：出血部位以内囊处出血最常见。出血原因中以高血压动脉硬化所致的脑出血最为常见。豆纹动脉破裂最为常见。

2. 蛛网膜下腔出血：最常见的病因为先天性脑动脉瘤、脑部血管畸形。

3. 短暂性脑缺血发作：主要病因是动脉硬化，颈内动脉颅外段粥样硬化部位纤维素与血小板黏附，脱落后成为微栓子，进入颅内动脉，引起颅内小血管被堵塞缺血而发病。

4. 脑血栓形成：较常见的病因为动脉硬化、风湿症、红斑狼疮性动脉炎、结节性周围动脉炎。

5. 脑栓塞：颅外其他部位病变如风心病、心肌梗死、骨折、人工气胸等形成的栓子堵塞

颅内血管

（二）临床表现

1. 脑出血

(1) 内囊出血：最多见，表现为剧烈头痛、头晕、呕吐，迅速出现意识障碍，出现对侧偏瘫、偏身感觉障碍、对侧同向偏盲（三偏征），瘫痪肢体肌张力减弱。

(2) 脑桥出血：重者表现为出血灶侧周围性面瘫，对侧肢体中枢性瘫痪，称交叉瘫。

(3) 小脑出血：表现为眩晕、呕吐、枕部头痛、眼球震颤、共济失调。

(4) 蛛网膜下腔出血：起病急骤，常在活动中突然发病，表现为剧烈头痛、喷射性呕吐、脑膜刺激征阳性，一般无肢体瘫痪。

2. 缺血性脑血管疾病的临床表现

(1) 短暂脑缺血发作：多为突然起病，持续时间短，在24小时内恢复正常。多发生在静止期或活动后，以起病急骤、多无前驱症状为特点。

(2) 脑血栓形成：起病先有头痛、眩晕、肢体麻木、无力及一过性失语或短暂脑缺血发作等前驱症状。常于睡眠中或安静休息时发病。

(3) 脑栓塞：颈内动脉系统阻塞，表现为突然失语、偏瘫及局限性抽搐等；椎动脉系统阻塞，表现为眩晕、复视、共济失调、水平对眼及交叉性瘫痪等。

（三）辅助检查

1. CT：脑出血呈高密度影，脑缺血呈低密度影。

2. 脑脊液检查：脑出血时可为均匀血性，脑缺血脑脊液检查为正常。

3. 病理反射：内囊出血 Babinski 征阳性，蛛网膜下腔出血脑膜刺激征阳性。

（四）治疗要点

1. 脑出血：以降低颅内压和控制血压为主要措施，同时应用止血药。降颅内压首选20%甘露醇。

2. 缺血性脑血管病：以抗凝治疗为主，同时应用血管扩张药、血液扩充剂以改善微循环。脑血栓发病6小时内可做溶栓治疗

（五）护理措施

1. 休息：脑出血患者应绝对卧床休息2～4周，患者取侧卧位，头部稍抬高；蛛网膜下腔出血患者应绝对卧床4～6周；脑血栓患者取平卧位。头部禁用冰袋或冷敷。

2. 饮食护理：急性脑出血发病24小时内禁食，24小时后可流质饮食。进食时患者取坐位或高侧卧位（健侧在下），进食应缓慢，食物应送至口腔健侧近舌根处，以利吞咽。

3. 病情观察：密切观察生命体征、意识及瞳孔的变化；观察患者是否有颅内压增高的症状。

4. 促进肢体功能恢复：瘫痪肢体保持功能位，进行关节按摩及被动运动。脑血栓患者在发病1周后应进行瘫痪肢体功能训练。

第三节　三叉神经痛患者的护理

本病多发于中年以后，女性多于男性，疼痛是突出的特点。

（一）临床表现

主要表现为在三叉神经分布区内反复发作的阵发性剧烈疼痛。以面部三叉神经一支或几支分布区内，骤然发生的闪电式剧烈面部疼痛为特征。疼痛以面颊、上颌、下颌或舌部最为明显。在上唇外侧、鼻翼、颊部、舌等处稍加触动即可诱发，故称“扳机点”。

（二）治疗原则

首选药物止痛，首选卡马西平。无效时考虑神经阻滞或手术治疗。

（三）护理措施

(1) 告知患者洗脸、刷牙、剃须、咀嚼时动作要轻柔，吃软食、小口咽，以防止疼痛发作。

(2) 嘱患者按医嘱从小剂量开始服用卡马西平，逐渐增量，疼痛控制后逐渐减量，以预防或减轻药物副作用。用药过程中加强观察眩晕、嗜睡、恶心、步态不稳、皮疹、白细胞减少等不良反应。

第四节　急性脱髓鞘性多发性神经炎患者的护理

急性炎症性脱髓鞘性多发性神经炎又称吉兰-巴雷综合征（GBS），患者大多在 6 个月至 1 年基本痊愈。

（一）病因与病理生理

1. 病因：该病是由免疫介导的迟发型超敏反应，感染是启动免疫反应的首要因素，最主要的感染因子有空肠弯曲杆菌、多种病毒及支原体等。

2. 病理生理：该病主要侵犯脊神经根、脊神经和脑神经，主要病变是周围神经广泛的炎症节段性脱髓鞘。

（二）临床表现

临床特征为急性、对称性、弛缓性肢体瘫痪及脑脊液蛋白细胞分离现象。在发病前数日或数周患者常有上呼吸道或消化道感染症状。首发症状为四肢对称性无力，从双下肢开始，并逐渐加重和向上发展至四肢，一般是下肢重于上肢，近端重于远端，表现为双侧对称的下运动神经元性瘫痪。

（三）辅助检查

蛋白细胞分离现象是 GBS 最重要的特征性检查结果，表现为细胞数正常而蛋白质明显增高。

（四）治疗原则

(1) 保持呼吸道通畅：肺活量降低至每千克体重 20～25ml 以下、血氧饱和度降低、动脉血氧分压低于 70mmHg 时，应及早使用呼吸机。

(2) 血浆置换：可迅速降低抗周围神经髓鞘抗体滴度及清除炎症化学介质补体等。

(3) 滴注大剂量丙种球蛋白。

(4) 对症治疗及预防并发症。

第五节　帕金森病患者的护理

帕金森病又称震颤麻痹，是一种较为常见的黑质和黑质-纹状体通路变性的慢性疾病。本病好发于 50～60 岁的男性。

（一）临床表现

临床以静止性震颤、肌强直、运动减少和体位不稳为主要特征。帕金森病起病多缓慢，呈进行性发展，动作不灵活和震颤为疾病早期的首发症状。

1. 静止性震颤：震颤在静止状态时出现且明显，运动时减轻或暂时停止。上肢震颤重于下肢，手指呈现有规律的拇指对掌和余指屈曲的震颤，形成“搓丸样动作”。

2. 肌强直：是本病的主要特征之一，表现为被动运动关节时的“铅管样强直”，如合并有震颤，可表现为“齿轮样强直”。

3. 运动减少

(1)“写字过小”：书写时字越写越小，上肢不能做精细动作的表现。

(2)“慌张或前冲步态”：行走时起步困难，且步距小，往前冲。

(3)“面具脸”：面肌运动减少的表现。

（二）治疗原则

以及早使用替代性药物和抗胆碱药物治疗为主，辅以行为治疗，必要时手术治疗。

(1) 抗胆碱药适用于早期轻症患者，常用盐酸苯海索（安坦）。

(2) 多巴胺替代药物常用左旋多巴（多巴胺的前体）。

(3) 多巴胺受体激动药常选用溴隐亭。

（三）护理问题

(1) 躯体移动障碍与黑质病变，锥体外系功能障碍有关。

(2) 自尊紊乱与自体形象改变和生活依赖别人有关。

(3) 营养失调低于机体需要量与舌、腭及咽部肌肉运动障碍致进食减少和肌强直、震颤致机体消耗量增加有关。

(4) 自理缺陷与黑质病变，锥体外系功能障碍有关。

（四）护理措施

1. 运动护理：鼓励患者尽量参与各种形式的活动，注意保持身体和各关节的活动强度与最大活动范围，做到每星期至少 3 次，每次至少 30 分钟。

2. 饮食护理

（1）进食前仔细了解患者的吞咽反应是否灵敏，有无控制口腔活动的能力，是否存在咳嗽和呕吐反射，能否吞咽唾液；准备好有效的吸引装置。

（2）安置患者正确的体位，餐前餐后让患者取坐姿坐在椅子上或床沿上保持 10～15 分钟。

（3）从小量食物开始，让患者逐渐掌握进食的每一步骤，进食时不要催促，并注意保持合适的食物温度，餐具最好使用不易打碎的不锈钢餐具，不能持筷进食者改用汤勺。

（4）尽可能提供患者便于食用的食物。

（5）注意观察患者营养状况改善和体重变化的情况。

3. 用药护理

（1）左旋多巴：宜在进食时服药，以减轻消化道症状；不要同时服维生素 B_6，以免影响左旋多巴的疗效。若出现精神症状、不自主运动、每日多次突然波动于严重运动减少和缓解而伴异动（“开-关”现象）、出现每次服药后药物的作用时间逐渐缩短（“剂末”现象），应报告医生。

（2）抗胆碱能药：合并有前列腺肥大及青光眼者禁用此类药物。主要不良反应有口干、眼花、少汗或无汗、面红、恶心、便秘、失眠和不安，严重者有谵妄、不自主运动等。

（3）多巴胺受体激动药：宜从小剂量开始用药，逐渐缓慢增加剂量直至有效维持；主要副作用有恶心、呕吐、低血压和昏厥、红斑性肢痛、便秘、幻觉等。

第六节　癫痫患者的护理

（一）病因和发病机制

1. 病因

（1）特发性癫痫：与遗传因素有较密切的关系，多在儿童或青年期首次发病。

（2）症状性癫痫：由脑部器质性病变和代谢疾病所引起，占癫痫的大多数。颅脑产伤是新生儿或婴儿期癫痫的常见病因；颅内肿瘤是成年期开始发作的癫痫的常见原因；脑血管畸形所致癫痫多见于年轻人，而脑动脉硬化所致癫痫则多见于中老年人。

2. 发病机制：在发作前，病灶中谷氨酸和天门冬氨酸这两种递质显著性增加。不论是何种原因引起的癫痫，其电生理改变是一致的，即发作时大脑神经元出现异常的、过度的同步性放电。

（二）临床表现

1. 部分性发作

（1）部分性运动性发作：指肢体局部的抽搐，如从一侧拇指沿手指、腕部、肘部、肩部扩展，称为 Jackson 癫痫。如果局部抽搐持续数小时或数天，则称为持续性部分性癫痫。

（2）复杂部分性发作：主要特征为有意识障碍，于发作起始出现各种精神症状或特殊感觉症状，随后出现意识障碍或自动症和遗忘症。大多数为颞叶病变所引起。

2. 全身性发作

（1）失神发作：意识短暂丧失，持续约 3～15 秒，发作和停止均突然。

（2）肌阵挛发作：为突然、短暂、快速的肌肉收缩。

（3）阵挛性发作：为全身重复性阵挛发作。

（4）强直性发作：全身性肌痉挛，肢体伸直，头眼偏向一侧，常伴自主神经症状，躯干的强直性发作造成角弓反张。

（5）强直-阵挛发作：又称为大发作，以意识丧失和全身对称性抽搐为特征。为最常见的发作类型之一。

（6）癫痫持续状态：指癫痫连续发作之间意识尚未完全恢复又频繁再发，或癫痫发作持续 30 分钟以上不能自行停止。

（三）辅助检查

1. 视频脑电图：对癫痫诊断和对癫性灶定位的帮助最大。

2. D-SA 检查：可发现颅内血管畸形和动脉瘤、血管狭窄或闭塞，以及颅内占位性病变等。

3. 头部 CT、MRI 检查：可发现脑部器质性改变、占位性病变和脑萎缩等。

（四）治疗要点

1. 发作时治疗：预防外伤及其他并发症，保持呼吸道通畅，及时给氧。

2. 药物治疗：特发性大发作首选丙戊酸钠；症状性或原因不明的大发作首选卡马西平；典型失神-阵挛发作首选丙戊酸钠；非典型失神发作首选乙琥胺。部分性发作首选卡马西平。

3. 癫痫持续状态的治疗：尽快控制发作，首先给予地西泮 10～20mg 静脉注射，注射速度不超过 2mg/min；保持呼吸道通畅，立即采取维持生命功能的措施，防治并发症。

（五）护理措施

1. 防止窒息：大发作和癫痫持续状态的患者，应取头低侧卧或平卧头侧位；松开领带、衣扣和裤带；取下活动性义齿，及时清除口鼻腔分泌物；立即放置压舌板，必要时用舌钳将舌拖出，防止舌后坠阻塞呼吸道；不可强行喂水、喂药，可插胃管鼻饲。

2. 发作期安全护理：告知患者有前驱症状时立即就地平卧；移走身边危险物体，适度扶住患者的手、脚，以防自伤及碰伤；切勿用力按压抽搐身体，以免发生骨折、脱臼；使用牙垫或厚纱布包裹压舌板垫于患者上、下臼齿之间，防舌咬伤；癫痫持续状态、有躁动的患者，应专人守护，放置保护性床档，必要时给予约束带适当约束；关节及骨突出处应垫棉垫，以免皮肤损伤。

3. 用药护理：严格遵照医嘱用药，宜在饭后服用，避免胃肠道反应；从单一药物开始，从小剂量开始，逐渐加量；坚持长期规律服药，不可随意增减药物剂量，不能随意停药或换药。当出现胃肠道反应、眩晕、共济失调、嗜睡等药物不良反应时应及时就医。

（六）健康教育

1. 活动与休息：癫痫发作时和发作后均应卧床休息，平时建立良好的生活习惯，劳逸结合，保证睡眠充足。减少精神和感觉刺激，禁忌游泳和蒸汽浴等。

2. 避免促发因素：癫痫的诱因有疲劳、饥饿、缺乏睡眠、便秘、经期、饮酒、感情冲动、一过性代谢紊乱和过敏反应；癫痫持续状态的诱发因素常为突然停药、减药、漏服药及换药不当。

3. 治疗配合：坚持长期有规律服药，切忌突然停药、减药、漏服药及自行换药，定期复查血药浓度、血常规和肝、肾功能。

4. 工作指导：禁止从事攀高、游泳、驾驶等职业，以及在炉火旁、高压电机旁或其他在发作时可能危及生命的工种。

【考点强化】

1. 肢体能在床面上移动但不能抬起为肌力
   A. 1 级　B. 2 级　C. 0 级
   D. 3 级　E. 4 级
2. 末梢性感觉障碍的特点是
   A. 引起病变对侧肢体痛温觉障碍
   B. 节段性带状分布
   C. 有三偏征
   D. 呈手套形、袜套形分布
   E. 有大小便功能障碍
3. 对昏迷患者护理措施欠妥的是
   A. 配备吸痰器、气管切开等抢救用物
   B. 密接观察生命体征、瞳孔的变化
   C. 保持大便通畅以防用力排便导致颅内压增高
   D. 取平卧位头偏向一侧以防止误吸
   E. 对尿失禁者持续留置导尿
4. 关于腰椎穿刺，护理错误的是
   A. 颅内高压者不宜穿刺
   B. 取侧卧、背近床沿、头部俯屈、双手抱膝位
   C. 术后去枕平卧 4～6h
   D. 发现有意识障碍、呼吸加深、血压下降为脑疝前驱症状
   E. 操作中随时观察患者的面色、呼吸及脉搏
5. 脑出血的患者最主要的死亡原因是
   A. 呼吸衰竭　B. 脑疝
   C. 坠积性肺炎　D. 压疮感染
   E. 溃疡大出血
6. 内囊出血的典型表现是
   A. 三偏征　B. 双瞳孔缩小
   C. 呼吸深沉有鼾音
   D. 剧烈头痛　E. 频繁呕吐
7. 癫痫发作最典型的特点是

A. 有大小便失禁　B. 口吐白沫
C. 意识丧失
D. 全身肌肉强直性收缩
E. 牙关紧闭

8. 判断癫痫持续状态的关键是
A. 全身肌肉张弛交替痉挛
B. 意识丧失伴抽搐
C. 癫痫持续发作超过24h
D. 癫痫发作伴呼吸衰竭
E. 发作间歇期仍有意识障碍

9. 全面性强直-痉挛发作时护理措施错误的是
A. 牙垫塞于上、下门齿之间
B. 让患者取平卧位
C. 切勿喂水
D. 不能强力按压肢体
E. 松解领扣和腰带

10. 关于瘫痪的叙述下列哪项是错误的
A. 瘫痪是指自主运动的减弱或消失
B. 交叉瘫是一侧上肢与对侧下肢瘫痪
C. 偏瘫是一侧肢体的瘫痪
D. 截瘫是指对称性双下肢瘫痪
E. 单瘫是一侧一个肢体的瘫痪

11. 下列对急性脑出血患者的护理措施中哪项错误
A. 液体入量每日不超过1500ml
B. 避免搬动　C. 取侧卧位
D. 头部略低防止脑缺血
E. 各项操作要轻柔

12. 脑血栓的临床表现不包括
A. 抽搐　B. 肢体偏瘫
C. 脑膜刺激征　D. 意识障碍
E. 脑脊液正常

13. 脑血栓患者应何时进行功能锻炼
A. 发病2个月后　B. 发病4周后
C. 发病2周后　D. 发病1周后
E. 发病3周后

14. 下列对脑血栓成急性期的护理措施中哪项错误
A. 平卧位，头偏向一侧
B. 注意保暖　C. 头部冰袋或冷敷
D. 保持安静，避免搬动
E. 按危重病期护理

15. 癫痫大发作典型的临床表现是
A. 发作性精神异常和自动症
B. 神志清，阵发性局部肢体抽搐
C. 短暂意识障碍
D. 突发性头痛伴颈强直
E. 意识丧失，四肢抽搐

16. 颅内压增高的患者出现下列哪一症状提示已发生脑疝
A. 潮式呼吸　B. 剧烈头痛
C. 脉搏缓慢　D. 频繁性呕吐
E. 一侧瞳孔进行性扩大

17. 一侧肢体深感觉障碍，而痛觉、温度觉正常，称为
A. 末梢性感觉障碍　B. 阶段性感觉障碍
C. 交叉性感觉障碍　D. 分离性感觉障碍
E. 完全性感觉障碍

18. 对感觉障碍的患者，下列护理措施中哪项不妥
A. 预防压疮　B. 避免抓伤患处
C. 缓解患者紧张不安情绪
D. 用暖水袋保暖　E. 衣服柔软

19. 瘫痪患者最常见的并发症是
A. 肺部感染　B. 尿路感染
C. 便秘　D. 褥疮
E. 胃溃疡

20. 脑血栓的早期治疗时间是指发病后的
A. 1h内　B. 3h内
C. 6h内　D. 12h内
E. 24h内

21. 出血性脑血管疾病常见病因不包括
A. 高血压　B. 外伤
C. 动脉硬化　D. 血液病
E. 糖尿病

22. 关于短暂性脑缺血发作描述不正确的是
A. 可突然跌倒　B. 维持时间短暂
C. 恢复后遗留后遗症
D. 可眩晕发作　E. 突然发病

23. 对高血压脑出血患者紧急处理的最重要的环节是
A. 立即使用止血药　B. 用抗生素
C. 抗水肿，降低颅内压
D. 立即降压到正常血压
E. 用镇静药

24. 以意识丧失和全身对称性抽搐为特征的癫痫发作为
A. 单纯失神发作　B. 精神运动性兴奋
C. 复杂的部分发作
D. 全面性强直-痉挛发作
E. 单纯的部分发作

25. 对于头痛患者，下列哪项护理措施不妥

A. 鼓励患者应用镇痛药
B. 鼓励患者进行放松训练
C. 鼓励患者卧床休息
D. 鼓励患者进行理疗来缓解疼痛
E. 鼓励患者避免强光和噪音的刺激，保持环境安静

26. 不同部位的脑出血，其临床表现也不同，最为多见的出血部位是
A. 脑室出血　B. 脑叶出血
C. 脑桥出血　D. 小脑出血
E. 基底节出血

27. 对肢体瘫痪的患者应采取的护理措施错误的是
A. 病情稳定后鼓励患者自己洗漱、移动身体
B. 保持床褥整洁干燥
C. 向家属说明锻炼肢体的重要性
D. 指导患者穿脱衣服时先穿健侧
E. 患肢应放在功能位

28. 下列关于 TIA 的描述，不正确的是
A. 发病突然　B. 可突然跌倒
C. 维持时间短暂　D. 可眩晕发作
E. 恢复后遗留后遗症

29. 腰椎穿刺的禁忌证，不包括
A. 颅内压明显增高
B. 穿刺部位皮肤感染
C. 合并糖尿病
D. 全身有感染性疾病
E. 病情危重、躁动不安

30. 腰椎穿刺术术后需去枕平卧 4～6 小时，目的是防止
A. 穿刺部位出血　B. 穿刺部位感染
C. 低压性头痛　D. 颅内感染
E. 颅内高压

31. 脑出血的诱发因素不包括
A. 血液黏稠度高　B. 重体力劳动
C. 酗酒　D. 用力排便
E. 情绪激动

32. 缺血性脑血管疾病的治疗措施错误的是
A. 降低颅内压
B. 早期应用吗啡等镇静药
C. 发病 6h 内应用溶栓治疗
D. 降低血黏度、改善微循环
E. 抗凝治疗

33. 癫痫持续状态首选药物疗法是
A. 水合氯醛肌注　B. 水合氯醛灌肠
C. 苯妥英钠注射
D. 苯妥英钠静注　E. 地西泮注射

34. 蛛网膜下腔出血最常见的原因是
A. 脑底动脉瘤　B. 脑血管畸形
C. 脑动脉硬化
D. 脊髓或椎管内动脉瘤
E. 先天性颅内动脉瘘

35. 对癫痫患者进行健康教育计划的内容哪项错误
A. 开车要有人陪同
B. 适当参加脑力劳动
C. 禁用神经性兴奋药
D. 游泳有危险　E. 需长期正规用药

36. 急性感染性多发性神经根炎的表现应除外
A. 可伴有中枢神经系统损害
B. 四肢对称性弛缓性肢体瘫痪
C. 手套袜套状感觉障碍
D. 一侧面神经瘫痪
E. 脑脊液出现蛋白细胞分离现象

37. 急性感染性多发性神经根炎脑脊液检查的特征是
A. 细胞数增高，糖降低
B. 蛋白增高，细胞数正常
C. 蛋白降低，细胞数增高
D. 细胞数增高，糖增加
E. 细胞数减少，细菌培养阴性

38. 短暂性脑缺血发作最常见的病因是
A. 情绪激动　B. 高血压　C. 吸烟
D. 饮酒　E. 动脉粥样硬化

39. 患者男性，55 岁，半天前突然说话不流利，伴右侧肢体麻木，持续 30 分钟左右恢复正常，门诊查体神经系统检查正常，有动脉硬化病史 2 年，最可能的诊断是
A. 癫痫部分性发作　B. 偏头痛
C. 颈椎病　D. 顶叶肿瘤
E. 短暂性脑缺血发作

40. 患者女性，高血压 15 年，因右侧肢体瘫痪，住院治疗，CT 结果为脑低密度影，诊断为脑血栓形成。选择溶栓的时间是
A. 发病后 2 小时内　B. 发病后 3 小时内
C. 发病后 4 小时内　D. 发病后 5 小时内
E. 发病 6 小时内

41. 患者女性，34 岁，2 周来，常在刷牙时出现左侧面颊和上牙部疼痛，每次持续 3～4 分钟，神经系统检查未发现异常，应考虑

的诊断是

A. 牙痛　　B. 三叉神经痛

C. 面神经炎　　D. 鼻旁窦炎

E. 单纯部分性发作

42. 患者女性，73岁。有高血压史30年，在进行家务活动时，忽觉头晕，随即倒地，急送医院检查，患者呈昏迷状态，左侧肢体偏瘫，CT可见高密度影，最可能的诊断为

A. 脑出血　　B. 急性心梗

C. 肾衰竭　　D. 心源性休克

E. 脑梗死

43. 高某女性，57岁。因急性脑出血入院。该患者能予鼻饲进食的时间是

A. 12h后　B. 24h后　C. 48h

D. 72h　E. 即刻

44. 患者男性，32岁。癫痫病史4年，因自行终止用药导致大发作。其首选控制药物是

A. 地西泮　　B. 苯巴比妥

C. 扑米酮　　D. 丙戊酸钠

E. 苯琥胺

45. 潘某男性，60岁。饮酒后突然意识丧失，呼吸变深成鼾音，颜面潮红，脉搏慢而有力，颈软，左侧肢体瘫痪，首先考虑

A. 蛛网膜下腔出血

B. 短暂性脑缺血发作

C. 脑出血　　D. 脑栓塞

E. 脑血栓形成

46. 李某，男性，63岁。3天前睡觉时忽然失语，伴偏瘫，神智欠清，症状持续未缓解。两年来曾有3次相似发作，持续不到2h后症状消失，你认为现在哪项诊断可能性较大

A. 脑血栓形成　　B. 脑出血

C. 短暂性脑缺血发作

D. 蛛网膜下腔出血　E. 癫痫

47. 患者男性，43岁，晚上大便时，突然出现剧烈头痛，恶心、喷射状呕吐，无肢体瘫痪，急来院诊治。查体脑膜刺激征阳性，四肢肌力正常。

该病最可能的诊断是

A. 脑出血　　B. 脑血栓

C. 脑梗死　　D. 蛛网膜下腔出血

E. 短暂性脑缺血发作

（48～51题共用病例）

患者女性，65岁。平时身体状况好，如厕时不小心突然跌倒，当时意识清醒，自己从地上爬起，后因左侧肢体无力再次跌倒，并出现大小便失禁，随后并人意识模糊呈嗜睡状态，急诊诊断为急性脑出血入院。

48. 为确诊此患者脑出血的部位可进行的检查是

A. 脑血管造影　　B. 脑X线检查

C. 开颅检查　　D. 头颅CT或MRI

E. 头颅B超

49. 该患者最可能出现的并发症是

A. 呼吸衰竭　　B. 肾衰竭

C. 心脏衰竭　　D. 脑疝

E. DIC

50. 医嘱用甘露醇，其目的是

A. 抗水肿、降颅压

B. 预防上消化道出血

C. 镇静　　D. 降血压

E. 抗感染

51. 该患者安静卧床时间应控制在

A. 呼吸平稳　　B. 血压平稳

C. 2～4周　　D. 1周以上

E. 神志清醒

（52～54题共用病例）

患者男性，27岁。有癫痫病史，昨因睡眠不足，出现疲乏、麻木感，半小时前突发尖叫倒地，全身肌肉强直收缩，牙关咬紧，青紫，瞳孔散大，对光反应消失。

52. 该患者首要的护理措施为

A. 防止继发感染　　B. 防止外伤

C. 防治脑水肿　　D. 保持呼吸道通畅

E. 氧气吸入保护脑细胞

53. 该患者用药护理不当的是

A. 联合用药，大剂量开始

B. 切勿自行停药和减量

C. 坚持长期、规律用药

D. 注意观察不良反应

E. 饭后服用以减少胃肠道刺激

54. 该患者健康指导有误的是

A. 随身携带简要病情卡

B. 生活规律、劳逸结合

C. 减少外出防止意外

D. 饮食易消化富营养

E. 勿参加带有危险的活动，如高攀、游泳

【参考答案】

1. B 2. D 3. E 4. A 5. B
6. A 7. D 8. E 9. A 10. B
11. D 12. C 13. D 14. C 15. E
16. E 17. D 18. D 19. D 20. C
21. E 22. C 23. C 24. D 25. A
26. E 27. D 28. E 29. C 30. C
31. A 32. B 33. E 34. A 35. A
36. D 37. B 38. E 39. E 40. E
41. B 42. A 43. B 44. D 45. C
46. A 47. D 48. D 49. D 50. A
51. C 52. D 53. A 54. C

第九章 理化因素所致疾病的护理

第一节 急性有机磷农药中毒患者的护理

（一）病因和发病机制

有机磷杀虫药对人的毒性主要是抑制胆碱酯酶，造成乙酰胆碱在体内大量积聚，从而产生中枢神经系统和胆碱能神经兴奋，再由过度兴奋转入抑制。

（二）临床表现

（1）毒蕈碱样症状：出现最早，主要由于副交感神经末梢兴奋所致，表现为脏器平滑肌兴奋及腺体、汗腺分泌增加。临床上可出现多汗、流泪、流涎、恶心、呕吐、腹泻、腹痛、尿频、心跳减慢和瞳孔缩小，严重时有呼吸困难、发绀、肺水肿。

（2）烟碱样症状：主要由于横纹肌和交感神经节功能异常所致。骨骼肌兴奋，出现肌纤维震颤，常开始于眼睑、颜面、舌、四肢的小肌群，逐渐发展为肌肉跳动、牙关紧闭，甚至全身肌肉强直性痉挛。严重者可转为抑制，出现肌肉无力、瘫痪，最后可因呼吸肌麻痹而死亡。交感神经节兴奋，其节后交感神经末梢释放儿茶酚胺，使血管收缩，引起血压增高、心跳加快和心律失常。

（3）中枢神经系统症状：中枢神经系统受乙酰胆碱刺激后有头痛、头昏、言语不清、烦躁不安、谵妄、抽搐和昏迷，也可出现中枢性呼吸衰竭。

（4）少数病例在急性中毒症状缓解后和迟发性脑病发生前，约在急性中毒后24～96小时突然发生死亡，称“中间型综合征”。发病机制与胆碱酯酶受到长期抑制，影响神经-肌肉接头处突触后的功能有关。

（三）辅助检查

测定全血胆碱酯酶活力是诊断有机磷杀虫药中毒的特异性实验指标，对中毒程度轻重，疗效判断和预后估计均极为重要。

（四）治疗要点

（1）胆碱酯酶复能药：常用碘解磷定、氯解磷定、双复磷等。胆碱酯酶复能药对解除烟碱样毒性作用较明显，但对各种有机磷杀虫药中毒的疗效并不完全相同。碘解磷定和氯磷定对内吸磷、对硫磷、甲拌磷、甲胺磷等中毒疗效好，对敌百虫、敌敌畏等中毒疗效差。双复磷对敌敌畏及敌百虫中毒效果较好。胆碱酯酶复能药对已老化的磷酰化胆碱酯酶无复能作用，因此须及早给药，一般认为中毒48小时后给复能剂疗效不佳。

（2）抗胆碱药：阿托品能拮抗乙酰胆碱对副交感神经和中枢神经系统毒蕈碱受体的作用，对毒蕈碱样症状和呼吸中枢抑制有效，但对烟碱样症状和胆碱酯酶活力的恢复无作用。阿托品用量应超过常规剂量。原则是早期、足量、反复使用，迅速达到阿托品化，并给予维持量。阿托品化的标准是：①瞳孔明显著扩大；②口干、皮肤干燥；③颜面潮红；④心率加快；⑤肺部湿啰音消失。

如出现瞳孔扩大、神志模糊、狂躁不安、抽搐、昏迷和尿潴留等，提示阿托品中毒，应停用观察。

（五）护理措施

1. 病情观察：应定时检查和记录生命体征、尿量和意识状态，发现以下情况及时做好配合抢救的工作。

（1）若患者出现胸闷、严重呼吸困难、咳粉红色泡沫痰、两肺湿啰音、意识模糊或烦躁，提示发生急性肺水肿。

（2）若患者呼吸节律出现不规则，频率与深度也发生改变，应警惕呼吸衰竭。

（3）若患者意识障碍伴有头痛、剧烈呕吐、抽搐时，应考虑是否发生急性脑水肿。

（4）若患者神志清醒后又出现心慌、胸闷、乏力、气短、食欲缺乏、唾液明显增多等表现，应警惕为中间综合征的先兆。了解全血胆碱酯酶化验结果，及动脉血氧分压变化，记出入量及重病记录。

2. 吸氧：给予高流量吸氧4～5L/min。

3. 保持呼吸道通畅：昏迷者头偏向一侧，注意随时清除呕吐物及痰液，并备好气管切开包、呼吸机等。

第二节　急性一氧化碳中毒患者的护理

（一）病因和发病机制

一氧化碳（CO）中毒主要引起组织缺氧。一氧化碳吸入人体后，与血红蛋白结合形成稳定的碳氧血红蛋白（COHb）。故CO一经吸入，即与氧争夺血红蛋白，使大部分血红蛋白变成碳氧血红蛋白，不但使血红蛋白丧失携带氧的能力和作用，同时还能阻碍氧合血红蛋白的解离，进一步加重组织缺氧。

（二）临床表现

（1）轻度中毒：血液中COHb浓度高于10%～20%。患者有剧烈的头痛、头晕、心悸、口唇黏膜呈樱桃红色、四肢无力、恶心、呕吐、嗜睡、意识模糊、视物不清、感觉迟钝、谵妄、幻觉、抽搐等。脱离中毒环境吸入新鲜空气或氧疗，症状很快消失。

（2）中度中毒：血液中COHb浓度高于30%～40%。患者出现呼吸困难、意识丧失、昏迷，对疼痛刺激可有反应，瞳孔对光反射和角膜反射迟钝，腱反射减弱，呼吸、血压和脉搏可有改变。经吸氧治疗可以恢复正常且无明显并发症。

（3）重度中毒：血液中COHb浓度高于50%。深昏迷，各种反射消失。病死率高，幸存者多有不同程度的后遗症。

（4）急性CO中毒迟发脑病（神经精神后发症）：急性中毒患者在意识障碍恢复后，经过约2～60天的“假愈期”，可出现下列临床表现之一：①精神意识障碍：呈现痴呆木僵、谵妄状态或去大脑皮层状态；②锥体外系神经障碍：由于基底神经节和苍白球损害出现震颤麻痹综合征；③锥体系神经损害：如偏瘫、病理反射阳性或小便失禁等；④大脑皮质局灶性功能障碍：如失语、失明、不能站立及继发性癫痫；⑤周围神经炎：皮肤感觉障碍或缺失、皮肤色素减退、水肿及球后视神经炎和脑神经麻痹

（三）辅助检查

（1）血液COHb测定：监测血中COHb浓度（>10%，严重时>50%），不仅明确诊断，而且有助于分型和估计预后。

（2）脑电图检查：可见弥漫性低波幅慢波，与缺氧性脑病进展相平行。

（3）头部CT检查：脑水肿时可见脑部有病理性密度减低区。

（四）治疗要点

（1）迅速将患者转移到空气新鲜的地方，卧床休息，保暖，保持呼吸道畅通。

（2）纠正缺氧：高压氧舱治疗能增加血液中溶解氧，提高动脉血氧分压，使毛细血管内的氧容易向细胞内弥散，迅速纠正组织缺氧。

（3）防治脑水肿：最常用的是20%的甘露醇，静脉快速滴注，也可注射呋塞米脱水。

（4）促进脑细胞代谢。

（五）护理措施

1. 病情观察：观察患者有无头痛、喷射性呕吐等脑水肿征象。

2. 吸氧：吸高浓度（>60%）高流量氧（8～10L/min），最好用高压氧舱治疗。

3. 恢复期护理：患者清醒后仍要休息两周，可加强肢体锻炼，以促进肢体功能恢复。

第三节　镇静催眠药中毒患者的护理

一、临床表现

（一）急性中毒

1. 巴比妥类中毒：引起中枢神经系统抑制，症状与剂量有关。

（1）轻度中毒：嗜睡、情绪不稳定、注意力不集中、记忆力减退、共济失调、发音含糊不清、步态不稳、眼球震颤。

（2）重度中毒：进行性中枢神经系统抑制，由嗜睡到深昏迷，呼吸由浅而慢到呼吸停止，由低血压到休克，体温下降常见。肌张力松弛，腱反射消失。胃肠蠕动减慢。

2. 苯二氮䓬类中毒：主要症状是嗜睡、头晕、言语含糊不清、意识模糊、共济失调。很少出现严重的症状如长时间深度昏迷和呼吸抑制等。

3. 吩噻嗪类中毒：最常见的为锥体外系反应。临床表现有震颤麻痹综合征、静坐不能、急性肌张力障碍反应。

4. 其他药物

（1）水合氯醛中毒：心律失常、肝肾功能损害。

（2）格鲁米特（导眠能）中毒：意识障碍有周期性波动，有瞳孔散大等抗胆碱能神经症状。

（3）甲喹酮中毒：可有明显的呼吸抑制，出现如肌张力增强、腱反射亢进、抽搐等锥体束体征。

（4）甲丙氨酯中毒：血压下降。

（二）慢性中毒

除有轻度中毒症状外，常伴有精神症状，主要有以下三点：

（1）意识障碍和轻躁狂状态

（2）智能障碍记忆力、计算力、理解力均有明显下降，工作学习能力减退。

（3）人格变化患者丧失进取心，对家庭和社会失去责任感。

（三）戒断综合征

主要表现为自主神经兴奋性增高和轻、重症神经精神异常。

二、治疗原则

其治疗原则为维持昏迷患者的生命功能，清除毒物，治疗并发症。

1. 急性中毒的治疗：改善多个受抑制的器官，使其维持正常生理功能，直到机体将药物代谢和排出体外。

（1）维持昏迷患者的重要脏器功能：保持气道通畅，维持血压，心脏监护，促进意识恢复用纳洛酮有一定疗效。

（2）清除毒物：洗胃，活性炭吸附对各种镇静催眠药有效；用呋塞米和碱性液，只对长效巴比妥类有效，对吩噻嗪类中毒无效；血液透析、血液灌流对苯巴比妥和吩噻嗪类中毒有效，对苯二氮䓬类无效。

（3）特效解毒疗法：巴比妥类中毒、吩噻嗪类药物中毒无特效解毒药。氟马西尼是苯二氮䓬类拮抗药

（4）吩噻嗪类药物中毒以对症及支持疗法为主。

2. 慢性中毒的治疗原则：逐步缓慢减少药量，停用镇静催眠药。

3. 戒断综合征治疗原则：用足量镇静催眠药控制戒断症状，稳定后，逐渐减少药量以至停药。

第四节　酒精中毒患者的护理

一、临床表现

（一）急性中毒

1. 兴奋期：血乙醇浓度达到 1.1mmol/L（50mg/dl）即感头痛、欣快、兴奋。血乙醇浓度超过 1.6mmol/L（75mg/dl），表现为健谈、饶舌、情绪不稳定、自负、易激怒。

2. 共济失调期：血乙醇浓度达到 33mmol/L（150mg/dl），肌肉运动不协调，行动笨拙，言语

含糊不清，眼球震颤，视物模糊，复视，步态不稳，出现明显共济失调。浓度达到 43mmol/L (200mg/dl)，出现恶心、呕吐、困倦。

3. 昏迷期：血乙醇浓度升至 54mmol/L (250mg/dl)，患者进入昏迷期，表现昏睡、瞳孔散大、体温降低。血乙醇超过 87mmol/L (400mg/dl) 患者陷入深昏迷，心率快、血压下降，呼吸慢而有鼾音，可出现呼吸、循环麻痹而危及生命。

（二）慢性中毒神经系统表现

（1）Wernicke 脑病：眼部可见眼球震颤、外直肌麻痹。有类似小脑变性的共济失调和步态不稳。精神错乱显示无欲状态，少数有谵妄。维生素 B_1 治疗效果良好。

（2）Korsakoff 综合征：近记忆力严重丧失，时空定向力障碍，对自己的缺点缺乏自知之明，用虚构回答问题。病情不易恢复。

（3）周围神经麻痹：双下肢远端感觉运动减退，跟腱反射消失，手足感觉异常麻木、烧灼感、无力。恢复较慢。

（三）戒断综合征

长期酗酒者在突然停止饮酒或减少酒量后，可发生下列 4 种不同类型戒断综合征的反应：

1. 单纯性戒断反应：在减少饮酒后 6～24 小时发病。出现震颤、焦虑不安、兴奋、失眠、

心动过速、血压升高、大量出汗、恶心、呕吐。多在 2～5 天内缓解自愈。

2. 酒精性幻觉反应：患者意识清醒，定向力完整。幻觉以幻听为主。多有迫害妄想。持续 3～4 周后缓解。

3. 戒断性惊厥反应：多数只发作 1～2 次，每次数分钟。

4. 震颤谵妄反应：在停止饮酒 24～72 小时后，也可在 7～10 小时后发生。患者精神错乱，全身肌肉出现粗大震颤。谵妄。

二、治疗原则

1. 急性中毒

（1）轻症患者无需治疗，兴奋躁动的患者必要时加以约束。

（2）共济失调患者应休息，避免活动以免发生外伤。

（3）昏迷患者应维持生命脏器的功能。

（4）严重急性中毒时可用血液透析促使体内乙醇排出。

（5）对烦躁不安或过度兴奋者，可用小剂量地西泮，避免用吗啡、氯丙嗪、苯巴比妥类镇静药。

2. 戒断综合征：应安静休息，保证睡眠。加强营养，给予维生素 B_1、维生素 B_6。有低血糖时静脉注射葡萄糖。重症患者宜选用短效镇静药控制症状，常选用地西泮。有癫痫病史者可用苯妥英钠。有幻觉者可用氟哌啶醇。

三、护理措施

（1）催吐：直接刺激患者咽部进行催吐。

（2）保持呼吸道通畅：患者饮酒后应取平卧位头偏向一侧，及时清除呕吐物及呼吸道分泌物，防止窒息。

（3）尽快使用纳洛酮，纳洛酮可使血中酒精含量明显下降，使患者快速清醒。

（4）做好安全防护、注意保暖。

第五节　食物中毒患者的护理

（一）病因

1. 沙门菌属：是引起胃肠型食物中毒最常见的病原菌之一，存在于动物内脏、肠道、肌肉中。此菌不耐热，在 56℃煮沸 25～30 分钟，可将其灭活。

2. 副溶血性弧菌：存在于海鱼、海虾、墨鱼等海产品和含盐较高的咸菜、咸肉等腌制品中。此菌热和酸极为敏感。

3. 金黄色葡萄球菌：引起食物中毒的金葡菌以 A 型最常见。此菌在污染的牛奶、蛋类、淀粉类食物中，大量繁殖并产生肠毒素而致病。肠毒素耐高温。

4. 大肠杆菌：产肠毒素大肠杆菌是导致婴幼儿、旅游者腹泻的主要致病菌；致病性大肠杆菌，是引起婴儿腹泻、大规模食物中毒主要致病菌；侵袭性大肠杆菌，可引起类似细菌性痢疾；肠出血性大肠杆菌，可导致出血性肠炎。

（二）临床表现

起病急，主要表现为腹痛、腹泻、呕吐等症状，先腹部不适，继而出现上腹部或脐周疼痛，呈阵发性或持续性绞痛，多伴有恶心、呕吐症状，金黄色葡萄球菌性食物中毒呕吐最严重。腹泻可每日多次甚至数十次，常为黄色稀水便或黏液便。

（三）辅助检查

对可疑食物、患者呕吐物、粪便进行细菌培养，查到病原体即可确诊。

（四）治疗原则

（1）适当休息，沙门菌感染者应消化道隔离。

（2）食用易消化流质或半流质饮食，注意水和电解质的平衡。

（3）根据不同的病原菌选用敏感抗生素。

（4）对症治疗。

（五）护理措施

1. 病情观察：严密观察呕吐、腹泻的性质、量、次数；观察伴随症状；观察腹痛的部位及性质；注意监测重症患者生命体征变化；严格记录出入量；监测血液生化。

2. 对症护理：对于腹痛患者应注意腹部保暖，禁用凉食、冷饮；对于呕吐者一般不主张止吐处理，因呕吐有助于清除胃肠道的毒素；腹泻有助于清除胃肠道内毒素，早期不用止泻药；补充丢失的水和电解质。

第六节　中暑患者的护理

（一）病因和发病机制

1. 病因：对高温环境的适应能力不佳是致病的主要原因。环境温度过高、人体产热增加、散热障碍、汗腺功能障碍为促使中暑的原因。

2. 发病机制：中暑损伤主要是体温过高对细胞的直接毒性作用，引起广泛性器官功能障碍。

（二）临床表现

1. 热痉挛：在高温环境下进行剧烈运动，大量出汗后口渴而饮水过多，盐分补充不足，使血液中钠、氯浓度降低而引起肌肉痉挛。出现肌肉痉挛，常在活动停止后发生，主要累及骨骼肌，持续约3分钟后缓解。以腓肠肌痉挛最为多见，体温多正常。

2. 热衰竭：为最常见的一种。多由于大量出汗导致失水、失钠，血容量不足而引起周围循环衰竭。表现为疲乏、无力、眩晕、恶心、呕吐、头痛，可有明显脱水征、肌痉挛，体温基本正常。

3. 日射病：由于烈日曝晒或强烈热辐射作用于头部，引起脑组织充血、水肿，出现剧烈头痛、头晕、眼花、耳鸣、呕吐、烦躁不安，严重时可发生昏迷、惊厥。头部温度高，而体温多不升高。

4. 热射病：是一种致命性急症，以高热（>40℃）、无汗、意识障碍“三联征”为典型表现。分为劳力型（由高温环境下产热过多引起）和非劳力型（由高温环境下体温调节功能障碍引起散热减少引起）。

（三）治疗要点

1. 热衰竭：纠正血容量不足，静脉补充生理盐水及葡萄糖液、氯化钾。

2. 热痉挛：给予含盐饮料，若痉挛性肌肉疼痛反复发作，可静脉滴注生理盐水

3. 日射病：头部用冰袋或冷水湿敷。

4. 热射病：迅速采取各种降温措施。

（1）物理降温：用冰袋或乙醇擦浴；头部戴冰帽，颈、腋下、腹股沟等处放置冰袋。肛温降至38℃时应暂停降温。

（2）药物降温：可与物理降温并用，降温效果会更佳。常用药物为氯丙嗪。

5. 对症治疗：抽搐时可肌内注射地西泮或用10%水合氯醛10～20ml保留灌肠。脱水、酸中毒者应补液纠正酸中毒。中暑高热伴休克时最适宜的降温措施是动脉快速推注4℃5%葡萄糖盐水。

（四）护理措施

热衰竭者15～30分钟测血压一次；使用药物降温时，每15分钟测肛温1次。

第七节　淹溺患者的护理

淹溺可分为干性淹溺和湿性淹溺。干性淹溺是指人入水后，因惊慌、恐惧、骤然寒冷等强烈刺激，引起喉头痉挛导致窒息。呼吸道和肺泡很少或无水吸入。湿性淹溺是指人淹没于水中，由于缺氧不能坚持屏气而被迫深呼吸，使大量水进入呼吸道和肺泡，堵塞呼吸道和肺泡发生窒息。

救护原则是迅速将患者救离出水，立即恢复有效通气，施行心肺脑复苏，根据病情对症处理。

用头低脚高的体位将肺内及胃内积水排出。最常用的简单方法是迅速抱起患者的腰部，使其背向上、头下垂，尽快倒出肺、气管内积水。也可将其腹部置于抢救者屈膝的大腿上，使头部下垂，然后用手压其背部，使气管内及胃内的积水倒出。

【考点强化】

1. 有机磷农药中毒后出现毒蕈碱样症状的原因是
   A. 交感神经兴奋　B. 乙酰胆碱积聚
   C. 锥体束受损　D. 脊髓前角炎
   E. 农药直接作用
2. 患者呼吸气味中有大蒜味，应考虑
   A. 尿毒症　B. 酮症酸中毒
   C. 有机磷农药中毒　D. 肺癌
   E. 支气管感染
3. 口服有机磷农药中毒洗胃后保留胃管的原因是
   A. 防洗胃不彻底　B. 使患者得到休息
   C. 以便灌注流质　D. 抽取十二指肠液
   E. 以便喂泻药
4. 急性有机磷中毒患者病情危重时给予高流量吸氧的浓度是
   A. 3～4L/min　B. 4～5L/min
   C. 5～6L/min　D. 6～7L/min
   E. 7～8L/min
5. 有机磷中毒患者迟发性神经损害的主要临床表现是
   A. 下肢瘫痪　B. 去大脑皮质状态
   C. 下肢感觉异常　D. 癫痫
   E. 周围神经病变
6. 一氧化碳中毒的主要机制是
   A. CO破坏红细胞膜
   B. CO与血红蛋白结合形成不能携带氧气的COHb
   C. CO破坏血红蛋白结构
   D. CO引起血液凝固性发生改变
   E. CO对脑细胞造成不可逆损伤
7. 一氧化碳中毒最好的氧疗措施是
   A. 氧气湿化瓶内加酒精
   B. 低流量持续吸氧　C. 高流量间歇吸氧
   D. 入高压氧舱　E. 静脉注射双氧水
8. CO中毒时，常最先受损的脏器是
   A. 脑　B. 肝　C. 肺　D. 肾　E. 胃
9. CO中度中毒的典型体征是
   A. 四肢乏力　B. 意识模糊
   C. 口唇樱桃红色　D. 血压下降
   E. 呼吸、循环衰竭
10. 中暑发生的原因中不包括
    A. 环境温度超过35℃
    B. 湿度大于60%　C. 通风不良
    D. 强辐射热　E. 大量出汗
11. 热痉挛患者需要补充的是
    A. 脂肪　B. 水　C. 蛋白
    D. 盐　E. 糖
12. 热射病物理降温时应暂停降温的肛温是
    A. 36℃　B. 36.5℃　C. 37℃
    D. 37.5℃　E. 38℃
13. 热痉挛中，最常见的是
    A. 腓肠肌　B. 臀大肌
    C. 肱三头肌　D. 三角肌
    E. 腹肌
14. 热衰竭发生的原因主要是
    A. 汗量显著增加，导致血容量不足而心力衰竭
    B. 产热过多，散热不足
    C. 高温出汗过多，导致水、盐丢失及外周血管扩张所致血容量不足，引起周围循环衰竭
    D. 长时间照射头部而引起脑组织损害、充血、水肿所致
    E. 高温出汗过多，导致失钠、失水，大量饮水而未补充盐分导致低钠、低氯
15. 某人误服有机磷农药约100ml，不久出现

昏迷，双瞳孔缩小，呼吸困难，满肺湿啰音，原因是

A. 动眼神经兴奋 B. 迷走神经持久兴奋
C. 急性气管炎 D. 急性胃炎
E. 急性肺炎

16. 患者男，38 岁。因长时间在高温环境中工作，出现胸闷、口渴、面色苍白、出冷汗，体温 37.5℃，血压 86/50mmHg，护理措施错误的是

A. 患者移到阴凉处 B. 患者取平卧位
C. 建立静脉通路 D. 头及四肢冰敷
E. 口服清凉饮料

17. 患者男性，45 岁，炎热夏天，在外连续工作 6 小时，出现头痛、头晕、口渴、皮肤苍白、出冷汗，体温 37.2℃，脉搏 110 次/分，血压 90/50 mmhg，最可能的诊断是

A. 热衰竭 B. 轻度中暑
C. 热痉挛 D. 日射病
E. 热射病

18. 患者女性，50 岁，在室外温度 35℃的果园里修剪果树 5 小时，出现头痛、头晕、眼花、耳鸣、呕吐、烦躁不安等症状，体温不高，考虑为

A. 热衰竭 B. 热痉挛
C. 日射病 D. 热射病
E. 中暑

19. 患者男性，38 岁，因饮酒后被送入医院。表现为昏睡、瞳孔散大，血乙醇浓度为 54mmol/L，此时患者处于

A. 嗜睡 B. 戒断综合征
C. 共济失调期 D. 昏迷期
E. 兴奋期

20. 患者男性，65 岁，饮酒史 30 余年，每天饮白酒约半斤，近日出现眼球震颤、步态不稳、精神错乱，显示无欲状态，提示患者可能并发

A. Wernicke 脑病 B. Korsakoff 综合征
C. 周围神经麻痹 D. 震颤谵妄反应
E. 酒精性幻觉反应

21. 患者男性，45 岁，饮酒史 20 余年，昨晚饮白酒约 400ml，陷入昏迷状态，心率 130 次/分、血压 80/59mmhg，呼吸慢而有鼾音，处于严重急性酒精中毒状态，血液透析可以促使体内乙醇排出，透析指征是乙醇含量达到

A. ＞108mmol/L B. ＜54mmol/L
C. ＞87mmol/L D. ＜108mmol/L
E. ＜87mmol/L

22. 患者男性，45 岁，饮酒史 20 余年，昨晚饮白酒约 400ml，出现明显的烦躁不安、过度兴奋状态，针对患者目前的情况，可选用的镇静药物是

A. 小剂量地西泮 B. 吗啡
C. 氯丙嗪 D. 苯巴比妥类
E. 水合氯醛

23. 患儿男性，3 岁，在河边玩耍，不慎掉入水中，急救首先应

A. 保持呼吸道通畅，倒水处理
B. 输液 C. 口对口人工呼吸
D. 胸外心脏按压 E. 给予强心药

（24～27 题共用病例）

患者男性，45 岁，炎热夏天，在外连续工作，近日出现全身乏力，多汗，体温升高，有时可达 40℃以上，并出现皮肤无汗、干热、谵妄、抽搐，脉搏加快，血压下降，呼吸浅速等表现，考虑可能是热射病。

24. 热射病的“三联征”是指

A. 高热、无汗、意识障碍
B. 高热、烦躁、嗜睡
C. 高热、灼热、无汗
D. 高热、乏力、眩晕
E. 干热、多汗、心动过速

25. 该患者最适宜的降温措施是

A. 冰帽 B. 冬眠合剂
C. 冰盐水灌肠
D. 静脉滴注 4℃等渗盐水
E. 动脉快速推注 4℃ 5%葡萄糖盐水

26. 首要治疗措施是

A. 降温 B. 吸氧
C. 抗休克 D. 治疗脑水肿
E. 纠正水．电解质紊乱

27. 患者的病室应保持室温在

A. 18～20℃ B. 20～22℃
C. 22～24℃ D. 20～25℃
E. 18～22℃

（28～30 题共用病例）

患者男性，49 岁，在生产有机磷农药工作中违反操作规定，出现有机磷中毒症状，头晕、头痛、乏力、支气管分泌物增多、呼吸困难，逐渐出现烦躁不安、谵妄、抽搐及昏迷。

28. 有机磷农药中毒诊断的主要指标是

A. 典型症状　　B. 呕吐物

C. 瞳孔缩小　　D. 意识障碍

E. 全血胆碱酯酶测定

29. 有机磷农药对人体的毒性主要是

A. 引起急性肾衰竭

B. 使血液凝固发生障碍

C. 抑制中枢神经系统

D. 抑制乙酰胆碱酯酶活力

E. 增加乙酰胆碱的产生

30. 有机磷农药中毒最常见的抗胆碱药阿托品，其作用是

A. 缓解肌肉震颤　B. 缓解肌肉抽搐

C. 促使昏迷患者苏醒

D. 使瞳孔缩小　E. 抑制腺体分泌

（31～33 题共用病例）

某施工队 10 余人，中午在食堂就餐 3 小时后出现腹痛、腹泻、呕吐等症状，并伴有恶心、呕吐，呕吐物为食物，送至急诊就诊。

31. 该患者最可能的诊断是

A. 细菌性食物中毒　B. 急性胃肠炎

C. 菌痢　D. 中暑　E. 胃溃疡

32. 最常见的病原菌是

A. 沙门菌属　　B. 副溶血性弧菌

C. 金黄色葡萄球菌

D. 大肠杆菌　　E. 蜡样芽胞杆菌

33. 首选抗生素为

A. 喹诺酮类　　B. 四环素

C. 阿米卡星　　D. 青霉素

E. 大环内酯类

（34～39 题共用病例）

患者女性，48 岁，家中生煤火取暖，晨起被人发现，急打 120，患者当时昏迷、抽搐、呼吸浅而快、面色苍白、全身大汗、大小便失禁、血压下降，入院后急查 COHb 浓度为 60%。

34. 该患者最可能的诊断是

A. CO 中毒　　B. 有机磷中毒

C. 安定中毒　　D. 酒精中毒

E. 中暑

35. 目前患者中毒程度为

A. 轻度中毒　　B. 中度中毒

C. 重度中毒　　D. 迟发性脑病

E. 慢性中毒

36. 救护车内首要处理措施为

A. 高流量吸氧，8～10L/min

B. 静脉输液　　C. 物理降温

D. 测量生命体征　E. 保暖

37. 到达医院进一步抢救首先应

A. 地塞米松静脉注射

B. 高压氧舱治疗　C. 甘露醇静脉注射

D. 补充高能量液　E. 护脑药物的应用

38. 经高压氧舱治疗患者神志清醒，全身症状好转，可能的后遗症是

A. 肾功能损害　　B. 肝功能损害

C. 记忆力减退　　D. 迟发性脑病

E. 肺功能损害

39. 假若有并发症发生．护士应尽可能地严密观察

A. 3 天　B. 5 天　C. 2 周

D. 1 周　E. 4 周

【参考答案】

1. B　2. C　3. A　4. B　5. A
6. B　7. D　8. A　9. C　10. E
11. D　12. E　13. A　14. C　15. B
16. D　17. A　18. C　19. D　20. A
21. A　22. A　23. A　24. A　25. E
26. A　27. D　28. E　29. D　30. E
31. A　32. A　33. A　34. A　35. C
36. A　37. B　38. D　39. C

第四篇 外科常见病患者的护理

第一章 外科感染患者的护理

第一节 皮肤软组织化脓性感染患者的护理

（一）疖

1. 病因：疖是一个毛囊及其所属皮脂腺的急性化脓性感染，致病菌以金黄色葡萄球菌为主。

2. 临床表现：初起时，局部皮肤出现红、肿、痛的小结节，逐渐增大呈圆锥形隆起，化脓后结节中央组织坏死、软化，出现黄白色脓栓。鼻、上唇及其周围（危险三角区）的疖，如被挤压或处理不当时，可引起颅内化脓性海绵状静脉窦炎。患者可有寒战、高热、头痛、呕吐甚至昏迷，病情严重，病死率很高。

3. 治疗要点

（1）禁忌挤压。

（2）疖顶见脓头时可在其顶部点涂苯酚（石炭酸）或用针头、刀尖将脓栓剔除。

（3）脓肿有波动感时及时切开引流。

（二）痈

1. 病因：痈是多个相邻毛囊及其所属皮脂腺或汗腺的急性化脓性感染，或由多个疖融合而成。常发生于颈部和背部。致病菌以金黄色葡萄球菌为主。

2. 临床表现：初起为小片皮肤硬肿，色暗红，可有数个凸出点或脓点。继而脓点破溃流脓、组织坏死脱落，疮口呈蜂窝状。

3. 治疗要点：初期只有红肿时，局部可涂以2%碘酊。痈范围大、中央坏死组织较多者切开排脓。

（三）急性蜂窝组织炎

1. 病因：急性蜂窝组织炎是指皮下、筋膜下、肌间隙或深部疏松结缔组织的一种急性弥漫性化脓性感染。致病菌多为乙型溶血性链球菌。

2. 临床表现

(1) 一般性皮下蜂窝组织炎：表现为局部肿胀、疼痛、发红、发热，红肿边界不清，中央部位呈暗红色，边缘稍淡。

(2) 产气性皮下蜂窝织炎：主要致病菌为厌氧菌，表现为进行性的皮肤、皮下组织及深筋膜坏死，脓液恶臭，局部有捻发音。

3. 治疗要点

(1) 局部制动、湿热敷、理疗，应用有效抗生素。

(2) 经非手术治疗仍不能局限的病变，应尽早做切开引流和清除坏死组织。

(3) 口底、颌下的急性蜂窝组织炎应尽早切开减压，以防喉头水肿、窒息死亡。

第二节　急性淋巴管炎和淋巴结炎患者的护理

1. 病因 ：急性淋巴管炎指致病菌经破损的皮肤、黏膜或其他感染灶侵入淋巴管，引起淋巴管及其周围组织的急性炎症。致病菌常为乙型溶血性链球菌、金黄色葡萄球菌等。

2. 临床表现

(1) 网状淋巴管炎：又称丹毒，好发于下肢和面部。起病急，全身症状明显。皮肤表现为鲜红色片状红疹，略隆起，中央较淡、边界清楚，局部有烧灼样疼痛。

(2) 管状淋巴管炎：以下肢最多见，常因足癣所致。皮下浅层急性淋巴管炎表现为表皮下一条或多条硬红线，有压痛；深层急性淋巴管炎表现为患肢肿胀，局部有条形触痛区，无表面红线。

(3) 急性淋巴结炎：早期有局部淋巴结肿大、疼痛和触痛，与周围软组织分界清楚，表面皮肤正常。多个淋巴结肿大融合形成肿块时疼痛剧烈、表面皮肤发红、发热；脓肿形成时少有波动感。

3. 治疗要点

(1) 丹毒：隔离，抬高患肢，全身应用足量抗生素，局部消炎、消肿、止痛。

(2) 急性淋巴结炎：形成脓肿后穿刺抽脓或切开减压引流。

第三节　手部急性化脓性感染患者的护理

(一) 脓性指头炎

1. 病因：致病菌主要为金黄色葡萄球菌。

2. 临床表现：初起时指尖有针刺样疼痛，以后指头肿胀、发红，疼痛转为搏动性跳痛，患肢下垂时加重。若感染进一步加重，神经末梢因受压和营养障碍而麻痹，疼痛减轻，皮色由红转白。

3. 治疗要点：一旦出现指头跳痛、明显肿胀，应及时切开减压引流。

(二) 急性化脓性腱鞘炎、化脓性滑囊炎和手掌深部间隙感染

1. 病因：多因手指掌面被刺伤或由邻近组织感染蔓延而引起。致病菌多为金黄色葡萄球菌。

2. 临床表现

(1) 化脓性腱鞘炎：患指疼痛、肿胀，指关节轻微弯曲，感染可向掌侧深部蔓延，可导致肌腱坏死。

(2) 化脓性滑囊炎：桡侧滑囊炎常伴有拇指腱鞘炎，表现为拇指肿胀微屈、不能伸直和外展，拇指中节和大鱼际有压痛。尺侧滑囊炎多伴有小指腱鞘炎，表现为小指肿胀、小指及环指呈半屈状，小指和小鱼际处有压痛。

(3) 掌深间隙感染

① 掌中间隙感染：手掌心正常凹陷消失，发白、压痛明显；中指、环指和小指处于半屈位，被动伸直时剧痛。

② 鱼际间隙感染：掌心凹陷仍存在，大鱼际和拇指与示指间指蹼明显肿胀、疼痛和压痛，示指与拇指微屈、拇指不能对掌；被动伸直时引起剧痛。

第四节　破伤风患者的护理

（一）病因

破伤风是由破伤风杆菌侵入人体伤口并生长繁殖、产生毒素所引起的一种急性特异性感染。

（二）病理生理

破伤风杆菌产生大量痉挛毒素与溶血毒素，是导致破伤风病理生理改变的原因。溶血毒素可引起局部组织坏死和心肌损害；痉挛毒素可使运动神经系统、交感神经系统兴奋性增强。

（三）临床表现

（1）潜伏期：平均为6～12天。

（2）前驱期：常持续12～24小时。以张口不便为特点。

（3）发作期：典型的症状是在肌紧张性收缩（肌强直、发硬）的基础上呈阵发性的强烈痉挛。最先受累的肌群是咀嚼肌，以后依次为面部表情肌、颈、背、腹、四肢肌和膈肌。患者相继出现咀嚼不便、张口困难、颈项强直、头后仰、角弓反张。

（4）患者的主要死亡原因为窒息、心力衰竭或肺部感染。

（四）治疗要点

（1）清除毒素来源：进行彻底的清创术，伤口完全敞开，清除坏死组织和异物，局部可用3%过氧化氢溶液冲洗。

（2）中和游离毒素：注射破伤风抗毒素（TAT）中和游离毒素，注射破伤风人体免疫球蛋白。

（3）控制并解除肌痉挛：是治疗的重要环节。根据病情交替使用镇静及解痉药，病情严重者可予以冬眠1号合剂静脉缓慢滴注。

（五）护理措施

（1）严格隔离消毒：所有器械、敷料均需专用，使用后器械用1%的过氧乙酸浸泡10分钟，清洗后高压蒸汽灭菌，敷料应焚烧，用过的大单、布类等要包好，送环氧乙烷室灭菌后再送洗衣房清洗、消毒，患者的用品和排泄物均应消毒。护理人员应穿隔离衣，防止交叉感染。

（2）为防止痉挛发作时患者坠床和自我伤害，要使用带护栏的病床，必要时使用约束带；关节部位放置软垫保护，防止肌腱断裂和骨折；用合适的牙垫，防止舌咬伤。

【考点强化】

1. 下列软组织化脓性感染，哪一种有接触传染性，应隔离

A. 疖　B. 痈

C. 急性蜂窝织炎

D. 丹毒

E. 急性淋巴管炎和急性淋巴结炎

2. 丹毒的临床表现下列哪项不对

A. 局部皮肤红肿　B. 胀痛及烧灼

C. 常有化脓　D. 容易复发

E. 好发于小腿

3. 软组织急性化脓性感染，在出现波动前，需及早切开引流的是

A. 脓性指头炎　B. 面部疖肿

C. 痈　D. 转移性脓肿

E. 急性蜂窝织炎

4. 破伤风最早出现典型的肌肉强烈收缩是

A. 咬肌　B. 面肌

C. 颈项肌　D. 背腹肌

E. 四肢肌

5. 清创时为预防破伤风，伤口使用哪种溶液冲洗最好

A. 0.9%氯化钠

B. 0.1%苯扎溴铵液

C. 3%过氧化氢（双氧水）

D. 0.05%呋喃西林液

E. 碘仿

6. 控制破伤风患者痉挛的最主要措施是

A. 保持病室安静

B. 按时使用镇静药

C. 限制亲友探视

D. 护理措施要集中

E. 静脉滴注破伤风抗毒素

7. 破伤风注射TAT的目的是

A. 杀死破伤风杆菌

B. 中和与神经结合的毒素

C. 中和游离的毒素　D. 清除毒素来源

E. 抑制破伤风杆菌生长

8. 破伤风患者采用冬眠合剂的主要目的是
A. 控制炎症扩散
B. 降低体温
C. 便于护理
D. 减少抽搐
E. 防止合并症发生

9. 护士在巡视病房时，发现破伤风患者，角弓反张、四肢抽搐、牙关紧闭，这时应先采取哪种措施
A. 立即气管切开
B. 立即给氧气吸入
C. 纱布包裹压舌板，放于上、下磨牙之间
D. 注射破伤风抗毒素
E. 通知医生，前来诊治

10. 患儿，男，12 岁。铁钉刺伤足底 5h，伤口深约 1.5cm，来院时出血已止，伤口污染较重，创缘肿胀。下列处理正确的是
A. 冲洗、消毒后包扎
B. 清创后不予包扎
C. 清创后一期缝合
D. 清创后注射破伤风抗毒素血清
E. 清创后油纱条填塞

11. 患者女性，20 岁。上肢蜂窝织炎伴全身化脓性感染，需抽血做血培养及抗生素敏感试验，最佳时间应是
A. 高热期　B. 间歇期
C. 寒战期
D. 静脉滴注抗生素时　E. 抗生素输入后

12. 患者男性，25 岁。左臀部肌内注射后疼痛肿胀 4 日，伴畏寒、发热，穿刺抽出脓液。应考虑
A. 疖　B. 痈
C. 丹毒　D. 脓肿
E. 急性蜂窝织炎

13. 患者男性，26 岁。因足癣搔抓破溃后感染，感染灶近侧出现一条红线，韧而有压痛，伴有畏寒、发热。应考虑为
A. 局部脓肿
B. 丹毒
C. 急性蜂窝织炎
D. 急性淋巴管炎
E. 局部过敏

14. 患者女性，19 岁。背部大片红、肿、痛，与正常皮肤之间的界限不清，无波动感，伴有寒战、发热、白细胞增加。最可能的诊断是
A. 疖　B. 痈　C. 蜂窝织炎
D. 浅表脓肿　E. 丹毒

15. 患者男性，18 岁。上唇疖挤压后出现寒战、高热、头痛、昏迷。首先应考虑是并发
A. 眼球感染
B. 颅内海绵状静脉窦炎
C. 脓毒血症　D. 毒血症
E. 局部脓肿

（16～17 题共用病例）
患者男性，46 岁。足底被铁钉刺伤后 7 日，出现全身肌肉强直性收缩和阵发性痉挛 24h，诊断为“破伤风”收入院。

16. 易导致患者死亡的常见原因是
A. 休克　B. 窒息
C. 肺部感染　D. 心脏损害
E. 脱水、酸中毒

17. 治疗此患者应用的抗生素是
A. 青霉素　B. 甲硝唑
C. 红霉素　D. 四环素
E. 磺胺药

（18～20 题共用病例）
患者男性，38 岁，4 天前不慎刺伤食指末节指腹，当时仅有少量出血，未予特殊处理。昨日发现手指明显肿胀、发红，伴有发热、全身不适，化验血白细胞计数增加。

18. 目前应考虑患者发生了
A. 痈　B. 疖
C. 脓性指头炎
D. 急性淋巴管炎
E. 急性淋巴结炎

19. 对患者的首要处理是
A. 鱼石脂软膏敷贴指头
B. 拔除指甲
C. 切开减压引流
D. 应用抗生素
E. 局部热敷和理疗

20. 若治疗不及时，患者容易发生
A. 指骨坏死　B. 肌腱坏死
C. 慢性甲沟炎　D. 掌中间隙感染
E. 鱼际间隙感染

【参考答案】

1. D　2. C　3. A　4. A　5. C
6. B　7. C　8. D　9. C　10. D
11. C　12. D　13. D　14. B　15. B
16. B　17. A　18. C　19. C　20. A

第二章 损伤患者的护理

第一节 概论

(一) 分类

1. 按致伤原因分类：导致损伤的原因有多种，常见的有钝挫伤、挤压伤、冲击伤、爆震伤、切割伤、撕裂伤、火器伤等。

2. 按皮肤完整性分类

(1) 闭合性损伤：损伤后皮肤或黏膜保持完整，包括挫伤、扭伤、挤压伤、爆震伤（冲击伤）。

(2) 开放性损伤：损伤部位皮肤或黏膜有破损，包括擦伤、刺伤、切割伤、裂伤、撕脱伤、火器伤。

3. 按损伤程度分类

(1) 轻度：主要伤及局部软组织，大多无碍生活、学习和工作，只需局部处理或小手术治疗。

(2) 中度：伤及广泛软组织，可伴腹腔脏器损伤、上下肢骨折等复合伤，暂丧失作业能力，需手术治疗，但一般无生命危险。

(3) 重度：指危及生命或治愈后可能留有严重残疾的损伤。

(二) 病理生理

机体在致伤因素的作用下迅速产生局部炎性反应和全身性防御反应。

1. 局部反应：损伤后局部血管通透性增加、血浆成分外渗，趋化因子迅速聚集于伤处以吞噬和清除致病菌或异物。

2. 全身性反应：包括发热、神经内分泌系统反应、代谢反应、免疫反应。

(三) 创伤的修复

1. 损伤的修复过程

(1) 炎性反应阶段：约3～5天。此期主要达到止血和封闭创面的目的。

(2) 肉芽形成阶段：逐渐形成肉芽组织、充填伤口形成瘢痕愈合。

(3) 组织塑形阶段：主要是胶原纤维交联和强度的增加，多余的胶原纤维被降解和吸收，过度丰富的毛细血管网逐步消退及伤口的黏蛋白和水分减少等；最终使受伤部位外观和功能得以改善。

2. 损伤的愈合类型

(1) 一期愈合：又称原发愈合。组织修复以同类细胞为主，仅含少量纤维组织，创缘对合良好，伤口愈合快、功能良好。多见于创伤程度轻、范围小、无感染的伤口或创面。

(2) 二期愈合：又称瘢痕愈合。组织修复以纤维组织为主，不同程度的影响结构和功能恢复，创口较大，创缘不齐，主要通过肉芽组织增生和伤口收缩达到愈合。多见于伤口组织缺损较大、发生化脓性感染或有异物存留的伤口。

(四) 临床表现

1. 局部表现：疼痛、局部肿胀、功能障碍。

2. 按伤口清洁度分类

(1) 清洁伤口：无菌手术切口、经清创术处理的无明显污染的创伤伤口。

(2) 污染伤口：伤后8小时以内的伤口。

(3) 感染伤口：伤口有脓液、渗出液及坏死组织等，周围皮肤常红肿。

3. 伤口并发症：主要并发症有伤口出血、伤口感染、伤口裂开。

4. 全身炎症反应综合征主要表现：体温 $>38℃$ 或 $<36℃$；心率 >90 次/分；呼吸 >20 次/分或过度通气，$PaCO_2<43kPa$ (32mmHg)；血白细胞计数 $>12\times10^9/L$ 或 $<4\times10^9/L$ 或未成熟细胞 $>0.1\%$。

（五）治疗要点

1. 急救：在处理复杂伤情时优先抢救生命；待生命体征稳定后再实施其他治疗措施。

2. 清创术：伤口涉及皮肤全层时应予以缝合。通常在伤后 6～8 小时内实施清创术可达Ⅰ期缝合，但在污染轻或局部血液循环丰富的情况下可延长至 12 小时甚至 24 小时以上仍可达到Ⅰ期缝合。清洁或已彻底清创的污染伤口可做Ⅰ期缝合；污染较重或处理时已超过 8～12 小时的伤口做Ⅱ期缝合（又称延期缝合），较深的伤口或Ⅱ期缝合的伤口内酌情放置合适的引流物。

3. 探查术：对严重损伤、复合性损伤、伴有内脏器官损伤或因出血不能控制而出现休克的患者须在积极抗休克的同时做手术探查。

（六）护理措施

1. 急救原则：保存生命第一，恢复功能第二，顾全解剖完整性第三。

2. 止血：止血带是临时控制四肢伤口出血的最有效方法，拟做断肢再植术者不要用止血带，一般每隔 1 小时放松止血带 1 次；抗休克裤有助控制下肢或骨盆大出血，头颈和胸部有损伤时禁用抗休克裤，以免加重局部出血。

3. 转运：搬动前对四肢骨折应妥善固定；有脊柱骨折者应三人以平托法或滚动法将患者轻放、平卧于硬板床上；胸部损伤重者取伤侧向下的低斜坡卧位；运转中患者应头部朝后，保持患者适当体位，尽量避免颠簸。

4. 局部冷敷或热敷：闭合性损伤，如扭伤 24 小时内予以局部冷敷，以减少局部组织的出血和肿胀；24 小时后改用热敷，以促进血肿和炎症的吸收。

5. 伤处出血的观察：严密观察敷料是否被血液渗透和引流液的性质和量，患者有无面色苍白、肢端发凉、脉搏细速等表现。

6. 挤压综合征：凡肢体受到长时间挤压致局部肌缺血、缺氧改变继而引起肌红蛋白血症、肌红蛋白尿、高血钾和急性肾衰竭为特点的全身性改变称为挤压综合征。表现为局部压力解除后出现肢体肿胀、压痛、肢体主动活动及被动牵拉活动引起疼痛、皮温下降、感觉异常、弹性减退，出现茶褐色尿或血尿等。

第二节　清创术与更换敷料

（一）清创术

清创最佳时间是伤后 6～8 小时内。清创术的步骤如下。

(1) 清创前准备：剃除创口周围毛发，清除油污等。

(2) 清洗消毒：用肥皂水洗伤口周围皮肤，再以等渗盐水洗净皮肤；分别用等渗盐水、3%过氧化氢溶液反复冲洗伤口，用无菌纱布擦干伤口周围皮肤。

(3) 清创：去除血凝块及异物，切除失去活力和已游离的组织，修剪创面和边缘，严格止血。

(4) 修复组织：将清创彻底的新鲜伤口缝合；对伤口污染重，清创不彻底，感染危险大者，可观察 1～2 日后延期缝合。

(5) 包扎伤口：包扎时应注意松紧适度，便于观察局部或肢端末梢血液循环和固定引流物。

（二）更换敷料

1. 换药次数：清洁伤口一般在缝合后第 3 日换药一次，至伤口愈合或拆线时，再度换药；肉芽组织生长健康、分泌物少的伤口，每日或隔日更换一次；放置引流的伤口，渗出较多时应及时更换；脓肿切开引流次日可不换药，感染重、脓液多时，一天需更换多次，保持外层敷料不被分泌物浸湿。

2. 换药顺序：先换清洁伤口，再换污染伤口、感染伤口，最后换特异性感染伤口。

3. 换药方法

(1) 去除伤口敷料：用手揭去外层敷料，用无菌镊除去内层敷料。

(2) 缝合伤口处理：无引流物的缝合伤口，如无感染现象，可至拆线时更换伤口敷料。有引流物伤口，如渗血、渗液湿透外层纱布，应随时更换敷料，引流物一般术后24～48小时取出。

(3) 肉芽创面的处理：伤口健康的肉芽组织色泽新鲜呈粉红、较坚实、表面呈细颗粒状、触之易出血，可用等渗盐水或凡士林纱条覆盖；若肉芽生长过快、突出于伤口、阻碍周围上皮生长，应予剪平后压迫止血或用10%～20%硝酸银烧灼后生理盐水湿敷；若肉芽水肿创面淡红、表面光滑、触之不易出血，可用3%～5%氯化钠溶液湿敷，促使水肿消退；若肉芽色苍白或暗红、质硬、表面污秽或有纤维素覆盖，可用搔刮、部分肉芽清除等方法处理。

(4) 脓腔伤口的处理：伤口深而脓液多者，保持引流通畅，伤口较小而深时，应将凡士林纱条送达创口底部。

第三节 烧伤患者的护理

(一) 病理生理

1. 急性体液渗出期（休克期）：体液渗出多自烧伤后2～3小时开始，6～8小时最快，至36～48小时达高峰。烧伤后48小时内患者死亡的主要原因是休克。

2. 感染期：烧伤越深、面积越大，感染机会越多、感染越严重。

3. 修复期：浅度烧伤多能自行修复。深Ⅱ度烧伤如无感染等并发症，约3～4周后自愈，留有瘢痕。Ⅲ度烧伤或严重感染的深Ⅱ度烧伤均需皮肤移植修复。

(二) 临床表现

1. 烧伤面积：中国九分法如下。

部位		占成人体表(%)	占儿童体表(%)
头颈	发部	3	9＋(12－年龄)
	面部	3	
	颈部	3	
双上肢	双上臂	7	9×2
	双前臂	6	
	双手	5	
躯干	躯干前	13	9×3
	躯干后	13	
	会阴	1	
双下肢	双臀	男性5;女性6	9×5＋1－(12－年龄)
	双大腿	21	
	双小腿	13	
	双足	男性7;女性6	

2. 烧伤深度：Ⅰ度、浅Ⅱ度属浅度烧伤；深Ⅱ度和Ⅲ度属深度烧伤。

(1) Ⅰ度烧伤：又称红斑烧伤。仅伤及表皮浅层。表现为皮肤红斑轻度红肿，干燥，无水疱，局部温度微高，2～3天内症状消退。

(2) 浅Ⅱ度烧伤：伤及表皮的生发层甚至真皮乳头层，有大小不一的水疱形成，疱壁较薄、内含黄色澄清液体、去疱皮后创面基底潮红、湿润、水肿，感觉过敏，局部温度增高。

(3) 深Ⅱ度烧伤：伤及皮肤真皮层，表皮下积液，或水疱较小，疱壁较厚，去疱皮后创面稍湿、基底苍白与潮红相间，痛觉迟钝，局部温度略低。

(4) Ⅲ度烧伤：伤及皮肤全层可达皮下、肌肉或骨骼。创面无水疱、无弹性、干燥，如皮革样或呈蜡白、焦黄色，甚至炭化成焦痂，痂下水肿，痂下创面可见树枝状栓塞的血管。

3. 成人烧伤严重程度

(1) 轻度烧伤：总面积在9%以下的Ⅱ度烧伤。

(2) 中度烧伤：总面积在10%～29%之间的Ⅱ度烧伤或Ⅲ度烧伤面积不足10%。

(3) 重度烧伤：烧伤总面积达30%～49%；或Ⅲ度烧伤面积达10%～19%；或虽然Ⅱ度、Ⅲ度烧伤面积不足上述比例但有下列情况之一者：发生休克等严重并发症；吸入性烧伤；复合伤。

(4) 特重烧伤：烧伤总面积达50%以上或Ⅲ度烧伤面积在20%以上。

4. 小儿烧伤严重程度

(1) 轻度烧伤：烧伤总面积<10%，无Ⅲ度烧伤。

(2) 中度烧伤：烧伤总面积10%～29%，或Ⅲ度烧伤<5%。

(3) 重度烧伤：烧伤总面积30%～49%，或Ⅲ度烧伤5%～14%。

(4) 特重烧伤：烧伤总面积>50%，或Ⅲ度烧伤>15%。

(三) 治疗要点

1. 小面积浅表烧伤：清创、保护创面，防治感染，促进愈合。

2. 大面积深度烧伤：早期及时输液，维持呼吸道通畅，积极纠正低血容量；早期切除深度烧伤组织，自体、异体皮肤移植覆盖；及时纠正休克，控制感染，同时维护重要器官功能，防治多系统器官功能衰竭。

（四）护理措施

1. 静脉输液的护理

（1）补液总量：第一个 24 小时补液量＝体重（kg）×烧伤面积（%）×1.5ml（小儿 1.8ml，婴儿 2ml）＋每天生理需水量（成人为 2000ml，小儿按年龄或体重计算）。

（2）补液种类：电解质溶液首选平衡盐液，其次选用等渗盐水等。胶体液首选血浆，Ⅲ度烧伤应输全血。胶体液和电解质液的比例为 0.5∶1，重度烧伤可改为 0.75∶0.75。

（3）补液速度：输液速度先快后慢。补液总量的一半应在伤后 8 小时内输入，另一半于以后 16 小时输完。

（4）补液原则：先晶后胶、先盐后糖、先快后慢，胶体、晶体液交替输入，尤其注意不能集中在一段时间内输入大量不含电解质的液体，以免加重低钠血症。

（5）观察指标

① 尿量：尿量是判断血容量是否充足的简便而可靠的指标，成人每小时尿量大于 30ml，有血红蛋白尿时要维持在 50ml 以上。

② 其他指标：成人脉搏在 100 次/分（小儿 140 次/分）以下，收缩压在 90mmHg 以上，中心静脉压 0.59～1.18kPa（6～12cmH_2O）。

2. 处理创面

（1）保护创面：手、足部烧伤可用冷水或冰水浸泡 0.5～1 小时，有助减轻疼痛和损伤程度；裸露的创面应立即用无菌敷料、干净布类覆盖或行简单包扎后送医院处理；协助患者调整体位，避免创面受压；避免涂有色的外用药，以免影响对烧伤深度的判断。

（2）清创顺序：一般按头部、四肢、胸腹部、背部和会阴部的顺序进行。

（3）面积小或肢体的浅Ⅱ度烧伤：采用包扎疗法，用生理盐水、0.1%苯扎溴铵溶液或碘伏等消毒创面后涂以烧伤软膏；覆盖厚层纱布后包扎，包扎厚度为 3～5cm，包扎范围应超过创面边缘 5cm。浅Ⅱ度创面的完整水疱予以保留；已脱落及深度创面上的破裂水疱皮予以去除。

（4）头、面、颈、会阴部特殊部位不便包扎的创面可用暴露疗法或半暴露疗法。

（5）深度烧伤创面：应及早切除烧伤组织达深筋膜平面。削除坏死组织至健康组织平面。新鲜创面可做游离皮片移植、皮瓣移植等。

3. 创面护理：抬高肢体，观察肢体末梢血液循环情况，如皮温和动脉搏动；保持敷料清洁和干燥；极度烦躁或意识障碍者适当约束肢体；定时翻身；定期做创面、血液及各种排泄物的细菌培养和药物敏感试验，合理应用广谱、高效抗菌药物；接受暴露疗法患者的病室温度宜控制在 28～32℃，相对湿度 50%～60%。

4. 特殊烧伤部位的护理

（1）眼部烧伤：及时清除眼部分泌物，局部涂烧伤膏或用烧伤膏纱布覆盖加以保护，以保持局部湿润；眼睑闭合不全者用油纱条覆盖、保护眼球；白天定时用氯霉素眼药水滴眼，晚上用红霉素眼膏封眼，防止发生眼内感染。

（2）耳部烧伤：外耳道内烧伤时及时将流出的分泌物清理干净，并在外耳道入口处放置无菌干棉球并经常更换；耳周烧伤应用无菌纱布铺垫，尽量避免侧卧和使耳廓受压。

（3）鼻烧伤：及时清理鼻腔内分泌物及痂皮，鼻黏膜表面涂烧伤湿润膏。

（4）会阴部烧伤：多采用湿润暴露疗法，留置导尿管。用油纱隔开阴唇，防止因粘连而形成畸形愈合；大便前先在创面涂一层药物，大便后经冲洗消毒后再涂药；每天用 0.1%苯扎溴铵溶液冲洗会阴。

第四节　毒蛇咬伤患者的护理

毒蛇咬伤主要发生在南方农村和山区，一般以夏秋季最为多见。毒蛇头部多呈三角形，斑纹色彩鲜明，被咬处皮肤留下一对大而深的牙痕，全身有中毒症状。

一、病因病理

蛇毒是含有多种毒性蛋白质、溶组织酶以及多肽的复合物。按蛇毒的性质分为神经毒素、血液毒素和混合毒素三类类。神经毒素以金环蛇、银环蛇、海蛇为代表，对中枢神经和神经肌肉节点有选择性毒性作用；血液毒素以竹叶青蛇、五步蛇、蝰蛇为代表，对血细胞、血管内皮细胞及组织有破坏作用，可引起出血、溶血、休克或心力衰竭等；混合毒素以眼镜蛇、蝮蛇为代表，眼镜蛇以神经毒素为主，蝮蛇以血液毒素为主。

二、临床表现

1. 症状：疼痛、烦躁不安、头晕目眩、呼吸困难、语言不清、视物模糊、恶心呕吐、吞咽困难、肢体软瘫或麻木。最后出现呼吸和循环衰竭。

2. 体征：咬伤局部出血、红肿，并向肢体近端蔓延，伤口周围皮肤有大片瘀斑、血疱；有淋巴结肿大，血压下降，腱反射消失。

三、治疗原则

（一）现场急救

（1）将伤肢下垂，立即取坐位或卧位；切勿惊慌奔跑，以免加速蛇毒的吸收和扩散。

（2）环形缚扎：立即在伤口的近心端10cm用止血带或布带等环形缚扎，以延缓毒素吸收扩散。

（3）伤口排毒：就地用大量清水冲洗伤口，用手从肢体的近心端向伤口处反复推挤，挤出毒液。伤口冲洗后，用锐器在咬痕处挑开，扩大创口使蛇毒排出。血液毒蛇咬伤者禁忌切开，防止出血不止。

（4）转送：将伤肢制动，并局部降温，不宜抬高伤肢；转运途中注意患者病情变化。

（二）入院后处理

（1）伤口处理：患肢下垂；用3%过氧化氢溶液或1：5000高锰酸钾溶液冲洗伤口；伤口较深者用尖刀在伤口周围多处切开，用拔火罐、吸乳器等方法抽吸残余蛇毒。局部降温可减少毒素吸收速度。

（2）解毒措施：口服和外敷解蛇毒中成药；应用单价和多价抗蛇毒血清；胰蛋白酶有直接分解蛇毒作用，可在伤口四周或在伤口上方做封闭；输液利尿，促进蛇毒从尿中排出。

（3）对症及支持，防治并发症。

第五节　犬咬伤患者的护理

咬伤人的犬如果被感染狂犬病病毒，则被咬伤的人可发生狂犬病（恐水症）。

（一）发病机制

狂犬病病毒对神经组织具有较强的亲和力，其在伤口处组织细胞中生长繁殖1～2周后，沿周围传入神经进入中枢神经系统而致病。

（二）临床表现

受感染者是否发病与潜伏期长短、咬伤部位、伤后处理及机体抵抗力有关。发病初期有伤口周围麻木、疼痛，逐渐扩散至整个肢体，继之出现发热、烦躁、恐水、怕风、咽喉痉挛等症状，最后因循环衰竭而死亡。

（三）治疗原则

1. 伤口处理

（1）小儿浅的伤口消毒后可包扎，其他伤口应立即清创处理；不缝合，以利引流。

（2）用狂犬病免疫球蛋白在伤口周围做局部浸润注射。

（3）咬伤1～2天以上的伤口，即使已经结痂，也应去除结痂，清创处理。

2. 免疫治疗：伤后及早注射狂犬病疫苗进行主动免疫。尽早使用抗狂犬病血清或狂犬病免疫球蛋白中和体液中游离的狂犬病病毒。

（四）护理措施

1. 注射狂犬病疫苗进行主动免疫的方法：在伤后的第3天、第7天皮内注射2点（每点0.1ml），第14天、第28天再分别皮内注射1点。

2. 防止患者痉挛发作

（1）保持病室安静，避免光、声、风的刺激。

（2）专人护理，各项护理操作应集中进行或者应用镇静药后进行。

（3）一旦发生痉挛，遵医嘱给予巴比妥类镇静药。

3. 加强隔离防护：在进行护理操作时，应穿隔离衣、戴口罩和手套。

【考点强化】

1. 下列哪一种是闭合性损伤

A. 擦伤　B. 刺伤　C. 挫伤

D. 切割伤　E. 裂伤

2. 影响伤口愈合的因素不包括

A. 应用抗生素治疗　B. 使用糖皮质激素

C. 糖尿病　D. 伤口有异物

E. 局部感染

3. 应先换药的伤口是

A. 破伤风伤口

B. 脓肿切开引流的伤口

C. 乳腺手术切口拆线

D. 压疮创面

E. 肾盂切开取石术后拔除引流物

4. 扭伤患者处理不当的是

A. 立即热敷　B. 理疗

C. 按摩　D. 功能锻炼

E. 患肢抬高

5. 创面肉芽组织鲜红，硬实，分泌物不多，触之易出血，换药时应用

A. 5%氯化钠溶液湿敷

B. 0.1%依沙吖啶（雷佛奴尔）液湿敷

C. 凡士林油纱布覆盖

D. 红外线局部照射　E. 2%硝酸银烧灼

6. 肉芽组织水肿的处理应选用

A. 蒸馏水湿敷

B. 3%～5%盐水湿敷

C. 凡士林纱布敷盖

D. 等渗盐水湿敷　E. 酒精纱布敷盖

7. 下列哪一部位损伤，已12h，清创后仍可一期缝合

A. 上肢　B. 下肢　C. 面部

D. 背部　E. 足部

8. 大面积烧伤后休克期液体渗出最快是伤后

A. 6～8h　B. 8～24h　C. 24～36h

D. 36～48h　E. 12～24h

9. 浅Ⅱ度烧伤的深度是

A. 深至皮肤角质层　B. 达真皮深层

C. 深至皮肤生发层

D. 达真皮浅层，部分生发层健在

E. 深至皮肤全层

10. 深Ⅱ度烧伤的不包括

A. 损伤达真皮层，有皮肤附近残留

B. 无水疱出现

C. 疱底潮湿，均匀发红

D. 痛觉迟钝，但拔毛有痛感

E. 愈合后常留瘢痕

11. 头面部烧伤，应特别警惕是否伴有

A. 眼部烧伤　B. 耳部烧伤

C. 消化道烧伤　D. 呼吸道烧伤

E. 以上都不是

12. 头面颈部及会阴部严重烧伤患者的创伤处理应采用

A. 包扎疗法　B. 暴露疗法

C. 药物湿敷疗法　D. 浸泡疗法

E. 去痂疗法

13. 烧伤创面的暴露疗法不包括

A. 大面积烧伤　B. 头面部烧伤

C. 四肢部位烧伤　D. 会阴部烧伤

E. 严重感染创面

14. 烧伤创面包扎疗法，在下列情况中应立即改为暴露疗法的是

A. 敷料湿透　B. 患者发热

C. 创面疼痛　D. 敷料渗液呈绿色

E. 血常规检查白细胞升高

15. 大面积烧伤急救，患者口渴应给予

A. 热开水　B. 糖水　C. 淡盐水

D. 纯净水　E. 凉茶水

16. 烧伤患者补液的叙述，不正确的是

A. 晶体液首选生理盐水

B. 胶体液首选血浆

C. 生理需要量常用5%～10%葡萄糖液

D. 速度先快后慢

E. 液体先晶后胶，先盐后糖

17. 控制烧伤感染的关键措施是

A. 及时足量快速输液

B. 密切观察病情

C. 早期大量应用有效抗生素

D. 正确处理创面

E. 维持病室内适宜温湿度

18. 患者男性，42岁，在树丛中割草，不慎被蛇咬伤，现场急救不妥的是

A. 抬高伤肢　B. 立即呼救

C. 就地取材，绑扎

D. 伤口排毒　E. 切勿奔跑

19. 患儿男，5岁。双下肢被开水烫伤，皮肤

出现大水泡、皮薄，疼痛明显，水疱破裂后创面为红色。该患儿的烧伤面积为

A. 20％　B. 39％　C. 46％

D. 52％　E. 71％

20. 患者男性，30 岁。因车祸造成多发性损伤，急救时发现腹腔内脏脱出，股骨开放性骨折，有窒息，血压低，脉微速。首先要处理的情况是

A. 腹部外伤　B. 骨折

C. 窒息　D. 休克

E. 脉搏微弱

（21～23 题共用病例）

患者男性，35 岁，体重 60kg。被火烧伤，左上肢、颈部、胸腹部、双足和双小腿均为水疱，有剧痛，右手掌焦痂呈皮革样，不痛；面部红斑，干燥；并发生低血容量性休克。

21. 估计该患者Ⅱ度烧伤面积为

A. 54％　B. 42％　C. 58％

D. 45％　E. 39％

22. 该患者烧伤后第一个 24h 应补的液体量为

A. 6050ml　B. 6150ml　C. 6250ml

D. 6350ml　E. 6450ml

23. 输液护理中，判断血容量已补足的简便、可靠依据是

A. 脉搏在 120 次/分以下

B. 收缩压在 80mmHg 以上

C. 中心静脉压在 6cmH_2O 以上

D. 尿量 30ml/h 以上

E. 安静，肢端温暖

（24～26 题共用病例）

患者男性，27 岁，在树丛中行走时蛇咬伤后，局部皮肤留下一对大而深的齿痕，伤口出血不止，周围皮肤迅速出现瘀斑、血疱。

24. 应首选采取下列何种急救措施

A. 伤口排毒　B. 首先呼救

C. 早期绑扎伤处近心端的肢体

D. 立即奔跑到医院

E. 反复挤压伤口

25. 为减慢毒素吸收，伤肢应

A. 限动并下垂　B. 抬高

C. 局部热敷

D. 与心脏置于同一高度

E. 局部按摩

26. 为降解伤口内蛇毒，可用于伤口周围封闭的是

A. 糜蛋白酶　B. 胰蛋白酶

C. 淀粉酶　D. 脂肪酶

E. 地塞米松

【参考答案】

1. C　2. A　3. C　4. A　5. C
6. B　7. C　8. A　9. D　10. C
11. D　12. B　13. C　14. D　15. C
16. A　17. D　18. A　19. B　20. C
21. D　22. B　23. D　24. C　25. A
26. B

第三章　颅脑疾病患者的护理

第一节　颅内压增高患者的护理

（一）病因

1. 颅腔内容物体积或量增加

（1）脑体积增加：如脑组织损伤、炎症、缺血缺氧、中毒等导致脑水肿。

（2）脑脊液增多：脑脊液分泌过多、吸收障碍或脑脊液循环受阻导致脑积水。

（3）脑血流量增加：如高碳酸血症时血液中二氧化碳分压增高、脑血管扩张致脑血流量

增多。

2. 颅内空间或颅腔容积缩小

（1）先天性因素：如狭颅症、颅底凹陷症等先天性畸形使颅腔容积变小。

（2）后天性因素：颅内占位性病变如颅内血肿、脑肿瘤、脑脓肿等或大片凹陷性骨折使颅腔容积相对变小。

（二）临床表现

头痛、呕吐和视盘水肿是颅内压增高的典型表现。

（1）头痛是颅内压增高最常见的症状，以清晨和晚间多见，多位于前额及颞部，为持续性头痛并有阵发性加剧。

（2）呕吐多呈喷射状，常出现于剧烈头痛时。

（3）视盘水肿是颅内压增高的重要客观体征。

（4）意识障碍及生命体征变化。

（三）治疗要点

病因治疗是最根本的治疗方法，颅内压增高造成急性脑疝时应紧急手术处理。脱水治疗常用高渗性和利尿性脱水药，常用20%甘露醇。

（四）护理措施

1. 一般护理

（1）体位：抬高床头15°～30°。

（2）持续或间断吸氧。

（3）避免剧烈咳嗽和便秘。

（4）维持正常体温和防治感染。

（5）适当限制入液量：不能进食者每天补液量不超过2000ml，保持每天尿量不少于600ml。神志清醒者普通饮食、适当限盐。

（6）适当保护患者，避免意外损伤。昏迷躁动不安者切忌强制约束，以免患者挣扎导致颅内压增高。

2. 使用脱水药物的护理：常用20%甘露醇250ml，在30分钟内快速静脉滴注；注意输液的速度，观察脱水治疗的效果；为防止颅内压反跳现象，脱水药物应定时、反复使用，停药前逐渐减量或延长给药间隔时间。

3. 冬眠低温疗法的护理

（1）环境：室内光线宜暗，室温18～20℃。

（2）药物：冬眠Ⅰ号合剂包括氯丙嗪、异丙嗪及哌替啶；冬眠Ⅱ号合剂包括哌替啶、异丙嗪、氢化麦角碱。

（3）方法：先静脉滴注冬眠药物，待患者进入冬眠状态，方可加用物理降温措施。物理降温方法可采用头部戴冰帽或在颈动脉、腋动脉、肱动脉、股动脉等主干动脉表浅部位放置冰袋；降温速度以每小时下降1℃为宜，体温以降至肛温32～34℃、腋温31～33℃较为理想。

（4）严密观察病情：在治疗前应观察并记录生命体征、意识状态、瞳孔和神经系统体征作为治疗后观察对比的基础。冬眠低温期间若脉率超过100次/分、收缩压低于133kPa（100mmHg）、呼吸次数减少或不规则时，应及时通知医师停止冬眠疗法或更换冬眠药物。

（5）缓慢复温：冬眠低温治疗时间一般为2～3天，可重复治疗。停用冬眠低温治疗时应先停物理降温再逐步减少药物剂量或延长相同剂量的药物维持时间直至停用，复温不可过快，以免出现颅内压“反跳”、体温过高或酸中毒等。

第二节　急性脑疝患者的护理

（一）病因

颅内占位病变较多见，常见病因有颅内血肿、颅内肿瘤等。

（二）临床表现与诊断

1. 小脑幕切迹疝

（1）颅内压增高症状：剧烈头痛进行性加重伴躁动不安、频繁呕吐。

（2）进行性意识障碍：由于阻断了脑干内网状结构上行激活系统的通路引起。

（3）瞳孔改变：患侧动眼神经受刺激导致患侧瞳孔缩小，患侧动眼神经麻痹则患侧瞳孔逐渐散大，直接和间接对光反应消失，并伴上睑下垂及眼球外斜。

（4）运动障碍：沟回直接压迫大脑脚锥体束，引起病变对侧肢体肌力减弱或麻痹病理征阳性。

2. 枕骨大孔疝：患者常有进行性颅内压增高的临床表现，剧烈头痛，频繁呕吐，颈项强直；生命体征紊乱出现较早，意识障碍出现较晚。患者早期即可突发呼吸骤停而死亡。

（三）治疗要点

一旦出现典型的脑疝症状应立即给予脱水治疗，确诊后尽快手术去除病因。

（四）急救护理

保持呼吸道通畅，吸氧，立即静脉快速输入脱水药，降低颅内压，做好术前准备和检查，密切观察生命体征、瞳孔变化。

第三节　头皮损伤患者的护理

（一）头皮裂伤

出血较多，不易自行停止，严重时发生失血性休克。现场急救可加压包扎止血，在伤后24小时内清创缝合。

（二）头皮血肿

帽状腱膜下血肿易扩展，触诊有波动感。骨膜下血肿多由相应颅骨骨折引起，范围局限于某一颅骨，以骨缝为界，血肿张力较高，可有波动感。头皮血肿应加压包扎，早期冷敷，24小时后热敷，待其自行吸收；血肿较大时可在无菌操作下，行血肿穿刺抽出积血，再加压包扎。

（三）头皮撕脱伤

头皮撕脱伤是最严重的头皮损伤，常因剧烈疼痛和大量出血而发生休克。头皮撕脱的现场急救如下。

(1) 应用无菌敷料覆盖创面后，加压包扎止血，同时使用抗生素和镇痛药物。

(2) 完全撕脱的头皮不作任何处理，用无菌敷料包裹，隔水放置于有冰块的容器内随患者一起迅速送至医院。

(3) 完全撕脱者，清创后行头皮血管吻合，再缝合撕脱的头皮，亦可进行植皮。不完全撕脱者争取在伤后6～8小时内清创后缝回原处。

第四节　颅骨骨折患者的护理

（一）临床表现

1. 颅盖骨折：线形骨折局部压痛、肿胀，常伴局部骨膜下血肿。凹陷性骨折好发于额、顶部。

2. 颅底骨折：常为线性骨折。颅底骨折时易撕裂硬脑膜产生脑脊液外漏而成为开放性骨折。颅底骨折常因出现脑脊液漏而确诊。依骨折的部位不同可分为颅前窝、颅中窝和颅后窝骨折。

(1) 颅前窝：有熊猫眼症，可出现鼻漏，可合并嗅神经或视神经损伤。

(2) 颅中窝：可出现鼻出血或脑脊液鼻漏、脑脊液耳漏及面、听神经损伤。

(3) 颅后窝骨折：多在伤后1～2天出现乳突部皮下瘀血斑。枕骨大孔或岩尖后缘附近的骨折可合并后组脑神经损伤。

3. 辅助检查：颅盖线形骨折依靠头颅正侧位X线摄片才能发现。颅底骨折行X线摄片检查的价值不大，CT检查有诊断意义。

（二）治疗要点

1. 颅盖骨折：线形骨折或凹陷性骨折下陷较轻者不需处理；骨折凹陷范围超过3cm、深度超过1cm，兼有脑受压症状者手术治疗。

2. 颅底骨折：预防颅内感染，脑脊液漏一般在2周内愈合。脑脊液漏4周不自行愈合者可行硬脑膜修补术。

（三）护理措施

(1) 每天2次清洁、消毒外耳道、鼻腔或口腔；在外耳道口或鼻前庭疏松处放置干棉球，注意棉球不可过湿，及时更换。

(2) 不可经鼻腔进行护理操作，禁忌挖鼻、抠耳、冲洗和滴药，严禁经鼻腔置胃管、吸痰及鼻导管给氧；注意不可堵塞鼻腔。

(3) 避免颅内压骤升：嘱患者勿用力屏气排便、咳嗽、擤鼻涕或打喷嚏等，以免颅内压骤然升降导致气颅或脑脊液逆流。

(4) 忌行腰椎穿刺。

(5) 体位：颅前窝骨折，神志清醒者取半坐位，昏迷者床头抬高30°，患侧卧位；颅中窝、颅后窝骨折者取患侧卧位。维持特定体位至停止漏液后3～5天。

(6) 注意有无颅内感染迹象，如头痛、发热等。

(7) 遵医嘱应用抗菌药及TAT。

(8) 准确估计脑脊液外漏量。在前鼻庭或外耳道口松松地放置干棉球，随湿随换，记录24小时浸湿的棉球数以估计脑脊液外漏量。

(9) 注意颅内低压综合征。若脑脊液外漏多，可使颅内压过低而导致颅内血管扩张出现剧烈头痛、眩晕、呕吐、血压偏低，头痛在立位时加重卧位时缓解。

第五节　脑损伤患者的护理

(一) 脑震荡

1. 临床表现与诊断

(1) 伤后立即出现短暂的意识障碍，持续数秒或数分钟，一般不超过30分钟。

(2) 清醒后不能回忆受伤前及当时的情况(逆行性遗忘)。

(3) 常有头痛、头昏、恶心、呕吐等症状。

(4) 无阳性神经系统体征。

2. 治疗要点

应卧床休息1～2周，对症处理，患者多在2周内恢复正常。

(二) 脑挫裂伤

1. 临床表现与诊断

(1) 意识障碍：是脑挫裂伤最突出的症状，多持续半小时以上。

(2) 一般症状：头痛、恶心、呕吐等。

(3) 局灶症状与体征：伤后立即出现与脑挫裂伤部位相对应的神经功能障碍或体征。

(4) 脑膜刺激征阳性、腰穿脑脊液呈血性。

(5) 颅内压增高与脑疝的表现。

(6) CT显示病灶为低密度区内有散在的点、片状高密度影及周围脑水肿。

2. 治疗要点

以非手术治疗为主，减轻脑损伤后的病理生理反应，预防并发症。出现脑疝征象时行颅减压术或局部病灶清除术。

(三) 颅内血肿

1. 临床表现与诊断

(1) 硬脑膜外血肿

① 意识障碍：典型的意识障碍是在原发意识障碍之后经过中间清醒期再度出现意识障碍。

② 颅内压增高及脑疝表现：幕上血肿大于20ml、幕下血肿大于10ml可引起颅内压增高症状。幕上血肿者大多先出现小脑幕切迹疝，然后合并枕骨大孔疝，故严重的呼吸、循环障碍常发生在意识障碍和瞳孔改变之后。幕下血肿者可直接发生枕骨大孔疝，较早发生呼吸骤停。

③ CT表现：在颅骨内板与脑表面之间呈梭形或弓形增高密度影。

(2) 急性硬脑膜下血肿

① 意识障碍：多数原发昏迷与继发昏迷相重叠，呈现昏迷程度逐渐加重。

② 临床症状重，进展快，呕吐和躁动多见，生命体征变化明显，局灶症状多见。

③ CT表现：在颅骨内板与脑表面之间呈现新月形或半月形高密度、等密度或混合密度影。

(3) 慢性硬脑膜下血肿

① 慢性颅内压增高症状：如头痛、恶心、呕吐和视盘水肿。

② 受压的局灶症状和体征：如偏瘫、失语和局灶性癫痫。

③ 萎缩、脑供血不全症状：如智力障碍、

精神失常和记忆力减退等。

④ CT 表现：颅骨内板下低密度的新月形、半月形或双凸镜形影。

(4) 脑内血肿：以进行性加重的意识障碍为主，若血肿累及重要脑功能区可出现偏瘫、失语、癫痫等症状。

2. 治疗要点

一经确诊，手术清除血肿脑损伤。

3. 护理措施

(1) 现场急救：首先抢救危及患者生命的伤情，查明有无头部以外部位的损伤，有明显大出血者应补充血容量。保持呼吸道通畅，意识清醒者取斜坡卧位；昏迷者取侧卧位或侧俯卧位。注意保暖，禁用吗啡止痛。外露的脑组织周围用消毒纱布卷保护，再用纱布架空包扎，避免脑组织受压，并及早使用抗生素和 TAT。

(2) 消除脑水肿，预防和处理颅内压增高和脑疝

① 体位：抬高床头 15°～30°以利脑静脉回流，减轻脑水肿。保持头与脊柱在同一直线上，头部过伸或过屈均会影响呼吸道通畅以及颈静脉回流，不利于降低颅内压。

② 病情观察和记录：在损伤后的 3 天左右的护理重点是密切观察病情及时发现继发性病变。动态的病情观察是鉴别原发性与继发性脑损伤的主要手段。

a. 意识：观察患者意识状态，不仅要了解有无意识障碍，还要注意意识障碍程度及变化。

b. 生命体征：监测时为避免患者躁动影响结果的准确性，应先测呼吸，再测脉搏，最后测血压。注意呼吸节律和深度、脉搏快慢和强弱以及血压和脉压变化。由于组织创伤反应，伤后早期可出现中等程度发热；若损伤累及间脑或脑干可导致体温不升或中枢性高热；伤后即发生高热多系视丘下部或脑干损伤；伤后数天体温升高常提示有感染性并发症。若伤后血压上升、脉搏缓慢有力、呼吸深慢，提示颅内压升高，应警惕颅内血肿或脑疝发生。

c. 瞳孔变化：伤后一侧瞳孔进行性散大、对侧肢体瘫痪、意识障碍，提示脑受压或脑疝；双侧瞳孔散大、对光反应消失、眼球固定伴深昏迷或去皮质强直，多为原发性脑干损伤或临终表现；双侧瞳孔大小形状多变、对光反应消失，伴眼球分离或异位，多为中脑损伤；眼球不能外展且有复视者多为展神经受损；双眼同向凝视提示额中回后份损伤；眼球震颤常见于小脑或脑干损伤。

d. 锥体束征：伤后立即出现的一侧上下肢运动障碍且相对稳定，多系对侧大脑皮质运动区损伤所致。伤后一段时间才出现一侧肢体运动障碍且进行性加重，多为幕上血肿引起的小脑幕切迹疝使中脑受压、锥体束受损所致。

(3) 脑室引流的护理

① 引流管的位置：术后患者取平卧位或头低脚高患侧卧位，以便充分引流。引流管开口需高于侧脑室平面 10～15cm，以维持正常的颅内压。引流瓶（袋）应低于创腔 30cm。

② 引流速度及量：术后早期应适当抬高引流瓶（袋）的位置以减低流速，待颅内压力平稳后再降低引流瓶（袋）。正常脑脊液每天分泌 400～500ml，故每天引流量以不超过 500ml 为宜。

③ 保持引流通畅：引流管不可受压、扭曲、成角、折叠；适当限制患者头部活动范围，活动及翻身时避免牵拉引流管。

④ 注意观察引流管是否通畅：若引流管内不断有脑脊液流出、管内的液面随患者呼吸、脉搏等上下波动表明引流管通畅。若引流管无脑脊液流出，可能原因有：颅内压低于 118～147kPa（120～150mmH_2O）；引流管放入脑室过深、过长，在脑室内盘曲成角；管口吸附于脑室壁；引流管被小凝血块或挫碎的脑组织阻塞。

⑤ 观察脑脊液的颜色、性状：正常脑脊液无色、透明、无沉淀。术后 1～2 天脑脊液可略呈血性以后转为橙黄色。若脑脊液中有大量血液或血色逐渐加深，常提示脑室内出血。感染后的脑脊液浑浊或有絮状物。

⑥ 严格遵守无菌操作原则，每天定时更换引流瓶（袋），搬动患者时应暂时夹闭引流管。

⑦ 拔管：开颅术后脑室引流管一般放置 3～4 天。拔管前一天应试行抬高引流瓶（袋）或夹闭引流管 24 小时，以了解脑脊液循环是否通畅，有无颅内压再次升高的表现。拔管时应先夹闭引流管，以免管内液体逆流入脑室引起感染。

第六节　颅内肿瘤患者的护理

颅内肿瘤又称脑瘤，包括原发性肿瘤和继发性肿瘤。原发性肿瘤以神经胶质瘤最为常见，颅内肿瘤约半数为恶性肿瘤，发病部位以大脑半球最多。

一、临床表现

颅内压增高和局灶症状是其共同的表现。

1. 颅内压增高：约 90%以上的患者出现颅内压增高的症状和体征，通常呈慢性、进行性加重过程。若未得到及时治疗，轻者引起视神经萎缩，重者可引起脑疝。

2. 局灶症状与体征：临床上可根据局灶症状判断病变部位，鞍区肿瘤会引起视力改变和内分泌功能障碍。位于脑干等重要部位的肿瘤早期即出现局部症状，而颅内压增高症状出现较晚。

二、辅助检查

CT 和 MRI 是目前最常用的辅助检查，对确定肿瘤部位和大小、脑室受压和脑组织移位、瘤周脑水肿范围有重要意义。

三、治疗原则

(1) 降低颅内压，减轻症状。

(2) 手术治疗：手术切除肿瘤是最直接、有效的治疗方法。

(3) 放射治疗：适用于肿瘤位于重要功能区或部位深不宜手术，患者全身情况差不允许手术及对放射线敏感的恶性肿瘤可选用放射治疗。

四、护理措施

1. 术前护理：颅内压增高者严格卧床休息，采取床头抬高 15°～30°的斜坡卧位。采取相应的预防措施，防止跌倒及撞伤，预防意外损伤。患者手术前每日清洁头发，术前一天检查患者头部皮肤是否有破损或毛囊炎，手术前 2 小时剃光头发后，需要消毒头皮戴上手术帽。

2. 术后护理

(1) 体位：幕上开颅术后患者应卧向健侧；幕下开颅术后取去枕侧卧位或侧俯卧位；经口鼻蝶窦入路术后取半卧位；脑神经受损、吞咽功能障碍者取侧卧位，以免造成误吸。体积较大的肿瘤切除后，因颅腔留有较大空隙，24 小时内手术区保持高位，以免突然翻动时发生脑和脑干移位。为患者翻身时，应有人扶持头部，使头颈躯干成一直线，防止头颈部过度扭曲或震动。

(2) 引流的护理

① 位置：手术后创腔引流瓶（袋）放置于头旁枕上或枕边，高度与头部创腔保持一致，以保证创腔内一定的液体压力，可避免脑组织移位。

② 速度：手术 48 小时后，可将引流瓶（袋）略放低，以期较快引流出腔内残留的液体，使脑组织膨出，以减少残腔，避免局部积液造成颅内压增高。

③ 拔管：引流放置 3～4 日，一旦血性脑脊液转清，即可拔除引流管，以免形成脑脊液漏。

(3) 手术后并发症的观察和护理

① 颅内出血：多发生在手术后 24～48 小时内。患者表现为意识清楚后又逐渐嗜睡，甚至昏迷或意识障碍进行性加重。一旦发现患者有颅内出血征象，应及时报告医师，并做好再次手术止血的准备。

② 癫痫：癫痫发作时立即松解患者衣领，头部偏向一侧，保持呼吸道通畅，使用牙垫防止舌咬伤，保障患者安全。

③ 尿崩症：患者出现多尿、多饮、口渴，每日尿量大于 4000ml，尿比重低于 1.005。在给予垂体后叶素治疗时，应准确记录出入液量，根据尿量的增减和血清电解质含量调节用药剂量。

【考点强化】

1. 可导致颅内压骤然增高的因素不包括

A. 呼吸道梗阻　B. 剧烈咳嗽

C. 用力排便　D. 癫痫持续状态

E. 意识障碍

2. 临床上用 20%甘露醇降低颅内压，正确的用法是

A. 快速静脉推注　B. 缓慢静脉推注

C. 输液速度控制在 60～80 滴/分

D. 10～15 分钟内静滴完 250ml

E. 15～30 分钟内静滴完 250ml

3. 关于冬眠疗法的护理，哪一项是错误的
A. 不宜翻身和移动体位
B. 肛温不低于 32℃
C. 保持水、电解质平衡
D. 严密观察生命体征
E. 复温时先停冬眠，后撤降温

4. 颅脑外伤患者进行冬眠低温疗法时，错误的护理是
A. 治疗前后应测量生命体征并做好记录
B. 物理降温半小时后再用冬眠药物
C. 停止冬眠治疗时，应先停物理降温后停冬眠药物
D. 直肠温度降至 32～34℃
E. 降温以每小时下降 1℃为宜

5. 颅脑损伤患者出现一侧瞳孔散大，对侧肢体瘫痪，提示为
A. 小脑幕裂孔疝 B. 枕骨大孔疝
C. 脑干损伤 D. 动眼神经损伤
E. 延髓损伤

6. 颅内压增高发生脑疝时，不应
A. 大量补液 B. 保持呼吸道通畅
C. 静脉输注 20%甘露醇
D. 吸氧
E. 发生枕骨大孔疝者，行脑室引流术

7. 头皮损伤中最严重的是
A. 撕脱伤 B. 帽状腱膜下血肿
C. 骨膜下血肿 D. 头皮裂伤
E. 皮下血肿

8. 开放性颅脑损伤是指
A. 头皮破裂与颅骨线性骨折
B. 头皮破裂与颅骨凹陷性骨折
C. 头皮破裂与颅骨粉碎骨折
D. 颅骨骨折与硬脑膜破裂
E. 头皮、颅骨、硬脑膜的破裂

9. 诊断颅底骨折的主要依据是
A. 头部外伤史 B. 软组织瘀斑
C. 脑脊液外漏 D. 脑神经损伤
E. 颅内高压征

10. 处理头部裂伤时，创面清创时间应争取在
A. 24h 内 B. 36h 内 C. 48h 内
D. 60h 内 E. 72h 内

11. 脑损伤患者的卧位，下列哪项正确
A. 平卧 B. 床头抬高 15～30°
C. 头低足高位
D. 床头和床尾各抬高 10～30°
E. 患侧卧位

12. 头皮外伤后，出血易扩散的疏松结缔组织层是
A. 皮肤 B. 皮下组织
C. 帽状腱膜层 D. 帽状腱膜下层
E. 颅骨骨膜

13. 颅脑损伤患者意识改变出现中间清醒期时，应注意发生
A. 硬脑膜外血肿 B. 硬脑膜下血肿
C. 脑内血肿 D. 脑挫伤
E. 脑疝

14. 颅中窝骨折脑脊液耳漏时，禁忌外耳道堵塞和冲洗的原因是
A. 预防颅内血肿 B. 降低颅内压力
C. 避免脑疝形成 D. 减少脑脊液外漏
E. 预防颅内感染

15. 颅内肿瘤最好发的部位是
A. 大脑半球 B. 鞍区
C. 小脑 D. 脑干
E. 小脑脑桥角

16. 颅内肿瘤最有效的治疗措施是
A. 持续腰穿引流 B. 使用脱水药
C. 开颅病灶切除 D. 过度换气
E. 去骨片减压术

17. 患者男，53 岁。剧烈头痛伴喷射性呕吐 5h 急诊入院，有高血压病病史 30 年。查体：意识不清，脉搏细速，呼吸不规则，双侧瞳孔不等大。应首先考虑
A. 脑疝 B. 高血压危象
C. 脑血栓形成 D. 高血压脑病
E. 脑梗死

18. 患者男，35 岁。诊为颅前窝骨折。在下列护理措施中，不正确的是
A. 卧床休息，床头抬高 30°
B. 抗生素溶液滴鼻，防止颅内感染
C. 控制探视人员 D. 禁忌腰椎穿刺
E. 禁忌从鼻腔插胃管

19. 患者男，69 岁。因头痛、头晕、右半身麻木无力 2 个月，呕吐 2 日入院。头部示颅内占位性病变。诊断应首先考虑
A. 慢性硬脑膜下血肿
B. 脑出血 C. 颅内肿瘤
D. 脑脓肿 E. 急性硬脑膜下血肿

（20～22 题共用病例）

患者男，35 岁。因车祸致头部外伤后昏迷十余分钟，清醒后头痛、呕吐，5h 后又

陷入昏迷，左侧瞳孔散大，右侧肢体偏瘫。

20. 最可能的诊断为

A. 脑内血肿 B. 脑挫裂伤

C. 脑干损伤 D. 急性硬脑膜外血肿

E. 急性硬脑膜下血肿

21. 该患者最重要的处理是

A. 应用抗生素 B. 应用止血药

C. 应用脱水药 D. 冬眠低温疗法

E. 紧急手术

22. 对该患者不应施行的辅助检查是

A. 颅脑X线摄片 B. CT检查

C. MRI检查 D. 腰椎穿刺

E. 脑超声波检查

(23～24题共用备选答案)

A. 意识障碍、瞳孔散大

B. 意识障碍、呼吸暂停

C. 癫痫持续状态 D. 肢体瘫痪

E. 血压下降

23. 枕骨大孔疝急性期首发症状是

24. 小脑幕切迹疝急性期首发症状是

(25～26题共用备选答案)

A. 意识障碍 B. 头痛、头晕

C. 中间清醒期 D. 逆行性遗忘

E. 外伤史、恶心呕吐

25. 脑震荡典型症状是

26. 硬脑膜外血肿最突出临床表现是

【参考答案】

1. E 2. E 3. E 4. B 5. A
6. A 7. A 8. E 9. C 10. A
11. B 12. D 13. A 14. E 15. A
16. C 17. A 18. B 19. C 20. D
21. E 22. D 23. E 24. A 25. D
26. C

第四章 甲状腺疾病患者的护理

第一节 甲状腺功能亢进患者的护理

(一) 病因、病理

1. 原发性甲亢：是一种自身免疫性疾病，其淋巴细胞产生的长效甲状腺激素（LATS）和甲状腺刺激免疫球蛋白（TSI）能抑制腺垂体分泌TSH，并与甲状腺滤泡壁细胞膜上的TSH受体结合导致甲状腺素的大量分泌。

2. 继发性甲亢和高功能腺瘤：可能与结节本身的自主性分泌紊乱有关，患者血中LATS等的浓度不高。

3. 甲状腺的病理改变：主要改变为腺体内血管增多和扩张、淋巴细胞浸润；滤泡壁细胞多呈高柱状增生，并形成乳头状突起，伸入滤泡腔，腔内胶质减少。

(二) 临床表现

1. 甲状腺激素分泌过多症候群：主要表现为性情急躁、易激惹、失眠、双手颤动、怕热、多汗、皮肤潮湿、无力、易疲劳等；食欲亢进却体重减轻、肠蠕动亢进和腹泻；心悸、脉快有力（脉搏常在100次/分以上，休息和睡眠时仍快）和脉压增大；月经失调和阳痿。

2. 甲状腺肿大：甲状腺弥漫性、对称性肿大，左、右叶上下极可扪及震颤感和闻及血管杂音。

3. 突眼征：双侧眼球突出、睑裂增宽；瞬目减少、上眼睑挛缩、睑裂宽；向前平视时角膜上缘外露；向上看物时前额皮肤不能皱起；看近物时眼球辐辏不良。

(三) 辅助检查

1. 基础代谢率测定：基础代谢率(%)＝(脉率＋脉压)－111，以±10%为正常，＋20%～＋30%为轻度甲亢，＋30%～＋60%为中度甲亢，＋60%以上为重度甲亢。

2. 甲状腺摄^{131}I率测定：若2小时内甲状腺摄^{131}I量超过25%或24小时内超过50%且摄^{131}I高峰提前出现，都表示有甲亢，但不反映甲亢的严重程度。

3. 促甲状腺激素释放激素（TRH）兴奋试验：静脉注射TRH后促甲状腺激素（TSH）不增高（阴性）有诊断意义。

（四）治疗要点

甲状腺大部切除术仍是目前治疗中度甲亢的一种最常用而有效的疗法。

1. 手术指征：继发性甲亢或高功能腺瘤；中度以上的原发性甲亢；腺体较大，伴有压迫症状，或胸骨后甲状腺肿等类型的甲亢；抗甲状腺药物或^{131}I治疗后复发者或长期坚持用药有困难者。

2. 手术禁忌证：青少年患者；症状较轻者；老年患者或有严重器质性疾病不能耐受手术治疗者。

（五）护理措施

1. 术前特殊检查

（1）颈部透视或摄片，了解气管有无受压或移位。

（2）心脏多普勒检查，心电图检查。

（3）喉镜检查，确定声带功能。

（4）测定基础代谢率，选择手术时机。

（5）测定血钙、血磷，了解甲状旁腺功能状态。

2. 术前药物准备的护理：术前通过药物降低基础代谢率是甲亢患者手术准备的重要环节，凡不准备施行手术治疗的甲亢患者均不能服用碘剂。药物准备有两种方法：一种是开始即口服碘剂，如2周后症状改善不明显，可加服硫脲类药物；另一种是先用硫脲类药物，待甲亢症状得到基本控制后停药，改服2周碘剂，再行手术。

3. 手术时机：甲亢症状得到基本控制后即可手术。甲亢症状得到基本控制的指标为：患者情绪稳定，睡眠良好，体重增加；脉率每分钟90次以下，脉压恢复正常；基础代谢率在20%以下。

4. 术后并发症的护理

（1）术后呼吸困难和窒息：多发生于术后48小时内，是最危急的并发症。临床表现为进行性呼吸困难、烦躁、发绀，甚至窒息。常见原因为：切口内出血压迫气管；喉头水肿；气管塌陷。须立即进行床旁抢救，行环甲膜穿刺或气管切开。

（2）喉返神经损伤：一侧喉返神经损伤，多引起声音嘶哑；两侧喉返神经损伤可引起失声、呼吸困难，甚至窒息。多需立即气管切开。

（3）喉上神经损伤：外支损伤可引起声带松弛、声调降低；内支损伤患者丧失喉部的反射性咳嗽，在饮水时，容易误咽而发生呛咳。

（4）手足抽搐：由于手术时甲状旁腺误伤、切除或其血液供应受累所致。抽搐发作时，立即静脉注射10%葡萄糖酸钙或氯化钙。

（5）甲状腺危象：多与术前准备不充分、甲亢症状未能很好控制及手术应激有关。主要表现为：高热（>39℃）、脉细速（>120次/分）、大汗、烦躁不安、谵妄、昏迷，常伴有呕吐、水样泄泻。对发生甲亢危象者护士应遵医嘱及时落实各项治疗和护理措施。

① 碘剂：口服复方碘化钾溶液，以降低循环血液中甲状腺素水平或抑制外周组织中T_4转化为T_3。

② 氢化可的松静脉滴注，以拮抗应激反应。

③ 肾上腺素能阻滞药：普萘洛尔静脉滴注，以降低周围组织对儿茶酚胺的反应。

④ 镇静药：常用苯巴比妥钠或冬眠合剂Ⅱ。

⑤ 使用物理降温、药物降温和冬眠治疗等综合措施：使患者体温尽量维持在37℃左右。

⑥ 静脉输入大量葡萄糖溶液。

⑦ 吸氧，减轻组织缺氧。

⑧ 心力衰竭者加用洋地黄制剂。

第二节 单纯性甲状腺肿患者的护理

1. 病因病理：缺碘是主要原因。由于对甲状腺素的需要量增高，可发生轻度弥漫性甲状腺肿，叫做生理性甲状腺肿，见于青春期、妊娠期或绝经期的妇女等。甲状腺素合成和分泌的障碍可导致甲状腺肿大。

2. 预防：在甲状腺肿流行地区推广加碘食盐。

3. 治疗要点：对20岁以下的青少年患有弥漫性甲状腺肿，可给予小量甲状腺素；而对于因气管、食管或喉返神经受压引起临床症状、胸骨后甲状腺肿、结节性甲状腺肿继发甲亢、亦有恶变者，可予手术治疗。

【考点强化】

1. 测得基础代谢率是＋40%，则甲状腺功能为
A. 正常　B. 轻度甲亢
C. 中度甲亢　D. 重度甲亢
E. 偏低

2. 甲状腺手术患者术前应练习的体位是
A. 半卧位　B. 仰卧位
C. 头颈过伸位　D. 侧卧位
E. 去枕平卧位

3. 甲状腺手术后最危急的并发症是
A. 呼吸困难，窒息　B. 手足抽搐
C. 误咽后呛咳　D. 声音嘶哑
E. 甲状腺危象

4. 日常生活中使用加碘食盐、多食海带、紫菜等含碘丰富的食物，主要是预防
A. 甲状腺肿瘤
B. 单纯性甲状腺肿
C. 甲状腺功能亢进
D. 甲状腺囊肿
E. 甲状舌骨囊肿

5. 甲亢术后护理叙述不正确的是
A. 患者清醒，血压平稳给予半卧位
B. 床旁备气管切开包
C. 鼓励患者咳痰
D. 定时测体温、脉搏、呼吸、血压
E. 继续服用碘剂，剂量同术前

6. 甲状腺术后呼吸困难多发生于
A. 8h内　B. 12h内　C. 24h内
D. 48h内　E. 72h内

7. 甲状腺大部切除术术后伤口内出血，引起呼吸困难，紧急措施应
A. 注射止血药　B. 氧气吸入
C. 拆除缝线去除血块
D. 气管插管　E. 加压包扎

8. 下列不是甲状腺危象临床表现的是
A. 体温高于39℃
B. 脉搏大于140次/分
C. 易饥、多食　D. 昏迷
E. 呕吐、腹泻、大汗

9. 甲亢患者术后护理不正确的是
A. 病室宜安静
B. 麻醉清醒后取半卧位
C. 注意观察生命体征
D. 6h后进普食
E. 保持呼吸道通畅

10. 下列颈部肿块中，容易发生恶变的是
A. 甲状舌管囊肿
B. 淋巴结核
C. 慢性淋巴结炎
D. 甲状腺功能亢进
E. 结节性甲状腺肿

11. 患者女性，19岁，甲状腺常呈中度弥漫性肿大，表面平滑，质地较软，无结节，TSH在正常范围，甲状腺功能正常，可能的诊断是
A. 甲亢　B. 单纯性甲状腺肿
C. 慢性甲状腺炎　D. 甲减
E. 亚急性甲状腺炎

12. 患者男性，30岁。行甲状腺大部切除术术后4h，出现进行性呼吸困难，切口敷料上有少许血液渗透。应考虑为
A. 喉头水肿　B. 气管塌陷
C. 痰液阻塞气道　D. 切口内血肿形成
E. 双侧喉返神经损伤

13. 黄某36岁，行甲状腺大部分切除术术后3天，出现手足疼痛，指尖针刺感并有轻度抽搐，护士应备好
A. 氯化钾　B. 碘化钾
C. 苯巴比妥　D. 碳酸氢钠
E. 葡萄糖酸钙

14. 患者男性，36岁，因甲状腺功能亢进收入院治疗。昨日淋雨受凉出现寒战、咳嗽，遵医嘱抗炎对症治疗。今晨突然出现烦躁不安、大汗淋漓、恶心呕吐、高热脉快。应考虑为
A. 感染性休克　B. 甲状腺危象
C. 输液反应　D. 急性肺水肿
E. 低血糖反应

（15～17题共用病例）

患者男性，35岁，原发性甲状腺功能亢进。入院后在清晨未起床前测患者脉率110次/分，血压18.7/12kPa（140/90mmHg），拟在服用复方碘化钾溶液等术前准备后，择

期行甲状腺大部切除术。

15. 按简便公式计算，该患者的基础代谢率（BMR）为

A. 49％ B. 50％ C. 59％

D. 69％ E. 70％

16. 术前服用碘剂的作用是

A. 抑制甲状腺素合成

B. 对抗甲状腺素作用

C. 促进甲状腺素合成

D. 抑制甲状腺素释放

E. 减少促甲状腺激素分泌

17. 未达到手术前准备标准的是

A. 脉率 100 次/分

B. BMR 小于＋20％

C. 情绪稳定，睡眠好转

D. 体重增加

E. 甲状腺体缩小变硬

（18～20 题共用备选答案）

A. 喉返神经损伤

B. 喉上神经内侧支损伤

C. 喉上神经外侧支损伤

D. 甲状旁腺损伤 E. 甲状腺危象

18. 行甲状腺大部切除术术后，出现饮水呛咳，发音时音调无明显变化，应考虑为

19. 行甲状腺大部切除术术后，出现声音嘶哑、失音，应考虑为

20. 行甲状腺大部切除术术后，出现手足抽搐，应考虑为

【参考答案】

1. C 2. C 3. A 4. B 5. E
6. D 7. C 8. C 9. D 10. E
11. B 12. D 13. E 14. B 15. A
16. D 17. A 18. B 19. A 20. D

第五章 乳房疾病患者的护理

第一节 急性乳腺炎患者的护理

（一）病因

多发于产后 3～4 周，以初产妇多见。主要病因为乳汁淤积、细菌入侵，多为金黄色葡萄球菌感染。

（二）临床表现

1. 局部症状：患侧乳房胀痛、红、肿、热，并有压痛性肿块。

2. 全身症状：有寒战、高热和脉搏加快。

（三）辅助检查

血白细胞计数及中性粒细胞比例均升高。诊断性脓肿穿刺抽出脓液。

（四）治疗要点

控制感染、排空乳汁。脓肿形成前主要以抗菌药等治疗为主，脓肿形成后则需及时行脓肿切开引流。

（五）护理措施

1. 缓解疼痛

（1）防止乳汁淤积：患乳暂停哺乳，定时用吸乳器吸净或挤净乳汁。

（2）局部托起：用宽松的胸罩托起乳房，以减轻疼痛和减轻肿胀。

（3）局部热敷、药物外敷或理疗。

2. 控制体温和感染

（1）早期应用抗菌药。

（2）定时监测血白细胞计数及分类变化，必要时做血培养及药物敏感试验。

（3）采取降温措施。

（4）脓肿切开引流后的护理：保持引流通畅，定时更换切口敷料。

第二节　乳腺癌患者的护理

（一）病因

（1）雌酮和雌二醇与乳腺癌的发生直接相关。

（2）乳腺癌家族史。

（3）月经初潮早、绝经年龄晚、不孕和未哺乳。

（4）乳腺小叶上皮高度增生或不典型增生可能与乳腺癌发病有关。

（5）营养过剩、肥胖、高脂肪饮食，可加强或延长雌激素对乳腺上皮细胞的刺激，从而增加发病机会，可增加乳腺癌的发病机会。

（6）环境因素和生活方式：如北美、北欧地区乳腺癌的发病率为亚洲地区的4倍。

（二）临床表现

1. 乳房肿块：早期表现为患侧乳房无痛性、单发小肿块，多位于乳房外上象限，质硬、表面不甚光滑，与周围组织分界不清，尚可推动。晚期可出现肿块固定、卫星结节、铠甲胸、皮肤溃破。

2. 乳房外形改变：乳房局部隆起；若肿瘤累及乳房Cooper韧带，可致肿瘤表面皮肤凹陷（酒窝征）。若皮下淋巴管被癌细胞堵塞，可引起乳房皮肤呈橘皮样改变。

3. 转移征象：最初淋巴转移多见于患侧腋窝；乳腺癌血液转移至肺、骨、肝时可出现相应受累器官的症状。

4. 特殊类型乳腺癌

（1）炎性乳腺癌：该型乳腺癌恶性程度高，早期即发生转移，预后极差。表现为患侧乳房皮肤红、肿、热且硬，似急性炎症但无明显肿块。

（2）乳头湿疹样乳腺癌（Paget病）：该型乳腺癌恶性程度低，发展慢，腋窝淋巴转移晚。表现为乳头有瘙痒、烧灼感之后出现乳头和乳晕区皮肤发红、糜烂、潮湿，如同湿疹样，进而形成溃疡。

（三）分期

国际抗癌联盟（UICC）制定的TNM分期。

1. 原发肿瘤（T）分期

T_0：原发肿瘤未查出。

Lis：原位癌（非浸润性癌及未查到肿块的乳头湿疹样癌）。

T_1：肿瘤最大直径≤2cm。

T_2：肿瘤最大直径2～5cm。

T_3：肿瘤最大直径≥5cm。

T_4：肿瘤任何大小，但侵犯胸壁或皮肤，炎性乳腺癌亦属之。

2. 区域淋巴结（N）分期

N_0：同侧腋窝淋巴结未扪及。

N_1：同侧腋窝淋巴结肿大，尚可活动。

N_2：同侧腋窝淋巴结肿大，互相融合或与其他组织粘连。

N_3：有同侧胸骨旁淋巴结转移。

3. 远处转移（M）分期

M_0：无远处转移。

M_1：有同侧锁骨上淋巴结转移或远处转移。

4. 临床分期

0期：$TisN_0M_0$。

Ⅰ期：$T_1N_0M_0$。

Ⅱ期：$T_{0\sim1}N_1M_0$，$T_2N_{0\sim1}M_0$，$T_3N_0M_0$。

Ⅲ期：$T_{0\sim2}N_2M_0$，$T_3N_{1\sim2}M_0$，T_4任何NM_0，任何TN_3M_0。

Ⅳ期：包括M_1的任何TN。

（四）治疗要点

手术治疗为主，辅以化学药物、放射、内分泌、生物等综合治疗措施。

1. 手术治疗：是最根本的治疗方法。手术适应证为TNM分期的0、Ⅰ、Ⅱ期及部分Ⅲ期患者。已有远处转移、全身情况差、主要脏器有严重疾病及不能耐受手术者属手术禁忌证。

2. 化学药物治疗：是重要的全身性辅助治疗。术前化疗（新辅助化疗）可采用CMF、CAF方案。术后化疗治疗期为6个月左右，传统联合化疗方案有CMF、CAF，目前临床常用CAF、CEF、AT等。常用的化疗药物有环磷酰胺（C）、甲氨蝶呤（M）、氟尿嘧啶（F）、阿霉素（A）、表柔比星（E）、紫杉醇（T）。

3. 内分泌治疗：最常用的药物是他莫昔芬，适用于雌激素受体（ER）、孕酮受体（PgR）阳性的绝经妇女；芳香化酶抑制药（来曲唑等）适用于受体阳性的绝经后妇女。

4. 放射治疗：可降低Ⅱ期以上患者的局部复发率。

5. 生物治疗：临床上推广应用曲妥珠单抗注射液。

（五）护理措施

1. 术后一般护理：密切监测患者生命体征的变化；血压平稳后可取半卧位；术后6小时无恶心、呕吐等麻醉反应者饮食。

2. 伤口护理

（1）保持皮瓣血供良好：手术部位用弹性绷带加压包扎，绷带加压包扎一般维持7～10天。

（2）维持有效引流：有利于皮瓣愈合，保持有效的负压吸引，妥善固定引流管，保持引流通畅。

（3）拔管：术后4～5天，每天引流液转为淡黄色、量少于10～15ml、创面与皮肤紧贴、手指按压伤口周围皮肤无空虚感即可考虑拔管。

3. 功能锻炼

（1）术后24小时内：活动手指及腕部。

（2）术后1～3天：进行上肢肌肉的等长收缩；可用健侧上肢或他人协助患侧上肢进行屈肘、伸臂等锻炼，逐渐过渡到肩关节的小范围前屈、后伸运动（前屈小于30°，后伸小于15°）。

（3）术后4～7天：患者可坐起，用患侧手洗脸、刷牙、进食等，做以患侧手触摸对侧肩部及同侧耳朵的锻炼。

（4）术后1～2周；术后1周开始做肩关节活动，以肩部为中心前后摆臂。术后10天左右循序渐进地做抬高患侧上肢、手指做爬墙、梳头等锻炼。

4. 健康教育

（1）术后近期避免用患侧上肢搬动、提取重物。

（2）术后5年内应避免妊娠，以免促使乳腺癌的复发。

（3）化疗或放疗期间定期复查血常规；放疗期间注意保护皮肤。

（4）向患者介绍假体的作用和应用。如出院时暂佩戴无重量的义乳，有重量的义乳在治愈后佩带，根治术后3个月行乳房再造术。有肿瘤转移或乳腺炎者，严禁假体植入。

5. 乳房自我检查：最好在月经后7～10天检查。

（1）视诊：站在镜前，两臂放松垂于身体两侧，向前弯腰或双手上举置于头后，观察双侧乳房的大小和外形是否对称，有无局限性隆起、凹陷或皮肤橘皮样改变，有无乳头回缩或抬高。

（2）触诊：仰卧位，肩下垫软薄枕，被查侧的手臂枕于头下，使乳房完全平铺于胸壁。对侧手指并拢，平放于乳房，从乳房外上象限开始检查，依次检查外上、外下、内下、内上象限，然后检查乳头、乳晕，最后检查腋窝。

【考点强化】

1. 急性乳腺炎多发生于
A. 乳头凹陷的妇女　B. 妊娠期妇女
C. 产后3～4周初产妇
D. 哺乳6个月后妇女
E. 长期哺乳妇女

2. 急性乳腺炎感染细菌大多数是
A. 变形杆菌　B. 大肠杆菌
C. 金黄色葡萄球菌　D. 白色葡萄球菌
E. 溶血性链球菌

3. 急性乳腺炎患者，最初的症状是
A. 局部硬结　B. 排奶不畅
C. 同侧腋窝淋巴结肿大
D. 乳房肿胀、疼痛　E. 高热、寒战

4. 治疗急性乳腺炎首选的抗生素是
A. 青霉素类　B. 四环素
C. 氨基糖苷类　D. 磺胺类
E. 替硝唑

5. 急性乳腺炎最常见的病因是
A. 乳管堵塞　B. 乳汁淤积
C. 乳头破损　D. 乳腺手术
E. 乳头内陷

6. 乳房保健检查的最佳时间一般选在
A. 月经前7～10天　B. 月经前3～5天
C. 月经期　D. 月经后7～10天
E. 月经后3～5天

7. 王女士，35岁。近1个月来发现鲜血流出，但乳房内并无明显肿亦无痛，可考虑为
A. 乳房纤维腺瘤　B. 乳房囊性增生病
C. 乳管内乳头状瘤　D. 乳腺炎症
E. 乳腺癌

8. 以下哪项是乳腺癌早期的主要临床表现

A. 橘皮样改变　B. 无痛性肿块
C. 乳头溢血　D. 乳头内陷
E. 同侧腋窝淋巴结肿大粘连

9. 乳腺癌最常发生的部位是
A. 乳头及乳晕　B. 乳房外上象限
C. 乳房外下象限　D. 乳房内上象限
E. 乳房内下象限

10. 乳腺癌病变发展过程中最易累及的是
A. 肺　B. 肝　C. 腋窝淋巴结
D. 锁骨下淋巴结　E. 胸骨旁淋巴结

11. 指导妇女自查乳房，以下哪项方法是不正确的
A. 注意双侧乳房是否对称
B. 乳头有无凹陷
C. 表面有无橘皮样变化
D. 腋窝淋巴结有无肿大
E. 以手指抓捏乳房找出肿块

12. 乳腺癌术后护理措施不正确的是
A. 观察生命体征　B. 伤口护理
C. 术后48h开始肩部运动
D. 术后1周开始肩部运动
E. 应用抗生素

13. 确诊乳腺肿块性质最可靠的方法是
A. 乳腺X线检查　B. 近红外线扫描
C. 乳腺B超　D. 乳腺触诊
E. 病理切片检查

14. 患者女性，27岁。产后3周体温升高，右侧乳房疼痛，局部红肿，有波动感。最主要的处理措施是
A. 吸乳器排出　B. 33%硫酸镁湿敷
C. 局部物理疗法　D. 及时切开引流
E. 全身应用抗生素

15. 患者女性，35岁。左侧乳腺癌根治术术后上肢活动受限。护士指导其患肢康复锻炼，应达到的目的是
A. 肘能屈伸　B. 肩能平举
C. 手能摸到对侧肩部
D. 手能摸到对侧耳
E. 手能摸到近侧耳

（16～18题共用病例）
患者女性，34岁，未婚。左侧乳房出现无痛性肿块，边界不清，质地坚硬，直径为4.5cm，同侧腋窝2个淋巴结肿大，无粘连，诊断为乳腺癌，需手术治疗。

16. 该患者的乳腺癌分期为
A. 第一期　B. 第二期　C. 第三期
D. 第四期　E. 晚期

17. 上述患者行乳腺癌根治术术后，为预防皮下积液及皮瓣坏死，主要措施是
A. 半卧位　B. 加压包扎伤口
C. 抬高同侧上肢　D. 局部沙袋压迫
E. 引流管持续负压吸引

18. 乳腺癌术后患者的出院健康指导，下列哪项对预防复发最重要
A. 5年内避免妊娠　B. 参加体育活动
C. 继续功能锻炼　D. 加强营养
E. 经常自查

【参考答案】
1. C　2. C　3. D　4. A　5. B
6. D　7. C　8. B　9. B　10. C
11. E　12. C　13. E　14. D　15. D
16. B　17. E　18. A

第六章　胸部疾病患者的护理

第一节　肋骨骨折患者的护理

（一）病因、病理
(1) 多根、多处骨折时可产生反常呼吸运动，表现为吸气时软化区胸壁内陷、呼气时外凸；软化区范围大，呼吸时双侧胸腔内压力不

均衡，则可致纵隔左右扑动，影响换气和静脉血回流。

(2) 肋骨骨折多见于第4～7肋，因其长而薄，最易折断；第8～10肋前端肋软骨形成肋弓与胸骨相连、弹性大，不易骨折；第1～3肋则因较粗短且有锁骨、肩胛骨及胸肌保护而较少发生骨折；第11～12肋前端不固定而且游离，弹性也较大，也较少发生骨折。

(二) 临床表现

1. 症状：骨折部位疼痛，深呼吸、咳嗽或改变体位时疼痛加剧；多根多处肋骨骨折者可出现呼吸困难等。

2. 体征：受伤处胸壁肿胀、局部压痛、挤压胸部时疼痛加重。有时可触及骨折断端和骨摩擦感；多根多处肋骨骨折者伤处可有反常呼吸运动。

(三) 治疗要点

1. 闭合性肋骨骨折：用多带条弹性胸带或宽胶布条叠瓦式固定胸廓；口服镇痛镇静药或肋间神经阻滞止痛；处理反常呼吸，主要是牵引固定；对有闭合性多根多处肋骨骨折、咳嗽无力、不能有效排痰或呼吸衰竭者应实施气管插管或切开、呼吸机辅助呼吸；应用抗菌药预防感染。

2. 开放性肋骨骨折：彻底清洁伤口，分层缝合后包扎固定。多根多处肋骨骨折者清创后可用不锈钢丝对肋骨断端行内固定术。胸膜穿破者行胸腔闭式引流术。

第二节　损伤性气胸患者的护理

(一) 病理生理

1. 闭合性气胸：多并发于肋骨骨折。空气通过胸壁或肺的伤口进入胸膜腔后伤口立即闭合，气体不再进入。

2. 开放性气胸：多并发于锐器、火器等导致的胸部穿透伤。患侧胸腔与大气直接相通后，胸腔内压几乎等于大气压，伤侧肺被压缩而萎陷；若双侧胸腔内压力不平衡则出现纵隔扑动，吸气时健侧负压增大与患侧的压力差增加，纵隔进一步向健侧移位，呼气时两侧胸腔内压力差减少纵隔又移回患侧，导致其位置随呼吸而左右摆动。

3. 张力性气胸：主要原因是较大的肺疱破裂、肺裂伤或支气管破裂。胸壁裂口与胸腔相通且形成活瓣，每次吸气时气体从裂口进入胸腔，而呼气时活瓣关闭，气体只能入不能出，致使胸腔内积气不断增多、压力不断升高，导致胸腔压力高于大气压。

(二) 临床表现

1. 闭合性气胸：主要症状为胸闷、胸痛、气促和呼吸困难，可见气管向健侧移位，患侧胸部叩诊呈鼓音、呼吸音减弱甚至消失。

2. 开放性气胸：表现为明显呼吸困难、鼻翼扇动、口唇发绀。呼吸时可闻及空气进出胸腔伤口的吸吮样音；胸部和颈部皮下可有捻发音，叩诊呈鼓音，听诊呼吸音减弱甚至消失；心脏向健侧移位。

3. 张力性气胸：表现为严重或极度呼吸困难、发绀、烦躁、大汗淋漓、休克，甚至窒息。气管明显向健侧偏移，颈静脉怒张，皮下气肿明显；叩诊呈鼓音；听诊呼吸音消失。

(三) 治疗要点

1. 闭合性气胸：小量积气一般可在1～2周内自行吸收，无需处理；中量或大量气胸者行胸腔穿刺，抽尽积气，或行闭式胸腔引流术。

2. 开放性气胸：紧急封闭伤口，使开放性气胸立即转变为闭合性气胸；行胸膜腔穿刺抽气减压，暂时解除呼吸困难；清创、缝合胸壁伤口并做胸膜腔闭式引流。如有胸内器官损伤或进行性出血，需开胸探查。

3. 张力性气胸：是可迅速致死的危急重症，需紧急抢救处理。危急者可在患侧锁骨中线与第2肋间连线处用粗针头穿刺胸膜腔排气减压，并外接单向活瓣装置。送达医院后行胸膜腔闭式引流或开胸探查。

第三节　损伤性血胸患者的护理

（一）病因、病理

多数因胸部损伤所致。由于心包、肺和膈肌的运动具有去纤维蛋白作用故积血不易凝固。

（二）临床表现

1. 少量血胸（成人 0.5L 以下）：可无明显症状。

2. 中量血胸（0.5～1L）和大量血胸（1L 以上）：尤其急性失血时，可出现低血容量性休克症状，伴有胸腔积液表现，如呼吸急促、肋间隙饱满、气管移向健侧、患侧胸部叩诊呈浊音、心界向健侧移位、呼吸音减低或消失等。

（三）治疗要点

1. 非进行性血胸：小量积血可自行吸收，不需要处理；大量积血者早期行胸腔穿刺抽除积血，必要时行胸腔闭式引流。

2. 进行性血胸：及时补充血容量，防治低血容量性休克；立即开胸探查、止血。

（四）护理

1. 胸部损伤患者的护理

（1）现场急救

① 对于出现反常呼吸的患者可用厚棉垫加压包扎，以减轻或消除胸壁的反常呼吸运动，促进患侧肺复张。

② 开放性气胸者立即用敷料（最好是凡士林纱布）封闭胸壁伤口，使之成为闭合性气胸，阻止气体继续进入胸腔。

③ 闭合性或张力性气胸积气量多者应立即行胸腔穿刺抽气或闭式引流。

（2）清理呼吸道分泌物，及时给予气促、呼吸困难和发绀患者吸氧。

（3）加强观察：密切观察生命体征；观察患者有无气促、呼吸困难、发绀和缺氧等症状；观察呼吸的频率、节律和幅度等；观察气管移位或皮下气肿有无改善。

（4）体位：病情稳定者取半坐卧位，以使膈肌下降，有利呼吸。

2. 胸膜腔闭式引流的护理

（1）保持管道密闭

① 随时检查引流装置是否密闭、引流管有无脱落。

② 保持水封瓶长玻璃管没入水中 3～4cm，并直立。

③ 用凡士林纱布严密包盖胸腔引流管周围。

④ 搬动患者或更换引流瓶时，应双重夹闭引流管。

⑤ 若引流管连接处脱落或引流瓶损坏，应立即用双钳夹闭胸壁引流导管并更换引流装置。

⑥ 若引流管从胸腔滑脱，应立即用手捏闭插管处，插管处皮肤消毒处理后，用凡士林纱布封闭伤口。

（2）严格无菌技术操作，防止逆行感染。

① 保持引流装置无菌。

② 保持胸壁引流口处敷料清洁、干燥，一旦渗湿应及时更换。

③ 引流瓶应低于胸壁引流口平面 60～100cm，防止瓶内液体逆流入胸腔。

④ 按常规定时更换引流瓶，更换时严格遵守无菌技术操作规程。

（3）保持引流通畅

① 体位：患者取半坐卧位和经常改变体位。

② 定时挤压胸腔引流管，防止其阻塞、扭曲和受压。

③ 鼓励患者咳嗽和深呼吸，以便胸腔内气体和液体排出，促进肺扩张。

（4）观察：观察引流液的颜色、性质和量；观察长玻璃管中水柱随呼吸上下波动的情况。长玻璃管中水柱有无波动是提示引流管是否通畅的重要标志。

（5）拔管

① 拔管指征：置管引流 48～72 小时后，临床观察引流瓶中无气体溢出，且颜色变浅、24 小时引流液量少于 50ml、脓液少于 10ml、胸部 X 线摄片显示肺膨胀良好无漏气、患者无呼吸困难或气促时，即可终止引流，考虑拔管。

② 拔管：嘱患者先深吸一口气，在其吸

气末迅速拔管，并立即用凡士林纱布和厚敷料封闭胸壁伤口，并包扎固定。

③ 拔管后观察：拔管后24小时内应密切观察患者是否有胸闷、呼吸困难、发绀、切口漏气、渗液、出血和皮下气肿等异常。

第四节　肺癌患者的护理

（一）术前护理

(1) 纠正营养和水分的不足。

(2) 戒烟。

(3) 保持呼吸道通畅：若有大量支气管分泌物，应先行体位引流。痰液黏稠不易咳出者，可行超声雾化。

(4) 预防及治疗并发症：注意口腔卫生，若有龋齿或上呼吸道感染应先治疗，遵医嘱给予抗菌药物。

(5) 手术前指导

① 指导患者练习腹式深呼吸、有效咳嗽和翻身。

② 指导患者练习使用深呼吸训练器，以有效配合术后康复，预防肺部并发症的发生。

③ 指导患者在床上进行腿部运动以避免腓肠肌血栓的形成。

④ 手术侧手臂及肩膀震动练习，可维持关节全范围运动及正常姿势。

（二）术后护理

1. 加强手术后呼吸道护理

(1) 氧气吸入。

(2) 观察呼吸频率、幅度及节律，双肺呼吸音；有无气促、发绀等缺氧征象以及动脉血氧饱和度等情况，若有异常及时通知医师予以处理。

(3) 对术后带气管插管返回病房者，应严密观察导管的位置，防止滑出或移向一侧支气管，造成通气量不足。

(4) 鼓励并协助患者深呼吸及咳嗽：每1～2小时1次。定时给患者叩背，叩背时由下向上，由外向内轻叩。患者咳嗽时，固定胸部伤口，减轻疼痛。

(5) 稀释痰液：若患者呼吸道分泌物黏稠，可行药物超声雾化。

2. 维持液体平衡和补充营养

(1) 严格掌握输液的量和速度：全肺切除术后应控制钠盐摄入量，24小时补液量宜控制在2000ml内，速度以20～30滴/分钟为宜。

(2) 记录出入水量，维持体液平衡。

(3) 当患者意识恢复且无恶心现象，拔除气管插管后即可开始饮水。

(4) 肠蠕动恢复后，即可开始进食清淡流质、半流质饮食；若患者进食后无任何不适可改为普食，饮食宜为高蛋白、高热量、丰富维生素、易消化。

3. 观察病情：手术后2～3小时内，每15分钟测生命体征1次；脉搏和血压稳定后改为30分钟至1小时测量1次。注意有无呼吸窘迫的现象。

4. 体位

(1) 麻醉未清醒时取平卧位，头偏向一侧，以免呕吐物、分泌物吸入而致窒息或并发吸入性肺炎。

(2) 血压稳定后，采用半坐卧位。

(3) 肺叶切除者，可采用平卧或左右侧卧位。

(4) 肺段切除术或楔形切除术者，应避免手术侧卧位，尽量选择健侧卧位，以促进患侧肺组织扩张。

(5) 全肺切除术者，应避免过度侧卧，可采取1/4侧卧位，以预防纵隔移位和压迫健侧肺而导致呼吸循环功能障碍。

(6) 有血痰或支气管瘘管者；应取患侧卧位。

(7) 避免采用头低足高仰卧位，以防因横膈上升而妨碍通气。

5. 活动与休息

(1) 鼓励患者早期下床活动：术后第1日，生命体征平稳，鼓励及协助患者下床或在床旁站立移步；术后第2日起，可扶持患者围绕病床在室内行走3～5分钟。

(2) 促进手臂和肩关节的运动：预防术侧胸壁肌肉粘连、肩关节强直及失用性萎缩。病人麻醉清醒后，可协助患者进行臂部、躯干和四肢的轻度活动，每4小时1次；术后第1日开始做肩、臂的主动运动。全肺切除术后的患者，鼓励取直立的功能位，以恢复正常姿势。

6. 维持胸腔引流通畅：密切观察引流液量、色和性状，当引流出多量血液时，应考虑有活动性出血。全肺切除术后所置的胸腔引流管一般呈钳闭状态。

第五节　食管癌患者的护理

（一）食管的解剖生理

食管有三处生理性狭窄：第一处在环状软骨下缘平面，即食管入口处；第二处在主动脉弓水平位，有主动脉和左支气管横跨食管；第三处在食管下端，即食管穿过膈肌裂孔处。该三处狭窄常为肿瘤、憩室、瘢痕性狭窄等病变所在的区域。

（二）病因

引起食管癌的病因至今尚未明确，有多方面因素。亚硝胺类化合物有较强的致癌作用；正常人饮食中缺乏动物蛋白质、微量元素（钼、铁、锌、氟、硒）、维生素A或维生素B，与食管癌变有关；长期饮烈性酒、吸烟、饮食粗硬、过热或进食过快，可造成食管慢性刺激和损伤，增加了对致癌物的易感性。另外，龋齿、口腔不洁、食管慢性炎症等慢性刺激，与食管癌的发生也有关系。

（三）病理

食管癌以胸中段食管癌较多见，大多为鳞癌。病理形态，食管癌可分为髓质型、蕈伞型、溃疡型和缩窄型。其中髓质型最多见，恶性程度高；缩窄型较早出现梗阻症状。

食管癌主要通过淋巴转移，血行转移发生较晚。

（四）临床表现

（1）以胸中段食管癌较多见，大多为鳞癌。

（2）食管癌早期无明显临床症状，进食时可有食物通过缓慢、食管内异物感、哽噎感，常通过饮水而缓解消失。

（3）进行性吞咽困难为中晚期典型症状。患者逐渐消瘦、贫血、无力及营养不良，最后出现恶病质。持续胸痛或背痛为晚期症状。

（五）辅助检查

1. 食管吞钡X线检查：早期食管癌表现为食管黏膜皱襞紊乱、粗糙或有中断、充盈缺损、龛影或局限性管壁僵硬、蠕动中断，食管有明显的不规则狭窄，狭窄以上食管有不同程度的扩张。

2. 脱落细胞学检查：是一种简便易行的普查、筛选方法。

3. 纤维食管镜检查：可直视肿块部位、大小及取活组织做病理组织学检查。

（六）治疗要点

以手术为主，辅以放射、化学药物等综合治疗。手术治疗是治疗食管癌的首选方法。手术切除癌肿和上下5cm范围内的食管及所属区域的淋巴结。

（七）护理措施

1. 术前护理

（1）营养支持：术前应保证患者的营养素的摄入，以改善全身状况。

（2）口腔护理：每天漱口，治疗口腔疾病。

（3）呼吸道准备：戒烟；治疗呼吸道慢性疾病；用支气管扩张药，改善肺功能；术前患者要学会有效咳痰，并进行腹式深呼吸训练。

（4）胃肠道准备

① 食管癌出现梗阻和炎症者术前1周分次口服抗菌药。

② 术前3天改流质饮食，术前1天禁食。

③ 对进食后有滞留或反流者术前1天晚予以生理盐水100ml加抗菌药物经鼻胃管冲洗食管及胃。

④ 拟行结肠代食管手术患者术前3～5天口服肠道抗生素；术前2天进食无渣流质食物，术前晚行清洁灌肠或全肠道灌洗后禁饮、禁食。

⑤ 手术日晨常规置胃管，胃管通过梗阻部位时不能强行进入，以免穿破食管，可置于梗阻部位上端，待手术中直视下再置于胃中。

2. 术后护理

(1) 术后饮食护理

① 术后需禁饮、禁食3～4天。禁食期间持续胃肠减压，经静脉补充营养。

② 术后3～4天待肛门排气、胃肠减压引流量减少后拔除胃管。

③ 停止胃肠减压24小时后，若无吻合口瘘的症状，可开始进食。先试饮少量水，术后5～6天可给全清流质食物；术后3周后患者若无特殊不适可进普食。

④ 避免进食生、冷、硬食物，以免导致后期吻合口瘘。

⑤ 因吻合口水肿导致进食时呕吐者应禁食，给予静脉营养，待水肿消退后再进食。

⑥ 术后可发生胃液反流至食管，患者可有反酸、呕吐等症状，平卧时加重，嘱患者饭后2小时内勿平卧，睡眠时将床头抬高。

⑦ 食管-胃吻合术后患者出现胸闷、进食后呼吸困难者，建议患者少食多餐。

(2) 术后呼吸道护理

① 密切观察呼吸形态、频率和节律，听诊双肺呼吸音是否清晰，有无缺氧征兆。

② 气管插管者及时吸痰，保持气道通畅。

③ 术后第1天每1～2小时鼓励患者深呼吸、吹气球、使用深呼吸训练器促使肺膨胀。

④ 痰多、咳痰无力的患者若出现呼吸浅快、发绀、呼吸音减弱等痰阻塞现象时，应立即行鼻导管深部吸痰，必要时行纤维支气管镜吸痰或气管切开吸痰。

(3) 术后胃肠减压的护理

① 术后3～4天内持续胃肠减压，妥善固定胃管，防止脱出。

② 严密观察引流量、性状、气味，并准确记录。

③ 经常挤压胃管，勿使管腔堵塞。

④ 胃管脱出后应严密观察病情，不应盲目再插入，以免戳穿吻合口造成吻合口瘘。

(4) 闭式胸腔引流的护理：术后监测引流量，有无活动性出血、乳糜胸和吻合口瘘的发生，并认真记录。

(5) 并发症的预防与护理

① 吻合口瘘：多发生在术后5～10天，是食管癌术后最严重的并发症。表现为呼吸困难、胸腔积液和全身中毒症状。处理包括：立即禁食；行胸腔闭式引流，予以抗感染治疗，营养支持纠正低蛋白血症；严密观察生命体征。

② 乳糜胸：多发生在术后2～10天。表现为胸闷、气急、心悸，甚至血压下降。若诊断成立，及时引流胸腔内乳糜液并使肺膨胀，给予肠外营养支持治疗。

(6) 胃造口管灌食的护理：手术72小时后可由导管灌食。

① 灌食量：一般一天需要2000～2500ml流质饮食，每3～4小时灌一次，每次300～500ml；灌食前评估患者肠蠕动状况，以便决定灌入量。

② 体位：患者取半卧位。

③ 灌食操作：进食过程中需防止气体进入胃内；进食速度勿过快，每次勿灌食过多；灌完后用20～30ml温水冲洗导管；灌食初期胃造口管可数天更换一次，管子只要求清洁，不需无菌。

【考点强化】

1. 交通事故现场有下列伤员，应先抢救的是

A. 脑挫伤

B. 前臂挫裂伤

C. 张力性气胸

D. 肠穿孔

E. 下肢开放性骨折

2. 多根多处肋骨骨折最主要的影响是

A. 胸部疼痛

B. 妨碍正常呼吸

C. 痰不易咳出

D. 反常呼吸

E. 骨折端摩擦

3. 下列哪项是开放性气胸的主要病理生理变化

A. 反常呼吸运动

B. 纵隔摆动

C. 进行性伤侧肺压缩

D. 呼吸无效腔增加

E. 血氧分压下降

4. 开放性气胸的典型症状是

A. 患侧胸部凹陷
B. 呼吸困难
C. 胸壁有伤口
D. 纵隔移位
E. 发绀

5. 开放性气胸急救的首要措施是
A. 立即清创　B. 应用抗生素
C. 吸氧　D. 封闭胸壁伤口
E. 镇静、止痛

6. 气胸患者闭式胸膜腔引流的装置哪项错误
A. 锁骨中线第2肋间插管
B. 长玻璃管口在水面下3cm
C. 短玻璃管与大气相通
D. 整个装置均需密闭
E. 水封瓶距离引流口30cm

7. 闭式胸膜腔引流的护理，不正确的是
A. 注意无菌操作
B. 确保管道密封
C. 妥善固定
D. 注意水柱波动
E. 搬运患者时水封瓶应高于胸腔引流口

8. 全肺切除术后放置胸腔闭式引流的目的是
A. 重建胸腔负压
B. 排出积气
C. 排出积液
D. 调节两侧胸腔压力
E. 便于观察病情

9. 全肺切除患者术后输液滴速一般每分钟不超过
A. 20滴
B. 30滴
C. 40滴
D. 60滴
E. 80滴

10. 食管癌患者典型的临床表现是
A. 进食哽咽感
B. 胸痛，声音嘶哑
C. 进行性营养不良
D. 胸骨后针刺样痛
E. 进行性吞咽困难

11. 食管癌的早期症状是
A. 声音嘶哑
B. 持续性胸背痛
C. 食管内异物感或胸骨后刺痛
D. 进行性吞咽困难
E. 呕吐泡沫样黏痰

12. 在普查中发现可疑的患者，首选的检查方法是
A. 钡餐X线造影
B. B型超声波
C. 食管脱落细胞检查
D. 胸部平片
E. 纤维食管镜

13. 普查食管癌的方法是
A. 钡餐X线检查
B. CT
C. MRI
D. 食管镜
E. 食管拉网脱落细胞检查

14. 食管癌切除应包括肿瘤上下端的长度是
A. 3cm
B. 5cm
C. 7cm
D. 8cm
E. 9cm

15. 食管癌术后最严重的并发症是
A. 肺不张、肺内感染
B. 出血
C. 乳糜胸
D. 吻合口瘘
E. 低钾血症

16. 护理食管癌根治术后患者，应特别注意
A. 做好心理护理
B. 维持体液平衡
C. 鼓励早期活动
D. 保持大小便通畅
E. 严格控制进食时间

17. 食管癌术后护理措施不包括
A. 进食后观察是否出现吻合口瘘
B. 保持口腔清洁
C. 保持胃肠减压通畅
D. 保持胸腔闭式引流通畅
E. 术后2～3天肠功能恢复后可经口进食

18. 食管癌术后乳糜胸出现的时间是
A. 24h内
B. 1～2天
C. 2～10天
D. 2周以后
E. 4周以后

19. 患者男性，50岁。肺段切除术后行胸腔闭式引流，2h后患者自觉胸闷、呼吸急促，测血压、脉搏均正常。检查发现水封瓶内

有少量淡红色液体，水封瓶长玻璃管内水柱无波动，让患者做深呼吸后仍无波动。可能出现了

A. 肺水肿
B. 引流管阻塞
C. 呼吸中枢抑制
D. 胸膜腔负压恢复
E. 胸腔内出血

20. 患者女性，30 岁。胸部外伤后呼吸困难、发绀、脉快，体检时胸壁有一约 2.5cm 长的开放性伤口，呼吸时伤口处发出嘶嘶的声音，伤侧呼吸音消失，叩诊呈鼓音。首先应采取的措施是

A. 立即清创
B. 吸氧、输血
C. 迅速封闭胸壁伤口
D. 镇静止痛
E. 胸腔闭式引流

21. 女，49 岁，胸部外伤致开放性气胸，出现呼吸困难和发绀。给予立即封闭胸壁伤口，行闭式胸膜腔引流术。该患者闭式胸膜腔引流护理中，促使胸内气体排出的措施是

A. 取半卧位
B. 水封瓶低于引流口 60cm
C. 保持长玻璃管在水面下 3cm
D. 鼓励患者咳嗽和深呼吸
E. 定时挤捏引流管

22. 患者男，42 岁。因车祸致左侧第 5～7 肋骨折，呼吸极度困难，发绀，出冷汗。查体：右胸饱满，气管向左侧移位，叩诊呈鼓音，颈胸部有广泛皮下气肿。首先应采取的措施是

A. 吸氧
B. 胸腔穿刺排气减压
C. 尽早剖胸探查，修补裂口
D. 使用足量抗生素预防感染
E. 气管插管辅助呼吸

23. 胸腔闭式引流治疗患者在翻身时，不慎引流管自胸壁伤口脱出。首要的措施是

A. 用凡士林纱布封闭引流口
B. 吸氧
C. 立即报告医生
D. 送手术室处理
E. 将脱落的引流管重新插入

(24～25 题共用病例)

男性，58 岁，胸痛、痰中带血丝 3 个月余，诊为肺癌。

24. 在全麻下行右上肺叶切除术，术后第一天患者最适宜的体位是

A. 平卧位
B. 左侧卧位
C. 右侧卧位
D. 头地脚高卧位
E. 半卧位

25. 术后 24 小时内最常见的并发症是

A. 肺炎
B. 肺不张
C. 出血
D. 心脏并发症
E. 支气管胸膜瘘

(26～28 题共用病例)

患者女性，62 岁，因进行性吞咽困难 3 月余，出现消瘦、贫血、无力入院。入院后行食管钡餐检查示局限性管壁僵硬，龛影。

26. 该患者最可能的诊断是

A. 胃炎
B. 食管癌
C. 慢性咽炎
D. 反流性食管炎
E. 胃癌

27. 确诊首选的检查方法是

A. 钡餐 X 线造影
B. B 型超声波
C. 食管脱落细胞检查
D. 胸部平片
E. 纤维食管镜

28. 该患者术后禁食时间

A. 1～2 天
B. 3～4 天
C. 4～5 天
D. 5～6 天
E. 一周以后

【参考答案】

1. C　2. D　3. B　4. C　5. D
6. E　7. E　8. D　9. C　10. E
11. C　12. E　13. E　14. B　15. D
16. E　17. E　18. C　19. B　20. C
21. D　22. B　23. A　24. E　25. C
26. B　27. E　28. D

第七章 腹外疝患者的护理

一、概述

（一）病因

腹壁强度降低和腹内压力增高是腹外疝发病的两个主要原因。

（二）病理解剖

典型的腹外疝由疝环、疝囊、疝内容物和疝外被盖组成。疝环是腹壁薄弱区或缺损所在。疝囊是壁腹膜经疝环向外突出的囊状结构，典型腹外疝的疝囊呈梨形、卵圆形或半球形。疝囊颈是疝囊比较狭窄的部分。疝内容物是进入疝囊的腹内器官或组织，以小肠最为多见，大网膜次之。

（三）临床分类

1. 可复性疝：亦称单纯性疝，最为常见。腹外疝在患者站立、行走、腹内压增高时突出，在平卧、休息或用手将其向腹腔推送时疝内容很容易回纳入腹腔。

2. 难复性疝：疝内容不能或不能完全回纳入腹腔内，但并不引起严重症状，此类疝的内容物多数为大网膜。此外腹腔后位的内脏器官，如盲肠、乙状结肠、膀胱，在疝的形成过程中，随后腹膜而被下牵，滑经疝门构成疝囊的一部分，此种疝称滑动性疝，也属难复性疝。

3. 嵌顿性疝：疝内容物进入疝囊不能回纳。

4. 绞窄性疝：疝内容物不能回纳且合并严重血运障碍。

二、腹股沟疝

（一）临床表现

续表

鉴别要点	斜　疝	直　疝
发病年龄	多见于儿童及青壮年	多见于老年
突出途径	经腹股沟管突出可进阴囊	由直疝三角突出不进阴囊
疝块外形	椭圆或梨形	上部呈蒂柄状半球形基底较宽
回纳疝块后压住深环	疝块不再突出	疝块仍可突出
精索与疝囊的关系	精索在疝囊后方	精索在疝囊前外方
疝囊颈与腹壁下动脉的关系	疝囊颈在腹壁下动脉外侧	疝囊颈在腹壁下动脉内侧
嵌顿机会	较多	极少

（二）治疗要点

1. 非手术治疗：局部用医用疝带压迫或托起。长期使用疝带可使疝囊颈受到反复摩擦而增厚易，与疝内容物粘连成为难复性疝。长期压迫还可使局部组织萎缩。适用于半岁以下婴幼儿和年老体弱不能耐受手术者。

2. 手术治疗：手术修补是治疗腹股沟疝的最有效方法。基本原则是高位结扎疝囊、加强或修补腹股沟管管壁。手术方法可归纳为单纯疝囊高位结扎术和疝修补术。

（1）单纯疝囊高位结扎术：仅适用于婴幼儿及绞窄性斜疝因肠坏死而局部有严重感染、暂不宜行疝修补术者。

（2）疝修补术

① 加强腹股沟前壁：常用 Ferguson 法。

② 修补或加强腹股沟后壁：常用 Bassini 法、Halsted 法、McVay 法和 Shouldice 法。

③ 无张力疝修补术，经腹腔镜疝修补术。

3. 嵌顿性和绞窄性疝的处理：绞窄性疝需手术治疗。嵌顿性疝原则上需要紧急手术治疗。嵌顿性疝具备下列情况者可先试行手法复位。

（1）嵌顿时间在 3～4 小时内，局部压痛不明显，也无腹部压痛或腹肌紧张等腹膜刺激征者；

（2）年老体弱或伴有其他较严重疾病而估计肠袢尚未绞窄坏死者。

三、股疝

1. 临床表现

（1）妊娠是腹内压增高引起股疝的主要原因。

（2）多在腹股沟韧带下方卵圆窝处有一半球形的突起，疝块往往不大。

（3）在腹外疝中，股疝最易嵌顿。若发生嵌顿，除引起局部明显疼痛外，常伴有较明显的急性机械性肠梗阻症状。

2. 治疗要点：及时手术治疗，最常用的手术是 McVay 修补法。

四、护理措施

1. 预防腹压增高

（1）术前

① 术前须注意患者有无存在腹压增高的因素，如咳嗽、便秘、排尿困难或腹水，如有应先期处理。

② 积极治疗支气管炎、慢性前列腺炎和便秘等。吸烟者应在术前 2 周戒烟，注意保暖，预防受凉感冒；鼓励患者多饮水、多吃蔬菜等粗纤维食物，以保持大便通畅。

③ 术前晚灌肠，清除肠内积粪，防止术后腹胀及排便困难。

（2）术后

① 体位：平卧 3 天，膝下垫一软枕，使髋关节微屈，减少腹壁张力。

② 活动：术后 3～5 天可离床活动。采用无张力疝修补术的患者可以早期下床活动。年老体弱、腹发性疝、绞窄性疝、巨大疝患者可适当延迟下床活动时间。

③ 防止剧烈咳嗽：注意保暖，防止受凉而引起咳嗽；指导患者在咳嗽时用手掌按压、保护切口，以免缝线撕脱造成手术失败。

④ 保持排便通畅：便秘者给予通便药物，嘱患者避免用力排便。

⑤ 积极处理尿潴留：可肌内注射卡巴胆碱或针灸，必要时导尿。

2. 并发症的预防和护理

（1）预防阴囊水肿：为避免阴囊内积血、积液和促进淋巴回流，术后可用丁字带将阴囊托起，并密切观察阴囊肿胀情况。

（2）预防切口感染：切口感染是疝复发的主要原因之一。手术前应做好阴囊及会阴部的皮肤准备；绞窄性疝行肠切除、肠吻合术后易发生切口感染，术后须及时、合理应用抗菌药；保持切口敷料清洁和干燥，避免大小便污染，若发现敷料污染或脱落应及时更换；注意观察体温和脉搏的变化及切口有无红、肿、疼痛，一旦发现切口感染应尽早处理。

3. 健康教育

（1）出院后逐渐增加活动量，3 个月内应避免重体力劳动或提举重物。

（2）避免咳嗽、便秘等使腹内压升高的因素。

（3）若疝复发，应及早诊治。

【考点强化】

1. 腹外疝的两个基本发病原因是
A. 婴幼儿腹肌发育不全和老年人腹肌萎缩
B. 腹股沟管和股管宽大
C. 妊娠和重体力劳动
D. 腹壁外伤和感染
E. 腹壁强度降低和腹内压增高

2. 腹外疝最常见的内容物是
A. 大网膜　B. 小肠　C. 盲肠
D. 乙状结肠　E. 膀胱

3. 嵌顿性疝与绞窄性疝最主要的不同点是
A. 疝内容物能否回纳
B. 疝块大小　C. 有无腹痛
D. 腹痛程度
E. 有无疝内容物血循环障碍

4. 最常见的腹外疝是
A. 腹股沟直疝　B. 腹股沟斜疝
C. 股疝　D. 脐疝　E. 切口疝

5. 最易发生嵌顿的腹外疝是
A. 腹股沟直疝　B. 腹股沟斜疝
C. 股疝　D. 脐疝　E. 切口疝

6. 绞窄性疝的处理原则是
A. 立即手法复位　B. 对症处理
C. 支持疗法　D. 应用大量抗生素
E. 紧急手术

7. 腹外疝术后，错误的健康指导是
A. 保持排便通畅　B. 积极治疗慢性咳嗽
C. 术后注意休息
D. 术后 2 个月可恢复正常工作
E. 积极治疗排尿困难

8. 不能用来区别斜疝和直疝的情况是
A. 疝块的形状　B. 突出路径
C. 疝内容物是否进入阴囊

D. 是否产生腹膜刺激征

E. 压迫内环后疝块是否突出

9. 慢性便秘患者诊断为腹股沟斜疝，术前护理不包括

A. 多卧床休息 B. 治疗便秘

C. 戒烟 D. 术前排空膀胱

E. 备皮若剃破皮肤，涂碘伏可以手术

10. 腹外疝术后护理及健康指导不妥的是

A. 取平卧位、膝下垫软枕

B. 术后3月内避免重体力劳动或提举重物

C. 切口部位压沙袋后，阴囊不必抬高

D. 密切观察病情

E. 注意避免剧烈咳嗽、用力排便等腹内压升高因素

11. 患者男性，65岁。站立时右腹股沟出现一肿块，用手轻推则消失，听到“咕噜”声，来院就诊。初步诊断为“腹股沟疝”，为区别斜疝和直疝，最主要的鉴别是

A. 疝块的外形 B. 发病年龄

C. 疝块是否进入阴囊

D. 压迫腹股沟管内环后疝块是否突出

E. 嵌顿的机会

12. 患者男性，62岁。右侧腹股沟斜疝嵌顿2h，经手法复位成功。留院观察重点是

A. 疝块有无再次嵌顿

B. 生命体征

C. 呕吐、腹胀、发热情况

D. 腹痛、腹膜刺激征

E. 疝块是否突出

(13～15题共用病例)

患者钱某，69岁，患有慢性支气管炎多年。近半年来发现，站立时阴囊出现肿块，呈梨形，平卧时可还纳。局部检查，触诊发现外环扩大，嘱患者咳嗽指尖有冲击感，手指压迫内环处，站立咳嗽肿块不再出现，诊断为腹外疝。准备手术治疗。

13. 该患者属于

A. 腹股沟直疝 B. 腹股沟斜疝

C. 股疝 D. 嵌顿性疝

E. 绞窄性疝

14. 可避免术后疝复发的术前处理是

A. 治疗慢支 B. 备皮

C. 排尿 D. 灌肠

E. 麻醉前用药

15. 术后预防血肿的措施是

A. 仰卧位 B. 保持敷料清洁干燥

C. 沙袋压迫伤口并托起阴囊

D. 应用抗生素 E. 不可过早下床活动

(16～17题共用备选答案)

A. 腹股沟斜疝 B. 腹股沟直疝

C. 股疝 D. 脐疝

E. 切口疝

16. 多见于婴儿和年轻人的是

17. 多见于老年人的是

【参考答案】

1. E 2. B 3. E 4. B 5. C
6. E 7. D 8. D 9. E 10. C
11. D 12. D 13. B 14. A 15. C
16. A 17. B

第八章 腹部损伤患者的护理

一、概述

(一) 分类

1. 根据体表有无伤口分类

(1) 开放性损伤：开放性损伤分为穿透伤和非穿透伤，穿透伤有入口、出口者为贯通伤，有入口无出口者为非贯通伤。开放性损伤中常见的受损内脏依次为肝、小肠、胃、结肠、大血管等。

(2) 闭合性损伤：在闭合性损伤中常见的受损内脏依次为脾、肾、小肠、肝、肠系膜。

2. 根据损伤的腹内器官性质分类

(1) 实质性脏器损伤：实质性腹内器官损

伤的顺序依次为脾、肾、肝和胰。肝、脾、肾、胰等位置比较固定、组织结构脆弱、血供丰富，受到暴力打击后比其他内脏器官更容易破裂。

(2) 空腔脏器损伤：空腔脏器损伤的顺序依次为小肠、胃、结肠、膀胱。直肠因位置较深而损伤的发生率较低。上腹受到碰撞、挤压时，胃窦、十二指肠水平部等可被压在脊柱上而断裂；上段空肠、末段回肠因比较固定而易受伤；充盈的空腔脏器比排空时更易破裂。

（二）临床表现

1. 实质性脏器损伤：以失血性休克为主要表现。

(1) 症状：多呈持续性腹痛，一般不剧烈；肝、胰破裂时可出现明显的腹痛和腹膜刺激征；肝破裂者可出现黑便或呕血。肝、脾、肾、胰等损伤时以腹腔内（或腹膜后）出血症状为主，出现失血性休克的表现。

(2) 体征：腹膜刺激征、明显腹胀、移动性浊音。肝、脾被膜下破裂伴血肿时可触及腹部包块。

2. 空腔脏器损伤：以弥漫性腹膜炎、感染性休克为主要表现。

(1) 症状：肠、胃、胆囊、膀胱等破裂时主要表现为弥漫性腹膜炎，胃十二指肠损伤可有呕血，直肠损伤时可出现鲜红色血便。

(2) 体征：腹膜刺激征典型、肝浊音界缩小、肠鸣音减弱或消失。胃液、胆汁、胰液对腹膜刺激性最强，肠液次之。

（三）辅助检查

1. 实验室检查

(1) 实质性脏器破裂：血常规见红细胞、血红蛋白、红细胞比容等明显下降；胰腺损伤时血、尿和腹腔穿刺液中淀粉酶含量增高。

(2) 空腔脏器破裂：白细胞计数和中性粒细胞比例明显增高。

2. 影像学检查

(1) B超检查：腹腔内积液和积气有助于空腔脏器破裂或穿孔的诊断。

(2) X线检查：胃肠道穿孔者立位腹部平片可表现为膈下新月形阴影（游离气体）。腹膜后积气提示腹膜后十二指肠或结肠、直肠穿孔。

(3) CT检查：能清晰显示肝、脾、胰、肾等实质性脏器的包膜是否完整、大小及形态结构是否正常。

3. 诊断性腹腔穿刺：若抽到不凝血提示有实质性器官破裂；若抽出的血液迅速凝固多为穿刺针误刺入血管或血肿所致；若抽出浑浊液体或胃肠内容物提示空腔脏器破裂。

（四）治疗要点

1. 现场急救：首先处理危及生命的因素；对已脱出的肠管用清洁器皿或用温开水浸湿的干净纱布覆盖保护，切忌将脱出的内脏器官强行回纳腹腔。

2. 非手术治疗：

(1) 适用证：暂时不能确定有无腹腔内器官损伤；血流动力学稳定、收缩压在90mmHg以上、心率低于100次/分；无腹膜炎体征；未发现其他内脏的合并伤；已证实为轻度实质性脏器损伤，生命体征稳定者。

(2) 治疗方法：防治休克；抗感染；禁食和胃肠减压；做好手术前准备。

3. 手术治疗：手术方法主要为剖腹探查术，包括探查、止血、修补、切除、清除腹腔内残留液和引流。手术治疗适用于：已确诊为腹腔内空腔脏器破裂；有明显腹膜刺激征或腹膜刺激征进行性加重及范围扩大；出现烦躁、脉率增快、血压不稳或休克表现；膈下有游离气体或腹腔穿刺抽出不凝固血液、胆汁或胃肠内容物；在非手术治疗期间病情加重。

二、常见实质性脏器损伤

1. 实质性脏器损伤

(1) 症状

① 腹痛：多呈持续性，一般不剧烈。如肝、胰破裂时，可因大量胆汁、胰液或血液进入腹腔，导致化学性、弥漫性腹膜炎，出现明显的腹痛和腹膜刺激征。

② 失血性休克：患者出现面色苍白、四肢湿冷、脉搏加快、血压下降、脉压变小、尿量减少等失血性休克的表现。

(2) 体征：有腹膜刺激征，伴有明显腹胀，部分患者出现移动性浊音。肝、脾被膜下破裂伴血肿时可触及腹部包块。

2. 空腔脏器损伤

(1) 症状：主要表现为弥漫性腹膜炎，患者出现持续性剧烈腹痛，稍后出现体温升高、脉快、呼吸急促等全身性感染的表现。

(2) 体征：有典型腹膜刺激征，其程度与空腔脏器内容物不同有关，通常是胃液、胆汁、胰液刺激性最强，肠液次之。腹腔内游离气体可致肝浊音界缩小，肠鸣音减弱或消失。直肠损伤时直肠指检可发现直肠内有出血。

三、护理措施

1. 体位：绝对卧床休息，禁止随意搬动。如患者腹部剧痛，让其平卧屈膝以使腹部肌肉松弛减轻疼痛；休克患者头和躯干分别抬高20°～30°、下肢抬高15°～20°可增加回心血量及改善脑血流量。

2. 扩充血容量：对有休克早期症状或休克者快速建立2～3条有效的静脉输液通路；根据医嘱快速输血和输入平衡盐溶液。

3. 内出血的护理

（1）体位：多取平卧位，禁止随便搬动患者，以免诱发或加重内出血。

（2）观察：定期观察和记录脉搏、呼吸、血压、体温、神志、面色和末梢循环情况、腹痛的性质与持续时间及辅助检查结果的变化。

（3）腹腔内有活动性出血的表现：腹痛缓解后又突然加剧，同时出现脉搏增快、血压不稳或下降等；腹腔引流管间断或持续引流出鲜红血液；血常规检查示红细胞计数、血红蛋白和血细胞比容等持续降低。

（4）处理：迅速扩充血容量及抗休克，同时做好腹部急症手术准备。

【考点强化】

1. 实质性器官损伤不会出现的临床表现是
A. 面色苍白　B. 脉搏细速
C. 肝浊音界缩小　D. 移动性浊音
E. 腹肌紧张

2. 腹部闭合性损伤时，提示无内脏损伤的情况是
A. 呕血、血便
B. 剧痛，并有腹膜刺激征
C. 肝浊音界缩小　D. 移动性浊音
E. 腹部彩超无液平面及实质脏器损伤

3. 哪一种腹腔内脏器损伤，检查时腹膜刺激征不明显
A. 肝破裂　B. 脾破裂　C. 胰破裂
D. 肠穿孔　E. 胃穿孔

4. 诊断腹腔内实质性脏器损伤的主要依据是
A. 腹肌紧张　B. 膈下游离气体
C. 腹式呼吸消失
D. 腹腔穿刺抽出不凝固血液
E. 腹腔穿刺抽出浑浊液体

5. 护理疑有腹腔内脏器损伤的患者时，错误的是
A. 尽量减少搬动　B. 安置半卧位
C. 注射镇痛药　D. 禁食、输液
E. 注射广谱抗生素

6. 胃肠减压期间护理不正确的是
A. 患者应禁食及停口服药物
B. 随时观察吸引是否有效
C. 注意口腔护理　D. 及时更换收集瓶
E. 若发现胃管有鲜红色血液吸出应继续胃肠减压

7. 患者男性，25岁。因车祸撞伤右上腹部，其表现有腹腔内出血症状，同时伴有明显的腹膜刺激征。应首先考虑的是
A. 脾破裂　B. 肝破裂　C. 胃破裂
D. 肾破裂　E. 胆囊破裂

8. 患者男性，25岁。5天前被汽车撞伤左上腹，当时腹部局部压痛。今日上厕所时突然昏倒，面色苍白，脉速。应考虑是
A. 肝破裂　B. 肾破裂　C. 脾破裂
D. 胆囊穿孔　E. 肠穿孔

9. 患者男性，40岁。因车祸撞伤腹部4h，面色苍白，四肢厥冷，血压10/7.3kPa（75/55mmHg），脉率140次/分。查体：全腹轻度压痛，反跳痛，腹肌紧张，腹部透视无异常。诊断为脾破裂、失血性休克。该患者的处理原则是
A. 镇静、镇痛
B. 抗休克同时进行手术
C. 补充液体
D. 待休克纠正后进行手术
E. 应用血管活性药物

（10～13题共用病例）

患者男性，50岁，被车撞伤后右上腹痛4小时入院。查体：血压80/60mmHg，脉搏120次/分，右肋见皮擦伤，右上腹压痛明显，全腹轻度肌紧张，移动性浊音（+）。

10. 为明确诊断，首选的辅助检查是
A. B超检查　B. CT检查
C. 淀粉酶测定　D. 立位X线检查
E. 腹腔穿刺

11. 该患者最可能的诊断为
A. 肝破裂　B. 脾破裂　C. 肾破裂
D. 胃破裂　E. 肠破裂

12. 下列术前处理正确的是

A. 吗啡止痛　　B. 给水止渴
C. 鲁米那镇静
D. 扶持患者去放射线科透视
E. 积极补充血容量，抗休克

13. 若患者手术需放置腹腔引流管，其护理措施不妥的是
A. 正确连接引流装置
B. 保持引流通畅
C. 引流管不能高于腹腔引流出口
D. 每周更换引流袋一次
E. 记录引流液的量、颜色和性质

（14～18 题共用病例）

患者女性，52 岁，因左上腹撞伤伴腹痛 4 小时入院。查体发现上腹部有压痛、反跳痛及肌紧张，移动性浊音（一），腹腔穿刺（一）。腹部平片示：两侧膈下有游离气体。血压 100/76mmHg。

14. 考虑最可能为
A. 腹壁挫伤　　B. 脾包膜下血肿
C. 胰腺损伤　　D. 肝破裂
E. 腹腔内空腔器官破裂

15. 首选治疗措施为
A. 抗休克治疗　　B. 腹腔穿刺引流
C. 控制感染　　D. 补充血容量
E. 剖腹探查

16. ［假设信息］术后 18 小时见患者腹腔引流管流出少量粪渣，此时应考虑患者出现了
A. 肠粘连　　B. 肠瘘
C. 吻合口狭窄　　D. 术中冲洗不彻底
E. 肠坏死

17. 术后患者的营养补充主要依靠
A. 无渣饮食　　B. 管饲肠内营养剂
C. 鼻饲流质饮食
D. 肠外营养和肠内营养
E. 全胃肠外营养

18. ［假设信息］患者出院后 1 个月，出现腹痛，阵发性加重，伴有腹胀、呕吐，无排气、排便。患者可能并发
A. 肠梗阻　　B. 肠瘘
C. 吻合口狭窄　　D. 肠痉挛
E. 肠坏死

（19～21 题共用备选答案）
A. 腹腔内出血的表现
B. 急性腹膜炎表现，腹腔穿刺抽出黄色、浑浊、含胆汁、无臭液体
C. 既有内出血表现又有腹膜炎表现
D. 腹膜后积气　　E. 呕血和黑便

19. 脾破裂的临床表现是
20. 肝破裂的临床表现是
21. 胃破裂的临床表现是

【参考答案】

1. C　2. E　3. B　4. D　5. C
6. E　7. B　8. C　9. B　10. A
11. A　12. E　13. D　14. E　15. E
16. B　17. E　18. A　19. A　20. C
21. B

第九章　胃、十二指肠疾病患者的护理

第一节　胃、十二指肠溃疡的外科治疗患者的护理

（一）病因、病理

1. 病因：胃、十二指肠溃疡是多因素综合作用的结果。其中最为重要的是胃酸分泌异常、幽门螺杆菌（HP）感染和黏膜防御机制的破坏。

2. 病理：胃、十二指肠溃疡属慢性溃疡，多为单发。胃溃疡多发生于胃小弯，以胃角多见，胃大弯、胃底少见。十二指肠溃疡主要发生在壶腹部，球部以下的溃疡称为球后溃疡。

（二）临床表现

临床表现主要为慢性病程和周期性发作的节律性腹痛。

1. 十二指肠溃疡：主要表现为餐后3～4小时痛、饥饿痛或夜间痛，进食后腹痛可暂时缓解。

2. 胃溃疡：腹痛多于进餐后0.5～1小时开始，持续1～2小时后消失。进食后疼痛不能缓解。

（三）辅助检查

（1）胃镜检查：是确诊胃、十二指肠溃疡的首选检查方法。

（2）X线钡餐检查：可在胃、十二指肠部位显示一周围光滑、整齐的龛影。

（3）胃酸测定、幽门螺杆菌（HP）检查。

（四）常见并发症

1. 穿孔：主要表现为突发性上腹部刀割样剧痛，并迅速波及全腹，但以上腹为重，有腹膜刺激征，腹肌紧张，呈“板样”强直；肝浊音界缩小或消失；肠鸣音减弱或消失。立位X线检查多有膈下游离气体，腹腔穿刺抽出黄色浑浊液体。

2. 大出血：主要症状是突然大量呕血或柏油样大便。短期内失血量超过400ml时患者可出现面色苍白、口渴、脉搏快速有力、血压正常或略偏高的代偿征象；当失血量超过800ml时可出现休克症状。

3. 瘢痕性幽门梗阻：呕吐是最为突出的症状，呕吐物为宿食，不含胆汁，呕吐后自觉胃部舒适。上腹部可见胃型和胃蠕动波，用手轻拍上腹部可闻及振水声。

（五）外科治疗的适应证

（1）内科治疗无效的顽固性溃疡。

（2）胃、十二指肠溃疡急性穿孔。

（3）胃、十二指肠溃疡大出血。

（4）胃、十二指肠溃疡瘢痕性幽门梗阻。

（5）胃溃疡疑有恶变。

（六）手术方式

1. 胃大部切除术：是治疗胃、十二指肠溃疡的首选术式，切除胃的远侧2/3～3/4，包括胃体的远侧部分、胃窦部、幽门和十二指肠球部的近侧。胃大部切除术后胃肠道重建的基本方式包括胃-十二指肠吻合或胃-空肠吻合。胃大部切除术的术式如下。

（1）毕Ⅰ式胃大部切除术：即在胃大部切除后将残胃与十二指肠吻合，多适用于胃溃疡。优点是重建后的胃肠道接近正常解剖生理状态，胆汁、胰液反流入残胃较少，术后因胃肠功能紊乱而引起的并发症较少。缺点是有时切除胃的范围不够，增加了术后溃疡复发机会。

（2）毕Ⅱ式胃大部切除术：即胃大部切除后残胃与空肠吻合十二指肠残端关闭。适用于各种胃、十二指肠溃疡，特别是十二指肠溃疡者。优点是即使胃切除较多，胃-空肠吻合也不致张力过大，术后溃疡复发率低。缺点是胃-空肠吻合改变了正常的解剖生理关系，术后发生胃肠道功能紊乱的可能性较毕Ⅰ式多。

2. 迷走神经切断术：目前临床已较少应用。手术方法有迷走神经干切断术、选择性迷走神经切断术、高选择性迷走神经切断术。

（七）护理措施

胃大部切除术后并发症的观察和护理。

1. 术后胃出血：若术后短期内从胃管不断引流出新鲜血液，24小时后仍未停止，甚至出现呕血和黑便则系术后出血。多采用非手术疗法，若非手术疗法不能止血时，应手术止血。

2. 十二指肠残端破裂：是毕Ⅱ式胃大部切除术后近期的严重并发症。与十二指肠残端处理不当或胃-空肠吻合口输入襻梗阻引起十二指肠腔内压力升高有关。多发生在术后3～6天，临床表现为突发性上腹部剧痛和腹膜刺激征，白细胞计数增加，腹腔穿刺可抽出胆汁样液体。应立即手术处理。

3. 胃肠吻合口破裂或瘘：与缝合不当、吻合口张力过大、组织血供不足有关。多发生在术后3～7天，表现为体温升高、上腹部疼痛和腹膜刺激征，胃管引流量突然减少而腹腔引流管的引流量突然增加。有明显的腹膜炎症状和体征者需立即手术处理。

4. 残胃蠕动无力（或称胃排空障碍）：常发生在术后7～10天，患者在改为进食半流质或不易消化的食物后发生上腹饱胀、钝痛和呕吐，呕吐物含食物和胆汁。

5. 术后梗阻

(1) 输入段梗阻：多见于毕Ⅱ式胃大部切除术后。急性完全性输入段梗阻典型症状为突发上腹部剧痛、频繁呕吐，量少、不含胆汁，呕吐后症状不缓解。应紧急手术治疗；慢性不完全性梗阻表现为进食后15～30分钟，上腹突然胀痛或绞痛、喷射状呕吐大量含胆汁液体，呕吐后症状消失。

(2) 输出段梗阻：临床表现为上腹饱胀、呕吐食物和胆汁。若不能自行缓解，应手术解除梗阻。

(3) 吻合口梗阻：表现为进食后出现上腹饱胀和呕吐；呕吐物为食物且不含胆汁。经非手术治疗不能解除梗阻者，需手术治疗。

6. 碱性反流性胃炎：多发生在胃切除术后数月至数年，临床表现为较为顽固的上腹或胸骨后烧灼痛，呕吐胆汁样液，吐后疼痛不减轻，常伴体重减轻或贫血。

7. 倾倒综合征

① 早期倾倒综合征：多发生在进食后半小时内，循环系统症状包括心悸、心动过速、出汗、全身无力、面色苍白和头晕等；胃肠道症状有腹部绞痛、恶心、呕吐和腹泻等。主要治疗方法为调整饮食，包括少食多餐，进低糖、高蛋白饮食，进餐后平卧10～20分钟。

② 晚期倾倒综合征：称低血糖综合征，餐后2～4小时患者出现头昏、心慌、出冷汗、脉搏细弱甚至虚脱等表现。主要因进食后胃排空过快，含糖食物迅速进入小肠而刺激胰岛素大量释放，继之发生反应性低血糖，故晚期倾倒综合征又被称为低血糖综合征。

8. 营养性合并症：主要表现为体重减轻、贫血和骨病等。

9. 吻合口溃疡：多数发生在术后2年内，为溃疡病症状重且失去原有的节律性。极易发生消化道出血、穿孔。

10. 残胃癌：指胃大部切除术后5年以上发生在残胃的原发癌。表现为上腹疼痛不适、进食后饱胀、消瘦、贫血等。

第二节　胃癌患者的护理

(一) 病因、病理

1. 病因

(1) 癌前病变：胃癌的癌前病变有慢性萎缩性胃炎、胃息肉、胃溃疡及残胃炎。

(2) 幽门螺杆菌感染：是引发胃癌的主要因素之一。

(3) 地域环境及饮食生活因素：胃癌的发病有明显的地域差别。长期食腌制、熏、烤食品和吸烟者胃癌的发病率高。

(4) 遗传因素：胃癌有明显的家族聚集倾向。

2. 病理：胃癌好发于胃窦部，其次为贲门部，发生在胃体者较少。根据胃癌发展所处的阶段可分为早期和进展期胃癌。胃癌仅局限于黏膜和黏膜下层，不论病灶大小或有无淋巴结转移，均为早期胃癌。癌灶直径在5mm以下称微小胃癌，10mm以下称小胃癌；胃癌根据病理学分为乳头状腺癌、管状腺癌、低分化腺癌、黏液腺癌、印戒细胞癌。淋巴转移是胃癌的主要转移途径，晚期最常见的是肝转移。在女性患者可发生卵巢转移性肿瘤称Krukenberg瘤。

(二) 临床表现

1. 症状：早期胃癌多无明显症状，部分患者可有上腹隐痛。不同部位的胃癌有其特殊表现：贲门胃底癌可有胸骨后疼痛和进行性哽噎感；幽门附近的胃癌可有呕吐宿食的表现；肿瘤溃破血管后可有呕血和黑便；胃窦梗阻时有恶心、呕吐宿食。

2. 体征：早期可仅有上腹部深压痛；晚期患者可扪及上腹部肿块。若出现远处转移时，可有左锁骨上淋巴结肿大、黄疸、腹水、腹部包块、直肠前凹扪及肿块等。

(三) 辅助检查

1. 胃镜检查：是诊断早期胃癌的有效方法。可直接观察病变部位，并做活检确定诊断。

2. X线钡餐检查：结节型胃癌表现为突向腔内的充盈缺损；溃疡型胃癌主要显示胃壁内龛影，黏膜集中、中断、紊乱和局部蠕动波不能通过；浸润型胃癌可见胃壁僵硬、蠕动波消失，呈狭窄的革袋状。

3. 螺旋 CT：有助于胃癌的诊断和术前临床分期。

4. 粪便隐血呈持续阳性。胃液检查显示酸缺乏或减少。

（四）治疗要点

早期发现、早期诊断和早期治疗是提高胃癌疗效的关键。手术是首选的方法，辅以化疗、放疗及免疫治疗等以提高疗效。晚期癌肿浸润并广泛转移者，行姑息性切除术、胃-空肠吻合术可以解除梗阻症状。

（五）护理措施

1. 术后饮食护理

① 蠕动恢复后，可拔除胃管，拔胃管后当天可少量饮水或进食米汤。

② 第 2 天进半量流质饮食，每次 50～80ml。

③ 第 3 天进全量流质，每次 100～150ml；若进食后无腹痛、腹胀等不适，第 4 天可进半流质饮食。

④ 第 10～14 天可进软食。

⑤ 少食产气食物，忌生、冷、硬和刺激性食物。

⑥ 注意少量多餐，开始时每天 5～6 餐。

2. 体位：全麻清醒前取去枕平卧位，头偏向一侧。麻醉清醒后，若血压稳定取低半卧位。

3. 顽固性呃逆的护理

① 保持有效胃肠减压，抽吸胃内积气、积液。

② 压迫眶上缘。

③ 必要时给予穴位针灸治疗等以缓解症状。

④ 采取其他有效措施分散患者的注意力，使其放松，也有利于呃逆的缓解。

⑤ 遵医嘱给予镇静或解痉药物，以增加患者的舒适度。

【考点强化】

1. 胃溃疡的疼痛节律为
A. 餐前 30 分钟出现，进餐缓解
B. 餐后即出现，持续 2h 缓解
C. 餐后 30～60 分钟出现，至下餐前缓解
D. 餐后 2h 出现，进餐缓解
E. 餐后 3～4h 出现，进餐缓解

2. 胃溃疡的 X 线直接征象为
A. 充盈缺损　　B. 龛影
C. 胃窦变形　　D. 痉挛性切迹
E. 局部压痛

3. 胃、十二指肠溃疡最常见的并发症是
A. 急性穿孔　　B. 上消化道出血
C. 幽门梗阻　　D. 癌变
E. 溃疡性结肠炎

4. 提示溃疡病急性穿孔最重要的诊断依据是
A. 腹痛剧烈　　B. 腹肌紧张
C. 贫血征象　　D. 疼痛节律性消失
E. 立位 X 线检查可见膈下游离气体

5. 消化性溃疡大出血患者的临床表现不包括
A. 呕血，黑便　　B. 腹肌紧张
C. 肠鸣音亢进　　D. 失血性休克
E. 上腹部可有轻度压痛

6. 下列哪项不是外科治疗胃十二指肠溃疡的适应证
A. 并发急性穿孔
B. 并发急性大出血
C. 胃溃疡恶变
D. 慢性萎缩性胃炎
E. 并发瘢痕性幽门梗阻

7. 胃大部切除术后，最早出现的并发症是
A. 术后出血
B. 倾倒综合征
C. 吻合口瘘
D. 低血糖综合征
E. 十二指肠残端破裂

8. 倾倒综合征患者的饮食治疗中不正确的是
A. 少食多餐　　B. 餐后散步
C. 高蛋白饮食　　D. 餐时限制饮水
E. 避免过甜、过咸食物

9. 胃大部切除术后第一天应注意观察的并发症是
A. 吻合口破裂　　B. 吻合口出血
C. 吻合口梗阻　　D. 十二指肠残端瘘
E. 倾倒综合征

10. 胃癌的好发部位是
A. 贲门　　B. 胃底
C. 胃窦　　D. 胃体小弯侧
E. 胃体大弯侧

11. 目前认为胃癌发生的病因不包括
A. 胃溃疡　　B. 浅表性胃炎
C. 胃息肉　　D. 胃幽门螺杆菌
E. 胃酸缺乏症

12. 早期胃癌诊断的最有效方法是

A. B超　　B. CT
C. X线钡餐造影　D. 胃液分析
E. 纤维胃镜

13. 毕Ⅱ式胃大部切除术术后并发症的观察不包括
A. 胃潴留　　B. 术后出血
C. 术后梗阻　　D. 倾倒综合征
E. 十二指肠残端破裂

14. 胃大部切除术后一般患者，其饮食护理是
A. 第1天进流质，第4天进半流质
B. 第2天进流质，第4天进半流质
C. 第3天进流质，第5天进半流质
D. 第3天进流质，1周进半流质
E. 第4天进流质，2周进半流质

15. 患者女性，35岁。行毕Ⅱ式胃大部切除术后第七天，突然上腹部剧痛，呕吐频繁，每次量少，不含胆汁，呕吐后症状不缓解。查体：上腹部偏右有压痛。考虑并发了
A. 吻合口梗阻
B. 倾倒综合征
C. 十二指肠残端破裂
D. 输入段肠袢梗阻
E. 输出段肠袢梗阻

16. 患者女性，50岁。患十二指肠溃疡已经十余年。近3个月来，上腹胀满不适，伴反复呕吐酸臭味的宿食。术前诊断最可靠的检查是
A. 胃液分析　　B. B超
C. X线钡餐检查　D. 纤维胃镜检查
E. CT

17. 患者男性，53岁。典型的夜间腹痛2年，近1个月疼痛节律性消失，变为餐后腹痛伴严重频繁呕吐，吐出大量隔夜食物，消瘦，皮肤干燥弹性差。该患者应考虑为
A. 胃溃疡穿孔
B. 十二指肠穿孔
C. 胃溃疡并发幽门梗阻
D. 十二指肠溃疡并发幽门梗阻
E. 胃溃疡病癌变

(18～22题共用病例)

患者男性，45岁，节律性上腹部疼痛伴周期性发作5年，多于春秋季节易发生。发作时伴有返酸、嗳气、恶心、呕吐等症状。每次发作与不良精神刺激、情绪波动、饮食失调有关。

18. 该患者最可能的诊断是
A. 胰腺炎　　B. 慢性胃炎
C. 消化性溃疡　D. 肝硬化
E. 胃癌

19. ［假设信息］患者于3个月前再次出现腹痛，无节律性，并出现黑便，体重明显下降。服用抗酸药未见好转。该患者这次发病最可能的诊断是
A. 胃溃疡　　B. 胃出血
C. 胃癌　　D. 胃息肉
E. 萎缩性胃炎

20. 为尽快明确诊断，首选下列哪项检查
A. 胃酸测定　　B. 胃镜检查
C. X线钡餐　　D. B型超声
E. 粪便隐血试验

21. 经胃镜检查确诊为胃癌，拟行胃大部切除术，术前准备不包括
A. 备皮　　B. 配血
C. 洗胃　　D. 肠道清洁
E. 口服肠道不吸收的抗菌药

22. 关于术后胃管的护理错误的是
A. 妥善固定和防止滑脱
B. 保持通畅
C. 观察引流液的颜色、性质和量
D. 若胃管堵塞可用大量生理盐水冲洗
E. 胃肠蠕动恢复后可拔胃管

(23～25题共用备选答案)
A. 十二指肠残端破裂
B. 吻合口溃疡
C. 吻合口梗阻
D. 输出段肠袢梗阻
E. 倾倒综合征

23. 毕Ⅱ式胃大部切除术术后4天，出现右上腹突发剧痛和局部明显压痛、腹肌紧张，应考虑

24. 上腹饱胀，呕吐食物和胆汁，应考虑

25. 行胃大部切除术术后2周，患者进食10～20分钟后出现上腹饱胀、恶心、呕吐、头晕、心悸、出汗、腹泻等，应考虑

【参考答案】

1. C　2. B　3. B　4. E　5. B
6. D　7. A　8. B　9. B　10. C
11. B　12. E　13. A　14. B　15. D
16. D　17. D　18. C　19. C　20. B
21. C　22. D　23. A　24. D　25. E

第十章 肠疾病患者的护理

第一节 急性阑尾炎患者的护理

（一）病因、病理

1. 病因：阑尾管腔阻塞是急性阑尾炎最常见的原因，阑尾管腔阻塞主要原因是管壁内淋巴滤泡的明显增生，其次是粪石阻塞、异物、炎性狭窄、寄生虫、肿瘤等。

2. 病理：急性阑尾炎分为急性单纯性阑尾炎、急性化脓性阑尾炎、坏疽性及穿孔性阑尾炎、阑尾周围脓肿四种病理类型。

（二）临床表现

(1) 转移性右下腹疼痛：腹痛开始的部位多在上腹、剑突下或脐周围，约经6～8小时后，腹痛部位逐渐下移，最后固定于右下腹部。

(2) 胃肠道的反应：恶心、呕吐最为常见，呕吐物为食物残渣和胃液。

(3) 全身反应：急性阑尾炎初期，部分患者自觉全身疲乏，四肢无力，或头痛、头晕、发热等。

(4) 右下腹麦氏点压痛、反跳痛是最常见和最重要的体征。

（三）辅助检查

白细胞总数和中性粒细胞数可轻度或中度增加，大便和尿常规可基本正常。

（四）治疗要点

绝大多数急性阑尾炎确诊后，应及早行阑尾切除术。

(1) 急性单纯性阑尾炎：行阑尾切除术，切口Ⅰ期缝合。

(2) 急性化脓性或坏疽性阑尾炎：行阑尾切除术，若腹腔内有脓液可根据病情放置乳胶管引流。

(3) 急性阑尾炎伴穿孔：切除阑尾后清除腹腔脓液，并根据病情放置腹腔引流管。

(4) 阑尾周围脓肿：先使用抗生素控制症状，一般3个月后手术切除阑尾。

（五）护理措施

1. 术前一般护理：观察生命体征、腹部症状和体征的变化；卧床休息，取半卧位；禁食。

2. 术后一般护理：待血压平稳后，取半卧位。术后1～2天禁食，待肠鸣音恢复、肛门排气后进食。保持引流管通畅，观察引流液的性质和量；观察生命体征、腹部症状和体征，及时发现并发症。

3. 术后并发症护理

(1) 内出血：常发生在术后24小时内，表现为面色苍白、脉速、血压下降、腹腔引流管有血液流出。处理为将患者平卧，静脉快速输液、输血，做好手术止血的准备。

(2) 切口感染：是术后最常见的并发症。表现为术后3～5天体温升高，切口疼痛且局部有红肿、压痛或波动感。一旦出现切口感染，应穿刺抽出脓液或拆除缝线放出脓液及放置引流管等，定期伤口换药及时更换被渗液浸湿的敷料，保持敷料清洁、干燥。

(3) 腹腔脓肿：表现为术后5～7天体温升高，或下降后又上升，并有腹痛、腹胀、腹部包块或排便、排尿改变等。一经确诊，应穿刺抽脓、冲洗或置管引流，必要时手术切开引流。

(4) 肠瘘：表现为发热、腹痛、少量粪性肠内容物从腹壁切口流出。处理为全身营养支持、应用有效抗生素、局部引流。

（六）特殊类型阑尾炎的特点

(1) 新生儿急性阑尾炎：穿孔发生率及病死率均较高。早期临床表现可有厌食、呕吐、腹泻及脱水等症状，无明显发热，早期诊断较困难。

（2）小儿急性阑尾炎：是儿童常见的急腹症之一。小儿盲肠位置较高，由于大网膜发育不全，难以通过大网膜移动达到包裹炎症阑尾的作用，故临床表现与成人阑尾炎不同：病情重且发展快，早期即出现高热、呕吐等症状；右下腹体征不明显；穿孔及其他并发症的发生率较高，病死率亦相应较高。

（3）老年人急性阑尾炎

① 临床表现轻：如腹痛不强烈，体温升高不明显、体征不典型等，易被忽略或延误诊治。

② 病理改变重：老年人多伴动脉硬化，易致阑尾缺血、坏死或穿孔。

③ 合并症多：常合并心脑血管、呼吸系统疾病、糖尿病等，使病情更复杂和严重。

（4）妊娠期急性阑尾炎：较常见，多发生在妊娠期的前6个月。由于妊娠中期子宫增大较快，腹壁被抬高，盲肠和阑尾被推向右上腹，因而与其他成人阑尾炎的表现不同，特点为：

① 压痛点上移；

② 腹肌紧张、压痛、反跳痛不明显；

③ 大网膜难以包裹阑尾，致腹膜炎不易局限而引起腹腔内扩散；

④ 炎症刺激子宫易致流产或早产，威胁母子安全。

第二节　肠梗阻患者的护理

（一）病因与分类

1. 依据肠梗阻发生的基本原因分类

（1）机械性肠梗阻：临床以此型最常见。主要原因包括肠腔堵塞（结石、粪块、寄生虫、异物）、肠管外受压（肠扭转、腹腔肿瘤压迫、肠粘连、腹外疝）、肠壁病变（肠肿瘤、肠套叠、先天性肠道闭锁）。

（2）动力性肠梗阻：分为麻痹性肠梗阻（常见于急性弥漫性腹膜炎）及痉挛性肠梗阻（继发于尿毒症、重金属中毒和肠功能紊乱等）两类。

（3）血运性肠梗阻：较少见。如肠系膜血栓形成、栓塞或血管受压等。

2. 依据肠壁血运有无障碍分类

（1）单纯性肠梗阻：只有肠内容物通过受阻而无肠管血运障碍。

（2）绞窄性肠梗阻：伴有肠管血运障碍的肠梗阻。

3. 按梗阻部位可分高位（空肠上段）和低位肠梗阻（回肠末段与结肠）。

4. 按梗阻程度分为部分性与完全性肠梗阻；按发病缓急分为慢性与急性肠梗阻。

（二）病理生理

肠梗阻主要病理生理变化有肠膨胀和肠坏死、体液丧失和电解质紊乱、感染和毒素吸收三大方面。

（三）临床表现

1. 症状

（1）腹痛：单纯性机械性肠梗阻表现为阵发性腹部绞痛。绞窄性肠梗阻表现为腹痛间歇期缩短、呈持续性剧烈腹痛。麻痹性肠梗阻腹痛特点为全腹持续性胀痛；肠扭转所致闭袢性肠梗阻多表现为突发性腹部持续性绞痛伴阵发性加剧；肠蛔虫堵塞以阵发性脐周腹痛为主。

（2）呕吐：高位肠梗阻早期便发生呕吐且频繁，呕吐物主要为胃及十二指肠内容物、胆汁等；低位肠梗阻呕吐出现较迟而少，呕吐物呈粪样；麻痹性肠梗阻时呕吐呈溢出性；绞窄性肠梗阻呕吐物为血性或棕褐色液体。

（3）腹胀：高位肠梗阻腹胀较轻；低位肠梗阻腹胀明显。闭袢性肠梗阻患者腹胀多不对称；麻痹性肠梗阻表现为均匀性全腹胀。

（4）停止排便、排气：完全性肠梗阻者多停止排便、排气；不完全性肠梗阻可有多次少量排便、排气；绞窄性肠梗阻可排血性黏液样便。

2. 体征

（1）视诊：机械性肠梗阻常可见腹部膨隆、肠型和异常蠕动波；肠扭转时可见不对称性腹胀；麻痹性肠梗阻则腹胀均匀。

（2）触诊：单纯性肠梗阻时腹壁较软，轻度压痛；绞窄性肠梗阻时有腹膜刺激征、压痛性包块（受绞窄的肠袢）；蛔虫性肠梗阻时常在腹中部扪及条索状团块。

(3) 叩诊：麻痹性肠梗阻全腹呈鼓音；绞窄性肠梗阻腹腔有渗液时可出现移动性浊音。

(4) 听诊：机械性肠梗阻者肠鸣音亢进，有气过水音或金属音；麻痹性肠梗阻者肠鸣音减弱或消失。

(四) 辅助检查

梗阻发生4～6小时后，立位或侧卧位腹部平片可见多个气液平面及胀气肠袢；空肠梗阻时空肠黏膜的环状皱襞可显示鱼肋骨刺状改变。蛔虫堵塞者可见肠腔内成团的蛔虫体阴影。肠扭转时可见孤立、突出的胀大肠袢。

(五) 治疗要点

治疗原则是纠正因肠梗阻所引起的全身生理紊乱、解除梗阻。胃肠减压、补充水、电解质、纠正酸中毒、输血、抗感染、抗休克是治疗肠梗阻的基本方法，也是提高疗效和保证手术安全的重要措施。

(六) 护理措施

1. 非手术治疗的护理

(1) 禁食、胃肠减压：清除肠腔内积气、积液可有效缓解腹胀、腹痛。胃肠减压是治疗肠梗阻的重要方法之一，以静脉输液维持体液平衡。注意保持负压吸引通畅，密切观察并记录引流液的性状及量，若抽出血性液体应高度怀疑绞窄性肠梗阻。

(2) 体位：生命体征稳定者应采取半卧位，伴有休克者取平卧位或中凹位。

(3) 病情观察：观察生命体征、神志及面色的变化、腹部症状及体征以及血电解质及血气分析结果等，准确记录出入液量。注意观察绞窄性肠梗阻的表现，并及时做好急症手术前的准备。有下列临床表现者应怀疑为绞窄性肠梗阻。

① 腹痛剧烈，发作急骤，在阵发性疼痛间歇期，仍有持续性腹痛。

② 病程早期即出现休克，并逐渐加重，或经抗休克治疗后，改善不显著。

③ 腹膜刺激征明显，体温、脉搏和白细胞计数有升高趋势。

④ 呕吐出或自肛门排出血性液体，或腹腔穿刺吸出血性液体。

⑤ 腹胀不对称，腹部可触及压痛的肠袢。

(4) 用药护理：选用有效、足量抗生素，禁用吗啡、哌替啶等镇痛药，以免掩盖病情而延误治疗。无肠绞窄者，可使用阿托品、山莨菪碱等解除胃肠道平滑肌痉挛。

(5) 呕吐护理：呕吐时坐起或头偏向一侧，并观察记录呕吐物的性状和量；呕吐后及时清除口腔内呕吐物、漱口，定期进行口腔护理。

(6) 做好术前准备。

2. 手术后护理

(1) 体位：麻醉清醒、血压平稳后取半卧位。

(2) 观察：观察患者术后腹痛、腹胀症状是否改善及肛门恢复排气、排便的时间等。

(3) 活动：术后早期活动，协助患者翻身并活动肢体；鼓励患者尽早下床活动，以促进肠蠕动恢复，预防粘连。

(4) 并发症的护理

① 腹腔内感染及肠瘘：肠瘘常发生在术后1周，若腹腔引流管周围流出液体带粪臭味、同时患者出现腹部胀痛，持续发热等腹膜炎的表现，应警惕腹腔内感染及肠瘘的可能。

② 肠粘连：肠梗阻术后患者仍可能发生再次肠粘连，若患者再次出现腹痛、腹胀、呕吐等肠梗阻症状，应及时报告医生并协助处理。

(七) 几种常见的机械性肠梗阻

1. 粘连性肠梗阻：肠粘连主要由腹腔手术、炎症、创伤、出血、异物等引起。粘连广泛所致的者多为单纯性不完全性肠梗阻，局限性粘连可导致完全性和绞窄性肠梗阻。以小肠梗阻多见。一般采用非手术治疗，若症状加重或有肠绞窄表现，应及时手术治疗。

2. 肠扭转：肠扭转是一段肠袢沿其系膜长轴旋转而致的闭袢性肠梗阻。

(1) 小肠扭转：多见于青壮年，常发生于饱食后剧烈运动时，表现为突发脐周剧烈绞痛，呈持续性，伴阵发性加重，呕吐频繁；腹部X线检查可见空肠和回肠换位或“假瘤征”等影像特点。应及时手术治疗。

(2) 乙状结肠扭转：多见于有习惯性便秘的老年人，表现为突发左下腹绞痛伴明显腹胀，呕吐轻。应及时手术治疗。

(3) 肠套叠：一段肠管套入与其相连的肠腔内称为肠套叠。多见于2岁以内的儿童，以回肠末端套入结肠最多见，其三大典型症状为阵发性腹痛、果酱样血便和腹部肿块。X线空气或钡剂灌肠检查，可见到空气或钡剂在套叠远端受阻，阻端钡影呈“杯口状”阴影。早期可试行空气灌肠复位。如复位不成功，或病期已超过48小时，或怀疑出现肠坏死、肠穿孔，应手术治疗。

（4）蛔虫性肠梗阻：是一种单纯性机械性肠梗阻，多为不完全性梗阻。多见于2～10岁儿童，可有吐蛔虫或便蛔虫的病史，驱虫不当常为本病的诱因。主要表现为脐周阵发性疼痛和呕吐，腹胀不明显，腹部可扪及条索状肿块。多采用非手术治疗。

第三节　大肠癌患者的护理

（一）病因、病理

1. 病因

（1）饮食因素：高脂肪、高蛋白和低纤维饮食，过多摄入腌制食品，维生素、微量元素及矿物质的缺乏。

（2）遗传因素：家族性多发性息肉病及家族性无息肉结直肠癌综合征。

（3）癌前病变：结肠腺瘤（特别是绒毛状腺瘤）、家族性肠息肉病、溃疡性结肠炎、克罗恩病及血吸虫性肉芽肿。

2. 病理

（1）根据肿瘤大体形态分类

① 肿块型：肿瘤生长缓慢、转移较迟、恶性程度较低，预后较好。

② 溃疡型：是结直肠癌最常见的类型，表面易糜烂、出血、感染，甚至穿透肠壁。肿瘤分化程度低，转移出现早。

③ 浸润型：易引起肠腔狭窄而出现肠梗阻症状。转移较早，分化程度低，预后差。

（2）组织学分类：有腺癌、黏液癌、未分化癌等，其中腺癌最常见，未分化癌预后最差。淋巴转移是最常见的播散方式。

（二）临床表现

1. 结肠癌

（1）排便习惯和粪便性状改变：常为首先出现的症状，多表现为大便次数增多，粪便不成形或稀便，粪便中带脓血或黏液，腹泻与便秘交替。

（2）腹痛：疼痛部位常不确切，程度多较轻，为持续性隐痛或仅为腹部不适或腹胀感。

（3）腹部肿块：肿块质硬、表面不平、结节状，位于横结肠或乙状结肠的癌肿可有一定活动度。

（4）肠梗阻症状：是结肠癌的晚期症状，呈慢性、低位、不完全性肠梗阻表现，进食后症状加重。

（5）右半结肠癌临床特点是贫血、腹部包块、消瘦乏力，肠梗阻症状不明显；左半结肠以肠梗阻、便秘、便血等为主要表现。

2. 直肠癌

（1）排便习惯改变和直肠刺激症状：便意频繁、肛门下坠、里急后重和排便不尽感。

（2）排便性状改变：黏液血便为直肠癌患者最常见的临床症状。

（3）肠壁狭窄症状：有粪便变细和排便困难等慢性肠梗阻症状。

（4）转移症状：癌肿侵犯膀胱，可有尿道刺激征；癌肿侵及骶前神经时，出现骶尾部持续性剧烈疼痛。

（三）辅助检查

1. 直肠指检：是诊断直肠癌的最直接和主要的方法。

2. 大便潜血检查：可作为高危人群的初筛方法及普查手段。

3. 癌胚抗原（CEA）测定：有助于判断患者疗效及预后。术前测CEA明显升高者术后复发率高、预后差。

4. X线钡剂灌肠或气钡双重对比造影检查：是诊断结肠癌的重要检查。

5. 内镜检查：直视下获取活组织行病理学检查是诊断大肠癌最有效、可靠的方法。

6. B超和CT检查：有助了解直肠癌的浸润深度及淋巴转移情况，还可提示有无腹腔种植转移、是否侵犯邻近组织器官或肝、肺转移灶等。

（四）治疗要点

（1）以手术切除为主，配合放疗、化疗的综合疗法。

（2）结肠癌根治术切除范围包括癌肿所在的肠袢及其所属系膜和区域淋巴结。

(3) 腹会阴联合直肠癌根治术（Miles手术）主要适用于腹膜返折以下的直肠癌。

(4) 经腹腔直肠癌切除术（Dixon手术）适用于癌肿下缘距齿状线5cm以上的直肠癌。

(5) Hartmann手术适用于全身情况差无法耐受Miles手术或因急性肠梗阻不宜行Dixon手术的患者。

(6) 姑息性手术适用于局部癌肿尚能切除但已发生远处转移的晚期患者。

（五）护理措施

1. 术前肠道准备：目的是避免术中污染腹腔，减少切口感染和吻合口瘘。

(1) 传统肠道准备法

① 控制饮食：术前3天进少渣半流质饮食，术前2天起进流质饮食以减少粪便；术前12小时禁食、4小时禁水。

② 清洁肠道：术前3天，每天上午用15g番泻叶泡茶500ml饮用；亦可术前2天口服15～20g硫酸镁或30ml蓖麻油。术前2天晚用1%～2%肥皂水灌肠一次，手术前1天晚清洁灌肠。

③ 口服肠道抗生素：术前3天口服新霉素或卡那霉素；由于肠道菌群被抑制，影响了维生素K的合成与吸收，故同时给予口服维生素K。

(2) 全肠道灌洗法：将适量氯化钠、碳酸氢钠、氯化钾溶解于37℃温开水中，配成等渗平衡电解质液，于术前12～14小时开始口服，开始口服灌洗液的速度应达到2000～3000ml/h，开始排便后减慢速度至1000～1500ml/h，直至排出的粪便呈无渣、清水样为止。总灌洗量不少于6000ml，最后1000ml灌洗液中可加入甲硝唑等抗生素。体弱、心、肾等重要脏器功能障碍和肠梗阻者不宜选用。

(3) 口服甘露醇肠道准备法：术前1天午餐后0.5～2小时内口服20%的甘露醇250ml，半小时后口服5%葡萄糖盐溶液1000～1500ml/h。年老体弱、心、肾功能不全者禁用此法。

2. 术后饮食护理

(1) 非造口患者：术后早期禁食，静脉补液及营养液；术后2～3天肛门排气、拔除胃管后可进流质饮食；术后1周改为少渣半流质饮食，2周左右方可进少渣普食。

(2) 造口患者：进易消化的饮食，防止饮食不洁，调节饮食结构，少食产生刺激性气味或产气的食物，避免食用可致便秘的食物，以高热量、高蛋白、丰富维生素的少渣食物为主，以免大便干燥成形。

3. 结肠造口护理

(1) 造口的护理：观察造口肠段的血液循环和张力情况。结肠造口于术后2～3天肠蠕动恢复后开放，开放造口前用凡士林或生理盐水纱布外敷结肠造口，敷料浸湿后应及时更换。造口每次排便后，以凡士林纱布覆盖外翻的肠黏膜，外盖厚敷料保护。经常清洗消毒造口周围皮肤。

(2) 切口的护理：取左侧卧位，以防流出的粪便污染腹部切口，用塑料薄膜将造口与腹部切口隔开。

(3) 指导患者正确使用人工肛门袋：根据造口大小选择合适造口袋3～4个备用，当造口袋内充满1/3的排泄物时须及时更换清洗，用中性肥皂或0.5%氯已定溶液清洁皮肤；造口袋倒出排泄物后用中性洗涤剂和清水洗净，或用1∶1000氯已定（洗必泰）溶液浸泡30分钟。造口袋不宜长期持续使用，以防造口黏膜及周围皮肤糜烂。

4. 并发症的预防：术后7～10天不可灌肠，以免影响吻合口愈合而形成吻合口瘘；造口处拆线后每天扩张肛门1次，以免造口狭窄；为预防切口感染，要保持切口周围清洁干燥，应用抗生素，会阴部切口于术后4～7天开始给予1∶5000的高锰酸钾溶液坐浴。

5. 健康指导：指导患者出院后每1～2周括张肛门一次；1～3个月内不要参加重体力活动。

【考点强化】

1. 急性阑尾炎的典型临床症状是

A. 畏寒、发热　　B. 恶心、呕吐

C. 食欲下降　　D. 转移性右下腹痛

E. 腹泻

2. 提示阑尾炎的体征错误的是

A. 结肠充气试验阳性

B. 腰大肌试验阳性

C. 麦氏点压痛　　D. 阑尾压痛

E. 墨菲征阳性

3. 阑尾切除术后4天，切口疼痛明显，体温升高，最可能是

A. 肠粘连　　B. 切口感染

C. 肺部感染　　D. 膈下感染

E. 术后吸收热

4. 护理阑尾炎术后患者，第一天应注意观察的并发症是

A. 内出血　B. 盆腔脓肿
C. 肠粘连　D. 门静脉炎
E. 切口感染

5. 阑尾切除术后，切口感染、体温增高常发生于

A. 术后 1 日　B. 术后 2～3 日
C. 术后 3～5 日　D. 术后 5～7 日
E. 术后 2 周

6. 关于急性阑尾炎的叙述，下列不正确的是

A. 最常见的症状是腹痛
B. 右下腹固定压痛点是重要体征
C. 腹痛减轻说明病情缓解
D. 可并发化脓性门静脉炎
E. 无特殊禁忌患者宜采取早期手术治疗

7. 我国成人肠梗阻最常见的原因是

A. 肠套叠　B. 腹内翻
C. 肠扭转　D. 肠粘连
E. 肠堵塞

8. 肠梗阻的四大临床表现不包括

A. 呕吐　B. 腹痛
C. 腹胀　D. 肠鸣音亢进
E. 肛门停止排便排气

9. 提示肠麻痹的主要指征是

A. 闻及振水音　B. 肠鸣音亢进
C. 肠鸣音消失　D. 移动性浊音阳性
E. 闻及血管杂音

10. 机械性肠梗阻时肠鸣音的特征表现是

A. 亢进　B. 气过水声
C. 金属高调音　D. 沉寂
E. 消失

11. 绞窄性肠梗阻的表现不包括

A. 持续性剧烈腹痛
B. 呕吐带臭味的粪样物
C. 腹膜刺激征
D. 触及有固定压痛的包块
E. 腹腔穿刺抽出腹水

12. 高位肠梗阻除腹痛外，最主要的临床表现是

A. 呕吐频繁　B. 腹胀明显
C. 停止排便　D. 腹部包块
E. 肠鸣音消失

13. 婴儿原发性肠套叠的典型临床表现不包括

A. 阵发性哭闹　B. 腹痛
C. 腹胀　D. 果酱样黏液血便
E. 腊肠样肿块

14. 结直肠手术前肠道准备不包括

A. 控制饮食　B. 口服缓泻药
C. 胃肠减压　D. 清洁灌肠
E. 口服肠道抑菌药

15. 下列哪一种肠梗阻患者需立即做好急诊手术前准备

A. 粘连性肠梗阻　B. 肠扭转
C. 麻痹性肠梗阻　D. 肠套叠
E. 蛔虫性肠梗阻

16. 肠梗阻施行胃肠减压的目的不正确的是

A. 改善肠道内血液供应
B. 减轻腹胀
C. 增加血氧含量　D. 降低肠腔内压力
E. 减少毒素吸收

17. 腹腔手术后，预防肠粘连的主要护理措施是

A. 保持腹腔引流通畅
B. 遵医嘱使用抗生素
C. 及时拔除腹腔引流管
D. 鼓励早期活动
E. 维持有效的胃肠减压

18. 结肠癌最早出现的症状是

A. 排便习惯和性状的改变
B. 腹痛　C. 腹部肿块
D. 肠梗阻　E. 全身症状

19. 结肠癌好发部位是

A. 升结肠　B. 横结肠
C. 降结肠　D. 乙状结肠
E. 结肠肝曲

20. 大肠癌最常见的转移途径为

A. 直接蔓延　B. 淋巴转移
C. 动脉转移　D. 静脉转移
E. 种植转移

21. 早期诊断结肠癌最有价值的检查方法是

A. 纤维结肠镜检查
B. 大便潜血试验　C. 钡剂灌肠检查
D. 肛门检查　E. CEA 测定

22. 结肠造口术后，护理措施不正确的是

A. 排便后肛袋及时倒空、洗净、晾干
B. 肛袋每天浸泡消毒一次
C. 及时更换造口部位敷料
D. 应准备 2 个以上肛袋，以便交替使用
E. 肛袋持续应用，以防污染皮肤

23. 人工肛门患者出院后，持续扩肛时间是

A. 1个月 B. 2个月 C. 3个月
D. 6个月 E. 12个月

24. 患者女性，18岁。阑尾切除术后第6天，体温又上升至39℃，里急后重，并有尿频、尿急症状。首先考虑的并发症是
A. 泌尿系感染 B. 盆腔脓肿
C. 膈下脓肿 D. 肠间脓肿
E. 急性肠炎

25. 患者男性，60岁。患结肠癌，拟行“左半结肠切除术”，术前几日开始服用肠道消炎药
A. 1日 B. 2日 C. 3日
D. 4日 E. 5日

26. 患者男性，35岁。昨晚暴饮暴食后，出现腹痛，并有腹胀、呕吐、肛门停止排便排气，自诉去年做过阑尾切除术，诊断为单纯性粘连性肠梗阻。经治疗后，肠梗阻解除的标志是
A. 体温正常 B. 腹胀消失
C. 肠鸣音亢进 D. 食欲增加
E. 肛门排气

27. 患者男性。因绞窄性肠梗阻急症入院，患者呈明显休克状态，脉搏130次/分，血压5.3/2.7kPa（40/20mmHg）。正确的处理是
A. 用升压药
B. 加快输液，补充血容量
C. 用强心药
D. 输液、输血抗休克，同时准备手术
E. 立即手术切除坏死肠段

（28～29题共用病例）
患者男性，35岁。与朋友聚餐后突发上腹部剧烈疼痛，后转为右下腹并伴有固定压痛点，临床诊断为“急性阑尾炎”，准备手术治疗。

28. 急性阑尾炎腹痛起始于脐周或上腹的机制是
A. 胃肠功能紊乱 B. 内脏神经反射
C. 躯体神经反射 D. 阑尾位置不定
E. 阑尾管壁痉挛

29. 急症手术前，正确的是
A. 禁食12h，禁饮4h
B. 半卧位，应用抗生素
C. 肌注镇痛药 D. 肥皂水灌肠通便
E. 右下腹皮肤准备

（30～31题共用备选答案）
A. 麻痹性肠梗阻 B. 痉挛性肠梗阻
C. 血运性肠梗阻
D. 机械性单纯性肠梗阻
E. 机械性绞窄性肠梗阻

30. 腹部手术后早期的肠梗阻多属于
31. 单纯的肠系膜血管栓塞引起的肠梗阻属于

（32～34题共用备选答案）
A. 术后2～3天 B. 术后3～5天
C. 术后5～7天 D. 术后7～10天
E. 术后14天

32. 阑尾切除术后几天可进普食
33. 阑尾切除术后切口感染，体温增高，多出现在
34. 阑尾穿孔切除术后几天常可发生腹腔脓肿

【参考答案】

1. D 2. E 3. B 4. A 5. C
6. C 7. D 8. D 9. C 10. C
11. E 12. A 13. C 14. C 15. B
16. C 17. D 18. A 19. D 20. B
21. A 22. E 23. C 24. B 25. C
26. E 27. D 28. B 29. B 30. D
31. C 32. A 33. B 34. C

第十一章 直肠肛管疾病患者的护理

一、直肠肛管周围脓肿

1. 病因、病理：绝大多数直肠肛管周围脓肿源于肛腺感染。

2. 临床表现
（1）肛门周围脓肿：以肛门周围皮下脓肿

最为常见，多表现为肛周持续跳动性疼痛，局部红肿、触痛，脓肿形成后有波动感。

(2) 坐骨肛管间隙脓肿（坐骨直肠窝脓肿）：较多见。最初表现为患侧持续性胀痛，逐渐发展为明显跳痛。全身感染症状明显。直肠指检患侧有触痛或波动感。较大脓肿可形成肛瘘。

(3) 骨盆直肠间隙脓肿（骨盆直肠窝脓肿）：全身感染症状严重而无典型局部表现。局部表现为直肠坠胀感和里急后重，肛门周围多无异常体征。直肠指检扪及局限性隆起和触痛。

3. 治疗要点：脓肿未形成时可应用抗菌药控制感染、温水坐浴、局部理疗。脓肿形成后应及早行手术切开引流。

二、肛瘘

1. 病因：绝大多数肛瘘由直肠肛管周围脓肿发展而来。

2. 分类

(1) 根据瘘口与瘘管的数目分类

① 单纯性肛瘘：只存在单一瘘管。

② 复杂性肛瘘：存在多个瘘口和瘘管，甚至有分支。

(2) 根据瘘管所在的位置分类

① 低位肛瘘：瘘管位于外括约肌深部以下。

② 高位肛瘘：瘘管位于外括约肌深部以上。

3. 临床表现：主要表现为肛瘘部位疼痛、瘘口排脓、肛周瘙痒，当肛瘘引流不畅时可引起发热、头痛、乏力等表现。在脓液排出后，外口可以暂时闭合；当脓液积聚到一定量时，再次冲破外口排脓，如此反复发作。

4. 辅助检查：做碘油瘘管造影检查可明确瘘管分布。

5. 治疗要点：低位肛瘘用挂线疗法或手术切除；高位肛瘘以挂线疗法为主。

三、痔

（一）病因、病理

(1) 反复便秘、妊娠、久坐久立、用力排便、腹水、肛周感染及盆腔巨大肿瘤等引起腹内压增高的因素可引起痔。

(2) 痔的形成还可能与食物中的纤维含量过低、酗酒、营养不良等因素有关。

(3) 肛垫下移学说：肛垫是位于肛管黏膜下的组织垫，位于肛管的左侧、右前、右后三个区域，正常情况下肛垫在排便时被推挤下移，排便后可自行回缩至原位；若存在引起腹内压增高的因素，则肛垫逐渐向远侧移位从而形成痔。

(4) 静脉曲张学说：直肠静脉解剖特点是无静脉瓣，直肠上下静脉丛管壁薄、位置表浅，末端直肠黏膜下组织松弛。任何引起腹内压增高的因素均可导致直肠静脉血液淤滞、静脉扩张从而形成痔。

（二）临床表现

1. 内痔：好发于直肠下端截石位3、7、11点。主要表现为便血及痔块脱出，便血的特点是无痛性、间歇性便后出鲜血，内痔分度如下。

① Ⅰ度（期）：排便时出血，便后出血自行停止，无痔块脱出。

② Ⅱ度（期）：常有便血，痔块在排便时脱出肛门，排便后可自行回纳。

③ Ⅲ度（期）：偶有便血，痔在腹内压增高时脱出，无法自行回纳，需用手辅助。

④ Ⅳ度（期）：偶见便血，痔块长期脱出肛门，无法回纳或回纳后又立即脱出。

2. 外痔：主要表现为肛门不适、潮湿，有时伴局部瘙痒。血栓性外痔则有剧痛，排便、咳嗽时加剧；在肛门表面可见红色或暗红色硬结。

（三）治疗要点

(1) 初期及无症状痔：一般治疗。

(2) 有血栓形成的痔：先局部热敷和减轻疼痛，若疼痛不缓解再行手术。

(3) 嵌顿痔：应及早行手法复位，将痔核还纳肛门内。

(4) 注射疗法：常用于Ⅰ、Ⅱ度内痔的治疗。

(5) 胶圈套扎疗法：可用于Ⅰ、Ⅱ、Ⅲ度内痔的治疗。

(6) 冷冻疗法：适用于内痔出血不止、术后复发、年老体弱或伴有心、肺、肝、肾病等而不宜手术者。

(7) 枯痔丁疗法：适用于内痔出血或脱出者。

(8) 红外线凝固：适用于Ⅰ、Ⅱ度内痔。

（9）手术疗法：主要适用于Ⅱ、Ⅲ、Ⅳ度内痔或发生血栓、嵌顿等并发症的痔及以外痔为主的混合痔等。

四、直肠肛管疾病的护理

1. 保持大便通畅：多饮水，多吃蔬菜、水果和富含纤维素的食物，少食辛辣食物，纠正饮酒嗜好；养成每天定时排便的习惯，保持肛门局部清洁。可口服缓泻药。

2. 肛门坐浴：保持局部清洁，改善局部血液循环，解除括约肌痉挛及其所致疼痛，促进炎症吸收消散。用1∶5000高锰酸钾溶液坐浴，调节水温为43～46℃，每天2～3次，每次20～30分钟。

3. 活动：痔患者避免久坐、久站、久蹲，术后24小时于床上活动四肢，不宜过早下床，以防术后出血。

4. 术后护理

（1）病情观察：观察有无发生内出血表现。

（2）饮食和排便：术后1～3天应以无渣或少渣流食、半流食为主，避免术后3天内解大便，3天后便秘者口服液状石蜡等药物通便，禁忌灌肠。

（3）挂线后护理：嘱患者每5～7天到门诊收紧药线，直到药线脱落。脱线后局部可涂抗生素软膏，以促进伤口愈合。

（4）尿潴留的护理：术后24小时内，每4～6小时嘱患者排尿一次。若术后8小时仍未排尿且感下腹胀满、隆起时可行诱导排尿或导尿等。

（5）术后并发症的预防和护理：定期行直肠指诊以及时观察伤口愈合情况；注意患者有无排便困难、大便变细或肛门失禁现象，肛门括约肌松弛者术后3天起指导患者进行提肛运动；为防止肛门狭窄，术后5～10天可用示指扩肛，每天1次。

（6）脓肿切开引流护理：观察引流液的颜色、量、性状；定时冲洗脓腔，保持引流通畅；当脓液变稀、引流量少于50ml时，可拔管。

【考点强化】

1. 关于肛门周围脓肿的叙述正确的是

A. 疼痛不剧烈

B. 是慢性化脓性感染

C. 常自行破溃，形成低位肛瘘

D. 在直肠肛管周围脓肿中较少见

E. 多有高热、寒战、全身疲乏不适

2. 坐骨直肠窝脓肿的临床表现不包括

A. 脓血便

B. 发病时觉患侧持续性疼痛

C. 排尿困难

D. 直肠指检可触及波动感

E. 直肠刺激症状

3. 肛瘘常继发于

A. 内痔　　B. 血栓性外痔

C. 肛裂　　D. 直肠脱垂

E. 直肠肛管周围脓肿

4. 肛瘘的临床表现是

A. 便时及便后肛门部周期性剧烈疼痛

B. 肛周外口有少量脓性分泌物流出伴瘙痒

C. 排便时疼痛性出血

D. 大便习惯发生改变

E. 常引起便秘

5. 与肛裂发生有关的主要因素有

A. 长期饮酒　　B. 辛辣饮食

C. 长期排尿困难　　D. 长期便秘

E. 肛管慢性感染

6. 肛裂的主要临床表现为

A. 无痛性便血　　B. 肛门部下坠感

C. 疼痛、便秘和出血

D. 肛周流脓　　E. 黏液脓血便

7. 典型的肛裂三联征

A. 肛裂、肥大乳头、肛瘘

B. 肛裂、肥大乳头、前哨痔

C. 肛裂、肛瘘、前哨痔

D. 内痔、肥大乳头、前哨痔

E. 内痔、前哨痔、肛瘘

8. 与痔核形成无关的因素是

A. 直肠静脉无静脉瓣

B. 直肠上下静脉丛畸形

C. 直肠肛管慢性感染

D. 久站久坐　　E. 便秘

9. 内痔的早期症状

A. 排便时出血　　B. 痔核脱出

C. 排便时疼痛　　D. 肛门瘙痒

E. 里急后重

10. 内痔患者护理中，与预防便秘的措施无关的是

A. 每天坚持适当活动

B. 多饮水、多吃蔬菜

C. 忌酒和辛辣食物

D. 养成每天定时排便的习惯

E. 坚持每晚肛门坐浴

11. 肛门坐浴的作用不包括

A. 能促进局部血运　B. 能促进炎症吸收

C. 缓解肛门括约肌痉挛

D. 清洁作用　E. 止血作用

12. 直肠肛管手术后最常见的并发症是

A. 伤口出血　B. 大便失禁

C. 肛门狭窄　D. 切口感染

E. 切口裂开

13. 内痔的好发部位多在截石位的

A. 3、7、12 点　B. 2、4、8 点

C. 3、5、11 点　D. 3、7、11 点

E. 3、6、9 点

14. 患者男性，40 岁。直肠肛管周围脓肿切开引流后形成肛瘘，肛门内镜检查内口较高。该患者宜采用的治疗方法为

A. 肛瘘切开术　B. 肛瘘切除术

C. 非手术治疗　D. 抗感染治疗

E. 挂线疗法治疗

15. 患者男性，40 岁。排便时肛门滴血，有痔核脱出，便后自行回纳。应考虑是

A. 一度内痔　B. 二度内痔

C. 三度内痔　D. 嵌顿性内痔

E. 血栓性内痔

(16～18 题共用病例)

患者女性，52 岁，有直肠肛管疾病病史 5 年，发现肛瘘 1 年，近日来肛周瘙痒明显，且隐痛不适，瘘口经常有脓液排出。

16. 为明确瘘管分布需做的辅助检查是

A. 直肠指检　B. 内镜检查

C. 特殊检查　D. 实验室检查

E. 影像学检查

17. 术后并发症的预防和护理不正确的是

A. 定期行直肠指诊

B. 观察伤口愈合情况

C. 术后 3 天内用食指扩肛

D. 每日扩肛一次

E. 肛门括约肌松弛者，术后 3 天进行提肛运动

18. 以下健康指导不正确的是

A. 保持大便通畅

B. 保持肛周皮肤清洁、湿润

C. 术后 2 天开始每晚及便后用 1：5000 高锰酸钾坐浴

D. 积极治疗直肠肛管疾病

E. 清淡饮食、多饮水

(19～21 题共用病例)

患者男性，患有肛瘘病史 2 年，近 1 周肛周持续性跳痛，局部红肿、触痛明显，诊断为直肠肛管周围脓肿。

19. 为进一步明确诊断，首选的检查方法是

A. 直肠指检　B. 实验室检查

C. B 超　D. CT 检查

E. 诊断性穿刺

20. 护士指导患者肛门坐浴方法不妥的是

A. 坐浴前禁食 4 小时

B. 用 1：5000 高锰酸钾溶液

C. 每次 20～30 分钟　D. 水温 43～46℃

E. 每日 2～3 次

21. 采用脓肿切开引流术，当引流量小于多少时考虑拔管

A. 10ml　B. 20ml　C. 30ml

D. 40ml　E. 50ml

22. 上述患者有关处理不妥的是

A. 避免辛辣食物　B. 少吃水果

C. 服缓泻药　D. 避免肛门检查

E. 外用消炎软膏

(23～26 题共用病例)

患者男性，52 岁，反复出现排便后肛门剧痛，咳嗽时加剧，且有肛门不适、潮湿伴局部瘙痒感，查体：肛门表面可见暗红色硬结。

23. 该患者最可能的诊断是

A. 肛裂　B. 肛瘘　C. Ⅲ度内痔

D. 混合痔　E. 血栓性外痔

24. 最佳的治疗措施是

A. 调节饮食，保持大便通畅，便后热水坐浴

B. 局部热敷外敷消炎药

C. 注射疗法　D. 胶圈套扎法

E. 外敷药物不缓解者行外痔剥离术

25. 若患者行手术治疗，术后护理不正确的是

A. 术后 1～3 天进无渣半流食为主

B. 术后 24 小时内，每 4～6 小时嘱患者排尿 1 次

C. 术后 24 小时内，床上活动四肢、翻身

D. 24 小时后可适当下床活动

E. 发生便秘时及时灌肠

26. 术后常见的并发症不包括

A. 尿潴留　B. 切口感染

C. 切口出血　D. 肛门狭窄

E. 肠粘连

（27～28 题共用备选答案）

A. 排便时痔核不脱出肛门，痔核滴血

B. 排便时痔核可脱出肛门，便后痔核自行复位

C. 痔核反复脱出肛门，且不能自行回纳，需用手推回

D. 肛门处有一暗紫色肿块，剧痛，有异物感

E. 肛门后正中线裂口的下端有一袋状皮垂

27. Ⅲ度内痔的特点是

28. 血栓性外痔的特点是

【参考答案】

1. C　2. A　3. E　4. B　5. D
6. C　7. B　8. B　9. A　10. E
11. E　12. A　13. D　14. E　15. B
16. E　17. C　18. B　19. E　20. A
21. E　22. B　23. E　24. E　25. E
26. E　27. C　28. D

第十二章　门静脉高压症、肝脏疾病患者的护理

第一节　门静脉高压症患者的护理

（一）病因、病理

1. 病因

（1）肝前型门静脉高压症：门静脉主干内血栓形成、门静脉主干的先天性畸形、上腹部肿瘤对门静脉或脾静脉的压迫可引起门静脉高压症。

（2）肝内型门静脉高压症：该型在我国最常见，分为窦前型、窦型和窦后型。我国窦前型门静脉高压症主要由血吸虫病肝硬化所致。窦型和窦后型门静脉高压症多由肝炎后肝硬化所引起。慢性酒精中毒所致的肝硬化在西方国家常见。儿童先天性肝纤维化、脂肪肝、急慢性肝炎、暴发性肝炎及重型肝炎等均可引起门静脉压力增高。

（3）肝后型门静脉高压症：发生于主要肝静脉流出道的阻塞包括肝静脉、下腔静脉甚至右心阻塞，如肝静脉阻塞综合征、缩窄性心包炎、严重右心衰竭等。

2. 病理：门静脉高压症首先出现的病理变化是脾大、脾功能亢进。静脉交通支的扩张包括食管下段及胃底交通支（最重要）、肛管及直肠下段交通支、腹前壁交通支、腹膜后交通支的扩张。腹水形成的因素包括门静脉压力升高引起门静脉系毛细血管床的滤过压增加、血浆清蛋白水平降低引起的血浆胶体渗透压降低、醛固酮和血管升压素继发性增多、淋巴液生成增加等。

（二）临床表现

（1）门静脉高压症早期可有脾脏肿大、脾功能亢进。

（2）腹水，有移动性浊音。

（3）指压性水肿，腹壁静脉怒张，有蜘蛛痣、肝掌。

（4）营养不良，黄疸、贫血或面色灰暗。

（三）辅助检查

1. 血常规：脾功能亢进者，白细胞计数降至 3×10^9/L 以下，血小板计数减少至（70～80）$\times10^9$/L 以下。

2. 肝功能检查：酶谱变化，血清胆红素增高，低蛋白血症，白/球蛋白倒置，凝血酶原时间延长。

3. X 线检查：钡餐检查可知有无食管静脉曲张以及曲张的范围和程度。

4. B 超检查：有助了解有无肝硬化、腹水、脾大小，还可以测定脾静脉直径，脾门部

静脉直径＞1cm 者可确诊。

5. 门静脉压力测定：门静脉的正常压力约 127～235kPa（13～24cmH_2O）。

（四）治疗要点

1. 治疗原则：以非手术治疗为主，预防和控制急性食管-胃底曲张静脉破裂引起的上消化道出血；解除或改善脾大、脾功能亢进；治疗顽固性腹水。

2. 手术治疗：分流术仅适用于无活动性肝病变及肝功能代偿良好者；断流术是通过阻断门-奇静脉间反常血流达到止血目的；脾切除术主要用于消除脾功能亢进；对顽固性腹水采用腹腔-静脉转流术。

（五）护理措施

1. 控制或减少腹水的形成

（1）尽量取平卧位以增加肝、肾血流灌注。有下肢水肿者抬高患肢以减轻水肿。

（2）补充营养，纠正低蛋白血症，限制液体和钠的摄入。

（3）每天测腹围一次，每周测体重一次。

（4）使用利尿药：如氨苯蝶啶，记录 24 小时出入液量。

2. 防止食管-胃底曲张静脉破裂出血

（1）避免进食粗糙、干硬、带骨、有渣的食物或鱼刺、油炸、过热及辛辣食物；禁忌烟酒。少喝咖啡和浓茶。

（2）注意休息，避免劳累。

（3）避免腹内压增高的因素，如恶心、呕吐、便秘、咳嗽、负重等。

（4）口服药片应研成粉末冲服。

3. 分流手术前准备：术前 2～3 日口服肠道不吸收抗菌药物，减少肠道氨的产生，防止手术后肝性脑病；手术前 1 日晚清洁灌肠，避免手术后肠胀气压迫血管吻合口。

4. 分流手术后护理

（1）防止分流术后血管吻合口破裂出血；一般手术后卧床 1 周，术后 48 小时内平卧位；翻身动作宜轻柔；保持大、小便通畅。

（2）防止脾切除术后静脉血栓形成：手术后 2 周内每日或隔日复查 1 次血小板计数，如超过 600×10^9/L 时，考虑给抗凝治疗，脾切除术后不用维生素 K 及其他止血药物。

（3）防止肝性脑病：分流术后易诱发肝性脑病，应限制蛋白质的摄入，减少血氨的产生，忌用肥皂水灌肠，减少氨的吸收，遵医嘱测定血氨浓度。若病人出现神志淡漠、嗜睡、谵妄症状，应通知医生。

（4）饮食护理：在肠蠕动恢复后，可给流质饮食；分流术后应限制蛋白质饮食；忌粗糙和过热的食物；禁烟酒。

第二节　原发性肝癌患者的护理

（一）病因、病理

1. 病因：与病毒性肝炎、肝硬化、黄曲霉菌、亚硝胺类致癌物、环境因素等有关。

2. 病理：我国以结节型多见，组织学类型中以肝细胞型为主。

3. 转移途径：通常先有肝内播散，极易侵犯门静脉分支，肝外转移多为血行转移，血行转移部位最多见于肺；淋巴转移至肝门淋巴结为最多见。

（二）临床表现

肝区疼痛是最常见、最主要症状，多呈间歇性或持续性钝痛或刺痛，半数以上患者以此为首发症状。可伴全身和消化道症状。肝大为中、晚期肝癌的主要临床体征。

（三）辅助检查

1. 血清甲胎蛋白（AFP）检测：用于普查，是目前诊断肝细胞癌特异性最高的方法之一，对诊断肝细胞肝癌具有相对专一性。AFP 呈持续阳性或定量＞500μg/L，应高度怀疑肝细胞癌。

2. B 超：是目前肝癌定位检查中首选的方法。

3. 肝穿刺活组织检查：有确诊的意义。

（四）治疗要点

多采用以手术为主的综合治疗。早期手术切除是目前治疗肝癌最为有效的方法。大肝癌目前主张应先行综合治疗，争取二期手术。

（五）护理措施

1. 术前护理

（1）术前常规护理：原发性肝癌患者宜采用高蛋白、高热量、高维生素饮食，少食多餐。加强营养调理，给予营养支持、输血等以纠正低蛋白血症。保护肝功能；合理休息。

（2）尽量避免致肿瘤破裂的诱因，如剧烈咳嗽、用力排便等致腹内压骤升的动作。

（3）了解患者的出凝血时间、凝血酶原时间和血小板数等，术前3天给予维生素K肌内注射，以改善凝血功能，预防术中、术后出血。

（4）术前3天进行肠道准备，口服链霉素、卡那霉素以抑制肠道细菌；手术前晚清洁灌肠。

2. 术后一般护理：术后24小时内卧床休息，避免剧烈咳嗽。为防止术后出血，一般不鼓励患者早期活动。半肝以上切除者间歇吸氧3～4天。

3. 介入治疗的护理

（1）介入治疗前准备

① 向患者解释肝动脉插管化疗的目的及注意事项。

② 注意出凝血时间、血常规、肝肾功能、心电图等检查结果，判断有无禁忌证。

③ 术前禁食4小时，检查导管的质量。

（2）介入治疗后护理

① 介入治疗后嘱患者大量饮水，以减轻化疗药物对肾的毒副作用，观察排尿情况。

② 预防出血：患者取平卧位，穿刺处沙袋加压1小时，穿刺侧肢体制动6小时。

（3）导管护理

① 妥善固定和维护导管。

② 严格遵守无菌原则，每次注药前消毒导管，注药后用无菌纱布包扎，防止逆行性感染。

③ 为防止导管堵塞，注药后用肝素稀释液冲洗导管。

（4）拔管护理：拔管后局部加压15分钟，卧床24小时，防止局部出血。

（5）栓塞后综合征的护理：肝动脉栓塞化疗后多数患者可出现发热、肝区疼痛、恶心、呕吐、心悸、白细胞下降等，称为栓塞后综合征。若体温高于38.5℃可予物理、药物降温；肝区疼痛适当给予镇痛药；当白细胞计数＜4×10^9/L时应暂停化疗并应用升白细胞药物。

第三节　肝脓肿患者的护理

（一）细菌性肝脓肿

1. 病因：最常见致病菌为大肠杆菌和金黄色葡萄球菌，其次为链球菌、类杆菌属等。胆道系统是最主要的病菌入侵途径，胆道感染是最常见的病因。

2. 临床表现

（1）症状：寒战和高热是最常见的早期症状，一般为稽留热或弛张热；多数患者出现肝区持续性胀痛或钝痛；患者有乏力、食欲减退、恶心、呕吐；

（2）体征：最常见为肝区压痛和肝大，右下胸部和肝区有叩击痛。

3. 辅助检查 ：血白细胞计数增高，中性粒细胞可高达90%以上；B超能明确其部位和大小；诊断性肝穿刺抽出脓液即可证实。

4. 治疗要点

（1）非手术治疗：适用于急性期尚未局限的肝脓肿和多发性小脓肿。包括支持治疗、应用抗菌药、经皮肝穿刺脓肿置管引流术、中医中药治疗。

（2）手术治疗：脓肿切开引流术适用于较大的脓肿；肝叶切除术适用于慢性厚壁肝脓肿切开引流术后长期不愈或肝内胆管结石合并左外叶多发性肝脓肿且该肝叶功能丧失者。

5. 护理措施

（1）引流管护理：妥善固定引流管，防止滑脱；置患者于半卧位，以利引流和呼吸；每天用生理盐水多次或持续冲洗脓腔，观察和记录脓腔引流液的色、质和量。每天更换引流瓶；当脓腔引流液少于10ml时，可拔除引流管，改为凡士林纱条引流，适时换药，直至脓腔闭合。

（2）其他护理：保持病室空气新鲜，定时通风，维持室温于18～22℃，湿度为50%～

鉴别点	细菌性肝脓肿	阿米巴性肝脓肿
病史	继发于胆道感染或其他化脓性疾病	继发于阿米巴痢疾后
症状	病情急骤严重，全身脓毒症，症状明显，有寒战、高热	起病较缓慢，病程较长，可有高热，或不规则发热、盗汗
血液检查	白细胞计数及中性粒细胞可明显增加。血液细菌培养可阳性	白细胞计数可增加，若无继发细菌感染，血液细菌培养阴性。血清学阿米巴抗体检测阳性
粪便检查	无特殊表现	部分患者可找到阿米巴滋养体
脓液	多为黄白色脓液，涂片和培养可发现细菌	大多为棕褐色脓液，无臭味，镜检有时可找到阿米巴滋养体。若无混合感染，涂片和培养无细菌
脓肿	较小，常为多发性	较大，多为单发，多见于肝右叶
诊断性治疗	抗阿米巴治疗无效	抗阿米巴治疗有好转

70%。加强对生命体征和腹部体征的观察；营养支持。

（二）阿米巴性肝脓肿

1. 病因病理：阿米巴原虫从结肠溃疡处经门静脉血液、淋巴管或直接侵入肝门。

2. 临床表现：阿米巴性肝脓肿主要应与细菌性肝脓肿鉴别，见上表。

3. 治疗要点

（1）非手术治疗：应用抗阿米巴药物（甲硝唑、氯喹、依米丁）治疗，必要时反复穿刺抽脓及支持疗法。

（2）手术治疗：经皮肝穿刺置管闭式引流、手术切开引流、肝叶切除术。

【考点强化】

1. 门静脉高压症的临床表现不包括

A. 脾肿大　B. 呕血　C. 腹水

D. 黑便　E. 高血压

2. 门静脉高压症患者的术前护理，错误的是

A. 给予高碳水化合物、高维生素、低脂饮食

B. 术日晨常规放置胃管

C. 应避免进食干硬、刺激性强的食物

D. 有腹水者应控制水和钠的摄入量

E. 严重贫血可输新鲜血

3. 手术治疗门静脉高压症合并食管静脉曲张的最主要目的是

A. 减轻腹水　B. 提高机体抵抗力

C. 防止肝功能减退

D. 预防上消化道出血

E. 预防肝性脑病

4. 门静脉高压症手术前准备，下列哪项是错误的

A. 保肝治疗　B. 无渣高糖饮食

C. 输新鲜血液　D. 肌注维生素 K

E. 手术当天放置胃管

5. 门静脉高压症分流术后，一般需要卧床

A. 1 天　B. 2 天　C. 3 天

D. 1 周　E. 2 周

6. 下列哪些患者术后宜过早下床活动

A. 肝叶切除后

B. 下肢植皮术后

C. 门脉高压症分流术后

D. 腹外疝手术后

E. 阑尾切除术后

7. 门静脉高压症分流术后最危重的并发症是

A. 食管胃底静脉曲张破裂

B. 脾功能亢进　C. 肝性脑病

D. 严重顽固性腹水

E. 肝功能衰竭

8. 门静脉高压症的患者术前为防止食管胃底静脉曲张破裂出血，应注意的事项不包括

A. 避免用力排便、抬重物

B. 口服药应研粉冲服

C. 饮食不宜过冷

D. 避免粗糙、干硬食物

E. 一般不放置胃管

9. 普查原发性肝癌最常用的方法是

A. B 超检查

B. CT 检查

C. 血清甲胎蛋白的测定

D. 血清酶学检查

E. 放射性核素扫描

10. 与原发性肝癌的发生，关系最密切的是

A. 脂肪肝　B. 肝炎后肝硬化

C. 血吸虫感染　D. 酒精中毒

E. 营养障碍

11. 原发性肝癌主要的转移部位是

A. 肝内　B. 肺　C. 骨　D. 脑

E. 左锁骨上淋巴结

12. 肝叶切除患者的术后护理，错误的是

A. 专人护理　B. 吸氧

C. 鼓励早期下床活动

D. 监测重要器官的功能情况

E. 监测生命体征

13. 以非手术治疗为主的肝脏疾病是

A. 细菌性肝脓肿

B. 阿米巴性肝脓肿

C. 原发性肝癌

D. 肝海绵状血管瘤

E. 肝包虫病

14. 细菌性肝脓肿的主要症状是

A. 恶心呕吐　B. 黄疸

C. 右上腹肌紧张

D. 局部皮肤凹陷性水肿

E. 寒战、高热，肝区疼痛、肝大

15. 患者女，50 岁。诊断为门静脉高压症，行门腔静脉分流术，术后 1～2 天内应采取的体位是

A. 高半卧位　B. 半卧位　C. 平卧位

D. 侧卧位　E. 不受限制

16. 患者女，57 岁。近 3 个月来右上腹部不适，经检查诊断为“肝癌”，行肝动脉插管化疗，为防止导管堵塞应

A. 持续滴注化疗药

B. 化疗后给予生理盐水维持

C. 全身性抗凝

D. 注药后应用肝素液冲管

E. 无须做特殊处理

（17～18 题共用病例）

患者男，45 岁。原有肝硬化病史，因近 3 个月来出现乏力、食欲减退、肝区疼痛来院就诊，诊断为原发性肝癌。行肝叶切除加肝动脉插管化疗。

17. 下列护理措施不妥的是

A. 妥善固定各种导管

B. 每次注药前导管消毒，注药后行无菌包扎

C. 导管消毒后可直接注药

D. 注药后用肝素稀释液冲洗导管

E. 监测病情，及时发现并发症

18. 为预防术后肝性脑病的发生应

A. 便秘时给予肥皂水灌肠

B. 睡眠差时给予镇静药

C. 给予高蛋白、高脂肪、富含纤维素饮食

D. 烦躁不安时给予巴比妥类药物

E. 口服新霉素，抑制肠道细菌繁殖

（19～22 题共用病例）

患者男性，55 岁，胆管结石病史 5 年，寒战高热 1 天，伴有乏力、食欲减退、恶心、呕吐，入院查体：T：39.5℃ 脉搏 120 次/分 大汗，肝区压痛、叩击痛，WBC12.3×10^9/L　N89% X 线检查示：肝阴影增大，右膈肌抬高。

19. 该患者最可能的诊断为

A. 胆囊结石　B. 胆囊炎

C. 急性化脓性胆管炎

D. 急性肝炎　E. 细菌性肝脓肿

20. 该病最常见的致病菌是

A. 链球菌

B. 类杆菌属

C. 幽门螺杆菌

D. 大肠杆菌

E. 铜绿假单胞菌

21. 该患者病原菌入侵肝的最主要途径是

A. 肝动脉　B. 门静脉

C. 淋巴系统　D. 伤口入侵

E. 胆道系统

22. 若为患者手术治疗，对引流管护理不妥的是

A. 妥善固定，防止滑脱

B. 置患者右侧卧位

C. 严格遵守无菌操作

D. 每天更换引流瓶

E. 当脓腔引流液少于 10ml 时，可拔除引流管

【参考答案】

1. E　2. B　3. D　4. E　5. D
6. E　7. C　8. C　9. C　10. B
11. A　12. C　13. B　14. E　15. C
16. D　17. C　18. E　19. E　20. D
21. E　22. B

第十三章 胆道疾病患者的护理

一、解剖生理概要

(1) 胆道系统分肝内和肝外两大系统，包括肝内、肝外胆管、胆囊以及 Oddi 括约肌等。胆道系统起于肝内毛细胆管，开口于十二指肠乳头。

(2) 肝内胆管起自肝内毛细胆管逐级汇合成小叶间胆管、肝段、肝叶胆管和肝内左右肝管。

(3) 肝外胆管由肝外左、右肝管及肝总管、胆囊、胆总管等组成。

(4) 胆总管分为十二指肠上段、十二指肠后段、胰腺段、十二指肠壁内段。胆总管与主胰管在十二指肠壁内汇合，形成共同通道并膨大形成胆胰壶腹。

(5) 胆囊颈颈上部呈囊性膨大称为 Hartmann 袋，是胆囊结石常滞留的部位。肝总管、胆囊管和肝脏下缘之间的三角区域称为胆囊三角，内有胆囊动脉、肝右动脉、副右肝管穿行，是胆道手术易误伤的部位。

二、胆道疾病的特殊检查及护理

1. B 型超声检查：是普查和诊断胆道疾病的首选方法。为保证胆囊和胆管内胆汁充盈，减少胃肠道内容物和气体的影响，胆囊检查前禁食 8 小时以上，检查前 1 天晚餐进清淡饮食，肠道气体过多者可事先口服缓泻药或通便。如果超声检查前做过内镜和钡餐造影检查，则应在钡餐检查 3 天后、胆系造影 2 天后进行超声检查。检查时多取仰卧位；左侧卧位有利于显示胆囊颈及肝外胆管病变；坐位或站位可用于胆囊位置较高者。

2. X 线检查

(1) 经皮肝穿刺胆管造影：本法有可能发生胆漏、出血、胆道感染等并发症。检查前检测凝血酶原时间及血小板计数，碘过敏试验；全身预防性使用抗生素 2～3 天；术前 1 天晚口服缓泻药或灌肠，术日晨禁食。经肋间穿刺时患者取仰卧位，经腹膜外穿刺时取俯卧位；指导患者保持平稳呼吸，避免屏气或做深呼吸。术后平卧 4～6 小时。

(2) 内镜逆行胰胆管造影：检查前 15 分钟常规注射地西泮、东莨菪碱；检查中指导患者进行深呼吸并放松；造影后 2 小时方可进食；造影后 3 小时内及第 2 天晨各检测血清淀粉酶 1 次。

(3) 术中及术后胆管造影：T 管造影检查一般于术后 2 周进行，检查前嘱患者排便，必要时灌肠，检查中患者取仰卧位，左侧抬高约 15°；造影完毕即将 T 管连接引流袋、开放引流 24 小时以上以排出造影剂；必要时遵医嘱使用抗菌药。

3. 电子计算机体层扫描：CT 检查前 2 天进少渣和产气少的食物，以减少肠道内气体的产生；检查前 1 天做碘过敏试验；检查前 4 小时禁食。

4. 放射性核素显像：胆囊检查前可进食少量素食，早餐不宜进高脂肪餐；拟诊为急性胆囊炎者应禁食 2 小时以上，必要时行灌肠后再做检查。

三、胆石症和胆道感染

（一）胆囊结石及急性胆囊炎

1. 病因

(1) 胆囊结石主要与脂类代谢异常、胆囊的细菌感染和收缩排空功能减退有关。

(2) 急性胆囊炎的致病因素包括胆囊管梗阻、致病菌入侵、创伤和化学刺激。

2. 临床表现

(1) 胆囊结石：患者可终身无临床症状。而仅于体检或手术时发现的结石称为静止性结石。当结石嵌顿时则可出现明显症状和体征。于油腻饮食后胆囊收缩或睡眠时体位改变出现腹痛，常伴恶心、呕吐、腹胀、腹部不适等非特异性的消化道症状。Murphy 征阳性。

(2) 胆囊炎：常于饱餐、进食油腻食物后或睡眠时，突发右上腹阵发性剧烈绞痛，可向右肩部、肩胛部或背部放射。伴恶心、呕吐、厌食等；可有右上腹不同程度和不同范围的压痛、反跳痛和肌紧张，Murphy征阳性。

3. 辅助检查

(1) 胆囊结石：B超检查可显示胆囊内结石；口服法胆囊造影可见胆囊内充盈缺损。

(2) 胆囊炎：B超检查示胆囊增大，囊壁增厚。

4. 治疗要点

(1) 胆囊结石的治疗原则是手术切除病变的胆囊。

(2) 急性胆囊炎以手术治疗为主，诊断明确、病情较轻的急性胆囊炎患者可非手术治疗。

(二) 胆管结石

1. 病因：胆管结石的主要原因包括胆汁淤滞、细菌感染和脂类代谢异常。

2. 临床表现：当结石阻塞胆道并继发感染时可表现为典型的Charcot三联症（腹痛、寒战高热和黄疸）。腹痛发生在剑突下或右上腹部，呈阵发性绞痛或持续性疼痛阵发性加剧，疼痛可向右肩背部放射。寒战、高热多发生于剧烈腹痛后，呈弛张热型。

3. 辅助检查：B超检查可显示胆管内有结石影，近段扩张。

4. 治疗要点：以手术治疗为主。原则为取除结石、解除梗阻或狭窄，去除感染灶。

(三) 急性梗阻性化脓性胆管炎

1. 病因：胆管结石是最常见的梗阻因素，胆道内细菌大多来自胃肠道，造成化脓性感染的致病细菌以大肠杆菌、变形杆菌、克雷白菌、铜绿假单胞菌等革兰阴性杆菌多见。

2. 临床表现：多数患者有胆道疾病及胆道手术史。本病发病急骤，病情进展迅速，除了具有急性胆管炎的Charcot三联症（腹痛、寒战高热、黄疸）外还有休克及中枢神经系统受抑制的表现，即Reynolds五联症。

3. 辅助检查

(1) 血常规：白细胞计数升高，大于$20\times10^9/L$，中性粒细胞比例明显升高。

(2) B超：可显示肝和胆囊肿大，胆管扩张及胆管内结石光团伴声影。

4. 治疗要点：治疗原则是紧急手术解除胆道梗阻并引流，尽早而有效降低胆管内压力，积极控制感染和抢救患者生命。

四、胆道蛔虫病

1. 病因、病理：蛔虫寄生在人体小肠中下段内，蛔虫可钻入胆道。

2. 临床表现：本病的特点是突发性剑突下阵发性“钻顶样”剧烈绞痛，腹部体征轻微，剑突下或偏右有轻度深压痛，即症状与体征不符。首选B超检查，可发现蛔虫。

3. 治疗要点：治疗原则是解痉、镇痛、利胆、驱虫、控制感染、纠正水电解质失调。驱虫最好在症状缓解期进行，选用左旋咪唑等。

五、护理措施

1. 加强观察：术后患者若出现发热、腹胀和腹痛等腹膜炎的表现。应及时与医师联系并配合进行相应的处理。

2. 妥善固定引流管：无论是腹腔引流管还是T形引流管均应用缝线或胶布将其妥善固定于腹壁，避免将管道固定在床上，以防患者在翻身或活动时被牵拉而脱出。对躁动及不合作的患者应采取相应的防护措施，防止脱出。

3. 保持引流通畅：避免腹腔引流管或T形引流管扭曲、折叠及受压，定期从引流管的近端向远端挤捏以保持引流通畅。

4. 感染的预防和护理

(1) 采取合适体位：病情允许时应采取半坐或斜坡卧位，以利于引流和防止腹腔内渗液积聚于膈下而发生感染；平卧时引流管的远端不可高于腋中线，坐位、站立或行走时不可高于腹部手术切口，以防止引流液和（或）胆汁逆流而引起感染。

(2) 加强皮肤护理：每天清洁、消毒腹壁引流管口周围皮肤并覆盖无菌纱布，保持局部干燥，防止胆汁浸润皮肤而引起炎症反应。

(3) 加强引流管的护理：定期更换引流袋并严格执行无菌技术操作。

(4) 保持引流通畅：避免T形引流管扭曲、受压和滑脱以免胆汁引流不畅、胆管内压力升高而致胆汁渗漏和腹腔内感染。

5. T形引流管的护理：引流的目的是引流胆汁、引流残余结合、支撑胆道。

(1) 妥善固定，保持通畅，在改变体位或活动时注意引流管的水平高度不要超过腹部切口高度，以免引流液反流。

（2）观察引流情况：定期观察并记录引流管引出胆汁的量、颜色及性质。正常成人每天分泌胆汁的量为 800～1200ml，呈黄绿色、清亮、无沉渣、有一定黏性。术后 24 小时内引流量为 300～500ml，恢复进食后每天可有 600～700ml，以后逐渐减少至每天 200ml 左右。术后 1～2 天胆汁的颜色可呈淡黄色浑浊状，以后逐渐加深、清亮。若胆汁突然减少甚至无胆汁引出提示引流管阻塞、受压、扭曲、折叠或脱出应及时查找原因和处理；若引出胆汁量过多常提示胆管下端梗阻，应进一步检查并采取相应的处理措施；若引流液呈黄绿色胆汁样常提示患者发生胆瘘。

（3）保持清洁：每天更换一次外接的连接管和引流瓶。

（4）拔管指征：黄疸消退，无腹痛、发热、大便颜色正常；胆汁引流量逐渐减少，颜色呈透明金黄色，无脓液、结石，无沉渣及絮状物。

（5）拔管流程：若 T 形引流管引流出的胆汁色泽正常且引流量逐渐减少，可在术后 10 天左右试行夹管 1～2 天，夹管期间若无发热、腹痛、黄疸等症状，可经 T 形引流管做胆道造影，如造影无异常发现，在持续开放 T 形引流管 24 小时充分引流造影剂后，再次夹管 2～3 天，若患者仍无不适时即可拔管。拔管后残留窦道可用凡士林纱布填塞 1～2 天。

【考点强化】

1. 胆道疾病首选的检查方法是
A. B 超检查　　B. CT 检查
C. 口服胆囊造影　　D. 静脉胆道造影
E. 经皮肝穿刺胆管造影

2. 胆道系统疾病急性发作期禁食、胃肠减压的主要目的是
A. 避免呕吐造成误吸和呛咳
B. 避免胃肠道内容物潴留
C. 减轻腹胀
D. 减少胃肠内容物对胆道的刺激
E. 有利于胃肠道功能的恢复

3. 胆道系统疾病的护理，下列错误的是
A. 给予低脂易消化的饮食
B. 阻塞性黄疸的患者应口服维生素 K
C. 指导患者采取舒适卧位以减轻疼痛
D. 在非手术治疗期间应严密监测病情
E. 手术后一般给予氧气吸入

4. 经皮肝穿刺胆道造影术后最常见的并发症是
A. 呼吸困难　　B. 内出血
C. 胰腺炎　　D. 感染性休克
E. 肝性脑病

5. 经皮肝穿刺胆道造影检查后，应重点观察
A. 呼吸、体温、意识
B. 血压、腹膜刺激征
C. 肠鸣音、肠蠕动波
D. 腹泻、呕吐、黄疸
E. 肝浊音界、腹胀

6. 夏柯三联征表现是
A. 腹痛、畏寒发热、呕吐
B. 腹痛、黄疸、胆囊肿大
C. 腹痛、寒战高热、黄疸
D. 腹痛、寒战高热、低血压
E. 腹痛、黄疸、休克

7. 墨菲征阳性见于
A. 急性阑尾炎　　B. 急性胆管炎
C. 急性胆囊炎　　D. 急性胰腺炎
E. 胃十二指肠溃疡急性穿孔

8. T 形管拔管的指征不包括
A. 黄疸消失，无腹痛、发热，大便颜色正常
B. 引流出的胆汁清亮，无结石或沉淀物
C. 经 T 形管逆行胆系造影发现结石
D. 胆道内压＜0.147kPa
E. 夹闭 T 形管 3 天无任何不适

9. 下列哪项不是放置 T 形管引流的目的
A. 有利于胆汁引流
B. 促进炎症消退
C. 防止胆道狭窄、梗阻等并发症
D. 防止胆汁渗漏
E. 减少胆汁的分泌

10. 下列胆道 T 形管的护理，哪项不妥
A. 妥善固定　　B. 保持通畅
C. 每天按时冲洗　　D. 每天更换引流瓶
E. 记录引流量和性质

11. 胆道术后患者在 T 形管拔管前，哪项护理措施必不可少
A. 无菌盐水冲洗　　B. B 超检查
C. 应用抗生素
D. 试验性夹管 2～3 天
E. 检查血胆红素

12. 胆道手术后，T 形管一般留置的时间是
A. 3 天　　B. 7 天　　C. 14 天

D. 20天　　E. 30天

13. T形管拔出后观察内容不包括

A. 食欲和消化情况

B. 大便色泽　　C. 黄疸情况

D. 腹痛和发热　　E. 肝功能

14. 胆道T形引流管与腹腔引流管的护理措施中，不同的是

A. 妥善固定　　B. 保持引流通畅

C. 观察引流液量和性质

D. 换引流袋时注意无菌操作

E. 拔管前夹管观察

15. 患者男，8岁。突然出现上腹部剧烈钻顶样疼痛、大汗淋漓伴呕吐，持续约5分钟后症状完全缓解。首先应考虑是

A. 胆道蛔虫　　B. 胆囊结石

C. 胆囊炎　　D. 胆管结石

E. 胆管炎

16. 患者女，43岁。入院后确诊为胆总管结石并感染，非手术治疗期间突然出现血压下降、烦躁不安。此时护士应

A. 吸氧、解痉止痛　B. 监测病情

C. 纠正水、电解质和酸碱平衡紊乱

D. 给予抗生素预防感染

E. 立即报告医师，做好术前准备

17. 患者男，56岁。饮酒后突然出现右上腹部剧烈疼痛，无寒战、发热，Murphy征阳性。首先应考虑为

A. 急性胃肠炎　B. 急性上消化道穿孔

C. 急性胆囊炎　D. 急性胆管炎

E. 急性胰腺炎

（18～19题共用病例）

患者女，40岁。3天前出现腹痛、寒战、高热和黄疸发作，经门诊用抗生素输液治疗无效，今日入院。既往有类似发作史。查体：神志淡漠，体温39.5℃，血压10/7.5kPa，脉搏120次/分，剑突下压痛，肌紧张。辅助检查：白细胞15×10^9/L，血清胰淀粉酶240索氏单位。

18. 可能的诊断是

A. 胆道蛔虫病　　B. 急性胰腺炎

C. 急性梗阻性化脓性胆管炎

D. 急性胆囊炎　　E. 胃溃疡穿孔

19. 该患者此时的治疗关键是

A. 快速补充血容量

B. 纠正体液失衡

C. 应用大剂量有效抗生素

D. 紧急行胆道减压手术

E. 应用肾上腺皮质激素

（20～21题共用备选答案）

A. 急性胆囊炎　　B. 急性胰腺炎

C. 胆道蛔虫病　　D. 胆总管结石

E. 急性梗阻性化脓性胆管炎

20. 出现charcot三联征常提示

21. 出现Reynolds五联征常提示

【参考答案】

1. A　2. D　3. B　4. B　5. B
6. C　7. C　8. C　9. E　10. C
11. D　12. C　13. E　14. E　15. A
16. E　17. C　18. C　19. D　20. D
21. E

第十四章　胰腺疾病患者的护理

第一节　急性胰腺炎患者的护理

（一）病因、病理

1. 病因：胆道疾病是最常见的病因，其次为酒精中毒或饮食不当，其他诱因包括高脂血症、高钙血症、农药和毒性物质、上腹部手术等。

2. 病理：胆汁、胰液反流或胰管内压增

高，使胰腺导管破裂、上皮受损，胰液中的胰酶被激活而引起自身消化作用，出现胰腺充血、水肿及急性炎症反应，称为水肿性胰腺炎。

（二）临床表现

（1）腹痛是主要症状，常于饱餐和饮酒后突然发作，腹痛剧烈呈持续性、刀割样，位于上腹正中或偏左放射至腰背部，伴恶心、呕吐、腹胀，呕吐后腹痛不缓解为其特点。

（2）出血性坏死性胰腺炎腹部压痛明显，并有腹肌紧张和反跳痛。严重出血坏死性胰腺炎在起病后数天内可出现皮下出血，在腰部、季肋部和腹部皮肤出现大片青紫色瘀斑，称Grey-Turner征；脐周围皮肤出现的蓝色改变，称Cullen征。

（三）治疗要点

急性胰腺炎尚无继发感染者均首先采用非手术治疗。急性出血性坏死性胰腺炎继发感染者需手术治疗。非手术治疗方法如下。

（1）禁食与胃肠减压、补液、防治休克、营养支持。

（2）止痛：对腹痛较重的患者给予哌替啶止痛。

（3）解痉：给予山莨菪碱、阿托品等以松弛Oddi括约肌痉挛。

（4）抑制胰腺分泌及抗胰酶疗法：抑肽酶有抑制胰蛋白酶合成的作用。奥曲肽、生长抑素（施他宁）则能有效抑制胰腺的外分泌功能。H_2受体阻滞药如西咪替丁可间接抑制胰腺分泌。

（5）应用抗菌药：早期选用广谱抗菌药或针对革兰阴性菌的抗菌药，如环丙沙星、甲硝唑等，以后根据细菌培养和药敏试验结果选择。

（四）护理措施

1. 疼痛护理：禁食、胃肠减压。给予抗胰酶药、解痉药或镇痛药，勿用吗啡，以免引起Oddi括约肌痉挛。可使患者膝盖弯曲、靠近胸部以缓解疼痛。按摩背部，增加舒适感。

2. 维持营养：病情较轻者，可进少量清淡流质或半流质。病情严重者，早期应禁食和胃肠减压。禁食期间给予营养支持。若病情稳定、淀粉酶恢复正常、肠麻痹消除可给予肠内营养，多选要素膳或短肽类制剂。不足部分由胃肠外营养补充。肠内、外营养液输注期间需加强护理。若无不良反应可逐步过渡到全肠内营养和经口进食。

3. 引流管护理：引流管包括胃管、腹腔双套管、T形引流管、空肠造口管、胰引流管、导尿管等，了解每根导管的名称、放置部位及其作用，正确连接，妥善固定，保持引流管通畅，防止引流管扭曲、堵塞和受压，定时更换引流袋，保持无菌，观察记录各引流物的性状、颜色和量。护理胃、肠造口管及腹腔双套管灌洗引流时应注意如下事项。

（1）冲洗液常用生理盐水加抗菌药，现配现用，维持20～30滴/分。维持一定的负压，但吸引力不宜过大。

（2）若有脱落坏死组织、稠厚脓液或血块堵塞管腔可用20ml生理盐水缓慢冲洗，无法疏通时更换内套管。

（3）若引流液为浑浊、脓性或粪汁样液体，同时伴有发热和腹膜刺激征，应警惕消化道瘘而引起腹腔感染。

（4）保护引流管周围皮肤，可用凡士林纱布覆盖或氧化锌软膏涂抹。

（5）经空肠造口给予要素饮食时，营养液要现配现用，注意滴注的速度、浓度和温度。

第二节　胰腺癌患者的护理

（一）病因、病理

1. 病因：吸烟、高蛋白和高脂肪饮食、糖尿病、慢性胰腺炎、遗传因素可能与发病有关。吸烟被认为是胰腺癌的主要危险因素。

2. 病理：组织类型以导管细胞癌多见，壶腹部癌的组织类型以腺癌最多见。

（二）临床表现

1. 腹痛：是最常见的首发症状。早期出现持续且进行性加重的上腹部钝痛、胀痛，可放射至腰背部；晚期疼痛加剧，夜间尤甚，一般镇痛药无法缓解。

2. 梗阻性黄疸：是胰头癌的主要症状和

体征，黄疸呈波动性是壶腹周围癌区别于胰头癌的一个重要特征。

3. 消化道症状：消瘦和乏力。

（三）治疗要点

争取手术切除是最有效的方法，不能切除者行姑息性手术辅以放疗或化疗。

（四）护理措施

1. 心理护理：给予心理支持，帮助患者和家属树立战胜疾病的信心。

2. 疼痛护理：给予有效的镇痛药止痛。

3. 改善营养状态：术前改善营养状况；有黄疸者静脉补充维生素 K_1，营养支持治疗期间应注意观察患者血清蛋白水平、皮肤弹性、体重等与营养相关的指标。术后禁食、胃肠减压期间静脉补充营养。肠蠕动恢复并拔除胃管后可给予少量流质，再逐渐过渡至正常饮食。

4. 控制血糖：对合并高血糖者，术前应调节胰岛素用量。术后监测血糖、尿糖和酮体水平；给予胰岛素，控制血糖在 8.4～11.2mmol/L。若发生低血糖，应补充适量葡萄糖。

5. 常见并发症的观察和护理

(1) 防治感染：术前 3 天口服抗菌药以抑制肠道细菌，术前 2 天流质饮食。术前晚清洁灌肠。术后合理使用抗菌药控制感染，及时更换伤口敷料，妥善固定各种引流管，保持引流通畅。

(2) 胰瘘：多发生于术后 1 周左右，表现为突发剧烈腹痛、持续腹胀、发热，腹腔引流液可测得淀粉酶。通过持续负压引流，用氧化锌软膏保护周围皮肤，多数胰瘘可自愈。

(3) 胆瘘：多发生于术后 5～10 天。表现为发热、右上腹痛、腹肌紧张及腹膜刺激征；T 形管引流量突然减少，但可见沿腹腔引流管或腹壁伤口溢出胆汁样液体。此时应保持 T 形管引流通畅；予以腹腔引流，加强支持治疗；做好手术准备。

附：壶腹部癌

1. 病理：壶腹部癌的组织类型以腺癌最多见，多远处转移至肝。

2. 临床表现：较早出现黄疸，进行性加重；早期部分患者有剑突下钝痛，可向背部放射。肝、胆囊增大。

3. 治疗：一旦确诊，应行胰十二指肠切除术。

【考点强化】

1. 暴饮暴食或酗酒最易引起的急腹症是
A. 肠扭转　B. 粘连性肠梗阻
C. 急性坏疽性阑尾炎
D. 急性胰腺炎　E. 胆石症

2. 急性胰腺炎的预防措施是
A. 应用阿托品类药物减少胰液分泌
B. 服用制酸药减少胃酸
C. 治疗胆道疾病，避免暴饮暴食
D. 应用抑肽酶制药
E. 应用硫唑嘌呤减少免疫反应

3. 急性胰腺炎引起血清钙降低的主要原因是
A. 呕吐、胃肠减压等引起钙丢失过多
B. 禁食使钙摄入减少
C. 电解质紊乱
D. 钙与溶解的脂肪结合
E. 代谢性酸中毒

4. 急性胰腺炎非手术治疗期间，饮食的护理不包括
A. 禁饮食　B. 逐步过渡到普食
C. 忌油腻食物　D. 禁饮酒
E. 禁食期间有口渴时可给予饮水

5. 胰腺癌的组织学类型最多见的是
A. 腺泡细胞癌　B. 多形细胞癌
C. 纤毛细胞癌　D. 导管细胞癌
E. 黏液癌

6. 胰腺癌常好发于
A. 胰体、尾部　B. 胰颈、体部
C. 全胰腺　D. 胰头、颈部
E. 胰尾部

7. 胰头癌最主要的临床表现是
A. 腹痛、腹胀　B. 食欲缺乏
C. 消化不良　D. 乏力、进行性消瘦
E. 进行性黄疸

8. 壶腹部癌的特征性临床表现是
A. 黄疸呈波动性
B. 上腹痛及脊背痛
C. 寒战、发热
D. 消化道症状　E. 贫血、消瘦

9. 早期胰头癌首选的治疗方法是
A. 胰头十二指肠切除术
B. 化疗　C. 放疗
D. 栓塞治疗　E. 中西医结合治疗

10. 患者女，44 岁。上腹部剧烈疼痛伴呕吐。查体：体温 38℃，上腹部压痛明显伴反跳痛。辅助检查：血淀粉酶明显升高，血钙

降低。此时患者的营养支持应是

A. 胃肠外静脉营养支持

B. 低脂肪、适量蛋白、易消化流质饮食

C. 低盐、高蛋白、高维生素、适量脂肪饮食

D. 高糖、高蛋白、高维生素、低脂肪饮食

E. 高维生素、高营养流质饮食

11. 患者男性，33 岁，暴饮暴食后突发剧烈上腹绞痛伴呕吐 8 小时入院，查体：上腹部压痛明显，腹肌紧张，Grey-Turner 征（+），血清淀粉酶升高，血钙降低，最可能的诊断是

A. 急性胃穿孔

B. 急性出血坏死型胰腺炎

C. 急性水肿型胰腺炎

D. 急性梗阻性化脓性胆管炎

E. 胃溃疡

12. 患者男性，28 岁，大量酗酒后出现腹痛、恶心、呕吐急诊入院，入院诊断为"急性胰腺炎"，该患者的腹痛特点应该是

A. 常位于右上腹，向腰背部放射

B. 弯腰屈膝时加重

C. 进食后疼痛缓解

D. 间歇性疼痛　　E. 剧烈而持续

（13～18 题共用病例）

患者男性，38 岁，有胆石症病史。3 小时前大量饮酒后出现中上腹剧烈绞痛，并向腰背部呈带状放射，弯腰抱膝位可减轻疼痛，同时伴有恶心、呕吐。查体：体温 38.3℃，脉搏 120 次/分，血压 88/50mmHg，全腹压痛、反跳痛、肌紧张、肠鸣音消失。

13. 该患者最可能的诊断是

A. 肠套叠

B. 肠梗阻

C. 急性胰腺炎

D. 急性胆囊炎

E. 急性重症胆管炎

14. 以下哪项表现提示预后不良

A. 高血糖引起糖尿病酮症酸中毒

B. 低血钙引起手足抽搐

C. 低血镁　　D. 低血钾　　E. 低血钠

15. 为明确诊断首选的检查是

A. B 超　　B. CT　　C. 生化检查

D. 血、尿淀粉酶　　E. 腹部平片

16. 急性胰腺炎时，血淀粉酶升高后下降的时间是

A. 12 小时　　B. 24 小时

C. 36 小时　　D. 48 小时

E. 72 小时

17. 明确诊断后，以下解痉镇痛药禁用的是

A. 哌替啶肌注　　B. 阿托品肌注

C. 654-2 肌注　　D. 吗啡肌注

E. 复方氨林巴比妥肌注

18. 出血坏死性胰腺炎早期应用抑肽酶静脉滴注，关于抑肽酶说法不正确的是

A. 抑制胰蛋白酶、糜蛋白酶分泌

B. 抑制缓激肽生成

C. 抑制胃肠分泌

D. 具有抗胰血管舒缓素

E. 抑制胰液分泌

【参考答案】

1. D　2. C　3. D　4. E　5. D
6. D　7. E　8. A　9. A　10. A
11. B　12. E　13. C　14. B　15. D
16. D　17. D　18. C

第十五章　急腹症患者的护理

（一）病因、病理

1. 引起急腹症的外科疾病

（1）感染性疾病：急性胆囊炎、胆管炎、胰腺炎、阑尾炎、消化道或胆囊穿孔、肝或腹腔脓肿溃破。

(2) 出血性疾病：腹部外伤导致的肝脾破裂、腹腔内动脉瘤破裂、肝癌破裂等。

(3) 空腔脏器梗阻：肠梗阻、肠套叠、结石或蛔虫症引起的胆道梗阻、泌尿系结石等。

(4) 缺血性疾病：肠扭转、肠系膜动脉栓塞、肠系膜静脉血栓形成。

2. 引起急腹症的妇产科疾病：急性盆腔炎、异位妊娠、巧克力囊肿破裂出血、卵巢或卵巢囊肿扭转。

3. 引起急腹症的内科疾病：如急性胃肠炎或大叶性肺炎。

4. 三种不同疼痛的病理生理特点

(1) 内脏痛：局部病变的病理性刺激由自主神经传入中枢神经系统并产生内脏疼痛感觉。内脏痛特点为：疼痛定位不精确，疼痛过程缓慢、持续，常伴有焦虑、不安、恐怖等情绪或精神反应，痛觉迟钝，对刺、割、灼等刺激不敏感；一般只对较强的张力（牵拉、膨胀、痉挛）及缺血、炎症等几类刺激较敏感；常伴消化道症状，出现反射性的恶心、呕吐。

(2) 牵涉痛：指在急腹症发生内脏痛的同时体表的某一部位也出现疼痛感觉。主要因这些部位的痛觉神经纤维与支配腹腔内急性病变器官的神经通过同一脊髓段的神经根进入脊髓节的后角，甚至会聚于同一神经元后角向上传递致大脑皮质。如急性胆囊炎出现右上腹或剑突下疼痛的同时常伴有右肩背部疼痛；急性胰腺炎出现上腹痛同时可伴有左肩至背部疼痛等。

(3) 躯体痛：特点为感觉敏锐、定位准确。

（二）临床表现

1. 外科急腹症：特点为先有腹痛后有发热。

(1) 胃、十二指肠穿孔：突发性上腹部刀割样疼痛，腹部呈舟状。

(2) 胆道系统结石或感染：急性胆囊炎、胆石症患者为右上腹疼痛呈持续性，伴右侧肩背部牵涉痛；胆管结石及急性胆管炎患者有典型的 Charcot 三联症；急性梗阻性化脓性胆管炎患者有 Reynolds 五联症。

(3) 急性胰腺炎：为上腹部持续性疼痛，伴左肩或左侧腰背部束带状疼痛。

(4) 肠梗阻：多为中上腹部阵发性绞痛，随病情进展可表现为持续性疼痛、阵发性加剧，伴呕吐、腹胀和肛门停止排便、排气。

(5) 急性阑尾炎：转移性右下腹痛伴呕吐和不同程度发热。

(6) 内脏破裂出血：突发性上腹部剧痛，腹腔穿刺液为不凝固的血液。

(7) 肾或输尿管结石：上腹部和腰部钝痛或绞痛可沿输尿管行经向下腹部、腹股沟区或会阴部放射，可伴呕吐和血尿。

2. 妇产科急腹症：常见于异位妊娠或巧克力囊肿破裂。特点为突发性下腹部撕裂样疼痛，向会阴部放射；伴恶心、呕吐和肛门坠胀感，亦可伴有阴道不规则流血等其他症状。

3. 内科急腹症：特点为先有发热后有腹痛，腹痛多无固定部位。

(1) 急性胃肠炎：表现为上腹部或脐周隐痛、胀痛或绞痛。

(2) 心肌梗死：部分心肌梗死患者表现为上腹部胀痛。

(3) 腹型过敏性紫癜：除皮肤紫癜外，还可表现为脐周、下腹或全腹的阵发性绞痛，伴恶心、呕吐、呕血、腹泻和黏液血便等。

(4) 大叶性肺炎：少数患者可出现上腹部疼痛。

（三）治疗要点

(1) 外科急腹症处理应以及时、准确、有效为原则。

(2) 急腹症患者需禁食一段时间，常需要胃肠减压以减轻腹胀，并及时补液，纠正水、电解质紊乱及应用抗生素。

(3) 急腹症患者的症状和体征有时虽表现在局部，但不可忽视患者的特殊情况。如老年人，由于机体反应能力低下，患急腹症时其症状、体征较轻，体温及白细胞改变不明显，加上伴有心血管、肾、肺部慢性疾病以及糖尿病、便秘等，给病情观察带来一定困难，因此对患者要细致观察，及早发现问题，协助医生早日明确诊断。

（四）护理措施

1. 非手术护理

(1) 观察生命体征和腹部体征，记出入液量；观察辅助检查结果的动态变化以助及时判断病情变化。如出现以下情况应考虑手术处理。

① 全身情况不良或发生休克。

② 腹膜刺激征明显。

③ 有明显内出血表现。

④ 经非手术治疗短期内（6～8 小时）病情未见改善或趋恶化等。

(2) 禁食、胃肠减压，禁用灌肠和用热水袋热敷、禁用腹泻药。

(3) 非休克患者取半卧位有助减轻腹壁张力、减轻疼痛。对诊断尚未明确的急腹症患者，禁用吗啡、哌替啶等麻醉性镇痛药，必要时可用阿托品解痉。注意评估镇痛效果和观察不良反应。

(4) 给予抗生素及输液或输血，做好手术前准备。

2. 四禁

(1) 禁用吗啡类镇痛药，以免掩盖病情。

(2) 禁饮食，以免增加消化道负担，或加重病情。

(3) 禁服泻药，以免增加消化道负担，或加重病情。

(4) 禁止灌肠，以免增加消化道负担或导致炎症扩散或加重病情等。

【考点强化】

1. 外科急腹症的特点是

A. 有月经不规则和阴道流血史

B. 腹痛在前，发热在后

C. 腹部压痛一般不明显

D. 以心悸、胸闷、呕吐为主要症状

E. 一般不会出现腹膜刺激征

2. 下列不是外科急腹症发生穿孔性病变主要特征的是

A. 迅速出现腹膜刺激征

B. 刀割样剧烈疼痛

C. 出现气腹

D. 肠鸣音亢进

E. 移动性浊音（+）

3. 急腹症的患者腹腔内穿刺液为带臭味的血性液，最可能是

A. 肠套叠

B. 绞窄性肠梗阻

C. 急性胰腺炎

D. 胃溃疡穿孔

E. 胆囊穿孔

4. 胃十二指肠穿孔时，

A. 腹腔穿刺抽出黄色浑浊、可有食物残渣的液体

B. 腹腔穿刺抽出带臭味的脓性液体

C. 腹腔穿刺抽出带臭味的血性脓液

D. 腹腔穿刺抽出胰淀粉酶增高的血性液体

E. 腹腔穿刺抽出不凝固血液

5. 观察急腹症患者的腹部体征中，最重要的是

A. 肠鸣音的变化

B. 腹膜刺激征的产生

C. 是否有腹部包块

D. 肝浊音界大小

E. 腹式呼吸运动的变化

6. 未出现休克的急腹症患者在未明确诊断时不应

A. 取半卧位

B. 禁饮食

C. 据病情需要实施胃肠减压

D. 禁用镇痛药

E. 便秘者可行低压灌肠

7. 急腹症诊断不明时手术疗法的指征不包括

A. 血压有稳定转为不稳定甚至下降

B. 肠蠕动减弱、消失或出现明显腹胀者

C. 起病已超过 3 日以上，病情无明显恶化者

D. 全身情况有恶化趋势

E. 疑有腹内出血不止者

(8～11 题共用备选答案)

A. 腹痛突然发生或加重，呈持续性剧痛

B. 起病缓慢，腹痛由轻至重，呈持续性

C. 起病急，腹痛呈持续性，阵发性加重

D. 起病急，呈阵发性腹部绞痛

E. 腹痛轻，呈持续性

8. 炎性急腹症腹痛的特点是

9. 穿孔性急腹症腹痛的特点是

10. 出血性急腹症腹痛的特点是

11. 梗阻性急腹症腹痛的特点是

【参考答案】

1. B　2. D　3. B　4. A　5. B
6. E　7. C　8. B　9. A　10. E
11. C

第十六章 周围血管疾病患者的护理

第一节 下肢静脉曲张

（一）解剖和生理

1. 解剖：下肢静脉由浅静脉、深静脉、交通静脉和肌静脉组成，下肢静脉及其交通支的管腔内有许多瓣膜，可使下肢静脉血流由下而上，由浅入深地单向回流。下肢远侧深静脉及小腿前静脉分支的管壁较近侧静脉薄，而承受的静脉血压力比近侧静脉高，故易发生静脉曲张。

2. 生理：下肢静脉血流能对抗重力而向心回流，主要取决于以下三方面。

（1）静脉瓣膜向心单向开放功能。

（2）肌关节泵的动力功能。

（3）心脏的搏动和胸腔内负压对周围静脉血的向心吸引作用。

（二）病因、病理

（1）静脉壁薄弱、静脉瓣膜缺陷以及浅静脉内压力持续升高是引起浅静脉曲张的主要原因。

（2）下肢静脉曲张的主要血流动力学改变是主干静脉和皮肤毛细血管压力升高。

（三）临床表现

主要表现为下肢浅静脉曲张、蜿蜒扩张、迂曲。以大隐静脉曲张多见，左下肢多见。

（四）辅助检查

（1）大隐静脉瓣膜功能试验（Tredelenburg试验）：检查时，先让患者平卧抬高下肢排空静脉，在大腿根部扎止血带阻断大隐静脉然后，让患者站立，10秒钟内放开止血带，若出现自上而下的静脉逆向充盈，提示瓣膜功能不全。若未放开止血带前止血带下方的静脉在30秒内已充盈，则表明交通静脉瓣膜关闭不全。根据同样原理在腘窝部扎止血带可检测小隐静脉瓣膜的功能。

（2）深静脉通畅试验（Perthes试验）：检查时，患者站立，用止血带阻断大腿浅静脉主干，嘱患者连续用力踢腿或做下蹲活动10余次。若在活动后浅静脉曲张更为明显、张力增高甚至出现胀痛提示深静脉不通畅。

（3）交通静脉瓣膜功能试验（Pratt试验）：患者仰卧抬高下肢，在大腿根部扎止血带，然后从足趾向上至腘窝缠缚第一根弹力绷带，再自止血带处向下缠绕第二根弹力绷带；让患者站立，一边向下解开第一根弹力绷带一边向下缚缠第二根弹力绷带。如果在第二根绷带之间的间隙内出现静脉曲张即意味该处有功能不全的交通静脉。

（五）治疗要点

1. 非手术治疗：适用于：病变局限，症状较轻、妊娠期间发病、症状虽然明显但不能耐受手术者。主要是采用弹力绷带包扎或穿弹力袜，使曲张的静脉处于萎陷状态。注射硬化剂和压迫疗法适用于病变范围小且局限者。

2. 手术治疗：适用于深静脉通畅、无手术禁忌证者，是治疗下肢静脉曲张的根本方法。最常用的手术方法为大隐静脉或小隐静脉高位结扎剥脱术。

（六）护理措施

1. 促进下肢静脉回流的护理

（1）指导患者穿弹力袜或缚扎弹力绷带

① 包扎前应抬高患肢，排空曲张静脉内

的血液后再穿，故以清晨起床前进行包扎为好。

② 弹力袜的薄厚、压力及长短应符合患者的腿部情况。穿着时应无皱折，短袜应在膝下1寸，长袜应在腹股沟下1寸。

③ 弹力绷带应自下而上包扎，包扎不应妨碍关节活动。

④ 注意保持合适的松紧度，以能将一个手指伸入缠绕的圈内或能扪及足背动脉搏动和保持足部正常皮肤温度为宜。

⑤ 包扎后应注意观察肢端的皮肤色泽、患肢肿胀情况，以判断效果。

⑥ 手术后弹力绷带一般需维持2周。

（2）保持合适体位：采取良好坐姿，坐时双膝勿交叉过久，休息或卧床时抬高患肢30°～40°。

（3）避免引起腹内压和静脉压增高的因素：保持大便通畅，预防便秘、尿潴留等，避免腹内压升高；避免长时间站立，不穿过紧的内裤；肥胖者应有计划地减轻体重。

2. 术后护理：术后抬高患肢30°，患者卧床期间指导其做足部伸屈和旋转运动；术后24小时鼓励患者下地行走，促进下肢静脉回流，避免深静脉血栓形成。

3. 下肢深静脉血栓形成的护理：从发病之日起应严格卧床2周，严禁按摩患肢和行对患肢有压迫的检查，预防肺栓塞。

第二节　血栓闭塞性脉管炎

（一）病因病理

主动或被动吸烟是参与本病发生和发展的重要环节。病变主要累及四肢的中、小动脉和静脉，全层管壁均有炎症反应，病变呈节段性，两段之间血管比较正常。早期以血管痉挛为主，继而血管内膜增厚并有血栓形成，进一步导致血管完全闭塞。

（二）临床表现

1. 局部缺血期：以血管痉挛为主，出现间歇性跛行，足背动脉搏动明显减弱。

2. 营养障碍期：除血管痉挛加重外，还有血管壁增厚及血栓形成。出现静息痛，患肢胫后动脉和足背动脉搏动消失。

3. 坏疽期：患肢动脉完全闭塞，肢体远端发生干性坏疽，以出现趾端发黑、干瘪、坏疽和溃疡为主要症状。屈膝抱足为此期的典型体位。

（三）辅助检查

（1）测定跛行距离和跛行时间。

（2）测定皮肤温度：若双侧肢体对应部位皮肤温度相差2℃以上，提示皮温降低侧肢体动脉血流减少。

（3）肢体抬高试验：患者平卧，患肢抬高70°～80°，持续60秒；若出现麻木、疼痛、苍白或蜡黄色者为阳性，提示动脉供血不足。再让患者下肢自然下垂于床缘以下，正常人皮肤色泽可在10秒内恢复正常，若超过45秒且皮肤色泽不均匀，进一步提示患肢存在动脉供血障碍。

（四）治疗要点

（1）严禁吸烟，防止受冷、受潮和外伤，患肢锻炼。

（2）高压氧疗法。通过高压氧治疗提高血氧含量，促进肢体的血氧弥散，改善组织的缺氧程度。

（3）预防或控制感染，处理创面；避免热疗，以免组织需氧量增加而加重症状。

（4）扩张血管和抑制血小板聚集。前列腺素E具有扩张血管和抑制血小板聚集的作用，硫酸镁溶液有较好的扩张血管作用，低分子右旋糖酐能降低血黏度对抗血小板聚集。

（5）止痛。疼痛严重者可用止痛和镇静药，一般使用吗啡或哌替啶类镇痛药。

（6）手术治疗包括腰交感神经切断术、动脉血栓内膜剥脱术、人造血管或自体大隐静脉旁路移植术；组织坏死已有明确界限者，应行截肢术。

（五）护理措施

1. 绝对戒烟：告知患者吸烟的危害，消除烟碱对血管的收缩作用。

2. 肢体适当保暖：避免受寒冷刺激，避免用热水袋或热水给患肢直接加温。

3. 有效镇痛：可先试用吲哚美辛、安乃近等。吗啡止痛效果较好。若疼痛难以缓解可采用连续硬膜外阻滞方法止痛。

4. 促进侧支血液循环，提高活动耐力。

(1) 步行：鼓励患者坚持每天多走路，以出现疼痛时的行走时间和行走距离作为活动量的指标，以不出现疼痛为度。

(2) 避免长时间处于同一姿势，以免静脉淤血。

(3) 指导患者进行 Buerger 运动：患者取平卧位，抬高患肢 45°以上，维持 2～3 分钟，然后双足自然下垂 2～5 分钟，做足背屈、跖屈和旋转运动，患肢平放休息 2 分钟。如此重复练习 5 次，每天 3～4 次。

(4) 若有以下情况不宜运动

① 腿部发生溃疡及坏死时运动将增加组织耗氧。

② 动脉或静脉血栓形成时运动可致血栓脱落造成栓塞。

【考点强化】

1. 下肢静脉曲张术后早期活动的目的是预防

A. 肌肉僵直

B. 术后复发

C. 患肢水肿

D. 血管痉挛

E. 深静脉血栓形成

2. 下肢静脉曲张术后护理要点哪项不正确

A. 卧床休息，抬高患肢

B. 禁止患者早期下床活动

C. 注意绷带包扎的有效性

D. 严密观察渗血情况

E. 弹性绷带包扎患肢 2 周

3. 哪项不是血栓闭塞性脉管炎的发病特点

A. 发病年龄在 40 岁以下

B. 女性少见

C. 与长期吸烟有关

D. 与患肢受寒有关

E. 常对称波及两侧下肢

4. 血栓闭塞性脉管炎早期的典型症状是

A. 肢端发绀，发凉

B. 间歇性跛行

C. 肢端干性坏疽

D. 下肢肌肉萎缩

E. 持续性疼痛

5. 血栓闭塞性脉管炎营养障碍期的特征性表现是

A. 休息痛

B. 间歇性跛行

C. 游走性静脉炎

D. 残端形成经久不愈的溃疡

E. 肢体远端干性坏疽

6. 血栓闭塞性脉管炎的护理，不正确的是

A. 禁烟

B. 指导抬腿运动

C. 保持患肢清洁干燥

D. 患肢用热水袋加温

E. 测皮温、观察疗效

7. 患者男性，47 岁。久站后左下肢出现酸胀感，小腿内侧可见静脉团突起，入院诊断为下肢静脉曲张。对此患者日常保健要求中不正确的是

A. 避免久站

B. 使用弹力袜

C. 避免患肢外伤

D. 减少下肢活动

E. 休息时适当抬高患肢

(8～9 题共用备选答案)

A. 下肢浅静脉回流是否通畅

B. 交通支静脉有无阻塞

C. 下肢深静脉有无阻塞

D. 深静脉瓣膜功能是否良好

E. 大隐静脉和交通支静脉瓣膜功能是否良好

8. Perthe 试验的目的是检查

9. Trendelenburg 试验的目的是检查

(10～11 题共用备选答案)

A. 上肢对称性皮肤颜色改变

B. 趾端坏死，血胆固醇增高

C. 下肢变形、粗肿、慢性溃疡形成

D. 下肢浅静脉淤血、水肿、慢性溃疡形成

E. 下肢浅组静脉红、肿、硬，有压痛，足背动脉搏动减弱

10. 下肢静脉曲张常出现

11. 血栓闭塞性脉管炎常出现

【参考答案】

1. E　2. B　3. E　4. B　5. A
6. D　7. D　8. C　9. E　10. D
11. B

第十七章　泌尿系统疾病患者的护理

第一节　肾损伤患者的护理

（一）临床表现

主要症状有休克、血尿、疼痛、腰腹部肿块、发热等。

1. 休克：严重肾裂伤、粉碎伤时，因严重失血常发生休克，严重的肾蒂撕裂伤致大出血时更为严重。

2. 血尿：肾挫伤或轻微肾裂伤可引起明显肉眼血尿，严重的肾裂伤可能只有轻微血尿或无血尿。

3. 疼痛：患侧腰、腹部疼痛。由肾被膜下血肿致被膜张力增高、肾周围软组织损伤、出血或尿外渗等引起。

（二）辅助检查

血尿是诊断肾损伤的重要依据。排泄性尿路造影可评价肾损伤的范围、程度和对侧肾功能。

（三）治疗要点

1. 非手术治疗：适用于肾挫伤、轻型肾裂伤及无其他脏器合并损伤的患者。

2. 手术治疗：开放性肾损伤、检查证实为肾粉碎伤或肾盂破裂、肾动脉造影示肾蒂损伤及合并腹腔脏器损伤等应尽早行手术治疗。

（四）护理措施

1. 卧床休息：因为肾组织比较脆弱，损伤后4～6周肾挫裂伤才趋于愈合，绝对卧床休息2～4周，待病情稳定、血尿消失后患者可离床活动。过早、过多下床活动有可能再度出血。恢复后2～3个月不宜从事重体力劳动，不宜做剧烈运动。

2. 病情观察

（1）严密监测血压、脉搏、呼吸、神志，并注意患者全身症状。

（2）观察疼痛的部位及程度。

（3）动态观察血尿颜色的变化，若血尿颜色逐渐加深，说明出血加重。

（4）准确测量并记录腰腹部肿块的大小、观察腹膜刺激征的轻重，以判断渗血、渗尿情况。

（5）定时检测血红蛋白和血细胞比容，以了解出血情况及其变化。

（6）定时观察体温和血白细胞计数，以判断有无继发感染。

第二节　膀胱损伤患者的护理

（一）临床表现

（1）休克：多为合并损伤引起大出血所致。

（2）腹痛：腹膜外型膀胱破裂时尿外渗及血液进入盆腔及腹膜后间隙引起下腹部疼痛，可有压痛及腹肌紧张，直肠指检有触痛及饱满感。腹膜内型膀胱破裂时尿液流入腹腔而引起急性腹膜炎症状，并有移动性浊音。

（3）血尿和排尿困难，尿瘘。

（二）辅助检查

(1) 尿常规：肉眼血尿，镜下红细胞满视野。

(2) 膀胱造影：造影剂漏至膀胱外。

(3) 导尿试验：膀胱引流出的液体量明显少于或多于注入量。

（三）治疗要点

(1) 治疗原则：尿流改道，避免尿液进一步外流，充分引流外渗的尿液及尽早闭合膀胱壁的缺损。

(2) 留置导尿管、持续引流尿液：膀胱轻度损伤或膀胱造影仅见少量尿液外渗、症状较轻者，尤其是腹膜外膀胱破裂时，可从尿道插入导尿管，持续引流尿液 1～2 周。

(3) 手术治疗：对开放性损伤、经非手术治疗无效及严重膀胱破裂伴有出血、尿外渗、病情严重者，应尽早行剖腹探查手术。若为腹膜内膀胱破裂，充分引流外渗尿液，使用抗菌药预防或控制感染。

（四）护理措施

(1) 留置导尿管的护理：定时观察，保持引流管通畅，防止逆行感染；定时清洁、消毒尿道外口；鼓励患者多饮水；每周行尿常规检查及尿培养一次。遵医嘱 8～10 天后拔除导尿管。

(2) 膀胱造口管：定时观察，保持引流通畅；造口周围定期换药；每周行尿常规检查及尿培养一次。拔管时间一般为 10 天左右，拔管前先夹闭造口管，观察患者排尿情况良好后再拔管，拔管后造口适当堵塞纱布并覆盖。

第三节 尿道损伤患者的护理

（一）病因、病理

1. 病因

(1) 开放性损伤：因弹片、锐器伤所致。

(2) 闭合性损伤：会阴部骑跨伤时引起尿道球部损伤；骨盆骨折引起膜部尿道撕裂或撕断；经尿道器械操作不当可引起球膜部交界处尿道损伤。

2. 病理

(1) 尿道球部损伤：血液及尿液渗入会阴浅筋膜包绕的会阴袋，使会阴、阴茎、阴囊和下腹壁肿胀、淤血。

(2) 尿道膜部断裂：引起大出血，尿液沿前列腺尖处外渗至耻骨后间隙和膀胱周围。

（二）临床表现

1. 疼痛：尿道球部损伤时会阴部肿胀、疼痛，排尿时加重；后尿道损伤时下腹部疼痛、局部肌紧张、压痛。

2. 尿道出血：前尿道破裂时尿道外口流血；后尿道破裂时可无尿道外口流血。

3. 排尿困难：尿道断裂时可发生尿潴留。

4. 血肿及尿外渗：尿生殖膈撕裂时会阴、阴囊部出现血肿及尿外渗。

（三）辅助检查

1. 导尿试验：导尿管顺利插入膀胱说明尿道连续而完整。

2. X 线检查：骨盆前后位片显示骨盆骨折。从尿道口注入造影剂 10～20ml，可确定损伤部位及造影剂有无外渗。

（四）治疗要点

1. 非手术治疗

(1) 急诊处理：损伤严重伴出血休克者抗休克治疗；骨盆骨折患者须平卧，勿随意搬动；尿潴留不宜导尿或未能立即手术者可行耻骨上膀胱穿刺。

(2) 对症处理：尿道损伤引起排尿困难或不能排尿、插入导尿管成功者留置尿管引流1～2 周。

(3) 应用抗菌药预防感染。

2. 手术治疗

(1) 前尿道裂伤导尿失败或尿道断裂：立即行经会阴尿道修补或断端吻合术。

(2) 尿外渗：在尿外渗区做多个皮肤切口彻底引流外渗尿液。

(3) 骨盆骨折致后尿道损伤：做耻骨上高位膀胱造口（或穿刺造口）。

（五）护理措施

(1) 术后常规留置导尿管 2～3 周。

(2) 术后第 3 天开始服用缓泻药。

（3）合并骨盆骨折者，应执行骨盆骨折护理常规。

（4）尿道狭窄：定期进行尿道扩张并根据排尿困难的程度制定尿道扩张的间隔时间。

（5）并发症的预防及护理：观察患者的体温及伤处的变化情况。

第四节　泌尿系统结石患者的护理

一、上尿路结石

（一）病理

输尿管结石常停留或嵌顿于肾盂-输尿管连接处、输尿管跨越髂血管处及输尿管-膀胱连接处，以输尿管下1/3处最多见；尿道结石常停留在前尿道膨大部位。

（二）临床表现

上尿路结石：主要表现为与活动有关的肾区疼痛和血尿。典型的疼痛为刀割样阵发性绞痛，位于腰部或上腹部，沿输尿管走向向下腹和会阴部放射。肾区叩击痛。

（三）辅助检查

1. X线平片：可显示结石部位及数量等，但结石过小、钙化程度不高或尿酸结石常不显示。

2. 排泄性尿路造影：可显示结石所致的尿路形态、引起结石的局部因素和肾功能改变。

3. 逆行肾盂造影：通常用于其他方法不能确诊时，可显示结石所在肾的结构和功能，可发现X线不显影的结石，明确结石位置及双肾功能情况。

4. B超检查：能发现X线平片不能显示的小结石和透X线结石。还能显示肾结构改变和肾积水等。

（四）治疗要点

1. 非手术治疗：适用于结石直径小于0.6cm、表面光滑、无尿路梗阻、无感染，纯尿酸或胱氨酸结石的患者。

（1）大量饮水：每天1000～4000ml，保持每天尿量大于2000ml，有助结石的排出。

（2）加强运动：跳跃性运动可促进结石的排出。

（3）调整饮食：根据结石成分适当调整饮食。

（4）调节尿pH：口服枸橼酸钾、碳酸氢钠等可碱化尿液，治疗与尿酸和胱氨酸相关的结石。口服氯化铵使尿液酸化，有利于防止磷酸钙及磷酸镁铵结石的生长。

（5）解痉止痛：主要治疗肾绞痛。常用药物有阿托品、哌替啶。

（6）抗感染：根据尿细菌培养及药物敏感试验选用抗生素。

2. 体外冲击波碎石：此法适用于大多数上尿路结石，最适宜于直径＜2.5cm的结石。两次治疗间隔时间要大于7天。

3. 手术治疗。

二、膀胱结石

1. 临床表现：主要临床表现是膀胱刺激症状，典型症状为排尿突然中断，并感疼痛，常放射至阴茎头部和远端尿道，变换体位又能继续排尿。常有终末血尿。

2. 辅助检查：X线平片能显示绝大多数结石；B型超声检查能显示结石声影；膀胱镜检查可直观结石。

3. 治疗要点：手术去除结石。

三、尿道结石

1. 临床表现：排尿困难、点滴状排尿及尿痛。

2. 辅助检查：B型超声和X线检查能确定诊断。

3. 治疗要点：前尿道结石可在麻醉下钩取和钳出，或应用腔内器械碎石。后尿道结石，在麻醉下用尿道探条将结石轻轻推入膀胱，再按膀胱结石处理。

四、护理措施

1. 饮食：含钙结石者宜食用含纤维丰富的食物，限制含钙、草酸成分多的食物，如浓茶、菠菜、番茄、土豆、芦笋等含草酸量高，牛奶、奶制品、豆制品、巧克力、坚果含钙量高。尿酸结石者不宜服用含嘌呤高的食物，如动物内脏。

2. 体位：结石位于中肾盏、肾盂、输尿管上段者，碎石后取头高脚低位；结石位于肾下盏者，碎石后取头低位。左肾结石取右侧卧位，右肾结石取左侧卧位。巨大肾结石碎石后嘱患者向患侧卧位48～72小时，以后逐渐间断起立，以防碎石屑快速排出；非开放性手术的患者经内镜钳夹碎石后也应适当变换体位，以增加排石。

3. 术后伤口及引流管护理：肾盂造口者，不常规冲洗，必须冲洗时，应低压冲洗，冲洗量不超过5～10ml。肾实质切开取石及肾部分切除的患者，应绝对卧床2周。

第五节　肾结核患者的护理

（一）病理

肾结核是由结核杆菌引起的慢性、进行性、破坏性病变。肾结核多为单侧。当人体初次感染结核菌时，结核菌在靠近肾小球的血管中形成微小病灶，绝大多数病灶都能愈合，故临床不出现症状，称病理型肾结核。

（二）临床表现

1. 膀胱刺激症状：肾结核的典型症状不表现在肾而在膀胱。尿频是多数泌尿系统结核患者最早出现的临床症状，初期以夜间排尿次数增多为主。膀胱容量小到50ml以下者，可出现严重的尿频。

2. 血尿：多数为镜下血尿，常出现于膀胱刺激症状出现之后；来自膀胱的血尿一般为终末血尿，来自肾脏的血尿表现为全程血尿。

3. 脓尿：镜下脓细胞每高倍显微镜视野20个以上；严重时尿液可呈洗米水状。

4. 其他症状：部分患者可有分段排尿现象，反流严重者有积水侧腹部不适。

5. 全身症状：可表现为发热、盗汗、贫血、虚弱、消瘦、食欲减退等症状和红细胞沉降率增快。

（三）辅助检查

1. 尿液检查；对泌尿系统结核的诊断有决定性意义。尿液多呈酸性，常规检查可见蛋白、白细胞和红细胞。将尿沉渣涂片做抗酸染色可找到结核杆菌。尿结核菌培养的阳性率可高达90%。

2. 泌尿系造影：静脉尿路造影仍为当前诊断肾结核的有效手段，典型的肾结核的X线表现为肾盏破坏边缘不整，呈虫蚀样改变。

（四）治疗要点

1. 药物治疗

（1）单纯药物治疗：必须早期、联合、足量、全程、规律用药。一般至少治疗半年以上。

（2）手术前后用药：肾切除前应用药2周，保留肾的手术前则应用药4周，手术后继续用药2年或采用短疗程。

2. 手术治疗：根据肾结核的病变范围选择手术类型。

3. 一般治疗：全身治疗包括休养的环境、营养的补充、健康的心理、合理的休息、避免劳累及适当运动。

（五）护理措施

（1）术前药物治疗的护理：患者术前一般应进行2～4周的抗结核治疗，如病情较重应先进行3～4个月的抗结核治疗，服药期间须注意药物的肝毒性。

（2）术后体位：肾切除患者血压平稳后可取半卧位，保留肾组织的手术患者，应卧床7～14天，减少活动，以避免继发性出血或肾下垂。

（3）观察健侧肾功能是肾术后护理观察最关键的一点。准确记录24小时尿量，且观察第一次排尿的时间、尿量、颜色。若手术后6小时仍无排尿或24小时尿量较少，说明健肾功能可能有障碍。

第六节　良性前列腺增生患者的护理

（一）病因病理

人体内雄激素与雌激素平衡失调，可能为前列腺增生的病因。前列腺增生引起尿路梗阻后膀胱内尿液潴留，且因膀胱功能受损使排尿不净形成残余尿，容易继发感染和形成结石；前列腺增生引起尿路梗阻最终可引起肾积水和肾功能损害。

（二）临床表现

（1）尿频：是最常见的早期症状，夜间更

为明显。

(2) 排尿困难：进行性排尿困难是前列腺增生的典型表现。轻度梗阻时排尿迟缓、断续、尿后滴沥。严重梗阻时排尿费力、射程缩短、尿线细而无力，终成滴沥状。

(3) 尿潴留：严重梗阻者膀胱残余尿增多，长期可导致膀胱无力发生尿潴留或充溢性尿失禁。在前列腺增生的任何阶段，患者可因受凉、劳累、饮酒等使前列腺突然充血、水肿，发生急性尿潴留。

(三) 辅助检查

1. 直肠指诊：可触到增大的前列腺，表面光滑、质韧、有弹性，中间沟消失或隆起。

2. B超检查：可测量前列腺体积、内部结构是否突入膀胱，可测量膀胱残余尿量。

3. 血清前列腺特异抗原（PSA）测定：前列腺体积较大、有结节或较硬时，应测定血清PSA，以排除合并前列腺癌的可能性。

4. 尿流动力学检查：若最大尿流率＜15ml/s提示排尿不畅；＜10ml/s提示梗阻严重。评估最大尿流率时排尿量必须超过150ml才有诊断意义。

(四) 治疗要点

1. 随访观察：无明显前列腺增生症状和无残余尿者需门诊随访定期复查，每年至少一次。

2. 药物治疗：适用于临床症状轻、残余尿＜50ml的患者。常用特拉唑嗪、非那雄胺。

3. 手术治疗：症状重的患者应手术，手术只切除外科包膜以内的增生部分。

4. 其他疗法：激光治疗、经尿道气囊高压扩张术、经尿道高温治疗、体外高强度聚焦超声适用于前列腺增生体积较小者。前列腺尿道支架网适用于不能耐受手术的患者。

(五) 护理措施

术后护理如下。

(1) 饮食：术后6小时无恶心、呕吐者可进流食，1～2天后无腹胀即可恢复正常饮食。鼓励患者多饮水、进食富含纤维素的食物，以免便秘。

(2) 严密观察患者意识状态及生命体征。

(3) 导管护理：术后有效固定或牵拉气囊尿管，防止患者坐起或肢体活动时气囊移位而失去压迫膀胱颈口之作用，导致出血。行开放性手术的患者多留置引流管，不同类型的引流管留置的时间长短不一，具体时间如下。

① 耻骨后引流管：术后3～4天待引流量很少时拔除。

② 耻骨上前列腺切除：术后5～7天拔除导尿管。

③ 耻骨后前列腺切除：术后7～9天拔除导尿管。

④ TURP：术后3～5天尿液颜色清澈，即可拔除导尿管。

⑤ 膀胱造口管：通常在术后10～14天排尿通畅时拔除。

(4) 膀胱冲洗护理：前列腺切除术后需用生理盐水持续冲洗膀胱3～7天。冲洗速度可根据尿色而定，色深则快、色浅则慢；确保冲洗及引流管通畅；准确记录尿量、冲洗量和排出量。

(5) 膀胱痉挛的护理：术后膀胱痉挛可引起阵发性剧痛、诱发出血。此时应嘱患者做深呼吸，以放松腹部肌肉张力；确保冲洗及引流通畅；术后留置硬脊膜外麻醉导管，按需定时注射小剂量吗啡有良好效果。严重者遵医嘱给予解痉药物。

(6) 出血并发症的预防及护理：加强观察，手术后最初几天通常会出现血尿，术后第1天会有鲜血，以后逐渐清澈。指导患者在术后1周逐渐离床活动；避免增加腹内压的因素、禁止灌肠或肛管排气，以免造成前列腺窝出血。

第七节　肾癌患者的护理

(一) 病理

临床以透明细胞癌最为多见；梭形细胞较多的肾癌恶性程度高、预后差。转移途径以直接侵犯肾周围脂肪组织的途径较常见，最常见的转移部位是肺。

(二) 临床表现

血尿、腰痛、包块被称为肾细胞癌的三联症。

（1）血尿：最早出现的症状，表现为无痛间歇性肉眼血尿或镜下血尿。

（2）腰痛：多为钝痛或隐痛。

（3）肿块：肿瘤较大时可在腹部或腰部发现肿块，质坚硬。

（4）肾外症候群：红细胞增多、高钙血症、高血压、非转移性的肝功能异常。红细胞增多是由于肿瘤产生的红细胞生成素增加或组织缺氧所致的红细胞生成素增加所致。

（三）辅助检查

（1）B超检查：作为一种普查肾肿瘤的方法。

（2）CT检查：优于超声波检查。可明确肿瘤部位、肾门情况、肾周围组织与肿瘤的关系、局部淋巴结等，有助于肿瘤的分期和手术方式的确定。

（3）静脉尿路造影：能显示肾盂、肾盏受压的情况，并能了解双侧肾功能。是患者能否接受手术的重要参考指标之一。

（四）治疗要点

治疗以手术为主。肾癌根治术适用于无扩散的肾细胞癌，放疗可以作为肾细胞癌的新辅助治疗方法或术后辅助治疗。

（五）护理措施

术后护理如下。

（1）观察生命体征，注意观察患者有无憋气、呼吸困难等症状，监测肾功能，准确记录24小时尿量。

（2）根治性肾切除术患者术后麻醉期已过、血压平稳，可取半卧位。肾部分切除的患者应卧床1～2周，以防出血。

第八节 膀胱癌患者的护理

（一）病因、病理

（1）膀胱癌是泌尿系最常见的肿瘤。

（2）吸烟是导致膀胱癌的重要因素之一。膀胱白斑、腺性膀胱炎、尿结石、色氨酸和烟酸代谢异常也可能是膀胱癌的诱因。

（3）上皮细胞恶性肿瘤占绝大多数，其中以移行上皮细胞癌为主。

（4）以膀胱三角区和侧壁最常见。

（5）膀胱癌扩散以直接向深部浸润为主。

（二）临床表现

1. 症状：血尿为膀胱肿瘤最常见和最早出现的症状，多数为全程无痛肉眼血尿；尿频、尿痛属晚期症状。

2. 体征：当肿瘤增大到一定程度可触到肿块。发生肝或淋巴结转移时可扪及肿大的肝或锁骨上淋巴结。

（三）辅助检查

1. 膀胱镜检查：是诊断膀胱癌最直接、重要的方法。

2. 尿脱落细胞学检查：对于高危人群的筛选有较大的意义，也可用于肿瘤治疗的评估。

（四）治疗要点

以手术治疗为主的综合治疗。

1. 手术治疗

（1）经尿道膀胱肿瘤切除术是所有膀胱肿瘤治疗的首选方法。

（2）膀胱部分切除适用于肿瘤比较局限、呈浸润性生长病灶位于膀胱侧后壁、顶部等，离膀胱三角区有一定的距离。

（3）根治性膀胱全切术：指切除盆腔的前半部器官。

2. 化学治疗：单个化疗药物以顺铂为代表。

（五）护理措施

术后护理如下。

（1）膀胱肿瘤电切术后常规膀胱冲洗1～3天，停止膀胱冲洗后患者多饮水。

（2）膀胱肿瘤电切术后6小时可进食。

（3）膀胱全切术后应持续胃肠减压。

（4）引流管的拔管时间：回肠膀胱术后10～12天拔除；可控膀胱术后8～10天拔除肾盂输尿管引流管，12～14天拔除贮尿囊引流管，2～3周拔除输出道引流管。

（5）膀胱灌注的护理：膀胱保留术后患者能憋尿者行膀胱灌注，每周1次，共6次，以后每月一次，持续两年。用蒸馏水或等渗盐水稀释的药液灌入膀胱后，患者分别取平、俯、左、右侧卧位，每15分钟轮换体位1次，共2

小时。

【考点强化】

1. 骑跨造成尿道损伤的部位常发生在
A. 尿道悬垂部 B. 尿道球部
C. 尿道膜部 D. 前列腺部
E. 海绵体部

2. 肾损伤最常见的类型是
A. 肾部分裂伤 B. 肾包膜损伤
C. 肾挫伤 D. 肾全层裂伤
E. 肾蒂损伤

3. 骨盆骨折易损伤的尿道部位是
A. 阴茎部 B. 球部
C. 膜部 D. 前列腺部
E. 膀胱颈部

4. 肾损伤的重要诊断依据是
A. 血尿 B. 白细胞计数增高
C. 疼痛 D. 腰部肿块
E. 发热

5. 大多数肾挫裂伤患者采取的治疗方法是
A. 肾修补术 B. 非手术治疗
C. 肾部分切除术 D. 肾切除术
E. 肾周引流术

6. 尿道严重损伤合并休克者首先应采取的紧急处理措施是
A. 留置尿管 B. 耻骨上膀胱穿刺
C. 抗休克治疗 D. 手术治疗
E. 应用抗生素

7. 上尿路结石的主要症状为
A. 无痛性全血尿 B. 肾绞痛、血尿
C. 尿频尿痛 D. 排尿困难
E. 尿失禁

8. 病变主要在肾脏，临床表现主要在膀胱，见于下列哪种疾病
A. 肾肿瘤 B. 肾结核
C. 肾结石 D. 急性肾盂肾炎
E. 急性肾小球肾炎

9. 下列关于肾结核患者行肾部分切除术术后的护理措施中，错误的是
A. 观察术后出血情况
B. 早期下床活动
C. 观察健侧肾功能
D. 及时更换敷料
E. 继续抗结核治疗 3～6 个月

10. 肾结核的原发病灶大多在
A. 骨关节 B. 肠道
C. 肺 D. 肾 E. 脑

11. 下面不属于治疗肾结核用药原则的是
A. 早期 B. 联合
C. 间断 D. 足量 E. 规律

12. 肾结核血尿的特点为
A. 间歇无痛性血尿
B. 单纯镜下血尿
C. 腰部剧痛加血尿
D. 膀胱刺激症状加血尿
E. 进行性排尿困难加血尿

13. 诊断肾结核最可靠的依据是
A. 尿中找到抗酸杆菌
B. 尿培养结核杆菌阳性
C. 尿中有大量脓细胞
D. 附睾扪及结节
E. 膀胱镜见到膀胱黏膜有溃疡炎症

14. 肾结核术后还需抗结核治疗的时间为
A. 2 周 B. 1 个月
C. 2 个月 D. 3～6 个月
E. 7～12 个月

15. 以下有关肾结核患者的治疗和护理的描述不正确的是
A. 注意休息，加强营养
B. 可采用手术方式清除病灶
C. 全肾切除术前至少应用抗结核药物 2 周以上
D. 肾切除术后可下床活动较早
E. 术后可不必继续抗结核治疗

16. 良性前列腺增生最典型的症状是
A. 膀胱刺激征 B. 急性尿潴留
C. 充盈性尿失禁 D. 进行性排尿困难
E. 间歇性无痛性血尿

17. 良性前列腺增生排尿困难的程度主要取决于
A. 患者年龄 B. 是否癌变
C. 是否伴有感染 D. 前列腺增生的程度
E. 前列腺增生的部位

18. 前列腺增生最严重的症状是
A. 尿频 B. 膀胱刺激征
C. 充盈性尿失禁 D. 进行性排尿困难
E. 急性尿潴留

19. 为预防前列腺摘除术术后出血，无作用的措施是
A. 定时测量脉搏、血压
B. 低温生理盐水冲洗
C. 1 周内禁止灌肠
D. 膀胱冲洗液内应用止血药物

E. 气囊尿管的气囊充液压迫前列腺窝

20. 下列前列腺摘除术后的护理措施不正确的是

A. 病情观察

B. 持续膀胱冲洗

C. 出血者可在冲洗液中加入止血药

D. 严格无菌操作

E. 术后 3～5 天，如有腹胀，可插肛管排气

21. 前列腺切除术后患者的饮食描述不妥的是

A. 多饮水

B. 进食易消化、营养丰富的食物

C. 多进食富含纤维素的食物

D. 避免辛辣、刺激的食物

E. 少量多餐

22. 诊断前列腺增生症的方法不包括

A. 直肠指诊　B. B超

C. 尿流动力学检查　D. 膀胱镜检查

E. 腹部平片

23. 肾癌的临床表现没有哪项

A. 无痛性血尿　B. 腰部肿块

C. 腰部隐痛　D. 排尿困难

E. 高血压

24. 膀胱癌多位于

A. 膀胱后壁　B. 膀胱三角区和侧壁

C. 膀胱前壁　D. 膀胱颈部

E. 膀胱底部

25. 血清 PSA 测定对下列哪种疾病的诊断有重要意义

A. 肾结核　B. 膀胱癌

C. 嗜铬细胞瘤　D. 肾癌　E. 前列腺癌

26. 确诊膀胱癌的方法是

A. B超　B. 尿脱落细胞学检查

C. 膀胱镜检查　D. X线　E. CT

27. 膀胱保留术后膀胱灌注的次数和时间一般为

A. 2次/周，连续 6～8 周；以后 1 次/月，持续 2 年

B. 2次/周，连续 3～4 周；以后 1 次/月，持续 2 年

C. 1次/周，连续 6～8 周；以后 1 次/月，持续 2 年

D. 1次周，连续 3～4 周；以后 1 次/月，持续 2 年

E. 每两周一次，连续6～8 周；以后 1 次/月，持续 2 年

28. 下列关于膀胱手术术后护理，错误的是

A. 妥善固定导尿管

B. 维持引流管通畅

C. 及时更换敷料

D. 密切观察引流液颜色、性状和量

E. 冲洗膀胱每次注入的液体不得超过 100ml

29. 患者男，35 岁。因外伤致骨盆骨折，肉眼血尿，试插尿管可顺利进入膀胱，注射生理盐水 200ml，但仅抽出 50ml。应考虑

A. 前尿道损伤　B. 后尿道损伤

C. 输尿管下段断裂　D. 膀胱破裂

E. 膀胱损伤并后尿道断裂

30. 患者男性，27 岁。右腰部撞伤 2h 来院就诊，局部疼痛、肿胀，有淡红色血尿，患者生命体征平稳，诊断为右肾挫伤，暂采用非手术治疗。该患者的护理，下列错误的是

A. 绝对卧床休息

B. 输液，使用止血药物

C. 遵医嘱应用抗生素

D. 严密监测病情

E. 血尿消失即可下床活动

31. 10 岁男孩，1 年来时有尿频、尿急、排尿痛和排尿困难，尿流常突然中断，改变体位后又能继续排尿。应首先考虑

A. 急性膀胱炎　B. 泌尿系结核

C. 尿道狭窄　D. 前列腺炎

E. 膀胱结石

32. 患者女性，38 岁。因左肾结石行体外震波碎石治疗，经分析，排出的结石主要成分为磷酸钙。下列预防结石再发的措施中，错误的是

A. 多饮水　B. 多运动

C. 酸化尿液　D. 碱化尿液

E. 控制尿路感染

33. 患者男性，27 岁，右腰部撞伤 2h 来院就诊。患者生命体征平稳，局部疼痛、肿胀，有淡红色血尿，诊断为右肾挫伤。非手术治疗期间，出现下列哪种情况时，需及时手术治疗

A. 发热　B. 排尿困难

C. 腹部疼痛　D. 腰部肿胀明显增大

E. 血尿 5 天内仍未消失

（34～38 题共用病例）

患者男性，45 岁，患者男性，35 岁。骑

自行车途中突发左腰部刀割样疼痛，向下腹部和外阴部放射，伴恶心、呕吐。查体：肾区有叩击痛，尿常规检查可见镜下血尿。

34. 首选的检查是

A. B超　　B. 尿路平片
C. 膀胱镜检查　　D. 逆行肾盂造影
E. 排泄性尿路造影

35. 急诊处理应首选

A. 解痉、止痛　　B. 急诊手术
C. 静脉输液
D. 应用止吐药物
E. 抗感染

36. ［假设信息］B超示，双肾各有一结石，直径 0.8cm × 0.9cm，肾盂静脉造影（IVP）示肾功能正常，双侧输尿管通畅。目前最适宜的治疗方法是

A. 中药排石
B. 多饮水
C. 体外冲击波碎石（ESWL）
D. 经皮肾镜取石
E. 肾切开取石

37. 术后患者应采取的体位是

A. 平卧位　　B. 俯卧位
C. 患侧卧位　　D. 半坐卧位
E. 头低足高位

38. 若因病情需再次接受体外冲击波碎石治疗，间隔时间至少为

A. 3天　　B. 5天
C. 7天　　D. 10天
E. 2周

（39～40题共用备选答案）

A. 尿流突然中断　　B. 排尿困难
C. 膀胱刺激症状　　D. 镜下血尿
E. 肾绞痛

39. 膀胱结石的典型症状是

40. 输尿管结石梗阻时会出现

【参考答案】

1. B	2. C	3. C	4. A	5. B
6. C	7. B	8. B	9. B	10. C
11. C	12. D	13. A	14. D	15. E
16. D	17. E	18. E	19. A	20. E
21. E	22. E	23. D	24. B	25. D
26. C	27. C	28. E	29. D	30. E
31. E	32. D	33. D	34. B	35. A
36. C	37. C	38. C	39. A	40. E

第十八章　骨与关节损伤患者的护理

第一节　骨与关节损伤患者的一般护理

一、牵引术

1. 皮肤牵引：是借助胶布贴于伤肢皮肤上或用海绵牵引带包压伤肢皮肤，利用肌肉在骨骼上的附着点将牵引力传递到骨骼，又称间接牵引。皮肤牵引重量一般为体重的1/10。

（1）胶布牵引：胶布宽度一般为牵引肢体最小周径的1/2。大腿牵引粘贴范围为：上端起自大腿中上1/3，小腿上端起自胫骨结节下缘，下方距足底10cm处。将胶布纵向粘在肢体两侧，粘紧后再用绷带包扎，在内外踝骨突起处垫好纱布，半小时后加牵引锤牵引。牵引重量小于4～5kg，时间2～4周。

（2）海绵带牵引：是利用布带或海绵兜带兜住身体突出部位施加牵引力。

2. 兜带牵引

（1）枕颌带牵引：牵引重量一般不超过5kg，常用于颈椎骨折、脱位、颈椎结核、颈

椎病等。

(2) 骨盆带牵引：床脚抬高 20cm 对抗牵引，牵引重量为 10kg，常用于腰椎间盘突出症的治疗。

(3) 骨盆悬吊牵引：牵引重量以臀部抬离床面为宜，常用于骨盆骨折的复位与固定。

3. 骨牵引：颅骨骨板牵引用于颈椎骨折、脱位；尺骨鹰嘴牵引用于复位困难的肱骨髁上骨折；胫骨结节和股骨髁上牵引用于成人大腿骨折；跟骨牵引用于胫腓骨干双骨折。下肢牵引重量一般为体重的 1/10～1/7。

二、牵引术患者护理

1. 牵引的护理

(1) 皮牵引

① 胶布牵引：局部皮肤涂以安息香酸酊（婴幼儿除外）以增加粘合力及减少皮肤对胶布过敏。在骨隆突处加衬垫防止局部压迫。沿肢体纵轴粘贴胶布于肢体两侧并使之与皮肤紧贴、平整、无皱折。胶布外用绷带缠绕防止松脱。

② 海绵带牵引：将海绵带平铺于床上，需牵引的肢体用大毛巾包裹，骨突处垫以棉花或纱布，将肢体包好扣上尼龙搭扣，拴好牵引绳，安装牵引架上重锤并悬离地面。

(2) 骨牵引：牵引针的两端套上软木塞或有胶皮盖的小瓶以免刺伤皮肤或划破被褥。

(3) 枕颌带牵引：用枕颌带兜住下颌及后枕部定时、间歇牵引，牵引时避免带子压迫两耳及头面两侧。

2. 保持有效牵引

① 观察皮牵引时胶布绷带有无松脱，扩张板位置是否正确；若出现移位应及时调整。颅骨牵引时每天检查牵引弓，并拧紧螺母，防止牵引脱落。

② 牵引锤应保持悬空，牵引重量不可随意增减或移去，以免影响骨折的愈合。

③ 牵引绳不可随意放松，也不应有其他外力作用。

④ 保持对抗牵引力量。颅骨牵引时应抬高床头；下肢牵引时应抬高床尾。

⑤ 告知患者和家属牵引期间始终保持正确位置，牵引方向与肢体长轴应成直线。

⑥ 对骨折或脱位患者应每天测量牵引肢体的长度，以免牵引过度。

3. 并发症：预防足下垂、压疮、坠积性肺炎、泌尿系感染、便秘、血栓性静脉炎等并发症。

三、石膏绷带术

1. X 线片：石膏固定前患处拍 X 线片以备术后对照。

2. 做好石膏固定处的皮肤准备。

3. 体位：一般患者体位取关节功能位。

4. 覆盖衬垫：在石膏固定处的皮肤表面覆盖一层衬垫，以防局部受压形成压疮。

5. 浸透石膏：将石膏卷平放并完全浸没在 40℃水中，石膏卷停止冒气泡（完全浸透）后取出，并挤出过多水分。

6. 石膏包扎：从肢体近侧向远侧推，使石膏卷贴着躯体向前推动，边推边在绷带上抚摩，每一圈绷带盖住上一圈绷带的下 1/3。一般包 5～7 层，绷带边缘、关节部及骨折部多包 2～3 层。切勿将石膏绷带卷翻转扭曲包扎；石膏不可过紧或过松。

7. 捏塑：石膏未定型前，根据局部解剖特点适当捏塑及整理，重点是关节部位。

8. 四肢石膏绷带应露出手指或足趾以便观察肢体末端血液循环、感觉和运动，同时可做功能锻炼。

9. 包边：将衬垫从内面向外拉出一些包在石膏边缘，若无衬垫可用一宽胶布沿石膏边包起。

10. 标记：用红记号笔在石膏外标记石膏固定的日期及预定拆石膏的日期。

四、石膏绷带术患者的护理

1. 石膏干固前的护理

(1) 适当提高室温或用灯泡、烤箱、红外线照射，以加快石膏干固。

(2) 搬运时用手掌平托石膏固定的肢体，避免石膏折断。

(3) 维持石膏固定的位置直至石膏完全干固，卧硬板床，用软枕垫好石膏。术后 8 小时内患者勿翻身。

(4) 寒冷季节注意保温。

2. 石膏干固后的护理

(1) 病情观察：观察皮肤色泽、温度、有无压疮。观察石膏固定肢体的末端血液循环情况，注意观察有无“5P”征：疼痛、苍白、感觉异常、麻痹及脉搏消失。

(2) 皮肤护理：对石膏边缘及受压部位的

皮肤予以理疗。

(3) 石膏切开及更换：肢体肿胀时可将石膏切开，切开时要全层全长切开。若因肢体肿胀消退或肌萎缩而失去固定作用时，应予更换。

五、功能锻炼

(一) 目的

(1) 保持和恢复关节运动的幅度，防止关节僵硬。

(2) 保持和恢复肌肉力量及耐力，防止肌肉萎缩。

(3) 防止骨质脱钙，预防骨质疏松。

(4) 促进血液循环，改善局部条件，促进骨折痊愈。

(5) 早日恢复正常生活和工作。

(二) 功能锻炼的护理措施

1. 各期功能锻炼的重点

(1) 早期（伤后1～2周）：运动重点是患肢肌肉舒缩锻炼。

(2) 中期（伤后2～3周后）：此期运动重点以患肢骨折的远近关节运动为主，防止肌肉萎缩和关节粘连。

(3) 晚期（伤后6～8周后）：此期是功能锻炼的关键阶段，运动重点是以重要关节为主的全身锻炼，促使功能全面恢复。

2. 肌肉锻炼的形式：包括等长收缩、等张收缩、等动收缩（等速收缩）。

3. 功能锻炼原则：动静结合；主动与被动结合；循序渐进。

第二节 骨折概述

(一) 定义、病因、分类

1. 定义：骨折是指骨的完整性或连续性中断。

2. 病因：创伤是骨折的主要原因。

3. 分类

(1) 根据骨折的程度分类

① 不完全性骨折：骨的连续性未完全破坏或仅一部分骨小梁的连续性中断。

a. 裂缝骨折：骨质发生裂隙，无移位，多发生于颅骨、肩胛骨等。

b. 青枝骨折：仅有骨皮质的劈裂，多发生于儿童。

② 完全性骨折：骨的完整性或连续性全部中断。

a. 横形骨折：骨折线与骨干纵轴成90°。

b. 斜形骨折：骨折线与骨干纵轴成一定角度。

c. 螺旋形骨折：骨折线呈螺旋状。

d. 粉碎性骨折：骨碎裂成3块以上。

e. 嵌插骨折：骨折片相互嵌插，密质骨端嵌插入松质端内。

f. 压缩性骨折：骨质因压缩而变形，多发生于骨松质。

g. 凹陷骨折：骨折片局部下陷，多见于颅骨。

h. 骨骺分离：骨折经过骨骺，骨骺的断面可带有数量不等的骨组织。

(2) 根据骨折端的稳定程度分类

① 稳定性骨折：骨折端不易移位或复位后不易再移位。如裂缝骨折、青枝骨折、横形骨折、嵌插骨折及压缩性骨折等。

② 不稳定性骨折：骨折端易移位或复位后易发生再移位。如斜形骨折、螺旋形骨折及粉碎性骨折等。

(3) 按骨折后时间分类

① 新鲜骨折：2周之内的骨折。

② 陈旧骨折：2周以上的骨折。

(二) 临床表现

1. 骨折的局部表现：局部肿胀、瘀斑或出血、疼痛、压痛、活动受限。

2. 骨折特有体征：畸形、反常活动、骨擦音或骨擦感。

(三) 诊断

X线检查可明确骨折的部位、类型、移位和畸形。

(四) 骨折并发症

1. 早期并发症

(1) 休克：骨折出血量较大易引起失血性休克。

(2) 血管损伤：肱骨髁上骨折可损伤肱动脉、股骨下1/3及胫骨上1/3骨折可损伤腘动脉。

（3）神经损伤：肱骨干骨折可损伤桡神经、肘关节周围骨折可损伤尺神经及正中神经、胫腓骨骨折可损伤腓总神经。

（4）内脏损伤。

（5）骨筋膜室综合征：常见于前臂和小腿骨折，主要表现为肢体剧痛、肿胀，指（趾）呈屈曲状，活动受限、局部肤色苍白或发绀。

（6）脂肪栓塞：典型表现为进行性呼吸困难、呼吸窘迫、发绀、体温升高、心率快、血压降低、意识障碍等症状。

（7）感染：开放性骨折易感染，以化脓性骨髓炎多见。

2. 晚期并发症：关节僵硬、骨化性肌炎、愈合障碍、畸形愈合、创伤性关节炎、缺血性骨坏死、缺血性肌挛缩。

（五）骨折愈合过程和影响愈合的因素

1. 骨折愈合过程

（1）血肿机化演进期：又称纤维愈合期，此期需要 2～3 周。

（2）原始骨痂形成期：又称临床愈合期，此期能抵抗肌肉收缩及成角、剪力和旋转力，此期需要 4～8 周。

（3）骨痂改造塑形期：又称骨性愈合期，达到骨性愈合，此期需 8～12 周。

2. 影响骨愈合的因素：年龄；营养和代谢因素；创伤的严重程度和类型；骨折部位的血液供应；有无并发症；治疗方法及康复锻炼等。

（六）急救

（1）抢救生命：若发现患者呼吸困难、窒息、大出血等应立即就地急救。

（2）止血和包扎：发现伤口可用无菌敷料包扎，若伤口出血予以压迫包扎或用止血带压迫；止血带应每隔 40～60 分钟放松 1 次。

（3）固定、制动：固定受伤的肢体，搬运疑有脊柱骨折的患者时应采取滚动法或平托法。

（4）迅速转运：经上述初步处理后，迅速将患者转运到就近医院进行后续治疗。

（七）治疗要点

1. 复位：复位是骨折治疗的首要步骤。

（1）解剖复位：对位、对线完全良好，恢复了正常的解剖关系。

（2）功能复位：两骨折端对位欠佳，但对线基本良好，愈合后肢体功能恢复正常。

（3）复位方法

①手法复位：以功能复位为主。大多数骨折均可经手法复位。手法复位步骤包括解除疼痛、松弛肌肉、对准方向、拔伸牵引。

② 切开复位：用于手法复位或牵引复位失败、骨折端间有软组织嵌入、关节内骨折经手法复位达不到解剖复位、骨折合并主要血管和神经损伤、多处或多段骨折或陈旧性骨折不能手法复位者。

2. 固定

（1）小夹板固定：主要适用于四肢长骨的较稳定骨折。

（2）绷带：多用于特定部位，如肩胛骨和锁骨骨折等。弹力绷带可用于固定愈合阶段的骨折。石膏绷带可用于骨折复位后的固定。

（3）持续牵引：骨牵引利于开放性伤口观察及换药；皮牵引多应用于儿童。

（4）内固定：主要用于切开复位后患者。固定牢靠但有创伤。

3. 功能锻炼

（1）骨折早期：伤后 1～2 周之内主要进行肢体肌的等长舒缩，骨折部位的上下关节暂不活动。

（2）骨折中期：受伤 2 周后，除继续进行患肢肌的等长舒缩活动外，活动骨折部位上、下关节，活动范围由小到大，活动幅度和力量逐渐加大。

（3）骨折后期：此期为抗阻力下锻炼。

第三节　四肢骨折患者的护理

（一）锁骨骨折

1. 临床特有表现：患侧肩部下垂，健侧手托扶患侧肘部。

2. 处理原则

（1）对儿童的青枝骨折及成人无移位的骨折用三角巾悬吊。

（2）对有移位的骨折手法复位，复位后“8”字绷带固定。

（3）合并神经、血管损伤者手术治疗。

（二）肱骨髁上骨折

1. 临床特有表现：屈曲型为肘部向后突出，并处于半屈位，肘前方可触及骨折断端；伸直型为肘后可触及骨折端。

2. 处理原则

(1) 局部肿胀轻、无血管、神经损伤者手法复位、石膏托固定。

(2) 伤后时间较长，局部肿胀明显，先行尺骨鹰嘴牵引，待肿胀消退后再复位固定。

(3) 手法复位失败或伴有血管、神经损伤者行手术复位、内固定。

（三）肱骨干骨折

肱骨干骨折是发生在肱骨外科颈下1～2cm至肱骨髁上2cm段内的骨折。主要并发症是桡神经损伤和肱动脉损伤。

1. 临床表现

(1) 伤侧上臂疼痛、肿胀、畸形、皮下瘀斑及功能障碍。

(2) 体检有假关节活动、骨擦感、患肢短缩等。

(3) 桡神经损伤表现：出现垂腕、各手指掌指关节不能背伸，拇指不能伸，前臂旋后障碍；手背桡侧皮肤感觉减弱或消失等表现。

2. 处理原则：一般采取手法复位，复位后可用石膏或小夹板固定。切开复位后用加压钢板螺钉或带锁髓内钉作内固定。

（四）桡骨远端伸直型骨折

1. 典型的畸形：侧面观"餐叉样"畸形，正面观"枪刺样"畸形。

2. 处理原则：一般采用手法复位，固定腕关节于旋前、屈腕、尺偏位；肘关节也必须固定，以防止腕关节旋后或旋前。

（五）股骨颈骨折

1. 临床特征：患肢呈缩短、外旋畸形，大转子上移。

2. 治疗原则：非手术治疗适用于无明显移位的骨折、外展型或嵌插型等稳定性骨折；手术治疗适用于内收型骨折或有移位的骨折、难以牵引复位或手法复位者。

（六）股骨干骨折

1. 临床表现：局部疼痛、肿胀、功能障碍、畸形。

2. 治疗原则

(1) 垂直悬吊皮牵引：用于3岁以内小儿。

(2) 骨牵引：用于成人股骨干骨折。

(3) 外固定术：对少数合并大范围软组织损伤者可采用外固定器固定。

(4) 手术治疗：适用于非手术治疗失败、伴有多发损伤或血管神经损伤、不宜长期卧床的老年患者或病理性骨折者。

（七）胫腓骨干骨折

胫骨上1/3骨折易造成小腿缺血或坏疽。中1/3骨折可导致骨筋膜室综合征。胫骨下1/3骨折易发生骨折延迟愈合，甚至不愈合。腓骨上端骨折易损伤腓总神经。稳定性横断骨折或短斜骨折者手法复位、外固定；斜形、螺旋形或轻度粉碎骨折者行跟骨牵引；手法复位失败时手术复位、内固定。

（八）四肢骨折患者的护理

1. 预防肌萎缩和关节僵硬

① 注意观察患肢血运，指导复位固定后患者进行患肢的主动运动。

② 指导患者进行上臂肌的主动舒缩运动，禁止做上臂旋转运动。伤后2～3周开始肩、肘关节的主动运动。

2. 取合适体位，促进静脉回流：休克患者取平卧位；患肢肿胀时抬患肢高于心脏水平；患肢制动后固定关节于功能位；股骨转子间骨折牵引治疗者患肢需取外展内旋位，足踝保持于功能位，避免造成足下垂畸形。

3. 护理观察：观察患者的意识、体温、脉搏、血压、呼吸、尿量和末梢循环如毛细血管再充盈时间、患肢骨折远端脉搏情况、皮温和色泽、有无肿胀及感觉和运动障碍。

4. 小夹板固定护理：夹板外绑带松紧合适，以绑带能容易地上下移动1cm为宜，注意适时调整绑带的松紧；抬高患肢，指导功能锻炼；观察肢体远端，注意温度、颜色、感觉和运动功能。

第四节 骨盆骨折患者的护理

（一）病因病理

常见原因有交通事故、意外摔倒或高处坠落等。年轻人骨盆骨折主要是由于交通事故和高处坠落引起。老年人骨盆骨折最常见的原因是摔倒。

（二）临床表现

（1）血压下降或休克：严重的骨盆骨折伴大量出血时，常合并休克。

（2）局部肿胀、压痛、畸形、骨盆反常活动、会阴部淤斑。肢体不对称。

（3）骨盆分离试验和骨盆挤压试验阳性。

（三）辅助检查

X线和CT检查能直接反映是否存在骨盆骨折及其类型。

（四）常见并发症

可合并腹膜后血肿和腹内器官损伤，若膀胱和尿道损伤可出现尿血；腹内器官损伤可出现急腹症症状和休克症状。直肠损伤少见。

（五）治疗要点

首先处理休克和各种危及生命的合并症，再处理骨折。骨盆边缘骨折、骶尾骨骨折应根据损伤程度卧硬板床休息3～4周，以保持骨盆的稳定。不稳定性骨折可用骨盆兜悬吊牵引、髋人字石膏、骨牵引等方法达到复位与固定的目的。

（六）护理措施

1. 补充血容量和维持正常的组织灌注

（1）观察生命体征：应注意观察患者的意识、脉搏、血压和尿量，及时发现和处理血容量不足。

（2）建立静脉输液通路。

（3）及时止血和处理腹腔内脏器官损伤。

2. 维持排尿、排便通畅。

3. 皮肤护理：保持皮肤清洁、健康和床单平整干燥；按时按摩受压部位；防止发生压疮。协助患者更换体位。

第五节 脊椎骨折患者的护理

（一）临床表现

局部疼痛、压痛和肿胀，脊柱活动受限、后突畸形。

（二）辅助检查

（1）X线检查：有助于明确脊椎骨折的部位、类型和移位情况。

（2）CT检查：用于检查椎体的骨折情况、椎管内有无出血及碎骨片。

（3）MRI检查：有助观察及确定脊髓损伤的程度和范围。

（三）急救搬运

三人平托患者，同步行动，将患者放在脊柱板、木板或门板上；也可将患者保持平直体位，整体滚动到木板上。如有颈椎骨折、脱位，需要另加一人牵引固定头部，并与身体保持一致，同步行动。

（四）治疗要点

（1）较轻的颈椎骨折和脱位者用枕颌吊带做卧位牵引复位。

（2）明显压缩移位者持续颅骨牵引复位。

（3）复位后不稳或关节交锁者可手术治疗。

（五）护理措施

1. 预防压疮

（1）损伤早期应每2～3小时翻身一次。

（2）保持病床清洁、干燥和舒适。

（3）避免营养不良。

2. 预防失用性肌萎缩和关节僵硬

（1）保持适当体位，预防畸形：保持瘫痪肢体关节于功能位。

（2）全范围关节活动。

（3）腰背肌功能锻炼。

（4）生活能力训练。

第六节　脊髓损伤患者的护理

（一）临床表现

（1）受伤平面以下单侧或双侧感觉、运动、反射的全部或部分丧失。

（2）瘫痪：瘫痪的早期呈弛缓性瘫痪（肌张力降低和反射减弱），胸髓及颈髓损伤后3～6周逐渐转变为痉挛性瘫痪（肌张力增强和反射亢进）。

（3）脊髓半切征：脊髓半横切损伤时损伤平面以下同侧肢体的运动和深感觉消失，对侧肢体的痛觉和温觉消失。

（4）脊髓圆锥损伤：多由第1腰椎骨折引起。表现为会阴部皮肤鞍状感觉缺失，大小便不能控制。两下肢的感觉、运动正常。

（5）马尾神经损伤：由第2腰椎以下骨折、脱位引起。表现为受伤平面以下弛缓性瘫痪，感觉和运动障碍，括约肌功能丧失，腱反射消失。

（二）常见并发症

（1）瘫痪：第8颈椎以上水平损伤者可出现四肢瘫，第8颈椎以下水平损伤可出现截瘫。

（2）呼吸系统并发症：坠积性肺炎、呼吸功能衰竭。

（3）泌尿系感染和结石。

（4）体温异常：出现体温过高或过低。

（5）压疮。

（6）腹胀、便秘。

（三）治疗要点

1. 固定和局部制动：颈椎骨折和脱位较轻者用枕颌吊带卧位牵引复位，明显压缩移位者做持续颅骨牵引复位，保持中位或仰伸位，复位后用头颈胸石膏或石膏床固定3个月；胸腰椎复位后用石膏背心、腰围或支具固定。胸腰椎骨折和脱位、单纯压缩骨折且椎体压缩不超过1/3者可仰卧于木板床，在骨折部加枕垫使脊柱过伸。

2. 手术治疗：目的在于尽早解除对脊髓的压迫和稳定脊柱。解除脊髓受压是保证脊髓功能恢复的关键。手术指征如下。

（1）脊柱骨折、脱位有关节交锁者。

（2）脊柱骨折复位后不满意或仍有不稳定因素存在者。

（3）影像学显示有碎骨片突至椎管内压迫脊髓者。

（4）截瘫平面不断上升提示椎管内有活动性出血者。

3. 减轻脊髓水肿

（1）应用激素治疗：地塞米松静脉滴注连续5～7天后改为口服。

（2）脱水利尿：20%甘露醇静脉滴注，连续5～7天。

（3）高压氧治疗：尽早应用效果较好。

（四）护理措施

1. 防止呼吸骤停：脊髓损伤的48小时内因脊髓水肿可造成呼吸抑制，密切观察患者的呼吸情况，做好抢救准备，给予吸氧，减轻脊髓水肿。

2. 呼吸道护理：预防因气道分泌物阻塞而并发坠积性肺炎及肺不张。

（1）每2小时帮助患者翻身、叩背一次。

（2）指导患者做深呼吸和用力咳嗽。

（3）患者不能自行咳嗽、排痰或有肺不张时用导管插入气管，吸出分泌物。

（4）雾化吸入。

（5）指导患者练习深呼吸。

（6）有气管切开的患者，保持呼吸道通畅，加强气管切开的护理。

3. 维持正常体温：高热患者使用物理方法降温，低温患者采用物理升温的措施保暖。

4. 尿潴留的护理

（1）留置或间歇导尿：截瘫早期可给予留置导尿持续引流尿液，2～3周后改为每4～6小时开放1次；也可白天每4小时导尿1次，晚间每6小时1次。

（2）人工排尿：3周后拔除留置导尿管进行人工排尿。方法：当膀胱胀满时，操作者用右手由外向内按摩患者的下腹部，待膀胱缩成球状，紧按膀胱底向前下方挤压，在膀胱排尿后，用左手按在右手背上加压，待尿不再流出时可松手再加压1次，将尿排尽。

(3) 预防尿道感染：鼓励患者每天饮水2000～4000ml；每周做1次尿培养；每天冲洗膀胱1～2次；每天清洁和护理会阴部2～4次；每周更换一次导尿管。

5. 预防压疮：床褥平整，保持皮肤清洁，应用气垫或分区充气床垫，每2～3小时翻身1次，24小时不间断。50%乙醇擦洗和按摩骨突起部位。

第七节　关节脱位患者的护理

（一）概述

(1) 定义：关节脱位指关节面失去正常的对合关系。失去部分正常对合关系的称半脱位。脱位时间在3周以内者为新鲜脱位，脱位时间超过3周为陈旧性脱位。

(2) 病因：创伤是脱位最常见的原因。

(3) 分类：上肢关节脱位多于下肢关节脱位。常见脱位的关节有肩关节、肘关节及髋关节。

(4) 临床表现

① 一般症状：关节疼痛、肿胀、局部压痛及关节功能障碍。

② 特有体征：关节脱位处明显畸形、弹性固定、关节盂空虚。

(5) 治疗

① 复位：手法复位为主，越早手法复位效果越好，若脱位时间较长，关节周围组织粘连，空虚的关节腔被纤维组织充填，手法复位常难以成功。对于合并关节内骨折、经手法复位失败、有软组织嵌入、手法难以复位以及陈旧性脱位经手法复位失败者可行手术切开复位。

② 固定：一般固定2～3周。陈旧性脱位经手法复位后固定时间应适当延长。

③ 功能锻炼：在固定期间要经常进行关节周围肌和患肢其他关节的主动活动，防止肌萎缩及关节僵硬。

（二）肩关节脱位

1. 病因病理：多为间接暴力引起，前脱位多见。

2. 临床表现：呈方肩畸形，Dugas征阳性（患侧手掌搭到健侧肩部时，肘部不能贴近胸壁；患侧肘部紧贴胸壁时，手掌不能搭到健肩）。

3. 治疗

(1) 复位：常用的手法复位有手牵足蹬法和悬垂法。

(2) 固定：单纯肩关节脱位复位后，用三角巾悬吊上肢，肘关节屈曲90°，一般固定3周。

(3) 功能锻炼：固定期间活动腕部和手指。解除固定后活动肩关节。

（三）肘关节脱位

1. 病因病理：肘关节脱位较多见。多由间接暴力引起。后脱位多见。严重的肘关节脱位可导致神经血管损伤，甚至发生Volkmann前臂缺血性挛缩。

2. 临床表现：肘后凹陷，鹰嘴后突显著，肘后三角关系失常。肘关节后脱位最为常见，后脱位时可合并正中神经或尺神经损伤。正中神经损伤表现为“猿手”畸形；尺神经损伤主要表现为“爪状手”畸形。

3. 治疗原则

(1) 复位：尽早手法复位，手法复位失败者采用手术切开复位。

(2) 固定：复位后用超关节夹板或长臂石膏托固定肘关节于屈肘90°，前臂三角巾悬吊于胸前，一般固定2～3周。

(3) 功能锻炼：固定期间可做伸掌、握拳、手指屈伸等活动。去除固定后练习肘关节的屈伸、前臂旋转活动及锻炼肘关节周围肌力。

（四）髋关节脱位

1. 病因病理：髋关节脱位为间接外力所致，以后脱位最多见。

2. 临床表现：以后脱位最常见，髋关节后脱位时关节呈屈曲、内收、内旋畸形，伤肢缩短。

3. 治疗

(1) 复位：常用的复位方法为提拉法（Allis 法）、旋转法（Bigelow 法），最好在 24 小时内复位，超过 24 小时后再复位十分困难。

(2) 固定：复位后置患肢于伸直、外展位，皮牵引或穿丁字鞋固定 3～4 周，防止髋关节屈曲、内收、内旋，禁止患者坐起。

(3) 功能锻炼：固定期间做股四头肌等长收缩，4 周后扶拐下地，3 个月内患肢不负重，3 个月后经 X 线检查证实股骨头血液供应良好者可尝试去拐步行。

（五）护理措施

1. 复位成功的标志：被动活动恢复正常，骨性标志恢复，X 线检查提示已复位。

2. 患肢护理：患肢抬高；伤后 24 小时之内冷敷，24 小时后热敷；注意观察患肢的血液循环情况；应保持固定有效，保持患肢处于功能位或必要的位置。

3. 功能锻炼：早期固定范围内肌肉等长舒缩，解除固定后逐渐增加活动力量和范围，其他关节始终保持功能锻炼。

4. 保护关节：髋关节脱位可导致股骨头坏死，切忌伤后 3 个月之内患肢负重。

5. 维护皮肤的完整性：对使用牵引或石膏固定的患者应注意观察皮肤的色泽和温度，避免因固定物压迫而损伤皮肤。对较长时间卧床的患者应注意预防压疮的产生。

【考点强化】

1. 为骨折患者行牵引术的目的不包括
   A. 骨折复位作用　B. 骨折固定作用
   C. 防止骨质脱钙　D. 矫正畸形
   E. 解除肌肉痉挛

2. 骨牵引患者护理不正确的是
   A. 预防针道感染　B. 功能锻炼
   C. 预防压疮
   D. 股骨干牵引重量为体重的 1/15～1/10
   E. 保持有效牵引

3. 保持有效牵引哪项护理措施不正确
   A. 下肢牵引患者应抬高床头 15～30cm
   B. 牵引锤保持悬空
   C. 牵引绳不可随意放松
   D. 下肢牵引患者应抬高床尾 15～30cm
   E. 保持牵引方向与肢体长轴呈直线

4. 石膏绷带包扎时，下列不妥的是
   A. 动作灵敏，用力均匀
   B. 患肢保持功能位
   C. 包扎处用五指扶托
   D. 伤口部位在未干固前开窗
   E. 石膏边缘应予以修齐

5. 石膏干固前的护理措施哪项不正确
   A. 加快干固
   B. 搬运时用手指平托石膏，避免折断
   C. 保暖
   D. 石膏干固前需卧硬板床
   E. 四肢石膏固定需抬高患肢

6. 有关皮肤牵引，错误的是
   A. 牵引重量一般不超过 10kg
   B. 牵引时间一般为 2～4 周
   C. 适用于老年患者或小孩
   D. 损伤较小
   E. 注意观察皮肤变化

7. 右尺骨骨折石膏绷带固定后，护士嘱咐患者不妥的一项是
   A. 肢体平放于体侧
   B. 患肢常做握拳动作
   C. 患肢手指可随意做伸屈运动
   D. 疼痛难忍勿自行服用镇痛药
   E. 保持石膏清洁，免受潮

8. 骨折和关节脱位的共同特殊体征是
   A. 畸形　B. 异常活动
   C. 弹性固定　D. 关节部位空虚
   E. 骨擦音

9. 新鲜骨折是指伤后
   A. 2 周内　B. 3 周内
   C. 4 周内　D. 5 周内
   E. 6 周内

10. 影响骨骼愈合的医源性因素是
    A. 局部感染　B. 营养不良
    C. 软组织嵌入　D. 年龄
    E. 过度牵引

11. 下列骨折现场急救措施中，不妥的一项是
    A. 妥善固定伤肢　B. 先抢救生命
    C. 清洁布类包扎伤口　D. 详细体格检查
    E. 迅速转运

12. 肢体长时间石膏固定，而没有指导功能锻炼，易导致的并发症是
    A. 缺血性肌挛缩　B. 创伤性关节炎
    C. 骨折延迟愈合　D. 骨化性肌炎

E. 关节僵硬

13. 下列哪项是骨折早期并发症

A. 血管、神经损伤　B. 关节僵硬

C. 创伤性关节炎　D. 缺血性肌挛缩

E. 延迟愈合

14. 评估肱骨髁上骨折损伤肱动脉的主要依据是

A. 手部麻木　B. 肢端发绀

C. 桡动脉无搏动　D. 肢端温度下降

E. 手功能障碍

15. 前臂缺血性肌挛缩造成的特有畸形是

A. “锅铲”畸形　B. “枪刺刀”畸形

C. 垂腕畸形　D. 爪形手畸形

E. 猿手畸形

16. 骨折患者如长期卧床不起，不可能发生的并发症是

A. 尿路结石　B. 坠积性肺炎

C. 压疮　D. 脂肪栓塞

E. 下肢深静脉血栓形成

17. 骨折固定后1～2周内功能锻炼的方法

A. 骨折部以上关节活动

B. 伤肢肌肉进行舒缩活动

C. 骨折部以下关节活动

D. 全身各部肌肉及关节活动

E. 重点关节为主的全面功能锻炼

18. 脊柱骨折最常见的形态是

A. 裂缝骨折　B. 楔形骨折

C. 压缩骨折　D. 螺旋形骨折

E. 凹陷骨折

19. 对截瘫患者的泌尿系护理，以下哪项错误

A. 无菌操作下留置导尿

B. 留置导尿2周后改定期开启引流

C. 多饮水，增加排尿

D. 开放引流时间以每次4～6h为宜

E. 导尿管每2周更换1次

20. 外伤性截瘫患者，建立反射性膀胱的护理措施是

A. 持续导尿2周后改为定时开放导尿管

B. 每周更换导尿管

C. 每2h更换体位

D. 抬高床头，多饮开水

E. 每日膀胱冲洗1次

21. 骨折愈合过程中原始骨痂形成期需要的时间为

A. 1周　B. 2周

C. 2～3周　D. 4～8周

E. 8～12周

22. 按照骨折的程度和形态分类，属于完全骨折的是

A. 青枝骨折、斜形骨折

B. 螺旋骨折、裂缝骨折

C. 凹陷骨折、压缩骨折

D. 嵌插骨折、裂缝骨折

E. 粉碎性骨折、青枝骨折

23. 新鲜关节脱位与陈旧关节脱位的分界时间是

A. 1周　B. 2周

C. 3周　D. 4周　E. 5周

24. 影响骨折愈合最主要的因素是

A. 高龄　B. 伤口感染

C. 粉碎性骨折　D. 血液供应不良

E. 复位时过度牵引

25. 患者女性，65岁。不慎跌倒致左股骨颈骨折，入院后给予持续皮牵引处理。该患者最易发生的并发症是

A. 左坐骨神经损伤

B. 髋关节创伤性关节炎

C. 休克

D. 左股骨头缺血性坏死

E. 骨化性肌炎

26. 患者女性，67岁。行走时不慎滑倒，左臀部着地，左髋部疼痛，不能站立。入院后诊断为左股骨颈骨折。该患者皮牵引的护理中，错误的一项是

A. 保持有效牵引

B. 绷带包扎的松紧度要适宜

C. 定期测量肢体长度

D. 牵引重量为体重的1/7～1/6

E. 适当抬高床尾

27. 减轻脊髓水肿可采取

A. 地塞米松10～20mg口服，每日3次，维持2周左右

B. 20%甘露醇250ml静脉滴注，每日2次，连续5～7天

C. 输液或输血，维持动脉血压在90mmHg以上

D. 卧硬板床

E. 枕颌吊带卧位牵引

28. 患者男性，28岁。在建筑工地劳动中，不慎从脚手架上跌落，怀疑有颈椎骨折。搬运中错误的做法是

A. 注意观察生命体征

B. 保持脊柱中立位

C. 在头颈两侧填塞布团限制其活动

D. 背负伤者于硬板上转运

E. 搬运者步履平稳

29. 患者胫腓骨中段粉碎性骨折，入院后给予石膏固定，第2日出现右小腿持续性剧痛，拆除外固定的石膏检查见：右小腿严重肿胀、畸形，右足趾发绀呈屈曲状态，压痛，被动活动时剧痛。该患者出现的并发症是

A. 缺血性肌挛缩　　B. 神经损伤

C. 骨筋膜室综合征　　D. 脂肪栓塞综合征

E. 缺血性骨坏死

30. 急诊护士在护理肱骨髁上骨折患者的过程中，应特别注意是否损伤

A. 肱动脉　　B. 头静脉

C. 尺神经　　D. 桡动脉

E. 肱二头肌

（31～32题共用备选答案）

A. 屈曲、内收畸形

B. 屈曲、内收、内旋畸形

C. 外旋、缩短畸形

D. 屈曲、内旋畸形

E. 屈曲、外展、内旋畸形

31. 髋关节后脱位表现为

32. 股骨颈骨折表现为

（33～37题共用备选答案）

A. 杜加试验阳性　　B. 缺血性骨坏死

C. 血管损伤　　D. 神经损伤

E. "猿手"畸形

33. 肱骨髁上骨折易致

34. 股骨颈头下骨折易致

35. 肱骨干中段骨折易致

36. 肘关节脱位易致

37. 肩关节脱位易致

【参考答案】

1. C	2. D	3. A	4. C	5. B
6. A	7. A	8. A	9. A	10. E
11. D	12. E	13. A	14. C	15. D
16. D	17. B	18. C	19. E	20. A
21. D	22. C	23. C	24. D	25. D
26. D	27. B	28. D	29. C	30. A
31. B	32. C	33. C	34. B	35. D
36. E	37. A			

第十九章　骨与关节化脓性感染和骨肿瘤患者的护理

第一节　急性血源性骨髓炎患者的护理

（一）病因、病理

1. 病因：多由其他部位的感染灶或外伤引起，最常见致病菌是溶血性金黄色葡萄球菌。

2. 病理：基本病理变化是骨质破坏、骨吸收和死骨形成。早期以骨质破坏为主，晚期以新生骨增生为主。发病部位多在胫骨、股骨、肱骨等长骨的干骺端。

（二）临床表现

本病常见于骨骼生长快的儿童。

1. 局部表现：患部肿胀、剧痛、压痛、局部皮肤温度增高。

2. 全身表现：全身中毒症状明显。

（三）辅助检查

1. 周围血：白细胞计数升高，中性粒细胞占90%以上。

2. X线片：发病2周后X线片上出现散在虫蚀样骨破坏，可见死骨。

3. CT检查：可以较早发现骨膜下脓肿。

4. 脓肿分层穿刺：可明确诊断。同时可做细菌培养和药物敏感试验。

（四）治疗要点

早期诊断，尽早控制感染，防止炎症扩散，及时切开减压引流脓液，防止死骨形成及演变为慢性骨髓炎。

（五）护理措施

1. 患肢护理：抬高患肢，限制患肢活动，维持肢体于功能位，防止关节畸形和病理性骨折及减轻疼痛。移动患侧肢体时要轻稳，做好支撑与支托。

2. 创口护理

（1）及时更换敷料，保持创口清洁和干燥。

（2）观察引流液的量、颜色和性质。

（3）保持引流管通畅，防止引流液逆流。

（4）保持引流管与负压引流袋或负压引流瓶紧密相连，并处于负压状态。

（5）引流袋或瓶位置应低于患肢50cm。

（6）每天创口冲洗量为3000～5000ml。

（7）根据冲洗后引流液的颜色和清亮程度调节灌注速度。

第二节　慢性骨髓炎患者的护理

（一）病因病理

1. 病因：多数是由急性骨髓炎迁延而来。

2. 病理：病理特点是死骨、骨性包壳、死腔、坏死肉芽、窦道及瘢痕，经久不愈，反复急性发作。

（二）临床表现

患肢增粗、畸形、窦道周围皮肤色素沉着、瘢痕及窦道。急性发作期，患肢红肿疼痛、压痛明显，已经暂时闭合的窦道破溃，流出臭味脓液或小死骨片。

（三）辅助检查

X线检查可见密度增高的死骨。

（四）治疗要点

手术治疗为主，去除死骨和炎性肉芽组织，消灭死腔。

（五）护理措施

1. 术前护理

（1）卧床休息，给营养丰富易消化饮食，改善身体状况。

（2）患肢抬高制动，消除肿胀，减轻疼痛，防止畸形和病理性骨折。

（3）密切观察病情变化，注意生命体征改变，高热患者降温。

（4）控制感染，及时应用有效抗生素，并观察药物反应。窦道加强换药，控制感染。

2. 术后护理

（1）病情观察，注意生命体征变化。

（2）伤口护理，及时换药，观察引流液的量及性质，保持引流管通畅。

第三节　化脓性关节炎患者的护理

（一）病因病理

主要致病菌是金黄色葡萄球菌；侵犯途径有远处病灶经血行播散、邻近病灶直接蔓延或关节开放性损伤。病理改变分为浆液性渗出期（关节软骨无明显改变）、浆液纤维素渗出期（软骨破坏）、脓性渗出期（关节软骨和滑膜破坏）。

（二）临床表现

病变关节剧痛、红肿、功能障碍。关节呈半屈位，拒绝活动和检查。

（三）辅助检查

X线检查早期关节周围软组织肿胀，关节间隙增宽，关节骨骨质疏松，当软骨面破坏后，X线检查显示关节间隙变窄，软骨下骨质破坏后骨面毛糙，X线检查呈现虫蚀样改变。

（四）治疗要点

1. 非手术治疗：早期应用有效抗生素；关节腔内注入抗生素；关节腔灌洗，适用于表浅的大关节；牵引或石膏固定。

2. 手术治疗：关节切开引流术、关节矫形术。

（五）护理措施

(1) 急性期患者炎症反应和关节疼痛需卧床休息，并给予富营养易消化饮食。

(2) 体温高的患者给予物理降温或药物降温。

(3) 遵医嘱应用抗生素控制感染。

(4) 患肢制动，保持功能位，牵引固定。

(5) 关节穿刺或灌洗的护理：关节穿刺每日1次，抽出积液后，注入抗生素。关节腔灌洗每日经滴注管滴入含抗生素的溶液2000～3000ml，直至引流液清澈，细菌培养阴性为止。在停止滴注后再继续引流几日，无引流液后拔管停止引流。

第四节　骨与关节结核患者的护理

（一）病因、病理

1. 病因：多继发于肺结核或消化道结核。

2. 病理：最初病理变化是单纯性滑膜结核或单纯性骨结核，以后者多见。

（二）临床表现

1. 全身中毒症状：低热、盗汗、乏力、食欲缺乏、消瘦、贫血等。

2. 局部表现：病变部位疼痛、压痛、局部肿胀或关节积液；寒性脓肿、窦道与瘘管。

3. 并发症：脊柱结核形成的寒性脓肿可压迫脊髓而发生截瘫；患者可出现病理性关节脱位与病理性骨折。

（三）辅助检查

1. 实验室检查：红细胞沉降率在结核活动期明显增快。

2. 影像学检查：X线片检查有助诊断；CT检查能显示病灶周围的寒性脓肿、死骨和病骨。MRI检查有早期诊断的价值，还可以观察脊髓有无受压。

3. 超声波检查：可以探查深部寒性脓肿的位置和大小。

4. 关节镜检查及滑膜活检：对诊断滑膜结核有价值。

（四）治疗要点

1. 支持疗法：注意休息，必要时卧床休息；加强营养，纠正贫血。

2. 抗结核治疗：2～3种药物联合应用，给药不可间断，一般用药2年。

3. 局部制动

(1) 石膏、支架固定：固定时间要足够长，小关节结核固定期为1个月，大关节结核为3个月。

(2) 牵引：主要用于解除肌痉挛，防止病理性骨折、脱位并可纠正关节畸形。

4. 局部注射抗结核药物：最适用于早期单纯性滑膜结核病例。有用量少、局部药物浓度高、全身反应小的优点。常用药物为异烟肼。

5. 切开排脓：适用于寒性脓肿有混合感染、体温高、中毒症状明显者，但易形成经久不愈的窦道。

6. 病灶清除术：术前应用抗结核药物2～4周。病灶清除术的指征如下。

(1) 骨与关节结核有明显的死骨及大脓肿形成。

(2) 窦道流脓经久不愈。

(3) 单纯性骨结核髓腔内积脓、压力过高者。

(4) 单纯性滑膜结核经药物治疗效果不佳，即将发展为全关节结核者。

(5) 脊柱结核有脊髓受压表现者。

7. 其他手术：关节融合术用于关节不稳定者；截骨术用以矫正畸形；关节成形术用以改善关节功能。

（五）脊柱结核

1. 概述：骨关节结核病中脊柱结核发病

率最高，绝大多数是椎体结核，以腰椎结核最多见，其次是胸椎和颈椎。椎体结核可分中心型和边缘型两种，前者多见于10岁以下儿童，好发于胸椎；后者多见于成人，好发于腰椎。

2. 临床表现

（1）症状：病变部位疼痛，劳累、咳嗽、打喷嚏或持重物时可加重。全身症状不明显，可有慢性中毒症状。

（2）体征：脊柱呈后凸或侧弯畸形；腰部活动受限，拾物试验阳性；受累椎体棘突处有压痛和叩击痛。

3. X线检查：可见椎骨中心或边缘骨质破坏。中心型可有空洞、死骨，严重者脊柱后凸明显。边缘型椎间隙变窄。

4. 治疗原则

（1）非手术治疗

① 全身治疗支持治疗，改善营养状况。

② 抗结核药物治疗：可同时使用2～3种抗结核药物；脊柱结核一般连续用药2年。

③ 局部制动：可用支架、腰围、头胸石膏或石膏背心固定，卧硬板床休息。

（2）手术治疗：适用于脊柱结核有明显死骨或较大寒性脓肿不易吸收、窦道流脓经久不愈或合并截瘫者。术前抗结核治疗至少2周且全身症状改善。病灶清除术后卧床3～6个月；植骨融合术以稳定脊柱、促进病灶的愈合；矫形手术纠正脊柱畸形。

（六）髋关节结核

1. 概述：髋关节结核常见于儿童和青少年，以单侧性病变多见。髋关节结核早期以单纯滑膜结核较多见。

2. 局部症状和体征

（1）症状：患侧髋部疼痛，向膝部放射，劳累后加重，休息减轻，疼痛逐渐加剧，重者出现跛行。

（2）体征

①“4”字试验阳性：患者仰卧，患侧下肢蜷曲使外踝搭在对侧髌骨上方，检查者下压患侧膝部，膝部不能接触床面者为阳性。

② 托马斯征（Thomas征）阳性：患者仰卧，检查者将其健侧髋、膝关节屈曲，使膝部尽可能贴近胸前，患侧下肢不能伸直为阳性。

3. 治疗

（1）单纯滑膜结核：全身抗结核治疗及局部关节穿刺注入抗结核药物，皮牵引及石膏固定制动。

（2）单纯骨结核：及早行病灶清除术、骨松质植骨以挽救关节功能。术后用皮牵引或髋人字石膏固定。

（3）全关节结核：早期行病灶清除术术后皮牵引3周。晚期患者在清除病灶的同时做髋关节融合术。术后髋人字石膏固定3～6个月。

（七）膝关节结核

1. 局部症状和体征

（1）症状：膝关节疼痛及轻度活动受限。

（2）体征：膝关节呈梭形肿胀，局部压痛、皮温升高；浮髌试验阳性。

2. X线检查：单纯骨结核病变位于中心者，呈磨砂玻璃样改变。

3. 治疗

（1）非手术治疗：较适用于单纯滑膜结核。可经关节腔穿刺抽液后注入抗结核药物。

（2）手术治疗：主要为病灶清除术。单纯骨结核者在病灶清除术后植骨，再用石膏外固定3个月。全关节结核者早期行病灶清除术。15岁以上、关节破坏严重者在清除病灶后做关节加压融合术，4周后拔除加压钢针，改用管形石膏固定至少2个月。

（八）护理措施

1. 术后密切观察病情：定时测定体温、脉搏、呼吸和血压，观察有无呼吸困难，注意肢端血液循环。

2. 抗结核药物治疗：术后继续用药最少3～6个月，观察抗结核治疗的效果，观察有无药物不良反应。

3. 卧硬板床休息，局部制动，翻身时协助轴式翻身。术后长期卧床者应主动活动非制动部位。合并截瘫或脊柱不稳制动者鼓励患者做抬头、扩胸、深呼吸和上肢活动。

4. 并发症：截瘫、肺部感染、压疮、关节僵硬、气胸等。

第五节　骨肉瘤患者的护理

（一）病理

骨肉瘤是最常见的原发性恶性骨肿瘤。恶性程度高，预后差。发病年龄以 10～20 岁青少年多见。好发于长管状骨干骺端，股骨远端、胫骨和肱骨近端是常见发病部位。其组织学特点是瘤细胞直接形成骨样组织或未成熟骨。

（二）临床表现

早期症状为疼痛，起初为间断性疼痛，渐转为持续性剧烈疼痛，尤以夜间为甚。骨端近关节处可见肿块，有压痛，局部皮温高，静脉怒张。肺转移发生率较高。

（三）辅助检查

X 线检查示骨质表现为成骨性、溶骨性或混合性破坏，病变多起于骺端。可见三角状新骨，称 Codman 三角；或垂直呈放射样排列，称日光射线现象。

（四）治疗要点

骨肉瘤采用综合治疗。术前大剂量化疗，然后做根治性瘤段切除，无保肢条件者行截肢术，术后仍给予大剂量化疗。

【考点强化】

1. 关于急性骨髓炎，以下哪项不正确
   A. 常见于 1 岁以下儿童
   B. 多发生于长骨干前端
   C. 有寒战、高热
   D. 患肢持续疼痛
   E. 检查无压痛
2. 急性血源性骨髓炎好发的部位是
   A. 长骨的骨干　B. 长骨的干骺端
   C. 扁骨　D. 骨髓
   E. 短骨
3. 急性血源性骨髓炎错误的处理方法是
   A. 加强支持疗法
   B. 早期联合、足量应用抗生素
   C. 患肢抬高
   D. 早期进行功能锻炼
   E. 尽早开窗引流
4. 骨关节结核无哪项局部表现
   A. 轻微疼痛　B. 压痛
   C. 肌肉麻痹　D. 关节僵硬、畸形
   E. 冷脓肿、窦道
5. 对急性化脓性骨髓炎具有早期诊断意义的检查是
   A. X 线检查　B. CT 检查
   C. 血常规检查　D. 关节穿刺检查
   E. 局部分层穿刺检查
6. 膝关节化脓性关节炎患者的阳性体征是
   A. 拾物试验阳性　B. 浮膑试验阳性
   C. “4”字试验阳性　D. 托马斯试验阳性
   E. 直腿抬高试验阳性
7. 化脓性关节炎患者进行局部灌洗治疗的护理措施中正确的是
   A. 引流瓶低于床面 20cm
   B. 术后 12～24 小时内应慢速滴入
   C. 冲洗液为含抗生素的生理盐水
   D. 引流管的滴入管应高于床面 1m
   E. 引流液细菌培养阴性即可立即拔除引流管
8. 不属于骨关节结核局部表现的是
   A. 关节肿胀　B. 弹性固定
   C. 功能障碍　D. 寒性脓肿
   E. 畸形
9. 骨关节结核中发病率最高的是
   A. 肘关节结核　B. 腕关节结核
   C. 脊柱关节结核　D. 髋关节结核
   E. 膝关节结核
10. 急性血源性骨髓炎最常见的致病菌是
    A. 肺炎球菌
    B. 金黄色葡萄球菌
    C. 乙型溶血性链球菌
    D. 流感嗜血杆菌
    E. 产气荚膜杆菌
11. 急性血源性骨髓炎晚期特点是
    A. 骨质破坏　B. 死骨形成
    C. 形成局限性脓肿
    D. 新骨形成和骨性死腔
    E. 骨坏死并化脓
12. 化脓性关节炎的好发部位
    A. 肘关节和肩关节　B. 膝关节和肘关节
    C. 髋关节和膝关节　D. 髋关节和踝关节
    E. 膝关节和踝关节

13. 脊柱结核最易受累的椎体是

A. 颈椎　　B. 胸椎

C. 腰椎　　D. 骶椎

E. 以上均可

14. 骨肉瘤的好发年龄是

A. 10～20 岁　　B. 20～30 岁

C. 30～40 岁　　D. 40～50 岁

E. 50～60 岁

15. 骨肉瘤常经血液转移至

A. 肺　　B. 脑

C. 肾　　D. 心　　E. 肝

16. 患者男性，9 岁，2 月前因外伤造成胫骨。3 天前突发高热、寒战、右下肢近膝关节处剧痛。检查：局部深压痛，皮肤温度高。血常规示白细胞显著升高。最有可能的诊断是

A. 骨结核

B. 膝关节缺血性坏死

C. 化脓性关节炎

D. 一过性滑膜炎

E. 急性血源性骨髓炎

17. 患者男性，23 岁。3 个月前出现右大腿间断性疼痛，近 2 月转变为持续性剧烈疼痛，右股骨下端发现一肿块。查体：右股下端有一肿块，表面静脉怒张，皮温略高；X 线平片显示右股骨下端有边界不清的骨质破坏区，骨膜增生呈放射状阴影。最可能的诊断是

A. 骨髓炎　　B. 骨结核

C. 骨肉瘤　　D. 骨巨细胞瘤

E. 骨转移癌

【参考答案】

1. E　2. B　3. D　4. C　5. E
6. B　7. C　8. B　9. C　10. B
11. D　12. C　13. C　14. A　15. A
16. E　17. C

第二十章　腰腿痛及颈肩痛患者的护理

第一节　腰椎间盘突出症患者的护理

（一）病因病理

腰椎间盘突出症是腰腿痛最常见的原因之一。退行性变是腰椎间盘突出的基本因素，积累伤则是主要诱发因素。当髓核经椎间盘薄弱处或破裂的纤维环处突出时，即可发生腰椎间盘突出症。根据椎间盘突出的位置分为后外侧突型和中央型。根据病理变化和 CT、MRI 所见分为膨隆型、突出型、脱垂游离型、Schmorl 结节及经骨突出型。

（二）临床表现

1. 症状

（1）腰痛：最先出现的症状常为腰部急性剧痛或慢性隐痛。

（2）坐骨神经痛：疼痛从下腰部向臀部、大腿后方、小腿外侧足背或足外侧放射，并可伴麻木感。咳嗽、排便或打喷嚏时，因腹压增高引起疼痛加剧。

（3）马尾神经受压综合征：鞍区感觉迟钝，大、小便和性功能障碍。

2. 体征：在相应的病变椎体间隙、棘突旁有深压痛、叩痛，并可引起下肢放射痛。约 60% 的患者脊柱正常生理弯曲消失；直腿抬高试验及加强试验阳性：患者仰卧、伸膝、被动抬高患肢，抬高至 60°以内时，即出现坐骨神经放射痛，为直腿抬高试验阳性。当缓慢放下患肢、待放射痛消失后再被动背屈患侧距小腿关节以牵拉坐骨神经，若又出现放射痛，称为

加强试验阳性。

（三）辅助检查

1. X线检查：能直接反映腰部有无侧突、椎体退行性变和椎间隙有无狭窄等。

2. CT：可用于鉴别有无椎间盘突出或突出方向等。

3. MRI：可显示椎管形态，全面反映出各椎体、椎间盘有无病变及神经根和脊髓受压情况。对本病有较大诊断价值。

（四）治疗要点

1. 非手术治疗：适用于首次发作、症状较轻的患者。

（1）卧床休息：急性期让患者绝对卧硬板床休息，一般卧床2～6周或至症状缓解。

（2）骨盆牵引：一般采用骨盆水平牵引，牵引重量为7～15kg，牵引时抬高足端床脚作为反牵引力，每天2次，每次1～2小时，持续3～4周。

（3）药物治疗：常用阿司匹林及布洛芬等镇痛；可用皮质类固醇行硬膜外封闭或局部注射。

（4）髓核化学溶解法。

2. 手术治疗对诊断明确、症状严重、经严格非手术治疗无效或有马尾神经受压症状者应考虑手术治疗。

3. 经皮穿刺髓核摘除术。

（五）护理措施

1. 非手术治疗及手术前护理

（1）绝对卧硬板床休息。

（2）卧位：抬高床头20°，膝关节屈曲，放松背部肌肉，增加舒适感。

2. 功能锻炼

（1）四肢肌肉、关节的功能练习：卧床期间坚持定时作四肢关节的活动，以防关节僵硬。

（2）直腿抬高练习：术后第一天开始进行股四头肌的舒缩和直腿抬高练习，每分钟2次，抬放时间相等；逐渐增加抬腿幅度，以防止神经根粘连。

（3）腰背肌锻炼：一般手术后7天开始。先用飞燕式，然后用五点支撑法，1～2周后改为三点支撑法；每日3～4次，每次50下，循序渐进，逐渐增加次数。

（4）行走训练：制定活动计划，指导患者按时下床活动。坐起前，先抬高床头，再将病人两腿放到床边，使其上身竖直；行走时，有人在旁，直致患者无眩晕和感觉体力可承受后，方可独立行走并注意安全。

3. 术后护理

（1）搬运：3人搬运。

（2）卧位：术后平卧24小时，禁翻身，以压迫止血，持续卧床1～3周。

（3）翻身：术后24小时后可翻身，采取2人翻身法翻身。

第二节　颈椎病患者的护理

颈椎病指颈椎间盘退行性变及继发性椎间关节退行性变所致脊髓、神经、血管损害的相应症状和体征。颈椎病是50岁以上人群的常见病，男性居多，好发部位依次为C_5～C_6、C_4～C_5、C_6～C_7。

（一）病因病理

颈椎间盘退行性变是颈椎病发生和发展的最基本原因。神经根型颈椎病在颈椎病中发病率最高。

（二）分型及临床表现

1. 神经根型颈椎病

（1）症状：患者常先有颈痛及颈部僵硬，继而向肩部及上肢放射。咳嗽、打喷嚏及活动时疼痛加剧。上肢肌力和手握力减退。

（2）体征：颈部肌痉挛，颈肩部有压痛，颈部和肩关节活动受限。上肢牵拉试验阳性、压头试验阳性。

2. 脊髓型颈椎病：手部发麻、精细活动失调，握力减退，下肢无力、有踩棉花的感觉。随病情加重可发生自下而下的上运动神经元性瘫痪。

3. 椎动脉型颈椎病

（1）症状：眩晕、头痛、视物障碍、耳鸣、耳聋、恶心、呕吐、猝倒等一过性脑或脊髓缺血的表现；头部活动时可诱发或加重。

（2）体征，颈部有压痛、活动受限。

4. 交感神经型颈椎病：有交感神经兴奋症状，如头痛或偏头痛、头晕、心跳加速、心律不齐、血压升高，耳鸣、听力下降等。也可出现交感神经抑制症状。

（三）辅助检查

（1）X线正侧位摄片可显示颈椎生理前凸减小或消失，椎间隙变窄。

（2）脊髓造影、CT、MRI：可显示脊髓受压情况。

（四）治疗要点

1. 非手术疗法

（1）颌枕带牵引：取坐位或卧位，头前屈15°左右，牵引重量4～6kg，每日1～2次，每次1小时。脊髓型颈椎病一般不宜做此牵引。

（2）颈托或颈领：限制颈椎过度活动。

（3）推拿按摩、理疗。

2. 手术治疗：适用于诊断明确、经非手术疗法无效和反复发作，或脊髓型颈椎病压迫症状进行性加重者。

（五）护理措施

1. 手术前护理

（1）术前训练：经颈前路手术的患者，术前要做推移气管和食管训练，以适应术中牵拉气管和食管。经后路手术的患者，术前进行俯卧训练，以适应术中长时间俯卧。

（2）功能锻炼：颈部锻炼，做前屈、后伸、侧屈和侧转活动。

2. 手术后护理：

（1）观察伤口出血：经前路手术后观察伤口有无出血，引流是否通畅、是否脱出，颈部是否肿胀，呼吸是否困难等。

（2）观察呼吸：前路手术术中牵拉气管，可使气管黏膜水肿，导致呼吸不畅，严重的可引起呼吸困难。

（3）颈部制动：患者术后搬运时，应用围领固定颈部。回病房后取平卧位，维持颈部稍前屈位，颈肩部两侧用沙袋固定，制动头颈部。患者在咳嗽、喷嚏时用手轻按颈前部。术后1周以头颈胸石膏或支架固定颈部，摇高床头坐起，以后逐渐下床。

【考点强化】

1. 腰椎间盘突出症最常发生于

A. 胸12～腰1间盘和腰1～腰2间盘
B. 腰1～腰2间盘和腰2～腰3间盘
C. 腰2～腰3间盘和腰3～腰4间盘
D. 腰3～腰4间盘和腰4～腰5间盘
E. 腰4～腰5间盘和腰5～骶1间盘

2. 腰椎间盘突出症的基本病因是

A. 妊娠　B. 车祸撞伤腰椎
C. 腰部急性损伤　D. 椎间盘退行性变
E. 长期反复弯腰扭转

3. 为了避免诱发下肢放射痛，腰椎间盘突出症患者患肢直腿抬高一般不能超过

A. 60°　B. 50°
C. 40°　D. 30°
E. 20°

4. 首次急性发作的腰椎间盘突出症的治疗方法，应首选

A. 推拿按摩
B. 手术摘除髓核
C. 绝对卧硬板床休息
D. 给予镇痛药，必要时局部封闭
E. 卧软床休息，严禁起床活动

5. 腰椎间盘突出症患者手术后第一天进行直腿抬高练习的目的是为了预防

A. 神经根粘连　B. 血肿形成
C. 骨质疏松　D. 伤口感染
E. 肌肉萎缩

6. 颈椎病最常见的类型是

A. 神经根型　B. 脊髓型
C. 椎动脉型　D. 交感型
E. 混合型

7. 神经根型颈椎病患者可能出现

A. 颈性眩晕
B. 躯干有紧束感
C. 上肢牵拉试验阳性
D. 行走有踩棉花样感觉
E. 恶心、视物模糊、血压升高等

8. 椎动脉型颈椎病主要症状有

A. 肌力下降　B. 眩晕
C. 头痛　D. 视觉障碍
E. 猝倒

9. 颈椎手术患者术前护理中不正确的是

A. 劝患者戒烟　B. 挑选合适领围
C. 准备接受前路手术者需剃头
D. 接受前路手术者练习推移气管
E. 接受后路手术者练习俯卧

10. 腰椎间盘突出症患者，行髓核摘除术后第一天，应开始下列哪些锻炼

A. 腰背肌锻炼　B. 直腿抬高练习

C. 股四头肌等长收缩 D. 转移训练

E. 下床活动

（11～14 题共用病例）

患者男性，65 岁，近 2 个月出现下肢麻木，行走困难，近 10 天病情加重。查体发现，患者精细活动失调，运动神经元损伤表现，四肢腱反射亢进，肌张力增强。

11. 患者可能的诊断

A. 神经根型颈椎病

B. 脊髓型颈椎病

C. 椎动脉型颈椎病

D. 交感神经型颈椎病

E. 复合型颈椎病

12. 若行非手术治疗，可选用

A. 卧床休息、牵引、颈托或围领固定

B. 卧床休息、理疗、颈托或围领固定

C. 卧床休息、推拿按摩、牵引

D. 卧床休息、理疗、按摩推拿

E. 卧床休息、推拿按摩、颈托或围领固定

13. 佩戴颈托或围领的作用

A. 缓解颈部肌肉痉挛

B. 限制颈椎过度活动

C. 协助颈部活动

D. 解除颈部压迫

E. 增加颈部活动范围

14. ［假设信息］非手术治疗无效，行颈椎前路手术，术后最重要的护理是

A. 观察呼吸 B. 观察伤口出血

C. 保持颈部制动 D. 植骨块是否脱落

E. 颈部功能锻炼

【参考答案】

1. E 2. D 3. A 4. C 5. A

6. A 7. C 8. B 9. C 10. B

11. B 12. B 13. B 14. A

第五篇 妇产科常见病患者的护理

第一章 女性生殖系统解剖生理

（一）外生殖器

外生殖器位于两股内侧，前为耻骨联合，后为会阴；包括阴阜、大阴唇、小阴唇、阴蒂和阴道前庭。

（1）阴阜：为耻骨联合前方的皮肤隆起。皮下脂肪组织与神经丰富，阴毛呈倒三角形分布。

（2）大阴唇：为两股内侧的一对纵行隆起的皮肤皱襞，起自阴阜向后延伸至会阴。其外侧面有阴毛、汗腺和皮脂腺，内侧面湿润似黏膜，大阴唇皮下血管、淋巴管和神经丰富，外伤后易形成血肿。

（3）小阴唇：是位于大阴唇内侧的一对薄皮肤皱襞。含有丰富的神经末梢，很敏感。两侧小阴唇在前端融合形成阴蒂包皮和阴蒂系带，大、小阴唇后端会合形成阴唇系带。

（4）阴蒂：位于两侧小阴唇顶端下方，富含神经末梢，很敏感。由海绵体构成，可勃起，分为阴蒂头、阴蒂体、阴蒂脚。

（5）阴道前庭：为两侧小阴唇之间的菱形区；前为阴蒂，后为阴唇系带；前方有尿道口；后方有阴道口，包括如下结构。

① 前庭球：位于前庭两侧，由一对细长的勃起组织构成。

② 前庭大腺：位于大阴唇后部，如黄豆大小，左右各一个。腺管开口于阴道前庭后方小阴唇与处女膜之间的沟内，管口堵塞，形成脓肿或囊肿。性兴奋时，分泌黏液起润滑作用。

③ 尿道外口：位于阴蒂头后下方，其后壁上有一对尿道旁腺，分泌物可润滑尿道口。

④ 阴道口及处女膜：阴道口位于尿道外口后方的前庭后部，其周缘覆有薄层黏膜皱襞，为处女膜，处女膜中含有结缔组织、血管、神经末梢。

（二）内生殖器及其功能

女性内生殖器包括阴道、子宫、输卵管及卵巢。

1. 阴道：为上宽下窄的通道。前壁与膀胱和尿道相邻，后壁与直肠贴近，上端包围宫颈，下端开口于阴道前庭后部。阴道壁由黏膜、肌层和纤维组织膜构成，阴道黏膜无腺体，受性激素影响有周期性变化。阴道壁富有静脉丛，损伤易出血或形成血肿。阴道壁有横纹皱襞，故有较大伸展性。阴道后穹隆最深，临床上可经此处穿刺或引流。

2. 子宫

(1) 功能：产生月经和孕育胚胎、胎儿的器官。

(2) 形态：呈前后略扁的倒置梨形，重约50g，子宫长7～8cm，宽4～5cm，厚2～3cm；宫腔为上宽下窄的三角形，容量约5ml。宫颈内腔呈梭形，称宫颈管，长约2.5～3cm，其下端称宫颈外口，未产妇的宫颈外口呈圆形，已产妇受分娩影响形成横裂，而分为前唇和后唇。宫体与宫颈的比例，婴儿期为1∶2，成年妇女为2∶1，老年期为1∶1。宫体与宫颈之间形成最狭窄的部分称子宫峡部，在非孕期长约1cm，其上端称解剖学内口，其下端称组织学内口。

(3) 组织结构

① 宫体：内层为子宫内膜。中间层为肌层，外层为浆膜层。子宫内膜为黏膜组织，其表面2/3受卵巢激素影响发生周期性变化，称功能层；余1/3的内膜无周期性变化称基底层。肌层由平滑肌束及弹力纤维所组成，分3层：外层纵行排列，中层交叉排列，内层环行排列。子宫收缩压缩血管，能有效控制子宫出血。子宫浆膜层在子宫前面形成膀胱子宫陷凹，在子宫后面形成直肠子宫陷凹。

② 宫颈：宫颈管黏膜为单层高柱状上皮，宫颈阴道部由复层鳞状上皮覆盖。在宫颈外口柱状上皮与鳞状上皮交界处是宫颈癌的好发部位。受性激素影响宫颈黏膜有周期性变化。

(4) 位置：位于盆腔中央，膀胱与直肠之间，在子宫韧带及骨盆底肌和筋膜的支托作用下呈轻度前倾前屈位。

(5) 子宫韧带

① 圆韧带：起于子宫双角的前面、输卵管近端的下方，向前外走形达两侧骨盆壁侧壁后，穿过腹股沟管终于大阴唇前端。有使子宫保持前倾位置的作用。

② 阔韧带：为位于子宫两侧呈翼状的双层腹膜皱襞。阔韧带上缘游离，内2/3部包围输卵管，外1/3部移行为骨盆漏斗韧带或称卵巢悬韧带，卵巢动静脉由此穿过。在宫体两侧的阔韧带中有丰富的血管、神经、淋巴管及大量疏松结缔组织称宫旁组织。子宫动静脉和输尿管均从阔韧带基底部穿过。使子宫位于盆腔中央，限制子宫向两侧倾斜。

③ 主韧带：在阔韧带的下部，横行于宫颈两侧和骨盆侧壁之间。有固定宫颈位置、防止子宫下垂的作用。

④ 宫骶韧带：自宫颈后面的上侧方，向两侧绕过直肠到达第2、3骶椎前面。主要作用是向后向上牵引宫颈，维持子宫前倾位置。

3. 输卵管：输卵管为受精的场所，也是向宫腔运送受精卵的管道。为一对细长而弯曲的管，内端与宫角相连通，外端游离呈伞状，与卵巢接近，全长约8～14cm。输卵管由内向外可分为间质部（管腔最窄，长约1cm）、峡部（管腔较窄，长2～3cm）、壶腹部（管腔较宽，长5～8cm）、伞部（长1～1.5cm，有“拾卵”作用）。

4. 卵巢：卵巢位于输卵管的后下方，外侧以骨盆漏斗韧带连于骨盆壁，内侧以卵巢固有韧带与子宫连接。有产生和排出卵细胞、分泌性激素的功能。卵巢呈扁椭圆形，青春期前表面光滑，排卵后表面凹凸不平；成年妇女的卵巢4cm×3cm×1cm大，重5～6g，呈灰白色；绝经后卵巢萎缩变小变硬。

（三）内生殖器的邻近器官

内生殖器的邻近器官有尿道、膀胱、输尿管、直肠和阑尾。

（四）骨盆的组成及分界

(1) 组成：骨盆由骶骨、尾骨及左右两块髋骨组成。

(2) 分界；以耻骨联合上缘、髂耻缘及骶岬上缘的连线为界，将骨盆分为假骨盆（大骨盆）和真骨盆（小骨盆）。真骨盆又称骨产道，是胎儿娩出的通道。真骨盆上下两口之间为骨盆腔。

（五）骨盆的平面及径线

1. 入口平面：前方为耻骨联合上缘，两侧为髂耻缘，后方为骶岬上缘。

(1) 前后径（真结合径）：为耻骨联合上缘中点至骶岬前缘正中间的距离，平均长11cm。

(2) 横径：两侧髂耻缘间的最大距离，平均长13cm。

(3) 斜径：自左骶髂关节至同侧髂耻隆突间的距离，平均长12cm。

2. 中骨盆平面：为骨盆最小平面。前方为耻骨联合下缘，两侧为坐骨棘，后方为骶骨下端。

（1）前后径：自耻骨联合下缘中点通过坐骨棘连线中点至骶骨下端间的距离，平均长 11.5cm。

（2）横径（坐骨棘间径）：为两坐骨棘间的距离，平均长 10cm。

3. 骨盆出口平面：由两个在不同平面的三角形组成。前三角的顶点是耻骨联合下缘，两侧是耻骨降支；后三角的顶点为骶尾关节，两侧为骶结节韧带。坐骨结节间径为两个三角共同的底。

（1）前后径：自耻骨联合下缘至骶尾关节间的距离，平均长 11.5cm。

（2）横径（坐骨结节间径）：为两坐骨结节内缘的距离，平均长 9cm。

（3）前矢状径：自耻骨联合下缘中点至坐骨结节间径中点的距离，平均长 6cm。

（4）后矢状径：自骶尾关节至坐骨结节间径中点的距离，平均长 8.5cm。

（六）妇女一生各阶段的生理特点

1. 新生儿期：外阴较丰满，乳房略隆起或少许泌乳，可出现少量阴道流血。

2. 幼年期：8 岁前生殖器官为儿童幼稚型。8 岁以后，卵泡、乳房和内外生殖器开始发育。

3. 青春期：月经初潮是青春期的标志，该期卵泡发育成熟并排卵，性激素分泌增加，第二性征明显。

4. 性成熟期：卵巢有分泌性激素及周期性排卵功能，有旺盛的生殖功能。成熟期为 18～45 岁。

5. 围绝经期：卵巢功能逐渐减退，卵泡不能发育成熟及排卵，月经不规律，生殖器官逐渐萎缩。

6. 绝经后期：卵巢功能完全衰竭，雌激素减少

（七）卵巢周期性变化

1. 卵泡的发育与成熟：生育期大约只有 300～400 个卵母细胞发育成熟，其直径可达15～20mm。并经排卵过程排出，其余的卵泡发育到一定程度自行退化，这个退化过程称卵泡闭锁。

2. 排卵：排卵多发生在下次月经来潮前 14 天左右，导致排卵的内分泌调节为排卵前血 LH/FSH 峰的出现，卵子可由两侧卵巢轮流排出，也可由一侧卵巢连续排出。

3. 黄体形成与退化：排卵后，卵泡壁塌陷，形成许多皱襞，卵泡壁的卵泡颗粒细胞和内膜细胞向内侵入，周围有结缔组织的卵泡外膜包围，共同形成黄体。若卵子未受精，黄体在排卵后 9～10 天开始退化，黄体细胞逐渐萎缩变小，组织纤维化，最后形成白体。正常排卵周期黄体功能仅限于 14 天内，黄体衰退后月经来潮。

（八）卵巢功能

（1）产生卵子并排卵的生殖功能。

（2）分泌性激素的内分泌功能。

（九）卵巢激素的生理功能

1. 雌激素

（1）生殖系统

① 子宫肌：促使子宫肌细胞的增生和肥大；促使和维持子宫发育；增加子宫平滑肌对缩宫素的敏感性。

② 子宫内膜：使子宫内膜腺体和间质增殖和修复。

③ 宫颈：使宫颈口松弛、扩张，宫颈黏液分泌增加，变稀薄，易拉成丝状。

④ 输卵管：促进输卵管肌层发育，加强输卵管平滑肌节律性收缩。

⑤ 阴道上皮：使阴道上皮细胞增生、角化，使细胞内糖原含量增加，使阴道维持酸性环境。

⑥ 外生殖器：使阴唇发育、丰满。

⑦ 卵巢：协同 FSH 促进卵巢发育。

（2）乳房：使乳腺管增生，乳头、乳晕着色。

（3）下丘脑、垂体：控制促性腺激素的分泌。

（4）代谢作用：促进水钠潴留；降低胆固醇水平；促进钙盐在骨质中沉积。

2. 孕激素

（1）生殖系统

① 子宫肌：降低子宫平滑肌兴奋性和对缩宫素的敏感性，抑制子宫收缩，利于胎儿在子宫腔内生长发育。

② 子宫内膜：使子宫内膜从增生期转化为分泌期。

③ 宫颈：使宫颈口闭合，黏液分泌减少，性状变黏稠。

④ 输卵管：抑制输卵管的收缩。

⑤ 阴道上皮：使阴道上皮细胞脱落加快。

(2) 乳房：促进乳腺腺泡和乳腺小叶增生发育。

(3) 小球脑、脑垂体：抑制垂体促性腺激素的分泌。

(4) 代谢作用：促进水钠排泄。

(5) 体温：使基础体温于排卵后升高0.3～0.5℃。

3. 雄激素：促进蛋白质的合成；促进肌肉、骨骼的发育，刺激骨髓中红细胞生成；促进第二性征发育，促进阴毛和腋毛的生长；拮抗雌激素的作用；性成熟前促进骨骼增长，性成熟后促进骨骺关闭；促进性欲。

(十) 子宫内膜的周期性变化

1. 增生期：月经周期 5～14 天。在雌激素作用下，子宫内膜上皮与间质细胞增生。

2. 分泌期：月经周期 15～28 天，在雌激素的作用下内膜继续增厚，在孕激素的作用下内膜呈分泌反应，血管增加、更加弯曲，间质疏松水肿。

3. 月经期：月经周期 1～4 天。由于雌、孕激素分泌量下降，前列腺素刺激，螺旋小动脉持续痉挛，内膜缺血坏死。变性坏死的内膜与血液相混而排出。

(十一) 月经周期的调节

月经周期的调节是通过下丘脑-垂体-卵巢轴实现的

(十二) 月经的临床表现

1. 定义：月经是指随卵巢的周期性排卵，子宫内膜周期性脱落及出血。是生殖功能成熟的标志之一。

2. 初潮：月经第一次来潮称月经初潮。月经初潮年龄多在 13～15 岁之间。

3. 周期：出血的第 1 天为月经周期的开始，两次月经第 1 天的间隔时间称一个月经周期，一般 28～30 天为一个周期。

4. 月经持续时间：正常月经持续时间为 2～7 天，多数为 3～5 天。

5. 出血量：一般月经第 2～3 天的出血量最多。正常经量为 30～50ml，超过 80ml 为经量过多。

6. 月经血的特征：经血呈暗红色，除血液外，还有子宫内膜碎片、宫颈黏液及脱落的阴道上皮细胞。其主要特点是不凝固，原因为经血内的纤溶酶被激活，使得纤维蛋白被溶解。

7. 月经期的症状：无特殊症状。可有下腹及腰骶部下坠感、膀胱刺激症状、轻度神经系统不稳定症状、胃肠功能紊乱以及鼻黏膜出血、皮肤痤疮等。

【考点强化】

1. 关于骨盆，下列哪种说法不妥

A. 骨盆呈前浅后深的形态，其大小、形态直接影响分娩

B. 骨盆入口平面呈横椭圆形，以利胎头沿斜径入盆

C. 中骨盆平面前面为耻骨联合上缘中点，两侧为坐骨棘，后止于骶尾关节

D. 骨盆出口平面为两个不在同一个平面的三角形组成

E. 肛诊或阴道检查时可触到坐骨棘，是胎先露下降位置的重要标志点

2. 关于阴道的说法正确的是

A. 阴道前穹窿为腹腔的最低位，经此穿刺可诊断某些疾病

B. 阴道上端比下端宽，后壁比前壁长

C. 阴道壁有很多横纹皱襞，伸展性不大

D. 阴道壁富有静脉丛，不易出血形成血肿

E. 阴道黏膜没有周期性变化

3. 有关子宫的说法中，表述错误的是

A. 位于盆腔中央，呈前后略扁的倒置梨形

B. 宫颈外口柱状上皮与鳞状上皮交界处是宫颈癌的好发部位

C. 宫腔为上宽下窄的倒三角形，两侧通输卵管，下通宫颈管

D. 已经阴分娩的妇女宫颈外口受分娩影响呈横裂状，分为前后两唇

E. 子宫体与子宫颈的比例因年龄而异，婴儿期为 1∶1，成年为 2∶1

4. 关于“子宫附件”，下列说法正确的是

A. 输卵管伞端不具有“拾卵”作用

B. 输卵管峡部是正常情况下受精的部位

C. 输卵管的黏膜不会受到性激素的影响，无周期性变化

D. 卵巢属于女性性腺，具有产生卵子和性激素的作用

E. 同子宫一样，卵巢表面也有腹膜覆盖

5. 固定子宫颈正常位置的最重要的韧带是

A. 主韧带　　B. 阔韧带

C. 圆韧带　　D. 宫骶韧带

E. 骨盆漏斗韧带

6. 关于生殖器的邻近器官，下列错误的是
A. 女性尿道短而直，邻近阴道，易发生泌尿系统感染
B. 妇女患阑尾炎时不会累及附件
C. 直肠位于阴道后方，肛门外括约肌也是骨盆底的一部分
D. 手术过程中应小心操作，避免损伤输尿管
E. 膀胱位于子宫前方，孕早期易受到增大的子宫压迫产生尿频

7. 关于骨盆的组成和界限，下列说法哪项不准确
A. 骨盆由 2 块髋骨、1 块骶骨和 1 块尾骨组成
B. 骨盆以耻骨联合上缘、髂耻缘、骶岬上缘的连线为界，分为真、假骨盆
C. 妊娠期受激素的影响各韧带变松弛，以骶尾关节最明显
D. 两耻骨降支构成耻骨弓，其夹角为耻骨角，正常为 80°
E. 骶骨岬、坐骨棘都是骨盆重要的骨性标记

8. 关于月经的说法，不恰当的是
A. 月经是性功能成熟的标志，表现为周期性的子宫内膜剥脱性出血
B. 月经第一次来潮称为月经初潮
C. 两次月经第一天的间隔时间称为月经周期，一般为 28～30 天
D. 临床上常以末次月经最后一天来推算预产期
E. 月经持续的天数为月经期，一般为 3～7 天

9. 月经血的特点
A. 暗红色、不凝固　B. 鲜红色、不凝固
C. 暗红色、凝固　D. 鲜红色、凝固
E. 月经期出现血凝块不正常

10. 下列哪项是孕激素的生理作用
A. 使宫颈黏液分泌量增多，质变稀薄
B. 提高子宫对缩宫素的敏感性
C. 使乳腺管增生
D. 使阴道上皮细胞增生角化
E. 使基础体温升高 0.3～0.5℃

11. 关于卵巢的周期性变化，下列哪项不对
A. 每个月经周期一般只有一个卵泡发育成熟发生排卵
B. 排卵多发生在月经结束后 14 天
C. 排卵后黄体形成，7～8 天发育达高峰
D. 若卵子未受精，黄体在排卵后 9～10 天开始萎缩
E. 正常黄体功能仅限于 14 天以内，黄体衰退后月经来潮

12. 下列有关卵巢的功能的说法最恰当的是
A. 排卵；分泌雌、孕激素
B. 排卵；分泌雌、孕激素及少量雄激素
C. 排卵；分泌雌、孕激素及大量雄激素
D. 排卵；分泌雌、孕激素及促卵泡素
E. 排卵；分泌雌、孕激素及缩宫素

13. 有关月经周期的调节，不正确的是
A. 月经周期的调节主要通过下丘脑-垂体-卵巢轴进行
B. 月经周期的调节也受到中枢神经系统的控制
C. 雌激素只有正反馈作用
D. 雌激素既有正反馈，也有负反馈
E. 孕激素通过负反馈作用作用于下丘脑

14. 黄体发育达高峰，在排卵后
A. 7～8 天　B. 9～10 天
C. 11～12 天　D. 13～14 天
E. 15～16 天

(15～19 题共用备选答案)
A. 大阴唇　B. 小阴唇
C. 阴蒂　D. 会阴
E. 外阴

15. 富有神经末梢，极敏感，无勃起性的是
16. 局部受到损伤易形成血肿的是
17. 富含神经末梢，且有勃起性的是
18. 耻骨联合至会阴及两股内侧之间的组织
19. 阴道口与肛门之间的软组织

(20～23 题共用备选答案)
A. 月经期　B. 增生期
C. 分泌期　D. 月经前期
E. 以上表述均不准确

20. 月经周期第 25～28 天
21. 月经周期第 15～28 天是
22. 月经周期第 5～14 天是
23. 月经周期第 1～4 天是

【参考答案】

1. C　2. B　3. E　4. D　5. A
6. B　7. D　8. D　9. A　10. E
11. B　12. B　13. C　14. A　15. B
16. A　17. C　18. E　19. D　20. D
21. C　22. B　23. A

第二章 正常妊娠妇女的护理

（一）受精与着床

1. 受精：受精发生在排卵后12小时内，整个过程需24小时，包括精子获能、受精、受精卵的输送与发育三个过程。受精后72个小时分裂为16个细胞的细胞团，称为桑椹胚。

2. 着床：受精后6～7天，晚期囊胚侵入子宫内膜的过程，称受精卵着床。包括定位、黏附和穿透三个过程。

（二）胎儿附属物的形成与功能

1. 胎盘

（1）组成：胎盘由羊膜、叶状绒毛膜和底蜕膜组成。羊膜构成胎盘的胎儿部分，在胎盘最内层；叶状绒毛膜构成胎盘的胎儿部分，占胎盘主要部分；底蜕膜构成胎盘的母体部分，占胎盘很小部分。

（2）形态：妊娠足月胎盘呈圆形或椭圆形，重450～650g，直径16～20cm，厚1～3cm，中间厚，边缘薄。胎盘分为胎儿面和母体面。胎儿面被覆羊膜呈灰蓝色，光滑半透明，脐带附着于胎儿面中央或稍偏，脐带动静脉从附着处分支向四周呈放射状分布。胎盘母体面呈暗红色，被分成20个左右母体叶。

（3）胎盘的功能

① 气体交换：维持胎儿生命最重要的物质是O_2。在母体与胎儿之间，O_2及CO_2是以简单扩散方式进行交换。

② 营养物质供应：葡萄糖以易化扩散方式通过胎盘；氨基酸以主动运输方式通过胎盘；电解质及维生素多以主动运输方式通过胎盘。

③ 排出胎儿代谢产物。

④ 防御功能：各种病毒、小分子有害物质可通过胎盘。细菌、弓形虫、衣原体、支原体、螺旋体可在胎盘部位形成病灶，破坏绒毛结构进入胎体感染胎儿。母血中的IgG可以通过胎盘，使胎儿得到抗体。

⑤ 合成功能：胎盘能合成绒毛膜促性腺激素（HCG）、胎盘生乳素（HPL）、雌激素、孕激素、缩宫素酶和耐热性碱性磷酸酶。绒毛膜促性腺激素（HCG）在受精后10天左右即可自母体血清中测出，其作用是维持妊娠、营养黄体，使子宫内膜变为蜕膜，维持孕卵生长发育。

2. 胎膜：胎膜外层为绒毛膜，内层为羊膜。

3. 脐带：足月的脐带长约30～70cm，平均55cm，直径0.8～2.0cm，内有一条管腔较大、管壁较薄的脐静脉和两条管腔较小、管壁较厚的脐动脉。

4. 羊水：妊娠足月羊水量约为1000ml。妊娠早期羊水为无色澄清液体。妊娠足月羊水略浑浊，不透明。妊娠早期的羊水主要是母体血清经胎膜进入羊膜腔的透析液。妊娠中期以后羊水的重要来源是胎儿尿液。主要功能是保护胎儿和保护母体。

（三）胎儿发育及生理特点

受精后8周的人胚称胚胎；受精后9周起称胎儿。妊娠时间以孕妇末次月经第1天计算，全程约280天，以4周为一个妊娠月，共10个妊娠月。

（1）妊娠4周末：可辨认出胚盘与体蒂。

（2）妊娠8周末：胚胎初具人形，能分辨出眼、耳、鼻、口。四肢已具雏形。超声显像可见早期心脏形成并有搏动。

（3）妊娠12周末：胎儿身长约9cm，体重20g。外生殖器已发育，可辨出性别。指甲形成。

（4）妊娠16周末：胎儿身长约16cm，体重100g。头皮已长出毛发，开始出现呼吸运动。部分经产妇已能自觉胎动。

（5）妊娠20周末：胎儿身长约25cm，体重约300g。开始出现吞咽、排尿功能。可听到胎心音。

(6) 妊娠24周末：胎儿身长约30cm，体重约700g。各脏器均已发育，皮下脂肪开始沉积。出现眉毛及眼毛。

(7) 妊娠28周末：胎儿身长约35cm，体重约1000g。皮下脂肪沉积不多，以有呼吸运动，但肺泡Ⅱ型细胞产生的表面活性物质含量较少，出生后易患特发性呼吸窘迫综合征。

(8) 妊娠32周末：胎儿身长约40cm，体重约1700g。皮肤深红，面部毳毛已脱落。

(9) 妊娠36周末：胎儿身长约45cm，体重约2500g。皮下脂肪较多，毳毛明显减少，面部皱褶消失。指（趾）甲已达指（趾）端。出生后能啼哭及吸吮，生活力良好。

(10) 妊娠40周末：胎儿身长约50cm，体重约3000g。皮肤粉红色，皮下脂肪多，头发粗。足底皮肤有纹理，指（趾）甲超过指（趾）靖。男性胎儿睾丸已降至阴囊内，女性胎儿大小阴唇发育良好。

(11) 妊娠前20周（即前5个妊娠月）：胎儿身长(cm)＝妊娠月数的平方。妊娠后20周（即后5个妊娠月）：胎儿身长(cm)＝妊娠月数×5。

（四）妊娠期母体生理变化

1. 生殖系统

(1) 子宫：增大变软，妊娠晚期子宫右旋。妊娠足月时宫腔容量达到5000ml、重量达到1100g。临产时子宫峡部长度可达7～10cm。孕期子宫颈外观肥大，呈紫蓝色。颈管腺体分泌增多，形成黏稠的黏液塞。

(2) 卵巢：妊娠期略增大，排卵和新卵泡发育均停止。妊娠黄体于妊娠10周前产生雌激素及孕激素，以维持妊娠，于妊娠10周后由胎盘取代。

(3) 输卵管：妊娠期输卵管伸长，但肌层不增厚。

(4) 阴道：妊娠时阴道黏膜变软、水肿充血，呈紫蓝色。皱襞增多，伸展性增加。阴道pH值降低。

(5) 外阴：妊娠期外阴部充血，皮肤增厚，大小阴唇色素沉着，大阴唇内血管增多及结缔组织变松软，故伸展性增加。

2. 乳房：妊娠早期乳房开始增大，充血明显。乳头增大变黑，易勃起。乳晕颜色加深，乳晕上的皮脂腺肥大形成蒙氏结节。孕末期可挤出乳汁。

3. 循环系统：循环血容量于妊娠32～34周达高峰，约增加30%～45%，心排出量与妊娠32～34周达高峰，约增加30%，持续至分娩。妊娠早、中期血压偏低，妊娠晚期血压轻度升高。孕妇长时间处于仰卧位姿势，能引起回心血量减少，心排出量降低，血压下降，称仰卧位低血压综合征。

4. 血液系统：血浆增加量大于红细胞增加量，出现血液稀释；白细胞于妊娠30周时达高峰，以中性粒细胞为主。血小板数无明显改变。血液处于高凝状态，对预防产后出血有利。

5. 泌尿系统：肾血浆流量增加35%，肾小球滤过率增加50%，夜尿量大于白天尿量；易出现生理性糖尿。由肾盂及输尿管轻度扩张，输尿管增粗及蠕动减弱，尿流缓慢，右侧输尿管常受右旋子宫压迫，导致尿液逆流现象。孕妇易患急性肾盂肾炎，以右侧多见。

6. 呼吸系统：肺活量无明显变化；通气量、潮气量增加；残气量减少，肺泡换气量增加；上呼吸道黏膜增厚，轻度充血、水肿，易发生上呼吸道感染。

7. 消化系统：胃排空时间延长，易出现上腹部饱胀感。肠蠕动减弱，易便秘。常出现痔或原有痔加重；容易诱发胆囊炎及胆石症。

8. 内分泌系统：妊娠末期，垂体增大明显，嗜酸细胞肥大增多，形成妊娠细胞。

9. 其他：乳晕、腹白线、外阴等处出现色素沉着。腹壁皮肤出现紫色或淡红色不规则平行的妊娠纹。

10. 妊娠13周平均每周体重增加350g。

（五）早期妊娠诊断

1. 临床表现

(1) 停经：停经是妊娠最早的症状，但不是特有症状。

(2) 早孕反应：于停经6周左右出现，于妊娠12周左右自行消失。

(3) 尿频、乳房轻度胀痛、乳头及乳晕着色加深，乳晕周围皮脂腺增生形成蒙氏节结。

(4) 阴道黏膜及宫颈呈紫蓝色。双合诊检查子宫峡部极软，感觉宫颈与宫体似不相连，称黑加征。妊娠12周时，在耻骨联合上方可触及增大的子宫。

2. 辅助检查

（1）妊娠试验：特异性较高，测定受检者血或尿中 HCG 含量可协助诊断早期妊娠。

（2）超声检查：诊断早期妊娠快速、准确。停经 5 周时可以确定是否活胎。

（3）基础体温：双相型体温的妇女出现停经后高温相持续 18 天不降，早期妊娠的可能性大。高温相持续 3 周以上，早孕的可能性更大。

（六）中晚期妊娠诊断

1. 病史与体征

（1）有早期妊娠经过。

（2）子宫增大：于妊娠 12 周末子宫底位于耻骨联合上 2～3 横直处，16 周末位于脐耻之间，20 周末位于脐下 1 横指处，24 周末位于脐上一横指处，28 周末位于脐上 3 横指，32 周末位于脐与剑突之间，36 周时最高位于剑突下 2 横指处。

（3）胎动：于妊娠 18～20 周时开始自觉胎动，胎动每小时约 3～5 次。

（4）胎体：于妊娠 20 周后，经腹壁能触及子宫内的胎体，24 周后能区分胎头、胎背等。

（5）胎心音：于妊娠 12 周多普勒胎心听诊仪可以听到胎心音，妊娠 18～20 周用胎心听筒可听到胎心音，每分钟 120～160 次。

2. 辅助检查

（1）超声检查：了解胎儿的生长发育情况。

（2）胎儿心电图：于妊娠 12 周以后显示较规律的图形，于妊娠 20 周后的成功率更高。

（七）胎产式、胎先露、胎方位

1. 胎产式：胎儿身体纵轴与母体身体纵轴之间的关系称为胎产式。胎体纵轴与母体纵轴平行者称纵产式，足月妊娠分娩的绝大多数为纵产式。胎体纵轴与母体纵轴垂直者称横产式。胎体纵轴与母体纵轴交叉者称斜产式，属暂时的，在分娩过程中多转为纵产式。

2. 胎先露：最先进入骨盆入口的胎儿部分称胎先露，纵产式有头先露、臀先露，横产式为肩先露。头先露中最常见的为枕先露。

3. 胎方位：胎儿先露部的指示点与母体骨盆的关系称胎方位。枕先露指示点为枕骨，面先露指示点为颏骨，臀先露指示点为骶骨，肩先露指示点为肩胛骨。每个指示点与母体骨盆入口左、右、前、后关系的不同而有不同的胎位。

（八）产前检查

1. 病史：病史包括年龄、职业、既往史与手术史、月经史与孕产史、家族史、丈夫健康情况。还包括推算预产期，按末次月经第 1 天算起，月份减 3 或加 9，日期加 7。

2. 身体评估

（1）四部触诊法：检查子宫大小、胎产式、胎先露、胎方位及先露是否衔接。

① 第 1 步手法：检查者两手置于宫底部，了解子宫外形并测得宫底高度，估计胎儿大小与妊娠周数是否相符。然后以两手指腹相对轻推，判断宫底部的胎儿部分，若为胎头则硬而圆且有浮球感，若为胎臀则软而宽且形状略不规则。若在宫底部未触及大的部分，应想到可能为横产式。

② 第 2 步手法：检查者左右手分别置于腹部左右侧，一手固定，另手轻轻深按检查，两手交替，仔细分辨胎背及胎儿四肢的位置。平坦饱满者为胎背。并确定胎背向前、侧方或向后。可变形的高低不平部分是胎儿肢体，有时感到胎儿肢体活动。

③ 第 3 步手法：检查者右手拇指与其余 4 指分开，置于耻骨联合上方握住胎先露部，进一步查清是胎头或胎臀，左右推动以确定是否衔接。若胎先露部仍浮动，表示尚未入盆。若已衔接，则胎先露部不能被推动。

④ 第 4 步手法：检查者左右手分别置于胎先露部的两侧，向骨盆入口方向向下深按，再次核对胎先露部的诊断是否正确，并确定胎先露部入盆的程度。若胎先露部为胎头，在两手分别下按的过程中，一手可顺利进入骨盆入口，另手则被胎头隆起部阻挡不能顺利进入，该隆起部称胎头隆突。枕先露（胎头俯屈）时，胎头隆突为额骨，与胎儿肢体同侧；面先露（胎头仰伸）时，胎头隆突为枕骨，与胎背同侧。

（2）听诊：枕先露胎心音在脐右侧或左侧的下方；臀先露胎心音在脐右侧或左侧的上方；肩先露时胎心音在靠近脐部下方处听得最清楚。

（3）骨盆测量

① 骨盆外测量

a. 髂棘间径：为两侧髂前上棘外缘的距离，正常值为 23～26cm。

b. 髂嵴间径：为两侧髂嵴外缘最宽的距

离，正常值为25～28cm。

c. 骶耻外径：为第5腰椎棘突下至耻骨联合上缘中点的距离，正常值为18～20cm。此径线可间接推测骨盆入口前后径长度，是骨盆外测量中最重要的径线。

d. 坐骨结节间径（出口横径）：为两坐骨结节内侧缘的距离，正常值为8.5～9.5cm。

e. 出口后矢状径：为坐骨结节间径中点至骶骨尖的距离。正常值为8～9cm。

f. 耻骨弓角度：正常为90°，小于80°为不正常。

② 骨盆内测量：孕妇取仰卧截石位。

a. 对角径：为耻骨联合下缘至骶岬上缘中点的距离。正常值为12.5～13cm。

b. 坐骨棘间径：为两侧坐骨棘间的距离。正常值约为10cm。

c. 坐骨切迹宽度：为坐骨棘与骶骨下部间的距离。正常为能容纳三横指。

（九）妊娠期常见症状及护理措施

1. 恶心、晨起呕吐：少食多餐，忌油腻食物，可给予维生素B_6 10～20mg口服。妊娠剧吐，则按该病处理。

2. 便秘：每天清晨饮开水一杯，养成每天按时排便的良好习惯，并多吃含纤维素多的新鲜蔬菜和水果。禁用峻泻药和灌肠，以免引起流产或早产。

3. 下肢水肿：取左侧卧位，下肢垫高15cm，使下肢血液回流改善，水肿多可减轻。

4. 贫血：增加含铁食物的摄入，适时补充铁剂。

5. 腰背痛：卧床休息、局部热敷。

6. 下肢及外阴静脉曲张：应尽量避免长时间站立，下肢绑以弹性绷带，晚间睡眠时应适当垫高下肢，以利静脉回流。

7. 下肢肌肉痉挛：痉挛发作时，应将痉挛下肢伸直使腓肠肌紧张，并行局部按摩。出现下肢肌肉痉挛的孕妇，应给予钙剂口服。

8. 痔：应多吃蔬菜，少吃辛辣食物，必要时服缓泻药软化大便，纠正便秘。

【考点强化】

1. 胎儿的附属物包括
A. 胎盘、胎膜、脐带
B. 胎盘、胎膜、脐带和蜕膜
C. 胎盘、羊膜、脐带和羊水
D. 胎盘、胎膜、脐带和羊水
E. 胎盘、胎膜、蜕膜、脐带和羊水

2. 胎盘约在妊娠几周末形成
A. 8周　B. 9周
C. 10周　D. 11周
E. 12周

3. 关于胎盘的功能，以下描述错误的是
A. 气体交换　B. 营养物质供应
C. 合成功能
D. 阻止各种病毒通过胎盘
E. 排除胎儿代谢产物

4. 绒毛膜促性腺激素是由何种细胞分泌
A. 细胞滋养细胞　B. 合体滋养细胞
C. 颗粒细胞　D. 蜕膜细胞
E. 卵泡膜细胞

5. 绒毛膜促性腺激素（HCG）分泌量达高峰的时间是
A. 妊娠5～7周　B. 妊娠8～10周
C. 妊娠11～13周　D. 妊娠14～16周
E. 妊娠18～20周

6. 妊娠早期羊水主要来源于
A. 胎儿尿液的透析液　B. 胎儿血清的透析液
C. 母体血清的透析液　D. 胎盘血清的透析液
E. 胎儿尿液

7. 正常足月妊娠时羊水的量约为
A. 300ml　B. 500ml
C. 1000ml　D. 2000ml
E. 2500ml

8. 羊水的功能不包括
A. 防止胎儿受直接损伤
B. 保护胎儿不受挤压，防止胎体粘连
C. 破膜后羊水冲洗阴道减少感染机会
D. 胎儿体内水分过多以胎尿方式排至羊水中，有利于胎儿体液平衡
E. 使宫缩压力集中在胎儿，促使胎儿下降

9. 头先露中最常见的是
A. 前囟先露　B. 枕先露
C. 面先露　D. 额先露
E. 颏先露

10. 妊娠晚期孕妇休息时宜采取的体位是
A. 仰卧位　B. 半卧位
C. 左侧卧位　D. 自由体位
E. 头脚各抬高15°

11. 早期妊娠是指
A. 妊娠第14周末以前
B. 妊娠第12周末以前
C. 妊娠第10周末以前

D. 妊娠第 8 周末以前
E. 妊娠第 6 周末以前

12. 下列哪种情况被称为妊娠早期 Hegar 征
A. 子宫增大变软
B. 子宫呈前倾前屈位
C. 子宫颈充血变软，呈紫蓝色
D. 子宫峡部软，宫体和宫颈似不相连
E. 乳头乳晕着色加深，乳头周围有褐色小结

13. 四步触诊法，目的是检查
A. 子宫大小、胎姿势、胎先露、胎方位及胎先露是否衔接
B. 子宫大小、胎产式、胎先露、胎方位及胎先露是否衔接
C. 子宫大小、胎姿势、胎先露、胎方位及胎先露入盆的程度
D. 子宫大小、胎产式、胎先露、胎方位及胎先露入盆的程度
E. 子宫大小、胎姿势、胎方位及胎先露入盆的程度

14. 妊娠期血容量增加达高峰是在
A. 24～26 周　B. 27～28 周
C. 29～30 周　D. 32～34 周
E. 36～40 周

15. 关于胎心音，下列叙述哪项正确
A. 初孕妇在妊娠 18～20 周经腹壁可听及
B. 为单音
C. 妊娠 24 周后，胎心在胎儿肢体侧听的最清楚
D. 胎心率与孕妇心率近似
E. 为吹风样杂音

16. 每小时正常胎动次数应为
A. 3～5 次　B. 6～8 次
C. 9～11 次　D. 12～14 次
E. 16～18 次

17. 关于孕期卫生，哪一项是错误的
A. 孕妇饮食应多样化
B. 孕妇可随意用药
C. 妊娠 8 个月后应避免重体力劳动
D. 妊娠晚期应多取左侧卧位
E. 妊娠最后 2 个月应避免盆浴、性生活

18. 某孕妇，妊娠 28 周。产前检查均正常，咨询监护胎儿情况最简单的方法，应指导其采用
A. 胎儿听诊　B. 激素测定
C. 称体重　D. B 超检查
E. 自我胎动计数

19. 某孕妇，孕 30 周，由于长时间的仰卧位，出现了血压下降等表现，主要原因是
A. 回心血量增加　B. 回心血量减少
C. 脉压差增加　D. 脉压减少
E. 脉率增快

20. 女性，26 岁。既往月经规律，停经 50 天，近 3 天晨起呕吐，厌油食，伴有轻度尿频，仍坚持工作。可能的诊断是
A. 病毒性肝炎　B. 膀胱炎
C. 继发性闭经　D. 早期妊娠
E. 妊娠剧吐

21. 妊娠期母体变化哪项是错误的
A. 妊娠 32～34 周血容量达高峰
B. 妊娠晚期易发生外阴及下肢静脉曲张
C. 子宫狭部在妊娠后期形成子宫下段
D. 妊娠末期孕妇血液处于低凝状态
E. 妊娠后卵巢不排卵

22. 孕妇血液系统的变化不包括
A. 血容量增加，平均增加 40%～45%
B. 血浆增加多于红细胞增加出现生理性贫血
C. 凝血因子增加，出现血液高凝状态
D. 血浆蛋白增加，主要是白蛋白增加
E. 白细胞增加，妊娠 30 周达高峰

23. 中晚期妊娠的表现不包括
A. 半数妇女有恶心、呕吐表现
B. 子宫增大使腹部逐渐膨隆
C. 孕 16 周起自觉胎动
D. 孕 18～20 周起在腹壁听到胎心
E. 孕 20 周后在腹壁触到胎体

(24～25 题共用病例)

已婚女性，28 岁，未产妇，第一次产前检查。平素月经规律，月经周期 28 天，持续 4 天。现已停经 8 周，极度疲乏，乳房触痛明显。化验报告提示尿妊娠试验（+）。

24. 为进一步明确其是否怀孕，应做下列哪一项检查
A. 胎心音　B. 胎动
C. 放射检查脊柱轮廓　D. B 超
E. 以上均不是

25. 该孕妇的末次月经是 2 月 11 日，预产期应是
A. 10 月 18 日　B. 11 月 5 日
C. 11 月 18 日　D. 12 月 5 日
E. 12 月 18 日

(26～28 题共用备选答案)

A. 底蜕膜　　B. 包蜕膜
C. 真蜕膜　　D. 羊膜
E. 叶状绒毛膜

26. 胎盘最内层

27. 胎盘的主要构成部分

28. 构成胎盘的母体部分

（29～30 题共用备选答案）

A. 枕骨　　B. 颏骨
C. 骶骨　　D. 臀部
E. 面部

29. 枕先露的指示点是

30. 臀先露的指示点是

（31～34 题共用备选答案）

A. 胎方位　　B. 胎先露
C. 胎产式　　D. 骨盆轴
E. 胎体轴

31. 胎儿身体纵轴与母体纵轴的关系称为

32. 胎儿先露部指示点与母体骨盆的关系称为

33. 最先进入骨盆入口平面的胎儿部分称为

34. 胎儿通过的骨盆各假想平面中点的连线称为

【参考答案】

1. D　2. E　3. D　4. B　5. B
6. C　7. C　8. E　9. B　10. C
11. B　12. D　13. B　14. D　15. A
16. A　17. B　18. E　19. B　20. D
21. D　22. D　23. A　24. D　25. C
26. D　27. E　28. A　29. A　30. C
31. C　32. A　33. B　34. D

第三章　正常分娩妇女的护理

一、影响分娩的因素

（一）产力

产力包括子宫收缩力、腹肌及膈肌收缩力（统称腹压）和肛提肌收缩力。节律性宫缩是临产的重要标志之一。临产后的主要动力是子宫收缩力。宫底部收缩力最强、最持久。临产开始时，宫缩持续 30 秒、间歇 5～6 分钟；宫口开全后，宫缩持续 60 秒，间歇 1～2 分钟。腹肌和膈肌收缩力是第二产程胎儿娩出的主要辅助力。

（二）产道

1. 骨盆轴：为连接骨盆各假想平面中点的曲线。该轴上段向下向后、中段向下、下段向下向前。

2. 骨盆倾斜度：为人体直立时骨盆入口平面与地平面所形成的角度，一般为 60°。

3. 软产道：是由子宫下段、宫颈、阴道及骨盆底软组织构成的弯曲管道。

（三）胎儿

1. 胎儿大小

（1）两顶骨间缝隙为矢状缝，前囟为菱形，后囟为三角形。

（2）胎头径线

名称	定义	正常值/cm	意义
双顶径	两顶骨隆突间的距离	9.3	判断胎儿大小
枕额径	鼻根至枕骨隆突的距离	11.3	胎头以径衔接
枕下前囟径(小斜径)	前囟中央至枕骨隆突下方的距离	9.5cm	胎头俯屈后以此径通过产道
枕颏径(大斜径)	颏骨下方中央至后囟顶部的距离	12.5	

2. 胎位：矢状缝和囟门是确定胎位的重要标记。

（四）精神心理状态

大多数产妇因各种顾虑而于临产后出现情绪紧张，处于焦虑、不安和恐惧状态，这种情绪变化会产生一系列的机体变化。

二、正常分娩妇女的护理

（一）枕先露的分娩机制

临床上枕先露占 95%以上，以枕左前位

最多见。

1. 衔接：胎头双顶径进入骨盆入口平面，颅骨最低点接近或达到坐骨棘水平，称衔接。胎头以半俯屈状态进入骨盆入口，以枕额经衔接。衔接表明不存在头盆不称。

2. 下降：胎头沿骨盆轴前进的动作称为下降，该动作贯穿分娩全过程，呈间歇性，在下降过程中会发生俯屈、内旋转、仰伸、复位和外旋转等动作。临床上以观察胎头下降的程度作为判断产程进展的重要标志之一。

3. 俯屈：胎头下降至骨盆底时遇到肛提肌阻力，借杠杆作用进一步俯屈。

4. 内旋转：胎头到达中骨盆时，为适应骨盆纵轴而旋转，使矢状缝与中骨盆及骨盆出口前后径相一致的动作称为内旋转。

5. 仰伸：胎头下降达阴道外口，在宫缩、腹压、肛提肌收缩力作用下，胎头枕骨下部降至耻骨联合下缘，胎头以耻骨弓为支点，使胎头逐渐仰伸。

6. 复位及外旋转：胎头娩出后，胎头枕部向左旋转45°，使胎头与胎肩恢复正常关系，称复位。胎头再向左旋转45°，称外旋转。

7. 胎儿娩出。

（二）先兆临产

出现预示不久将临产的症状称为先兆临产。

1. 不规律的子宫收缩：子宫收缩时间短（<30秒），间隔时间长（10～20分钟）且不规律，强度不进行性加强，常在夜里出现，清晨消失。

2. 胎儿下降感：上腹部较前舒适，进食量增加，呼吸轻快，常有尿频。

3. 见红：阴道内流出少量血性黏液或血性白带；发生在正式临产前24～48小时，为分娩即将开始的可靠症状。

（三）临产诊断

临产开始的标志为规律且逐渐增强的子宫收缩，持续30秒或以上，间歇时间5～6分钟，同时伴随进行性子宫颈管消失、宫口扩张和胎先露部下降。

（四）产程分期

1. 第一产程（宫颈扩张期）：从有规律宫缩开始至宫口开全。初产妇需11～12小时，经产妇需6～8小时。

2. 第二产程（胎儿娩出期）：从宫颈口开全到胎儿娩出。初产妇需1～2小时。经产妇约需几分钟至1小时。

3. 第三产程（胎盘娩出期）；从胎儿娩出到胎盘娩出。需5～15分钟，一般不超过30分钟产程。

（五）护理措施

1. 第一产程妇女的护理

（1）临床表现

① 规律宫缩：产程开始时，宫缩持续时间短，间歇期长，随着产程进展，持续时间延长，间歇期逐渐缩短，强度不断增加。宫口近开全时，宫缩持续时间可长达1分钟或以上，间歇期仅为1～2分钟。

② 宫口扩张：第一产程又分为潜伏期和活跃期。潜伏期是指从出现规律宫缩至子宫口扩张3cm止，此期宫口扩张速度慢，平均2～3小时扩张1cm，约需8小时，超过16小时为潜伏期延长。活跃期是指从宫口扩张3～10cm止，此期宫口扩张速度快，约需4小时，超过8小时为活跃期延长。

③ 胎头下降：是决定能否经阴道分娩的重要观察项目。胎头下降的程度以胎头颅骨最低点与坐骨棘平面的关系为标志。胎头颅骨最低点在坐骨棘平面上1cm时，以“+1”表示；胎头颅骨最低点平坐骨棘平面时，以“0”表示；胎头颅骨最低点在坐骨棘平面下1cm时，以“-1”表示，依此类推。

④ 胎膜破裂（破膜）：破膜多发生于宫口近开全时。

⑤ 疼痛。

（2）护理措施

① 观察生命体征：每隔4～6小时测量血压一次。

② 胎心监测：听诊器监测胎心时，潜伏期每隔1～2小时于宫缩间歇期监测胎心1次，活跃期每15～30分钟监测胎心1次，每次听诊1分钟。正常胎心率为120～160次/分。

③ 观察子宫收缩情况；临床最常用宫外监护，适用于胎膜未破、宫口未开时；内监护适用于胎膜已破、宫口扩张1cm。

④ 观察宫口扩张和胎头下降程度：临产初期每隔4小时行肛门检查1次，经产妇和宫缩频者间隔时间应缩短。绘制产程图，产程图以临产时间（小时）为横坐标，纵坐标左侧为

宫口扩张度（cm），纵坐标右侧为胎头下降程度。宫口扩张曲线和胎头下降曲线最能说明产程进展情况，并能指导产程的处理。

⑤ 破膜及羊水观察：一旦胎膜破裂，立即听胎心，记录破膜时间。破膜时前羊水流出，观察羊水颜色、性状和流出量。破膜的待产妇应冲洗外阴 3 次/天。破膜超过 12 小时未分娩者给予抗生素预防感染。

⑥ 指导产妇活动与休息：鼓励宫缩不强且未破膜产妇于宫缩间歇期在室内走动，可有助于加速产程进展；宫口近开全的初产妇、宫口已扩张 4cm 的经产妇，有合并症的待产妇，如有阴道流血多、头晕、眼花等自觉症状，应采取左侧卧位卧床休息。

⑦ 补充液体和热量：鼓励产妇于宫缩间歇期少量多次进食高热量、易消化的食物，并注意补充水分。

⑧ 指导排尿与排便：临产后鼓励产妇每 2～4 小时排尿 1 次，预防尿潴留及膀胱充盈影响胎头下降及子宫收缩，延长产程。初产妇宫口扩张小于 4cm、经产妇小于 2cm 且无特殊情况者，用 39～42℃的 0.2%肥皂水灌肠。

2. 第二产程妇女的护理

（1）临床表现

① 宫缩增强：频率和强度达高峰；宫缩持续时间长，达 1 分钟或以上，间歇时间短，仅 1～2 分钟。产力最强。

② 胎儿下降及娩出：宫口开全后，产妇有排便感，不由自主地向下屏气用力。胎头于宫缩时暴露于阴道口，在宫缩间歇期又缩回阴道内，称为胎头拨露。若在宫缩间歇期胎头不再回缩，称为胎头着冠。

（2）护理措施

① 密切监测胎心：每 5～10 分钟听胎心 1 次，最好用胎儿监护仪监测胎心率及其基线变异。如发现胎心减慢，应立即做阴道检查，尽快结束分娩。

② 指导待产妇屏气：宫口开全后，指导产妇正确运用腹压是第二产程的首要护理目标。方法为让产妇双足蹬在产床上，双手握住产床上的把手，宫缩时深吸气，然后向下用力屏气增加腹压。宫缩间歇时，产妇全身肌肉放松休息。

③ 接产准备：初产妇宫口开全、经产妇宫口扩张 4cm 且规律宫缩时应做好接产准备。按照大阴唇、小阴唇、阴阜、大腿内侧 1/3、会阴及肛门周围的顺序，用消毒纱布蘸肥皂水擦洗，然后用温开水冲掉肥皂水，最后用 0.1%苯扎溴铵液冲洗或用聚维酮碘消毒。冲洗时用消毒干纱布球盖住阴道口，以防冲洗液进入阴道。

④ 接产：预防会阴撕裂的关键是保护会阴的同时协助胎头俯屈，让抬头以最小的经线在宫缩间歇时缓慢地通过阴道口。会阴撕裂的诱因有会阴水肿、会阴过紧、缺乏弹性、耻骨弓过低、胎儿过大或胎儿娩出过快。估计分娩时会阴撕裂不可避免者，或母儿有病理情况急需结束分娩者，应行会阴切开术。

⑤ 脐带处理：在距脐带根部 15～20cm 处，用两把血管钳钳夹脐带，于其中间剪断。用 75%乙醇消毒脐带根部周围，在距脐带根部 0.5cm 处用无菌粗线结扎第一道，再在结扎线外 0.5cm 处结扎第二道，必须扎紧，以防脐带出血。在第二道结扎线外 0.5cm 处剪断，用 20%高锰酸钾消毒脐带断面，注意高锰酸钾不可触及新生儿皮肤，以免皮肤烧伤。

3. 第三产程妇女的护理

（1）临床表现

① 子宫收缩：胎儿娩出后，子宫底降至平脐，宫缩暂停，几分钟后又重新出现。

② 胎盘剥离：胎盘剥离征象有：宫体变硬呈球形，胎盘剥离后降至子宫下段，下段被扩张，子宫体呈狭长形被推向上，子宫底升高达脐上；剥离的胎盘降至子宫下段，阴道口外露的一段脐带自行延长；阴道少量流血；用手掌尺侧在产妇耻骨联合上方轻压子宫下段，子宫体上升而外露的脐带不再回缩。

（2）护理措施

① 新生儿护理：新生儿娩出后首先清理呼吸道，保持呼吸道通畅。采用 Apgar 评分判断新生儿有无窒息或窒息的程度。以出生后 1 分钟时的心率、呼吸、肌张力、喉反射及皮肤颜色五项为依据，每项 0～2 分，满分 10 分。8～10 分为正常新生儿。4～7 分为轻度窒息，0～3 分为重度窒息。测量新生儿体重、身长，右手腕系上写有母亲姓名和病历号的手腕条，将婴儿右脚底纹印在婴儿病历上。

② 协助胎盘娩出：当确定胎盘完整剥离时，于宫缩时用左手握住宫底并轻压，同时右手轻拉脐带，协助胎盘娩出。胎盘娩出后，按摩子宫刺激其收缩以减少出血。切忌在胎盘尚未完全剥离之前，用手按揉、下压宫底或牵拉脐带，以免引起胎盘部分剥离而出血或拉断脐带，甚至造成子宫内翻。

③ 检查胎盘胎膜。

④ 检查软产道。

⑤ 预防产后出血：正常分娩出血量多数不超过 300ml。胎儿娩出后注射缩宫素。产后在产房观察 2 小时，观察子宫收缩、宫底高度、膀胱充盈度、阴道流血量。

【考点强化】

1. 影响分娩的因素有

A. 子宫收缩力、骨盆、胎位及精神心理因素

B. 子宫收缩力、骨盆、胎儿及产程进展情况

C. 产力、产道、胎儿及产程进展情况

D. 产力、产道、胎儿及精神心理因素

E. 子宫收缩力、骨盆、胎位及胎儿大小

2. 产力中最主要的是

A. 腹压　B. 膈肌收缩力

C. 腹肌收缩力　D. 子宫收缩力

E. 肛提肌收缩力

3. 枕先露的分娩机制正确的顺序是

A. 衔接、俯屈、下降、内旋转、仰伸、复位及外旋转、胎肩及胎儿娩出

B. 衔接、俯屈、内旋转、下降、仰伸、复位及外旋转、胎肩及胎儿娩出

C. 衔接、俯屈、下降、仰伸、内旋转、复位及外旋转、胎肩及胎儿娩出

D. 衔接、下降、俯屈、仰伸、内旋转、复位及外旋转、胎肩及胎儿娩出

E. 衔接、下降、俯屈、内旋转、仰伸、复位及外旋转、胎肩及胎儿娩出

4. 有关会阴擦洗的叙述，下列哪项不正确

A. 妇科腹部手术后保留导尿管者应擦洗

B. 擦洗顺序第一遍由内向外、自上而下擦洗

C. 每日擦洗 2 次，大便后也应擦洗

D. 会阴、阴道手术前后应擦洗

E. 产后会阴有伤口者应擦洗

5. 临产的重要标志是

A. 见红，破膜，规律宫缩

B. 见红，规律宫缩，宫口扩张不明显

C. 见红，胎先露下降，伴有尿频

D. 规律宫缩，破膜，伴有见红

E. 有规律且逐渐增强的子宫收缩、伴随进行性宫颈管消失、宫口扩张和胎先露下降

6. 分娩比较可靠的征兆是

A. 规律宫缩　B. 不规律宫缩

C. 见红　D. 宫口开大

E. 阴道分泌物增加

7. 在正常分娩中，哪项动作可以使胎头矢状缝转变为与中骨盆及骨盆出口前后径一致

A. 外旋转　B. 内旋转

C. 仰伸　D. 俯曲　E. 衔接

8. 分娩期第一产程的护理措施，错误的是

A. 鼓励产妇少量多次进食

B. 做好心理护理

C. 监测体温、脉搏、呼吸、血压，10 分钟一次

D. 胎头未入盆，宫缩不强，可在室内活动

E. 指导产妇每隔 2～4 小时自解小便一次

9. 枕先露肛查胎头下降程度为－1cm 是指

A. 胎头双顶径在坐骨棘平面下 1cm

B. 胎头颅骨在坐骨结节平面下 1cm

C. 胎头颅骨最低点在坐骨棘平面上 1cm

D. 胎头顶骨在坐骨棘平面上 1cm

E. 胎头双顶径在坐骨结节平面上 1cm

10. 进入第二产程的主要标志是

A. 破膜　B. 胎头着冠

C. 宫口开大 10cm　D. 胎头拨露

E. 产妇有排便感，不自主向下屏气

11. 正常经阴分娩何时开始保护会阴

A. 初产妇宫口开全时

B. 经产妇宫口开全时

C. 经产妇宫口开大 4cm 时

D. 初产妇胎头着冠使会阴后联合紧张时

E. 初产妇胎头拨露使会阴后联合紧张时

12. 正常分娩产妇出血量多数不超过

A. 100ml　B. 200ml

C. 300ml　D. 400ml　E. 500ml

13. 某产妇，于今晨经阴顺产一女婴。为预防尿潴留，应指导她第一次排尿的时间在产后

A. 4 小时之内　B. 5 小时之内

C. 6 小时之内　D. 7 小时之内

E. 8 小时之内

14. 某产妇，胎盘刚刚娩出，她需在产房观察的时间是

A. 10 分钟　B. 0.5 小时

C. 1 小时　D. 1.5 小时　E. 2 小时

15. 胎盘剥离的征象不包括

A. 阴道少量流血

B. 子宫体变硬，宫底上升

C. 阴道口外露的一段脐带自行延长

D. 部分胎盘排出，其余部分仍在宫腔

E. 经耻骨联合上方轻压子宫下段时，外露的脐带不回缩

16. 临产后子宫收缩的特点不包括

A. 极性　B. 低张性

C. 节律性　D. 对称性

E. 缩复作用

【参考答案】

1. D　2. D　3. E　4. B　5. E
6. C　7. B　8. C　9. C　10. C
11. E　12. C　13. A　14. E　15. D
16. B

第四章 正常产褥妇女的护理

产褥期指从胎盘娩出至产妇除乳腺外全身各器官恢复至非孕期状态的一段时期，一般为6周。

（一）生理调适

1. 子宫复旧

① 子宫体肌纤维的缩复：产后第1周于耻骨联合上刚可扪到子宫底；产后10天，腹部扪不到子宫底，产后6周恢复到未孕时大小，产后6～8周恢复到未孕时重量。

② 子宫内膜的再生：约产后3周，除胎盘附着面外，子宫腔内膜基本完成修复，胎盘附着处的子宫内膜修复需6周。

③ 子宫颈：产后4周子宫颈完全恢复至正常状态。

2. 恢复月经：因泌乳素的分泌可抑制排卵，所以产后恢复月经的时间受哺乳影响。不哺乳产妇一般在产后6～10周恢复月经，哺乳产妇平均在产后4～6个月恢复排卵。

3. 泌乳：乳房泌乳的基础是垂体催乳素，吸吮刺激是保持不断泌乳的关键。初乳是指产后7天内分泌的乳汁，其含蛋白质丰富，尤其是免疫球蛋白和分泌物；产后7～14天分泌的乳汁为过渡乳；产后14天以后分泌的乳汁为成熟乳。母乳是婴儿理想的天然食品。

4. 腹壁：腹壁紧张度约需产后6～8周恢复。紫红色妊娠纹变为银白色。

5. 循环系统：血容量于分娩后2～3周恢复至未孕状态。产后24～72小时，心脏病产妇易发生心力衰竭。

（二）心理调适

1. 依赖期：产后1～3天。

2. 依赖-独立期：产后3～14天。

3. 独立期：产后2周～1个月。

（三）临床表现

1. 生命体征：产后的体温多数在正常范围内。若产程延长致过度疲劳时，体温可在产后最初24小时内略升高，一般不超过38℃。产后3～4天出现乳房血管、淋巴管极度充盈，体温达38.5℃，称为泌乳热，一般仅持续4～16小时，不属病态。产后的脉搏略缓慢，于产后1周恢复正常，不属病态。产后变为胸腹式呼吸，呼吸深慢，每分钟14～16次。血压于产褥期平稳，变化不大。

2. 子宫复旧：胎盘娩出后，宫底在脐下一指。产后第1天宫底平脐，产后10天子宫降入骨盆腔内，此时腹部检查于耻骨联合上方扪不到宫底。

3. 产后宫缩痛：在产褥早期因宫缩引起下腹部阵发性剧烈疼痛称产后宫缩痛，哺乳可引起宫缩素分泌增加而使疼痛加重。于产后1～2天出现，持续2～3天自然消失。

4. 褥汗：产褥早期，皮肤排泄功能旺盛，排出大量汗液，以夜间睡眠和初醒时更明显，不属病态，于产后1周内自行好转。

5. 恶露：产后随子宫蜕膜（特别是胎盘附着处蜕膜）的脱落，含有血液、坏死蜕膜等组织经阴道排出，称恶露。正常恶露有血腥味，无臭味，持续4～6周，总量为250～

500ml，个体差异较大。

（1）血性恶露：持续3～4天。色鲜红，含大量血液，量多，有时有小血块，有少量胎膜及坏死蜕膜组织。

（2）浆液恶露：持续10天左右。色淡红，似浆液，含少量血液，有较多的坏死蜕膜组织、宫颈黏液、阴道排液，且有细菌。

（3）白色恶露：持续3周。黏稠，色泽较白，含大量白细胞、坏死蜕膜组织、表皮细胞及细菌等。

（四）护理措施

1. 一般护理

（1）生命体征：每天测量体温、脉搏、血压、呼吸2次。

（2）饮食：产后1小时可进流食或清淡半流质饮食，饮食应营养丰富，易于消化，少量多餐，汤汁类可促进乳汁分泌。

（3）大小便：产后4小时及时排尿，早日下床活动或做产后操。多饮水，多吃蔬菜、含纤维素丰富的食物，保持大便通畅，预防便秘。

（4）活动：产后24小时可下床活动，以增强血液循环，预防血栓形成，促进子宫收缩、恶露排出、伤口愈合，促进大小便排泄通畅。避免负重劳动或蹲位活动，以防子宫脱垂。

2. 子宫复旧护理：产后2小时内易发生产后出血，产后当天禁止用热水袋外敷止痛。于产室即刻、30分钟、1小时、2小时各观察宫缩及恶露情况1次。以后每天在同一时间评估子宫复旧情况和恶露情况。

3. 会阴护理

（1）每天用1∶2000苯扎溴铵溶液或1∶5000高锰酸钾溶液冲洗或擦洗外阴两次。每次冲洗前应先排净小便。大便后要冲洗会阴。擦洗顺序为由上到下、从内到外，会阴切口单独擦洗。

（2）会阴水肿者可用50%硫酸镁局部湿热敷，产后24小时可用红外线照射会阴。

（3）侧切伤口：取健侧卧位，勤换会阴垫，一般于产后3～5天拆线；伤口如有感染，应提前拆线引流或扩创处理。

4. 乳房护理：乳房胀痛者，尽早哺乳，产后半小时内哺乳，哺乳前热敷乳房、按摩乳房，两次哺乳间冷敷乳房。乳头皲裂轻者可继续哺乳，哺乳前先湿敷、按摩乳房。

5. 健康指导

（1）产妇居室应清洁通风，合理饮食。

（2）适当活动：经阴分娩产妇产后6～12小时可起床轻微活动。产后2周时做膝胸卧位，可预防和纠正子宫后倾。

（3）指导产妇做产褥期保健操。

（4）计划生育指导：产后42小时内禁止性生活。哺乳者以工具避孕为宜。

（5）产后健康检查：于产后42天带孩子一起到医院进行全面检查。

（五）母乳喂养的优点

1. 对婴儿的优点：提供营养，促进发育；提高免疫力，预防疾病；保护牙齿；有利于心理健康。

2. 对母亲的优点：预防产后出血；避孕；降低患乳腺癌、卵巢癌的危险性。

（六）母乳喂养指导

1. 哺乳前准备：每次哺乳前，产妇用肥皂水洗净双手，用清水擦洗乳房和乳头。取舒适体位，最好坐在直背椅子上。

2. 哺乳时间：按需哺乳。产后半小时即可开始哺乳，产后1周每1～3小时哺乳一次，每次吸吮时间3～5分钟，以后逐渐延长，最长不超过15～20分钟。

3. 哺乳方法：先挤出少量乳汁以刺激婴儿吸吮，然后把乳头和大部分乳晕放入婴儿口中，用一只手托住乳房，防止乳房堵住婴儿鼻孔。结束后，轻按婴儿下颏，拉出乳头，并挤出部分乳汁涂在乳头和乳晕上。造成乳头皲裂的主要原因是婴儿含接乳头的姿势不对。

4. 注意事项

（1）每次哺乳均要吸空一侧后，再吸另一侧。

（2）哺乳后，将婴儿抱起轻拍后背，排出胃内气体，以防吐奶。

（3）乳汁不足时，添加牛奶。

（4）产妇宜用棉质乳罩。

（5）哺乳期以10个月到1年为宜。

【考点强化】

1. 产褥期的时间一般为

A. 4周　　B. 5周

C. 6周　　D. 7周　　E. 8周

2. 下列产褥期处理错误的是

A. 若发生便秘可以口服缓泻药

B. 母乳喂养的原则是按需哺乳

C. 产后2小时，若产妇自觉肛门坠胀，应进行肛查

D. 侧切刀口感染应延期拆线

E. 会阴水肿者，产后 24 小时可用红外线照射外阴

3. 下列有关产后会阴水肿的处理正确的是

A. 75%酒精湿敷 B. 碘酒湿敷

C. 碘伏湿敷 D. 新洁尔灭湿敷

E. 50%硫酸镁湿敷

4. 产后血容量恢复至未孕状态的时间为

A. 1～2 周 B. 2 周

C. 3～4 周 D. 2～3 周

E. 4 周

5. 母乳喂养时，防止乳头皲裂的最重要的措施是

A. 哺乳前清洗乳头

B. 哺乳后清洗乳头

C. 保持正确的哺乳姿势

D. 哺乳后涂鱼肝油防止皲裂

E. 哺乳后涂乳汁在乳头上防止皲裂

6. 患者女性，产后 4 天，由于乳头皲裂，疼痛难忍，护士对产妇应该做的宣教，应采取的措施是

A. 不喂患侧，但要把乳汁挤出

B. 可先喂健侧乳房，再喂患侧

C. 可先喂患侧乳房，再喂健侧

D. 按需哺乳

E. 增加哺乳次数

7. 产褥期的护理措施，正确的是

A. 提倡定时哺乳 B. 绝对卧床 48h

C. 产后 12h 后鼓励排尿

D. 产后伤口红肿者即可坐浴

E. 多吃蔬菜、水果，防便秘

8. 某产妇，现产后 4 天。下列现象不正常的是

A. 出汗多 B. 阴道分泌物颜色鲜红

C. 乳房胀痛 D. 哺乳时腹部疼痛

E. 体温 37.5℃

9. 某产妇，经阴侧切分娩一男婴，产后 6 小时排尿困难，下列护理措施中错误的是

A. 温水坐浴 B. 按摩膀胱

C. 针刺三阴交穴 D. 肌注新斯的明

E. 肌注加兰他敏

10. 经产妇，经阴分娩后三个月，坚持母乳喂养。避孕措施不宜采用

A. 放置宫形环 B. 放置 T 形环

C. 使用避孕套 D. 服用长效避孕药

E. 输卵管结扎

11. 下列有关产褥期子宫表现不正确的是

A. 产后第一天宫底稍上升至平脐

B. 宫底平均每天下降 1～2cm

C. 哺乳可使产后宫缩痛加重

D. 产后 2 周子宫降入盆腔

E. 产后宫缩痛于产后 1～2 天出现，呈持续性，2～3 天自然消失

（12～14 题共用备选答案）

A. 1 周 B. 2 周

C. 3 周 D. 4 周

E. 6 周

12. 产后子宫恢复到正常未孕大小的时间

13. 除胎盘附着处外，子宫内膜修复时间

14. 白色恶露持续时间

【参考答案】

1. C　2. D　3. E　4. D　5. C
6. B　7. E　8. B　9. A　10. D
11. D　12. E　13. C　14. C

第五章 胎儿宫内窘迫及新生儿窒息的护理

一、胎儿宫内窘迫的护理

（一）病因、病理

胎儿宫内窘迫的病因包括母体因素、胎儿因素、脐带、胎盘因素。胎儿宫内窘迫的基本病理变化是缺血、缺氧引起的一系列变化。

（二）临床表现

1. 主要表现：胎心音改变、胎动异常及

羊水胎粪污染或羊水过少，严重者胎动消失。

2. 急性胎儿窘迫：多发生在分娩期，主要表现为胎心率加快或减慢，宫缩压力试验或缩宫素压力试验等出现频繁的晚期减速或可变减速；羊水胎粪污染和胎儿头皮血 pH 下降，出现酸中毒。

3. 慢性胎儿窘迫：发生在妊娠末期，主要表现为胎动减少或消失，胎心监护基线平直，胎儿生长受限，胎盘功能减退，羊水胎粪污染等。

4. 羊水胎粪污染：Ⅰ度为浅绿色，Ⅱ度为黄绿色并浑浊，Ⅲ度为棕黄色，稠厚。

（三）辅助检查

1. 胎盘功能检查：24 小时尿 E_3 值急骤减少 30%～40%，或于妊娠末期连续多次测定在 10mg/24h 以下。

2. 胎心监测：胎动时胎心率加速不明显，基线变异率＜3 次/分，出现晚期减速、变异减速等。

3. 胎儿头皮血血气分析：pH 值＜7.20。

（四）治疗要点

1. 急性胎儿宫内窘迫：积极寻找病因并及时纠正。

2. 慢性胎儿宫内窘迫：根据孕周、胎儿成熟度和窘迫程度决定处理方案

（五）护理措施

1. 急性胎儿宫内窘迫

（1）宫颈未完全扩张，胎儿窘迫情况不严重者，吸氧，产妇左侧卧位。

（2）宫口开全，胎先露部已达坐骨棘平面以下 3cm，尽快经阴道娩出胎儿。

（3）因缩宫素使宫缩过强造成胎心率减慢，应立即停用，病情紧急或经上述处理无效者，立即剖宫产。

2. 慢性胎儿窘迫者：产妇取左侧卧位，间断吸氧，积极治疗各种合并症或并发症。如果无法改善，则应在促使胎儿成熟后迅速终止妊娠。

3. 严密监测胎心变化：每 15 分钟听胎心 1 次，或进行胎心监护，注意胎心变化形态。

4. 为手术者做好术前准备。

5. 做好新生儿抢救和复苏的准备。

二、新生儿窒息的护理

（一）新生儿 Apgar 评分法

体征	0分	1分	2分
每分钟心率	0	＜100 次	≥100 次
呼吸	0	浅慢，不规则	佳
肌张力	松弛	四肢稍屈曲	四肢屈曲。活动好
喉反射	无反射	有些动作	咳嗽、恶心
皮肤颜色	全身苍白	躯干红，四肢青紫	全身粉红

（二）临床表现

1. 轻度（青紫）窒息：Apgar 评分 4～7 分。面部与全身皮肤呈青紫色；呼吸表浅或不规律；心跳规则有力，心率 80～120 次/分；对外界刺激有反应；喉反射存在；肌张力好；四肢稍屈。

2. 重度（苍白）窒息：Apgar 评分 0～3 分。皮肤苍白；口唇暗紫；无呼吸或喘息样微弱呼吸；心跳不规则且无力；心率＜80 次/分；对外界刺激无反应；喉反射消失；肌张力松弛。

（三）治疗要点

及时按 A（清理呼吸道）、B（建立呼吸）、C（维持正常循环）、D（药物治疗）、E（评价）步骤进行复苏。

（四）护理措施

1. 配合医生按 ABCDE 程序进行复苏

（1）A（清理呼吸道）：清除口鼻咽部黏液及羊水。

（2）B（建立呼吸）：确认呼吸道通畅后进行人工呼吸，人工呼吸的频率是 40～60 次/分。

（3）C（维持正常循环）：体外胸廓按压部位为胸骨下 1/3 部位，每分钟按压 100 次，按压深度为胸廓按下 1～2cm，按压与放松时间为大致相同。

（4）D（药物治疗）：建立有效静脉通道。静脉注射肾上腺素刺激心跳；脐静脉缓慢注入 5%碳酸氢钠纠正酸中毒；扩容用全血、生理盐水、白蛋白等。

（5）E（评价）：复苏过程中要随时评价患儿情况，以确定进一步采取的抢救方法。

2. 保暖：应在30～32℃的抢救床上进行抢救，维持肛温36.5～37℃。

3. 吸氧：吸氧与人工呼吸同时进行。鼻内插管给氧的氧流量＜2L/min，避免发生气胸。

4. 复苏后护理：加强新生儿护理，保证呼吸道通畅；密切观察面色、呼吸、心率、体温，预防感染，做好重症记录。延迟哺乳，以静脉补液维持营养。

【考点强化】

1. 头先露的胎儿宫内窘迫时可存在的征象是
A. 羊水过多　B. 产程延长
C. 羊水胎粪污染
D. 听胎心遥远
E. 子宫收缩乏力

2. 下述属于急性胎儿宫内窘迫的临床表现是
A. 胎心180次/分
B. 胎心140次/分
C. 胎盘功能减退
D. 胎动进行性减少
E. 胎心遥远

3. 下列有关慢性胎儿窘迫的描述，正确的是
A. 多发生于妊娠中期
B. 多发生于妊娠末期
C. 多发生于分娩早期
D. 多发生于分娩期
E. 多发生于第二产程

4. 羊水Ⅱ度污染时羊水呈现
A. 浅绿色
B. 黄绿色并稠厚
C. 黄绿色并浑浊
D. 棕黄色并稠厚
E. 棕黄色并浑浊

5. 胎儿急性缺氧早期表现为
A. 胎动频繁
B. 胎动减弱
C. 胎动消失
D. 胎动不变
E. 胎动减少

6. 新生儿窒息的护理措施，首要的是
A. 吸氧
B. 人工呼吸
C. 保持呼吸道通畅
D. 心内注射肾上腺素
E. 脐静脉注射碳酸氢钠

7. 为改善胎儿窘迫的缺氧状态，错误的护理措施是
A. 嘱孕产妇取左侧卧位
B. 给予孕产妇氧气吸入
C. 继续静脉滴注缩宫素（催产素）
D. 严密监测胎心音变化
E. 积极治疗并发症

8. 一产妇，前置胎盘，经阴分娩一男婴，出生1分钟时Apgar评分为2分，应采取的措施是
A. 保温
B. 加压给氧
C. 人工呼吸
D. 气管内插管清理呼吸道
E. 心内注射肾上腺素

9. 一新生儿娩出1分钟，呼吸不规则且慢，心率85次/分，四肢略屈曲，弹足底能皱眉，躯干发红，四肢青紫，Apgar评分为
A. 5分　B. 6分
C. 7分　D. 8分
E. 9分

10. 有关新生儿窒息的说法错误的是
A. 指新生儿出生后无自主呼吸或未建立规律的呼吸
B. 以低氧血症、高碳酸血症和代谢性酸中毒为特征
C. 预后较好，不会导致新生儿伤残
D. 大多是胎儿宫内窘迫的延续，本质是缺氧
E. 新生儿出生后主要表现为多脏器功能受损

11. 一产妇，经阴助产分娩一男婴，新生儿口唇苍白，喘息样呼吸，心率60次/分，肌张力松弛，喉反射消失。新生儿属于
A. 正常
B. 轻度新生儿窒息
C. 中度新生儿窒息
D. 重度新生儿窒息
E. 新生儿产伤

【参考答案】

1. C　2. A　3. B　4. C　5. A
6. C　7. C　8. D　9. A　10. C
11. D

第六章　妊娠期并发症妇女的护理

第一节　流产妇女的护理

（一）病因、病理

（1）染色体异常是导致流产的主要原因。

（2）早期流产的主要病因是黄体功能不足、甲状腺功能减退症、染色体异常。

（3）晚期流产的主要病因是宫颈内口松弛、子宫畸形、子宫肌瘤。

（4）滋养细胞的发育和功能不全是胚胎早期死亡的重要原因。

（二）临床表现

1. 主要临床症状：停经、腹痛及阴道出血。

2. 先兆流产：停经后少量阴道流血，量比月经少。子宫大小与停经周数相符，宫颈口未开，胎膜未破，妊娠产物未排出。

3. 难免流产：阴道流血量增多，阵发性腹痛加重。子宫大小与停经周数相符或略小，宫颈口已扩张，但组织尚未排出；晚期难免流产还可有羊水流出，或见胚胎组织或胎囊堵于宫口。

4. 不全流产：有部分妊娠产物残留于宫内，阴道持续出血。子宫小于停经周数，宫颈口已扩张，不断有血液自宫颈口内流出。

5. 完全流产：阴道出血逐渐停止，腹痛逐渐消失。子宫接近未孕大小或略大，宫颈口已关闭。

6. 稽留流产：指胚胎或胎儿已死亡，滞留在宫腔内尚未自然排出者。子宫缩小、胎动消失、早孕反应消失。子宫小于妊娠周数，宫口关闭。

7. 习惯性流产：自然流产连续发生3次或3次以上者。

8. 感染性流产：指流产引起宫腔内感染，或感染扩展到盆腔、腹腔乃至全身。

（三）治疗要点

1. 先兆流产：卧床休息，禁止性生活；减少刺激；黄体功能不足的孕妇可每天肌注黄体酮；及时行超声检查，了解胚胎发育情况。

2. 难免流产：尽早使胚胎及胎盘完全排出。

3. 不全流产：清除宫腔内残留组织。

4. 完全流产：如无感染征象，一般不需特殊处理。

5. 稽留流产：先做凝血功能检查，后及时促使胎儿和胎盘排出。

6. 习惯性流产：以预防为主，在受孕前，对男女双方均应进行详细检查。

（四）护理措施

1. 先兆流产孕妇的护理

（1）减少刺激：卧床休息，禁止性生活，禁用肥皂水灌肠。

（2）评估病情：注意观察孕妇腹痛、阴道出血情况。

（3）加强心理护理：观察孕妇的情绪反应，稳定孕妇情绪，增强保胎信心。

2. 预防感染：监测患者体温、血象及阴道流血、分泌物的性质、颜色、气味等。

3. 习惯性流产孕妇的护理

（1）一般护理：确诊妊娠后应卧床休息，加强营养，禁止性生活，补充维生素等，治疗期必须超过以往流产的妊娠月份。

（2）积极治疗病因

① 黄体功能不足者，黄体酮治疗预防流产。

② 子宫畸形者，于妊娠前行矫治术。

③ 宫颈内口松弛者，应在未妊娠前做宫颈内口松弛修补术，如已妊娠，则在妊娠14～16周时行子宫内口缝扎术。

第二节 异位妊娠妇女的护理

（一）病因、病理

异位妊娠与宫外孕的区别是宫外孕不包括宫颈妊娠，输卵管妊娠为最常见的异位妊娠。输卵管妊娠以壶腹部最常见，间质部最少见，输卵管妊娠破裂多见于峡部妊娠。输卵管炎症是输卵管妊娠最主要原因。

（二）临床表现

（1）停经。

（2）腹痛：是输卵管妊娠患者就诊的主要症状。

（3）阴道流血：多数患者会在停经6～8周后出现不规则阴道流血，少于月经量。

（4）晕厥与休克。

（5）输卵管妊娠流产或破裂体征：阴道后穹隆饱满，有宫颈抬举痛或摇摆痛是主要体征之一；贫血貌；下腹压痛、反跳痛、轻度腹肌紧张；出血多时，有移动性浊音、子宫呈漂浮感；下腹软性肿块。

（三）辅助检查

（1）妊娠试验有助于妊娠诊断。

（2）阴道后穹隆穿刺是一种简单可靠的诊断方法，适用于疑有腹腔内出血的患者。

（3）B超有助于诊断异位妊娠，但有时会误诊，阴道B超较腹部B超准确性高。

（4）腹腔镜检查适用于输卵管妊娠尚未流产或破裂的早期患者和诊断有困难的患者。

（四）治疗要点

以手术治疗为主，其次是药物治疗。可用中药进行非手术治疗，化疗药物可用甲氨蝶呤。

（五）护理措施

1. 手术治疗患者的护理

（1）监测患者生命体征。

（2）做好术前准备。

（3）积极纠正休克：开放静脉，交叉配血，做好输血输液准备，补充血容量。

（4）加强心理护理。

2. 非手术治疗患者的护理

（1）密切观察患者的一般情况、生命体征；观察阴道流血量，注意阴道流血量与腹腔内出血量不成比例；注意病情发展的体征，如出血增多、腹痛加剧、肛门坠胀感明显等。

（2）患者应卧床休息，避免腹部压力增大，提供相应的生活护理。

（3）留取血标本，监测治疗效果。

（4）指导患者摄取足够的营养物质。

第三节 妊娠高血压综合征妇女的护理

（一）病因、病理

1. 妊娠高血压综合征（妊高征）好发因素

① 寒冷季节或气温变化过大，特别是气压升高时。

② 精神过度紧张或受刺激。

③ 年轻初产妇或高龄初产妇。

④ 有慢性高血压、慢性肾炎、糖尿病等病史的孕妇。

⑤ 营养不良，如贫血、低蛋白血症者。

⑥体型矮胖者，即体重指数大于24者。

⑦ 子宫张力过高者。

⑧ 有高血压家族史，尤其是孕妇之母有重度妊高征史者。

2. 病因学说

① 免疫学说：胎盘抗原物质引起的变态反应。

② 子宫-胎盘缺血缺氧学说：由于子宫张力增高，影响子宫血液供应。

③ 血管内皮功能障碍学说。

④ 营养缺乏。

⑤ 其他因素：胰岛素抵抗、遗传等因素等。

3. 基本病理生理变化：全身小动脉痉挛。

（二）临床表现

1. 轻度妊娠高血压综合征

（1）高血压：血压≥140/90mmHg，但<150/100mmHg或超过原基础血压30/15mmHg。

（2）蛋白尿：蛋白量<0.5g/24h。

（3）水肿：为凹陷性水肿，多由踝部开始，渐延至小腿、大腿、外阴、腹部。

2. 中度妊娠高血压综合征

（1）高血压：血压≥150/100mmHg，但<160/110mmHg。

（2）蛋白尿：尿蛋白（+），蛋白量>0.5g/24h，但<5g/24h。

（3）有水肿，无自觉症状。

3. 重度妊娠高血压综合征

（1）高血压：血压≥160/110mmHg。

（2）蛋白尿：尿蛋白量≥5g/24h。

（3）有水肿，有一系列自觉症状。

（4）此阶段可分为先兆子痫和子痫。

① 先兆子痫：除高血压、水肿、蛋白尿症状外，还出现头痛、眼花、胃区疼痛、恶心、呕吐等症状。

② 子痫：即在先兆子痫的基础上进而出现抽搐发作，或伴昏迷。发生于妊娠晚期或临产前称产前子痫，最多见；发生于分娩过程中称产时子痫；发生在产后24小时内，称产后子痫。

（三）治疗要点

1. 治疗原则：解痉、降压、镇静，合理扩容及利尿，适时终止妊娠。

2. 治疗药物

（1）解痉药物：首选硫酸镁，适用于先兆子痫和子痫患者。药理作用如下。

① 镁离子可抑制运动神经末梢释放乙酰胆碱，阻断神经肌肉间的传导，松弛骨骼肌。

② 镁离子刺激血管内皮细胞合成前列腺素，缓解血管痉挛。

③ 镁离子可提高孕妇和胎儿的血红蛋白的亲和力，改善氧代谢。

（2）镇静药物：主要有地西泮和冬眠合剂，适用于对硫酸镁有禁忌或疗效不明显时，分娩时慎用。

（3）降压药物：有肼屈嗪、卡托普利等，适用于舒张压≥110mmHg或平均动脉压≥140mmHg者。

（4）扩容应在解痉的基础上进行。

（5）利尿药物：有呋塞米、甘露醇等。

（四）护理措施

1. 预防妊高征的护理

（1）产前检查：早期、定期检查。

（2）合理饮食：增加蛋白质、维生素以及富含铁、钙、锌的食物，减少过量脂肪和盐分摄入。

（3）补充钙剂：从妊娠20周开始，每天补充钙剂2g。

（4）休息体位：左侧卧位休息可可解除子宫对下腔静脉的压迫，增加胎盘绒毛血供。

（5）保持心情愉快。

2. 轻度妊高征孕妇的护理

（1）保证休息：休息和睡眠以左侧卧位为宜，避免平卧；睡眠充足、减轻工作；保持安静、清洁的环境；精神放松、心情愉快。

（2）调整饮食：轻度妊高征孕妇需摄入足够蛋白质、蔬菜，补充维生素、铁和钙剂。食盐不必严格限制，全身水肿者应限制食盐摄入量。

（3）加强产前监测：增加产前检查次数，加强母儿监测，密切观察病情变化。

3. 中、重度妊高征孕妇的一般护理

（1）住院治疗，卧床休息，左侧卧位。保持病室安静，避免各种刺激；准备急救物品。

（2）每4小时测血压1次。随时观察和询问孕妇有无头晕、头痛、恶心等自觉症状。

（3）注意胎心、胎动、子宫敏感度有无改变。

（4）重度妊高征孕妇适当限盐、记出入液量、测尿蛋白、肝肾功能、二氧化碳结合力等。

4. 硫酸镁用药护理

（1）用药方法：常采用肌内注射和静脉用药两种方式，可互补长短，维持体内有效浓度。

① 肌内注射：起效慢，作用时间长，血药浓度下降慢。局部刺激强，使用长针头行深部肌内注射，硫酸镁溶液中加利多卡因可缓解局部刺激引起的疼痛。

② 静脉滴注或推注：可使血药浓度迅速达到有效水平，停药后血药浓度下降快。滴注速度以 1g/h 为宜，不超过 2g/h，每天维持用量 15～20g。

(2) 中毒现象：首先表现为膝反射减弱或消失，随着血镁浓度的增加可出现全身肌张力减退及呼吸抑制，严重者可心跳突然停止。

(3) 注意事项：用药前及用药过程中均应监测如下项目。

① 血压。

② 膝腱反射必须存在。

③ 呼吸不少于 16 次/分。

④ 尿量每 24 小时不少于 600ml，或每小时不少于 25ml。

(4) 中毒的救治：随时准备 10%的葡萄糖酸钙注射液，以便及时解毒。10%葡萄糖酸钙 10ml 在静脉推注时宜在 3 分钟以上推完，必要时可每小时重复一次，直至呼吸、排尿和神经抑制恢复正常，但 24 小时内不超过 8 次。

5. 子痫患者的护理

① 发生抽搐时，硫酸镁为首选药物，必要时可加用镇静药物。

② 子痫发生后，首先应保持呼吸道通畅，患者取头低侧卧位，给氧。

③ 防止受伤。上下磨牙间放置压舌板，用舌钳固定舌头。

④ 保持绝对安静，减少刺激，避免诱发抽搐。

⑤ 密切注意血压、脉搏、呼吸、体温、尿量，记出入液量。

⑥ 为终止妊娠做准备。

6. 经阴道分娩妊高征孕妇的产时护理

(1) 第一产程：密切监测患者血压、脉搏、尿量、胎心及宫缩情况以及有无自觉症状。

(2) 第二产程：尽量缩短产程，避免用力。

(3) 第三产程：预防产后出血，在胎儿娩出前肩后立即静脉推注缩宫素（禁用麦角新碱）。及时娩出胎盘并按摩宫底，观察血压变化。

7. 妊高征孕妇的产后护理

(1) 胎儿娩出后测血压，病情稳定后方可送回病房。

(2) 重症患者产后应继续硫酸镁治疗 1～2 天。

(3) 产褥期监测血压，产后 48 小时内应至少每 4 小时测一次血压。

(4) 观察子宫复旧情况，防产后出血。

第四节　前置胎盘妇女的护理

(一) 临床表现

(1) 主要症状：妊娠晚期或临产时，发生无诱因、无痛性反复阴道流血。

(2) 完全性前置胎盘：初次出血较早，多于妊娠 28 周左右，反复出血的次数频繁，量较多。

(3) 部分性前置胎盘：出血情况介于完全性前置胎盘和边缘性前置胎盘之间。

(4) 边缘性前置胎盘：初次出血发生较晚，多于妊娠 37～40 周或临产后，量较少。

(二) 辅助检查

最安全、有效的首选检查方法是超声波检查。不主张阴道检查，切忌肛查。

(三) 治疗要点

1. 期待疗法：适用于妊娠不足 36 周或估计胎儿体重小于 2300g，阴道流血量不多，孕妇全身情况良好，胎儿存活者。

2. 终止妊娠：适用于入院时出血性休克者、期待疗法中发生大出血或妊娠已近足月或已临产者。剖宫产术是处理前置胎盘的主要手段。

(四) 护理措施

1. 终止妊娠孕妇的护理：去枕侧卧位，开放静脉，做输血准备、术前准备、监测母儿生命体征。

2. 期待疗法孕妇的护理

① 住院观察，绝对卧床休息，取左侧卧位。

② 定时、间断吸氧，每天 3 次，每次 1 小时。

③ 避免各种刺激，禁做阴道检查及肛查。

④ 纠正贫血。

⑤ 严密观察并记录孕妇生命体征，阴道流血

的量、色、时间及一般状况，监测胎儿宫内状态。

⑥ 预防产后出血和感染。

第五节 胎盘早剥妇女的护理

（一）病因、病理

（1）胎盘早剥是指妊娠20周后或分娩期，正常位置的胎盘在胎儿娩出前，部分或全部从子宫剥离。

（2）主要病理变化是底蜕膜出血，形成血肿，使胎盘自附着处剥离。

（二）临床表现

1. 轻型：多见于分娩期。主要症状是阴道流血，量较多，色暗红，伴轻微腹痛或无腹痛。子宫软，宫缩有间歇，子宫大小符合妊娠月份，胎位清，胎心率多正常。

2. 重型：多见于重度妊高征。主要症状为突然发生持续性腹部疼痛和（或）腰酸、腰背痛，程度与胎盘后积血多少呈正相关。子宫硬如板状，有压痛，子宫比妊娠周数大。

（三）治疗要点

纠正休克、及时终止妊娠是处理胎盘早剥的原则。

（四）护理措施

（1）纠正休克：迅速开放静脉，积极补充血容量。

（2）严密观察病情变化，密切监测胎儿状态。

（3）为终止妊娠做好准备。

（4）预防产后出血：分娩后及时给予缩宫药。

（5）产褥期护理：加强营养，纠正贫血。防止感染。

第六节 早产妇女的护理

（一）病因、病理

1. 孕妇因素：子宫畸形或肌瘤，妊娠并发症，感染性疾病、急慢性疾病，吸烟、酗酒、精神受到刺激、承受巨大压力。

2. 胎儿因素：胎儿窘迫、胎儿畸形、胎儿生长受限、多胎等。

3. 胎盘因素：前置胎盘、胎盘早剥。

（二）临床表现

妊娠晚期子宫收缩规律（20分钟≥4次），宫颈管消退≥75%，进行性宫口扩张2cm以上。

（三）治疗要点

（1）胎儿存活、胎膜未破、无胎儿窘迫者控制宫缩，尽量维持妊娠至足月。

（2）胎膜已破，早产不可避免者，尽可能预防新生儿并发症，提高早产儿的存活率。

（四）护理措施

（1）预防早产：加强营养，保持心情平静；避免诱发宫缩的活动；高危孕妇多左侧卧床休息；慎做肛查和阴道检查；宫颈内口松弛者应于孕14～16周或更早些时间做子宫内口缝合术。

（2）先兆早产主要治疗是抑制宫缩。常用抑制宫缩的药物有β-肾上腺素受体激动药、硫酸镁、钙拮抗药、前列腺素合成酶抑制药。

（3）预防新生儿合并症：分娩前给孕妇糖皮质激素可促胎肺成熟，是避免发生新生儿呼吸窘迫综合征的有效步骤。

（4）为分娩做准备。

第七节 过期妊娠妇女的护理

（一）病因、病理

1. 定义：妊娠达到或超过42周而未分娩者称为过期妊娠。

2. 病因：雌、孕激素比例失调；头盆不称；胎儿畸形；遗传因素。

3. 病理

(1) 胎盘：一种为功能正常，重量略增加；一种为功能减退。

(2) 羊水：羊水量迅速减少，羊水胎粪污染率增高。

(3) 胎儿：正常生长及巨大儿；成熟障碍；胎儿生长受限。

(二) 治疗要点

终止妊娠指征如下：

(1) 宫颈条件成熟。

(2) 胎儿体重≥4000g 或胎儿生长受限。

(3) 12 小时内胎动<10 次或 NST 为无反应型，OCT 阳性或可疑。

(4) 尿 E/C 持续低值。

(5) 羊水过少或胎粪污染。

(6) 并发重度子痫前期或子痫。

(三) 护理措施

进入产程后，鼓励产妇左侧卧位、吸氧。产程中连续监护胎心，注意羊水的性状。

第八节　羊水异常妇女的护理

一、羊水量过多

(一) 病因

1. 定义：凡在妊娠任何时期内羊水量超过 2000ml 者，称为羊水过多。

2. 病因：多胎妊娠、胎儿畸形、孕妇患病、胎盘脐带病变、特发性羊水过多。

(二) 临床表现

1. 急性羊水过多：发生于妊娠 20～24 周。患者出现呼吸困难，不能平卧，下肢及外阴部水肿、静脉曲张。

2. 慢性羊水过多：发生于妊娠晚期。孕妇子宫大于妊娠月份，腹部膨隆，腹壁皮肤发亮、变薄，胎位不清，胎心遥远或听不到。

(三) 治疗要点

(1) 合并胎儿畸形者及时终止妊娠。

(2) 胎儿正常者，根据羊水过多的程度与胎龄决定处理方法。

(四) 护理措施

1. 一般护理：低钠饮食，防治便秘，减少增加腹压的活动。

2. 病情观察：观察孕妇的生命体征，定期测量宫高、腹围和体重。观察胎心、胎动及宫缩。产后密切观察子宫收缩及阴道流血情况。

3. 放羊水护理：防止速度过快、量过多，一次放羊水量≤1500ml，放羊水后腹部放置沙袋或包扎腹带。防止发生感染，同时按医嘱给予抗感染药。

二、羊水量过少

(一) 病因

1. 定义：妊娠足月时羊水量少于 300ml 称为羊水过少。

2. 病因：孕妇脱水、服用某些药物（吲哚美辛、利尿药、布洛芬、血管紧张素转化酶抑制药）、胎儿畸形（以先天性泌尿系统异常最多见）、胎盘功能异常、胎膜病变等。

(二) 临床表现

孕妇于胎动时感觉腹痛，宫高、腹围小于同期正常妊娠，子宫的敏感度较高，轻微刺激可引起宫缩，临产后阵痛剧烈，宫缩不协调，宫口扩张缓慢，产程延长。

(三) 治疗要点

监测羊水量的变化，怀疑羊水过少者，积极寻找原因，必要时及时终止妊娠。

(四) 护理措施

病情观察：观察孕妇的生命体征，定期测量宫高、腹围和体重。测定胎盘功能，监测胎动、胎心和宫缩情况。严格 B 超监测羊水量。

【考点强化】

1. 先兆流产与难免流产的主要鉴别要点是

A. 出血时间长短

B. 宫口开大与否

C. 早孕反应是否存在

D. 妊娠试验阳性

E. 以上都是

2. 下列哪项是自然流产最常见的原因

A. 孕妇患甲状腺功能低下
B. 孕妇接触放射性物质
C. 孕妇细胞免疫调节失调
D. 母儿血型不合
E. 遗传基因缺陷

3. 以下关于难免流产叙述不正确的是
A. 阴道流血较多
B. 下腹痛加重
C. 有部分胎盘嵌顿于宫颈口，部分胎盘排出
D. 宫口开
E. 宫体与孕周相符或略小于孕周

4. 对于不全流产孕妇的护理，以下叙述正确的是
A. 减少刺激
B. 协助医生进行保胎治疗
C. 指导孕妇卧床休息
D. 加强心理护理，增强保胎信心
E. 及时做好清除宫内残留组织的准备

5. 异位妊娠患者就诊的主要症状是
A. 停经　　B. 晕厥
C. 腹痛　　D. 阴道流血
E. 有便意感

6. 异位妊娠最常见的发生部位是
A. 输卵管壶腹部　　B. 卵巢
C. 腹腔　　D. 大网膜
E. 宫颈

7. 妊高征患者发生抽搐时，首要的护理措施是
A. 用舌钳固定舌头，防止舌咬伤及舌后坠，保持呼吸道通畅
B. 使患者取头低侧卧位，保持呼吸道通畅
C. 置患者于安静、避光的单间
D. 密切观察病情
E. 吸氧

8. 关于子痫，下列叙述不正确的是
A. 大多数子痫患者抽搐前有短暂的前驱症状
B. 子痫的发生以产前子痫最多见
C. 抽搐频繁，昏迷不醒者大多病情严重
D. 终止妊娠是治疗子痫最根本的方法，一旦分娩后子痫就不再发生
E. 子痫发作时易致自伤及胎儿窘迫

9. 关于硫酸镁使用过程中的注意事项，下列哪项是不正确的
A. 膝反射必须存在
B. 呼吸不少于 16 次/分
C. 尿量不少于 25mL/小时
D. 剂量随病情加减
E. 需预备钙剂作为解毒剂

10. 妊娠晚期阴道出血常见于
A. 流产　　B. 宫外孕
C. 葡萄胎　　D. 胎盘早剥
E. 前置胎盘

11. 下列哪项不符合前置胎盘的表现
A. 胎先露下降受阻
B. 无痛性阴道流血
C. 子宫下段闻及胎盘血流音
D. 子宫张力高，胎心音不易闻及
E. 宫底高度与孕周相符

12. 关于前置胎盘患者的护理，下列叙述错误的是
A. 吸氧　　B. 维持血容量
C. 绝对卧床休息　　D. 监测生命体征
E. 可以肛查，禁止阴道检查

13. 妊高征孕妇水肿（++）是指
A. 踝部及小腿有凹陷性水肿，经休息后消退
B. 踝部及小腿有凹陷性水肿，经休息后不消退
C. 水肿延及大腿
D. 水肿达外阴部及腹部
E. 水肿延及踝部

14. 妊高征最常见的产科并发症是
A. 胎盘早剥　　B. 急性肾功能衰竭
C. 心衰　　D. 失明
E. HELLP 综合征

15. 羊水过多是指妊娠期间羊水量超过
A. 800ml　　B. 1000ml
C. 2000ml　　D. 2500ml
E. 3000ml

16. 过期妊娠指妊娠达到或超过
A. 40 周末　　B. 41 周末
C. 42 周末　　D. 43 周末
E. 44 周末

17. 初产妇，急产一男婴，体重 3900g，胎盘娩出后半小时内有较多量间歇性阴道出血，宫底、宫颈及肌肉已注射催产素 10 单位，再次查看胎盘完整，胎膜有一处见血管中断于胎膜边缘，其出血原因最可能是
A. 胎盘剥离不全

B. 软产道裂伤
C. 胎盘残留
D. 产后宫缩乏力
E. 凝血功能障碍

18. 一孕妇，35 岁，G_3P_0。35 周妊娠，阴道少量流血，伴下腹胀痛 5 小时入院。查体：面色苍白，血压 90/45mmHg，宫高 34cm，宫缩持续 30 秒，间歇 2 分钟，呈强直性收缩，胎心和胎方位不清，尿蛋白（+）。该孕妇最可能的诊断是
A. 胎盘早剥
B. 前置胎盘
C. 子宫破裂
D. 凝血功能障碍
E. 先兆流产

19. 初孕妇，停经 50 天出现阴道少量出血，伴轻微下腹痛。妇科检查：宫颈口关闭，子宫增大，约孕 50 天大小，妊娠试验（+）。该孕妇最可能的诊断是
A. 难免流产　B. 不全流产
C. 先兆流产　D. 完全流产
E. 稽留流产

（20～21 题共用病例）
一孕妇，25 岁，G_2P_0，孕 32 周，血压 150/110mmHg，下肢水肿（+），尿蛋白（+），无自觉症状。

20. 本病例最可能的诊断是
A. 肾性高血压　B. 妊高征
C. 子痫前期重度　D. 子痫前期轻度
E. 原发性高血压

21. 若经硫酸镁治疗后，血压逐渐下降。检查：孕妇反应迟钝，呼吸 12 次/分，膝反射消失。首选下列哪种药物
A. 地西泮　B. 哌替啶
C. 氯丙嗪　D. 异丙嗪
E. 葡萄糖酸钙

（22～23 题共用病例）
一孕妇，28 岁。妊娠 37 周，阴道多量流血 5 小时入院。查体：血压 90/60mmHg，脉搏 102 次/分。无宫缩，宫底剑突下 2 指，臀先露，胎心 94 次/分，骨盆外测量正常。

22. 本病例最可能的诊断是
A. 妊娠高血压疾病
B. 先兆临产
C. 前置胎盘
D. 胎盘早剥
E. 羊水栓塞

23. 本病例最恰当的处理是
A. 期待疗法　B. 外倒转术
C. 人工破膜　D. 立即剖宫产
E. 阴道分娩，产钳助产

（24～25 题共用病例）
患者女，32 岁，停经 60 天，2 天前开始有少量间断阴道流血，昨日开始出现右下腹疼痛，今晨加重。查体：体温 37.5℃，血压 75/45mmHg，妇科检查：子宫口闭，宫颈举痛（+），子宫前倾前屈，较正常稍大、软，子宫右侧可触及一拇指大小肿物，质软，尿 HCG（+），后穹隆穿刺抽出暗红色不凝血液 8ml。血常规示：白细胞 10×10^9/L，血红蛋白 75g/L。

24. 最可能的诊断是
A. 不完全流产
B. 卵巢黄体破裂
C. 输卵管妊娠
D. 急性附件炎
E. 卵巢肿瘤蒂扭转

25. 首选的处理方法是
A. 抗休克同时立即手术
B. 白细胞较高先用抗生素
C. 次日复查 hCG 定量
D. 为排除流产可能先刮宫
E. 药物止血

（26～27 题共用备选答案）
A. 胎盘滞留
B. 羊水栓塞
C. 胎盘早剥
D. 前置胎盘
E. 先兆子宫破裂

26. 初孕妇，孕 36 周，突发持续性剧烈腹痛，伴少量阴道流血，贫血程度与外出血不符，考虑为

27. 初孕妇，孕 28 周，无腹痛，晨起发现阴道流血，量多，色鲜，伴心悸，考虑为

【参考答案】

1. B　2. E　3. C　4. E　5. C
6. A　7. A　8. D　9. D　10. E
11. D　12. E　13. C　14. A　15. C
16. C　17. C　18. A　19. C　20. B
21. E　22. C　23. D　24. C　25. A
26. C　27. D

第七章 妊娠期合并症妇女的护理

第一节 合并心脏病妇女的护理

（一）与妊娠的相互影响

1. 妊娠对心脏病的影响：妊娠 32～34 周、分娩期及产后的最初 3 天内，是患有心脏病的孕妇最危险的时期。

2. 心脏病对妊娠的影响：流产、早产、死胎、胎儿生长受限、胎儿宫内窘迫及新生儿窒息的发生率明显增加，围生儿死亡率增高。

（二）临床表现

1. 早期心力衰竭

① 轻微活动后有胸闷、心悸、气短。

② 休息时心率超过 110 次/分。

③ 夜间因胸闷坐起，或需到窗口呼吸新鲜空气。

④ 肺底部出现少量持续性湿啰音，咳嗽后不消失。

2. 左心衰竭

① 呼吸困难：劳力性呼吸困难为最早出现的症状。

② 咳嗽、咳痰、咯血。

③ 疲倦、乏力、头晕、心慌。

④ 少尿及肾功能损害症状。

⑤ 肺部湿啰音。

⑥ 心脏体征：心脏扩大，肺动脉瓣区第二心音亢进及舒张期奔马律。

3. 右心衰竭

① 消化道症状：腹胀、恶心、呕吐、食欲缺乏。

② 劳力性呼吸困难。

③ 水肿，肝脏肿大。

④ 肝颈静脉反流征阳性最有特征性。

⑤ 心脏体征。

心脏病孕妇的主要死亡原因是心力衰竭和严重的感染。

（三）治疗要点

1. 非孕期：心脏病变轻、心功能Ⅰ～Ⅱ级，无心衰病史，且无其他并发症者，可以妊娠。

2. 妊娠期：心功能Ⅲ～Ⅳ级、既往有心力衰竭病史、肺动脉高压、严重心律失常、右向左分流型先天性心脏病（法洛四联症等）、围生期心肌病遗留有心脏扩大、并发细菌性心内膜炎、风湿热活动期者不宜妊娠，若已怀孕在妊娠 12 周前行人工流产术。

3. 分娩期：心功能Ⅰ～Ⅱ级，胎儿不大，胎位正常，宫颈条件良好者，可经阴道分娩；心功能Ⅲ～Ⅳ级，胎儿偏大，宫颈条件不佳，合并其他并发症者选择剖宫产。

4. 产褥期：产后 3 天内，尤其 24 小时内，充分休息且需严密监护。抗感染治疗 1 周。

（四）护理措施

1. 妊娠期

（1）加强孕期保健。

（2）预防心力衰竭

① 充分休息，避免劳累；孕妇每天至少睡眠 10 小时且中午宜休息 2 小时，休息时采取左侧卧位或半卧位。

② 科学合理营养：摄入高热量、高维生素、低盐、低脂、富含多种微量元素饮食，少量多餐，多食蔬菜和水果。妊娠 16 周后，每天食盐量不超过 4～5g。

③ 预防治疗诱发心力衰竭的各种因素。

④ 指导孕妇及家属掌握妊娠合并心脏病的相关知识。

2. 分娩期

(1) 严密观察产程进展，防止心力衰竭的发生。

① 左侧卧位，上半身抬高30°，防止低血压综合征的发生。

② 观察子宫收缩、胎头下降及胎儿宫内情况。

③ 第一产程，每15分钟测血压、脉搏、呼吸、心率各1次，每30分钟测胎心率1次。

④ 第二产程，每10分钟测1次上述指标，或使用监护仪持续监护。

⑤ 给予吸氧，药物治疗并观察用药后反应。

⑥ 给予抗生素治疗持续至产后1周。

(2) 缩短第二产程，减少产妇体力消耗。

(3) 预防产后出血。胎儿娩出后，立即在产妇腹部放置沙袋，持续24小时。可静脉或肌内注射缩宫素，禁用麦角新碱。

(4) 给予心理及情感支持。

3. 产褥期

(1) 产后72小时内严密监测生命体征，产妇应半卧位或左侧卧位，保证充足休息，必要时用镇静药，在心功能允许的情况下，鼓励早期下床适度活动。

(2) 心功能Ⅰ～Ⅱ级者可母乳喂养；Ⅲ级或以上者，及时回乳。及时评估有无膀胱胀满；保持外阴清洁；清淡饮食，防止便秘。产后预防性使用抗生素及协助恢复心功能的药物。

(3) 促进亲子关系建立，避免产后抑郁发生。

(4) 采取适宜的避孕方式，不再妊娠者产后1周做绝育术。

第二节　合并糖尿病妇女的护理

(一) 与妊娠的相互影响

1. 妊娠对糖尿病的影响：妊娠可使原有糖尿病患者的病情加重，使隐性糖尿病显性化，使既往无糖尿病的孕妇发生糖尿病。

(1) 低血糖及肾糖阈下降。

(2) 胰岛素的需要量增加，糖耐量减低。

(3) 易发生酮症酸中毒。

2. 糖尿病对妊娠的影响

(1) 对孕妇影响：流产率、妊高征发生率、手术产率、产伤及产后出血发生率、感染发生率、羊水过多发生率增高。不孕症发生率高达2%。

(2) 对胎儿的影响：巨大儿发生率、胎儿畸形发生率、早产和胎儿生长受限发生率明显增高。

(3) 对新生儿的影响：易出现新生儿呼吸窘迫综合征、新生儿低血糖。

(二) 辅助检查

1. 血糖测定：2次或2次以上空腹血糖≥5.8mmol/L者。

2. 糖筛查试验：于妊娠24～28周进行。如1小时血糖≥7.8mmol/L为糖筛查异常，如1小时血糖大于11.2mmol/L，则妊娠期糖尿病的可能性较大。糖筛查异常者应进一步做口服糖耐量试验。

3. 葡萄糖耐量试验：其正常上限为：空腹血糖5.6mmol/L，1小时血糖10.3mmol/L，2小时血糖8.6mmol/L，3小时血糖6.7mmol/L，若其中有2项或2项以上达到或超过正常值，即可诊断为妊娠期糖尿病。仅1项高于正常值，诊断为糖耐量受损。

(三) 治疗要点

(1) 糖尿病妇女于妊娠前应确定病情程度，确诊妊娠的可能性。

(2) 允许妊娠者，在监护下，尽可能将孕妇血糖控制在正常或接近正常范围内，并选择正确的分娩方式。

(四) 护理措施

1. 妊娠期护理

(1) 孕妇监护

① 血糖监测：空腹血糖＜7.0mmol/L，餐后2小时血糖＜10mmol/L，每月查1次糖化血红蛋白(＜6%)。

② 每次产前检查均要查尿常规，每月查1次肾功能及眼底。

(2) 胎儿监测

① 胎儿超声心动图是产前诊断胎儿心脏结构异常的重要方法。

② 胎动计数：妊娠 28 周后，指导孕妇自我监护胎动，12 小时胎动<10 次或胎动数减少超过原胎动数的 50%，表示胎儿宫内胎儿缺氧。

③ 无激惹试验：自 32 周后，每周检查 1 次，36 周后每周 2 次。

④ 胎盘功能测定：连续动态测定孕妇尿雌三醇及血 HPL 值。

(3) 控制饮食，适度运动，提供心理支持。

(4) 胰岛素是主要治疗药物，不宜口服降糖药物。

2. 分娩期护理

(1) 终止妊娠的时间：原则是在控制血糖，确保母儿安全的情况下，尽量推迟终止妊娠的时间，可等待至近预产期（38～39 周）。如血糖控制不良，伴有严重并发症或合并症，则在促进胎儿肺成熟后立即终止妊娠。

(2) 分娩方式：如有胎位异常、巨大儿、病情严重需终止妊娠时，常选择剖宫产。若胎儿发育正常，宫颈条件较好，则适宜经阴道分娩。

(3) 分娩时护理：严密监测血糖、尿糖和尿酮体。静脉输液，提供热量，预防低血糖。阴道分娩者左侧卧位。密切监护胎儿状况。产程时间不超过 12 小时。

第三节　合并贫血妇女的护理

（一）与妊娠的相互影响

1. 对母体的影响：加重病情，妊娠风险增加。重度贫血可导致贫血性心脏病、妊娠期高血压性心脏病、产后出血、失血性休克、产褥感染等发生。

2. 对胎儿的影响：若母体缺铁严重，会造成胎儿生长受限、胎儿宫内窘迫、早产、死胎或死产等不良后果。

（二）辅助检查

1. 血象：呈小细胞低色素性贫血，血红蛋白<100g/L，血细胞比容<0.30 或红细胞计数<35×10^{12}/L。

2. 血清铁测定：<6.5μmol/L。

（三）治疗要点

血红蛋白<60g/L，接近预产期或短期内行剖宫产术者，宜少量多次输血，以浓缩红细胞为好。

（四）护理措施

1. 妊娠期护理

(1) 饮食：摄取高铁、高蛋白质及高维生素 C 食物，如瘦肉、家禽、动物肝脏及绿叶蔬菜等。蔬菜、谷类、茶叶中的鞣酸、磷酸盐影响铁的吸收。纠正偏食、挑食等不良习惯。

(2) 正确服用铁剂：妊娠 4 个月后，每天服用铁剂，可预防贫血的发生。首选口服铁剂，饭后或餐中服用，同时服维生素 C 及稀盐酸可促进铁的吸收。抗酸剂与铁剂需交错时间服用。服用铁剂后会出现黑便。

(3) 加强产前检查和母儿监护措施。

2. 分娩期：中、重度贫血临产前给予维生素 K_1、维生素 C、安络血等药物并配血备用。第二产程酌情给予阴道助产。预防产后出血。胎儿前肩娩出时，给予缩宫药。

【考点强化】

1. 我国妊娠诊断贫血的标准是
   A. 血红蛋白<90g/L，红细胞比容<0.30
   B. 血红蛋白<80g/L，红细胞比容<0.25
   C. 血红蛋白<100g/L，红细胞比容<0.30
   D. 血红蛋白<110g/L，红细胞比容<0.31
   E. 血红蛋白<70g/L，红细胞比容<0.20
2. 妊娠合并心脏病者心力衰竭最易发生的时期
   A. 妊娠 32～34 周、分娩期及产褥期
   B. 妊娠 28～30 周及分娩期、产褥期
   C. 分娩期及产褥期
   D. 妊娠 28～30 周、分娩期
   E. 妊娠 28～36 周、分娩期、产褥期
3. 下列哪种妊娠合并心脏病发生率最高
   A. 风湿性心脏病　　B. 病毒性心肌炎
   C. 先天性心脏病　　D. 围生期心肌病
   E. 妊娠期高血压性心脏病
4. 糖尿病对妊娠的影响，不恰当的是
   A. 孕期宫内死胎发生率增高
   B. 易发生巨大儿

C. 合并妊高征的发生率增高
D. 胎儿成熟较晚，故一般应待孕 38 周后终止妊娠
E. 易并发胎儿畸形

5. 妊娠期糖尿病患者控制血糖的方法不合适的是
A. 饮食治疗　B. 血糖的监测
C. 胰岛素治疗　D. 服用磺脲类药物
E. 适度运动

6. 妊娠期糖尿病对胎儿、新生儿的影响不包括
A. 巨大儿发生率增加
B. 畸形发生率增加
C. 容易发生新生儿低胰岛素血症
D. 容易发生新生儿呼吸窘迫综合征
E. 早产发生率增加

7. 妊娠合并心脏病患者的分娩期处理，不正确的是
A. 使用抗生素预防感染
B. 严密观察产妇的生命体征
C. 产后出血时，立即静脉注射麦角新碱
D. 不要让产妇屏气用力
E. 产程进展不顺利时，立即采用剖宫产术终止妊娠

8. 有关妊娠合并糖尿病孕妇分娩期护理措施不妥的是
A. 胎儿发育正常，宫颈条件较好的孕妇可选择经阴试产
B. 新生儿无论体重大小均按早产儿护理
C. 为防止新生儿低血糖，出生 30 分钟后可滴服 25%葡萄糖液
D. 为防止新生儿低血糖，不提倡母乳喂养
E. 产妇分娩后 24 小时内胰岛素用量应减至原用量的一半

9. 贫血产妇产褥期护理错误的是
A. 密切观察宫缩及阴道流血情况
B. 口服补血药物应餐中或餐后服用
C. 应用抗生素预防感染
D. 贫血产妇不影响母乳喂养
E. 产后定期复查

10. 风心病，孕 38 周，无心衰及头盆不称，宫口开大 10cm，S＋3，以下处理正确的是
A. 严密监护下继续妊娠
B. 立即人工流产
C. 手术助产缩短第二产程
D. 等待自然分娩　E. 剖宫产

【参考答案】

1. C　2. A　3. C　4. D　5. D
6. C　7. C　8. D　9. D　10. C

第八章　异常分娩妇女的护理

第一节　产力异常妇女的护理

一、子宫收缩乏力

（一）病因

（1）精神因素：初产妇，尤其是高龄初产妇、心理恐惧、精神过度紧张。

（2）产道或胎儿因素：骨盆或胎位异常。

（3）子宫因素：多胎、羊水过多、巨大胎儿、子宫炎症、多次妊娠、子宫发育异常、子宫肌瘤等。

（4）内分泌失调。

（5）药物影响：临产后不适当地使用大剂

量镇静药、镇痛药及麻醉药。

（二）临床表现

1. 协调性子宫收缩乏力：子宫收缩具有正常的节律性、对称性和极性，但收缩力弱，宫腔压力小于 15mmHg，持续时间短，间歇期长且不规律，宫缩＜2 次/10 分钟。子宫收缩达高峰时，子宫体不隆起和变硬，用手指压宫底部肌壁仍可出现凹陷。

2. 不协调性子宫收缩乏力：子宫收缩的极性倒置，宫缩不是起自两侧子宫角部；频率高，节律不协调；宫缩时宫底部不强，中段或下段强，宫腔压力可达 20mmHg；宫缩间歇期子宫壁不能完全松弛。

3. 产程曲线异常

（1）潜伏期延长：从临产规律宫缩开始至宫口扩张 3cm 称为潜伏期。初产妇潜伏期正常约需 8 小时，最大时限 16 小时，超过 16 小时称潜伏期延长。

（2）活跃期延长：从宫口扩张 3cm 开始至宫口开全称活跃期。初产妇活跃期正常约需 4 小时，最大时限 8 小时，超过 8 小时称活跃期延长。

（3）活跃期停滞：进入活跃期后，宫口不再扩张达 2 小时以上，称活跃期停滞。

（4）第二产程延长：第二产程初产妇超过 2 小时，经产妇超过 1 小时尚未分娩，称第二产程延长。

（5）第二产程停滞：第二产程中胎头下降无进展达 1 小时称第二产程停滞。

（6）胎头下降延缓：宫颈扩张减速期及第二产程，初产妇胎头下降速度＜1cm/h，经产妇＜2cm/h，称胎头下降延缓。

（7）胎头下降停滞：活跃期晚期胎头停留在原处不下降达 1 小时以上，称胎头下降停滞。

（8）滞产：总产程超过 24 小时称滞产。

（三）对母儿的影响

1. 对产妇的影响：进食少、休息不好；严重时引起脱水、酸中毒、低钾血症；精神疲惫、体力消耗；肠胀气、尿潴留；形成膀胱阴道瘘或尿道阴道瘘；乏力，易致产后出血。另外，感染机会亦增多。

2. 对胎儿的影响：供氧不足，易发生胎儿窘迫，新生儿窒息或死亡，增加手术机会，产伤增加，新生儿颅内出血和死亡率增加。

（四）治疗原则

1. 协调性子宫收缩乏力：寻找病因，病因治疗。有明显头盆不称不能经阴分娩者，行剖宫产。

2. 不协调性子宫收缩乏力：原则是恢复子宫收缩的生理极性和对称性，在子宫收缩恢复协调性前禁用催产素。

（五）护理措施

协调性宫缩乏力且可经阴分娩孕妇的护理

1. 第一产程护理

（1）改善全身情况

① 保证休息：产程时间长的过度疲劳或烦躁不安孕妇给予镇静药。

② 补充营养、水分、电解质：易消化、高热量饮食，酸中毒者补充碳酸氢钠，低钾者补钾，补充钙剂可增强子宫收缩。

③ 保持膀胱和直肠的空虚状态。

（2）加强子宫收缩

① 静滴催产素。

② 人工破膜。

③ 刺激乳头可加强宫缩。

④ 针刺穴位增强宫缩。

（3）剖宫产术前准备：经上诉处理病程无进展，或胎儿宫内窘迫、产妇体力衰竭者应行剖宫产。

2. 第二产程护理：做好阴道助产和抢救新生儿的准备，密切观察胎心、宫缩和胎先露情况。

3. 第三产程护理：胎儿前肩娩出时肌注或静滴催产素；胎儿、胎盘娩出后加大缩宫药用量；破膜时间超过 12 小时、总产程超过 24 小时、阴道助产者，用抗生素预防感染。

二、子宫收缩过强

（一）病因

（1）急产：主要原因为软产道阻力小。

（2）催产素使用不当。

（3）产妇精神过度紧张、产程过长、极度疲劳、胎膜早破、多次宫腔内操作等。

（二）临床表现

1. 协调性子宫收缩过强：子宫收缩的节律性、对称性和极性均正常，仅子宫收缩力过强（宫腔内压力大于 50mmHg）、过频（宫缩≥5 次/10 分钟，宫缩持续时间≥60 秒）。总产程不超过 3 小时。易导致产道损伤、胎儿缺氧、胎死宫内或新生儿外伤等。

2. 不协调性子宫收缩过强

（1）强直性子宫收缩：宫缩间歇期短或无间歇，产妇烦躁不安、持续腹痛、拒按腹部。胎位触诊不清，胎心音听不清。可出现病理性缩复环，表现为在脐下或平脐处见一环状凹陷。

（2）子宫痉挛性狭窄环：此环与病理性缩复环的区别是不随宫缩上升。产妇持续性腹痛，烦躁不安、宫颈扩张缓慢、胎先露部下降停滞、胎心律不规则，阴道检查可触及狭窄环。

（三）对母儿的影响

（1）对产妇的影响：可致初产妇宫颈口、阴道及会阴撕裂伤，子宫破裂，产褥感染，胎盘滞留或产后出血，增加手术机会。

（2）对胎儿的影响：易发生胎儿窘迫、新生儿窒息或胎死宫内、新生儿颅内出血，新生儿易发生感染。

（四）治疗原则

识别发生急产的高危人群和急产先兆，正确处理急产，预防并发症。

（五）护理措施

1. 预防宫缩过强对母儿的损伤：有急产史的产妇在预产期前 1～2 周不宜外出，有条件应提前 2 周住院待产。不应灌肠，左侧卧位休息，提前做好接生及新生儿窒息抢救准备工作。

2. 临产期护理：指导产妇不要向下屏气，宫缩过强给予宫缩抑制药，如硫酸镁或肾上腺素。无胎儿窘迫者可给予镇静药。经处理不能缓解，宫口未开全，胎先露部高或伴有胎儿宫内窘迫者选择剖宫产。

3. 分娩期的护理：分娩时尽可能做会阴侧切术，新生儿肌注维生素 K_1 10mg，预防颅内出血。

第二节　产道异常妇女的护理

（一）骨产道异常的临床表现

1. 骨盆入口平面狭窄：骨盆入口平面呈横扁圆形，常见于扁平骨盆。表现为继发性宫缩乏力、潜伏期和活跃期早期延长，临产后胎头衔接受阻、不能入盆，易致胎膜早破，或跨耻征阳性。分级如下。

（1）Ⅰ级（临界性狭窄）：骶耻外径 18cm，入口前后径<10cm。

（2）Ⅱ级（相对性狭窄）：骶耻外径 16.5～17.5cm，入口前后径 8.5～9.5cm。

（3）Ⅲ级（绝对性狭窄）：骶耻外径<16cm，入口前后径≤8cm。

2. 中骨盆及骨盆出口平面狭窄：状似漏斗，常见于漏斗骨盆，其特点为中骨盆及出口平面明显狭窄，耻骨弓角度小于 90°。表现为临产后先露入盆不困难，但胎头下降至中骨盆和出口平面时，常不能顺利转为枕前位，形成持续性枕横位或枕后位，产程进入活跃期晚期及第二产程后进展缓慢，甚至停滞。

3. 骨盆三个平面狭窄：为均小骨盆，多见于身材矮小、体型匀称的妇女。其特点是骨盆入口、中骨盆及骨盆出口平面径线均小于正常值 2cm 或更多。

（二）护理措施

1. 轻度头盆不称孕妇可试产，试产时间为 2～4 小时，试产的护理如下。

（1）一般不用镇静、镇痛药，少肛查，禁灌肠。

（2）专人守护，保证良好产力。

（3）严密监护，注意产程进展，检测宫缩和胎心率。

（4）中骨盆狭窄者，可用阴道助产术。

（5）骨盆出口狭窄者，如出口横径和后矢状经之和大于 15cm，可经阴分娩；如出口横径和后矢状经之和为 13～15cm，需阴道助产；如出口横径和后矢状经之和小于 13cm，行剖宫产术。

2. 预防产后出血和感染：胎儿娩出后，及时使用缩宫素和抗生素，每天冲洗会阴 2 次。

第三节　多胎妊娠妇女的护理

多胎妊娠是指一次妊娠同时有两个或两个以上的胎儿。双卵双胎是由两个精子与两个卵子受精而发育成的双胎。单卵双胎则是单卵受精后分裂形成的双胞胎。

（一）临床表现

妊娠期早孕反应较重。因子宫增大明显，使横膈抬高，引起呼吸困难；胃部受压、胀满，食欲下降。宫底高度大于正常孕周，腹部可触及两个胎头、多个肢体。

（二）辅助检查

B型超声检查可明确诊断。

（三）治疗原则

1. 妊娠期：加强孕期的管理，增加产前检查的次数，注意休息，加强营养，预防贫血、妊娠期高血压疾病的发生，防止早产、羊水过多、产前出血的发生。

2. 分娩期：密切观察产程进展和胎心变化。若双胎为双头位可行阴道自然分娩；非头位双胎以剖宫产为宜。

3. 产褥期：第二个胎儿娩出后立即肌内注射或静脉点滴催产素，以防止产后出血的发生，同时腹部放置沙袋，防止腹压骤降引起休克。

（四）护理措施

1. 一般护理

（1）加强营养：每日增加热量、蛋白质、铁剂、叶酸的补充。一般双胎妊娠期体重以增加16～18kg为宜。

（2）注意休息，尤其是妊娠最后3个月。防止跌倒，卧床时最好取左侧卧位，增加子宫、胎盘的血供，以减少早产的发生。

（3）增加孕期检查次数，密切监测血压、宫高、腹围和体重的变化。

2. 分娩期护理

（1）当孕妇出现分娩先兆时，应立即住院观察。

（2）指导产妇配合，宫缩时行呼吸运动以减轻疼痛。

（3）第一个胎儿娩出后，立即断脐，助手协助扶正第二个胎儿的胎位并固定，保持纵产式。

（4）第一个胎儿娩出后，子宫内容物减少，应注意是否有胎盘早期剥离的征象，导致大量出血，危及母亲及第二个胎儿的生命。

（5）为防止产后出血发生，第二个胎儿娩出后立即肌内或静脉注射催产素，腹部放置沙袋，防止腹压骤降引起休克。

（6）严密观察新生儿对外界的适应，如给予早产儿护理。

第四节　巨大胎儿妇女的护理

巨大胎儿指出生体重达到或超过4000g者。多见于父母身材高大；孕妇患轻型糖尿病；经产妇；过期妊娠等。

（一）临床表现

由于妊娠期子宫增大较快，妊娠后期孕妇可出现呼吸困难，自觉腹部及肋两侧胀痛等症状。常引起头盆不称、肩性难产、软产道损伤、新生儿产伤等不良后果。

（二）处理原则

（1）妊娠期间检查发现胎儿大或既往分娩巨大胎儿者，应检查孕妇有无糖尿病。如为糖尿病孕妇，应积极治疗，并于妊娠36周后，根据胎儿成熟度、胎盘功能检查及糖尿病控制情况，择期引产或行剖宫产。

（2）临产后，不宜长时间试产。估计胎儿体重大于4500g，产妇骨盆中等大小，以剖宫产终止妊娠为宜。

（3）如头盆不称，胎心好，则应行择期剖宫产。

（4）如胎先露部已达坐骨棘平面下3cm，第二产程延长时，可在会阴侧切后行胎头吸引术或产钳术。

第五节 胎位异常妇女的护理

一、临床表现

1. 持续性枕后位：临床表现为产程延长，尤其胎儿枕骨持续位于母体骨盆后方，直接压迫直肠，产妇自觉肛门坠胀及排便感，子宫颈口尚未开全时，过早用力屏气使用腹压，使产妇疲劳，宫颈前唇水肿，胎头水肿，影响产程进展。持续性枕后位常致第二产程延长。如阴道口虽已见到胎头，但历经多次宫缩屏气却不见胎头继续顺利下降时，应考虑持续性枕后位。

2. 臀先露：臀先露是最常见的胎位异常。宫底部可触到胎头；若未衔接，耻骨联合上方可触到胎臀，胎心在脐上方听得最清楚；衔接后，胎臀位于耻骨联合之下，胎心听诊以脐下最明显。肛门检查可触及胎臀、胎足、胎膝。

3. 肩先露：胎体横卧于宫腔，其纵轴与母体纵轴垂直为横产式，称横位，先露部为肩部称肩先露。 是对母儿最不利的胎位，临产后常出现宫缩乏力和胎膜早破。

4. 面先露：颏前位时，可引起子宫收缩乏力，产程延长；颏后位时可发生梗阻性难产。

5. 额先露：以前额为先露部位的指示点，表现为产程延长。

二、治疗原则

1. 临产前：妊娠 30 周后胎位仍异常者，应该根据情况予以矫治；如果矫治失败，应提前 1 周住院，以决定分娩方式。

2. 临产后：根据产妇和胎儿具体情况综合分析，以对产妇和胎儿造成最少的损伤为原则，采取阴道助产或剖宫产术。

【考点强化】

1. 关于协调性子宫收缩乏力，正确的是
   A. 不易引起产后出血
   B. 宫缩时极性、对称性正常，仅收缩力弱
   C. 多数产妇自觉腹痛
   D. 不宜静脉滴注催产素
   E. 容易发生胎儿窘迫

2. 遇可疑头盆不称的孕妇，进行试产的时间应是
   A. 2～4 小时　B. 3～5 小时
   C. 4～6 小时　D. 5～7 小时
   E. 6～8 小时

3. 初孕妇临产后胎头未入盆，首先应考虑
   A. 羊水过多　B. 腹壁松弛
   C. 脑积水　D. 头盆不称
   E. 宫缩乏力

4. 第一产程活跃期是指宫口扩张
   A. 0～3cm　B. 2～4cm
   C. 3～6cm　D. 3～9cm
   E. 3～10cm

5. 子宫收缩乏力的常见原因不包括
   A. 精神因素　B. 子宫因素
   C. 遗传因素　D. 内分泌因素
   E. 营养不良因素

6. 处理不协调子宫收缩乏力的首选措施是
   A. 行人工破膜　B. 温肥皂水灌肠
   C. 静脉补充能量　D. 肌注哌替啶 100mg
   E. 静点催产素加强宫缩

7. 子宫病理性收缩环是指
   A. 子宫上下段之间形成缩窄环并随宫缩逐渐上升
   B. 子宫某部肌肉呈不协调性收缩形成环状狭窄
   C. 子宫上下段之间形成环，但不随宫缩而上升
   D. 宫缩时硬，子宫松弛时软
   E. 常发生于妊娠期

8. 关于骨盆狭窄的诊断，哪项是错误的
   A. 入口前后径长<10cm 为骨盆入口狭窄
   B. 骨盆各经线比正常值小 1cm 为均小骨盆
   C. 坐骨棘间径 9cm 为中骨盆狭窄
   D. 耻骨弓<80°可能为骨盆出口狭窄
   E. 骨盆出口横径＋后矢状径＝15cm 属于正常范围

9. 初孕妇，妊娠足月。已临产 2 小时，枕右前，胎心好，宫口开大 4cm 入院。5 小时后再次肛诊宫口扩张无进展，本病例恰当的诊断是
   A. 潜伏期延长　B. 活跃期延长
   C. 活跃期停滞　D. 第二产程延长
   E. 第二产程停滞

10. 初孕妇，孕 38 周，估计胎儿 3800g，临产 10 小时入院，查宫底剑下 1 指，枕左前位，胎心好，宫缩强，宫口开大 4cm，胎头跨耻征（＋），应采取的处理是
   A. 等待自然分娩　B. 观察经过
   C. 剖宫产术　D. 催产素静点
   E. 三联注射

11. 初孕妇，足月，临产 5 小时入院。入院时

宫缩强，4 小时后转弱为 30 秒/(5～6) 分钟，胎心好，经催产素注射后子宫口开全顺利分娩，此分娩应属于

A. 潜伏期延长　B. 加速期延长
C. 活跃期延长　D. 第二产程延长
E. 正常的分娩经过

12. 臀先露衔接后，胎心听诊最清楚的部位是

A. 脐部下方　B. 脐部上方
C. 脐部左侧　D. 脐部右侧
E. 左下腹部

13. 初产妇，孕 39 周，宫口开全 2h 频频用力，未见胎头拔露。检查：宫底部为臀，腹部前方可触及胎儿小部分，未触及胎头。肛查：胎头已达坐骨棘下 2cm，矢状缝与骨盆前后径一致，大囟门在前方，诊断为

A. 持续性枕横位　B. 持续性枕后位
C. 骨盆入口轻度狭窄　D. 头盆不称
E. 原发性宫缩无力

14. 应用催产素中的注意事项正确的是

A. 专人守护，严密观察宫缩及胎心音
B. 用药后宫缩愈强效果愈好
C. 可用于不协调宫缩
D. 如出现胎儿窘迫，只要调整催产素的量即可
E. 滴速越快越好

(15～17 题共用病例)

初孕妇，足月，枕左前位，规律宫缩 17 小时，宫口开大 3cm，胎心 140 次/分，产妇一般情况好。宫缩 30 秒/ (10～15) 分钟，宫缩高峰时，子宫不硬，经详细检查无头盆不称。

15. 该产妇除有宫缩乏力外，还应诊断

A. 第二产程延长　B. 活跃期延长
C. 活跃期缩短　D. 潜伏期延长
E. 潜伏期缩短

16. 对该产妇正确的处理是

A. 剖宫产术　B. 胎头吸引术
C. 待其自然分娩　D. 催产素静脉点滴
E. 立即产钳结束分娩

17. 该产妇护理中不正确的是

A. 做好心理护理　B. 注意定时听胎心
C. 指导产妇 8～10 小时排尿 1 次
D. 严密观察产程进展
E. 鼓励产妇进食

(18～19 题共用备选答案)

A. 从规律宫缩开始，经 16 小时宫口扩张至 2cm
B. 初产妇宫口开全 2 小时尚未分娩
C. 宫口扩张 5cm 后 2 小时无进展
D. 宫口扩张 3cm 后 8 小时无进展
E. 宫口开全 1 小时，胎头下降无进展

18. 潜伏期延长

19. 第二产程停滞

【参考答案】

1. B　2. A　3. D　4. E　5. C
6. D　7. A　8. B　9. C　10. C
11. E　12. A　13. B　14. A　15. D
16. D　17. C　18. A　19. E

第九章　分娩期并发症妇女的护理

第一节　胎膜早破妇女的护理

(一) 概念

胎膜早破是指在临产前胎膜自然破裂。

(二) 临床表现

1. 症状：孕妇突感有较多液体自阴道流

出，继而少量间断性排出。当腹压增加时，羊水即流出。

2. 体征：肛诊时触不到羊膜囊，上推胎儿先露部可见到流液量增多。

（三）治疗要点

1. 积极预防感染：每天用 1%苯扎溴铵棉球擦洗会阴 2 次；保持外阴清洁干燥，勤换会阴垫；破膜 12 小时以上者应预防性应用抗生素。密观察产妇的生命体征，白细胞计数，了解感染的征象。

2. 积极预防脐带脱垂：绝对卧床，左侧卧位，抬高臀部。

（四）护理措施

1. 严密观察胎儿情况

（1）检测胎心和胎动。

（2）定时观察羊水颜色、气味、性状。

（3）有胎儿宫内缺氧的表现时，及时给予吸氧。

（4）孕期小于 35 周者，静滴地塞米松促进胎儿肺成熟；若孕龄＜37 周，已临产，或孕龄达 37 周，在破膜 12～18 小时后尚未临产者，均可采取措施，尽快结束分娩。

2. 终止妊娠：若有脐带先露或脐带脱垂应在数分钟内结束分娩。

第二节　产后出血妇女的护理

（一）概念

胎儿娩出后 24 小时内出血量超过 500ml 者为产后出血。在我国居产妇死亡原因的首位。

（二）病因

（1）子宫收缩乏力：是产后出血的最主要原因。全身因素包括产程时间过长或难产，临产后过多使用镇静剂、麻醉剂，产妇合并有急、慢性的全身性疾病。局部因素包括子宫过度膨胀，如多胎妊娠、羊水过多、巨大儿等，多产妇，子宫肌纤维发育不良，膀胱、直肠过度充盈。

（2）软产道裂伤：常因急产、子宫收缩过强、产程进展过快、胎儿过大、保护会阴不当、助产手术操作不当未做会阴侧切或因会阴侧切过小胎儿娩出时致软产道撕裂。

（3）胎盘因素：胎盘剥离不全、胎盘剥离后滞留、胎盘嵌顿、胎盘粘连、胎盘植入、胎盘和（或）胎膜残留。

（4）凝血功能障碍：妊娠合并凝血功能障碍性疾病，妊娠并发症导致凝血功能障碍。

（三）临床表现

1. 主要临床表现：阴道流血量过多；失血性休克表现为面色苍白、出冷汗、主诉口渴、心慌、头晕，脉细弱及血压下降。

2. 宫缩乏力性出血：有宫缩乏力表现，产程延长；血液不自凝；按摩子宫及使用缩宫药后阴道流血停止或减少；腹部检查时子宫轮廓不清，摸不到宫底，按摩子宫及使用缩宫药后子宫变硬。

3. 软产道裂伤性出血：血液鲜红能自凝；产妇会有尿频或肛门坠胀感，且有排尿疼痛；腹部检查时子宫轮廓清晰，宫缩较好。

（四）治疗要点

针对原因迅速止血，补充血容量，纠正失血性休克，防治感染。

（五）护理措施

1. 针对原因迅速止血

（1）因产后子宫收缩乏力造成的大出血，可以通过使用缩宫药、按摩子宫、宫腔内填塞纱布条或结扎血管等方法达到止血的目的。

① 按摩子宫

第一种方法：用一手置于产妇腹部，触摸子宫底部，拇指在子宫前壁，其余 4 指在子宫后壁，均匀而有节律地按摩子宫，促使子宫收缩。是最常用的方法。

第二种方法：一手在产妇耻骨联合上缘按压下腹中部，将子宫向上托起，另一手握住宫体，使其高出盆腔，在子宫底部有节律地按摩子宫，同时间断地用力挤压子宫，使积存在子宫腔内的血块及时排出。

第三种方法：一手在子宫体部按摩子宫体后壁，另一手握拳置于阴道前穹隆挤压子宫前壁，两手相对紧压子宫并按摩，不仅可刺激子宫收缩，还可压迫子宫内血窦，减少出血。

② 应用缩宫药。

③ 无菌纱布条填塞宫腔：适用于子宫全部松弛无力，虽经按摩及宫缩药等治疗仍无效者。填塞24小时后取出纱布条。

④ 结扎盆腔血管止血：主要用于子宫收缩乏力、前置胎盘等所致的严重产后出血的产妇。

(2) 软产道撕裂伤造成的大出血及时准确地修复缝合。

(3) 胎盘因素导致的大出血：及时将胎盘取出，并做好必要的刮宫准备。胎盘已剥离尚未娩出者，可协助胎盘娩出；胎盘部分剥离者，可以徒手伸入宫腔，协助胎盘剥离完全后，取出胎盘；胎盘部分残留者，可用大刮匙刮取残留组织；胎盘植入者，应及时做好子宫切除的准备；若为子宫狭窄环所致胎盘嵌顿，要先麻醉，待环松解后用手取出胎盘。

2. 预防产后出血

(1) 高危妊娠者，应及时治疗，并提前住院待产。

(2) 第一产程避免产妇衰竭状态，保证产妇的休息，防止产程延长。

(3) 第二产程严格执行无菌技术，指导产妇正确使用腹压，适时适度做会阴侧切，胎头、胎肩娩出要慢，胎肩娩出后立即肌注或静脉滴注缩宫素。

(4) 第三产程不可过早牵拉脐带或按摩、挤压子宫，待胎盘剥离征象出现后，及时协助胎盘娩出，并仔细检查胎盘、胎膜是否完整。

(5) 80%产后出血发生在产后2小时内，这段时间产妇需留在产房接受监护。

第三节　羊水栓塞妇女的护理

(一) 概念

羊水栓塞是指在分娩过程中羊水进入母体血循环引起肺栓塞、休克和发生弥散性血管内凝血（DIC）等一系列严重症状的综合征。

(二) 临床表现与并发症

1. 症状：突然发病，开始出现烦躁不安、寒战、恶心、呕吐、气急等先兆症状，继而出现呛咳、呼吸困难、发绀，迅速出现循环衰竭，进入休克或昏迷状态；可出现出血不止，血不凝，身体其他部位如皮肤、黏膜、胃肠道或肾脏出血。继之出现少尿、无尿等肾衰竭的表现。

2. 体征：肺部有湿啰音。全身皮肤黏膜有出血点及瘀斑；阴道出血不止；切口渗血不凝。

(三) 治疗要点

治疗原则是及时处理过敏和急性肺动脉高压所致低氧血症及呼吸循环功能衰竭状况，并积极预防DIC及肾功能衰竭。

(四) 护理措施

1. 羊水栓塞的预防：加强产前检查，注意诱发因素，及时发现前置胎盘、胎盘早剥等并发症并及时处理；严密观察产程进展，正确掌握催产素的使用方法，防止宫缩过强；严格掌握破膜时间，人工破膜宜在宫缩的间歇期，破口要小并注意控制羊水的流出速度；中期引产者，羊膜穿刺次数不应超过3次，钳刮时应先刺破胎膜，使羊水流出后再钳夹胎块。

2. 羊水栓塞患者的处理配合：一旦出现羊水栓塞的临床表现，应立即给予紧急处理。

(1) 最初阶段：首先是纠正缺氧，吸氧取半卧位；解除肺动脉高压；防止心衰；抗过敏；抗休克。

(2) DIC阶段应早期抗凝，补充凝血因子，应用肝素；晚期抗纤溶同时也补充凝血因子，防止大出血。

(3) 少尿或无尿阶段要及时应用利尿药，预防与治疗肾功能衰竭。

3. 产科处理：原则上应在产妇呼吸循环功能得到明显改善，并已纠正凝血功能障碍后再处理分娩。

(1) 在第一产程发病者应立即考虑行剖宫产结束分娩；在第二产程发病者可根据情况经阴道助产结束分娩。

(2) 中期妊娠钳刮术中或于羊膜腔穿刺时发生者应立即终止手术，进行抢救。

(3) 发生羊水栓塞时如正在滴注催产素者

应立即停止。

第四节　子宫破裂妇女的护理

子宫破裂是指妊娠晚期或分娩过程中子宫体部或子宫下段发生的破裂。是直接威胁产妇及胎儿生命的产科严重并发症。

一、病因

（1）梗阻性难产：骨盆狭窄，头盆不称，软产道阻塞，胎位异常，胎儿异常。

（2）子宫瘢痕：为较常见的原因。

（3）宫缩药使用不当。

（4）手术创伤。

二、临床表现

子宫破裂可分为先兆子宫破裂和子宫破裂两个阶段。典型的临床表现为病理缩复环、子宫压痛及血尿。

1. 先兆子宫破裂：先兆子宫破裂的四大主要临床表现是子宫形成病理性缩复环、下腹部压疼、胎心率改变及血尿出现。

2. 子宫破裂：产妇突感腹部撕裂剧烈疼痛，子宫收缩骤然停止，腹痛可暂时缓解。即出现面色苍白、出冷汗、脉搏细数、呼吸急促、血压下降等休克征象。全腹有压痛和反跳痛，可在腹壁下清楚地扪及胎体，胎动和胎心消失。

三、治疗原则

1. 先兆子宫破裂：立即采取措施抑制子宫收缩，尽早行剖宫产术，防止子宫破裂。

2. 子宫破裂：在抢救休克的同时，尽快手术治疗。术中、术后应用大剂量抗生素预防感染。

四、护理措施

1. 预防子宫破裂：加强产前检查；有剖宫产手术或子宫其他手术的孕妇，应在预产期前1～2周入院待产；严格掌握缩宫药的应用指征和方法。

2. 先兆子宫破裂患者的护理：

（1）密切观察产程进展，及时发现导致难产的诱因，注意胎心的变化。

（2）待产时，仔细观察子宫收缩，发现产妇下腹部压痛或腹部出现病理性缩复环时，立即报告医师并停止催产素引产和一切操作，同时测量产妇的生命体征，给予抑制宫缩，吸氧及做好剖宫产的术前准备。

3. 子宫破裂患者的护理

（1）迅速给予输液、输血，短时间内补足血容量；纠正酸中毒；积极进行抗休克处理。

（2）术中、术后应用大剂量抗生素预防感染。

（3）严密观察并记录生命体征、液体出入量。

（4）急查血红蛋白，评估出血量，并做好手术前准备。

【考点强化】

1. 胎膜早破是指

A. 胎膜在临产前破裂

B. 胎膜在潜伏期破裂

C. 胎膜破裂发生在活跃期

D. 胎膜破裂发生在第一产程末

E. 胎膜在第二产程破裂

2. 胎膜破裂时间超过多长时间应预防性应用抗生素

A. 12 小时　　B. 10 小时

C. 8 小时　　D. 6 小时

E. 4 小时

3. 有关产后出血的概念正确的是

A. 指胎儿娩出 24 小时内出血量超过 500ml

B. 指胎盘娩出后 24 小时内出血量超过 500ml

C. 指分娩 24 小时在产褥期内发生的大量出血

D. 多发生在产后 2 小时内

E. 最常见的原因是胎盘胎膜残留

4. 产后出血最常见的原因是

A. 胎盘滞留　　B. 胎盘植入

C. 凝血机制障碍

D. 子宫收缩乏力

E. 软产道损伤

5. 产后出血患者的护理措施不正确的是

A. 迅速建立静脉通道

B. 因宫缩乏力引起的出血应立即按摩子宫

C. 软产道裂伤者，及时准确修补缝合

D. 胎盘残留者应做子宫次全切除术

E. 凝血机制障碍者，及时查找原因，输血输液

6. 胎盘植入引起的产后出血，处理原则是

A. 徒手胎盘剥离

B. 子宫切除

C. 用刮匙刮取残留组织
D. 牵拉脐带，按压宫底协助胎盘排出
E. 等待胎盘自然排出

7. 初产妇，急产一男婴，体重4000g，胎盘娩出后半小时内出现较多量间歇性阴道出血，色红，宫底、宫颈及肌肉已注射催产素10U，再次查看胎盘完整，胎膜处见血管中断于胎膜边缘，出血原因最可能是
A. 胎盘剥离不全
B. 软产道裂伤
C. 胎盘残留
D. 产后宫缩乏力
E. 凝血功能障碍

8. 臀先露衔接后，胎心听诊最清楚的部位是
A. 脐部下方　　B. 脐部上方
C. 脐部左侧　　D. 脐部右侧
E. 左下腹部

9. 某产妇，妊娠38周，有胎膜早破，在试产过程中，突发寒战、恶心、呕吐和气急等症状，继而出现呛咳、呼吸困难和发绀，进入昏迷状态，继而皮肤上出现血斑。诊断考虑为
A. 胎盘早剥　　B. 胎膜早破
C. 羊水栓塞　　D. 先兆子宫破裂
E. 早产

10. 患者女性，24岁。初孕妇。妊娠38周，在临产过程中，出现烦躁不安，疼痛难忍，下腹部拒按，排尿困难。考虑的诊断是为
A. 妊娠合并急性阑尾炎
B. 先兆子宫破裂
C. 前置胎盘
D. 胎盘早剥
E. 先兆早产

（11～13题共用病例）

张某，女，30岁，孕1产0。停经35周，双胎妊娠，行会阴侧结束分娩，第2个胎儿娩出后，阴道出血较多，约500ml。检查见胎盘、胎膜完整，子宫时软时硬，轮廓不清，血色暗红，患者面色苍白，神志淡漠，血压90/60mmHg。

11. 该产妇出血的原因为
A. 子宫收缩乏力
B. 软产道损伤
C. 胎盘残留
D. 胎盘滞留
E. DIC

12. 为止血应首先采取哪项措施
A. 协助医生刮出残留胎盘
B. 缝合软产道
C. 按摩子宫同时注射缩宫素
D. 配合医生人工剥离胎盘
E. 遵医嘱给予抗凝药物

13. 以下护理措施不妥当的是
A. 密切观察阴道流血量
B. 遵医嘱做好全子宫切除术的准备
C. 及时建立静脉通路，补充血容量
D. 遵医嘱及时抽血、检查血常规、凝血功能
E. 做好产妇的心理护理

【参考答案】

1. A　2. A　3. A　4. D　5. D
6. B　7. C　8. A　9. C　10. B
11. A　12. C　13. B

第十章　产后并发症妇女的护理

第一节　产褥感染妇女的护理

（一）概念

（1）产褥感染是指分娩时及产褥期生殖道受病原体感染引起局部和全身的炎性变化。

（2）产褥病率是指分娩24小时以后至10天内用口表每天测量4次，体温有2次达到或超过38℃。产褥病率的主要原因是产褥感染。

（3）产褥感染与产褥病率的不同在于产褥病率还包括生殖道以外的其他感染。

（二）病因

1. 诱因：女性生殖系统的自然防御能力在妊娠期及分娩期降低；胎膜早破、产程延长、产道损伤、产后出血、羊膜腔感染、手术分娩或器械助产；产妇伴有贫血、慢性疾病、营养不良、体质弱；妊娠晚期性生活。

2. 病原体：产褥感染以混合感染多见。病原体以厌氧菌为主。常见的病原体有厌氧性链球菌、大肠杆菌、葡萄球菌等。

（三）临床表现

1. 外阴伤口感染：局部红肿、疼痛、压痛、硬结，有脓性分泌物。

2. 阴道、宫颈感染：黏膜充血、水肿、溃疡、分泌物增多并呈脓性。

3. 急性子宫内膜炎：子宫内膜充血、水肿、坏死，阴道内有脓性渗出物且有臭味。

4. 急性子宫肌炎：腹痛、恶露增多呈脓性，子宫压痛明显，子宫复旧不良。

5. 急性盆腔结缔组织炎、急性输卵管炎：持续高热、寒战，子宫复旧不良，单侧或双侧下腹部疼痛或压痛。严重者形成“冰冻骨盆”。

6. 急性盆腔腹膜炎及弥漫性腹膜炎：患者出现严重全身症状及腹膜炎症状和体征，可在子宫直肠凹陷形成局限性脓肿。

7. 血栓性静脉炎：患者多于产后1～2周继子宫内膜炎后出现反复发作寒战、高热，持续数周。病变多为单侧，多在股静脉、腘静脉及大隐静脉处。当髂总动脉或股静脉栓塞时，引起下肢水肿、皮肤发白和疼痛，称“股白肿”。

8. 脓毒血症及败血症：当感染血栓脱落进入血液循环可引起脓毒血症，出现肺、脑、肾脓肿或肺栓塞。当发生败血症时，可出现严重全身症状及感染性休克症状。

（四）治疗要点

评估病情严重程度，积极有效抗感染，纠正全身情况。

（五）护理措施

（1）卧床休息，采取半卧位或抬高床头，抬高患肢。

（2）保证充足休息和睡眠；给予高蛋白、高热量、高维生素饮食；保证足够的液体摄入。

（3）保持外阴清洁，及时更换会阴垫，每天冲洗会阴2次。

（4）床边隔离孕妇所有用品，操作时严格执行消毒隔离措施及无菌技术原则。

（5）出现高热、疼痛、呕吐时按症状进行护理。

（6）根据细菌培养和药敏试验选择抗生素，注意抗生素使用间隔时间，维持血药有效浓度。

（7）外阴伤口每天大小便后用高锰酸钾温水溶液擦洗，可用红外线照射。

第二节　晚期产后出血妇女的护理

（一）概念

分娩24小时后，在产褥期内发生的子宫大量出血，称晚期产后出血。以产后1～2周发病最常见。

（二）病因

（1）胎盘、胎膜残留。

（2）蜕膜残留。

（3）子宫胎盘附着面感染或子宫复旧不全。

（4）剖宫产术后子宫伤口裂开，多见于子宫下段剖宫产横切口两侧端。

（5）其他：产后子宫滋养细胞肿瘤、子宫黏膜下肌瘤等均可引起晚期产后出血。

（三）临床表现

1. 胎盘、胎膜残留：多发生于产后10天左右。表现为血性恶露持续时间延长，以后反复出血或突然大量流血。检查发现子宫复旧不全，宫口松弛，有时可触及残留组织。

2. 蜕膜残留：引起晚期产后出血，临床表现与胎盘残留不易鉴别，宫腔刮出物病理检查可见坏死蜕膜，但不见绒毛。

3. 子宫胎盘附着面感染或复旧不全：多发生在产后2周左右，表现为突然大量阴道流血，检查发现子宫大而软，宫口松弛，阴道及宫口有血块堵塞。

4. 剖宫产术后子宫伤口裂开：多发生在术后2～3周，出现大量阴道流血，甚至引起休克。

（四）治疗要点

（1）少量或中等量阴道流血：应给予足量广谱抗生素、子宫收缩药、支持疗法及中药治疗。

（2）疑有胎盘、胎膜、蜕膜残留或胎盘附着部位复旧不全者，应行刮宫术。

（3）剖宫产术后阴道流血，少量或中等量应住院给予抗生素并严密观察。阴道大量流血需积极抢救，此时刮宫手术应慎重。

【考点强化】

1. 产褥病率的主要原因是
A. 乳腺炎
B. 产褥感染
C. 泌尿道感染
D. 上呼吸道感染
E. 手术切口感染

2. 引起产褥感染最常见的病原菌是
A. 大肠杆菌
B. 产气荚膜杆菌
C. 厌氧性链球菌
D. 需氧性链球菌
E. 金黄色葡萄球菌

3. 产褥感染的诱因不包括
A. 胎膜早破　B. 妊娠期贫血
C. 产后出血　D. 前置胎盘
E. 妊娠晚期性生活

4. 有关产褥感染的处理，不正确的是
A. 根据细菌培养和药敏试验结果选用抗生素
B. 多饮水，增加营养，改善一般情况
C. 取半卧位以利引流
D. 禁用宫缩药，避免感染扩散
E. 红外线照射会阴部

5. 关于产褥感染的护理，下述哪一项不妥
A. 产妇出院后严格消毒所用卧具和用具
B. 进行床边隔离
C. 高热患者，可物理降温
D. 产妇取平卧位
E. 产妇体温达39℃时，应暂停哺乳

6. 晚期产后出血是指
A. 分娩12小时后，产褥期内发生的子宫大量出血
B. 分娩24小时后，产褥期内发生的子宫大量出血
C. 分娩48小时后，产褥期内发生的子宫大量出血
D. 分娩72小时后，产褥期内发生的子宫大量出血
E. 分娩1周以后，产褥期内发生的子宫大量出血

7. 晚期产后出血的病因、临床表现错误的是
A. 胎盘胎膜残留是阴道分娩最常见原因，多发生在产后10日左右
B. 子宫胎盘附着面感染或复旧不全，多发生在产后2周左右
C. 感染，常见子宫内膜炎症
D. 剖宫产后子宫伤口裂开
E. 晚期产后出血多发生在产后3～4周

8. 某产妇，28岁。胎膜早破，经阴分娩后第3天，体温37.5℃，下腹痛，宫底脐上1指，宫体软，恶露多，有臭味。最可能的诊断是
A. 子宫肌炎
B. 子宫内膜炎
C. 盆腔结缔组织炎
D. 急性输卵管炎
E. 弥漫性腹膜炎

9. 某产妇，26岁，因产后8日，发热、腹痛5日入院。体温39.2℃，血压90/55mmHg，急性痛苦病容。妇科检查：子宫如妊娠4个月大，触痛明显。子宫左侧触及拳头大小、有压痛的实性包块。本病例应诊断为
A. 急性子宫内膜炎
B. 急性子宫肌炎
C. 急性盆腔结缔组织炎
D. 弥漫性腹膜炎
E. 急性输卵管炎

【参考答案】

1. B　2. C　3. D　4. D　5. D
6. B　7. E　8. B　9. C

第十一章 女性生殖系统炎症患者的护理

第一节 外阴炎患者的护理

（一）女性生殖器官自然防御功能

（1）两侧大阴唇自然合拢遮掩阴道口、尿道口。

（2）盆底肌的作用使阴道口闭合，阴道前后壁紧贴。

（3）阴道自净作用：在雌激素作用下，阴道上皮增生变厚；阴道杆菌分解乳酸，维持阴道酸性环境。

（4）子宫内膜周期性剥脱。

（5）宫颈阴道部表面覆复层鳞状上皮。

（6）宫颈“黏液栓”堵塞子宫颈管，宫颈内口平时紧闭。

（7）输卵管黏膜上皮细胞的纤毛向宫腔方向摆动及输卵管的蠕动。

在月经期、妊娠期、分娩期及产褥期病原体容易侵入生殖道造成炎症。

（二）临床表现

（1）症状：外阴瘙痒、疼痛、灼热。

（2）体征：局部充血、肿胀、糜烂。

（三）治疗要点

去除病因，局部治疗，可用1：5000高锰酸钾溶液坐浴。

（四）护理措施

指导局部坐浴。

（1）溶液浓度：1：5000高锰酸钾溶液。

（2）溶液温度：40℃。

（3）坐浴时间：每天2次，每次20分钟，月经期停止坐浴。

（4）方法：坐浴时要使会阴部浸没于溶液中。

第二节 阴道炎患者的护理

一、滴虫阴道炎

（一）病因

由阴道毛滴虫引起。阴道毛滴虫适宜生长的环境为温度为25～40℃、pH5.2～6.6的潮湿环境。常于月经前后、妊娠期、产后引起滴虫阴道炎发作。

（二）临床表现

典型症状是阴道分泌物增加伴瘙痒，分泌物为稀薄泡沫状。

（三）辅助检查

首选阴道分泌物悬滴检查，症状典型而悬滴法未见滴虫者行培养法检查。

（四）治疗要点

1. 全身用药：口服甲硝唑，7天1疗程。妊娠期、哺乳期妇女慎用。

2. 局部用药：先用0.1%～0.5%醋酸液或1%乳酸溶液冲洗阴道，然后每晚将甲硝唑阴道泡腾片塞入阴道，7天为1疗程。

（五）护理措施

1. 预防：消灭传染源，禁止滴虫患者、带虫者进入游泳池，浴盆、浴巾要消毒；及时发现和治疗患者，患者内裤、用物应煮沸消毒5～10分钟以消灭病原体，避免交叉感染；治疗期间禁止性生活，勤换内裤。

2. 指导患者配合检查：取分泌物检查前24～48小时，避免性交及阴道灌洗、阴道上药；分泌物取出后及时送检并保暖。

3. 观察药物不良反应：口服甲硝唑可有食欲缺乏、恶心、呕吐、头痛、皮疹、白细胞减少等不良反应，出现后应停药。

4. 指导用药：哺乳期妇女在用药期间及用药后24小时内不宜哺乳，性伴侣应同时治疗。

5. 治愈标准：治疗后检查滴虫阴性，并每次月经后复查白带阴性，达到3次者为治愈。

二、外阴阴道假丝酵母菌病

（一）病因及发病机制

1. 病原体：多为白色假丝酵母菌。其生长适宜环境为酸性环境，不耐热。

2. 发病诱因：妊娠、糖尿病、大量雌激素治疗、长期应用抗生素、服用皮质类固醇激素、免疫缺陷综合征、穿紧身化纤内裤、肥胖。

（二）临床表现

1. 症状：外阴瘙痒、灼痛，严重时坐卧不宁。

2. 阴道分泌物：典型特点为干酪样白带或豆渣样白带。

（三）辅助检查

在光镜下检查见到白色假丝酵母菌芽胞和假菌丝可确诊。

（四）治疗要点

1. 消除诱因。

2. 局部用药：先用2%～4%碳酸氢钠冲洗阴道，再将制霉菌素栓剂、达克宁栓剂等药物置于阴道内。

3. 全身用药：适于病情较顽固或局部治疗效果差者，选伊曲康唑、氟康唑等。

（五）护理措施

对有症状的性伴侣进行检查和治疗。妊娠伴感染者禁用口服药物，坚持局部用药

三、细菌性阴道炎

细菌性阴道病是生育年龄妇女最常见的阴道感染，为阴道内菌群失调所致的一种混合感染，它的自然病史表现为自愈性或复发性。

（一）临床表现

1. 症状：10%～40%患者无任何症状，主要症状为白带增多并有难闻的臭味或鱼腥味。

2. 体征：白带为均匀一致的量较多的稀薄白带，阴道黏膜无红肿或充血等炎症表现。

（二）治疗原则

1. 全身用药：口服甲硝唑连续服药7天。

2. 局部用药：甲硝唑置于阴道内，连续7天。

3. 性伴侣治疗：适用于反复发作或难治性细菌性阴道病患者的性伴侣。

4. 妊娠妇女的治疗：对于有症状及无症状的孕妇都应给予口服甲硝唑治疗。

5. 无症状者：可不予治疗。

（三）护理措施

1. 指导阴道用药：在放药前，用酸性溶液灌洗阴道后再采取下蹲位将药片送入阴道后穹隆部。

2. 用药护理：指导患者配偶同时进行治疗；口服甲硝唑或替硝唑2g顿服，并告知患者口服上述药后需24小时或72小时禁酒，孕20周前禁用此药，服药期间及服药后6小时内不宜哺乳。

四、老年性阴道炎

1. 诱因：雌激素水平降低，阴道上皮萎缩，黏膜变薄，上皮细胞糖原减少，阴道pH值升高，阴道自净作用减弱，局部抵抗力降低等因素。

2. 临床表现：外阴瘙痒、灼热；白带增多，分泌物稀薄，呈淡黄色，伴严重感染时白带可呈脓性，有臭味。

3. 治疗要点

（1）增加阴道内酸度：用1%乳酸液或0.1%～0.5%醋酸液冲洗阴道，每天1次。冲

洗后阴道应用甲硝唑或诺氟沙星。

（2）增加阴道抵抗力：给予雌激素制剂。

第三节　子宫颈炎患者的护理

（一）病因

1. 慢性子宫颈炎病因：多于分娩、流产或手术损伤宫颈后，病原体侵入而引起感染。

2. 病原体：主要为葡萄球菌、链球菌、大肠埃希菌及厌氧菌。

（二）病理

1. 宫颈糜烂：为最常见的病理表现；糜烂边界与正常宫颈上皮界限清楚，糜烂面为完整的单层宫颈管柱状上皮覆盖。根据糜烂深浅程度分单纯型糜烂、颗粒型糜烂及乳突型糜烂；根据糜烂面的面积大小将宫颈糜烂分为轻度（糜烂面积小于宫颈面积的 1/3）、中度（糜烂面积占宫颈面积的 1/3～2/3）、重度（糜烂面积大于宫颈面积的 2/3）。

2. 其他病理表现：宫颈肥大、宫颈息肉、宫颈腺囊肿、宫颈黏膜炎（宫颈管炎）。

（三）临床表现

1. 症状：主要症状为阴道分泌物增多，有宫颈息肉时为血性分泌物或性交后出血，腰骶部疼痛，下坠痛。

2. 体征：宫颈有不同程度的糜烂、囊肿、肥大或息肉。

（四）治疗要点

慢性宫颈炎以局部治疗为主。

1. 物理治疗：是最常用的有效治疗方法。治疗时机是月经干净后 3～7 天之内。

2. 药物治疗：适宜于宫颈糜烂面小、炎症浸润较浅者。多用康妇特栓剂。

3. 手术疗法：有宫颈息肉者可手术摘除。

（五）护理措施

物理治疗的护理如下。

（1）治疗前需常规做宫颈刮片甚至活组织检查，排除早期宫颈癌。

（2）宫颈防癌涂片正常者方可治疗，且无同房史，无急性生殖器炎症。

（3）治疗时间选择在月经干净后 3～7 天。

（4）术后保持外阴清洁，每日清洗外阴 2 次，禁同房和盆浴 2 个月。

（5）嘱患者于手术后次日晨将阴道内尾纱取出。

（6）术后 10 天左右为局部脱痂期，应避免剧烈活动及搬运重物以免引起出血量过多。

（7）于术后 2 周、4 周、2 个月复查。

第四节　盆腔炎患者的护理

（一）急性盆腔炎

1. 病因

（1）经期卫生不良。

（2）流产后、产后感染。

（3）宫腔内手术操作后感染。

（4）邻近器官炎症蔓延。

（5）感染性传播疾病。

2. 临床表现：起病时下腹疼痛、发热；下腹部压痛、反跳痛、肌紧张；宫颈举痛。

3. 治疗要点：控制炎症，消除病灶。抗生素治疗是治疗急性盆腔炎的主要手段。抗生素应用要求达到足量，联合用药。

4. 护理措施：患者需卧床休息，取半卧位，以促进脓液局限，减少炎症扩散。禁止阴道冲洗，尽量避免阴道检查，以免炎症扩散。每 4 小时测量体温、脉搏和呼吸。为需要手术的患者做好术前准备、术后护理。

（二）慢性盆腔炎

1. 病因：慢性盆腔炎常因急性盆腔炎治疗不彻底、不及时或患者体质较弱、病程迁延而致。慢性盆腔炎病程长，症状可在月经期加重，机体抵抗力下降时反复发作。

2. 临床表现：全身症状多不明显，可有慢性盆腔痛；子宫常为后位、活动受限、粘连固定。

3. 护理措施：指导患者养成良好的卫生

习惯，经期不要盆浴、游泳、性交、过度劳累等，注意性生活卫生。指导患者遵医嘱用药，不中途停药，确保疗效。

【考点强化】

1. 有关女性生殖系统的自然防御功能，下列说法错误的是
   A. 大阴唇合拢，阴道前后壁紧贴
   B. 碱性黏液栓堵塞宫颈管，且宫颈内口紧闭
   C. 阴道口闭合，阴道前后壁紧贴
   D. 输卵管纤毛向伞端方向摆动和输卵管的蠕动
   E. 子宫内膜周期性剥脱
2. 未婚女青年滴虫阴道炎首选的治疗是
   A. 阴道内塞入乙酰胂胺
   B. 口服甲硝唑片
   C. 口服曲古霉素
   D. 阴道内塞入甲硝唑
   E. 阴道内塞入咪康唑
3. 滴虫阴道炎的传染方式不包括
   A. 性交传播　B. 公共浴池传播
   C. 宫腔内传播　D. 游泳池传播
   E. 不洁器械传播
4. 适宜阴道毛滴虫生长、繁殖的阴道pH值为
   A. 4.2～5.2　B. 5.2～6.6
   C. 6.6～7.6　D. 7.6～8.6
   E. 8.6～9.2
5. 阴道有大量稀薄泡沫状白带，最可能的疾病是
   A. 前庭大腺炎　B. 淋病
   C. 老年性阴道炎　D. 念珠菌性阴道炎
   E. 滴虫阴道炎
6. 关于滴虫阴道炎的治疗和护理不正确的是
   A. 最常用的药物是甲硝唑
   B. 指导患者保持外阴清洁，并注意避免重复感染
   C. 为提高疗效，局部用药前宜选用1%乳酸进行阴道冲洗
   D. 月经干净后复查白带，连续3次均阴性方称为治愈
   E. 已婚患者丈夫不需要同时治疗
7. 滴虫阴道炎的治愈标准为
   A. 月经干净后复查1次为阴性
   B. 每次月经干净后复查，连续2次为阴性
   C. 每次月经干净后复查，连续3次为阴性
   D. 每次月经干净后复查，连续4次为阴性
   E. 每次月经干净后复查，连续5次为阴性
8. 外阴阴道假丝酵母菌病的常见诱因是
   A. 妊娠
   B. 食用过咸、辛辣食物
   C. 长期服用抗生素
   D. 长期服用激素类药物
   E. 糖尿病、肥胖
9. 阴道有大量白色稠厚豆渣样白带，最可能的疾病是
   A. 念珠菌性阴道炎　B. 滴虫阴道炎
   C. 慢性宫颈炎　D. 子宫内膜炎
   E. 输卵管炎
10. 护理念珠菌性阴道炎患者时，采用碳酸氢钠溶液阴道灌洗时，适合的配置浓度为
    A. 4%　B. 5%
    C. 6%　D. 7%　E. 8%
11. 林女士因患滴虫阴道炎，准备用自助冲洗器灌洗阴道，护士应告知她醋酸冲洗液的浓度为
    A. 0.2%　B. 0.5%
    C. 1%　D. 1.5%　E. 2%
12. 老年性阴道炎进行阴道灌洗常用的药液是
    A. 1%乳酸　B. 2%～4%碳酸氢钠
    C. 0.1%苯扎溴铵　D. 0.1%呋喃西林
    E. 0.9%生理盐水
13. 关于老年性阴道炎的临床表现，下列说法错误的是
    A. 阴道分泌物增多
    B. 可出现血样脓性白带
    C. 外阴瘙痒
    D. 阴道黏膜菲薄充血
    E. 阴道黏膜上可见白色膜状物
14. 有关老年性阴道炎的说法不正确的是
    A. 常见于妇女绝经后
    B. 主要症状为稀薄、淡黄色白带增多，甚至点滴状出血
    C. 为提高疗效，宜选用2%～4%碳酸氢钠溶液进行阴道冲洗
    D. 指导患者阴道灌洗、上药的方法，应将药物置入阴道深部
    E. 指导患者保持外阴清洁、穿纯棉内裤，勤换洗，减少刺激
15. 下列哪项不是慢性宫颈炎的病因
    A. 分娩后　B. 流产后
    C. 肥胖
    D. 卫生不良、雌激素缺乏

E. 手术损伤宫颈后

16. 慢性宫颈炎的典型临床表现是

A. 外阴瘙痒　　B. 白带增多
C. 外阴疼痛　　D. 外阴灼热感
E. 外阴湿疹

17. 慢性子宫颈炎是生育年龄常见病，下列不属于慢性子宫颈炎病理表现的是

A. 子宫颈腺体囊肿　B. 子宫颈息肉
C. 子宫颈肥大　　D. 子宫颈糜烂
E. 子宫颈陈旧裂伤

18. 急性盆腔炎的病因不包括

A. 经期卫生不良
B. 产后、流产后感染
C. 宫腔内手术操作后感染
D. 邻近器官炎症蔓延
E. 内源性感染

19. 患者女性，38 岁，近 10 天来，白带增多并有鱼腥味。行妇科检查示白带稀薄，阴道黏膜无红肿或充血等炎症表现。应首先考虑

A. 慢性阴道炎　　B. 细菌性阴道炎
C. 外阴阴道念珠菌病
D. 滴虫阴道炎
E. 非特异性外阴瘙痒

20. 张某，女，35 岁。自诉白带增多 2 周。妇科检查发现宫颈外口有一约 1cm×1.5cm×1cm 大小的息肉，淡红色。最恰当的处理措施是

A. 经阴息肉摘除　B. 行宫颈锥切术
C. 行息肉摘除术并送病理
D. 局部用药
E. 行物理治疗

21. 辛某，女，20 岁，无业。因“阴道流血、腹痛 5 天，加重 1 天”来诊。体温 39.6℃，呼吸急促。自诉一周前曾自行药物流产，曾有妊娠组织排出，未行 B 超检查，该患者最可能发生了

A. 阑尾炎　　B. 急性盆腔炎
C. 右输卵管妊娠流产
D. 卵巢囊肿蒂扭转
E. 急性宫颈炎

22. 王某，女，41 岁。因外阴瘙痒被诊断为外阴炎，医生嘱其坐浴。作为门诊护士，为患者讲解坐浴的注意事项，不包括

A. 坐浴时将臀部和全部外阴浸入药液中
B. 水温不超过 40℃
C. 坐浴时间为 20 分钟
D. 坐浴溶液严格按比例配制
E. 月经期仍需坚持坐浴

23. 李某，女，29 岁，已婚。因急性骨髓炎，使用抗生素治疗 14 天，出现外阴瘙痒、白带增多。该患者最可能的诊断是

A. 滴虫阴道炎
B. 外阴阴道假丝酵母菌病
C. 慢性宫颈炎
D. 急性盆腔炎
E. 慢性盆腔炎

（24～27 题共用病例）

丁某，女，45 岁。下腹痛、白带增多 2 月，呈黏液状，性交后少量阴道流血。2 年前有急性宫颈炎病史。

24. 若妇检时发现宫颈糜烂，糜烂面积占全部宫颈面积的 2/3，应确诊为

A. 轻度糜烂　　B. 中度糜烂
C. 重度糜烂　　D. 宫颈管炎
E. 冰冻骨盆

25. 若经检查排除宫颈癌，则该患者最主要的治疗手段是

A. 静脉输液　　B. 中药治疗
C. 物理治疗　　D. 抗生素治疗
E. 宫颈锥切

26. 若拟为患者进行物理治疗，应告知患者进行治疗适宜的时间是

A. 月经干净后 1～3 天
B. 月经干净后 3～7 天
C. 月经干净后 7～9 天
D. 排卵期
E. 下次月经来潮前 7 天

27. 假设患者进行物理治疗结束，作为门诊护士，向患者宣教物理治疗注意事项，应除外

A. 告知患者物理治疗是治疗宫颈糜烂最常用、最有效的治疗方法
B. 术后常伴有分泌物增多，术后 1～2 周脱痂时可出现血水或少量流血
C. 指导患者保持外阴清洁，每天清洗外阴 2 次，必要时加用抗生素
D. 1 个月内禁止盆浴、性生活
E. 指导患者于两次月经干净后 3～7 天复查

（28～30 题共用备选答案）

A. 稀薄、泡沫样白带，伴外阴瘙痒

B. 干酪样、豆渣样白带，伴外阴奇痒
C. 黄水样或脓血性白带，常伴阴道黏膜萎缩
D. 乳白色黏液状或淡黄色脓性白带增多
E. 黄色、脓性白带，常伴急性尿道炎症状

28. 外阴阴道假丝酵母菌病
29. 老年性阴道炎
30. 滴虫阴道炎

【参考答案】

1. D 2. B 3. C 4. B 5. E
6. E 7. C 8. A 9. A 10. A
11. B 12. A 13. E 14. C 15. C
16. B 17. E 18. E 19. B 20. C
21. B 22. E 23. B 24. C 25. C
26. B 27. D 28. B 29. C 30. A

第十二章 月经失调患者的护理

第一节 功能失调性子宫出血患者的护理

（一）病因及发病机制

1. 无排卵性功血

（1）青春期：主要原因为下丘脑-垂体对雌激素的反应异常。

（2）围绝经期：卵巢功能减退，卵巢对促性激素敏感性降低，下丘脑-垂体对性激素的反应降低。

（3）育龄期：内外环境的刺激、肥胖、多卵巢综合征、高催乳素血症。

2. 排卵性功血：黄体功能不足或子宫内膜不规则脱落。

（二）临床表现

1. 无排卵性功血：不规则子宫出血为最常见症状，特点为月经周期紊乱，经期长短不一，出血量时多时少。

2. 有排卵性功血

（1）黄体功能不足：月经周期缩短，月经频发，可有不孕或在孕早期流产。

（2）子宫内膜不规则脱落：月经周期正常，经期延长，且出血量多，后几天为少量不断出血。

（三）辅助检查

1. 诊断性刮宫

（1）目的：为止血及明确子宫内膜病理诊断。

（2）确定排卵和黄体功能：于月经前3～7天或月经来潮12小时内进行刮宫。

（3）明确不规则子宫内膜脱落：于月经期5～6天刮宫。

（4）不规则流血者可随时刮宫。

2. 基础体温测定：是测定是否排卵简单易行的方法。

（1）无排卵：基础体温曲线呈单相型。

（2）有排卵：基础体温曲线呈双相型。

① 黄体发育不良：排卵后体温上升缓慢，上升幅度小，升高持续9～10天即下降。

② 黄体萎缩不全：体温下降缓慢。

3. 宫颈黏液结晶检查：经前出现羊齿植物叶状结晶者提示无排卵。

（四）治疗要点

1. 无排卵性功血

（1）治疗原则

① 青春期及生育期患者：止血、调整周期、促使卵巢功能恢复和排卵。

② 围绝经期患者：止血后调整周期、减少经量、防止子宫内膜病变。

(2) 止血：大出血患者要在激素治疗 8 小时内见效，24～48 小时内出血基本停止。

① 孕激素：适用于体内有一定水平的雌激素患者。

② 雌激素：主要用于青春期宫血者。

③ 联合用药：青春期宫血者为孕激素配小剂量的雌激素；围绝经期宫血者为孕激素配雌激素、雄激素。

(3) 调整月经周期

① 雌、孕激素序贯疗法（人工周期）：适用于青春期宫血，育龄期宫血内源性雌激素水平较低者。

② 雌激素、孕激素联合应用：适用育龄期宫血内源性雌激素水平较高者。

③ 后半周期疗法：适用于青春期宫血或围绝经期宫血。

(4) 促进排卵：适用于青春期宫血和育龄期宫血，尤其是不孕患者。可从根本上防止宫血复发。

(5) 刮宫术：最常用，为立即有效的止血措施，能明确诊断。

2. 排卵性功血

(1) 黄体功能不足：分别应用氯米芬、人绒毛膜促性腺激素和黄体酮。

(2) 子宫内膜不规则脱落：常用药物为孕激素和人绒毛膜促性腺激素。

(五) 护理措施

1. 一般护理

(1) 补充营养：多食高蛋白、高维生素及含铁量高的食物。

(2) 保证休息：卧床休息，睡眠充足。

(3) 预防感染：保持外阴清洁，勤换会阴垫和内裤，禁止坐浴，禁止性生活；严密观察与感染有关的征象，监测白细胞计数和分类。

(4) 给予心理支持。

2. 使用性激素注意事项

(1) 按时、按量服用，不可随意停服或漏服，否则会引起子宫出血。

(2) 血止后药物才可减量，每 3 天减量 1 次，每次减的量不可超过原剂量的 1/3，直至维持量。

(3) 维持量服用时间计算方法为停药后发生撤退性出血的时间与患者上次月经时间相对应。

(4) 嘱患者严格按照医嘱服药，其间有子宫出血要及时就诊。

第二节　痛经患者的护理

(一) 病因及发病机制

(1) 原发性痛经与月经时子宫内膜合成和释放前列腺素增加有关。

(2) 疼痛与子宫肌肉活动增强所导致的子宫张力增加和过度痉挛性收缩有关。

(二) 临床表现

原发性痛经的主要症状为月经期下腹疼痛，以胀坠痛为主，重者为痉挛性疼痛，多于 2～3 天后缓解。可伴有恶心、呕吐、腹泻、乏力、头晕，严重时有出冷汗、面色苍白、四肢厥冷。该病妇科检查时无异常发现

(三) 治疗要点

避免精神刺激或过度疲劳，以对症治疗为主，镇痛药物可选用布洛芬

(四) 护理措施

1. 健康教育

(1) 向患者介绍月经期保健知识。

(2) 为患者提供心理支持，重视精神心理护理，关心患者的不适，讲解月经期的生理反应和痛经的生理知识，疼痛剧烈者给予非麻醉性镇痛治疗。

(3) 指导患者合理休息与充足睡眠，鼓励摄取足够的营养。

2. 缓解疼痛

(1) 腹部热敷和进食热的饮料有助于缓解疼痛。

(2) 药物治疗：有效治疗原发性痛经的药物有口服避孕药和前列腺素合成酶抑制药；避孕药物治疗适用于要求避孕的痛经妇女；症状严重者

按医嘱给予镇痛药、解痉药，可配合中医药治疗。

(3) 生物反馈疗法。

第三节　子宫内膜异位症患者的护理

(一) 概述

当具有生长功能的子宫内膜组织出现在子宫腔被覆黏膜以外的身体其他部位时，称为子宫内膜异位症。异位子宫内膜多数位于盆腔内。最常见的被侵犯部位依次为卵巢、子宫直肠陷凹、阔韧带、宫骶韧带、直肠、乙状结肠、膀胱及输尿管。

(二) 病理改变

基本病理变化为异位子宫内膜随卵巢激素变化而发生周期性出血，从而导致周围纤维组织增生和粘连形成。

(三) 临床表现

1. 症状

(1) 典型症状是继发性渐进性痛经。

(2) 不孕、自然流产率增加、月经失调、性交痛。

2. 体征：典型体征为子宫后倾固定，子宫直肠陷凹、宫骶韧带触及痛性结节。

(四) 辅助检查

腹腔镜检查是目前诊断子宫内膜异位症的最佳方法。

(五) 护理措施

预防内容如下。

(1) 月经期避免剧烈运动、性交、妇科检查、盆腔手术。

(2) 避免多次的子宫腔手术操作。

(3) 禁止酗酒。

第四节　围绝经期综合征患者的护理

(一) 病因及发病机制

1. 内分泌因素：卵巢功能减退，雌激素水平下降。

2. 遗传因素和种族因素。

3. 神经递质：β-内啡肽及其自身抗体水平下降。

(二) 临床表现

(1) 月经改变：表现为月经频发、月经稀发、不规则子宫出血和闭经。

(2) 潮红、潮热为最常见、最典型的症状。

(3) 精神症状：主要为忧郁、焦虑、多疑等。

(4) 心血管症状：血压升高或血压波动；假性心绞痛。

(5) 泌尿生殖道症状：常有尿失禁、尿急、排尿困难；阴道干燥、性交痛。

(6) 骨质疏松。

(三) 治疗要点

1. 一般治疗：加强心理治疗，预防骨质疏松，对症治疗。

2. 雌激素替代治疗

(1) 适应证：适用于预防及控制围绝经期的各种症状及相关的骨质疏松和心血管疾病等。

(2) 禁忌证：妊娠、原因不明的子宫出血、肝胆疾病、乳腺癌、血栓性静脉炎等。

(3) 激素和剂量：主要药物为雌激素，常同时使用孕激素；剂量以采用最小有效量为佳。

(4) 给药途径：口服用药优点是血药浓度稳定，经阴道给药主要用于治疗下泌尿道、生殖道局部的低雌激素症状。还可经皮肤给药和肌内注射给药。

(5) 给药方案：序贯给药为在雌激素治疗的后半周期加用孕激素；联合给药为用雌激素、孕激素合剂。

【考点强化】

1. 功血最常发生的年龄段是

A. 青春期　　B. 生育期

C. 绝经前期　　D. 绝经以后

E. 老年期

2. 功血的临床表现不包括

A. 月经周期长短不一 B. 经期延长

C. 经量过多 D. 不规则阴道流血

E. 白带增多

3. 有关无排卵型功血，下述哪项是正确的

A. 常见于育龄妇女 B. 基础体温双相

C. 月经周期无一定规律性

D. 经期延长，淋漓不断

E. 经量少

4. 测定卵巢是否排卵最简单可行的方法是

A. B超检查 B. 诊断性刮宫

C. 激素测定 D. 体温

E. 基础体温测定

5. 下列关于功血的说法不正确的是

A. 无排卵性功血常见于青春期和围绝经期

B. 无排卵性功血的主要病因是缺乏孕激素

C. 大多数患者属无排卵性功血

D. 黄体功能不足主要表现为月经周期缩短，月经频发

E. 子宫内膜不规则脱落主要表现为月经周期延长，经期延长

6. 下列不属于功血患者支持疗法的内容是

A. 激素止血 B. 纠正贫血

C. 增加营养 D. 保证休息

E. 预防感染

7. 向功血患者介绍服用性激素的注意事项，下列不妥的是

A. 指导患者遵医嘱按时、按量服用

B. 介绍雌激素可能出现的副作用

C. 告知患者阴道流血减少后还需继续服用药物

D. 阴道流血停止后可随时停药

E. 阴道流血减少后需逐渐减量，不超过原剂量的1/3

8. 下列有关功血的处理原则，错误的是

A. 纠正贫血，预防感染

B. 已婚妇女可首选刮宫术止血

C. 雌激素适用于青春期功血

D. 孕激素适用于出血量少且淋漓不断者

E. 围绝经期功血治疗原则为止血、调整周期和促进排卵

9. 子宫内膜脱落不全患者诊刮取内膜活检的时间为

A. 月经干净后3天 B. 月经第14天

C. 月经第5～6天 D. 月经来潮6h内

E. 两次月经之间

10. 围绝经期的内分泌发生变化最早的是

A. 下丘脑功能衰退 B. 垂体功能衰退

C. 卵巢功能衰退 D. 雌激素分泌升高

E. 孕激素分泌增多

11. 绝经后期的表现应除外

A. 阴道黏膜变薄 B. 易导致膀胱炎

C. 性功能减退 D. 阴道分泌物增多

E. 生殖器官萎缩

12. 关于原发性痛经的说法错误的是

A. 多见于青少年

B. 妇科检查常有阳性体征发现

C. 主要症状是月经期下腹痛，在行经第1天最剧烈

D. 疼痛性质以坠胀痛为主，可伴有恶心、呕吐、腹泻等

E. 治疗以对症治疗为主，避免精神刺激和过度疲劳

13. 原发性闭经是指

A. 年龄已满14周岁，而月经尚未来潮

B. 年龄已满15周岁，而月经尚未来潮

C. 年龄已满16周岁，而月经尚未来潮

D. 年龄已满17周岁，而月经尚未来潮

E. 年龄已满18周岁，而月经尚未来潮

14. 下列为闭经患者提供的护理措施中不恰当的是

A. 向患者解释有关检查的意义，取得合作

B. 指导合理用药

C. 向患者讲述闭经的原因，澄清错误观念

D. 注意卧床休息，尽量避免到公共场所

E. 建立良好的护患关系，鼓励患者表达自己的情绪

15. 王某，女，48岁。自诉阵发性潮热、多汗、心慌，时有眩晕，每次持续5分钟左右自行缓解。近1年来月经紊乱，月经周期23～40天，经期2～3天。妇科检查：子宫稍小，双附件无明显异常。血常规各项指标均正常。作为责任护士，应向其宣教哪种疾病的知识

A. 无排卵性功血 B. 黄体萎缩不全

C. 黄体发育不全 D. 围绝经期综合征

E. 神经官能症

16. 产妇田某，女，29岁。产后8个月。自诉月经周期较前缩短，20～22天，经期正常。自测基础体温呈双相型，但体温上升

缓慢，高温相持续 7～8 天，该患者最可能的诊断是

A. 正常妊娠　B. 黄体萎缩不全
C. 黄体功能不足　D. 无排卵性功血
E. 不能确定

（17～19 题共用病例）

白某，女，45 岁，G_3P_1。既往月经规律，2 年来月经周期延长，为 2～4 个月，经期延长，为 3～15 天，经量较前增多。曾在门诊就医，服用性激素治疗，自诉效果不佳。妇科检查：子宫、双附件区均未见明显异常。血常规示：血红蛋白 88g/L。

17. 该患者最可能的诊断是

A. 无排卵性功血、贫血
B. 有排卵型功血、贫血
C. 围绝经期综合征、贫血
D. 子宫肌瘤、贫血
E. 子宫颈癌、贫血

18. 你认为该患者首选的止血措施是

A. 三合激素　B. 雌激素
C. 诊断性刮宫　D. 子宫切除术
E. 雄激素止血

19. 若患者经治疗后取子宫内膜病理检查，最可能的检查结果是

A. 月经期子宫内膜　B. 增生期子宫内膜
C. 分泌期子宫内膜　D. 萎缩型子宫内膜
E. 混合性子宫内膜

（20～23 题共用备选答案）

A. 基础体温单相型
B. 基础体温双相型
C. 基础体温双相，但下降缓慢
D. 体温上升缓慢且高温相持续时间短
E. 上述说法均不正确

20. 子宫内膜不规则脱落
21. 黄体功能不足
22. 无排卵性功血
23. 正常妇女体温

（24～26 题共用备选答案）

A. 多发于青春期和围绝经期，月经不规则
B. 月经期延长
C. 月经周期缩短
D. 月经中期有少量出血
E. 排卵正常，雌激素水平较高

24. 无排卵性功血主要表现
25. 黄体功能不全主要表现
26. 子宫内膜不规则脱落主要表现

【参考答案】

1. C　2. E　3. C　4. E　5. E
6. A　7. D　8. E　9. C　10. C
11. D　12. B　13. C　14. D　15. D
16. C　17. A　18. C　19. B　20. C
21. D　22. A　23. B　24. A　25. C
26. B

第十三章　妊娠滋养细胞疾病患者的护理

第一节　葡萄胎患者的护理

（一）概述

葡萄胎是一种良性滋养细胞疾病。可能与营养不良、病毒感染、种族因素、卵巢异常、细胞遗传异常及免疫功能异常等因素有关。

（二）病理改变

病理特点为滋养细胞呈不同程度的增生，

间质水肿呈水泡样，间质内血管消失。

（三）临床表现

1. 完全性葡萄胎表现

（1）停经后阴道流血为最常见的症状。

（2）子宫异常增大、变软：多为子宫大于或等于停经月份，并伴有 HCG 水平升高。

（3）妊娠呕吐及妊娠高血压症状：出现早，症状重。

（4）卵巢黄素化囊肿。

（5）阵发性下腹隐痛：由于葡萄胎增长迅速和子宫过度扩张所致。

（6）甲状腺功能亢进表现：心动过速、潮热和震颤。

（7）滋养细胞肺栓塞表现：急性呼吸窘迫、咯血。

2. 部分性葡萄胎表现

（1）有完全性葡萄胎表现的大多数症状，但程度轻。

（2）多为子宫小于停经月份。

（3）无卵巢黄素化囊肿。

（四）辅助检查

1. 绒毛膜促性腺激素（HCG）测定：处于高值或超过正常且持续不降。

2. 超声检查：是重要的辅助诊断方法，特点为增大的子宫区充满长形雪花状光片，无胎体。

3. 胎心测定：无胎心。

（五）治疗要点

一旦确诊，及时清除宫腔内容物。当发生黄素化囊肿扭转时应手术切除患侧卵巢，年龄超过 40 岁的患者，可直接切除子宫、保留附件。对于具有恶变倾向的葡萄胎患者选择性地采取预防性化疗。

（六）护理措施

1. 心理护理：评估患者心理承受能力，确定其主要心理问题；向患者讲解疾病知识，说明尽快手术的必要性，告诉患者治愈 2 年后可正常生育。

2. 观察病情：严密观察患者腹痛、阴道流血情况、生命体征变化。

3. 清宫术的护理：术前配血备用，建立静脉通路，准备好催产素和抢救物品；术前患者排空膀胱；充分扩张子宫颈管，选用大号吸管，术后将刮出组织送病理检查；子宫大于 12 周者，需两次刮宫，间隔 1 周，两次刮出物均要送检；术中防止出血性休克发生，同时注意观察阴道出血及腹痛情况。

4. 健康教育：保持外阴清洁，每天清洗外阴，术后禁止性生活及盆浴 1 个月；进高蛋白、高维生素、易消化饮食；保证充足睡眠。

5. 随诊：葡萄胎清宫术后每周查血或尿 HCG 1 次，直至降到正常水平，以后 3 个月内仍每周检查 1 次，如持续阴性，改为每月 1 次持续半年，第 2 年起每半年检查 1 次，共随访 2 年。随访时注意月经情况和有关疾病症状，定时做妇科检查、盆腔 B 超和 X 线胸片检查；随访期间严格避孕 1 年，首选避孕套，一般不选功能节育器。

第二节　侵蚀性葡萄胎和绒毛膜癌患者的护理

一、概述

1. 侵蚀性葡萄胎：指病变侵入子宫肌层或转移至近处或远处器官。最常见的转移部位是肺，其次是阴道、宫旁，脑转移较少见，但为主要死亡原因。

2. 绒毛膜癌：是一种高度恶性的滋养细胞肿瘤。通过血液转移，最常见的转移部位依次为肺、阴道、脑及肝等。

二、病理改变

1. 侵蚀性葡萄胎：子宫肌层滋养细胞不同程度增生，有出血和坏死，仍有绒毛结构。

2. 绒毛膜癌：子宫肌层滋养细胞极度不规则增生，有大量出血和坏死，绒毛结构消失。

三、临床表现

1. 原发灶表现

（1）流产、足月产或葡萄胎清除后出现阴道不规则流血。

（2）葡萄胎排空后 4～6 周子宫未恢复正常大小或不均匀增大。

（3）卵巢黄素化囊肿可持续存在。

（4）肿瘤穿破子宫或黄素化囊肿扭转等可引起急性腹痛。

（5）有假孕症状。

2. 转移灶症状

（1）肺转移：咳嗽、咯血、胸痛及呼吸困难。

（2）阴道、宫颈转移：转移灶位于阴道前壁，为紫蓝色结节，破溃后可发生阴道大出血。

（3）肝转移：上腹痛、肝区疼痛。

（4）脑转移：为主要死亡原因，分为脑栓期（一过性脑缺血症状）、脑瘤期（头痛、喷射性呕吐、偏瘫等）、脑疝期。

四、辅助检查

1. 测定绒毛膜促性腺激素（HCG）：血、尿 HCG 持续高水平或下降后又上升。

2. 超声检查：子宫肌层见高回声团，边界清，无包膜。

3. 组织学检查：子宫肌层或子宫外转移灶中见到绒毛或退化的绒毛则为侵蚀性葡萄胎；如仅见滋养细胞，无绒毛结构，则诊断为绒毛膜癌。

4. 影像学检查：X 线摄片检查可发现肺转移病灶；CT 可用于发现脑转移病灶及早期肺转移病灶；MRI 可用于脑转移的诊断。

五、治疗要点

治疗以化疗为主，手术和放疗为辅。未生育者尽量不切除子宫，如切除子宫，尽量保留卵巢；术前先化疗，有肝、脑转移者可加用放疗。

六、护理措施

（一）转移患者的护理

1. 阴道转移患者的护理

（1）禁止不必要的检查、窥阴器检查、阴道冲洗。

（2）尽量卧床休息，活动时勿用力过猛过重，减少一切增加腹压的因素，保持大便通畅。

（3）密切观察阴道有无破溃出血。

（4）配血备用，准备好大出血抢救的各种物品。

（5）溃破大出血时，用长纱条填塞阴道压迫止血，填塞的纱布条于24～48小时内取出，取出前做好输液、输血及抢救准备，出血未止时可再次填塞。严密观察出血情况及生命体征，保持外阴清洁，应用抗生素预防感染。

2. 肺转移患者的护理

（1）卧床休息，呼吸困难者取半坐卧位并吸氧。

（2）大咯血者取头低患侧卧位。

（3）观察患者有无咳嗽、咯血、胸闷、胸痛等症状。

（4）遵医嘱给予镇静药物及化疗药物。

3. 脑转移抽搐患者的护理

（1）抽搐发生时应立即用开口器，以防舌咬伤。

（2）保持呼吸道通畅，定时吸痰。

（3）抽搐后，患者去枕平卧，头偏向一侧。

（二）化疗患者的护理

1. 常用药物的种类

（1）烷化剂：为细胞周期非特异性药物。常用药物有抗瘤新芥、消瘤芥。

（2）抗代谢药物：为细胞周期特异性药物，干扰核酸代谢。常用药物有甲氨蝶呤、5-氟尿嘧啶。

（3）抗肿瘤抗生素：为细胞周期非特异性药物。常用药物有放线菌素 D。

（4）抗肿瘤植物药：常用药物有长春碱、长春新碱、紫杉醇。长春碱类属细胞周期特异性药物。

（5）其他：如顺铂。

2. 化疗药物的作用机制

（1）影响脱氧核糖核酸（DNA）的合成。

（2）直接干扰核糖核酸（RNA）的复制。

（3）干扰转录，抑制信使核糖核酸（mRNA）的合成。

（4）阻止纺锤丝的形成。

（5）阻止蛋白质的合成。

3. 常见的化疗副反应

（1）抑制造血系统功能：主要表现为外周血白细胞及血小板计数减少。

（2）消化系统损害：最常见为恶心、呕吐；其他表现有腹泻、便秘、消化道溃疡。

（3）神经系统损害：长春新碱可引起指（趾）端麻木、复视。

（4）药物中毒性肝炎：表现为血转氨酶升高。

（5）泌尿系统损害：环磷酰胺可引起出血性膀胱炎。多数化疗药物均可导致肾衰竭。

（6）皮疹：最常见于应用甲氨蝶呤后。

（7）脱发：最常见于应用更生霉素后。

(8) 其他：阿霉素、紫杉醇等药物可造成心功能损伤。平阳霉素、足叶乙苷等药物可造成肺功能损伤，过量使用可出现肺纤维化。

4. 化疗前准备：准确测量体重，在每个疗程的用药前和用药中各测量1次。应在早上空腹、排空大小便后测量，测量时只穿贴身衣裤，不穿鞋，由护士测量，必要时需二人核对。

5. 化疗中的护理

(1) 根据医嘱严格三查七对，正确溶解和稀释药物，并做到现配现用，常温下不超过1小时。

(2) 联合用药时要根据药物性质排出先后顺序，更生霉素、顺铂使用时要避光。

(3) 合理使用静脉血管并注意保护

① 穿刺应从远端开始，有计划地使用血管。

② 用药前先注入少量生理盐水，以确认针头在静脉内。

③ 药物外渗时立即停止滴入并局部冷敷并局部封闭。

④ 用药中要按医嘱调整滴速。

⑤ 化疗结束前用生理盐水冲管。

(4) 加强巡视，保证化疗药物准确、按时输入。

【考点强化】

1. 葡萄胎患者最常见的临床表现是
A. 停经后阴道流血
B. 子宫异常增大、变软
C. 妊娠剧吐及妊高征
D. 腹痛
E. 卵巢黄素化囊肿

2. 关于葡萄胎的处理不正确的是
A. 葡萄胎一经确诊，应迅速清宫
B. 清宫后均需常规预防性化疗
C. 清宫术后保持外阴清洁，禁止性生活1个月
D. 清宫术后应避孕1年，宜选用阴茎套避孕
E. 清宫术后至少需随访2年

3. 葡萄胎患者治愈后的随访时间为
A. 3个月　　B. 6个月
C. 1年　　D. 2年
E. 5年

4. 侵蚀性葡萄胎常发生于
A. 葡萄胎清宫后　　B. 人工流产后
C. 足月分娩后　　D. 异位妊娠后
E. 早产后

5. 侵蚀性葡萄胎和绒毛膜癌常见的转移部位不包括
A. 肺部　　B. 肝
C. 阴道　　D. 骨骼　　E. 脑

6. 随访葡萄胎患者时必须进行的常用检查方法是
A. 阴道脱落细胞涂片检查
B. 测尿中的HCG值
C. B型超声检查有无胎囊
D. 多普勒超声检查听取胎心
E. CT检查脑转移情况

7. 葡萄胎确诊后首选的处理方法是
A. 化疗　　B. 清宫
C. 抗生素控制感染　　D. 止血　　E. 放疗

8. 侵蚀性葡萄胎患者的处理原则为
A. 进行放疗　　B. 同位素治疗
C. 子宫切除　　D. 以化疗为主
E. 子宫及附件切除

9. 关于侵蚀性葡萄胎与绒毛膜癌的鉴别要点，最重要的是
A. 尿中HCG高者为绒毛膜癌
B. 有肺转移者为绒毛膜癌
C. 继发足月产者为绒毛膜癌
D. 症状严重者为绒毛膜癌
E. 镜下见不到绒毛结构者为绒毛膜癌

10. 下列哪项不是绒毛膜癌的病因
A. 自然分娩　　B. 自然流产
C. 妊高征　　D. 葡萄胎
E. 异位妊娠

11. 绒毛膜癌治愈，随访观察年限至少为
A. 1年　　B. 2年
C. 3年　　D. 4年　　E. 5年

12. 化疗的注意事项不正确的是
A. 为保证穿刺效果，防止药液外渗，应选择较粗血管
B. 准确调节滴液速度，控制滴速不宜过快
C. 妥善固定，以防药液外渗
D. 严格三查七对，正确溶解和稀释药物
E. 化疗开始前称体重，以便准确计算药物剂量

13. 对妇科化疗患者的护理措施中，下列正确的是
A. 化疗病室定期消毒，室温在24℃左右
B. 化疗患者住院后常规探视

C. 化疗前测体重，以后每天测量一次，以便调整用药剂量

D. 常温下从药物配制到使用，不超过1h

E. 静脉注射若药物漏出，用温水热敷

14. 田某，女，36岁。因葡萄胎行清宫术，下列术后随访内容中，不包括

A. β-HCG测定　B. 妇科盆腔检查

C. 阴道脱落细胞学检查

D. B超检查　E. 胸片

15. 林某，女，40岁。阴道不规则出血2月，咳嗽、痰中带血7天，头痛2天，今晨突然昏倒。胸片示左下肺有圆球状阴影，β-HCG阳性，$G_3P_1A_2$，末次妊娠时间为3年前。最可能的诊断是

A. 侵蚀性葡萄胎　B. 葡萄胎

C. 绒癌脑转移、肺转移

D. 肺癌脑转移

E. 脑血管意外，脑出血

（16～18题共用病例）

王某，女，25岁。因侵蚀性葡萄胎行化疗，化疗第3天，恶心、呕吐，呕吐物初为胃内容物，继而变为淡黄色黏液。复查白细胞为$3.1 \times 10^9/L$。

16. 目前的处理哪项不妥

A. 禁止探视，并给予特级护理

B. 对症处理，缓解患者不适

C. 检查有无水电解质失衡，及时纠正

D. 升高白细胞，提高患者耐受力

E. 做好患者的心理调适

17. 预防感染的措施不正确的是

A. 严格无菌操作，遵医嘱给予抗生素

B. 保持会阴清洁，预防上呼吸道感染

C. 保持病室清洁，减少探视

D. 提高饮食质量并立即停止化疗

E. 密切观察白细胞和血小板变化

18. 该患者的护理措施哪项不妥

A. 告知患者消化道反应非常常见，不必处理

B. 指导患者用软毛刷刷牙，进食前后用盐水或呋喃西林溶液漱口

C. 鼓励患者多饮水，同时注意观察呕吐物的颜色和形状

D. 为患者提供清淡、营养丰富易消化饮食，创造良好就餐环境

E. 给予止吐剂，并合理安排用药时间，必要时静脉补液

（19～21题共用备选答案）

A. 停经后不规则阴道流血

B. 葡萄胎清宫后半年内阴道流血

C. 葡萄胎清宫后一年以上阴道流血

D. 腹痛　E. 腹部包块

19. 葡萄胎

20. 侵蚀性葡萄胎

21. 绒癌

【参考答案】

1. A　2. B　3. D　4. A　5. D
6. B　7. B　8. D　9. E　10. C
11. C　12. A　13. D　14. C　15. C
16. A　17. D　18. A　19. A　20. B
21. C

第十四章　女性生殖系统肿瘤患者的护理

第一节　子宫肌瘤患者的护理

子宫肌瘤是女性生殖系统中最常见的良性肿瘤。多见于育龄妇女。

（一）病因、病理

（1）子宫肌瘤的发生和生长可能与雌激素长期刺激有关。

（2）子宫肌瘤为球形实质性肿瘤，表面有一层由子宫肌层受肌瘤压迫而形成的假包膜。

（3）按肌瘤生长部位分为宫体肌瘤（95%）和宫颈肌瘤。按肌瘤与子宫肌层的关系分肌壁间肌瘤（最常见）、浆膜下肌瘤、黏膜下肌瘤。

（二）临床表现

（1）月经改变：为最常见症状，表现为月经周期缩短、经期延长、经量增多、不规则阴道流血等。黏膜下肌瘤常表现为月经过多。

（2）腹部肿块。

（3）白带增多：肌壁间肌瘤致白带增多。

（4）腹痛、腰酸、下腹坠胀：肌瘤压迫盆腔器官、血管、神经时出现；当浆膜下肌瘤发生蒂扭转时出现急性腹痛。肌瘤红色变性时，腹痛剧烈且伴发热。

（5）较大的肌瘤可压迫邻近器官引起相应症状。

（6）不孕、贫血。

（三）治疗要点

（1）非手术治疗：适用于子宫小于2个月妊娠大小，症状不明显者。常用药物为雄激素。

（2）手术治疗：年轻希望生育者可行肌瘤切除术；子宫大于2.5个月妊娠子宫大小，临床症状明显者可行子宫切除术。

（四）护理措施

（1）心理护理：帮助患者及家属正确认识疾病。

（2）营养支持：指导患者进食高蛋白、高热量、高维生素、易消化的食物。

（3）阴道出血多者应住院观察和治疗，并严密观察生命体征变化。

（4）注意观察腹部肿块大小和症状。

（5）出院指导：非手术治疗的患者出院后，指导患者坚持按时药物治疗，嘱患者按时随访，应加强营养，适当活动，月经期间应多休息，避免疲劳。全子宫切除的患者术后可有少量暗红色阴道流血且逐渐减少，若术后7～8天出现阴道流血，多为阴道残端肠线吸收所致，出血量不多者暂观察，出血较多者可以明胶海绵压迫止血或缝合残端。术后1个月应到医院随访，检查伤口愈合情况。

第二节　子宫颈癌患者的护理

（一）病因

（1）早婚、早育、孕产频繁、慢性宫颈炎症。

（2）单纯疱疹病毒Ⅱ型、人乳头瘤病毒、巨细胞病毒的感染。

（3）配偶为高危男子，与高危男性有性接触。高危男子是指有阴茎癌、前列腺癌或前妻患有宫颈癌者。

（4）宫颈癌发病情况与经济情况、种族及地理环境等因素有关。

（二）病理变化

（1）子宫颈癌病变多发生在宫颈外口的原始鳞-柱交接部与生理性鳞-柱交接部间所形成的移行带区。宫颈不典型增生及宫颈原位癌称为子宫颈癌的癌前病变。

（2）以直接蔓延和淋巴转移为主，血行转移少见。

（三）临床表现

1. 症状：早期宫颈癌常无症状，有症状者主要表现如下。

（1）阴道流血：早期为性交后或妇科检查后接触性出血。

（2）阴道排液：早期为白色或血色，稀薄如水或米泔样，有腥臭味。晚期可有大量脓性或米汤样恶臭白带。

（3）晚期症状：可出现腰骶部或坐骨神经疼痛；可因静脉、淋巴回流受阻致下肢肿痛、输尿管积水、尿毒症。

2. 体征：外生型癌可见向外突出的赘生物，触之易出血。内生型癌则表现为宫颈肥大、质硬，宫颈管膨大如桶状，宫颈表面光滑或有浅表溃疡。

（四）辅助检查

1. 宫颈刮片细胞学检查：为普查常用的方法。

2. 宫颈和宫颈管活组织检查：是确定宫颈癌前病变和宫颈癌的最可靠方法。

（五）治疗要点

1. 手术治疗：适用于Ⅰa～Ⅱa期患者。

2. 放射治疗：适用于各期患者，早期腔内放射为主，晚期外照射为主。

3. 化学药物治疗：适用于晚期或复发转移的患者。

（六）护理措施

1. 协助术后康复：保持各种管道通畅，观察引流液性状及量；术后48～72小时拔除引流管；术后7～14天拔除导尿管；指导患者床上活动。

2. 随访：第1年内，出院后的第1个月进行第1次随访，以后每2～3个月复查1次。第2年，每3～6个月复查1次。3～5年后，每半年复查1次。从第6年开始每年复查1次。出现不适症状应立即就诊。随访内容包括术后检查、血常规检查和胸部X线检查。

3. 预防：30岁以上妇女门诊就医时，常规宫颈刮片检查，一般妇女每1～2年普查1次。

第三节　子宫内膜癌患者的护理

子宫内膜癌发生于子宫内膜层，以腺癌为主，多见于老年妇女。

（一）病因、病理

(1) 病因：与子宫内膜过度增生有关；未婚、少育、未育或家族中有癌症史的妇女，肥胖、高血压、绝经延迟、糖尿病及其他心血管疾病患者发生子宫内膜癌的机会增多。

(2) 病理：病变多发生在子宫底部的子宫内膜，以两侧子宫角附近最多见。淋巴转移为主要转移途径。

（二）临床表现

(1) 不规则阴道流血为最常见。

(2) 阴道排液：早期为浆液性或浆液血性白带，晚期合并感染则为脓性或脓血性白带，有恶臭。

(3) 疼痛：晚期癌肿压迫神经引起下腹部和腰骶部疼痛，并向下肢及足部放射。癌肿堵塞宫颈管引起宫腔积脓时，可出现下腹部胀痛和痉挛性疼痛。

(4) 体征：子宫增大，质稍软。

（三）辅助检查

分段诊断性刮宫是早期诊断子宫内膜癌最常用的刮去子宫内膜的方法，其病理检查结果是确诊子宫内膜癌的依据。

（四）治疗要点

手术治疗为首选方案，尤其适用于早期患者。

（五）护理措施

(1) 心理护理：提供疾病知识，缓解焦虑。

(2) 协助患者配合治疗：术后6～7天时，阴道残端缝合线吸收或感染可导致残端出血，患者应减少活动，严密观察出血情况。孕激素治疗剂量较大，8～12周才能评价疗效，患者要有耐心。盆腔内放疗者，在置入放射源期间绝对卧床，事先灌肠并留置导尿管。

(3) 健康教育：中年妇女应每年妇科检查1次；严格掌握雌激素的使用指征，指导用药后的自我监护方法及随访措施；对围绝经期月经紊乱或阴道不规则流血者，或绝经后出现阴道流血者应早诊断、早治疗。

(4) 随访：术后2年内，每3～6个月随访1次；术后3～5年，每6～12个月随访1次；患者有不适感觉，应及时就诊检查。

第四节　卵巢肿瘤患者的护理

（一）概述

卵巢恶性肿瘤病死率为妇科恶性肿瘤之首。发病与遗传和家族因素、高胆固醇饮食、环境因素及内分泌因素有关。

（二）病理

1. 卵巢上皮性肿瘤：最常见，发病年龄多为30～60岁。

2. 卵巢浆液性肿瘤

（1）浆液性囊腺瘤：多为单侧，囊内充满淡黄色清澈液体。

（2）浆液性囊腺癌：为最常见卵巢恶性肿瘤。肿瘤多为双侧，体积较大，囊液浑浊，生长迅速，预后差。

（3）黏液性囊腺瘤：为人体中生长最大的肿瘤，囊液呈胶冻样。

（4）黏液性囊腺癌：癌肿多见于单侧卵巢，瘤体较大，灰白色，常伴出血和坏死灶。

3. 卵巢生殖细胞肿瘤

（1）成熟畸胎瘤：是最常见的卵巢良性肿瘤。多为囊性。

（2）未成熟畸胎瘤：为恶性肿瘤，多见于20岁以前。常为单侧实性，体积较大。

（3）无性细胞瘤：中度恶性，好发于20～30岁女性。

（4）内胚窦癌：是高度恶性肿瘤，多见于儿童及青年妇女，甲胎蛋白（AFP）可作为诊断和监测肿瘤消长的重要指标。

4. 卵巢性激素间质肿瘤

（1）颗粒细胞瘤：为低度恶性肿瘤，多发于45～55岁妇女，多数患者以性激素分泌紊乱为首发症状。

（2）卵泡膜细胞瘤：为良性肿瘤。肿瘤能分泌雌激素，故有女性化作用。

（三）临床表现

1. 症状：良性卵巢肿瘤发展缓慢，早期肿瘤小，多无症状，常不被患者发觉。当肿瘤增大至中等大小时，患者感腹胀，可扪及肿块。肿瘤继续增大可占满盆腔出现压迫症状，如尿频、便秘、气急、心悸等。恶性卵巢肿瘤晚期时可有腹痛、腰痛或下腹疼痛，有明显消瘦、贫血、水肿、衰竭等恶病质表现。

2. 体征：子宫一侧或两侧的卵巢囊性、实质性或半实性包块，表面光滑，活动或固定不动。

（四）并发症

1. 蒂扭转：是妇科常见急症，表现为一侧下腹痛加剧，或一侧下腹腹痛伴恶心、呕吐甚至休克。

2. 破裂：破裂时患者可有轻度或剧烈腹痛、恶心、呕吐、出血性休克和腹膜炎。

3. 感染：较少见，表现为高热、腹痛、肿块、腹部压痛、腹肌紧张及白细胞计数升高等腹膜炎征象。

（五）治疗要点

首选手术治疗。恶性肿瘤还要辅以化疗、放疗。

（六）护理措施

（1）提供支持，协助患者应对各种压力。

（2）协助患者接受各种检查和治疗：放腹水者，备好用品，操作中注意观察患者生命体征，一次放腹水不宜过多，在3000ml左右，放腹水速度宜缓慢，术后腹带包扎腹部。

（3）随访时间：手术后1年内，每月随访1次；术后1～2年，每3个月随访1次；术后2～3年，每6个月随访1次；术后3年以上，每年随访1次。

第五节　妇科腹部手术患者的一般护理

（一）手术前准备

1. 手术前指导

（1）预防术后并发症：指导患者学会胸式呼吸，鼓励术后早期活动，尽早下床。

（2）指导患者术后自理：指导患者学会翻身、起床和活动的知识，在床上练习使用便器、使用自控式镇痛泵。

2. 手术前1天的准备

（1）皮肤准备：备皮范围为上起剑突下缘，下至两大腿上1/3，包括外阴部，两侧至腋中线，剃去阴毛。备完皮后用温水洗净、拭干，以消毒治疗巾包裹手术野。

（2）胃肠道准备：手术前1天用1%肥皂水灌肠或导泻；术前8小时禁止由口进食，术前4小时严格禁水。

（3）手术前1天抽血查血型及做交叉配血试验；遵医嘱做药物过敏试验；手术前晚及手术当天清晨测量生命体征。

（4）阴道准备：术前1天为患者冲洗阴道

2次。

（二）手术日护理

（1）手术日晨测生命体征，询问病情。

（2）安置导尿管。

（3）行子宫切除术者，术前1天为患者冲洗阴道2次，术日晨用消毒液阴道消毒，用甲紫涂宫颈即阴道穹隆，为手术切除宫颈标记之用。

（4）术前半小时给予基础麻醉药物苯巴比妥和阿托品。

（5）病房护士与手术室护士做好交接，病房护士根据手术种类及麻醉方式备好麻醉床及术后监护、急救用品。

（6）患者返回病室后，全麻患者取去枕平卧位，头偏向一侧，防止呕吐物进入气管。硬膜外麻醉的患者去枕平卧6～8小时，腰麻患者去枕平卧12～24小时，防止术后头痛。如患者无特殊病情变化，术后次日晨取半卧位。

（7）术后即时护理：测量血压、脉搏和呼吸，检查静脉输液通路是否通畅、腹部伤口及麻醉穿刺部位敷料有无渗血、阴道有无出血、尿管是否通畅及尿液的量和性质、全身皮肤情况，如有引流要观察引流管是否通畅、引流液的性状及量。腹部压沙袋6小时，防止出血。做胃肠减压的患者及时接通负压吸引器，调节适当的压力。

（三）手术后护理

1. 床边交班：病房护士向手术室护士和麻醉师详细了解术中情况，及时观察和测量生命体征。

2. 观察生命体征：术后每30分钟～1小时测量脉搏、呼吸、血压1次，直至平稳后，改为每4小时1次，以后每天测量体温、脉搏、呼吸、血压3～4次，直至正常后3天。术后1～2天体温有升高，但不超过38℃。

3. 体位：全麻者去枕平卧，头偏向一侧，垫高一侧肩胸；蛛网膜下腔麻醉者去枕平卧12小时；硬膜外麻醉者去枕平卧6～8小时。

4. 观察尿量：术后尿量至少每小时在50ml以上，尿量过少，应检查导尿管是否堵塞、脱落、打折、被压，是否有入量不足或有内出血休克的可能。常规妇科手术于术后24小时拔除尿管。

【考点强化】

1. 经腹全子宫切除术术前禁饮食的时间是
A. 禁食8小时，禁饮4小时
B. 禁食8小时，禁饮8小时
C. 禁食8小时，禁饮6小时
D. 禁食12小时，禁饮8小时
E. 禁食12小时，禁饮12小时

2. 女性生殖器最常见的良性肿瘤是
A. 卵巢肿瘤　B. 宫颈癌
C. 子宫肌瘤　D. 子宫内膜癌
E. 子宫内膜异位症

3. 田某，女，46岁。因患子宫肌瘤拟行经腹全子宫切除术。术前前3天即应开始做
A. 皮肤准备　B. 消化道准备
C. 阴道准备　D. 灌肠
E. 留置导尿

4. 下列关于子宫肌瘤的说法不正确的是
A. 以黏膜下肌瘤最多见
B. 多发生于生育期妇女
C. 月经改变是最常见的临床表现
D. 常继发贫血、不孕、尿频
E. B超可确诊

5. 子宫肌瘤患者的临床表现与哪项无关
A. 患者年龄　B. 肌瘤数目
C. 肌瘤位置　D. 有无变性
E. 肌瘤大小

6. 宫颈癌早期的临床特点是
A. 绝经后阴道流血　B. 不规则阴道流血
C. 接触性出血　D. 白带异常
E. 腹部疼痛

7. 不属于宫颈癌中晚期症状和体征的是
A. 下肢和腰骶部出现持续性疼痛
B. 脓性或米汤样恶臭白带
C. 阴道流血　D. 冰冻骨盆
E. 恶病质

8. 筛查早期宫颈癌最常用的方法是
A. 窥器检查　B. 阴道镜检查
C. 宫腔镜检查
D. 宫颈刮片细胞学检查
E. 宫颈活体组织检查

9. 关于宫颈癌的预防保健不正确的是
A. 宣传高危因素，积极治疗宫颈炎
B. 及时诊治CIN和病毒感染
C. 30岁以上患者门诊就医患者常规做宫颈涂片
D. 一般妇女应每3～5年普查一次
E. 已婚妇女，尤其绝经前后有月经异常或接触性出血者应及时就医

10. 下列与子宫内膜癌发病无关的是

A. 长期服用雌激素　B. 长期服用孕激素
C. 高血压
D. 糖尿病　　　　E. 肥胖

11. 子宫内膜癌最常见的临床症状是
A. 阴道排液　　B. 腰、腹部疼痛
C. 绝经后阴道流血
D. 接触性出血　　E. 月经不规则

12. 诊断子宫内膜癌经济有效的方法是
A. 阴道后穹隆脱落细胞检查
B. 诊断性刮宫　　C. 分段诊断性刮宫
D. 宫腔冲洗法　　E. 宫颈刮片检查

13. 早期子宫内膜癌首选的治疗方法
A. 放射治疗　　B. 手术治疗
C. 化疗　　　　D. 孕激素治疗
E. 抗雌激素制剂治疗

14. 关于卵巢肿瘤的临床表现，下列说法不正确的是
A. 良性肿瘤早期常无症状
B. 卵巢癌患者早期也常无明显症状
C. 较大良性肿瘤可引起压迫症状
D. 感染是最常见的并发症
E. 卵巢癌常伴有腹水、腹胀

15. 关于卵巢癌的治疗最恰当的是
A. 单纯手术　　B. 单纯放疗
C. 单纯化疗
D. 手术为主，放疗、化疗为辅
E. 手术为主，放疗为辅

16. 下列不是卵巢肿瘤并发症的是
A. 破裂　　　　B. 瘤蒂扭转
C. 感染　　　　D. 恶变
E. 红色变性

17. 关于卵巢肿瘤蒂扭转，说法错误的是
A. 为常见的妇科急腹症
B. 妊娠期或产褥期子宫位置改变均易发生蒂扭转
C. 常无症状，不易发现
D. 好发于瘤蒂长、中等大，活动度好、重心偏于一侧的肿瘤
E. 突发一侧下腹剧痛，常伴恶心、呕吐甚至休克

18. 李某，女，26岁，G_0P_0。体检时B超检查发现子宫后壁一直径约6.5cm大小的肌瘤，月经周期、经期均正常。无任何不适，最适宜的处理是
A. 暂观察，待生育后再手术
B. 药物治疗　　C. 肌瘤切除术
D. 子宫次全切除术　E. 全子宫切除术

19. 刘某，女，61岁。绝经10年后又出现阴道流血。妇科检查：子宫稍大、较软。应主要怀疑哪种疾病
A. 子宫肌瘤　　B. 宫颈癌
C. 子宫内膜癌　D. 卵巢癌
E. 老年性阴道炎

20. 丁某，女，52岁。因子宫肌瘤合并贫血行全子宫切除术。术后恢复顺利，拟于明日拆线出院。作为责任护士，对其进行出院宣教的内容不包括
A. 术后1个月进行盆浴和性生活
B. 出院后1个月来医院复查
C. 术后2个月内避免提重物
D. 避免久蹲、久坐
E. 加强营养，多食含铁丰富的食物

（21～23题共用病例）

王某，女，62岁。51岁绝经，出现阴道流血、阴道排液2个月。妇科检查：宫颈光滑，子宫大小正常，双附件区未触及明显异常。

21. 该患者最可能的诊断是
A. 子宫颈癌　　B. 子宫内膜癌
C. 卵巢癌　　　D. 老年性阴道炎
E. 子宫肌瘤

22. 为确诊宜采用的检查方法是
A. 宫颈刮片细胞学检查
B. 碘试验　　　C. 刮宫术
D. 分段诊刮　　E. 腹腔镜检查

23. 治疗原则为
A. 放射治疗　　B. 静脉化疗
C. 全子宫切除　D. 口服避孕药
E. 高效孕激素治疗

（24～25题共用病例）

信某，女，58岁。绝经9年，因阴道流水3个月、不规则阴道流血7天来诊。临床诊断为子宫颈癌Ⅰa期。取活检示鳞癌。

24. 若患者既往体健，无手术禁忌。则治疗方案首选
A. 放疗
B. 子宫根治术＋盆腔淋巴结清扫术
C. 放疗＋化疗　D. 手术＋放疗
E. 手术＋化疗

25. 若患者经治疗后好转准备出院，下列健康教育不正确的是
A. 注意休息，加强营养

B. 如有淋巴转移，则需接受放疗或化疗
C. 随访时间为 3 年
D. 出现异常症状及时随诊
E. 指导患者保持外阴清洁，预防便秘

（26～28 题共用病例）

王某，女，52 岁。被诊断为子宫肌瘤，拟在硬膜外麻醉下行经腹全子宫切除术。

26. 术前消化道准备下列哪项不正确
A. 术前 1 天晚餐进软食，减量
B. 晚餐后禁食
C. 术前口服抗生素
D. 睡前肥皂水灌肠
E. 术日晨再次灌肠

27. 术后应安置患者于哪种体位
A. 左侧卧位　B. 半坐卧位
C. 平卧位　D. 俯卧位
E. 膀胱截石位

28. 术后护理措施不妥的是
A. 每 30 分钟测 1 次血压至平稳
B. 保持尿管通畅，常规严格记录患者出入量
C. 术后 24 小时内可给予镇痛药物
D. 密切观察切口和阴道流血情况
E. 鼓励、帮助患者早下床活动

（29～32 题共用备选答案）
A. 月经改变　B. 血性白带
C. 腹水、腹胀　D. 接触性出血
E. 绝经后阴道流血

29. 子宫内膜癌
30. 子宫颈癌
31. 肌壁间子宫肌瘤
32. 卵巢癌

（33～35 题共用备选答案）
A. 直接蔓延和腹腔种植
B. 血行转移　C. 淋巴转移
D. 直接蔓延和淋巴转移
E. 腹腔种植

33. 宫颈癌主要转移途径
34. 子宫内膜癌主要转移途径
35. 卵巢癌主要转移途径

（36～37 题共用备选答案）
A. 宫颈刮片检查
B. 宫颈和宫颈管活体组织检查
C. 分段诊刮　D. B 超检查
E. 碘试验

36. 子宫内膜癌确诊依靠
37. 子宫颈癌确诊常用

【参考答案】

1. A　2. C　3. C　4. A　5. A
6. C　7. E　8. D　9. D　10. B
11. C　12. C　13. B　14. D　15. D
16. E　17. C　18. C　19. C　20. A
21. B　22. D　23. C　24. B　25. C
26. C　27. C　28. B　29. E　30. D
31. A　32. B　33. D　34. C　35. A
36. C　37. B

第十五章　子宫脱垂患者的护理

一、子宫脱垂

（一）病因

主要原因是分娩损伤、产褥期早期体力劳动、长期腹压增加、盆底组织发育不良或退行性变。

（二）临床表现

1. 临床分度

（1）Ⅰ度：轻型为宫颈外口距处女膜缘＜4cm，未达处女膜缘；重型为宫颈已达处女膜缘，阴道口可见子宫颈。

（2）Ⅱ度：轻型为宫颈脱出阴道口，宫体仍在阴道内；重型为部分宫体脱出阴道口。

（3）Ⅲ度：子宫颈及子宫体全部脱出阴道口外。

2. 症状

(1) Ⅰ度：一般无自觉症状。

(2) Ⅱ度、Ⅲ度：腰骶部酸痛或下坠感，久站或劳累后明显，卧床休息后可缓解；肿物自阴道脱出为Ⅱ度以上患者的主要症状；伴有直肠、膀胱膨出者，出现排尿困难、尿潴留、尿失禁。暴露在外的宫颈由于长期受到摩擦，组织增厚、角化、出现溃疡、分泌物增多或因感染导致脓性分泌物。

(3) 体征：患者屏气增加腹压，可见子宫脱出，并伴直肠、膀胱膨出。

（三）治疗要点

无症状者无须治疗；有症状者采用非手术治疗、手术治疗，手术治疗适用于非手术治疗无效或子宫脱垂Ⅱ度、Ⅲ度。

（四）护理措施

1. 预防措施：积极开展计划生育；加强营养，体育锻炼，提高身体素质；进行产后体操锻炼，避免重体力劳动；积极治疗使腹压增加的慢性疾病；避免长时间的站立、行走、久蹲；坚持做收缩肛门的运动，增强盆底肌肉组织；提高助产技术。

2. 使用子宫托注意事项

(1) 放置前阴道应有一定水平的雌激素作用。

(2) 每天早上放入阴道，睡前取出消毒备用。

(3) 保持阴道清洁，妊娠期和月经期停用。

(4) 上托后，分别于第1、3、6个月时到医院检查1次，以后每3～4个月到医院检查1次。

3. 术前准备：术前5天开始进行阴道准备，Ⅰ度脱垂者每天坐浴2次，Ⅱ度、Ⅲ度者阴道冲洗后涂紫草油或含抗生素软膏，冲洗温度为41～43℃，冲洗后还纳脱垂的子宫，患者平卧半小时；用卫生带或丁字带支托子宫；治疗局部炎症，用抗生素或局部涂含雌激素软膏。

4. 术后护理：术后卧床休息7～8天，留置尿管10～14天；避免下蹲、咳嗽等增加腹压的动作；用缓泻药预防便秘；每天外阴擦洗；应用抗生素防治感染。

5. 出院指导：术后一般休息3个月，半年内禁止盆浴及性生活，避免重体力劳动。

二、外阴、阴道手术患者的一般护理

（一）手术前准备

1. 心理准备：护士应主动与患者沟通，消除患者紧张情绪，使患者积极配合治疗和护理，治疗、检查时注意遮挡，减少暴露部位。

2. 皮肤准备：术前1天备皮，备皮范围上至耻骨联合上10cm，下至外阴部、肛门周围、臀部及大腿内侧上1/3。

3. 肠道准备：术前3天无渣饮食，口服庆大霉素，每天肥皂水灌肠。

4. 阴道准备：术前3天开始进行阴道准备，用1：5000高锰酸钾、1：20碘伏等溶液行阴道冲洗或坐浴，每天2次。术晨用消毒液消毒阴道和宫颈。

（二）手术后护理

1. 体位

(1) 处女膜闭锁及有子宫的先天性无阴道患者取半卧位。

(2) 外阴癌根治术后的患者取平卧位，双腿屈膝外展，膝下垫软枕。

(3) 行阴道前后壁修补术或盆底修补术后的患者取平卧位。

2. 切口护理

(1) 观察伤口，注意渗血、炎性反应；观察局部皮肤的颜色、温度、湿度，有无皮肤坏死情况；注意引导分泌物的量、性质、颜色及气味。

(2) 保持外阴清洁、干燥，勤换内裤和床垫，每天外阴擦洗2次。

(3) 有的外阴部手术需加压包扎或阴道内留置纱条压迫止血，术后12～24小时内取出纱布条。

(4) 手术3天后可行外阴烤灯，以保持切口干燥，促进血液循环，有利于切口的愈合。

3. 尿管的护理：一般留置尿管2～10天，注意保持尿管的通畅，观察尿色、尿量；拔除尿管以后，观察患者自解小便情况。

4. 肠道护理：为防止大便对切口的污染及解便时对切口的牵拉，首次排便时间以术后5天为宜。术后第5天开始可服用缓泻药，使大便软化，避免排便困难。

5. 减轻疼痛：更换体位、应用自控镇痛泵、按医嘱及时给予镇痛药等。

【考点强化】

1. 造成子宫脱垂的主要原因是
   A. 便秘　　B. 营养不良
   C. 分娩损伤　　D. 长期站立
   E. 产后过早锻炼
2. 预防子宫脱垂的措施不包括
   A. 禁止产妇在产后早期参加重体力劳动
   B. 分娩过程中严密观察产程，提高助产技术
   C. 积极治疗慢性咳嗽和便秘
   D. 加强营养，增强体质
   E. 产褥期坚持卧床休息
3. 为防止感染，外阴、阴道手术术前阴道准备的时间是
   A. 术前3天　　B. 术前2天
   C. 术前1天
   D. 术前12小时
   E. 术前6小时
4. 外阴、阴道术术后保留尿管的时间一般是
   A. 48小时　　B. 72小时
   C. 15～17天　　D. 2～10天
   E. 10～14天
5. 接受妇科阴道手术者，术后取出阴道内纱布的正确时间是
   A. 10h　　B. 8h
   C. 24h　　D. 48h
   E. 72h
6. 外阴、阴道手术术后护理哪项不妥
   A. 为避免术后排便对伤口的影响应控制首次排便时间
   B. 遵医嘱给予抑制肠蠕动药物，控制5天内不排便
   C. 为防止大便形成，术后5天内应禁食
   D. 排便前给予石蜡油等粪便软化剂，避免排便困难
   E. 为防止感染，应每天用碘伏擦洗外阴2次

（7～10题共用备选答案）

A. 宫颈外口距离处女膜缘<4mm，但未达到处女膜缘
B. 宫颈已达处女膜缘，但未超出该缘，在阴道口能见到宫颈
C. 宫颈已脱出阴道口，但宫体仍在阴道内
D. 宫颈或部分宫体已脱出至阴道口外
E. 宫颈和宫体全部脱出至阴道口外

7. 子宫脱垂Ⅰ度轻型
8. 子宫脱垂Ⅰ度重型
9. 子宫脱垂Ⅱ度轻型
10. 子宫脱垂Ⅱ度重型

【参考答案】

1. C　2. E　3. A　4. D　5. C
6. C　7. A　8. B　9. C　10. D

第十六章　计划生育妇女的护理

（一）工具避孕

1. 宫内节育器（IUD）避孕原理：主要是局部组织对异物的组织反应。

（1）毒胚杀精：局部炎症反应损伤子宫内膜、使宫腔液有细胞毒作用。

（2）干扰受精卵着床。

2. 宫内节育器放置术

（1）适应证：育龄妇女无禁忌证，自愿要求放置者；无相对禁忌证，要求紧急避孕者。

（2）禁忌证：妊娠或可疑妊娠；月经过多过频、经量过多或不规则阴道出血；生殖器官急、慢性炎症；生殖器官肿瘤、子宫畸形；人工流产后子宫收缩不良，疑有妊娠组织残留或感染；宫颈口过松、重度陈旧性宫颈裂伤或子宫脱垂；严重全身性疾病；有铜过敏史者，禁止放置含铜节育器。

（3）节育器大小的选择：宫腔深度在7cm以上者用28号，7cm及以下者用26号。

（4）放置时间

① 月经干净后3～7天无性交。

② 产后3个月，子宫恢复至正常大小，恶露已净，会阴切口愈合。

③ 剖宫产术后半年，哺乳期排除早孕者。

④ 人工流产术后，宫腔长度小于10cm者。

(5) 术后健康指导

① 术后休息3天，避免重体力劳动1周，术后2周内禁性生活及盆浴。

② 术后3个月每次月经或大便时注意有无节育器脱落。

③ 术后1个月、3个月、6个月、1年各复查1次，以后每年复查1次。

④ 术后可有少量阴道出血及下腹不适，如出现腹痛、发热、出血多时，随时就诊。

3. 宫内节育器取出术

(1) 适应证：计划再生育者；放置期限已满需更换者；改用其他避孕措施或绝育者；绝经1年者；因不良反应治疗无效或出现并发症者。

(2) 取器时间：月经干净后3～7天；出血多者随时可取。

(3) 护理要点：术后休息1天，术后禁止性生活和盆浴2周，保持外阴清洁。

4. 宫内节育器的副反应及护理

(1) 阴道出血：表现为月经过多、经期延长或周期中点滴出血。给予吲哚美辛口服，补充铁剂，抗生素控制感染，上述处理无效者取出。

(2) 腰腹酸胀：轻症不需处理，重症更换合适的节育器。

5. 宫内节育器的并发症及护理

(1) 感染：一旦发生感染，应用抗生素积极治疗并取出节育器。

(2) 节育器嵌顿或断裂：一旦确诊尽早取出。

(3) 节育器异位：取出。

(4) 节育器脱落：多发生在放置宫内节育器1年内，尤其3个月内。

(5) 带器妊娠：人工流产终止妊娠。

(二) 药物避孕

1. 避孕原理

(1) 抑制排卵：干扰下丘脑-垂体-卵巢轴的功能，抑制下丘脑释放GnRH，使垂体释放FSH和LH减少；

(2) 干扰受精和受精卵着床：宫颈黏液量减少，增加子宫黏液稠度；抑制子宫内膜增生；改变输卵管的分泌和蠕动。

(3) 杀精子或改变精子功能。

2. 药物副反应及处理

(1) 类早孕反应：轻者不需处理，坚持1～3个周期后上述症状可自行消失，重者对症处理。

(2) 阴道流血：出血发生在前半周期者，每晚加服炔雌醇1片；出血发生在后半周期者，每晚加服短效口服避孕药1片。

(3) 月经过少或停经：月经过少者，每天加服炔雌醇1～2片；停经者停药后多数可恢复。月经变得规则、经期缩短、经血量减少、痛经症状减轻或消失。但可发生闭经、突破性出血。

(4) 体重增加、色素沉着。

(5) 皮疹、头痛、乳房胀痛：对症处理，严重时停药。

3. 各种药物用法

(1) 短效口服避孕药

① 单相片：自月经周期第5天起，每晚1片，连服22天不能间断，若漏服必须于次晨补服1片。一般于停药后2～3天发生撤退性出血。

② 三相片：第一周期，自月经周期第1天起，每天1片，连服21天不能间断，第2周期改为自月经周期第3天起，每天1片，连服21天不能间断。

(2) 长效口服避孕药：第一周期于月经来潮第5天开始服第1片，第10天服第2片，以后每次按第1次服用日期每月服1片。停用长效避孕药时，应在月经周期第5天开始服用短效口服避孕药物3个月作为过渡期。

(3) 长效避孕针：第1个月于月经周期第5天和第12天各肌注1次，以后每次月经周期第10～12天肌注1次。

(4) 速效避孕药(探亲避孕药)

① 炔诺酮：于性生活当晚及以后每晚口服1片；若超过14天，可改用1号或2号短效避孕药至探亲结束。

② 甲基炔诺酮：性生活前1～2天开始服用，服用方法同炔诺酮。

③ 探亲片1号：性生活前8小时服1片，当晚再服1片。以后每晚1片，直到探亲结束

次晨加服1片。

(三) 早期妊娠终止方法及护理

1. 人工流产术

(1) 人工流产负压吸引术：适用于孕10周以内者。

(2) 人工流产钳刮术：适用于孕11～14周者。

(3) 术后护理

① 术后在观察室休息1～2小时，观察腹痛及阴道流血情况。

② 吸宫术后休息3周；钳刮术后休息4周。

③ 术后保持外阴清洁，1个月内禁止盆浴、性生活。

④ 有腹痛或出血多者，应随时就诊。

⑤ 指导夫妇双方采用安全可靠的避孕措施。

(4) 并发症及防治

① 人工流产综合征：表现为心动过缓、心律不齐、血压下降、面色苍白、头晕、胸闷、大汗、晕厥等。静脉注射阿托品可缓解症状。

② 子宫穿孔：器械进入宫腔探不到宫底提示子宫穿孔。停止手术，静脉滴注缩宫素和抗生素，住院治疗。

③ 吸宫不全：是常见并发症，表现为术后阴道流血超过10天，血量多，或停止后又出血。行刮宫术，术后抗生素预防感染。

④ 术中出血：注射缩宫素。

⑤ 漏吸：再行吸宫术。

⑥ 羊水栓塞。

⑦ 术后感染：半卧位休息，全身支持治疗，应用广谱抗生素。

2. 药物流产：适用于妊娠49天内者。目前临床上常用米非司酮与前列腺素配伍。具体用法：米非司酮25mg，每天2次口服，或遵医嘱服用，共3天，于第4天上午米索前列醇0.6mg顿服。留院观察胎囊组织排出情况。

(四) 中期妊娠终止方法及护理

中期妊娠引产术常用于15～24周妊娠者。

1. 利凡诺引产

(1) 术前孕妇准备

① 身心评估：严格掌握适应证及禁忌证。

② 甲B超定位胎盘及穿刺点。

③ 术前3天禁止性生活，每天冲洗阴道1次或上药。

(2) 术中注意事项

① 通常应用剂量为50～100mg，不要超过100mg。

② 宫腔内羊膜腔外注药，避免导尿管接触阴道壁，药物浓度不能超过0.4%。

③ 严格无菌操作。

④ 穿刺不可过快过猛，最多不超过2次。

(3) 术后护理

① 引产期间，孕妇应卧床休息，羊膜外给药者绝对卧床休息。

② 用药后定时测量生命体征，观察宫缩开始时间、宫缩持续时间、间隔时间、阴道流血等情况。

③ 术后6周内禁止性交及盆浴，产后即刻采取回奶措施。

④ 给药5天后仍未临产者即为引产失败。

2. 水囊引产注意事项

(1) 注水量：不超过500ml。放置时不得触碰阴道壁，放置后尽量卧床休息。

(2) 放置时间：最长不超过48小时；如宫缩过强、出血较多、体温超过38℃时提前取出水囊。

(3) 放置次数：最多不超过2次，第2次放置时间应在前次水囊取出72小时后。

(4) 出现规律宫缩时取出水囊；如宫缩乏力、出血较多时静脉滴入催产素。

3. 并发症：体温升高、阴道流血、产道损伤、胎盘胎膜残留、感染

(五) 经腹输卵管结扎术

1. 手术时间

(1) 非孕妇女应选择在月经前期，最好是月经结束后3～4天。

(2) 人工流产或取环术后。

(3) 自然流产月经复潮后，分娩后24小时内，剖宫产、剖宫取胎术同时。

(4) 哺乳期或闭经妇女应排除早孕后，再行手术。

2. 注意事项：术后休息3～4周，禁止性生活1个月。

【考点强化】

1. 下列避孕方法中失败率较高的是

A. 放置宫内节育器　B. 按期口服避孕药
C. 使用避孕套　D. 避孕针

E. 安全期避孕

2. 下列哪一项不是放置宫内节育器的并发症

A. 节育器脱落　　B. 感染

C. 带环妊娠　　D. 子宫穿孔

E. 血肿

3. 放置宫内节育器术中及术后的处理措施哪项是不正确的

A. 术中随时观察受术者的情况

B. 嘱术者如有出血多、腹痛、发热等情况随时就诊

C. 术后休息 3 天

D. 1 周内禁止性生活

E. 术后于 1、3、6 个月及 1 年，分别复查一次

4. 宫内节育器的放置时间不正确的是

A. 月经干净后 3 天以内

B. 月经干净后 3～7 天

C. 产后 3 个月，剖宫产后 6 个月

D. 人工流产术后，宫腔深度小于 10cm

E. 哺乳期排除早孕后

5. 下列哪项与药物避孕的副反应无关

A. 类早孕反应　　B. 月经改变

C. 体重增加　　D. 色素沉着

E. 腰酸腹胀

6. 一旦发生人工流产综合反应，首要的处理是

A. 做好心理护理，安慰患者

B. 使患者去枕平卧

C. 吸氧，观察生命体征变化

D. 肌内注射阿托品 0.5mg

E. 配合医生立即结束手术

7. 药物流产常用的药物是

A. 米非司酮和米索前列醇

B. 米非司酮和地塞米松

C. 米非司酮和缩宫素

D. 炔诺酮

E. 利凡诺

8. 使用短效口服避孕药单相片开始服第一片的时间一般为

A. 月经来潮前第 5 天

B. 月经来潮的第 5 天

C. 月经来潮的第 10 天

D. 月经干净后的第 5 天

E. 性生活前 8h

9. 药物避孕的作用原理不包括

A. 抑制排卵

B. 改变宫颈黏液性状

C. 改变子宫内膜形态与功能

D. 杀死精子或改变精子功能

E. 无菌性炎症反应

10. 人工流产术后的护理措施不正确的是

A. 遵医嘱给予药物治疗

B. 术后观察 1～2 小时，观察腹痛和阴道流血情况

C. 指导患者保持外阴清洁，术后 3 个月内禁止盆浴和性生活

D. 吸宫术后休息 3 周，钳刮术后休息 4 周

E. 指导夫妻双方采取可靠的避孕措施

11. 产后 2 个月的哺乳期妇女，首选的避孕方法是

A. 宫内节育器

B. 安全期避孕

C. 口服避孕药

D. 哺乳期可不避孕

E. 避孕套

12. 王某，女，26 岁。自然分娩后 3 个月，行宫内节育器放置术。护士为患者进行术后健康指导，其内容不包括

A. 术后休息 3 天，1 周内避免重体力劳动 2 周内禁止性生活和盆浴

B. 术后 3 个月内月经或大便时应注意有无节育器脱落

C. 术后应每个月进行复查

D. 注意保持外阴清洁

E. 术后可有少量阴道流血及下腹不适

（13～16 题共用备选答案）

A. 妊娠 7 周以内

B. 妊娠 10 周以内

C. 妊娠 11～14 周

D. 妊娠 15～24 周

E. 妊娠 20 周以内

13. 药物流产适用于

14. 负压吸引术适用于

15. 钳刮术适用于

16. 利凡诺引产术适用于

【参考答案】

1. E　2. E　3. D　4. A　5. E
6. D　7. A　8. B　9. E　10. C
11. E　12. C　13. A　14. B　15. C
16. D

第十七章 妇女保健

（一）妇女保健工作的目的和意义（了解）

1. 妇女保健工作的目的：在于通过积极的普查、预防保健及监护和治疗措施，降低孕产妇及围生儿死亡率，减少患病率和伤残率，控制某些疾病发生及性传播疾病的传播，从而促进妇女身心健康。

2. 妇女保健的意义：在于它是我国卫生保健事业重要组成部分，与临床医学、疾病预防控制构成我国医学卫生防病的基本体系，其宗旨是维护和促进妇女身心健康。采取以预防为主，以保健为中心，以群体为服务对象，以基层为重点，以保健与临床相结合的方法，提高民族综合素质，维护家庭幸福和后代健康，并促进计划生育基本国策的贯彻和落实。

（二）妇女病普查普治及劳动保护

1. 妇女病及恶性肿瘤的普查普治：每1～2年普查1次，中老年妇女以防癌为重点，做到早期发现、早期诊断及早期治疗，提高妇女生命质量。针对普查结果，制订预防措施，降低发病率，提高治愈率，维护妇女健康。

2. 劳动保护

（1）月经期：女职工在月经期不得从事装卸、搬运等重体力劳动及高处、低温、冷水、野外作业及用纯苯作溶剂而无防护措施的作业；不得从事连续负重（每小时负重次数在6次以上者）、单次负重超过20kg、间断负重每次负重超过25kg的作业。

（2）孕期：妇女在劳动时间进行产前检查，可按劳动工时计算；孕期不得加班、加点，妊娠满7个月后不得安排夜班劳动；不得从事工作中频繁弯腰、攀高、下蹲的作业；不允许在女职工怀孕期、产期、哺乳期降低基本工资或解除劳动合同。

（3）产期：女职工产假为90天，其中产前休息15天，难产增加产假15天，多胎生育每多生一个婴儿增加产假15天，女职工执行计划生育可按本地区本部门规定延长产假。

（4）哺乳期：时间为1年，每班工作应给予两次哺乳时间，每次哺乳时间，单胎为30分钟；有未满1周岁婴儿的女职工，不得安排夜班及加班。

（5）围绝经期：女职工应该得到社会广泛的体谅和关怀；经医疗保健机构诊断为围绝经期综合征者，经治疗效果不佳，已不适应现任工作时，应暂时安排其他适宜的工作。

（6）其他：妇女应遵守国家计划生育法规，但也有不育的自由；各单位对妇女应定期进行以防癌为主的妇女病普查、普治；女职工的劳动负荷，单人负荷一般不得超过25kg，两人抬运不得超过50kg。

【考点强化】

1. 按照我国法律规定，女职工月经期的劳动保护哪项不妥

A. 月经期不得从事装卸、搬运等重体力劳动

B. 劳动负荷连续负重单次负重不得超过20kg

C. 劳动负荷连续负重单次负重不得超过10kg

D. 劳动负荷间断负重每次不得超过25kg

E. 女职工月经期不得从事高处、低温、冷水、野外作业

2. 我国法律规定，妇女妊娠多长时间后以后不得安排夜班

A. 12周　　B. 20周

C. 24周　　D. 25周

E. 28周

3. 李某，女，28岁，初婚、初育，孕40周经阴分娩，咨询产后休假时间，应是

A. 3个月　　B. 3个半月

C. 5个月　　D. 5个半月

E. 1年

4. 多胞胎生育者，每多生育 1 个婴儿，应增加产假
A. 7 天　B. 10 天
C. 15 天　D. 20 天
E. 30 天

5. 子女 1 岁以内，女职工可享受每班劳动时间内的 2 次哺乳时间，每次
A. 15 分钟　B. 30 分钟
C. 1 小时　D. 1.5 小时
E. 2 小时

【参考答案】
1. C　2. E　3. A　4. C　5. B

第六篇 儿科常见病患者的护理

第一章 小儿保健

（一）小儿年龄阶段的划分及各期特点

1. 胎儿期：从受精卵形成到胎儿出生为胎儿期。该期胎儿完全依靠母体生存，母体的健康、营养、疾病、用药、环境等状况对胎儿的生长发育有影响。胚胎前3个月易受各种不利因素影响易导致流产或死胎。

2. 新生儿期：从出生、脐带结扎到生后满28天为新生儿期。该期小儿适应外界能力较差，其生长发育和疾病方面具有特殊性，如体温不稳定，易出现低体温、体重减轻、感染等，使得该期发病率高，死亡率也高。

3. 婴儿期：从出生后到满1周岁之前为婴儿期。该期小儿生长发育最迅速、对热量和营养素需求量较高，消化吸收功能较弱，易发生消化功能紊乱和营养缺乏性疾病。另外6个月后来自母体的抗体逐渐减少，自身免疫功能尚未成熟，易患感染性疾病。

4. 幼儿期：从1周岁后到满3周岁前为幼儿期。该期小儿生长发育速度减慢，语言、思维和社交能力逐步增强，由于判断力和自身防护能力较弱，易发生外伤和中毒等意外伤害情况，易患传染性疾病。

5. 学龄前期：从3周岁到6～7岁为学龄前期。此期小儿体格发育稳步增长，智能发育较快，自我观念开始形成，好奇多问，模仿性强，具有高度的可塑性。

6. 学龄期：从6～7岁到青春期前为学龄期。此期体格生长发育较慢，除生殖系统外，各系统器官的外形均已接近成人。求知能力加强，理解、分析、综合能力逐步完善。

7. 青春期：女孩从11～12岁到17～18岁，男孩从13～14岁到18～20岁为青春期。该期生长发育再度加快，生殖系统的发育迅速，且渐趋成熟。智力飞速发展，逐步建立了成熟的认知能力和自我认同感。

（二）生长发育的规律

1. 顺序性：遵循由上到下、由近至远、由粗到细、由低级到高级、由简单到复杂的顺序。

2. 连续性和阶段性：第一个生长高峰为婴儿期，第二个生长高峰为青春期。

3. 各系统器官发育的不平衡性：神经系统发育早，先快后慢；生殖系统发育晚，先慢后快；淋巴系统发育则先快而后回缩；年幼时皮下脂肪发育较发达；肌肉组织到学龄期才加速。

4. 个体差异性：因受各种因素影响。每个人生长差异较大，尤其是在青春期。

（三）体格增长常用指标及其意义

1. 体重

（1）意义：体重是判断小儿体格生长、营养状况的重要指标。也是临床给药、输液、热量计算的重要依据。

（2）指标：新生儿出生体重平均为3kg。3个月时体重是出生时体重的2倍；1岁时体重是出生时体重的3倍；2岁时体重是出生时体重的4倍。2岁后体重每年平均增加2kg。

（3）推算公式

① 1～6个月：体重(kg)＝出生体重(kg)＋月龄×0.7(kg)。

② 7～12个月：体重(kg)＝6(kg)＋月龄×0.25(kg)。

③ 2～12岁：体重(kg)＝年龄×2＋8（kg)。

2. 身长（高）

（1）意义：身长是骨骼发育的重要指标。

（2）指标：出生时平均身长为50cm，1周岁时身长75cm，2周岁时身长为85cm。2岁以后每年平均增加4～7.5cm。新生儿上部量（从头顶至耻骨联合上缘）大于下部量（从耻骨联合上缘至足底），中点在脐上；2岁时中点在脐以下；6岁时中点在脐与耻骨联合上缘之间；12岁时上、下部量相等，中点在耻骨联合上缘。

（3）推算公式

2～12岁：身长(cm)＝年龄(岁)×7＋70。

3. 头围、胸围、腹围

（1）意义：头围反映脑和颅骨的发育。胸围反映胸廓、胸背肌肉、皮下脂肪及肺的发育。

（2）指标：1岁时胸围与头围大致相等，1岁以后胸围超过头围。2岁前腹围与胸围大约相等，2岁后腹围较胸围小。

4. 囟门

（1）意义：前囟过小或早闭见于小头畸形，晚闭或过大见于佝偻病、先天性甲状腺功能减低症等；前囟饱满提示颅内压增高，多见于脑积水、脑瘤、脑出血等疾病；前囟凹陷则见于极度消瘦或脱水者。

（2）指标：前囟于1～1.5岁时应闭合。后囟出生时很小或闭合，一般至生后6～8周闭合。

5. 牙齿

（1）意义：出牙为生理现象，严重营养不良、佝偻病等的患儿出牙迟。

（2）指标：生后4～10个月乳牙开始萌出，12个月未萌出者视为异常。最晚于2.5岁乳牙出齐。6岁左右开始出第一颗恒牙。

（3）推算公式：2岁以内乳牙数＝月龄－(4～6)。

6. 骨化中心

（1）意义：判断骨骼发育的年龄，了解骨骼发育情况。

（2）推算公式：1～9岁腕部骨化中心数＝年龄＋1。

（四）感觉运动功能和语言发育

1. 运动功能发育：大运动发育过程为“二抬四翻六会坐，七滚八爬周会走”，2岁左右会跑跳。

2. 感知觉发育

（1）视觉：2个月开始协调注视物体；3～4个月可追寻活动的物体；5岁时能区别颜色。

（2）听觉：3个月有定向反应；6～7个月唤名有反应；1岁时听懂自己的名字；4岁听觉发育完善。

3. 语言发育：1～2个月发喉音；7～8个月发出“爸爸”、“妈妈”等复音；8～9个月发简单音节。1岁开始会表达语言，先说单词，后说句子，从讲简单句到讲复杂句。

（五）能量与营养素的需要

1. 能量的需要：婴儿每天能量的需要为110kcal(460kJ)/kg；每增长3岁减少10kcal(42kJ)/kg，到15岁时约为60kcal(250kJ)/kg。基础代谢需要的能量占总能量的50%～60%，1岁内小儿生长所需能量占总能量的25%～30%。

2. 营养素的需要

（1）蛋白质：蛋白质提供的能量占总能量的10%～15%。

（2）脂肪：婴儿期脂肪提供的能量占总能量的35%～50%，年长儿为25%～30%。

（3）糖类：糖类供给的能量占总能量的50%～60%。糖类是供给人体能量的主要物质。

（4）维生素：脂溶性维生素不需要每天供

给；水溶性维生素需要每天供给。

(5) 矿物质：钙、铁、锌和铜是小儿最易缺乏的元素。

3. 水：婴儿每天需水量约为150ml/kg，以后每增长3岁每天减去25ml/kg。

(六) 婴儿喂养

1. 母乳喂养

(1) 优点：初乳（产后4～5天内的乳汁）最适合新生儿的需要。母乳的营养成分最适合婴儿营养需要及消化吸收能力，可增强婴儿免疫力，有利于婴儿神经系统发育。

(2) 哺乳方法：主张越早喂母乳越好。1～2个月按需喂养；2个月以上一昼夜共6～7次。4～5个月可减至5次。每次哺乳时间为15～20分钟。哺乳时母亲坐位，哺乳时应每次先吸空一侧，然后再吸另一侧。哺乳后，应将婴儿竖抱起，用手掌轻拍背部，防止溢乳。

(3) 断乳：断奶期为10～12个月，最晚至1.5岁。

2. 人工喂养

(1) 羊乳喂养者应添加叶酸和维生素B_{12}，否则可引起巨幼红细胞性贫血。

(2) 牛乳液的配制

① 全脂奶粉：按重量1∶8或按体积1∶4加开水冲调成乳液。

② 蒸发乳：按体积加等量开水冲调即可。

③ 鲜牛奶调配：2∶1乳的配制为2份鲜牛奶加1份开水。

(3) 牛乳需要量的计算：婴儿每天需要含糖8%牛奶的量为100～110ml/kg。

3. 添加辅助食品

(1) 添加辅助食品的原则：由少到多、由稀到稠、由细到粗、由一种到多种，在婴儿健康、消化功能正常时添加。

(2) 添加辅助食品顺序

① 出生15天：添加鱼肝油滴剂或维生素D制剂。

② 1～2个月：添加果汁、菜汤。

③ 4～6个月：4个月时补充铁剂，添加蛋黄、鱼泥、水果泥、菜泥等。

④ 7～9个月：添加馒头或饼干等。

⑤ 10～12个月：添加稠粥、软饭、挂面、豆制品、带馅食品、碎菜、碎肉等。

(七) 计划免疫

卡介苗初种时间为生后2～3天到2个月内；脊髓灰质炎减毒糖丸活疫苗初种时间为生后2个月；百日咳菌液、白喉类毒素、破伤风类毒素混合制剂初种时间为出生后3个月；麻疹减毒活疫苗初种时间为生后8个月；乙脑疫苗初种时间为1岁。

【考点强化】

1. 正确的小儿各年龄分期

A. 围生期指出生脐带结扎开始至出生后7天内

B. 新生儿期指出生脐带结扎开始至出生后56天

C. 婴儿期指出生后至满2周岁

D. 幼儿期指出生后满1岁至满3岁之前

E. 学龄前期指出生后5岁至满7岁之前

2. 婴儿期是指

A. 生后脐带结扎至1周岁

B. 出生后至1周岁

C. 生后6个月至1周岁

D. 生后2周岁以内

E. 1～3周岁

3. 小儿易发生意外伤害的时期是

A. 新生儿期　　B. 婴儿期

C. 幼儿期　　D. 学龄期

E. 青春期

4. 符合新生儿期特点的

A. 对外界环境适应能力强

B. 发病率低　　C. 死亡率高

D. 体温维持稳定

E. 以上都是

5. 小儿生理、心理发生巨大变化的时期

A. 学龄期　　B. 学龄前期

C. 幼儿期　　D. 青春期

E. 新生儿期

6. 符合生长发育基本规律的是

A. 生长发育匀速进行

B. 神经系统发育领先

C. 远心端优先发育

D. 学龄期身体发育最迅速

E. 青春期个体差异不明显

7. 1～6个月小儿体重增长规律以下哪项正确

A. 体重＝出生体重＋月龄×0.5

B. 体重＝出生体重＋月龄×0.6

C. 体重＝出生体重＋月龄×0.7

D. 体重＝出生体重＋月龄×0.8

E. 体重＝出生体重＋月龄×0.4

8. 2～12岁小儿体重增长规律以下哪项正确

A. 年龄×2+8　　B. 年龄×2+7
C. 年龄×2+5　　D. 年龄×2+6
E. 年龄×8

9. 2周岁小儿的体重平均约为出生体重的
A. 1倍　　B. 2倍
C. 3倍　　D. 4倍　E. 5倍

10. 2～12岁小儿正确的身长计算公式
A. 年龄×2+80　　B. 年龄×5+80
C.（年龄－2）×5+85　　D. 年龄×7+70
E. 年龄×2+85

11. 正常小儿，身长108cm，体重21kg，身长之中点位于脐与耻骨联合上缘之间，尚未开始出恒牙，其可能的年龄是
A. 5岁　　B. 6岁
C. 7岁　　D. 8岁　E. 9岁

12. 体重（kg）＝年龄×2+8，此公式适用于
A. 1周岁时　　B. 2～12岁时
C. 13～15岁时　　D. 16～18岁时
E. 18岁以上

13. 最能反映小儿骨骼发育的重要指标
A. 头围　　B. 胸围
C. 牙齿数　　D. 身长
E. 前囟闭合时间

14. 2岁以内小儿乳牙总数的推算方法是
A. 月龄减2～3　　B. 月龄减4～6
C. 月龄减7～8　　D. 月龄减2～10
E. 月龄减10

15. 乳牙出齐的最晚年龄
A. 1岁　　B. 1.5岁
C. 2岁　　D. 2.5岁
E. 3岁

16. 动作发育的特点
A. 1个月会抬头、4个月会坐、2岁会走
B. 2个月会抬头、6个月会坐、1岁会走
C. 3个月会翻身、5个月会坐、1岁半会走
D. 4个月会坐、8个月会爬、1岁会走
E. 8个月会坐、1岁会走、2岁会跳

17. 正常小儿能发两个单音（如“妈妈”）的年龄一般为
A. 4～5个月　　B. 5～6个月
C. 7～8个月　　D. 10～11个月
E. 1～1.5岁

18. 前囟闭合的时间
A. 4～6个月　　B. 6～8个月
C. 8～10个月　　D. 10～12个月
E. 1～1岁半

19. 前囟的正确测量方法
A. 对角顶连线　　B. 对边中点连线
C. 邻边中点连线　　D. 邻角顶连线
E. 周径长度

20. 不正确的骨化中心发育的说法
A. 1岁时在腕部有3个骨化中心
B. 3岁时在腕部有4个骨化中心
C. 6岁时在腕部有7个骨化中心
D. 8岁时在腕部有9个骨化中心
E. 11岁时在腕部有11个骨化中心

21. 骨龄落后见于
A. 佝偻病　　B. 营养不良
C. 先天性甲状腺功能减退症
D. 中枢性性早熟
E. 先天性肾上腺皮质增生症

22. 小儿合理膳食中，碳水化合物、脂肪、蛋白质三者所提供热能的比例分别为
A. 40%～50%、20%～30%、15%～25%
B. 50%～60%、10%～15%、25%～30%
C. 50%～60%、25%～30%、10%～15%
D. 40%～50%、10%～15%、25%～30%
E. 40%～50%、20%～30%、20%～30%

23. 按热量计算，5kg婴儿每天需要8%糖牛乳量为
A. 100～110ml　　B. 200～220m
C. 400～440ml　　D. 500～550ml
E. 600～660ml

24. 母乳成分的特点不具有
A. 乳白蛋白多、酪蛋白少
B. 钙：磷为2：1
C. 以不饱和脂肪酸为主
D. 铁吸收率高达80%以上
E. 乙型乳糖占碳水化合物总量的90%

25. 全脂奶粉配制成2：1稀释奶的方法
A. 容积比1：6　　B. 容积比1：8
C. 容积比1：4　　D. 容积比1：5
E. 容积比3：4

26. 婴儿添加辅食和断奶的时间分别为
A. 2～3个月、1～1.5岁
B. 4～6个月、1～1.5岁
C. 4～6个月、1.5～2岁
D. 3～4个月、1.5～2岁
E. 4～8个月、1～2岁

27. 4个月婴儿应开始添加的辅食是
A. 果汁　　B. 鱼肝油

C. 蛋黄　　D. 菜泥、稀粥
E. 馒头、饼干

28. 下列哪种辅食可用于7个月小儿
A. 碎肉和菜汤　　B. 鱼肉末和鸡蛋
C. 面条和青菜汤　　D. 带馅的食品
E. 碎肉和饼干

29. 小儿，女，有牙18颗，会用汤匙吃饭，说2～3字的短句，会戴帽、踢球，其最可能的年龄为
A. 1岁　　B. 2岁半
C. 1岁半　　D. 2岁　　E. 3岁

30. 麻疹疫苗初种的年龄是
A. 初生儿　　B. 3个月
C. 4～6个月　　D. 8～12个月
E. 12～18个月

31. 卡介苗初种的时间一般为
A. 初生儿　　B. 3个月
C. 4～6个月　　D. 8～12个月
E. 2岁

32. 出生后2个月的小儿应接种的疫苗是
A. 卡介苗　　B. 乙型脑炎疫苗
C. 麻疹减毒活疫苗　D. 脊髓灰质炎疫苗
E. 百白破疫苗

（33～34共用病例）

3个月健康婴儿，体重5kg。

33. 该婴儿每日需要的热量与水各为
A. 热量500kcal，水750ml
B. 热量550kcal，水750ml
C. 热量450kcal，水625ml
D. 热量500kcal，水625ml
E. 热量550kcal，水725ml

34. 若用牛奶喂养，每天应给该婴儿8%糖牛奶（ml）、另给水分（ml）
A. 550、200　　B. 450、300
C. 650、100　　D. 500、250
E. 650、200

【参考答案】

1. D　2. B　3. C　4. C　5. D
6. B　7. C　8. A　9. D　10. D
11. B　12. B　13. D　14. B　15. D
16. B　17. C　18. E　19. B　20. E
21. C　22. C　23. D　24. D　25. A
26. B　27. C　28. B　29. D　30. D
31. A　32. D　33. B　34. A

第二章　新生儿的护理

从出生至满28天的婴儿，称为新生儿。

（一）新生儿的分类

1. 根据胎龄分类

（1）足月儿：指胎龄满37周至未满42周的新生儿。

（2）早产儿：指胎龄满28周至未满37周的新生儿。第37周的早产儿因成熟度已接近足月儿，故又称过渡足月儿。

（3）过期产儿：指胎龄满42周以上的新生儿。

2. 根据出生体重分类

（1）正常体重儿：出生体重在2.5～4.0kg的新生儿。

（2）低出生体重儿：指出生1小时内体重不足2.5kg的新生儿，常见早产儿和小于胎龄儿，其中出生体重低于1.5kg者称极低出生体重儿；出生体重低于1.0kg者称超低出生体重儿。

（3）巨大儿：出生体重大于4.0kg者，包括正常和有疾病者。

3. 高危儿：高危儿指已发生或有可能发生危重情况而需要密切观察的新生儿。包括母亲异常妊娠史的新生儿、异常分娩的新生儿、出生时有异常的新生儿。

（二）正常新生儿的特点

正常足月新生儿是指胎龄满 37～42 周出生，体重 2500g 以上，身长 47cm 以上，无任何畸形和疾病的活产新生儿。

1. 外观特征：出生时哭声响亮，四肢呈屈曲姿态，皮肤红润，胎毛少，覆盖有胎脂；耳廓轮廓清楚；乳晕明显，可扪及结节；指甲长到或长过指端；足底皮纹多。男婴睾丸已将入阴囊、女婴大阴唇完全遮盖小阴唇。

2. 皮肤：皮肤薄嫩，血管丰富。

3. 体温：体温调节能力差，易随外界温度的变化而变化。主要依靠棕色脂肪的代谢产热。

4. 呼吸：新生儿以腹式呼吸为主，呼吸浅快，频率为 40～45 次/分。

5. 循环：心率平均 120～140 次/分，血压平均 70/50mmHg。

6. 消化：因胃呈水平位、贲门松弛，而易发生溢乳和呕吐。生后 12 小时开始排出黑绿色胎粪，3～4 天排完，粪便转为黄绿色。

7. 血液：出生时血液中的红细胞和血红蛋白量相对较高，血容量 85～100ml/kg。

8. 泌尿：足月儿 24 小时排尿，生后头几天内尿色深、稍浑、放置后有红褐色沉淀。

9. 神经：脑相对较大，约重 300～400g，占体重 10%～20%。生后具有觅食反射、吸吮反射、握持反射、拥抱反射等原始反射。

10. 免疫：通过胎盘可从母体获得 IgG，而不易患一些传染性疾病，因不能从母体获得 IgA 和 IgM，而易患呼吸道和消化道疾病。

（三）新生儿的特殊生理状态

1. 生理性黄疸：生后 2～3 天即出现黄疸，5～7 天最重，10～14 天消退。

2. 生理性体重下降：因生后水分丢失，生后数天内体重下降，一般不超过 10%，生后 10 天左右恢复。

3. 生理性乳房肿大：多在出生后 3～5 天出现，多于 2～3 周消退。

4. 假月经：部分女婴在生后 5～7 天，阴道有少量血液流出，持续 1～3 天后停止。

5. 口腔内改变：新生儿上腭中线和牙龈切缘上常有黄白色小斑点，俗称“板牙”、“马牙”，生后数周到数月逐渐消失。

（四）正常新生儿的护理

1. 新生儿室：干净，阳光充足、空气流通，温度 22～24℃，湿度 55%～65%。

2. 保持呼吸道通畅：经常清理鼻孔，保持合适体位。

3. 保持体温稳定：采用必要的保暖措施，每 4 小时测体温一次。

4. 预防感染：呼吸道与消化道疾病的患儿应分室居住，并定期对病房进行消毒处理。

5. 注意皮肤护理：每天沐浴 1～2 次，每天用 75%乙醇消毒脐部，脐部残端 1～7 天内脱落。

6. 喂养

（1）母乳喂养的好处

① 母乳能够提供 6 个月以内孩子生长发育所需的营养。

② 母乳易于消化、吸收，促进孩子的生长发育。

③ 初乳是孩子的第一次免疫，能减少孩子患感染性疾病。

④ 母乳可促进孩子胃肠道、神经系统发育。

⑤ 母乳可减少成年后代谢性疾病的发生。

（2）保证新生儿得到充足乳汁的措施：出生后母婴皮肤接触，早吸吮，早开奶，实行母婴同室，鼓励按需哺乳，不给新生儿其他的辅食及饮料，做到纯母乳喂养是保证新生儿得到充足乳汁的关键。

（3）无法母乳喂养时，先试喂 10%葡萄糖水 10ml，吸吮及吞咽功能良好者，可给予配方奶，每 3 小时一次。

7. 新生儿保暖

（1）分娩室新生儿保暖：分娩室室温应该在 26～28℃之间，新生儿出生后放在辐射台上保暖。

（2）母婴同室新生儿的保暖：保持室温在 22～24℃为宜。实行 24 小时母婴同室，没有合并症则母婴不能分离。每 4 小时检查一次新生儿，并评价保暖情况。应在出生 6 小时后给新生儿洗澡。沐浴室温度在 26℃以上。沐浴的水温 39～41℃为宜。

8. 预防接种：出生后 3 天接种卡介苗。

（五）早产儿的特点

早产儿又称未成熟儿，是指胎龄大于 28 周，但不满 37 周的活产婴儿。

1. 外观特征：体重在 2500g 以下，身长在 47cm 以下，四肢呈伸直状，头发稀而细短，皮肤红嫩，胎毛多，足底纹少，足跟光滑，指甲软而短，男婴阴囊皱纹少，睾丸未降，女婴大阴唇不能盖住小阴唇。

2. 体温：体温中枢调节功能差，棕色脂肪少，产热不足；皮下脂肪薄，体表面积较大，保暖性能差，常有体温不升。

3. 呼吸：呼吸节律不规则，可发生呼吸暂停。肺部发育不成熟，肺泡表面活性物质少，易发生肺透明膜病。

4. 循环：心率较足月儿快，血压较足月儿低。

5. 消化：易发生溢乳，对脂肪的消化吸收较差，生理性黄疸出现较早，程度较足月儿重，持续时间也长，胎粪排出延迟。

（六）早产儿的护理

1. 保暖：新生儿温度应保持在24～26℃，晨间护理时，提高到27～28℃，相对湿度55%～65%。根据早产儿的体重及病情，给予相应的保暖措施，一般体重小于2000g者，尽早置婴儿培养箱保暖，婴儿培养箱的温度与患儿的体重有关，体重越轻箱温越高。每天测体温6次。

2. 合理喂养：出生体重在1500g以上而无发绀者，可于出生后2～4小时喂10%葡萄糖水2ml/kg，无呕吐者，可在6～8小时喂乳。出生体重在1500g以下或伴有发绀者，延迟喂养时间。最好用母乳喂养，吸吮无力及吞咽功能不良者，可用滴管或鼻饲喂养，必要时，静脉补充高营养液。喂养以右侧位为宜。

3. 维持有效呼吸：有缺氧症状者给予氧气吸入，常用氧气浓度为30%～40%。

4. 预防出血：出生后肌内注射维生素K，连用3天，预防出血。

5. 预防感染：加强口腔、皮肤及脐部的护理，每天口腔护理1～2次，每天沐浴1～2次，保持脐部皮肤清洁、干燥。空气及有关用品消毒，确保空气及仪器物品洁净，防止交互感染的发生。

【考点强化】

1. 最符合正常足月新生儿特点的是
- A. 体重2.5kg，身长46cm，大阴唇未遮蔽小阴唇
- B. 体重2.7kg，身长47cm，足底纹浅
- C. 体重2.7kg，身长48cm，睾丸未下降
- D. 体重2.8kg，身长48cm，胎毛少
- E. 体重2.9kg，身长48cm，未扪及乳房结节

2. 小儿从母体获得的抗体从何时起逐渐消失
- A. 生后1～2个月　B. 生后3～4个月
- C. 生后5～6个月　D. 生后7～8个月
- E. 生后10～12个月

3. 正常婴儿，每天每千克体重需要热量
- A. 377～418kJ（90～100kcal）
- B. 418～460kJ（100～110kcal）
- C. 439～418kJ（105～100kcal）
- D. 460～502kJ（110～120kcal）
- E. 502～544kJ（120～130kcal）

4. 新生儿病理性黄疸的原因不包括
- A. 病毒感染　B. 细菌感染
- C. 母婴血型不合　D. 药物
- E. 新生儿脱水热

5. 不符合新生儿生理性黄疸特点的是
- A. 出生后2～3天出现
- B. 一般状况好
- C. 血清结合胆红素＜26μmol/L
- D. 足月儿黄疸持续时间不超过2周
- E. 早产儿黄疸消退再延长3～4周

6. 新生儿常见的特殊生理状态应除外
- A. 生理性体重下降　B. 生理性黄疸
- C. 生理性乳房肿大　D. 假月经
- E. 生理性体温降低

7. 新生儿出生时的护理不正确的为
- A. 室温在15～18℃　B. 保持呼吸道通畅
- C. 严格消毒、无菌操作
- D. 记录出生时Apgar评分及生命体征
- E. 母婴同室

8. 早产儿的特点不包括
- A. 体温易波动
- B. 易发生低血糖
- C. 心律失常
- D. 肌张力低，拥抱反射常不完全
- E. 生理性黄疸时间偏长

9. 未成熟儿易出现低体温的主要原因是
- A. 代谢率高，产热少
- B. 体表面积相对较大，散热快
- C. 棕色脂肪多，产热少
- D. 肌肉发育差，产热少
- E. 体温调节功能强，散热快

10. 早产儿护理中哪项不妥
- A. 预防窒息　B. 及早输液、输血
- C. 预防感染　D. 合理营养

E. 注意保暖

（11～13 题共用备选答案）

A. 胎龄 36～42 周

B. 胎龄 37～42 周

C. 胎龄<37 周

D. 胎龄>40 周

E. 胎龄≥42 周

11. 足月儿

12. 早产儿

13. 过期产儿

【参考答案】

1. D　2. C　3. B　4. E　5. E

6. E　7. A　8. C　9. B　10. B

11. B　12. C　13. E

第三章　患病新生儿的护理

第一节　新生儿黄疸的护理

（一）新生儿胆红素代谢特点

（1）胆红素生成较多。

（2）结合、转运胆红素能力弱。

（3）肝脏摄取胆红素能力弱。

（4）肝细胞内葡萄糖醛酸转移酶的量低、活力不足，不能有效将未结合胆红素转变为结合胆红素。

（5）肠壁吸收胆红素增加。

（二）新生儿黄疸的分类

1. 生理性黄疸：一般情况良好；足月儿生后 2～3 天出现黄疸，4～5 天达高峰，5～7 天消退，最迟不超过 2 周；早产儿黄疸多于生后 3～5 天出现，5～7 天达高峰，7～9 天消退；每天血清胆红素升高<85μmol/L（5mg/dl）；血清胆红素足月儿<221μmol/L（12.9mg/dl），早产儿<257μmol/L（15mg/dl）。

2. 病理性黄疸：生后 24 小时内出现黄疸；黄疸进展快，血清胆红素迅速增高；黄疸持续时间长，足月儿>2 周，早产儿>4 周；黄疸退而复现；足月儿血清胆红素>221μmol/L（12.9mg/dl）、早产儿>257μmol/L（15mg/dl），或每天上升超过 85μmol/L（5mg/dl）；血清结合胆红素>34μmol/L（2mg/dl）。

（三）引起病理性黄疸的病因

1. 感染性疾病：新生儿肝炎、新生儿败血症。

2. 非感染性疾病：新生儿溶血病、胆道闭锁、母乳性黄疸、药物性黄疸、遗传性疾病。

（四）治疗要点

生理性黄疸一般不需治疗，病理性黄疸可采用下列方法。

（1）病因治疗。

（2）预防和控制病毒、细菌感染，避免使用对肝细胞有损害作用的药物。

（3）降低血清胆红素。尽早喂养，保持大便通畅，蓝光疗法。

（4）适当输入血浆和白蛋白，防止胆红素脑病发生。

（五）护理措施

（1）密切观察病情，观察皮肤颜色、生命体征、排泄情况。胎粪延迟排出者给予灌肠。注意观察有无胆红素脑病的前期症状。

（2）维持体温在 36～37℃，低体温会影响胆红素与白蛋白的结合。

(3) 尽早喂养、处理感染灶、光照疗法。

(4) 母乳性黄疸者，可暂停母乳喂养 1～4 天，黄疸消退后再母乳喂养。

第二节 新生儿颅内出血的护理

(一) 病因及发病机制

1. 缺氧：能引起缺氧的因素均可导致颅内出血的发生，以未成熟儿多见。

2. 产伤：以足月儿多见，因胎头产程过长、高位产钳、多次吸引器助产引起。

3. 其他：高渗液体输入过快，机械通气不当，血压波动过大，原发性出血性疾病或脑血管畸形。

(二) 临床表现

颅内出血的症状、体征与出血部位及出血量有关，一般生后 1～2 天内出现。常见有不安、脑性尖叫、惊厥等兴奋症状，或出现嗜睡、昏迷等抑制症状；呼吸不规则或暂停；眼睛凝视、斜视，瞳孔大小不对称，对光反应差；前囟隆起、肌张力减低。

(三) 辅助检查

(1) 急性期脑脊液为血性和出现皱缩红细胞。

(2) CT 和 B 超检查可确定出血部位和范围。

(四) 治疗要点

吸氧；烦躁不安、惊厥时可用镇静药；降低颅内压，可使用甘露醇；可使用维生素 K_1、酚磺乙胺（止血敏）、卡巴克络（安洛血）控制出血。用神经细胞营养药保护脑细胞。支持治疗和预防感染。

(五) 护理措施

(1) 保持安静，减少刺激。护理操作要轻、稳、准，尽量减少对患儿移动，穿刺选用留置针，减少反复穿刺，避免头皮穿刺。

(2) 绝对卧床，头肩垫高 15°～30°，以减轻脑水肿。

(3) 不能进食者，应给予鼻饲。注意保暖，必要时给氧。

(4) 体温高于 38.5℃者，宜松开包被，通风降温，禁用冰袋、乙醇擦浴等强烈的物理降温。

(5) 保持呼吸道通畅，及时清除呼吸道分泌物，患儿侧卧位或头偏向一侧，防止窒息。

(6) 密切观察患儿生命体征、神志、瞳孔的变化。

第三节 新生儿寒冷损伤综合征的护理

(一) 病因

寒冷、早产、低体重、感染和窒息可能是其致病因素。

(二) 临床表现

(1) 体温低于 35℃，重症患儿低于 30℃。

(2) 皮肤发凉、硬肿。

(3) 硬肿最初出现于小腿外侧，随后发展到臀部、肩部、面颊。

(4) 反应差，哭声低，心率慢，尿少。

(三) 护理措施

治疗的关键措施是复温。

1. 复温原则：循序渐进，逐步复温。

2. 具体操作

(1) 肛温＞30℃，腋温高于肛温者，可放入 30℃暖箱中，根据体温恢复的情况逐渐调整到 30～34℃的范围内，6～12 小时恢复正常体温。

(2) 肛温＜30℃，腋温低于肛温者，应置于比肛温高 1～2℃的暖箱中，并逐步提高暖箱的温度，每小时升高 1℃，每小时监测肛温、腋温 1 次，于 12～24 小时恢复正常体温。体温恢复正常后，将患儿放置调至中性温度的暖箱中。

第四节 新生儿缺血缺氧性脑病的护理

（一）病因及发病机制

1. 病因：围生期窒息是引起新生儿缺氧缺血性脑病的主要原因。

2. 发病机制

(1) 脑血流改变：当窒息缺氧为不完全性时，体内出现器官间血液重新分布；如缺氧继续存在，这种代偿机制失败，脑血流灌注下降。

(2) 脑组织生化代谢改变：脑缺氧时无氧糖酵解增加、乳酸堆积，导致低血糖和代谢性酸中毒。

(3) 神经病理学改变：足月儿常见的神经病理学改变是皮质梗死及深部灰质核坏死。

（二）临床表现

主要表现为意识改变及肌张力变化。

(1) 轻度：主要表现为兴奋、激惹，一般不出现惊厥。预后良好。

(2) 中度：表现为嗜睡、反应迟钝，肌张力减低，肢体自发动作减少，可出现惊厥。脑电图检查可见癫痫样波或电压改变，诊断常发现异常。

(3) 重度：意识不清，常处于昏迷状态，肢体自发动作消失，惊厥频繁。脑电图及影像学诊断明显异常。

（三）治疗要点

(1) 支持方法：吸氧；纠正酸中毒；维持血压，可用多巴胺和多巴酚丁胺；维持血糖在正常高值；补液，每日入液量控制在60～80ml/kg。

(2) 控制惊厥首选苯巴比妥钠，在上述药物疗效不明显时可加用地西泮。

(3) 治疗脑水肿：出现颅内高压症状可用呋塞米、甘露醇。

(4) 亚低温治疗：采用人工诱导方法将体温下降2～4℃。目前亚低温治疗新生儿缺氧缺血性脑病，仅适用于足月儿，对早产儿尚不宜采用。

（四）护理措施

1. 给氧及时清除呼吸道分泌物，保持呼吸道通畅。

2. 严密监护患儿的呼吸、血压、心率、血氧饱和度等，注意观察患儿的神志、瞳孔、前囟张力及抽搐等症状，观察药物反应。

3. 早期康复干预：对疑有功能障碍者，将其肢体固定于功能位。早期给予患儿动作训练和感知刺激的干预措施；恢复期指导家长掌握康复干预的措施。

4. 亚低温治疗的护理

(1) 亚低温治疗时采用循环水冷却法进行选择性头部降温，起始水温保持10～15℃，直至体温降至35.5℃时开启体部保暖，头部采用覆盖铝箔的塑料板反射热量。脑温下降至34℃时间应控制在30～90分钟。

(2) 为避免引起新生儿硬肿病等并发症，在亚低温治疗的同时必须注意保暖，可给予远红外或热水袋保暖。

第五节 新生儿脐炎的护理

新生儿脐炎是指断脐残端被细菌入侵、繁殖所引起的急性炎症。常见金黄色葡萄球菌，其次为大肠杆菌、铜绿假单胞菌、溶血性链球菌等。

（一）病因

多由于断脐时或生后处理不当，导致细菌感染，从而引起脐炎。

（二）临床表现

(1) 轻者：轻者脐轮与脐部周围皮肤轻度发红，可有少量渗液。体温及食欲均正常。

(2) 重者：脐部及脐周皮肤明显红肿发硬，脓性分泌物多并带有臭味；患儿有发热、吃奶少等非特异性表现。

（三）治疗原则

清除局部感染灶，选用适宜抗生素，对症治疗。

（四）护理措施

（1）局部处理：彻底清除感染伤口，从脐的根部由内向外环形彻底清洗消毒。

（2）洗澡时，注意不要洗湿脐部，洗澡完毕，用消毒干棉签吸干脐窝水，并用75%酒精消毒，保持局部干燥。

第六节　新生儿低血糖的护理

（一）病因

（1）暂时性低血糖病因：葡萄糖储存不足，主要见于早产儿、窒息缺氧、败血症、先天性心脏病等。葡萄糖利用增加，多见于母亲患有糖尿病、Rh溶血病等。

（2）持续性低血糖病因：胰岛细胞瘤、先天性垂体功能不全、遗传代谢病等。

（二）临床表现

大多数低血糖者无临床症状。少数可出现如喂养困难、嗜睡、颤抖、震颤、易激惹等非特异性表现。在静脉注射葡萄糖液后，上述症状消失、血糖恢复正常者，称症状性低血糖。

（三）辅助检查

血糖测定全血血糖<2.2mmol/L（40mg/dl）。高危儿应在生后4小时内，反复监测血糖；以后每隔4小时复查，直至血糖浓度稳定。

（四）治疗原则

（1）无症状低血糖者：可口服葡萄糖。

（2）有症状低血糖者：静脉注射葡萄糖；足月儿3～5mg/(kg·min)，早产适于胎龄儿4～6mg/(kg·min)，早产小于胎龄儿6～8mg/(kg·min)。

（五）护理措施

（1）定期监测患儿血糖，防止低血糖发生。

（2）无症状能进食者，可先进食。

（3）静脉输入葡萄糖时，需定期监测血糖变化，及时调整输液速度，保证血糖浓度稳定。

第七节　新生儿低钙血症的护理

新生儿低钙血症是新生儿惊厥常见原因之一。

（一）病因与发病机制

主要是由暂时的生理性甲状旁腺功能低下引起。妊娠晚期母血甲状旁腺激素水平高，分娩时脐血总钙和游离钙均高于母血水平，使胎儿和新生儿甲状旁腺功能暂时受到抑制。出生后，母体供钙停止、外源性供钙不足，新生儿甲状旁腺功能低下，骨质钙不能入血，导致低钙血症。

（二）分类

早期低血钙指生后72小时内发生的低血钙。晚期低血钙指生后72小时以后发生的低血钙。

（三）临床表现

症状主要是神经、肌肉兴奋性增高，表现为烦躁不安、肌肉抽动及震颤，多出现在生后5～10天。发作间期一般情况良好。

（四）辅助检查

血清总钙低于1.8mmol/L（7mg/dl）或血清游离钙低于0.9mmol/L（3.5mg/dl）。

（五）治疗原则

补充钙剂及抗惊厥治疗。

（六）护理措施

补钙注意事项如下。

（1）如患儿发生惊厥，遵医嘱稀释后静脉缓慢注射或滴注稀释的10%葡萄糖酸钙。如心率低于80次/分，应暂停注射，避免钙浓度过高抑制窦房结引起心动过缓，甚至心脏停搏。

（2）静脉注射时，选择粗直、易于固定的静脉；注射完毕后，用生理盐水冲洗，再拔针，以保证钙剂完全进入血管。一旦发生药液外渗，应立即停止注射，用25%～50%硫酸镁局部湿敷。

（3）氯化钙溶液可稀释后服用，较小婴儿服用此药一般不宜超过1周。

【考点强化】

1. 对新生儿颅内出血的护理，下列哪项是错误的
   A. 保持安静，避免各种惊扰
   B. 头肩部抬高15～30℃，以减轻脑水肿
   C. 注意保暖，必要时给氧
   D. 经常翻身，防止肺部淤血
   E. 喂乳时应卧在床上，不要抱起患儿

2. 以下不属于新生儿颅内出血病情观察的主要内容
   A. 神志状态　B. 瞳孔大小
   C. 囟门状态　D. 各种反射
   E. 饮食情况

3. 预防新生儿颅内出血的关键措施为
   A. 生后及时吸氧
   B. 及时注射维生素K_1
   C. 生后积极建立呼吸
   D. 加强孕产期保健
   E. 保持安静少搬动

4. 护理新生儿颅内出血时下列正确的是
   A. 保持安静避免声、光等刺激
   B. 不断吸痰以保持呼吸道通畅
   C. 给高浓度吸氧以纠正缺氧
   D. 将患儿置于稍凉的环境中
   E. 快速大量静脉输入新鲜血

5. 新生儿硬肿病首发部位
   A. 上肢　B. 面颊
   C. 躯体　D. 臀部
   E. 小腿外侧

6. 新生儿缺氧缺血性脑病脑水肿严重时应选用
   A. 25%葡萄糖　B. 10%氯化钠
   C. 青霉素　D. 地塞米松
   E. 20%甘露醇

7. 新生儿破伤风临床特征是
   A. 缺氧、产伤为常见原因
   B. 以全身中毒症状为特征
   C. 进行性呼吸困难，发绀
   D. 牙关紧闭，苦笑面容
   E. 皮肤发凉，发硬

8. 男婴，日龄8天，旧法接生。2天前哭闹易惊，吮奶困难，继而面肌及全身肌肉阵发性痉挛，你首先考虑
   A. 新生儿败血症　B. 新生儿颅内出血
   C. 新生儿硬肿病　D. 新生儿脑膜炎
   E. 新生儿破伤风

9. 不符合新生儿生理性黄疸特点的是
   A. 出生后2～3天出现
   B. 手心、足底不会出现黄疸
   C. 血清胆红素<221μmol/L
   D. 足月儿黄疸持续时间不超过2周
   E. 早产儿黄疸5～7天消退

10. 新生儿生理性黄疸的主要原因
    A. 新生儿胆道狭窄　B. 新生儿胆汁黏稠
    C. 新生儿胆囊小
    D. 出生后红细胞破坏过多
    E. 胆红素生成相对较多

11. 诱发新生儿血钙降低的原因不包括
    A. 春季，日光照射增多
    B. 应用维生素D治疗，未补钙
    C. 使用含磷过高的奶制品
    D. 发热、感染　E. PH下降

12. 一女婴，足月儿，生后第3天出现皮肤轻度黄染，一般情况良好，血清胆红素170μmol/L（10mg/dl）。该女婴可能是
    A. 新生儿败血症　B. 新生儿溶血症
    C. 先天性胆道闭锁　D. 新生儿肝炎
    E. 生理性黄疸

13. 患儿，日龄5天，生后24h内出现黄疸，进行性加重。在蓝光疗法中，下列哪项措施是错误的
    A. 使用前调节好箱内的温、湿度
    B. 将患儿脱光衣服，系好尿布，戴好护眼罩置入箱中
    C. 保持箱内温湿度相对恒定，使体温稳定于36.5～37.5℃
    D. 进行过程中适当限制液体供给
    E. 严密观察病情，注意不良反应

14. 患儿女，3天，拒乳，反应差，哭声弱，体温35.2℃，呼吸表浅，双下肢、臀部皮肤硬呈暗红色，凹陷性水肿，最可能是
    A. 新生儿窒息　B. 新生儿低血糖症
    C. 新生儿溶血症　D. 新生儿寒冷综合征
    E. 新生儿呼吸窘迫综合征

（15～17题共用病例）

患儿男，胎龄32周，早产儿，出生后哭声异常，阵发性青紫，肢体颤动，化验检查：血糖1.7mmol/L，诊断为新生儿低

血糖。

15. 上述情况常见于

A. 足月儿　B. 巨大儿

C. 足月小样儿　D. 早产儿

E. 过期新生儿

16. 如患儿需静脉补充葡萄糖，其速度为

A. 1～2mg/kg·min　B. 3～4mg/kg·min

C. 5～6mg/kg·min　D. 6～8mg/kg·min

E. 8～9mg/kg·min

17. 输入葡萄糖时

A. 给予高糖饮食　B. 给予高蛋白

C. 注意预防感染　D. 注意增加哺乳量

E. 注意监测血糖变化

【参考答案】

1. D　2. E　3. D　4. A　5. E

6. E　7. D　8. E　9. E　10. E

11. E　12. E　13. D　14. D　15. D

16. D　17. E

第四章　营养性疾病患儿的护理

第一节　营养不良患儿的护理

（一）病因

病因有长期摄入不足、消化吸收障碍、需要量增多、消耗量过大。喂养不当是导致营养不良的重要原因。

（二）临床表现

1. 主要临床表现

（1）体重不增是营养不良的早期表现。

（2）皮下脂肪层消耗的顺序：腹部、躯干、臀部、四肢、面颊。

（3）皮下脂肪层厚度是判断营养不良程度的重要指标之一。

2. 营养不良的分度

项目	Ⅰ度	Ⅱ度	Ⅲ度
体重低于正常值	15%～25%	25%～40%	＞40%
腹部皮下脂肪厚度	0.4～0.8cm	＜0.4cm	消失
身长	正常	低于正常	明显低于正常
消瘦	不明显	明显	皮包骨样
肌张力	正常	降低	明显降低，肌肉萎缩
精神状态	正常	情绪不稳	萎靡、烦躁与抑制交替

（三）辅助检查

（1）血清白蛋白浓度降低。

（2）胰岛素样生长因子1（IGF-1）水平下降，被认为是诊断营养不良的较好指标。

（3）血糖、血浆胆固醇水平降低。

（4）维生素缺乏，尤以脂溶性维生素A、维生素D缺乏常见。

（5）微量元素缺乏，约有3/4的患儿伴有锌缺乏。

（6）生长激素分泌增多。

（四）治疗要点

治疗原则是积极处理各种危及生命的合并症、祛除病因、调整饮食、促进消化功能。

（五）护理措施

1. 食物的选择原则

（1）根据患儿的消化功能：轻度营养不良者，开始给予牛奶，逐渐过渡到带有肉末的辅食；中、重度营养不良者先给予稀释奶或脱脂奶，再给予全奶，逐渐过渡到带有肉末的辅食。

（2）符合营养需要：给予高蛋白、高能量、高维生素的饮食，根据情况补充铁剂。

2. 调节饮食：轻度可从每天60～80kcal/kg开始，以后逐渐递增加；中、重度从每天40～55kcal/kg开始，逐步少量增加到每天120～170kcal/kg；蛋白质摄入量从每天1.5～2.0g/kg开始，逐步增加到3.0～4.5g/kg。待体重恢复，可供给正常生理需要量。

3. 促进消化、改善食欲。

4. 预防感染。

5. 观察

（1）注意观察低血糖症状，低血糖可致死亡，患儿清晨容易出现低血糖，表现为面色灰白、神志不清、脉搏减慢、呼吸暂停、体温不升但无抽搐。出现此种情况，需立即静脉注射25%葡萄糖溶液进行抢救。

（2）定期测量体重、身高及皮下脂肪的厚度，以判断治疗效果。

第二节　维生素D缺乏性佝偻病患儿的护理

（一）病因及发病机制

1. 病因

（1）日照不足为最常见的原因。

（2）维生素D摄入不足：乳类含维生素D少，但母乳中钙磷比例适宜，有利于钙吸收。

（3）生长过速，需要量增加。

（4）疾病影响：胃肠道或肝胆疾病影响维生素D吸收；肝、肾严重损害可致维生素D羟化障碍。

（5）药物影响：长期服用抗惊厥药物可使体内维生素D不足；糖皮质激素有对抗维生素D对钙的转运作用。

2. 发病机制：维生素D缺乏导致肠道吸收钙磷减少，导致血钙、血磷水平降低，引起甲状旁腺分泌增加，从而加速旧骨溶解和抑制肾小管对磷的重吸收，导致钙磷乘积降低（钙磷乘积正常值>40），从而出现佝偻病症状和血生化异常。

（二）临床表现及辅助检查

1. 初期（早期）

（1）多见于6月以内、尤其3月以内小儿。

（2）神经兴奋性增高：易激惹、烦躁、夜惊、多汗、枕秃等。

（3）血清25-(OH)D_3明显下降是可靠的早期诊断标准。

2. 活动期（激期）

（1）骨骼改变

① 头部：颅骨软化、方颅、出牙延迟或倒序、前囟迟闭。

② 胸部（1岁以内）：肋膈沟、肋缘外翻、鸡胸或漏斗胸、串珠肋。

③ 四肢（1岁以后）：手、脚镯征、“O”形或“X”形腿。

④ 脊柱：脊柱后突、侧弯。

（2）X线改变：长骨钙化带消失，干骺端呈毛刷样、杯口状改变；骨骺软骨盘增宽；骨质稀疏，骨皮质变薄；可有骨干弯曲畸形或青枝骨折。

（3）血生化：血清钙稍低，血清25-(OH)D_3下降明显，血磷明显降低。

3. 恢复期：经治疗后，临床症状和体征逐渐减弱或消失。

4. 后遗症期：残留不同程度的骨骼畸形。

（三）治疗要点

（1）口服维生素D制剂：每天50～100μg(2000～4000U)，4周后改预防量。

（2）肌内注射维生素D_3：适用于重症佝偻病有并发症或无法口服者，一次20万～30万单位，3个月后口服预防量。

（3）骨骼畸形者可运动矫正，严重者外科手术矫治。

（四）护理措施

1. 指导家长预防佝偻病：预防的关键在日光浴与适量维生素D的补充。

（1）指导家长带小儿定期户外活动，直接接受阳光照射。

（2）母乳喂养，添加肝、蛋、蘑菇等富含维生素D、钙、磷和蛋白质的辅食。

（3）口服维生素D预防

① 早产儿、低出生体重儿、双胎儿生后2周开始补充维生素D800单位/天，3个月后改预防量。

② 足月儿生后2周开始补充维生素D400

单位/天，至2岁。

2. 预防和治疗骨骼畸形

(1) 预防：床铺松软，避免过早、过久地坐、站、走。

(2) 骨骼畸形的运动矫正：胸廓畸形者可做俯卧位抬头、展胸运动；下肢畸形可施行肌肉按摩，"O"形腿按摩外侧肌，"X"形腿按摩内侧肌。

第三节　维生素D缺乏性手足搐搦症患儿的护理

(一) 病因及发病机制

(1) 直接原因是血清钙离子降低；根本原因是维生素D缺乏。

(2) 诱发血钙降低的原因：春季日光照晒增多；给予含磷过高的奶制品喂养；发热、感染、饥饿；pH增高。

(二) 临床表现

(1) 隐匿型：血清钙多在1.75～1.88mmol/L，没有典型发作的症状，但可通过刺激神经肌肉而引出体征（面神经征、腓反射和陶瑟征）。

(2) 典型发作：血清钙低于1.75mmol/L时可出现惊厥、喉痉挛和手足搐搦，无热惊厥为最常见。

(三) 辅助检查

血钙低于1.75～1.88mmol/L（7.0～7.5mg/dl），血磷正常或偏高。

(四) 治疗要点

1. 急救

(1) 吸氧，保证呼吸道通畅。

(2) 控制惊厥与喉痉挛：10%水合氯醛保留灌肠或地西泮（安定）肌内或静脉注射。

2. 钙剂治疗：10%葡萄糖酸钙稀释后缓慢推注（10分钟以上）或滴注，惊厥控制后，10%氯化钙稀释后口服，连服3～5天后改服10%葡萄糖酸钙。

3. 症状控制后补充维生素D。

(五) 护理措施

1. 控制惊厥、喉痉挛：立即使用镇静药、钙剂。

2. 静脉注射钙剂：需推注10分钟以上，以免发生呕吐甚至心脏停搏；避免药液外渗，以免造成局部坏死。

3. 防止窒息：及时吸氧，清除口鼻分泌物，保持呼吸道通畅，必要时行气管插管或气管切开。

4. 健康教育：教会家长惊厥、喉痉挛发作时的处理方法。

【考点强化】

1. 蛋白质—热能营养不良时，皮下脂肪消减的顺序是
A. 四肢→躯干→腹部→臀部→面颊部
B. 腹部→躯干→臀部→四肢→面颊部
C. 腹部→躯干→四肢→面颊部→臀部
D. 躯干→四肢→腹部→臀部→面颊部
E. 面颊部→腹部→躯干→臀部→四肢

2. 按婴幼儿营养不良分度标准，Ⅰ度营养不良的表现是体重低于正常比例与腹壁脂肪厚度分别是
A. 8%～10%、0.8～1cm
B. 10%～15%、0.6～0.8cm
C. 15%～25%、0.4～0.8cm
D. 25%～40%、0.4cm以下
E. 40%以上、完全消失

3. Ⅲ度营养不良患儿，腹壁皮下脂肪厚度应是
A. 0.7～0.8cm　B. 0.5～0.6cm
C. 0.3～0.4cm　D. 0.1～0.2cm
E. 完全消失

4. Ⅰ度营养不良的临床表现不包括
A. 体重低于正常均值20%～25%
B. 皮下脂肪厚度0.8～0.4cm
C. 身高正常
D. 皮肤干燥
E. 肌张力正常

5. 婴儿营养不良最常见的病因是
A. 先天不足
B. 喂养不当
C. 缺乏锻炼
D. 疾病影响
E. 免疫缺陷

6. 佝偻病患儿早期的临床表现主要是
A. 睡眠不安，多汗，枕秃
B. 颅骨软化

C. 方颅
D. 前囟晚闭
E. 出牙延迟

7. 佝偻病活动初期的主要表现是
A. 方颅
B. 肋骨串珠
C. “O” 形或 “X” 形腿
D. 肌张力低下
E. 易激惹、多汗

8. 维生素 D 缺乏性手足搐搦症最常见的典型发作是
A. 无热惊厥　B. 手足抽搐
C. 喉痉挛　D. 意识障碍
E. 肌痉挛

9. 维生素 D 缺乏性佝偻病的病因不包括
A. 日光照射不足　B. 维生素 D 摄入不足
C. 生长过速　D. 早产、双胎
E. 新生儿溶血

10. 3～4 个月佝偻病患儿可见哪项体征
A. 颅骨软化　B. 方颅
C. 郝氏沟
D. 肋骨串珠
E. “O” 形腿

11. 足月儿服用维生素 D 预防佝偻病每天剂量为
A. 100U
B. 400U
C. 1000U
D. 5000U
E. 1000U

12. 口服维生素 D 治疗佝偻病，一般持续多久改为预防量
A. 1 个月　B. 2 个月
C. 3 个月　D. 6 个月
E. 到骨骼体征消失

13. 维生素 D 缺乏性手足搐搦症惊厥发作时，下列处理原则哪项是正确的
A. 立即肌注维生素 D_2 或维生素 D_3
B. 速给服大剂量维生素 D
C. 快速静脉推注 10% 葡萄糖酸钙
D. 缓慢静脉注射 10% 葡萄糖酸钙
E. 大量维生素 D 和钙剂同时使用

14. 维生素 D 缺乏性佝偻病护理措施不包括
A. 增加户外活动
B. 多食富含维生素 D、钙的食物
C. 预防骨骼畸形
D. 手术矫正骨骼畸形
E. 预防感染

15. 维生素 D 缺乏性手足搐搦症主要死亡原因为
A. 脑水肿
B. 喉痉挛
C. 心力衰竭
D. 呼吸衰竭
E. 吸入性肺炎

（16～18 题共用病例）
患儿，女，5 个月。患维生素 D 缺乏性佝偻病（激期）。

16. 该期主要的临床症状为
A. 惊厥、窒息
B. 语言发育迟缓
C. 骨骼系统改变
D. 睡眠不安、易惊
E. 夜间啼哭、出汗

17. ［假设信息］当给予该患儿维生素 D_3 30 万单位肌注后突然发生全身抽搐 1 次，持续约 20～60s，发作停止后精神活泼如常。检测血清钙 1.68mmol/L。在患儿发生全身抽搐时，首先采取的措施是
A. 继续补充维生素 D
B. 给予镇静药
C. 在病床两侧加床挡
D. 尽快给予葡萄糖酸钙
E. 及时纠正碱中毒

18. 该患儿抽搐的直接原因为
A. 缺乏维生素 D
B. 血清钙减少
C. 热性惊厥
D. 癫痫发作
E. 碱中毒

19. 为预防患儿再次发作全身抽搐，在全身抽搐控制后，首选的措施是
A. 继续补充维生素 D
B. 给予镇静药
C. 在病床两侧加床挡
D. 尽快给予葡萄糖酸钙
E. 及时纠正碱中毒

【参考答案】

1. B　2. C　3. E　4. A　5. B
6. A　7. E　8. A　9. E　10. A
11. B　12. A　13. D　14. E　15. B
16. C　17. B　18. B　19. D

第五章 消化系统疾病患儿的护理

第一节 小儿消化系统解剖生理特点

1. 口腔：新生儿口底浅，常出现生理性流涎。

2. 食管：新生儿食管长约 10cm。新生儿食管弹力组织及肌层不发达，且贲门肌发育不成熟，所以控制能力较差，易胃食管反流。

3. 胃：新生儿胃容量约 30～60ml。胃呈水平位，贲门较松，幽门括约肌较紧张，易发生溢乳和呕吐。

4. 肝脏：小儿肝脏相对越大，肝解毒能力较差，胆汁分泌较少。肝下缘位于右肋缘下 1～2cm。

5. 消化酶：3 个月以下小儿唾液淀粉酶产生较少，胃酸分泌少，各种酶的活性低。

6. 粪便：生后 12 小时内开始排便，第一次排出墨绿色粪便，2～3 天后粪便呈黄糊状。母乳喂养儿的粪便为金黄色糊状便，牛、羊乳喂养儿粪便呈淡黄色稠便。

第二节 口腔炎患儿的护理

（一）病因

(1) 卫生因素和各种疾病导致机体抵抗力下降等因素。

(2) 婴幼儿口腔黏膜嫩，血管丰富，唾液分泌少，口腔干燥。

(3) 疱疹性口腔炎由单纯疱疹病毒Ⅰ型感染引起。

(4) 溃疡性口腔炎由链球菌、金黄色葡萄球菌、肺炎链球菌等感染引起。

(5) 鹅口疮由白色念珠菌感染引起。

（二）临床表现

1. 疱疹性口腔炎：多见于 1～3 岁小儿，口腔黏膜早期呈散在或成簇的小水疱，水疱很快破溃形成溃疡，溃疡面覆盖黄白色膜样渗出物，周围绕以红晕。几个小溃疡可融合成较大的溃疡。全身表现有拒食、流涎、哭闹、烦躁、发热。

2. 溃疡性口腔炎：发病时口腔黏膜充血、水肿，继而形成大小不等的糜烂面或浅溃疡，溃疡表面覆有灰白色假膜，假膜易擦去。全身表现为患儿哭闹、拒食、流涎，多有发热。颌下淋巴结肿大。

3. 鹅口疮：多见于新生儿、营养不良、腹泻的患儿；口腔黏膜出现白色乳凝块样物，初呈点状或小片状，不宜擦去，周围无炎症反应。全身症状轻，无痛、无流涎。可引起真菌性肠炎或真菌性肺炎。

（三）治疗要点

(1) 鹅口疮可口服微生态制剂，一般不需口服抗真菌药。

(2) 清洗口腔及局部涂药。

（四）护理措施

1. 清洁口腔：各种口腔炎均可用 3%过氧化氢溶液或 0.1%依沙吖啶溶液含漱或清洗溃

疡面；鹅口疮用2%碳酸氢钠溶液清洗，以饭后1小时清洗为宜。

2. 局部涂药

(1) 疱疹性口腔炎及溃疡性口腔炎：患处涂2.5%～5%金霉素鱼肝油或碘苷、锡类散、冰硼散或西瓜霜粉剂。有口唇干裂者涂液状石蜡或抗生素软膏。

(2) 鹅口疮：局部涂抹制霉菌素鱼肝油混合液。

(3) 涂药方法：先口腔清洗，然后于颊黏膜腮腺管口或舌系带两侧垫上纱布或干棉球垫，以隔断唾液；用干棉球蘸干溃疡面后涂药，涂药10分钟后去除棉球或纱布，嘱患儿不要立即漱口、饮水或进食。

3. 消毒：鹅口疮患儿使用过的奶瓶、水瓶及奶头应用5%碳酸氢钠溶液浸泡30分钟，并煮沸消毒。哺乳妇女的内衣要每天更换并清洗。

4. 饮食：给予患儿微温或凉的流质饮食。

第三节　小儿腹泻病的护理

(一) 病因及发病机制

1. 病因

(1) 感染因素：引起小儿腹泻的细菌以致病性大肠埃希菌最常见；寒冷季节的婴幼儿腹泻的主要病原体是轮状病毒；引起小儿腹泻的真菌以白色念珠菌多见。

(2) 非感染因素：喂养不当、对牛奶或大豆（豆浆）过敏、原发性或继发性双糖酶（主要为乳糖酶）缺乏或活性降低、气候因素。

2. 易感因素

(1) 婴幼儿消化系统发育不完善：胃酸及消化酶分泌少，消化酶活性低。

(2) 胃肠道防御功能较差：胃酸少，胃排空快，病原体不易杀灭。

(3) 生长发育快，需要营养物质相对多，消化道负担重。

(4) 免疫力差：血清免疫球蛋白IgG、IgA和胃肠道SIgA较少。

(5) 肠道菌群失调。

3. 发病机制

(1) 肠腔内存在大量不能吸收的渗透性物质。

(2) 肠道分泌电解质过多。

(3) 炎症引起液体大量渗出到肠腔。

(4) 肠道功能异常。

(二) 临床表现

1. 主要临床表现

(1) 轻型：大便＜10次/天，量较少，为黄色或黄绿色稀水便、蛋花汤样便，有奶瓣、酸味，呕吐轻或无；无明显全身中毒症状，精神好、低热；无脱水、电解质和酸碱紊乱；镜检可有大量脂肪球；病程短：数天（3～5天）痊愈。

(2) 重型：大便每天10余次至数10次，为黄色水样或蛋花汤样便，含有少量黏液，少数患儿也可有少量血便。有较明显的脱水、电解质紊乱和全身感染中毒症状。

(3) 轮状病毒肠炎：起病急，常伴发热和上呼吸道感染症状，无明显感染中毒症状。大便次数多、量多、水分多，黄色水样或蛋花汤样便带少量黏液，无腥臭味。大便镜检偶有少量白细胞。本病有自限性，病程约3～8天。

(4) 大肠埃希菌肠炎：腹泻频繁，大便呈蛋花汤样或水样，混有黏液。全身中毒症状较重，可发生水电解质紊乱、酸中毒。

2. 水、电解质和酸碱平衡紊乱表现

(1) 脱水：脱水的主要表现为口渴、眼窝及前囟凹陷、眼泪及尿量减少、黏膜及皮肤干燥、皮肤弹性差、烦躁、嗜睡甚至昏迷、休克等。脱水的分度见下表。

项目	轻度	中度	重度
精神	稍差	萎靡、烦躁	表情淡漠、昏睡或昏迷
眼泪	少	明显减少	无
前囟、眼窝	稍凹陷	明显凹陷	深度凹陷
皮肤	干、弹性可	干、弹性差	干、弹性极差
末梢血液循环	正常	四肢稍凉	四肢厥冷
血压	正常	正常或稍低	下降
尿量	稍减少	明显减少	极少或无
体重减少	＜5%	5%～10%	＞10%
心率	正常	快	快、弱

不同性质脱水的临床特点见下表。

项目	低渗性	等渗性	高渗性
神志	嗜睡或昏迷	萎靡	烦躁、惊厥
口渴	不明显	明显	极明显
皮肤弹性	极差	稍差	尚可
血压	明显下降	下降	正常或稍下降
血钠浓度/(mmol/L)	＜130	130～150	＞150

（2）代谢性酸中毒：轻度酸中毒仅表现为呼吸稍快；中、重度酸中毒表现为口唇樱桃红色或发绀、呼吸深快、精神委靡或烦躁不安、嗜睡甚至昏迷。

（3）低钾血症：表现为腹胀，肠鸣音减弱、腱反射减弱或消失、心音低钝，心律失常等。心电图有 ST 段下降、T 波低平、出现 U 波等表现。

（4）低钙血症：表现为抽搐或惊厥等。

（5）低镁血症：表现为手足震颤、手足搐搦或惊厥。

3. 分型

（1）根据病程长短分为急性、迁延性、慢性腹泻。

① 急性腹泻：病程在 2 周以内。

② 迁延性腹泻：病程在 2 周～2 个月。

③ 慢性腹泻：病程在 2 个月以上。

（2）根据病情轻重分为轻型、中型、重型腹泻。

① 轻型：无脱水及中毒症状。

② 中型：轻、中度脱水或有轻度中毒症状。

③ 重型：重度脱水或有明显中毒症状。

（三）治疗要点

1. 控制感染。

2. 对症治疗。

3. 纠正水和电解质紊乱

（1）口服补液：用于纠正轻、中度脱水。新生儿和有明显呕吐、腹胀、休克、心肾功能不全等患儿不宜采用口服补液。轻度脱水口服液量约 50～80ml/kg，中度脱水约 80～100ml/kg，于 8～12 小时内将累积损失量补足。

（2）静脉补液：适用于中度以上脱水、吐泻严重或腹胀的患儿。

① 第 1 天补液

a. 总量：包括补充累积损失量、继续损失量和生理需要量，一般轻度脱水补液量为 90～120ml/kg、中度脱水为 120～150ml/kg、重度脱水为 150～180ml/kg。

b. 溶液种类：等渗性脱水用 1/2 张含钠液、低渗性脱水用 2/3 张含钠液、高渗性脱水用 1/3 张含钠液。

c. 输液速度：重度脱水有明显周围循环障碍者应先快速扩容，20ml/kg 等渗含钠液，30～60 分钟内快速输入。累积损失量（扣除扩容液量）一般在 8～12 小时内补完，约每小时 8～10ml/kg。脱水纠正后，补充继续损失量和生理需要量时速度宜减慢，于 12～16 小时内补完，约每小时 5ml/kg。

d. 纠正酸中毒：重度酸中毒者可用 1.4% 碳酸氢钠。

e. 纠正低钾：有尿或来院前 6 小时内有尿即应及时补钾；浓度不应超过 0.3%；每天静脉补钾时间不应少于 8 小时；切忌将钾盐静脉推入，否则导致高钾血症，危及生命。细胞内的钾浓度恢复正常要有一个过程，因此纠正低钾血症需要有一定时间，一般静脉补钾要持续 4～6 天。能口服时可改为口服补充。

f. 纠正低钙、低镁：出现低钙症状时可用 10% 葡萄糖酸钙加葡萄糖稀释后静注。低镁者用 25% 硫酸镁深部肌内注射。

② 第二天及以后的补液：第二天补液量需根据吐泻和进食情况估算，并供给足够的生理需要量，用 1/3～1/5 张含钠液补充。继续损失量是按“丢多少补多少”、“随时丢随时补”的原则，用 1/2～1/3 张含钠溶液补充。将这两部分相加于 12～24 小时内均匀静滴。

（四）护理措施

1. 腹泻的护理

（1）评估相关因素，去除病因。

（2）观察并记录排便次数、性状及腹泻量，收集粪便送检。

（3）做好消毒隔离，防止交互感染。

2. 饮食调节：饮食调整原则为由少到多、由稀到稠、鼓励多吃；母乳喂养的婴儿继续哺乳，暂停辅食，缩短每次喂乳时间，少量多次喂乳；人工喂养儿可喂以等量米汤或稀释的牛奶或其他代乳品，由米汤、粥、面条等逐渐过渡到正常饮食。有严重呕吐者可暂时禁食 4～6 小时（不禁水），待好转后继续喂食。

3. 口服补充液体的护理

（1）服用 ORS 液期间应让患儿照常饮水，防止高钠血症的发生。

（2）如患儿眼睑出现水肿，应停止服用

ORS液，改用白开水。

4. 静脉补液的护理

(1) 根据患儿情况调整液体入量及速度。过快可引起心力衰竭，过慢不能及时纠正脱水。

(2) 补液时应注意观察患儿前囟、皮肤弹性、眼窝凹陷情况及尿量。

(3) 及时观察静脉输液是否通畅，局部有无渗液、红肿。

(4) 准确记录第一次排尿时间、24小时出入液量。

5. 臀部皮肤护理

(1) 选用清洁、柔软的尿布，及时更换，避免使用塑料布包裹。

(2) 保持会阴部及肛周皮肤清洁、干燥，便后用温水清洗臀部并拭干，可预防臀红。

(3) 局部发红有渗出或有潜在溃疡者，暴露或灯泡照射、理疗。

6. 臀红的护理

(1) 在季节或室温条件允许情况下，使臀部暴露于空气中，保持皮肤干燥。

(2) 局部用红外线灯或鹅颈灯照射。每次照射时间15～20分钟，每日2～3次。照射时严格掌握灯与臀部的距离，一般为35～45cm，要严格交接班，防止烫伤。

(3) 臀部烤灯后，酌情涂以润肤油类或药膏。涂抹药膏应使用棉签在皮肤上轻轻滚动涂药，不可上下刷抹，避免涂擦造成患儿疼痛和皮肤损伤。

第四节　小儿液体疗法及护理

(一) 小儿体液平衡的特点

(1) 年龄越小，体液总量占体重的百分比越高，新生儿体液占体重的80%，间质液的比例较高。

(2) 小儿体液电解质成分与成人相似。

(3) 小儿水代谢旺盛，小儿较成人对缺水的耐受力差，容易发生脱水。

(4) 小儿不显性失水也较多，约为成人的2倍。

(5) 年龄越小，消化液的分泌与再吸收越快，易出现水和电解质紊乱。

(6) 年龄越小，肾调节能力越差，易发生水、电解质、酸碱平衡紊乱。

(二) 常用液体种类、成分及配制

1. 非电解质溶液：5%葡萄糖溶液（等渗液）、10%葡萄糖溶液（高渗液），补充液体和提供热量。无维持血浆渗透压的作用。

2. 氯化钠溶液：0.9%氯化钠溶液（等渗液）过多输入可引起高氯血症，2份0.9%氯化钠和1份1.4%碳酸氢钠混合钠氯之比与血浆中钠氯之比相近，可减少引起高氯血症的危险；3%氯化钠溶液和10%氯化钠溶液均为高渗液，3%氯化钠溶液用以纠正低钠血症，10%氯化钠用于配制各种混合液。

3. 碱性溶液：1.4%碳酸氢钠溶液（等渗液）是治疗代谢性酸中毒的首选药物；1.87%乳酸钠为等渗液。

4. 混合溶液

种类	5%～10%GS	NS	1.4%SB	最终张力	适应证
2：1液	2	1	1	等张	扩容用
3：4：2液	3	4	2	2/3	低渗性脱水
3：2：1液	3	2	1	1/2	等渗性脱水
6：2：1液	6	2	1	1/3	高渗性脱水

5. ORS液：是2/3张溶液，由氯化钠3.5g，碳酸氢钠2.5g，氯化钾1.5g，葡萄糖20g加水至1000ml配制而成。

(三) 液体疗法

1. 入院第一天补液

(1) 补充累积损失量

① 定量：轻度脱水补液应<50ml/kg，中度脱水补50～100ml/kg，重度脱水补100～120ml/kg，先给予上述量的2/3。

② 定性：低渗脱水补2/3张或等张含钠液，等渗脱水补1/2～2/3张含钠液，高渗脱水补1/4～1/3张含钠液。

③ 定速：补液的速度先快后慢。累积损失量应在8～12小时内补足。滴速为每小时8～10ml/kg。重度脱水或有周围循环衰竭者应首先静脉推注或静脉快速滴入2：1等张含钠液20ml/kg，总量不超过300ml，于30～60分钟内静脉输入。

(2) 补充继续损失量：用1/3～1/2张含

钠液，在后12～16小时内输入，滴速为每小时约5ml/kg。

(3) 供给生理需要量：基础代谢需要水60～80ml/kg，用1/5～1/4张含钠液补充。补充时间和速度同继续损失量。

在实际补液过程中，要对以上三部分需要进行综合分析，例如对腹泻丢失体液引起脱水的补液量的计算：为以上三部分合计，一般轻度脱水约90～120ml/kg，中度脱水约120～150ml/kg，重度脱水约150～180ml/kg。并根据治疗效果，随时进行调整。第一天以后的补液量视脱水纠正情况而定。

2. 几种常见疾病的补液方法

(1) 小儿肺炎：尽量口服补液，进食不足或不能进食时静脉补液，补液量要控制在生理需要量最低值（60～80ml/kg），速度要慢。肺炎合并腹泻的补液原则同腹泻，但补液量按计算的3/4补充。补液量大、速度快时易引起心力衰竭。

(2) 营养不良伴腹泻：补液量为按体重计算的1/3，用2/3张含钠液，补液速度应稍慢。

（四）小儿液体疗法的护理

1. 补液前的准备

(1) 补液前全面了解患儿的病史、病情、补液目的及其临床意义。

(2) 熟悉常用液体的种类、成分及配制。

(3) 做好家长工作，取得配合，对病儿也要做好鼓励与解释，以消除其恐惧心理，不合作病儿加以适当的约束或给予镇静药。

2. 输液的护理

(1) 按医嘱要求全面安排24小时的液体总量，并本着急需先补、先快后慢、先浓后淡、先盐后糖、见尿补钾的原则分批输入。

(2) 掌握输液速度，明确每小时应输入量，计算出每分钟输液滴数，并随时观察，防止输液速度过快或过缓，输液速度过快易发生心力衰竭及肺水肿，过慢脱水不能及时纠正。最好使用输液泵。

(3) 观察病情

① 观察生命体征：及时发现心力衰竭和肺水肿等的发生。

② 观察脱水情况：根据脱水情况调整液体入量及速度。

③ 观察低钙表现：酸中毒纠正后，可出现低钙惊厥。

④ 观察低血钾表现：观察病儿有无腹胀、有无腱反射减弱、有无肌张力降低或有无心音低钝或心律不齐。

(4) 计算并记录24小时液体出入量：液体入量包括口服液体和胃肠道外补液量。液体出量包括尿、大便和不显性失水。婴幼儿大小便可用“称尿布法”计算液体排出量。

【考点强化】

1. 疱疹性口腔炎的病原体
A. 柯萨奇病毒　B. 巨细胞病毒
C. 腺病毒　D. 单纯疱疹病毒Ⅰ型
E. 单纯疱疹病毒Ⅱ型

2. 鹅口疮的临床表现是
A. 口腔黏膜弥漫性充血
B. 溃疡表面有黄白色渗出物
C. 有发热等全身中毒症状
D. 因疼痛出现拒乳和流涎
E. 口腔黏膜有乳凝块样物

3. 用碳酸氢钠溶液清洗口腔治疗鹅口疮，常用溶液浓度为
A. 1.0%　B. 1.5%　C. 2.0%
D. 6.0%　E. 20%

4. 秋季腹泻的最常见病原体是
A. 肠道病毒　B. 轮状病毒
C. 冠状病毒　D. 诺沃克病毒
E. 星状和杯状病毒

5. 轮状病毒肠炎的临床特点是
A. 多见于6个月以内的婴儿
B. 腹泻先于呕吐
C. 大便为水样或蛋花样，无腥臭味
D. 喂乳类的婴儿恢复快
E. 大便中易分离出病毒

6. 低渗性脱水不具有的特点是
A. 主要是细胞外液减少
B. 多见于营养不良患儿
C. 高热、烦渴　D. 易出现休克
E. 失钠大于失水

7. 小儿轻型腹泻与重型腹泻的主要区别点是
A. 每日大便次数　B. 呕吐次数
C. 有无发热
D. 有无脱水、电解质紊乱
E. 大便性质

8. 中度脱水时失水量为体重的
A. 2%～5%　B. 3%～6%
C. 4%～8%　D. 5%～10%
E. 6%～12%

9. 小儿腹泻伴低钾血症的临床特点是

A. 神经肌肉的兴奋性增加
B. 心音亢进、心率减慢
C. 肠鸣音消失、四肢肌张力低下
D. 呼吸深大
E. 酸中毒时易致低血钾

10. 判断脱水性质最有效的辅助检查是
A. 测量体重　B. 尿量
C. 血钠浓度　D. 血钾浓度
E. 二氧化碳结合力

11. 小儿腹泻出现重度脱水，第一天静脉补液总量
A. 50ml/kg　B. 50～100ml/kg
C. 100～120ml/kg　D. 120～150ml/kg
E. 150～180ml/kg

12. 对腹泻病患儿补液时采取的护理措施错误的是
A. 注意观察尿量、呕吐及腹泻次数及量
B. 维持静脉输液通畅
C. 明确每小时输入量
D. 准确记录液体出入量
E. 按先慢后快的原则

13. 护理腹泻患儿时，哪项措施不正确
A. 详细记录出入量
B. 加强臀部护理
C. 腹胀时应注意有无低钾血症
D. 急性腹泻早期应使用止泻药
E. 呕吐频繁者应禁食补液

14. 腹泻病患儿的饮食护理正确的不包括
A. 禁食到腹泻停止，可以减轻肠道负担
B. 6个月人工喂养儿可给稀释奶
C. 呕吐频繁者暂禁食
D. 母乳喂养者可继续喂养
E. 可暂给脱脂奶

15. 重型腹泻患儿呕吐频繁时禁食的时间一般为
A. 8h　B. 4～6h
C. 10h　D. 12h　E. 14h

16. 腹泻、脱水患儿经补液治疗后已排尿，按医嘱继续输液 400ml，需加入 10%氯化钾最多不应超过
A. 6ml　B. 8ml
C. 10m　D. 12ml　E. 14ml

17. 静脉滴注氯化钾的浓度一般为
A. 0.15%～0.3%　B. 0.5%～1%
C. 0.6%　D. 1%～15%
E. 1.5%～3%

18. 口服补液盐（ORS）液的张力为
A. 1/5 张　B. 1/4 张
C. 1/3 张　D. 1/2 张　E. 2/3 张

19. 脱水输液，累积丢失量应于多少小时内补完
A. 0.5～1　B. 4～6
C. 6～8　D. 8～12　E. 12～14

【参考答案】

1. D　2. E　3. C　4. B　5. C
6. C　7. D　8. D　9. C　10. C
11. E　12. E　13. D　14. A　15. B
16. D　17. A　18. E　19. D

第六章　呼吸系统疾病患儿的护理

第一节　小儿呼吸系统解剖生理特点

（一）解剖特点

1. 鼻：鼻腔短小，无鼻毛，后鼻道狭窄，鼻黏膜柔嫩，血管丰富，易于感染；炎症时易充血、肿胀出现鼻塞。

2. 鼻旁窦：鼻腔黏膜与鼻旁窦黏膜相连续，鼻旁窦口较大，急性鼻炎时易导致鼻旁窦炎。

3. 咽鼓管：呈水平位，较宽、短、直，故鼻咽炎时易致中耳炎。

4. 腭扁桃体：4～10岁为生长高峰。

5. 喉部：呈漏斗型，长、狭窄，黏膜柔嫩，血管丰富，易发生炎性肿胀，喉炎时易致窒息、呼吸困难。

6. 气管及支气管：管腔狭窄，弹力组织少，纤毛运动差，右支气管短而粗，为气管直接延伸，故异物较易进入右支气管。

7. 肺：肺组织含血量多而含气量少，易于感染，感染后易引起间质性肺炎、肺不张及肺气肿等。

8. 胸廓：婴幼儿胸廓呈桶状，心脏呈横位；胸腔较小而肺相对较大。小儿纵隔相对较大，纵隔周围组织松软、富于弹性，胸腔积液或气胸时易致纵隔移位。

（二）生理特点

1. 呼吸频率与节律：年龄越小，频率越快。新生儿40～44次/分，1个月～1岁30次/分，1～3岁24次/分，3～7岁22次/分，7～14岁20次/分，14～18岁16～18次/分。

2. 呼吸型：小儿呈腹式呼吸。随年龄增长逐渐转化为胸、腹式呼吸。

3. 呼吸功能特点：小儿肺活量为50～70ml/kg；年龄越小，潮气量越小；随年龄增大气道管径逐渐增大。

（三）免疫特点

婴幼儿体内的免疫球蛋白IgA含量低，且肺泡巨噬细胞功能不足，乳铁蛋白、溶菌酶、干扰素、补体等数量和活性不足，故易患呼吸道感染。

第二节　急性上呼吸道感染患儿的护理

（一）病因

由于婴幼儿上呼吸道的解剖和免疫特点而易患本病。90%以上由病毒引起，主要有鼻病毒、呼吸道合胞病毒、流感病毒等。

（二）临床表现

1. 一般类型上感

(1) 局部症状：鼻塞、流涕、喷嚏、干咳、咽部不适等，多于3～4天内自然痊愈。

(2) 全身症状：发热、烦躁不安、头痛、全身不适、乏力等。

(3) 体征：体检可见咽部充血，扁桃体肿大。肺部听诊一般正常。肠道病毒感染者可见不同形态的皮疹。

2. 两种特殊类型上感

(1) 疱疹性咽峡炎：病原体为柯萨奇A组病毒。好发于夏秋季。起病急，临床表现为高热、咽痛、流涎、厌食、呕吐等。体检可发现咽部充血，在咽腭弓、软腭、悬雍垂的黏膜上可见数个2～4mm大小灰白色的疱疹，周围有红晕，1～2天后破溃形成小溃疡，疱疹也可发生于口腔的其他部位。病程为1周左右。

(2) 咽结合膜热：病原体为腺病毒3、7型。好发于春夏季。以发热、咽炎、结膜炎为特征。临床表现为高热、咽痛、眼部刺痛，有时伴消化道症状。体检发现咽部充血、可见白色点块状分泌物，周边无红晕，易于剥离；颈及耳后淋巴结肿大。病程1～2周。

（三）辅助检查

病毒感染者白细胞数正常或偏低；细菌感染者白细胞数增高，中性粒细胞比例增高。

（四）治疗要点

1. 一般治疗：注意休息、多饮水和补充大量维生素C等。

2. 抗感染治疗：抗病毒可试用三氮唑核苷（利巴韦林）；有继发细菌感染者常选用青霉素类、复方新诺明及大环内酯类抗生素。若证实为链球菌感染，选用青霉素

（五）护理措施

(1) 保持室内温度18～22℃，湿度50%～60%，每天通风2次以上。

(2) 体温超过38.5℃时物理降温，或口服对乙酰氨基酚等。

(3) 及时清除鼻腔及咽喉部分泌物，鼻塞时可用0.5%麻黄碱液滴鼻。

(4) 咽部不适或咽痛时可用温盐水或复方硼酸液漱口、含服润喉片或应用咽喉喷雾剂等。

(5) 密切观察病情及测体温，警惕高热惊厥的发生。

第三节　急性感染性喉炎患儿的护理

（一）发病机制

急性感染性喉炎为病毒或细菌感染引起的喉部黏膜急性弥漫性炎症。由于小儿喉腔狭小，软骨柔软，黏膜血管丰富，炎症时易充血、水肿而出现不同程度的喉梗阻。

（二）临床表现

该病多发生于冬春季节，以犬吠样咳嗽、声音嘶哑、吸气性喉鸣、吸气性呼吸困难和三凹征为特征。临床上按吸气性呼吸困难的轻重，将喉梗阻分为4度。

(1) Ⅰ度：活动后出现吸气性喉鸣和呼吸困难；

(2) Ⅱ度：安静时亦出现喉鸣和吸气性呼吸困难，肺部可闻喉传导音或管状呼吸音，心率加快；

(3) Ⅲ度：除上述喉梗阻症状外，出现烦躁不安，发绀，惊恐，出汗，肺部呼吸音明显降低，心率快，心音低钝；

(4) Ⅳ度：衰竭、昏睡状态，三凹征可不明显，面色苍白发灰，肺部呼吸音几乎消失，仅有气管传导音，心律不齐，心音弱。

（三）治疗原则

(1) 减轻喉头水肿用肾上腺皮质激素雾化吸入。

(2) 控制感染选择敏感抗生素。

(3) 对症治疗。

(4) 经上述处理后仍严重缺氧或有Ⅲ度以上喉梗阻者，应立即进行气管切开术。

（四）护理问题

有窒息的危险与喉梗阻有关。

（五）护理措施

(1) 保持室内空气新鲜，温度、湿度适宜，置患儿舒适体位，及时吸氧，保持安静，给予雾化吸入，及时清除呼吸道分泌物。

(2) 严密观察呼吸困难的程度，做好气管切开的准备。

第四节　急性支气管炎患儿的护理

（一）病因及发病机制

(1) 危险因素：免疫功能低下、特异性体质、营养不良、佝偻病和支气管局部结构异常等。

(2) 病原体为各种病毒或细菌，或为混合感染。

（二）临床表现

主要症状为咳嗽，全身症状有发热、乏力、食欲减退、呕吐、腹泻等，一般无气促和发绀。双肺呼吸音粗，或有不固定的散在的干、湿啰音。喘息性支气管炎（哮喘性支气管炎）有类似哮喘的临床表现，如呼气性呼吸困难，肺部叩诊呈鼓音，听诊两肺布满哮鸣音及少量粗湿啰音。

（三）辅助检查

胸部X线检查可有肺纹理增粗，肺门阴影加深。

（四）治疗要点

1. 控制感染。

2. 对症治疗：口服祛痰药以止咳祛痰，口服氨茶碱止喘。因镇咳药抑制咳嗽反射，影响痰液咳出，一般不用。

第五节　小儿肺炎的护理

（一）病因及发病机制

1. 病因：患营养不良、维生素D缺乏性佝偻病、先天性心脏病等疾病的患儿易患此病。

(1) 感染因素：病原体有病毒（最常见者

为呼吸道合胞病毒)、细菌(肺炎链球菌、金黄色葡萄球菌、肺炎杆菌)、肺炎支原体、衣原体(以沙眼衣原体为主)、真菌、卡氏肺囊虫。

(2) 非感染因素：吸入性肺炎、坠积性肺炎、嗜酸细胞性肺炎等。

2. 发病机制：病原体引起肺组织充血、水肿、炎性细胞浸润，造成通气和换气功能障碍，导致缺氧和二氧化碳潴留。

(二) 临床表现

1. 主要临床表现：主要表现为发热、咳嗽、气促和全身症状。肺部可听到较固定的中、细湿啰音，以背部、两肺下方、脊柱两旁较易听到，深吸气末更为明显。

2. 循环系统受累表现：常见心肌炎、心力衰竭。心肌炎表现为心动过速、心音低钝、心律不齐，心电图显示 ST 段下移、T 波低平或倒置；心力衰竭表现为呼吸困难、呼吸加快、烦躁不安、发绀、心率增快、心音低钝或出现奔马律、肝脏迅速增大等。

3. 神经系统受累表现：发生脑水肿时出现烦躁或嗜睡、意识障碍、惊厥、前囟隆起、瞳孔对光反射迟钝或消失、呼吸节律不齐甚至停止等。

4. 消化系统受累表现：发生中毒性肠麻痹时出现明显的腹胀，呼吸困难加重，肠鸣音消失。

5. 其他：金黄色葡萄球菌感染者可引起脓胸，表现为中毒症状及呼吸困难突然加重，体温持续不退或退而复升。

6. 几种不同病原体所致肺炎的特点

(1) 呼吸道合胞病毒肺炎

① 喘憋性肺炎：起病急骤、喘憋明显，很快出现呼气性呼吸困难及缺氧症状，肺部体征以喘鸣为主，可听到细湿啰音，全身中毒症状明显。

② 毛细支气管炎：表现上述症状，但全身中毒症状不严重。肺部 X 线以肺间质病变为主，常伴有肺气肿和支气管周围炎。

(2) 腺病毒肺炎：起病急骤、咳嗽频繁，可出现喘憋、呼吸困难、发绀，全身中毒症状明显。肺部体征出现较晚，多在发热 4～5 天后开始出现肺部湿啰音，胸片特点为大小不等的片状阴影或融合成大病灶，肺气肿多见。

(3) 肺炎支原体肺炎：突出表现为刺激性干咳。症状与体征不成比例，肺部体征不明显，中毒症状不重。

(4) 金黄色葡萄球菌肺炎：临床起病急、病情重、发展快。中毒症状明显。肺部体征出现早，易并发脓胸、脓气胸。常合并循环、神经及消化系统功能障碍。

(三) 治疗要点

1. 抗生素治疗

(1) 原则

① 根据病原菌选用敏感抗生素。

② 早期治疗。

③ 联合用药。

④ 选用渗入下呼吸道中浓度较高的药物。

⑤ 足量、足疗程，重症宜静脉给药。

(2) 根据不同病原选择抗生素：我国卫生部推荐对轻症肺炎用头孢氨苄。支原体、衣原体引起者用大环内酯类抗生素，如红霉素等。

(3) 用药时间：一般应持续至体温正常后 5～7 天，症状、体征消失后 3 天停药。支原体肺炎至少使用抗菌药物 2～3 周。葡萄球菌肺炎在体温正常后 2～3 周可停药，一般总疗程≥6 周。

2. 糖皮质激素使用指征

① 严重憋喘或呼吸衰竭。

② 全身中毒症状明显。

③ 合并感染中毒性休克。

④ 出现脑水肿。

(四) 护理措施

1. 病室：室温维持在 18～22℃，湿度维持在 50%～60%为宜。环境安静、空气新鲜，定时开窗通风，避免直吹或对流风。

2. 饮食：流质、半流质饮食，多喂水。少量多餐，避免过饱影响呼吸。哺乳时应抱起。

3. 静脉输液：严格控制输液量及滴注速度。

4. 保持呼吸道通畅：及时清除口鼻分泌物，分泌物黏稠者雾化吸入；分泌物过多影响呼吸者用吸引器吸痰。

5. 吸氧：有缺氧症状者吸氧，一般采用鼻导管给氧。氧流量为 0.5～1L/min，氧浓度不超过 40%，氧气应湿化，以免损伤呼吸道黏膜。缺氧明显者可用面罩给氧，氧流量 2～4L/min，氧浓度 50%～60%。

6. 病情观察：注意观察心力衰竭、脑水肿、脓胸或脓气胸的临床表现。

第六节　气管异物患儿的护理

（一）临床表现

(1) 异物进入气管和支气管，即发生剧烈呛咳、喘憋、面色青紫和不同程度的呼吸困难，片刻后缓解或加重。

(2) 阵发性、痉挛性咳嗽是气管、支气管异物的一个典型症状。

(3) 气管异物患儿多有不同程度的呼吸困难，重者可出现“三凹征”、面色发绀等。

（二）辅助检查

常用检查为胸部X线拍片。如不能确诊，应行支气管镜检查。

（三）治疗原则

及时取出异物，内镜下取出异物，是惟一有效的治疗方法。

（四）护理问题

有窒息的危险与气管、支气管内异物有关。

（五）护理措施

(1) 支气管镜检查术采用全麻，检查前需禁食6～8小时，吃奶的婴儿为4小时。

(2) 内镜检查取出异物后，患儿需在4小时后方可进食。

第七节　急性呼吸衰竭患儿的护理

（一）病因及发病机制

(1) 中枢性呼吸衰竭病因依次为颅内感染、颅内出血、脑损伤、脑肿瘤等。

(2) 周围性呼吸衰竭病因依次为喉头水肿、气管炎、肺炎、支气管异物等。

（二）临床表现

1. 呼吸系统表现：周围性呼吸衰竭主要表现为呼吸频率改变及辅助呼吸肌活动增强；中枢性呼吸衰竭主要表现为呼吸节律紊乱。

2. 低氧血症：表现为发绀、腹胀、心率增快、血压升高、神志淡漠、嗜睡、意识模糊等。

3. 高碳酸血症：开始表现为烦躁不安、出汗、意识障碍、皮肤潮红，严重时表现为惊厥、昏迷、视盘水肿、呼吸性酸中毒等。

（三）辅助检查

1. Ⅰ型呼衰：氧分压（PaO_2）≤50mmHg（6.65kPa），二氧化碳分压（$PaCO_2$）正常。

2. Ⅱ型呼衰：氧分压（PaO_2）≤50mmHg（6.65kPa），二氧化碳分压（$PaCO_2$）≥50mmHg（6.65kPa）

（四）治疗要点

改善肺通气，纠正酸碱失衡及电解质紊乱，维持重要器官的功能及预防感染。

（五）护理措施

1. 立即将患儿送入监护室。

2. 取半卧位或坐位休息。

3. 按医嘱给予超声雾化吸入，每天3～4次，每次15分钟。

4. 必要时吸痰，吸痰不可过频，每2小时1次。

5. 吸氧：鼻导管法氧流量为0.5～1L/min、氧浓度不超过40%；头罩给氧的氧流量为2～4L/min，氧浓度为50%～60%；严重缺氧或紧急抢救时，可用高浓度氧，持续时间不要超过4～6小时。氧疗期间要求氧分压维持在65～85mmHg。

6. 气管插管护理：协助插管时注意观察患儿呼吸、循环情况，插管后给氧，定时吸痰，一般每小时1次，每次时间不超过15秒，经鼻腔插管者保留时间不超过2～5天，经口腔插管者保留时间不超过48小时。

7. 人工辅助呼吸的护理：每小时检查1次呼吸机各项参数，观察患儿的胸廓起伏、神态、面色、周围循环等，观察有无堵管或脱管现象；用甲醛熏蒸或用苯扎溴铵浸泡呼吸机管道，每天1次；保持呼吸道通畅；停用呼吸机前，备好抢救物品，帮助患者锻炼自主呼吸。

【考点强化】

1. 小儿呼吸系统的解剖生理特点是
A. 弹力纤维发育差，血管丰富
B. 胸式呼吸
C. 年龄越大潮气量越小
D. 气道阻力小
E. 咳嗽反射强，易出现咳嗽

2. 婴幼儿上呼吸道感染易发生中耳炎的原因是
A. 耳咽管短、宽、呈水平位
B. 缺少分泌型 IgA
C. 鼻道狭窄
D. 鼻旁窦发育差
E. 扁桃体炎症扩散

3. 婴幼儿易患呼吸道感染的免疫特点是
A. 血清中 IgA 缺乏　B. 分泌型 IgA 缺乏
C. 血清中 IgG 缺乏　D. 血清中 IgM 缺乏
E. 细胞免疫功能低下

4. 咽-结合膜热的病原体是
A. 流感病毒　B. 腺病毒
C. 柯萨奇病毒　D. 鼻病毒
E. 呼吸道合胞病毒

5. 急性上呼吸道感染婴儿鼻塞影响吃奶时，麻黄碱溶液滴鼻的浓度为
A. 0.1%　B. 0.2%
C. 0.3%　D. 0.4%
E. 0.5%

6. 小儿患支气管炎、肺炎时室内湿度宜维持在
A. 20%～30%　B. 30%～40%
C. 40%～50%　D. 50%～60%
E. 60%～70%

7. 小儿肺炎的共同表现是
A. 发热、咳嗽、气喘及肺部细湿啰音
B. 发热、咳嗽、肺部呼吸音粗
C. 发热、咳嗽
D. 发热、咳嗽、肺部干啰音为主
E. 发热、咳嗽、肺部哮鸣音为主

8. 急性上呼吸道感染的主要病原体是
A. 细菌　B. 病毒
C. 支原体　D. 衣原体
E. 真菌

9. 重症肺炎患儿出现严重腹胀、肠鸣音消失大多因为
A. 消化功能紊乱　B. 低钠血症
C. 中毒性肠麻痹　D. 低钾血症
E. 中毒性脑病

10. 导致肺炎患儿全身各系统病理生理改变的关键因素是
A. 机体免疫功能低下
B. 器官发育尚未成熟
C. 酸碱平衡紊乱
D. 缺氧和二氧化碳潴留
E. 病原体毒力强

11. 容易并发脓胸、脓气胸的肺炎是
A. 肺炎链球菌肺炎　B. 白色念珠菌肺炎
C. 金黄色葡萄球菌
D. 肺炎支原体肺炎
E. 腺病毒性肺炎

12. 支原体肺炎治疗应选择哪种抗生素
A. 青霉素　B. 氨苄西林
C. 头孢噻肟　D. 庆大霉素
E. 红霉素

13. 关于小儿肺炎的护理，以下哪项不正确
A. 体位采用头高位或半卧位
B. 经常翻身更换体位，以减轻肺部淤血
C. 及时注意吸痰以保持呼吸道畅通
D. 尽量少喂奶、少喂食，以防呛咳引起窒息
E. 输液时严格控制输液量和速度，以防肺水肿

14. 患儿，男，6 岁。发热伴咳嗽 1 周，加重 2 天。静滴青霉素治疗 6 天无效。查体：体温 39℃，精神不振，呼吸稍快，右下肺呼吸音减低。胸片示小片状淡薄云絮状阴影。该患儿的诊断可能为
A. 呼吸道合胞病毒性肺炎
B. 肺炎支原体肺炎
C. 大叶性肺炎
D. 金黄色葡萄球菌肺炎
E. 腺病毒性肺炎

15. 患儿，女，9 个月。发热 1 天。查体：体温 39.5℃，心率 148 次/分，呼吸 52 次/分。咽充血，咽腭弓处可见数个疱疹，肺部未闻及干湿啰音。可能的病原体为
A. 流感病毒　B. 腺病毒
C. 柯萨奇病毒　D. 鼻病毒
E. 呼吸道合胞病毒

16. 患儿，男，2 岁。发热、咳嗽 1 周，突然出现呼吸困难。查体：体温 39℃，心率 160 次/分，呼吸 62 次/分，左侧胸部呼吸运动受限，语颤减弱，叩诊呈浊音，听诊呼吸音消失，肝肋下 2cm。经吸痰和氧气吸入后无明显缓解，应考虑有哪种病情变化

A. 肺炎合并呼吸性酸中毒
B. 肺炎合并心力衰竭
C. 高热所致　D. 肺炎并发脓胸
E. 肺炎合并 DIC

17. 有关肺炎患儿给氧的说法不正确的为
A. 气促、发绀者给氧
B. 并发心力衰竭、中毒性脑病者给氧
C. 鼻导管给氧，氧流量 0.5～1L/min
D. 缺氧明显者面罩吸氧
E. 鼻导管给氧氧浓度不超过 60%为宜

18. 关于小儿急性感染性喉炎的症状，哪项是错误的
A. 声嘶　B. 喉鸣
C. 三凹征　D. 犬吠样咳嗽
E. 呼气性呼吸困难

19. 以下哪项不属于气管异物的常见原因
A. 进食时误吸
B. 口含物品玩耍
C. 昏迷患者呕吐
D. 进食时说笑
E. 意识障碍

20. 患儿女，2 岁，1 天前，出现发热、声音嘶哑、喉鸣和吸气性呼吸困难、双肺可闻及喉传导音或管状呼吸音，心率加快。该患儿最可能的诊断是
A. 喘憋性肺炎
B. 支气管哮喘
C. 急性感染性喉炎
D. 支气管肺炎合并心衰
E. 腺病毒性肺炎合并心衰

（21～23 题共用备选答案）
A. 以喘憋为主要表现
B. 稽留高热、咳嗽、气喘、肺部体征出现晚
C. 弛张热、肺部体征出现早，常见皮疹
D. 发热、刺激性干咳，肺部体征不明显
E. 发热、咳嗽、肺底部湿啰音

21. 腺病毒性肺炎的临床特点是
22. 支原体肺炎的临床特点是
23. 金黄色葡萄球菌肺炎的临床特点是

【参考答案】

1. A　2. A　3. B　4. B　5. E
6. D　7. A　8. B　9. C　10. D
11. C　12. E　13. D　14. B　15. C
16. D　17. E　18. E　19. E　20. C
21. E　22. D　23. C

第七章　循环系统疾病患儿的护理

第一节　小儿循环系统解剖生理特点

1. 心脏（了解）

（1）胚胎 2～8 周为先天性心脏畸形的形成主要期，也是心脏形成的关键期。

（2）新生儿心脏位置较高，呈横位，2 岁以后，逐渐转为斜位。

2. 心率

① 新生儿：120～140 次/分；
② 1 岁以内：110～130 次/分；
③ 2～3 岁：100～120 次/分；
④ 4～7 岁：80～100 次/分；
⑤ 8～14 岁：70～90 次/分。

3. 血压

① 1 岁以内的小儿收缩压为 80mmHg，低于 75～80mmHg 为低血压。

② 2 岁以后：收缩压（mmHg）=（年龄×2+80）；舒张压=收缩压×2/3。

③ 收缩压高于此标准 20mmHg 为高血压，低于此标准 20mmHg 为低血压。

第二节　先天性心脏病患儿的护理

（一）病因

先天性心脏病可能是胎儿周围环境和遗传因素相互作用所致。

1. 遗传因素：特别是染色体易位和畸变。

2. 环境因素：较重要的原因为宫内病毒感染，其他原因有大剂量放射线接触、药物影响、代谢性疾病或能造成宫内缺氧的慢性疾病。

（二）分类

1. 左向右分流型（潜在发绀型）：左、右心腔之间或主动脉与肺动脉之间具有异常通道与分流；平时无发绀。当剧烈哭闹时可出现暂时性发绀。常见疾病为房间隔缺损、室间隔缺损和动脉导管未闭。

2. 右向左分流型（青紫型）：由于存在异常通道，静脉血直接进入体循环；临床表现为持续性发绀。常见疾病为法洛四联症。

3. 无分流型（无青紫型）：左、右心腔之间或大血管间无异常通道与分流；常见疾病为主动脉缩窄和肺动脉狭窄等。

（三）常见先天性心脏病的特点

1. 房间隔缺损

（1）临床表现：缺损小者无症状，胸骨左缘第2～3肋间有收缩期杂音。缺损大者有气促、乏力、发育迟缓、暂时性发绀等症状。心前区隆起，心尖搏动弥散，心浊音界扩大，胸骨左缘2～3肋间可闻见Ⅱ～Ⅲ级收缩期喷射性杂音，肺动脉瓣区第二心音增强或亢进，并呈固定分裂。

（2）X线检查：心脏外形轻、中度扩大，以右心房、右心室为主，肺动脉段突出，可有肺门“舞蹈”征、肺野充血、主动脉影缩小。

2. 室间隔缺损：室间隔缺损为最常见的先天性心脏畸形

（1）临床表现：临床表现取决于缺损的大小。小型缺损可无症状，于胸骨左缘第3、4肋间闻及响亮粗糙的全收缩期杂音；大、中型缺损有乏力、气短、多汗、发育迟缓，易肺部感染。胸骨左缘3、4肋间可闻及3/6～5/6级全收缩期杂音，第二心音亢进。

（2）X线检查：左心室、右心室均增大，以右心室增大为主，肺动脉段突出明显，有肺门“舞蹈”征，肺门血管呈“残根状”。

3. 动脉导管未闭：血液从主动脉经未闭导管流入肺动脉，引起脉压增大。女性多于男性。

（1）临床表现：表现为气急、咳嗽、乏力、多汗等。如果扩大的肺动脉压迫喉返神经可出现声音嘶哑。有显著肺动脉高压时可出现差异性发绀（下肢青紫明显）和杵状趾；胸骨左缘第2肋间可闻及全收缩期和舒张期的粗糙响亮的连续性机器样杂音，可有毛细血管搏动征、水冲脉、股动脉枪击音等。

（2）X线检查：分流量大者左心房、左心室增大；肺动脉段突出，有肺门“舞蹈”征。

4. 法洛四联症：为最常见的发绀型先天性心脏病，由肺动脉狭窄（以漏斗部狭窄多见）、室间隔缺损（多为高位膜部缺损）、主动脉骑跨和右心室肥厚四种畸形组成，其中以肺动脉狭窄最重要。

（1）临床表现：主要临床表现为青紫；活动耐力差，典型表现为蹲踞现象，即患儿活动后，常主动蹲踞片刻；缺氧表现为呼吸急促、烦躁不安、发绀加重，重者可有晕厥、抽搐。心脏杂音响度与狭窄程度成反比。胸骨左缘2～4肋间有2～3级收缩期喷射性杂音，以第3肋间最响；有杵状指。

（2）X线检查：心影呈靴形。

（四）护理措施

1. 一般护理

（1）休息：保证患儿休息，必要时应用镇静药。

（2）饮食：有心功能不全者给予清淡易消化的食物，少食多餐，控制水及钠盐摄入，保证营养需要。

（3）大便：保持大便通畅，防止便秘，多食富含纤维素的食物。超过2天无大便者可给予缓泻药。

（4）预防感染：注意加减衣服，保持室温20～22℃，湿度55％～60％，保持室内空气新鲜，预防呼吸道感染、交叉感染。做创伤性治疗时可预防性应用抗生素，发生感染时积极治疗。

（5）观察病情：注意观察患儿有无呼吸困难、心率加快、肝大、水肿等心力衰竭表现，有心衰的患儿还要密切观察尿量；注意观察患儿有无缺氧及其他并发症的表现。

2. 对症护理

（1）法洛四联症：防止患儿剧烈活动、哭闹和便秘；注意观察缺氧发作的表现，有缺氧发作时，采取膝胸卧位、吸氧，给予治疗；保证充足液体入量，必要时可静脉输液，防止血液浓缩形成血栓。

（2）心力衰竭：注意观察患儿有无心力衰竭表现，有心力衰竭时，绝对卧床休息、取半卧位，吸氧，烦躁者给予镇静药，应用洋地黄类药物时注意观察药物不良反应。

（3）水肿：给予易消化食物，无盐或少盐；定期测量体重；每天做皮肤护理2次；定时翻身；服用利尿药时注意尿量变化。

第三节　心跳呼吸骤停患儿的护理

（一）病因及发病机制

小儿心跳呼吸骤停的主要直接原因是窒息。其他病因包括外伤、中毒、淹溺、电击、先天性心脏病、药物中毒及过敏、高血钾、低钙血症、麻醉意外、心脏手术、婴儿猝死综合征等。

（二）临床表现

（1）大动脉搏动消失，心音消失、血压测不出。

（2）神志突然丧失，昏迷、抽搐，呼吸、心脏停搏。

（3）瞳孔散大、对光反射消失，面色苍白或发绀。

（三）辅助检查

心电图检查可有如下三种情况：心脏完全停跳，呈一水平直线或仅有P波；缓慢而无效的心室波；心室纤颤。

（四）治疗要点

（1）心肺复苏措施可归结为开放气道（A）、人工呼吸（B）、胸外心脏按压（C）、应用复苏药物（D）、心电监护（E）、除心室纤颤（F）六点。

（2）心肺复苏的过程包括基础生命支持、高级生命支持和持续生命支持三个阶段。

（五）护理措施

1. 现场抢救（基础生命支持）

（1）首先判断有无心搏骤停：通过摇动或大声呼唤来判断有无反应，检查颈动脉有无搏动及瞳孔反射等，以上操作应在5～10秒内完成。单人抢救者决不能离开患者去呼叫医生或取抢救器材，应让他人帮助完成。

（2）开放气道（A）：将患儿仰卧于硬板床上，一只手放在患儿前额上，向后用力使头后仰，另一只手的手指放在下颌骨下方，向上举起颏部；清除气道及口内异物。

（3）人工呼吸（B）：人工呼吸的频率，婴儿为每分钟20次；儿童为每分钟15次。

（4）胸外心脏按压（C）

① 按压方法：新生儿可采用环抱法或单手示指、中指按压法，婴儿可用双拇指重叠环抱按压法；幼儿可用单手掌法；年长儿用双手掌法。

② 按压部位：胸骨下切迹上两横指处，或婴儿乳头连线与胸骨交点下一横指处，或胸骨中、下1/3交界处。

③ 按压频率：新生儿按压频率为120次/分，胸外心脏按压与人工通气之比为3∶1；婴幼儿及儿童按压频率为100次/分，胸外心脏按压与人工通气之比双人操作为15∶2，单人操作为30∶2。儿童胸廓下陷幅度为2～3cm，婴幼儿为1～2cm。

2. 高级生命支持：继续基础生命支持；建立静脉通路，药物治疗；心电监测，电除颤。

3. 持续生命支持：重点是脑复苏，防治多器官衰竭。

【考点强化】

1. 小儿心率随年龄增长逐渐减慢，错误的说法为
   A. 新生儿平均120～140次/分
   B. ＜1岁为110～130次/分
   C. 2～3岁为100～120次/分
   D. 4～7岁为80～100次/分
   E. 8～14岁为60～70次/分

2. 目前认为导致先天性心脏病的主要原因是
A. 孕早期宫内病毒感染
B. 孕早期宫内细菌感染
C. 孕早期宫内立克次体感染
D. 胎盘早剥
E. 母亲患妊娠高血压综合征

3. 下列先天性心脏病属右向左分流型的是
A. 室间隔缺损　B. 右位心
C. 动脉导管未闭　D. 法洛四联症
E. 房间隔缺损

4. 先天性心脏病出现下半身青紫，应考虑
A. 房间隔缺损
B. 室间隔缺损
C. 主动脉缩窄
D. 法洛四联症
E. 动脉导管未闭

5. 法洛四联症脑缺氧发作时，应采取的体位是
A. 平卧位　B. 侧卧位
C. 半卧位　D. 俯卧位
E. 膝胸卧位

6. 可能出现水冲脉及股动脉枪击音的先天性心脏病
A. 房间隔缺损　B. 室间隔缺损
C. 动脉导管未闭　D. 法洛四联症
E. 以上都不是

7. 不符合室间隔缺损的说法
A. 左心室增大　B. 声音嘶哑
C. 心影呈靴形心　D. 生长发育落后
E. 杵状指

8. 肺动脉瓣听诊区第二心音亢进伴固定分裂多见于
A. 室间隔缺损　B. 房间隔缺损
C. 动脉导管未闭　D. 法洛四联症
E. 主动脉缩窄

9. 患儿，女，6 岁。出生后反复患呼吸道感染，平时活动少。查体：无青紫，心前区稍隆起，胸骨左缘 3～4 肋间闻及 3～4 级粗糙全收缩期杂音，伴震颤，P2 亢进。最可能的诊断是
A. 房间隔缺损　B. 室间隔缺损
C. 动脉导管未闭　D. 法洛四联症
E. 以上都不是

10. 患儿，女，3 岁，已确诊动脉导管未闭。其特有的胸部 X 线改变为
A. 左右心室扩大　B. 肺野充血
C. 肺动脉段凸出
D. 主动脉弓有所增大
E. 肺门血管影增粗

11. ABC 复苏法中 A 代表
A. 建立通畅气道
B. 胸外心脏按压
C. 气管插管
D. 胸内心脏按压
E. 人工呼吸

12. 为婴儿行心肺复苏术，建立人工呼吸时，术者吹气频率为
A. 10 次/分　B. 15 次/分
C. 20 次/分　D. 30 次/分
E. 45 次/分

13. 小儿心跳呼吸骤停的诊断依据不包括
A. 呼吸停止、听诊心音消失
B. 昏迷或抽搐
C. 大动脉搏动消失
D. 瞳孔散大
E. 腱反射活跃

14. 患儿，女，4 岁。自出生后不久即出现口周青紫，活动后加剧，喜坐少动。查体：心前区稍隆起，胸骨左缘闻及收缩期杂音，有震颤，动脉血氧饱和度低。该患儿最可能的诊断是
A. 房间隔缺损　B. 室间隔缺损
C. 动脉导管未闭　D. 法洛四联症
E. 主动脉缩窄

（15～17 题共用病例）
患儿，女，1 岁。平时多汗，气促。查体：无发绀，心前区闻及杂音。经 X 线、超声心动图等检查诊断为“房间隔缺损”。

15. 该先天性心脏病属于
A. 右向左分流型
B. 左向右分流型
C. 无分流型　D. 青紫型
E. 以上都不是

16. 不符合房间隔缺损的说法
A. 女孩多见
B. 差异性发绀
C. 小型缺损可自然闭合
D. X 线可见“肺门舞蹈征”
E. 肺动脉段凸出

17. 其母咨询，以下回答不恰当的为
A. 按时预防接种　B. 积极防治感染
C. 无盐或低盐饮食，注意喂养，避免

哈咳

D. 安排好作息时间，劳逸结合

E. 该型先天性心脏病大多能根治，效果好

（18～19 题共用备选答案）

A. 胸骨左缘 2～4 肋间 2～3 级粗糙喷射性收缩期杂音

B. 胸骨左缘 3～4 肋间 2～3 吹风样收缩期杂音

C. 胸骨左缘 2 肋间 2～3 级柔和喷射性收缩期杂音

D. 胸骨左缘 2～3 肋间粗糙响亮连续性机器样杂音

E. 三尖瓣区舒张期杂音

18. 动脉导管未闭可闻及

19. 法洛四联症可闻及

【参考答案】

1. E　2. A　3. D　4. E　5. E
6. C　7. C　8. B　9. B　10. D
11. A　12. C　13. E　14. D　15. B
16. B　17. C　18. D　19. A

第八章　血液系统疾病患儿的护理

第一节　小儿造血和血液特点

（一）造血特点

1. 胚胎期造血

（1）中胚叶造血期：第 3 周卵黄囊的血岛开始造血，第 6 周后开始减退。主要血细胞为原始红细胞。

（2）肝（脾）造血期：肝脏造血从第 8 周开始，4～5 个月达高峰，6 个月以后减退，生后 4～5 天完全停止造血，主要血细胞为有核红细胞。脾脏造血于第 8 周开始，主要血细胞是红细胞、粒细胞、淋巴细胞及单核细胞，5 个月后的主要血细胞是淋巴细胞。

（3）骨髓造血期：骨髓造血于第 4～5 个月才开始，生后 2～5 周骨髓成为为惟一的造血场所。

2. 生后造血

（1）骨髓造血：婴儿期所有的骨髓均为红骨髓，全部参与造血；小儿在出生后头几年缺少黄骨髓，故造血的代偿潜力甚小，如果造血需要增加，就出现髓外造血。

（2）骨髓外造血：当遇到各种感染性贫血或造血需要增加时，肝、脾和淋巴结恢复到胎儿时期的造血状态，而出现肝、脾和淋巴结肿大，血中出现有核红细胞或幼稚中性粒细胞，称为骨髓外造血。

（二）血液特点

1. 红细胞和血红蛋白量

① 出生时红细胞数（5.0～7.0）$\times 10^{12}$/L，血红蛋白量 150～220g/L。

② 生后 2～3 个月时红细胞数降至 3.0$\times 10^{12}$/L，血红蛋白量降至 110g/L 左右，出现轻度贫血，称为“生理性贫血”。3 个月以后，红细胞数和血红蛋白量逐渐恢复正常。

2. 白细胞计数及分类

① 出生时为（15～20）$\times 10^{9}$/L，1 周时平均为 12$\times 10^{9}$/L。婴儿期白细胞数维持在 10$\times 10^{9}$/L 左右，8 岁以后接近成人水平。

② 出生时中性粒细胞比例大于淋巴细胞，生后 4～6 天两者比例约相等；以后淋巴细胞比例大于中性粒细胞，至 4～6 岁时两者又相等。

3. 血小板：与成人相似，为（150～250）$\times 10^{9}$/L。

4. 血容量：新生儿血容量约占体重的 10%，平均 300ml。儿童约占体重的 8%～10%。

第二节　小儿贫血的分度及分类

（一）分类

1. 病因分类

（1）红细胞和血红蛋白生成不足：缺铁性贫血、巨幼红细胞性贫血、再障、感染性及炎症性贫血、慢性肾病所致贫血、癌症性贫血等。

（2）溶血性贫血：遗传性球形红细胞增多症、G-6-PD缺乏、地中海贫血、血红蛋白病、新生儿溶血症、自身免疫性溶血性贫血、药物所致的免疫性溶血性贫血等。

（3）失血性贫血。

2. 形态分类：见下表。

类　型	MCV(fl)	MCH(pg)	MCHC(%)
大细胞性	＞94	＞32	32～38
正细胞性	80～94	28～32	32～38
单纯小细胞性	＜80	＜28	32～38
小细胞低色素性	＜80	＜28	＜32

（二）分度

根据外周血血红蛋白含量或红细胞数可分为四度。

① 血红蛋白（Hb）从正常下限至90g/L者为轻度；6个月～6岁Hb正常下限为110g/L，6～14岁为120g/L。

② 60～90g/L者为中度。

③ 30～60g/L者为重度。

④ ＜30g/L者为极重度。

新生儿Hb为144～120g/L者为轻度，110～90g/L者为中度，90～60g/L者为重度，＜60g/L者为极重度。

第三节　营养性缺铁性贫血患儿的护理

（一）病因及发病机制

1. 病因

（1）铁储存不足。

（2）铁摄入不足：是导致婴儿缺铁的主要原因。

（3）生长发育过快，对铁的需要量相对增多。

（4）铁的吸收及利用障碍。

（5）铁的丢失过多。

2. 发病机制：铁是合成血红蛋白的重要原料，铁缺乏可引起血红蛋白合成减少，导致红细胞变小。缺铁还可使肌红蛋白合成减少、某些含铁酶的活性降低。

（二）临床表现

任何年龄均可发病，以6个月至2岁最多见。

1. 一般表现：皮肤黏膜苍白，易疲乏，不爱活动。

2. 髓外造血表现：肝、脾轻度肿大。

3. 非造血系统症状

（1）消化系统症状：食欲减退，少数有异食癖；可有呕吐、腹泻；可有口腔炎、舌炎或舌乳头萎缩；重者可出现萎缩性胃炎或吸收不良综合征。

（2）神经系统症状：烦躁不安或萎靡不振，精神不集中、记忆力减退，智力多数低于同龄儿。

（3）心血管系统症状：心率增快，严重者心脏扩大，甚至发生心力衰竭。

（三）辅助检查

1. 外周血象：血红蛋白降低比红细胞数减少明显，呈小细胞低色素性贫血。外周血涂片可见红细胞大小不等，以小细胞为多，中央淡染区扩大。

2. 骨髓象：呈增生活跃，以中、晚幼红细胞增生为主。各期红细胞均较小，胞浆少，染色偏蓝，显示胞浆成熟程度落后于胞核。

3. 铁代谢

（1）血清蛋白（SF）降低是诊断缺铁ID期的敏感指标。

(2) 红细胞游离原卟啉(FEP)增高。

(3) 血清铁(SI)、总铁结合力(TIBC)和转铁蛋白饱和度(TS)反映血浆中铁含量,SI和TS降低,TIBC升高。

(四) 治疗要点

1. 去除病因。

2. 铁剂治疗

(1) 口服铁剂:二价铁盐容易吸收。同时服用维生素C,可增加铁的吸收。牛奶、茶、咖啡及抗酸药等与铁剂同服均可影响铁的吸收。

(2) 注射铁剂适应证

① 诊断肯定但口服铁剂后无治疗反应者。

② 口服后胃肠反应严重,虽改变制剂种类、剂量及给药时间仍无改善者。

③ 由于胃肠疾病、胃肠手术后不能应用口服铁剂或口服铁剂吸收不良者。

(3) 铁剂治疗后反应:网织红细胞于服药2~3天后开始上升,5~7天达高峰,2~3周后下降至正常。治疗1~2周后血红蛋白逐渐上升,通常于治疗3~4周达到正常。

(4) 血红蛋白恢复正常后再继续服用铁剂6~8周,以增加铁储存。

3. 输注红细胞:血红蛋白在30g/L以下者,应采用等量换血方法;血红蛋白在30~60g/L者,每次可输注浓缩红细胞4~6ml/kg;血红蛋白在60g/L以上者,不必输红细胞。

(五) 护理措施

1. 预防

(1) 提倡母乳喂养。哺乳期妇女多吃含铁丰富的食物,如动物的肝、肾、血、瘦肉及蛋黄、黄豆、紫菜、木耳等。

(2) 早产儿从2个月开始、足月儿从4个月开始添加含铁丰富的辅食,如菜汤、水果汁、蛋黄、鱼泥、肝泥、肉末等。

(3) 早产儿应于2个月时给予铁剂预防。

2. 口服铁剂的护理

(1) 用药指导:从小剂量开始,逐渐增加用量;用吸管服药或服药后漱口,以防牙齿被染黑。

(2) 减少对胃的刺激:建议于两餐间服用。

(3) 促进铁吸收的食物:稀盐酸;维生素C,如各种果汁;果糖。

(4) 影响铁吸收的食物:茶、咖啡、牛乳、钙片等。

3. 肌内注射铁剂的护理

(1) 采用深部肌内注射,使用不同的针头抽药和给药,每次注射均要更换注射部位。

(2) 首次注射右旋糖酐铁者可发生过敏现象,应观察1小时。

第四节 营养性巨幼红细胞性贫血患儿的护理

(一) 病因

1. 摄入不足:羊乳喂养者易发生。

2. 需要量增加。

3. 吸收、转运障碍:慢性腹泻、严重营养不良。

4. 药物影响:甲氨蝶呤、广谱抗生素、抗癫痫药。

(二) 临床表现

1. 一般表现:虚胖或颜面轻度水肿,毛发纤细、稀疏、色黄。

2. 贫血表现:疲乏无力,皮肤呈蜡黄色,睑结膜、甲床苍白;伴有肝、脾肿大。

3. 精神神经症状:烦躁不安、易怒。维生素B_{12}缺乏者表现为面无表情、反应迟钝等。

4. 消化系统症状:常出现较早,如厌食、恶心、呕吐、腹泻和舌炎等。

(三) 辅助检查

(1) 红细胞减少较血红蛋白减少明显,以大细胞为主。

(2) 骨髓中出现巨幼红细胞。

(3) 维生素$B_{12}<100ng/L$。

(4) 叶酸$<3\mu g/L$。

(四) 治疗要点

1. 饮食治疗与预防:及时添加富含维生素B_{12}和叶酸的辅食,如动物肝、肉类、蛋类及绿叶蔬菜等。

2. 去除病因。

3. 补充维生素B_{12}和叶酸

（1）肌注维生素 B_{12}：有精神神经症状者，应以维生素 B_{12} 治疗为主。每次肌注 100μg，每周 2～3 次，连用数周，直至临床症状好转、血象恢复正常为止。

（2）补充叶酸：口服剂量为 5mg，每天 3 次，连续数周至临床症状好转、血象恢复正常为止。

（3）单纯维生素 B_{12} 缺乏时，不宜加用叶酸，以免加重神经系统症状。

（4）维生素 C 能促进叶酸吸收，同时口服可提高疗效。

【考点强化】

1. 不能诊断为贫血的是
A. 新生儿，血红蛋白 120g/L
B. 5 个月，血红蛋白 90g/L
C. 12 个月，血红蛋白 120g/L
D. 3 岁，血红蛋白 100g/L
E. 14 岁，血红蛋白 110g/L

2. 引起婴幼儿缺铁性贫血的最主要原因是
A. 体内贮铁不足　B. 铁的摄入不足
C. 生长发育快，需铁量增加
D. 某些疾病的影响
E. 铁丢失过多

3. 缺铁对机体产生影响，不正确的说法为
A. 影响肌红蛋白的合成
B. 血红蛋白合成减少
C. 使某些酶的活性降低
D. 引起皮肤、黏膜上皮损害
E. 红细胞数量无变化

4. 缺铁性贫血的临床表现应除外
A. 髓外造血表现，如肝脾肿大
B. 异食癖，如食泥土、煤渣
C. 明显贫血时心脏扩大
D. 可出现腱反射亢进、肢体震颤
E. 呕吐、腹泻、口腔炎

5. 缺铁性贫血的实验室检查不具有
A. 血清铁蛋白降低
B. 血清铁减少
C. 血红蛋白降低比红细胞数减少明显
D. 骨髓象以原始与早幼红细胞增生为主
E. 血清总铁结合力增加

6. 缺铁性贫血的发病过程中最早出现
A. 血清铁降低
B. 血红蛋白降低
C. 血清铁蛋白降低
D. 红细胞游离原卟啉增高
E. 皮肤、黏膜苍白

7. 口服铁剂治疗营养性缺铁性贫血时，哪项不妥
A. 宜在两餐之间服用
B. 同时给含铁丰富的食物
C. 用稀牛奶送服
D. 与果汁同服
E. 贫血纠正继服铁剂 6～8 周

8. 治疗缺铁性贫血有效的早期指标是
A. 血红蛋白增加
B. 网织红细胞增加
C. 血液总铁结合里增加
D. 红细胞增加
E. 白细胞增加

9. 为预防缺铁性贫血，足月正常小儿开始添加含铁辅食的年龄
A. 出生后 2 周　B. 1～2 个月
C. 3～4 个月　D. 6 个月
E. 12 个月

10. 缺铁性贫血的预防措施不包括
A. 加强孕妇及乳母的营养保健
B. 及时添加蛋黄、豆类、肉类
C. 多食蔬菜、水果，减少肉类摄入
D. 食用铁强化食品
E. 早产儿预防性用药

11. 易发生巨幼红细胞性贫血的原因为
A. 进食富含维生素 C 的食物
B. 进食动物性食物
C. 长期喂养煮沸牛乳、奶粉或羊奶
D. 进食新鲜绿叶蔬菜
E. 以上都不是

12. 巨幼红细胞性贫血最有意义的临床表现是
A. 皮肤苍黄、毛发枯黄
B. 皮肤瘀点
C. 智力及动作发育落后、倒退
D. 肝、脾、淋巴结肿大
E. 舌炎

13. 巨幼红细胞性贫血的主要诊断依据是
A. 肝、脾淋巴结肿大
B. 大细胞性贫血
C. 骨髓幼红细胞巨幼变
D. 肢体震颤
E. 红细胞数减少比血红蛋白降低明显

14. 患儿，男，1 岁半。平时活动量小，进食偏少，面色逐渐苍白。血常规示血红蛋白 80g/L。该患儿血红蛋白

A. 降低，轻度贫血　B. 降低，中度贫血
C. 降低，重度贫血　D. 降低，极重度贫血
E. 正常

15. 患儿，男，10个月。母乳喂养，添加蛋黄少许。面色苍白2个月。血常规示血红蛋白90g/L，红细胞数 3.64×10^{12}/L，白细胞和血小板正常。血涂片红细胞大小不等，以小细胞为多，中央淡染区扩大。该患儿最可能的诊断是
A. 生理性贫血
B. 缺铁性贫血
C. 巨幼红细胞性贫血
D. 溶血性贫血
E. 以上都不是

16. 患儿，女，1岁。面色苍白半年，经检查确诊为缺铁性贫血。该患儿口服铁剂须至
A. 症状消失
B. 血红蛋白量恢复正常
C. 血红蛋白量及红细胞数均恢复正常
D. 血红蛋白量恢复正常后再用1个月
E. 血红蛋白量恢复正常后2个月

17. 患儿，男，14个月。单纯母乳喂养。表情呆滞、少哭不笑1个月。查体：面色蜡黄，虚胖，四肢震颤，肝肋下2cm。血常规示红细胞 2.20×10^{12}/L，血红蛋白88g/L。诊断首先考虑
A. 生理性贫血
B. 缺铁性贫血
C. 巨幼细胞贫血
D. 溶血性贫血
E. 以上都不是

18. 新生儿，36周。准备母乳喂养，其母咨询，出生后开始补充铁剂的时间是
A. 出生后1周
B. 出生后2周
C. 出生后4周
D. 出生后8周
E. 出生后3个月

(19～21题共用病例)

患儿，女，9个月。间断腹泻2个月，面色苍白1个月。足月，经阴分娩，其母健康。生后母乳喂养，4个月添加辅食。查体：皮肤黏膜苍白，头发稀黄，颜面稍水肿，肝脾轻度肿大。血红蛋白80g/L，红细胞数 2.0×10^{12}/L。骨髓巨幼细胞增生。

19. 该患儿最可能的诊断是
A. 生理性贫血
B. 缺铁性贫血
C. 巨幼红细胞性贫血
D. 溶血性贫血
E. 急性白血病

20. 该患儿发病的主要原因是
A. 喂养不当　　B. 生长发育快
C. 吸收不良　　D. 滥用药物
E. 以上都不是

21. 该患儿目前最好的治疗方法是
A. 无须治疗
B. 输血
C. 口服叶酸、维生素 B_{12}
D. 口服铁剂、维生素C
E. 细胞毒药物化疗

(22～24题共用病例)

患儿，男，11个月。面色进行性苍白2个月。出生后母乳喂养，奶量不足，未添加辅食。查体：面色及甲床苍白，心前区闻及2级吹风样收缩期杂音。肝肋下2cm，脾肋下1cm。血常规示血红蛋白76g/L，红细胞 3.0×10^{12}/L。

22. 最可能的诊断是
A. 生理性贫血
B. 缺铁性贫血
C. 巨幼红细胞性贫血
D. 溶血性贫血
E. 失血性贫血

23. 给予铁剂试验治疗，如有效，则最早出现的是
A. 血红蛋白上升　B. 红细胞数增多
C. 临床症状好转　D. 骨髓红系增生
E. 网织红细胞计数增高

24. 为促进铁剂吸收，最好的口服办法
A. 选用三价铁剂，两餐之间服用
B. 选用二价铁剂，餐前服用
C. 选用三价铁剂，与维生素C同服
D. 选用二价铁剂，与牛奶同服
E. 选用二价铁剂，两餐之间与维生素C同服

【参考答案】

1. C　2. B　3. E　4. D　5. D
6. C　7. C　8. B　9. C　10. C
11. C　12. C　13. C　14. B　15. B
16. E　17. C　18. D　19. C　20. C
21. C　22. B　23. E　24. E

第九章 泌尿系统疾病患儿的护理

第一节 小儿泌尿系统解剖生理特点

（一）解剖特点

(1) 肾脏相对较大，位置较低。

(2) 婴幼儿输尿管长而弯曲，管壁弹力纤维及肌肉发育不良，容易受压扭曲而导致梗阻，易发生尿潴留而诱发感染。

(3) 婴幼儿膀胱位置相对较高。

(4) 女婴尿道、会阴较短，外口接近肛门，故上行性感染比男婴多。男婴因常有包皮过长、包茎易积垢而致上行性细菌感染。

（二）生理特点

(1) 肾小球滤过率较成人低，尿浓缩能力不足，尿稀释能力接近成人。

(2) 新生儿远端肾小管吸收钠强于近端肾小管。

(3) 尿液特点：正常婴幼儿尿液淡黄色，在寒冷季节排尿后变为乳白色浑浊，为盐类结晶；新鲜尿沉渣镜检，红细胞小于3个/HP，白细胞小于5个/HP，管型不出现。12小时尿Addis计数：红细胞小于50万，白细胞小于100万，管型小于5000个为正常。

(4) 尿量：学龄儿童每天尿量少于400ml，学龄前儿童少于300ml，婴幼儿少于200ml，即为少尿。每天尿量少于50ml为无尿。新生儿每千克体重少于0.5ml/h即为无尿。正常婴儿每天排尿量为400～500ml；幼儿每天排尿量为500～600ml；学龄前儿童每天排尿量为600～800ml；学龄期儿童每天排尿量为800～1400ml。正常每天尿量(ml)＝(年龄－1)×100＋400。

第二节 急性肾小球肾炎患儿的护理

（一）病因及发病机制

1. 细菌感染：绝大多数为A组β溶血性链球菌感染所引起，细菌感染后形成免疫复合物，或者沉积于肾小球，而引起急性肾炎。

2. 病毒、真菌感染：直接侵袭肾组织而致肾炎。

（二）临床表现

1. 前驱感染：多有呼吸道感染、皮肤感染等前驱疾病。呼吸道感染至肾炎发病为1～2周，皮肤感染至肾炎发病为2～3周。

2. 典型表现

(1) 水肿：水肿常为最早出现的症状，为非凹陷性水肿，表现为晨起眼睑水肿渐蔓及全身。

(2) 血尿：可为肉眼血尿，呈洗肉水样或茶褐色，持续1～2周转为镜下血尿。

(3) 高血压：常在起病1～2周内发生，学龄前儿童＞120/80mmHg，学龄儿童＞130/90mmHg。

3. 严重病例：常发生在起病1～2周之内。

(1) 严重循环充血：表现为呼吸困难、咳粉红色泡沫痰，双肺布满中小水泡音，心率增快，奔马律，肝大，颈静脉怒张。

(2) 高血压脑病：主要症状有剧烈头痛、烦躁不安、恶心、呕吐、视物模糊或一过性失明，严重者甚至惊厥、昏迷。

(三) 辅助检查

(1) 尿常规镜检：大量红细胞，尿蛋白(+～+++)，可见透明颗粒或红细胞管型。

(2) 抗链球菌溶血素"O"滴度升高。

(3) 血清总补体和 C_3 下降。

(4) 血沉轻度加快。

(四) 治疗要点

1. 抗感染：有感染灶时可选用青霉素 7～10 天，以彻底清除残留细菌，减少抗原释放。

2. 对症治疗

(1) 水肿：明显水肿、少尿或高血压、循环充血者，给予噻嗪类利尿药如氢氯噻嗪或给予袢利尿药如呋塞米（速尿）。

(2) 高血压：血压持续升高、舒张压高于 90mmHg (12.0kPa) 时给予降压药，首选硝苯地平，与血管紧张素转换酶抑制药合用，效果较好。

3. 严重病例的治疗

(1) 循环充血的治疗：严格限制水钠入量，使用呋塞米（速尿）利尿，肺水肿者可适当加用硝普钠。

(2) 高血压脑病的治疗：首选硝普钠。

(五) 护理措施

1. 休息：急性期需卧床休息 1～2 周，至肉眼血尿消失、水肿减轻、血压正常方可下床轻微活动；血沉正常可以上学，但应避免剧烈运动；尿沉渣细胞绝对计数正常后，方可恢复体力活动。

2. 饮食：对少尿、水肿、高血压者应限盐及水，食盐 1～2g/d，严重病例钠盐限制于每天 60mg/kg；伴氮质血症者应限制蛋白供给，给予优质蛋白 0.5mg/(kg·d)，肾功能恢复后应尽早恢复蛋白供应，以保证儿童生长发育需要；给予高糖饮食以满足热量的需求。

3. 病情观察：观察的内容包括水肿程度及部位、尿量及尿色、生命体征变化、循环充血及高血压脑病临床症状等。

4. 健康教育：本病为自限性疾病，预后良好；控制病情进展的重要措施是限制患儿活动；主要的预防措施是避免或减少上呼吸道感染、彻底清除感染灶；彻底痊愈的重要保证是定期门诊随访。

第三节 原发性肾病综合征患儿的护理

(一) 病因及发病机制

1. 病因：有原发性、继发性、先天性三类病因。以原发性最多见，继发性者多继发于过敏性紫癜、系统性红斑狼疮、乙型肝炎病毒相关肾炎等疾病。

2. 发病机制

(1) 蛋白尿：肾小球毛细血管通透性增高所致。

(2) 低蛋白血症：大量蛋白经尿丢失及肾小管对重吸收蛋白的分解。

(3) 水肿：低蛋白血症引起血浆胶体渗透压降低，水和电解质由血管内往外渗到组织间隙

(4) 高脂血症：肝脏合成脂蛋白增加。

(二) 临床表现

1. 单纯肾病主要症状

(1) 大量蛋白尿：尿蛋白排泄大于 50mg/(kg·d)。

(2) 低蛋白血症：血浆白蛋白小于 30g/L。

(3) 高脂血症：主要为血清胆固醇和低密度脂蛋白浓度增高。

(4) 水肿：不同程度的水肿为该病的主要症状，为凹陷性水肿

其中大量蛋白尿和低蛋白血症为诊断必备条件。

2. 肾炎性肾病症状：除有大量蛋白尿、高脂血症、低蛋白血症和水肿外，还有血尿、高血压、血清补体下降和氮质血症。

3. 并发症

(1) 感染：以上呼吸道感染为主。是最常见的并发症，是引起死亡的主要原因。

(2) 电解质紊乱：可出现低钠、低钾、

低钙。

(3) 血栓形成：以肾静脉血栓最常见。

(4) 急性肾衰竭：多为低血容量所致的肾前性急性肾衰竭。

(三) 辅助检查

(1) 24 小时尿蛋白定量>0.1g/kg。

(2) 血浆白蛋白低至 10～20g/L。

(3) 血胆固醇>5.7mmol/L。

(4) 血沉明显增快。

(四) 治疗要点

(1) 治疗肾病综合征的首选药物为肾上腺糖皮质激素。

(2) 环磷酰胺宜饭后服用以减少胃肠反应，用药期间应多饮水，保证充足的尿量，以预防出血性膀胱炎。定期查血象。

(3) 一旦发生感染则应积极应用抗生素控制感染。

(4) 水肿较重者可用氢氯噻嗪、螺内酯、呋塞米；应用血管紧张素转换酶抑制药可减少蛋白尿。

(五) 护理措施

1. 休息：有严重水肿和高血压者卧床休息，卧床期间要经常变换体位，以防止血栓形成。轻症患者无需卧床休息。

2. 饮食管理

(1) 明显水肿或高血压时低盐 (1～2g/d) 饮食。

(2) 以高生物效价的优质蛋白摄入为主。

(3) 补充各种维生素和矿物质

3. 皮肤护理：保持腋窝及腹股沟处皮肤清洁、干燥；躯干和四肢水肿严重者，可用棉圈或气垫床保护受压部位；阴囊水肿时，可用棉垫或吊带将阴囊托起；皮肤破损处可涂碘附。严重水肿者应尽量避免肌内注射。

4. 预防接种：在病情完全缓解且停用糖皮质激素 3 个月后才可预防接种。

第四节　泌尿道感染患儿的护理

(一) 病因及发病机制

1. 致病菌：上行性感染多为肠道革兰阴性菌，80%以上为大肠杆菌，血源性感染多为金黄色葡萄球菌。

2. 感染途径：上行感染是尿路感染最主要的感染途径。

(二) 临床表现

1. 急性感染

(1) 新生儿、婴幼儿：尿路刺激症状不明显，以全身症状为主。全身症状表现为发热、呕吐、腹泻、精神委靡等。局部症状表现为排尿中断、夜间遗尿、排尿时哭闹。

(2) 儿童期：尿频、尿急、尿痛明显。可有发热、遗尿等症状。

2. 慢性感染 (病程大于 6 个月)：有的无明显症状，有的间断出现脓尿、菌尿。

(三) 辅助检查

1. 清洁中段尿沉渣镜检：白细胞>5 个/HP 提示尿路感染。

2. 尿涂片检查：每视野细菌大于 1 个，有诊断意义。

3. 尿细菌培养及菌落计数：是诊断尿路感染的主要依据，清洁中段尿培养菌落数每毫升大于 10 万个可确诊。

4. 影像学检查：明确有无泌尿系畸形或膀胱输尿管反流等。

(四) 治疗要点

1. 休息及多饮水：急性期需卧床休息，大量饮水可促进细菌和毒素排出。

2. 控制感染：选用有效抗生素。第一次急性感染，疗程 10～14 天。

3. 对症治疗：高热、头痛、腰痛者用解热镇痛药缓解症状；尿道刺激症状明显者应用阿托品、山莨菪碱等抗胆碱药或应用碳酸氢钠碱化尿液。

(五) 护理措施

1. 取尿样：常规消毒外阴后取中段尿，及时送检，防止污染。

2. 健康教育：告诉患者家属，要按时、按疗程服药。在疗程结束后每月随访 1 次，连续 3 个月，反复发作者每 3～6 个月复查 1 次，共 2 年或更长时间。

【考点强化】

1. 学龄儿童少尿是指每日尿量少于
A. 100ml B. 200ml
C. 300ml D. 400ml
E. 500ml
2. 小儿无尿是指每日尿量少于
A. 10ml B. 20ml
C. 30ml D. 40ml
E. 50ml
3. 急性肾小球肾炎主要的临床表现
A. 高血压、蛋白尿、血尿
B. 高血压、水肿、血尿
C. 高血压、少尿、水肿
D. 少尿、水肿、血尿
E. 高血压、蛋白尿、少尿
4. 急性肾小球肾炎引起水肿的主要机制
A. 肾小球滤过率下降、水钠潴留
B. 醛固酮增多、水钠潴留
C. 高血压引起心力衰竭
D. 大量蛋白尿引起低蛋白血症
E. 全身毛细血管通透性增加
5. 急性肾小球肾炎属于下列哪种性质的疾病
A. 感染后免疫反应性疾病
B. 病毒直接感染肾脏
C. 细菌直接感染肾脏
D. 单侧肾脏化脓性炎症
E. 双侧肾脏化脓性炎症
6. 急性肾小球肾炎患儿在病程 2 周之内出现的严重并发症
A. 电解质紊乱 B. 高血压脑病
C. 感染 D. 血栓
E. 低血容量性休克
7. 急性肾小球肾炎水肿期，选择何种饮食为宜
A. 无盐、高糖、高蛋白
B. 低盐、高糖、高蛋白
C. 无盐、高糖、低蛋白
D. 低盐、高糖、低蛋白
E. 低盐、普通饭
8. 急性肾小球肾炎患儿的休息护理正确的是
A. 起病 2 周内应经常活动
B. 水肿消退后可下床、散步
C. 血沉正常可上学、进行体育运动
D. 血压正常、肉眼血尿消失后可恢复正常活动
E. 尿沉渣细胞计数正常后可恢复体力活动
9. 单纯性肾病综合征患儿，应用肾上腺糖皮质激素治疗，对他的出院指导中哪项错误
A. 不能随意停用激素
B. 避免到公共场所
C. 避免过度劳累
D. 可进行预防接种
E. 给予营养丰富的饮食
10. 急性肾炎患儿可以上学的标准是
A. 血压下降 B. 血尿消失
C. 水肿消退 D. 血沉正常
E. 尿道正常
11. 单纯性肾病不具有
A. 血胆固醇明显增高
B. 大量蛋白尿
C. 明显水肿
D. 高血压
E. 低蛋白血症
12. 肾炎性肾病不同于单纯性肾病之处是
A. 血尿、高血压
B. 水肿明显
C. 蛋白尿
D. 胆固醇明显增高
E. 明显低蛋白血症
13. 肾病综合征常见并发症不包括
A. 感染
B. 电解质紊乱
C. 严重循环充血
D. 肾静脉栓塞
E. 急性肾功能衰竭
14. 泌尿系感染的最常见致病菌
A. 金黄色葡萄球菌
B. 大肠杆菌
C. 铜绿假单胞菌
D. 溶血性链球菌
E. 克雷白杆菌
15. 小儿泌尿道感染的主要感染途径是
A. 上行性感染
B. 血源性感染
C. 淋巴感染
D. 外伤
E. 邻近组织炎症蔓延
16. 泌尿系统感染的临床特点不正确的是
A. 感染途径多为上行感染
B. 多合并泌尿系统先天性畸形
C. 新生儿泌尿系感染常伴有败血症
D. 婴幼儿局部症状不显著
E. 年长儿下尿路感染时以膀胱刺激症状

为主

17. 患儿，男，5 岁。晨起眼睑水肿，血压不高。怀疑急性肾小球肾炎。为明确诊断首先检查

A. 血常规、血沉 B. 尿常规

C. 尿培养

D. 肾功能

E. 肾脏 B 超

18. 患儿，男，8 岁。已确诊急性肾小球肾炎，治疗 3 天水肿加重，出现头晕、眼花、一过性失明。首先应注意监测

A. 心率

B. 呼吸

C. 血压

D. 尿量

E. 体温

19. 患儿，男，6 岁。已确诊急性肾小球肾炎，治疗 1 周水肿逐渐消退。患儿饮食护理中限盐应至

A. 水肿消退 B. 血压正常

C. 水肿消退、血压正常

D. 水肿消退、肉眼血尿消失

E. 蛋白尿消失、血沉正常

20. 患儿，女，7 岁。眼睑水肿、尿少、血尿 5 天，头痛、呕吐 1 天，抽搐 1 次入院。查体：血压 140/100mmHg，脑膜刺激征阴性，心肺听诊未及异常，四肢活动好，双下肢非凹陷性水肿。该患儿抽搐原因可能为

A. 化脓性脑膜炎 B. 病毒性脑炎

C. 急性肾小球肾炎并高血压脑病

D. 肾炎性肾病 E. 中毒性脑病

21. 患儿，男，10 岁。水肿、血尿 5 天，诊断急性肾小球肾炎。给予青霉素治疗的目的为

A. 控制肾脏炎症 B. 抑制免疫反应

C. 清除体内感染灶

D. 缩短病程、预防复发

E. 以上都对

22. 患儿，男，4 岁。尿少、水肿 10 天。尿蛋白（＋＋＋＋），血白蛋白降低，胆固醇增高，血尿素氮正常。该患儿最可能的诊断为

A. 泌尿系感染 B. 急性肾小球肾炎

C. 肾炎性肾病 D. 单纯性肾病

E. 以上都不是

23. 患儿，女，3 岁。确诊肾病综合征 3 个月。该患儿进行预防接种的时间应为

A. 可同时进行 B. 病情缓解后进行

C. 停药后进行

D. 病情完全缓解且停药 3 个月后进行

E. 无发热即可进行

24. 患儿，男，7 岁。已确诊肾炎性肾病。支持肾炎性肾病的化验指标为

A. 大量蛋白尿 B. 低蛋白血症

C. 高胆固醇血症 D. 血清补体降低

E. 血沉增快

25. 患儿，女，5 个月。发热、哭闹半天，呕吐 2 次。查体：精神差，咽部无充血，脑膜刺激征阴性。心肺听诊无异常。腹软，外阴红。尿白细胞（＋＋＋）。该患儿最可能的诊断为

A. 化脓性脑膜炎 B. 败血症

C. 泌尿系感染 D. 急性胃肠炎

E. 急性肾小球肾炎

（26～28 题共用病例）

患儿，男，5岁。因全身水肿、尿少 1 周入院。查体：双眼睑明显水肿，腹壁水肿，移动性浊音阳性，双下肢凹陷性水肿，阴囊水肿明显。尿蛋白（＋＋＋＋）。初步诊断：肾病综合征。

26. 为进一步明确诊断，须进行必要的检查

A. 尿蛋白定量 B. 血浆蛋白检测

C. 血脂分析 D. 补体、尿素氮

E. 以上都对

27. 目前给予最主要的护理措施为

A. 严格限制活动 B. 低盐饮食

C. 高蛋白饮食 D. 肌内注射药物

E. 严格限制水的摄入量

28. 该病首选的治疗药物是

A. 利尿药 B. 抗生素

C. 白蛋白 D. 泼尼松

E. 环磷酰胺

【参考答案】

1. D 2. E 3. B 4. A 5. A
6. B 7. D 8. E 9. D 10. D
11. D 12. A 13. C 14. B 15. A
16. B 17. B 18. C 19. C 20. C
21. C 22. D 23. D 24. D 25. C
26. E 27. B 28. D

第十章 神经系统疾病患儿的护理

第一节 小儿神经系统解剖生理特点

1. 脑

(1) 出生后足月儿脑重平均370g，占体重的10%～12%。

(2) 出生后有主要的沟回，但皮层薄、沟裂较浅，灰、白质分界不清。

(3) 新生儿脑神经细胞分化较差，髓鞘未完全形成。

(4) 新生儿神经细胞数目与成人相同，但其树突与轴突少而短。

(5) 大脑皮质下中枢发育已较为成熟，而大脑的皮质及新纹状体发育尚不成熟。

(6) 小儿的脑耗氧量较大，在基础代谢状态下占总耗氧量的50%，缺氧的耐受性较成人差。

2. 脊髓

(1) 在出生时小儿脊髓已发育的较为成熟，重2～6g，脊髓随着年龄的增长逐渐加长、增重。

(2) 胎儿时，脊髓的末端在第二腰椎下缘，新生儿时达第三腰椎水平，4岁时达第一腰椎上缘。

3. 脑脊液

项　目	婴儿(新生儿)	儿童
总量	50ml	100～150ml
压力	30～80mmH_2O	70～200mmH_2O
细胞数	(0～20)×10^6/L	(0～10)×10^6/L
蛋白总量	0.2～1.2g/L	0.2～0.4g/L
糖	3.9～5.0mmol/L	2.8～4.5mmol/L
氯化物	110～122mmol/L	117～127mmol/L

4. 神经反射

(1) 出生时存在，以后逐渐消失的反射见下表。

反　射	出现年龄	消失年龄
拥抱反射	初生	3～6月
吸吮反射和觅食反射	初生	4～7月
掌握持反射	初生	3～4月
支撑反射	初生	2～3月
迈步反射	初生	2月
颈拨正反射	初生	6个月

(2) 出生时不存在，以后逐渐出现并终生存在的反射：如降落伞反射9～10个月时出现；平衡反射10～12个月时出现等。

(3) 终生存在的反射：包括腱反射和浅反射。浅反射包括角膜反射、瞳孔反射、结膜反射、吞咽反射、提睾反射（于出生4～6个月后才明显）等。

(4) 病理反射：2岁以下小儿巴宾斯基征阳性。

第二节 化脓性脑膜炎患儿的护理

（一）病因及发病机制

(1) 2个月以下幼婴和新生儿以肠道革兰阴性杆菌（大肠杆菌和绿脓杆菌）和金黄色葡萄球菌为主。

(2) 出生 2 个月至儿童时期则以流感嗜血杆菌、脑膜炎球菌和肺炎链球菌为主。

(3) 大于 12 岁的由脑膜炎球菌、肺炎链球菌致病者多见。

(4) 冬春季节以肺炎链球菌多见，春秋季以脑膜炎球菌、流感嗜血杆菌多见。

(二) 临床表现

1. 发病：脑膜炎球菌感染多为骤发起病；流感嗜血杆菌或肺炎链球菌感染多为亚急性起病。

2. 症状：头痛、呕吐、烦躁、抽搐等，脑膜刺激征阳性，前囟紧张膨隆。

3. 并发症

(1) 硬脑膜下积液：1 岁以内患儿和流感嗜血杆菌脑膜炎多见。治疗中发热不退或退后复发、进行性前囟饱满、头围增大时注意是否有硬脑膜下积液。应行颅透光检查。硬脑膜下穿刺，积液＞2ml，蛋白＞0.4g/L。

(2) 脑积水：脑脊液循环系统发生粘连阻塞可引起脑积水。

(3) 脑疝：表现为意识不清、呼吸不规律、两侧瞳孔不等大、对光反射迟钝。

(4) 脑室管膜炎：主要发生在治疗被延误的婴儿。患儿在强力抗生素治疗下发热不退，惊厥，意识障碍不改善，进行性加重的颈项强直甚至角弓反张，脑脊液始终无法正常化，以及 CT 见脑室扩大。

(三) 辅助检查

脑脊液浑浊或呈脓性；白细胞数达1000×10^6/L 以上，以中性粒细胞为主；蛋白升高，大于 1000mg/L；糖含量下降，小于 1.1mmol/L；氯化物含量下降。

(四) 治疗要点

1. 抗生素治疗

(1) 用药原则：应选择对病原菌敏感，且能较高浓度透过血脑屏障的药物。急性期要用药早、剂量足和疗程够。

(2) 病原菌明确前的抗生素选择：目前主要选择能快速在脑脊液中达到有效灭菌浓度的第三代头孢菌素，包括头孢噻肟或头孢三嗪。

(3) 病原菌明确后的抗生素选择：肺炎链球菌选用青霉素，脑膜炎球菌选用青霉素，耐药者选用头孢噻肟钠；流感嗜血杆菌选用氨苄西林。

2. 并发症的治疗

(1) 硬膜下积液少量积液无需处理。积液量较大应做硬膜下穿刺放出积液。

(2) 脑室管膜炎进行侧脑室穿刺引流，选择适宜抗生素脑室内注入。

(3) 脑积水主要依赖手术治疗。

3. 对症和支持治疗

(1) 急性期严密监测生命体征，及时处理颅内高压，给予 20%甘露醇降低颅内压。

(2) 降温；控制惊厥发作。

(3) 保持水、电解质的平衡。

(五) 护理措施

1. 饮食：多饮水，给予高蛋白、高热量食物，不能进食者鼻饲。准确记录 24 小时出入液量。

2. 一般护理

(1) 减少探视，减少不必要的干扰，保持安静。

(2) 卧位或头偏向一侧以防窒息。保持呼吸道通畅，给氧。

(3) 严密观察呼吸、神志、瞳孔的变化。

3. 应用甘露醇注意事项：用药前要检查药液是否有结晶，不能与其他药液混合静脉滴注，先缓慢静脉推注后静脉点滴，静脉推注时不能漏到血管外。

第三节　病毒性脑膜炎、脑炎患儿的护理

(一) 病因及发病机制

(1) 病因：主要由柯萨奇病毒、埃可病毒等肠道病毒引起。

(2) 发病机制：病毒进入人体后，在淋巴系统繁殖后通过血液循环感染各脏器，在各脏器中繁殖后再大量进入血液，进一步扩散到全身，病毒直接破坏神经组织和通过抗原反应引起脱髓鞘病变和血管及血管周围组织损伤而导致神经供血不足。

(二) 临床表现

1. 病毒性脑膜炎：主要症状为发热、恶心、呕吐，脑膜刺激征，无局限性神经系统

体征。

2. 病毒性脑炎：发热，意识障碍逐渐加重，颅内压增高。可出现不同局限性神经系统体征。

（三）辅助检查

脑脊液外观清亮，细胞数大多在（10～500）$\times 10^6$/L，早期以中性粒细胞为主，后期以淋巴细胞为主，蛋白质轻度增高，糖含量正常。

（四）治疗要点

主要是支持和对症治疗，抗病毒治疗可选用阿昔洛韦等。

第四节　小儿惊厥的护理

（一）病因及发病机制

1. 感染性疾病：各种感染可引起的高热惊厥和中毒性脑病等，其中高热惊厥最常见。

2. 非感染性疾病：颅内非感染性疾病、中毒、水电解质紊乱、低血糖、尿毒症等。

（二）临床表现

1. 惊厥持续状态：发作持续超过 30 分钟或 2 次发作间歇期意识不能恢复。

2. 典型表现：突然意识丧失，眼球上翻，双眼凝视或斜视，出现肌肉强直性或阵挛性抽动，持续数秒至数分钟。

3. 热性惊厥的特点：大多发生于急骤高热开始后 12 小时之内；一次发热多只有一次发作；发作时间短（＜10 分钟），发作后短暂嗜睡；无神经系统病理征，热退 1 周后脑电图正常。多发于 6 个月至 3 岁，男孩多于女孩。

（三）治疗要点

止惊首选地西泮，其次是苯妥英钠、苯巴比妥及水合氯醛等，静脉注射或保留灌肠。

（四）护理措施

1. 防止窒息

（1）发作时应就地抢救，不要搬运。

（2）保持呼吸道通畅：去枕平卧，头偏向一侧，将舌轻轻向外牵拉，及时清除呼吸道分泌物及口腔呕吐物。

2. 防止受伤

（1）将纱布放于患儿的手中或腋下，防止皮肤摩擦受损。

（2）于上下牙之间放置牙垫或纱布包裹的压舌板，防止舌咬伤。

（3）不要用力牵拉或按压患儿肢体，防止骨折或脱位。

3. 预防脑水肿：保持安静，避免刺激；吸氧；密切观察血压、呼吸、脉搏、意识及瞳孔变化。

第五节　急性颅内压增高患儿的护理

（一）病因及发病机制

脑组织、脑脊液异常增加超过代偿限度时即发生颅内压增高。

（二）临床表现

1. 头痛：晨起较重，囟门未闭的婴儿头痛不明显。

2. 呕吐：晨起明显，频繁喷射性呕吐。

3. 意识改变：早期有性格改变、嗜睡，严重者出现昏迷。

4. 体征：前囟紧张隆起、头围增长过快、颅骨骨缝裂开等。眼底检查可见视盘水肿。

5. 脑疝：小脑幕切迹疝最常见，表现为意识障碍加重、肌张力增高、两侧瞳孔不等大及对光反射减弱或消失。

（三）治疗要点

降低颅压。

① 使用高渗脱水药 20%甘露醇，6～8 小时给药一次。

② 使用利尿药呋塞米（速尿）。

③ 使用肾上腺糖皮质激素地塞米松。

④ 穿刺放液或手术处理。

（四）护理措施

使用甘露醇注意事项。

① 用药前要检查药液，有结晶时于热水中浸泡，静脉滴入时可用带过滤网的输液器，以防结晶进入血管内。

② 因易产生结晶沉淀，故不能与其他药混合使用。

③ 先缓慢静脉推注，后静脉点滴，速度不宜过快。

④ 推注时不要将药物漏到血管外，以免引起局部组织坏死，如药物外漏，可用25%～50%硫酸镁局部湿敷和抬高患肢。

【考点强化】

1. 致病菌侵入脑膜引起化脓性脑膜炎最常见的途径是
   A. 血行播散　B. 直接侵入
   C. 新生儿脐部　D. 皮肤黏膜
   E. 邻近器官炎症扩散
2. 新生儿化脓性脑膜炎最常见的致病菌
   A. 脑膜炎双球菌　B. 肺炎链球菌
   C. 流感嗜血杆菌　D. 大肠杆菌
   E. 溶血性链球菌
3. 化脓性脑膜炎的并发症不包括
   A. 硬膜下积液　B. 脑室管膜炎
   C. 脑积水　D. 癫痫
   E. 中毒性脑病
4. 最易并发硬脑膜下积液的脑膜炎是
   A. 金黄色葡萄球菌脑膜炎
   B. 病毒性脑膜炎
   C. 结核性脑膜炎
   D. 流感嗜血杆菌脑膜炎
   E. 隐球菌脑膜炎
5. 小婴儿化脓性脑膜炎最应注意的体征是
   A. 颈项强直　B. 前囟隆起
   C. Kernig征阳性　D. Brudzinski征阳性
   E. 皮疹特点
6. 3个月内婴儿化脓性脑膜炎临床表现不常见
   A. 发热或体温不升
   B. 拒乳、呕吐
   C. 易激惹、凝视、面色青紫
   D. 前囟饱满
   E. 颈强直、凯尔尼格征及布鲁津斯基征阳性
7. 化脓性脑膜炎最可靠的诊断依据
   A. 发热、反复惊厥
   B. 剧烈头痛、呕吐、昏迷
   C. 脑膜刺激征阳性
   D. 脑脊液白细胞数明显增多
   E. 脑脊液中检出病原菌
8. 典型的化脓性脑膜炎脑脊液改变是
   A. 细胞数增高、蛋白增高、糖增高
   B. 细胞数增高、蛋白增高、糖正常
   C. 细胞数增高、蛋白正常、糖增高
   D. 细胞数正常、蛋白增高、糖下降
   E. 细胞数增高、蛋白增高、糖下降
9. 病毒性脑膜炎最常见的病毒
   A. 腮腺炎病毒　B. 肠道病毒
   C. 流感病毒　D. 单纯疱疹病毒
   E. 鼻病毒
10. 患儿，女，8个月。因高热惊厥急诊入院，首选的止惊药
    A. 地西泮　B. 水合氯醛
    C. 苯巴比妥　D. 复方氯丙嗪
    E. 以上都不是
11. 小儿惊厥发作时，应首先做哪项护理工作
    A. 立即送入抢救室
    B. 立即松解衣领，平卧、头侧位
    C. 将舌轻轻向外牵拉
    D. 于掌心和腋下放入纱布
    E. 置牙垫于上下磨牙之间
12. 小儿惊厥时应重点观察
    A. 体位变化　B. 呼吸、瞳孔变化
    C. 发绀程度　D. 呕吐情况
    E. 肌肉张力改变
13. 小儿高热惊厥的特点是
    A. 多发生于上呼吸道感染的初期、体温下降时
    B. 发作多呈局限性
    C. 发作时间短，大多只发作一次
    D. 年龄多在1岁以内
    E. 神经系统可有阳性体征
14. 小儿十个月，因高热惊厥入院，经治疗痊愈，准备出院，对其家长健康指导的重点是
    A. 合理喂养的方法
    B. 体格锻炼的方法
    C. 惊厥预防及急救措施
    D. 预防接种的时间
    E. 小儿体检的时间
15. 患儿，男，8岁。因发热、头痛、呕吐3天伴频繁惊厥入院。初步诊断为化脓性脑

膜炎。入院查体时再次出现惊厥。下列急救处理不妥的是

A. 立即给予降温

B. 立即给予吸氧

C. 立即行腰穿检查

D. 按医嘱应用止惊药物

E. 清除口鼻分泌物

16. 患儿，男，9个月。3个半月前患化脓性脑膜炎，经抗生素治疗1周热退停药。查体：头围49cm，前囟隆起，前额大，面小，双眼球向下呈落日状，心肺听诊无异常。该患儿目前考虑

A. 化脓性脑膜炎复发

B. 脑积水　　C. 硬膜下积液

D. 脑脓肿　　E. 颅内肿瘤

(17～18题共用病例)

患儿，男，10个月。因发热、惊厥确诊为化脓性脑膜炎，住院治疗1周，病情好转，体温下降。

17. 如患儿再次出现发热、呕吐、惊厥，前囟隆起。该患儿病情可能并发了

A. 脑室管膜炎　　B. 病毒性脑炎

C. 硬膜下积液　　D. 中毒性脑病

E. 脑积水

18. 为进一步确诊，最好的选择

A. 脑脊液检查　　B. 颅脑CT

C. 头颅X线片　　D. 硬膜下穿刺

E. 外周血检查

(19～21题共用备选答案)

A. 角膜反射　　B. 布鲁津斯基征

C. 拥抱反射　　D. 降落伞反射

E. 巴宾斯基征

19. 出生时不存在，以后逐渐出现并不消失的反射是

20. 出生时存在，以后逐渐消失的反射是

21. 出生时已存在，以后永不消失的反射是

【参考答案】

1. A　2. D　3. E　4. D　5. B
6. E　7. E　8. E　9. B　10. A
11. B　12. B　13. C　14. C　15. C
16. B　17. C　18. D　19. D　20. C
21. A

第十一章　结缔组织疾病患儿的护理

第一节　风湿热患儿的护理

(一) 病因及发病机制

风湿热是一种与A组乙型溶血性链球菌感染密切相关的免疫炎性病。与变态反应、自身免疫反应相关。

(二) 临床表现

急性风湿热发病前1～5周有上呼吸道链球菌感染史，临床主要表现为心脏炎、关节炎、舞蹈病、环形红斑和皮下结节。心脏炎是本病最严重的表现，以心肌炎及心内膜炎多见，心内膜炎主要侵犯二尖瓣，其次为主动脉瓣。

(三) 辅助检查

(1) 风湿热活动指标：血沉增快、C反应蛋白(CRP)阳性、黏蛋白增高。

(2) 抗链球菌抗体测定：抗链球菌溶血素“O”(ASO)升高。

(四) 治疗要点

(1) 卧床休息，加强营养，补充维生素等。

(2) 大剂量青霉素静脉滴注清除链球菌

感染。

(3) 抗风湿热：治疗心脏炎时早期用糖皮质激素治疗，无心脏炎者可用阿司匹林。

(4) 对症治疗。

(五) 护理措施

1. 防止发生严重的心功能损害

(1) 观察病情：注意患儿面色、呼吸、心率、心律及心音的变化，如有心力衰竭的表现，应及时处理。

(2) 限制活动：急性期卧床休息2周，有心脏炎时轻者绝对卧床4周，重者6～12周，至急性症状完全消失，血沉接近正常时方可下床活动，伴心力衰竭者待心功能恢复后再卧床3～4周，活动量依据心率、心音、呼吸、有无疲劳而调节。一般恢复至正常活动量所需时间是：无心脏受累者1个月，轻度心脏受累者2～3月，严重心脏炎伴心力衰竭者6个月。

(3) 加强饮食管理：给予易消化、营养丰富的食物，少量多餐，保持大便通畅。

2. 减轻关节疼痛，降低体温；注意患肢保暖，避免寒冷潮湿，作好皮肤护理。

3. 药期间应注意观察药物副作用。

4. 健康教育：强调预防复发的重要性，预防药物首选长效青霉素120万单位深部肌内注射，每月1次，至少持续5年，最好持续到25岁，有严重风湿性心脏病者，宜终身药物预防。

第二节 儿童类风湿病的护理

(一) 病因及发病机制

儿童类风湿关节炎是一种以慢性关节滑膜炎为特征的自身免疫性疾病。

(二) 临床表现

本病以2～3岁和8～10岁小儿多见。

1. 全身型：多见于2～4岁小儿。以全身症状起病，发热和皮疹为典型症状。发热呈弛张热，伴一过性多形性淡红色皮疹；皮疹可融合成片，多见于躯干和四肢近端，随体温升降时隐时现。多数患儿有一过性关节炎、关节痛或肌痛。

2. 多关节型：女孩多见。受累关节在5个以上，多为对称性，先累及膝、踝、肘、腕等大关节，表现为肿痛与活动受限，晨僵是本型的特点。约1/4患儿类风湿因子（RF）阳性，最终半数以上关节发生强直变形影响关节功能。

3. 少关节型：女孩多见。受累关节不超过4个，多为非对称性，以膝、踝、肘、腕大关节为主，多无严重的关节活动障碍。

(三) 辅助检查

1. 血液检查：在活动期可有轻度或中度贫血，多数患儿白细胞数增高，以中性粒细胞增高为主；血沉加快，C反应蛋白阳性。

2. 免疫学检测IgG、IgM、IgA均增高，部分病例类风湿因子和抗核抗体可为阳性。

3. X线检查早期可见关节附近软组织肿胀，关节周围骨质稀疏；晚期关节面骨膜破坏，关节腔变窄，关节融合，关节半脱位。

(四) 治疗要点

治疗原则为控制临床症状，维持关节功能，防止关节畸形；控制炎症，促进健康的生长发育。

1. 一般治疗：除急性发热外，不主张过多的卧床休息，应适当运动，采用医疗体育、理疗、热敷、红外线照射、按摩等减轻关节强直和软组织挛缩。必要时作矫形手术。

2. 药物治疗：选用非甾体类抗炎药物（萘普生、布洛芬等）、病情缓解药（甲氨蝶呤、青霉胺等）、糖皮质激素等进行治疗。

(五) 护理措施

(1) 降低体温，高热时物理降温（有皮疹者忌用乙醇擦浴），及时擦干汗液，更换衣服。

(2) 密切监测体温变化，注意热型。观察有无皮疹、眼部受损及心功能不全的表现。

(3) 维护关节的正常功能

① 急性期卧床休息，并注意观察关节炎症状。

② 可利用夹板、沙袋固定患肢于功能位置或用支架保护患肢不受压等以减轻疼痛。也可教给患儿用放松、分散注意力的方法控制疼痛或局部湿热敷止痛。

③ 急性期过后尽早开始关节的康复治疗，若运动后关节疼痛肿胀加重可暂时停止运动。

④ 对关节畸形的患儿，注意防止外伤。

（4）用药护理：长期用非甾体类抗炎药的患儿应每2～3个月检查血象和肝、肾功能。

第三节　过敏性紫癜患儿的护理

（一）病因及发病机制

过敏性紫癜是以小血管炎为主要病变的血管炎综合征。病因尚不清楚，目前认为与某种致敏因素引起的自身免疫反应有关。

（二）临床表现

多为急性起病，病前1～3周常有上呼吸道感染史。

1. 皮肤紫癜：常为首发症状，多见于四肢和臀部，分批出现，伸侧较多，对称分布，

躯干和面部少见。初起为紫红色斑丘疹，高出皮肤，压不褪色，此后颜色加深呈暗紫色，最后呈棕褐色而消退。

2. 消化道症状：常出现脐周或下腹部疼痛，伴恶心、呕吐或便血。

3. 关节症状：多累及膝、踝、肘、腕等关节，表现为关节肿胀、疼痛和活动受限，多在数日内消失而不遗留关节畸形。

4. 肾脏症状：多数患儿出现血尿、蛋白尿及管型，伴血压增高和水肿，称为紫癜性肾炎。

（三）治疗要点

本病尚无特效疗法，主要采取支持和对症治疗。

（四）护理措施

1. 恢复皮肤的正常形态和功能

（1）观察皮疹的形态、颜色、数量、分布，和有无反复出现等，每日详细记录皮疹变化。

（2）保持皮肤清洁，防擦伤和小儿抓伤，如有破溃及时处理，防止出血和感染。

（3）患儿衣着应宽松、柔软，保持清洁、干燥。

（4）避免接触可能的各种致敏原，同时按医嘱使用止血药、脱敏药等。

2. 减轻或消除关节肿痛与腹痛：观察患儿关节肿胀及疼痛情况，保持关节的功能位置。腹痛时应卧床休息，按医嘱使用肾上腺皮质激素，以缓解关节疼痛和解除痉挛性腹痛。

【考点强化】

1. 引起风湿热的常见菌为

A. 葡萄球菌　　B. 白色念珠菌

C. 肺炎双球菌

D. A组乙型溶血性链球菌

E. 流感嗜血杆菌

2. 控制小儿风湿热复发首选的药物是

A. 红霉素　　B. 氯霉素

C. 链霉素　　D. 阿司匹林

E. 长效青霉素

3. 关于风湿热患儿需要绝对卧床的时间的描述，正确的是

A. 无心脏炎者3周

B. 轻度心脏炎者4周

C. 重度心脏炎者5周

D. 轻度关节障碍者6周

E. 重度关节障碍者7周

4. 下列与儿童类风湿病有关的致病因素为

A. 抗生素　　B. 免疫抑制药

C. 类固醇激素　　D. 病毒感染

E. 抗风湿药

5. 关于严重腹型紫癜患儿的饮食，正确的是

A. 禁食　　B. 流食

C. 半流食　　D. 低盐饮食

E. 少渣饮食

6. 过敏性紫癜患儿，出现腹痛、恶心，同时发现大便变黑，其饮食正确的是

A. 禁食　　B. 半流食

C. 无渣饮食　　D. 低盐饮食

E. 低蛋白饮食

7. 预防风湿热的关键是

A. 防治链球菌感染

B. 手术摘除感染的扁桃体

C. 注射长效青霉素

D. 磺胺药物预防性治疗

E. 长期口服小剂量阿司匹林

（8～11题共用病例）

女性患儿，12岁，发热14天，体温38～39℃，双手指指关节和掌指关节肿痛伴活动

受限，两侧膝关节肿胀，以右侧明显，被动活动受限。无皮疹，浅表淋巴结无肿大，肝脾无明显肿大。血沉和C反应蛋白升高，血白细胞 13×10^9/L，尿常规检查正常。

8. 诊断首先考虑

A. 风湿热　B. 过敏性紫癜

C. 小儿类风湿病　D. 关节结核

E. 化脓性关节炎

9. 膝关节X线检查，无骨质破坏和关节积液，为发现早期关节病变应做哪项检查

A. 关节CT　B. 关节核磁共振

C. 关节分层X线片　D. 同位素骨扫描

E. B超检查

10. 为了排除风湿热，应做下列哪项检查

A. X线胸片

B. 肺功能

C. 心电图

D. 心脏超声和血抗O检查

E. 头颅CT

11. 如果诊断为类风湿性关节炎，首选的药物治疗是

A. 非甾体类抗炎药

B. 激素

C. 病情缓解抗风湿药物

D. 静脉用人血丙种球蛋白

E. 胸腺肽

【参考答案】

1. D　2. E　3. B　4. D　5. A

6. C　7. A　8. C　9. B　10. D

11. A

第十二章　传染病患儿的护理

第一节　传染病总论

(一) 传染过程

病原体的致病力和机体的免疫力这两个因素相互作用可产生病原体被清除、病原携带状态、隐性感染、潜伏性感染、显性感染5种结局。隐性感染最多见，其次为病原携带状态，而显性感染最少。

(1) 病原体被清除。

(2) 隐性感染：人体感染病原体后，无任何临床症状、体征，但免疫学检查的发现特异性抗原或抗体。

(3) 显性感染：人体感染病原体后，有临床症状、体征。

(4) 病原携带状态：人体感染病原体后，无明显临床症状。病原携带的持续时间在3个月以下者为急性携带者，超过3个月者为慢性携带者。

(5) 潜伏性感染：人体感染病原体后，暂时无临床表现，也无病原体排出体外。当机体免疫力减低时，引起发病。

(二) 传染病的基本特征

传染病的基本特征包括有病原体、有传染性、流行性及感染后免疫性。

(三) 传染病流行的三个环节

1. 传染源：体内有病原体并能将病原体排出体外，感染他人或动物者称为传染源。传染源包括患者、病原携带者、受感染的动物。病原携带者是传染病重要的传染源。

2. 传播途径：传染病的播散途径几乎都是外源性播散。

3. 人群易感性：对某种传染病缺乏特异性免疫力的人称为易感者。

（四）影响流行过程的因素

1. 自然因素：气候、温度、湿度、地理环境等。

2. 社会因素：社会经济、文化教育、生活水平以及公共卫生设施和劳动环境等。

（五）传染病的临床特点

1. 潜伏期：从病原体侵入人体至开始出现临床症状的时期。潜伏期是确定传染病检疫期的重要依据。

2. 前驱期：从起病至临床症状明显的时期。可表现为发热、乏力、肌肉酸痛等非特异症状。

3. 症状明显期：有特征性的症状、体征及实验室检查异常。此期易产生并发症。

4. 恢复期：症状及体征逐步消失，器官功能逐渐恢复。

（六）传染病的预防

针对流行过程中的三个环节采取综合措施对传染病的预防尤为重要。

1. 管理传染源：早发现、早诊断、早报告、早隔离、早治疗。

2. 切断传播途径。

3. 保护易感人群：疫苗接种是预防传染病的最有力武器。

（七）小儿传染病的护理管理

1. 预防：将传染病门诊与普通门诊分开。可疑传染患者预诊后按病种的不同分别到指定的诊室进行诊治。发现传染病后，及时向防疫部门报告，将传染病患者或病原携带者隔离。

2. 消毒

(1) 预防性消毒：对疑有传染源存在和可能被病原体污染的场所和物品进行的消毒。

(2) 随时消毒：对传染源的排泄物、分泌物以及被污染的物品和场所随时进行的消毒。

(3) 终末消毒：传染病患者出院、转科或死亡后，对患者、病室及用物进行一次彻底的消毒。

第二节　麻疹患儿的护理

（一）病因及发病机制

1. 病原体：本病的病原体为麻疹病毒，该病毒具有如下特点。

(1) 麻疹病毒为RNA病毒。

(2) 麻疹病毒在体外存活能力弱，对阳光和一般消毒剂敏感，在室内空气中不超过2小时即失去活力，在流通空气中或日光下30分钟即失去活力。

(3) 对寒冷及干燥耐受力较强。

2. 发病机制：麻疹病毒侵入人体后，在局部黏膜短期繁殖并进入血液，形成第一次病毒血症；此后，在单核巨噬细胞系统大量繁殖后再次进入血液，形成第二次病毒血症，此时传染性最强。

（二）流行病学

1. 传染源：麻疹患者是惟一的传染源。出疹前5天至出疹后5天均有传染性。

2. 传播途径：主要通过飞沫传播。

3. 易感人群：人群普遍易感，目前易感人群主要是未接种疫苗的学龄前儿童、免疫失败的十几岁儿童和青年人，感染后多数发病，病后能获持久免疫。

4. 流行特点：以冬、春季多发，高峰在2～5月份。

（三）临床表现

1. 潜伏期：平均为10天，在潜伏期内可有轻度体温上升。

2. 前驱期（出疹前期）：从发热至出疹，常持续3～4天。

3. 出疹期：多在发热后3～4天。

4. 恢复期：多在出疹3～5天后。

5. 皮疹特点：多在发热后3～4天出皮疹，皮疹先出现于耳后、发际、颈部，逐渐蔓延至额面、躯干及四肢。疹形是玫瑰色斑丘疹，继而色加深呈暗红，可融合成片，疹间可见正常皮肤，同一部位皮疹持续2～3天，不伴痒感。

6. 麻疹黏膜斑（Koplik斑）：在发疹前24～48小时出现，开始仅在对着下臼齿相对应的颊黏膜上，可见直径约1.0mm灰白色小点，外有红色晕圈，常在1～2天内迅速增多，可累及整个颊黏膜并蔓延至唇部黏膜，于出疹后1～2天迅速消失，可留有暗红色小点。

7. 并发症

(1) 支气管肺炎：为最常见的并发症和最主要的死因。

(2) 喉炎：可引起窒息而致死。

(3) 心肌炎：少见，多发于2岁以下、重症或合并肺炎者和营养不良患者。

(4) 麻疹脑炎：多发于疹后2～6天，1～5周后恢复，症状同其他病毒性脑炎。

(5) 亚急性硬化性全脑炎：是麻疹的远期并发症，主要见于曾患过麻疹的年长儿，偶可见接种过麻疹活疫苗者。

(四) 辅助检查

(1) 鼻咽分泌物有多核巨细胞。

(2) 尿中有包涵体细胞。

(3) 血清麻疹抗体阳性。

以上三者对早期诊断有帮助。

(五) 治疗要点

(1) 加强护理、对症治疗、预防感染为治疗原则。

(2) 补充维生素A，可减少并发症的发生，有利于恢复。

(六) 护理措施

预防措施如下。

1. 控制传染源：早发现、早报告、早隔离、早治疗麻疹患者，一般隔离至出疹后5天，合并肺炎者延长至出疹后10天。接触麻疹的易感者应检疫观察3周，并给予被动免疫。

2. 切断传播途径：病室通风换气、空气消毒，患儿衣物要曝晒2小时。

3. 保护易感人群

(1) 主动免疫：采用麻疹减毒活疫苗预防接种，初种年龄国内规定为生后8个月，7岁时复种一次。易感者在接触患者2天内若接种疫苗，仍有可能预防发病或减轻病情。

(2) 被动免疫：接触麻疹后5天内立即给予免疫血清球蛋白0.25ml/kg可预防发病。如用量不足或接触麻疹后第5～9天使用，仅可减轻症状。被动免疫只能维持3～8周，以后应采取主动免疫。

第三节　水痘患儿的护理

(一) 病因及发病机制

1. 病原体：水痘-带状疱疹病毒，即人类疱疹病毒3型。该病毒在体外生存能力弱，不耐酸和热，对乙醚敏感，不能在痂皮中存活。

2. 发病机制：病毒进入人体后，首先在上呼吸道繁殖，而后进入血流，引起发病。患水痘后可获得持久免疫。

(二) 流行病学

1. 传染源：水痘患者是惟一的传染源。

2. 传播途径：主要通过空气飞沫传播。

3. 易感人群：以1～6岁儿童多见，6个月以内的婴儿体内有母体抗体，所以较少发病。

4. 流行特点：以冬春季高发。

(三) 临床表现

皮疹特点及出疹规律。

(1) 前驱期仅1天左右，表现为发热、全身不适、食欲缺乏等。

(2) 次天出现皮疹，初起于躯干部，继而扩展至面部及四肢，四肢末端稀少，呈向心性分布，系水痘皮疹的特征之一。

(3) 开始为红色斑丘疹或斑疹，数小时后变成椭圆形水滴样小水泡，周围红晕。约24小时内水疱内容物变为浑浊，且疱疹出现脐凹现象，水疱易破溃，2～3天左右迅速结痂。

(4) 病后3～5天内，皮疹陆续分批出现，瘙痒感较重。

(5) 由于皮疹演变过程快慢不一，故同一时间内可见上述三种形态皮疹同时存在，这是水痘皮疹的又一重要特征。

(6) 皮疹脱痂后一般不留瘢痕。黏膜皮疹可出现在口腔、结膜、生殖器等处，易破溃形成浅溃疡。

(四) 治疗要点

1. 对症治疗：阿司匹林有引起Reye综合征

的危险，所以退热时选用其他退热药；出疹期避免用皮质激素及免疫抑制药，以防病毒播散。

2. 抗水痘病毒：首选阿昔洛韦。

（五）护理措施

预防。

（1）无并发症的患儿：在家隔离治疗到疱疹全部结痂或出疹后7天。

（2）与水痘患儿接触者应检疫3周。

（3）使用大剂量激素、免疫缺陷者、免疫功能受损、恶性病患者，在接触水痘72小时内给予水痘-带状疱疹免疫球蛋白肌内注射，可起到预防作用。

（4）主动免疫：接种水痘-带状疱疹病毒减毒活疫苗可获得持久免疫。

第四节　猩红热患儿的护理

（一）病因及发病机制

本病的致病菌为乙型A组溶血性链球菌，该菌外界生存能力较强，在痰和渗出物中可存活数周，加热至56℃30分钟及一般消毒剂均可将其杀灭。该菌的侵袭力较强，能产生红疹毒素。

（二）流行病学

1. 传染源：患者及带菌者为主要传染源，发病前24小时至疾病高峰传染性最强。

2. 传播途径：主要通过空气飞沫传播。

3. 易感人群：人群普遍易感，3～7岁儿童多发病。

4. 流行特征：于冬、春季多发

（三）临床表现

（1）多在发热后1～2天出现皮疹，首先于耳后、颈部及上胸部出现，24小时左右迅速波及全身。

（2）针尖大小的丘疹均匀分布于弥漫性充血的皮肤上，压之褪色，疹间无正常皮肤。

（3）可有“草莓舌”、咽苍白圈。

（4）随着体温的下降，皮疹按出疹顺序逐渐消失。

（5）于病后1周末，按出疹顺序开始脱屑，躯干为糠皮样脱屑，手掌、足底为大片状脱皮，呈“手套”、“袜套”状。无色素沉着。

（四）治疗要点

治疗首选青霉素G，对青霉素过敏或耐药者可选用用红霉素或第1代头孢菌素。

（五）护理措施

（1）隔离：症状消失后1周，且连续咽拭子培养3次阴性后解除隔离。

（2）消毒：室内空气用紫外线照射消毒，患者鼻咽分泌物用2%～3%氯胺或漂白粉澄清液消毒，被患者分泌物污染的物品用消毒液浸泡、擦拭、蒸煮或日光曝晒等措施消毒。

（3）保护易感人群：有密切接触者医学观察7天，可口服磺胺类药物或红霉素预防。

第五节　流行性腮腺炎患儿的护理

（一）病因及发病机制

病原体为腮腺炎病毒，经口、鼻侵入人体，可播散至多种腺体而引起炎症。感染后可获得持久免疫。

（二）流行病学

1. 传染源：早期患者和隐性感染者，腮腺肿大前1天至消肿后3天均有传染性。

2. 传播途径：主要通过飞沫传播。

3. 易感人群：90%的患者年龄为5～15岁。

4. 流行特点：以冬、春季多发。

（三）临床表现

1. 前驱期症状：低热、头痛、乏力、纳差等。

2. 腮腺肿大特点：腮腺肿大为本病的首发体征，其特点为以耳垂为中心，向前、后、下扩大，边界不清，有弹性感、疼痛及触痛，表面发热不红。腮腺肿大程度与体温增高的程度及持续时间的长短无关。

3. 并发症

(1) 脑膜脑炎：为儿童期最常见的并发症，表现为头痛、颈项强直、呕吐、嗜睡、高热等症状及脑脊液异常。

(2) 睾丸炎：为男孩最常见的并发症，表现为睾丸有触痛、肿胀。

(3) 卵巢炎：多表现为下腹疼痛，一般不影响生育。

(4) 胰腺炎：表现为上腹疼痛、压痛，伴发热、寒战、呕吐等。

(四) 辅助检查

(1) 血清和尿液淀粉酶活力与腮腺肿胀程度平行；并发胰腺炎时淀粉酶显著增高，脂肪酶也增高。

(2) 疾病早期于唾液、尿液中可分离出腮腺炎病毒。

(五) 治疗要点

主要是对症和支持治疗。睾丸炎可用丁字带托起阴囊消肿或局部冰袋冷敷止痛。

(六) 护理措施

(1) 隔离：呼吸道隔离至腮腺肿胀完全消退后3天。

(2) 接触者检疫3周。

(3) 接种腮腺炎减毒活疫苗。

第六节 中毒型细菌性痢疾患儿的护理

(一) 病因及发病机制

1. 病原体：为痢疾杆菌。该菌生存能力较强，对理化因素敏感，日光照射30分钟或加热60℃15分钟可将其杀灭。常用的各种消毒剂也能将其杀灭。

2. 发病机制：痢疾杆菌经口进入结肠，于肠黏膜繁殖并释放内毒素和外毒素。内毒素可引起全身中毒症状；外毒素可使肠黏膜细胞坏死、肠内分泌物增加、引起神经系统症状。人感染后所获得的免疫力短暂、不稳定，因此易再次感染。

(二) 流行病学

1. 传染源：慢性患者和轻型患者是主要传染源。

2. 传播途径：经粪-口途径传播。

3. 易感人群：儿童及青壮年多发。

4. 流行特点：以夏、秋季多发。

(三) 临床表现

本病起病急，肠道症状轻，有高热、反复惊厥、毒血症状，可出现呼吸衰竭和循环衰竭。镜下可发现大量脓细胞和红细胞。对2～7岁小儿突然高热、伴有脑病或中毒性休克者应疑为本病，临床分为3型。

1. 休克型（周围循环衰竭型）

(1) 周围循环衰竭：脉搏细速、血压下降、唇指发绀、皮肤花纹，可有心功能不全、少尿、意识障碍。

(2) 肺循环障碍：呼吸加深加快，呈进行性呼吸困难，直至呼吸衰竭。

2. 脑型（呼吸衰竭型）：以缺氧、脑水肿、颅内压增高、脑疝为主。表现为无肠道症状而突然起病，出现反复惊厥、嗜睡、昏迷、呼吸节律不整、双瞳孔不等大、对光反射迟钝或消失，常因呼吸骤停而死亡。

3. 混合型：为最凶险的类型，病死率高。

(四) 辅助检查

(1) 大便镜检可见大量脓细胞、红细胞及巨噬细胞。

(2) 粪便培养出痢疾杆菌是确诊的最直接的证据。

(五) 治疗要点

(1) 静脉应用对痢疾杆菌敏感的抗生素，喹诺酮类药物是治疗成人菌痢的首选药物，但因对儿童骨骺发育有影响，故孕妇、哺乳期妇女和儿童不宜使用。

(2) 地塞米松短疗程大剂量静脉滴注。

(3) 有脑水肿者静脉推注20%甘露醇脱水治疗。

(4) 反复惊厥者可用地西泮、水合氯醛止惊或亚冬眠疗法。

(六) 护理措施

1. 降温：绝对卧床休息；采用物理、药物降温、亚冬眠疗法，在短时间内将体温降至37℃左右。

2. 预防

（1）隔离：肠道隔离至临床症状消失后1周或3次便培养阴性。

（2）易感者口服多价痢疾减毒活菌苗。

第七节　结核病患儿的护理

一、总论

（一）病因及发病机制

1. 病原：对人具有致病性的主要是人型结核杆菌，其次为牛型结核杆菌。开放性肺结核患者是主要传染源，经呼吸道传播为主要传播途径。结核杆菌的特点如下。

（1）结核杆菌属于分枝杆菌，为需氧菌，具有抗酸性，革兰染色阳性。

（2）对外界的抵抗力较强，在阴湿处可长期生存。

（3）高热可灭活。痰液内结核杆菌用5%苯酚或20%含氯石灰处理须经24小时才能被杀灭，焚烧是最简单的灭菌方法。

2. 发病机制：细菌的毒力、数量和机体的免疫力3因素决定了小儿初次感染结核菌后是否会发展为结核病。机体初次感染结核菌后，产生迟发型变态反应（Ⅳ型变态反应），同时获得一定免疫力。

（二）预防

1. 控制传染源：结核菌涂片阳性者是小儿结核病的主要传染源，早期发现并合理治疗结核菌涂片阳性患者，是预防小儿结核病的根本措施。

2. 卡介苗接种：是预防小儿结核病的有效措施。接种卡介苗的禁忌证：先天性胸腺发育不全或严重免疫缺陷；注射部位有湿疹或患全身性皮肤病；急性传染病恢复期；结核菌素试验阳性。

3. 预防性化疗：有下列指征者预防性口服异烟肼。

（1）密切接触家庭内开放性肺结核者。

（2）＜3岁婴幼儿未接种卡介苗而结核菌素试验阳性者。

（3）结核菌素试验新近由阴性转为阳性者。

（4）结核菌素试验阳性伴结核中毒症状者。

（5）结核菌素试验阳性，新患麻疹或百日咳小儿。

（6）结核菌素试验阳性而需较长时间使用肾上腺皮质激素或其他免疫抑制药者。

（三）辅助检查

1. 结核菌素试验：感染4～8周后可呈阳性反应，属于迟发型变态反应。于左前臂掌侧中下1/3交界处皮内注射PPD后48～72小时观察反应结果。

（1）结果观察：无硬结或硬结直径小于5mm为阴性；直径为5～9mm为弱阳性；直径为10～19mm为中度阳性；硬结直径大于20mm或除硬结外，还有水疱、坏死或淋巴管炎者为强阳性。

（2）临床意义

① 阳性反应：1岁内未接种卡介苗者提示体内有新的结核病灶；无明显症状而呈阳性反应者提示有过结核感染；强阳性反应表示有活动性结核病。

② 阴性反应：未感染过结核；结核变态反应初期（初次感染后4～8周内）；假阴性反应，由于机体免疫功能低下或受抑制所致。

2. 实验室检查

（1）从痰中找到结核菌是确诊的重要手段。

（2）血沉有助于判断病灶是否具有活动性。

3. 胸部X线检查：是筛查小儿结核病的重要手段。

（四）治疗原则

治疗原则为早期治疗、适宜剂量、联合用药、规律用药、坚持全程、分阶段治疗。

二、原发型肺结核

（一）病因及发病机制

（1）原发综合征病、支气管淋巴结结核合称为原发型肺结核。为小儿结核的主要类型。

（2）转归

① 吸收好转：完全吸收、钙化或硬结，

该种转归最常见。

② 进展：形成空洞、支气管淋巴结周围炎、支气管内膜结核和干酪性肺炎、结核性胸膜炎。

③ 病变恶化：发展为急性粟粒性肺结核或全身性急性粟粒性结核病。

（二）临床表现

1. 轻症：起病慢，可有低热、乏力、盗汗等症状。

2. 重症：急性起病，可有高热，一般情况尚好，与发热不相称；淋巴结高度肿大者可出现类似百日咳样痉咳、喘鸣或声音嘶哑的压迫症状，肺部体征不明显，与肺内病变不一致。

（三）辅助检查

(1) 原发综合征X线胸片呈典型哑铃双极影。

(2) 支气管淋巴结X线胸片表现如下。

① 炎症型：肺门淋巴结肿大，边缘模糊。

② 结节型：肺门淋巴结肿大，边缘清晰。

③ 微小型：肺纹理紊乱，肺门周围呈小结节状及小点片状阴影。

（四）治疗要点

1. 无明显症状的原发型肺结核：选用标准疗法，疗程9～12个月。

2. 活动性原发型肺结核：强化治疗2～3个月后，巩固维持治疗

（五）护理措施

1. 饮食：给予高热量、高蛋白的食物。

2. 观察药物不良反应，定期复查肝功能及尿常规。

3. 预防感染：对结核活动期患儿隔离，对患儿呼吸道分泌物、痰杯、餐具等进行消毒隔离。避免接触麻疹、百日咳等急性传染病患者，以免加重病情。

三、急性粟粒型肺结核

（一）病因及发病机制

(1) 结核菌大量进入肺动脉可引起粟粒型肺结核。结核菌进入肺静脉可引起急性全身性粟粒型结核病。

(2) 感染麻疹、百日咳等急性传染病和营养不良为本病的诱发因素，HIV感染最易诱发本病。

（二）临床表现

(1) 多数在原发感染后6个月内发生。

(2) 多数起病急，有高热和严重中毒症状。症状和体征与X线不一致。

（三）辅助检查

胸部X线片呈大小一致、分布均匀的粟粒状阴影。

（四）治疗要点

分强化治疗阶段和维持治疗阶段进行化疗。总疗程1年半以上。

第八节　结核性脑膜炎患儿的护理

（一）病因及发病机制

1. 病原菌：人型或牛型结核杆菌，经血行播散。

2. 小儿易发因素：血脑屏障功能弱；中枢神经系统发育不成熟；免疫功能不完善。

（二）临床表现

1. 早期（前驱期）：约1～2周，表现为小儿性格改变。

2. 中期（脑膜刺激期）：约1～2周，可有颅内压增高表现，出现明显脑膜刺激征。婴幼儿前囟膨隆。

3. 晚期（昏迷期）：约1～3周。症状逐渐加重，昏迷、频繁惊厥。最终脑疝死亡。

最易引起小儿死亡的结核病是结核性脑膜炎。

（三）辅助检查

脑脊液检查：外观无色透明或呈毛玻璃样，静置12～24小时后有薄膜形成，白细胞多在 $(50\sim500)\times10^6$/L，分类以淋巴细胞为主，糖、氯化物含量下降，蛋白含量增多，一般多在1.0～3.0g/L。

（四）治疗要点

1. 抗结核治疗：联合使用易透过血-脑屏障的抗结核药。

2. 降低颅内高压：可用20%甘露醇降颅压。必要时行侧脑室引流术。

（五）护理措施

(1) 保持室内安静。患儿绝对卧床休息，取侧卧位，以免窒息。

(2) 颅压高时腰椎穿刺应在应用脱水药半小时后进行，腰穿后去枕平卧4～6小时，以防发生头痛。

第九节　流行性乙型脑炎患儿的护理

一、病因、发病机制及流行病学

感染乙脑病毒后的人和动物，成为传染源。猪是乙脑主要传染源及中间宿主。蚊虫是乙脑主要传播媒介。以隐性感染最为常见，感染后可获持久免疫力。夏秋季流行。

二、临床表现

（一）分期

1. 潜伏期：4～21天，一般为10～14天。

2. 前驱期：一般1～3天，起病多急骤，体温在1～2天内高达39～40℃，伴头痛、恶心和呕吐。

3. 极期：持续7天左右。主要表现为脑实质受损症状。表现为高热，体温高达40℃以上，出现不同程度的意识障碍、惊厥、呼吸衰竭等，呼吸衰竭常为致死的主要原因。

4. 恢复期：体温逐渐下降，神经、精神症状好转，一般2周左右。

5. 后遗症期：指恢复期神经系统残存症状超过6个月尚未恢复者。

（二）分型

1. 轻型：体温38～39℃，神志清楚或有轻度嗜睡，头痛、呕吐不明显，无惊厥、呼吸困难。病程5～7天，多无后遗症。

2. 中型：体温39～40℃，头痛、呕吐，嗜睡或浅昏迷，惊厥，脑膜刺激征阳性。病程7～10天，恢复期有轻度神经或精神症状。

3. 重型：体温40～41℃，昏迷、反复惊厥，颅内压增高，脑膜刺激征明显。病程10～14天，多留有后遗症。

4. 极重型：体温41℃以上，深昏迷，常出现呼吸衰竭和脑疝。病死率高，存活者有明显后遗症。

三、辅助检查

特异性IgM抗体在病后3～4日即可出现，2周达到高峰，有早期诊断价值。

四、治疗原则

全面支持和对症治疗。处理好高热、惊厥、呼吸衰竭是抢救乙脑患者的关键。

【考点强化】

1. 诊断麻疹最有意义的体征是
A. 接触麻疹患者10～14天后发热
B. 耳后淋巴结肿大
C. Koplik斑
D. 发热、流涕、结膜充血、畏光
E. 耳后出现红色斑丘疹

2. 麻疹传播的主要途径是
A. 呼吸道　B. 消化道
C. 皮肤　D. 密切接触
E. 患者的衣物和餐具

3. 麻疹常见的并发症是
A. 脑炎　B. 肺炎
C. 喉炎　D. 心肌炎
E. 结核

4. 降低麻疹发病率的关键措施是
A. 早发现、早治疗、早隔离
B. 易感儿按时接种麻疹疫苗
C. 患儿停留过的病室要彻底通风
D. 易感儿接触患儿后注射免疫球蛋白
E. 流行期间易感儿不要到人群密集的公共场所

5. 患儿4个月接触麻疹患者1天后，应及时采取
A. 注射麻疹疫苗　B. 注射青霉素
C. 注射病毒唑　D. 注射干扰素
E. 以上都不是

6. 麻疹传染性最强的时期是
A. 潜伏期　B. 前驱期
C. 出疹期　D. 恢复期
E. 后遗症期

7. 水痘的病原体是
A. 单纯疱疹病毒1型

B. 人类疱疹病毒 3 型
C. 人类疱疹病毒 6 型
D. 柯萨奇 A 组病毒
E. 埃可病毒

8. 水痘患儿应隔离至
A. 出疹后 5 天　B. 出疹后 10 天
C. 部分皮疹结痂　D. 全部皮疹结痂
E. 全部皮疹消退，结痂脱落

9. 三岁小儿，入院前 3 天曾与水痘患儿接触，应采取的措施是
A. 多饮水　B. 静脉点滴抗生素
C. 进行检疫　D. 隔离
E. 晒太阳

10. 普通型痢疾与中毒型痢疾最主要的区别是
A. 发热与腹泻间隔时间的长短
B. 是否有感染性休克或中毒性脑病
C. 体温的高低及热程
D. 脓血样大便的程度
E. 腹泻次数的多少

11. 确诊中毒性痢疾的依据是
A. 夏秋季急性起病，高热
B. 黏液脓血便　C. 腹泻、呕吐
D. 血压下降
E. 大便检查发现痢疾杆菌

12. 不符合流行性腮腺炎临床特点的是
A. 腮腺的非化脓性炎症
B. 腮腺肿大常为首发症状
C. 腮腺以耳垂为中心肿大并有触痛
D. 可为单侧腮腺肿大
E. 腮腺肿大与体温升高程度成正比

13. 流行性腮腺炎最常见的并发症是
A. 脑膜脑炎　B. 胰腺炎
C. 心肌炎　D. 睾丸炎
E. 卵巢炎

14. 猩红热的病原体是
A. B 组溶血性链球菌
B. A 组溶血性链球菌
C. 溶血素　D. 猩红热毒素
E. 红疹毒素

15. 猩红热患儿发热后多长时间出现皮疹
A. 发热后 12h 出现皮疹
B. 发热后 24h 出现皮疹
C. 发热后 24～48h 出现皮疹
D. 发热后 48～72h 出现皮疹
E. 发热后＞72h 出现皮疹

16. 常用 OT 试验皮试液的浓度是
A. 1∶100　B. 1∶200
C. 1∶1000　D. 1∶2000
E. 1∶10000

17. 关于结核菌素试验，正确的是
A. 注射后 15 分钟观察局部反应
B. 一般用 1∶10 的浓度
C. 红晕、硬结直径在 1～2cm 为“＋＋”
D. 阳性反应表示有活动性结核病
E. 阴性反应可排除结核病

18. 预防结核病的最有效方法是
A. 隔离患者　B. 禁止随地吐痰
C. 口服抗结核药　D. 接种卡介苗
E. OT 试验

19. 结核病的原发综合征典型的 X 线胸片表现是
A. 云雾状阴影　B. 团块状阴影
C. “哑铃状”双极影
D. 斑点状阴影　E. 粟粒状阴影

20. 小儿，3 岁，近日明显消瘦、疲乏。体检：颈部淋巴结肿大，疑为原发型肺结核。做 OT 试验，开始使用试液的浓度为
A. 1∶10000　B. 1∶1000
C. 1∶2000　D. 1∶100　E. 1∶200

21. 结核菌素试验结果判断应在注射后多长时间
A. 30 分钟　B. 1 小时
C. 12 小时　D. 24 小时　E. 72 小时

22. 诊断结核性脑膜炎的可靠依据是
A. 发热、盗汗、乏力、消瘦、脑膜刺激征
B. 脑脊液中找到结核杆菌
C. 脑脊液中生化糖降低
D. 发现肺部原发病灶
E. 结核菌素试验强阳性

23. 患者女性，发热 4 天，体温 40℃，伴神志不清，反复抽搐，瞳孔对光反射迟钝，考虑乙型脑炎，应施行
A. 昆虫隔离　B. 接触隔离
C. 呼吸道隔离　D. 肠道隔离
E. 保护性隔离

24. 患儿，女，6 岁。患肾病综合征。近日发热，体温 37.5～38℃，皮肤出现皮疹，查体：头面部和躯干部可见斑丘疹、疱疹，疹内有浑浊液体。该患儿可能并发了
A. 麻疹　B. 风疹
C. 水痘　D. 猩红热

E. 幼儿急疹

(25～26 题共用备选答案)

A. 向心性分布，水疱疹无“脐眼”

B. 离心性分布，水疱疹有“脐眼”

C. 帕氏线，口周苍白圈

D. Koplik 斑

E. 热退疹出，日内出齐

25. 猩红热的皮疹特点是

26. 麻疹的皮疹特点是

【参考答案】

1. C	2. A	3. B	4. B	5. E
6. B	7. B	8. D	9. C	10. B
11. E	12. E	13. A	14. B	15. C
16. D	17. C	18. D	19. C	20. A
21. E	22. B	23. A	24. C	25. C
26. D				

第七篇 精神疾病患者的护理与中医基础知识

第一章 精神疾病患者的护理

第一节 精神疾病常见症状

（一）感觉障碍

1. 感觉过敏：对外界一般强度的刺激感受性增高。

2. 感觉减退：对外界一般刺激的感受性减低，感觉阈值增高。

3. 内感性不适：是躯体内部产生的各种不舒适和（或）难以忍受的异样感觉。

（二）知觉障碍

1. 错觉：指对客观事物歪曲的知觉。多见错听和错视。

2. 幻觉：指没有现实刺激作用于感觉器官时出现的知觉体验。

（1）幻听：最常见，患者可听到单调的或复杂的声音。最具有诊断意义的是言语性幻听。多见于精神分裂症。

（2）幻视：患者看到外界不存在的事物。在意识障碍时，幻视多见于器质性精神障碍的谵妄状态。在意识清晰时，幻视出现于精神分裂症。

（3）幻嗅：患者闻到一些难闻的气味。

（4）幻味：患者尝到食物内有某种特殊的、令人不愉快的怪味道，因而拒食。

（5）幻触：患者感到皮肤或黏膜上有某种异常的感觉，如虫爬感等。

3. 感知综合障碍：患者对客观事物整体的感知是正确的，但对这一事物的某些个别属性，如形状、大小、位置、距离及颜色等的感知与实际情况不符。

（三）思维障碍

1. 思维形式障碍

（1）联想障碍

① 思维奔逸：指联想速度加快、数量增多、内容丰富生动。患者表现为健谈，说话的主题极易随环境而改变。多见于躁狂症。

② 思维迟缓：联想速度减慢、数量减少

和困难。患者表现为言语缓慢、语量减少、语声甚低、反应迟缓。多见于抑郁症。

③ 思维贫乏：指联想数量减少，概念与词汇贫乏，脑子空洞无物。患者表现为沉默少语，答话时内容大致切题。见于精神分裂症、脑器质性精神障碍及精神发育迟滞。

④ 思维散漫：指患者在意识清晰的情况下，思维的目的性、连贯性和逻辑性障碍。

⑤ 思维破裂：指概念之间联想的断裂，建立联想的各种概念、内容之间缺乏内在联系。

(2) 思维逻辑障碍

① 象征性思维：以无关的具体概念或行动代表某一抽象概念。常见于精神分裂症。

② 语词新作：指患者自创一些新的符号、图形、文字或语言，并赋予特殊的概念。

③ 逻辑倒错性思维：主要特点为推理缺乏逻辑性，既无前提也无根据，或因果倒置，推理离奇古怪，不可理解。

2. 妄想：是思维内容障碍。

(1) 被害妄想：患者无中生有地坚信有人对其进行不利的活动。是最常见的妄想。

(2) 关系妄想：患者认为环境中与他无关的事物都与他有关。

(3) 物理影响妄想：又称被控制感。患者觉得他自己的思想、情感或意志行为受到某种外界力量的控制而不能自主。此症状是精神分裂症的特征性症状。

(4) 夸大妄想：指自我夸耀和自视过高的妄想。

(5) 罪恶妄想：患者毫无根据地坚信自己犯了错误、罪恶，应受到惩罚。

(6) 疑病妄想：患者毫无根据地坚信自己患了某种严重躯体疾病或不治之症，因而到处求医。

(7) 钟情妄想：患者坚信自己被异性钟情。

(8) 嫉妒妄想：患者无中生有地坚信自己的配偶对自己不忠实，另有外遇。

(四) 情感障碍

(1) 情感高涨：情感活动明显增强，表现为过分地兴高采烈。常见于躁狂状态。

(2) 欣快：患者经常十分满意和幸福愉快，但说不清高兴的原因。

(3) 情感低落：患者情绪低沉，甚至悲观绝望。是抑郁障碍的主要症状。

(4) 焦虑：在无任何原因的情况下，患者表现为顾虑重重、紧张恐惧，伴有心悸、出汗、手抖、尿频等自主神经功能紊乱症状。

(5) 情感淡漠：患者对外界任何刺激均缺乏相应情感反应，对许多重要事件及刺激无动于衷，面部表情冷淡、呆板。

(6) 情感爆发：这是一种在精神因素作用下突然发作的、爆发性的情感障碍。患者表现为哭笑无常、叫喊吵骂、打人毁物等。常见于分离性障碍。

(五) 意志障碍

(1) 意志增强：指意志活动增多。表现为极大的顽固性。

(2) 意志减退：指意志活动的减少。患者表现为动机不足，缺乏积极主动性及进取心。多见于抑郁症。

(3) 意志缺乏：指意志活动缺乏。表现为对任何活动都缺乏动机、要求，生活处于被动状态，行为孤僻、退缩。多见于衰退期精神分裂症及痴呆。

(4) 木僵：指动作行为和言语的抑制或减少。患者经常保持一种固定姿势，可维持很长时间。轻度木僵表现为问之不答、唤之不动、表情呆滞，但在无人时能自动进食，能自动大小便，见于严重抑郁症、应激相关障碍及脑器质性精神障碍。严重的木僵见于精神分裂症。

(5) 蜡样屈曲：患者的肢体任人摆布，即使是不舒服的姿势，也较长时间似蜡塑一样维持不动，如"空气枕"证。见于精神分裂症紧张型。

第二节　精神分裂症患者的护理

(一) 病因

遗传因素在本病的发生中起重要作用，精神分裂症可能是多基因遗传，由若干基因的叠加作用所致。

（二）临床表现

1. 阳性症状群

（1）幻觉：是精神分裂症最突出的感知觉障碍，最常见的是幻听，主要是言语性幻听。

（2）妄想：是精神分裂症最常见的症状之一。内容以关系妄想、被害妄想最多见。

（3）被动体验：被动体验常会与被害妄想联系起来。如果被控制感、强制性思维与假性幻觉、内心被揭露感相结合出现，称康金斯基综合征（精神自动症），对精神分裂症诊断有特殊意义。

（4）思维形式障碍。

2. 阴性症状群：包括情感平淡、言语贫乏、意志缺乏、无快感体验等。

3. 情感症状群：主要包括患者情感的不协调、情感倒错、矛盾情感、情感平淡或淡漠等。

4. 行为症状群

（1）冲动攻击行为：患者出现反复谩骂、威胁或破坏性行为。

（2）紧张综合征：患者全身肌张力增高，包括紧张性木僵和紧张性兴奋两种状态，是精神分裂症紧张型的典型表现。

（3）行为障碍。

5. 认知症状群：认知功能障碍是精神分裂症的常见症状之一。

（三）治疗原则

（1）药物治疗：强调早期、低剂量起始，逐渐加量、足量、足疗程的“全病程治疗”的药物治疗原则。一般急性期2个月；巩固期治疗4～6个月；第一次发作维持治疗1～2年，第二次或多次发作维持治疗时间应更长一些。原则上单一用药。

（2）无抽搐电休克治疗：适用于出现冲动伤人、木僵或亚木僵、拒食、严重抑郁、自杀倾向的患者。

（3）心理治疗可以改善患者的精神症状、恢复自知力、提高治疗依从性。

（4）行为治疗有助于纠正患者的某些功能缺陷，提高人际交往技巧。

（四）护理措施

（1）安全护理：每30分钟巡视一次，确保患者安全。对自伤、自杀、伤人、兴奋冲动的患者应安置在重点病室。对严重自杀的患者设专人护理，24小时在护理人员视线范围内活动。对极度兴奋，有可能造成意外的患者必要时要进行保护性约束。

（2）康复期患者主要以技能训练为主，为回归社会打下基础。

第三节　抑郁症患者的护理

一、病因

（1）遗传因素。

（2）心理-社会因素：在情感障碍发作前常会存在应激性生活事件，抑郁症是存在于自我与超我之间的矛盾，或自我内部的冲突。

二、临床表现

1. 核心症状：包括情绪低落、兴趣缺乏及乐趣丧失三主征。这是抑郁的关键症状，诊断抑郁状态时至少应包括此三种症状中的一个。

2. 心理症状群：精神病性症状主要是妄想或幻觉。认知症状主要是注意力和记忆力的下降。抑郁症患者半数左右会出现自杀观念。精神运动性迟滞或激越多见于“内源性抑郁”患者。大部分抑郁症患者自知力完整。

3. 躯体症状群：睡眠紊乱、食欲紊乱、性功能减退、精力丧失，特点为晨重暮轻。

三、治疗原则

1. 药物治疗：抗抑郁药治疗无效的主要原因是剂量不足或疗程不够。要判断一次抗抑郁治疗疗效，需要采用足量、足疗程的治疗。只有当一种抗抑郁药足量治疗6～8周后仍无效，方可考虑换药。一线治疗药物为选择性5-羟色胺再摄取抑制药，如氟西汀、帕罗西汀、舍曲林、西酞普兰等，这类药物的起效时间需要2～3周。

2. 心理治疗：常用的方法有支持、鼓励、保证、解释、倾听等。

3. 无抽搐电休克治疗：对于药物治疗无

效，病情严重的患者可以有限选择。

四、护理措施

(1) 一般护理原则

① 保护患者避免自我伤害行为的发生。

② 维持足够的营养、休息和卫生。

③ 提供适宜的环境保证睡眠。

④ 增加患者参与活动的积极性。

⑤ 增进及充分利用支持系统。

⑥ 指导患者正确认识心理社会压力。

⑦ 重建或学习适应性应对方法。

⑧ 指导患者学习有关药物知识。

(2) 抑郁症自杀的危险因素

① 严重的抑郁情绪，顽固而持久的睡眠障碍。

② 伴有自罪妄想、严重自责及紧张激越。

③ 缺乏家庭支持系统。

④ 有抑郁和自杀家族史。

⑤ 有强烈的自杀观念，或曾经有过自杀史。

第四节　焦虑症患者的护理

一、病因

本病有一定的遗传倾向，脑内苯二氮䓬受体系统异常可能为焦虑的生物学基础。

二、临床表现

1. 焦虑和烦恼：是焦虑症的核心症状。患者常有恐慌的预感，终日心烦意乱，坐卧不宁，注意力难以集中。

2. 运动性不安：表现为搓手顿足，来回走动，不能静坐，可见眼睑、面肌或手指震颤。

3. 自主神经功能兴奋：常见的有心悸、多汗、气促、头昏、口干、尿频等症状。

4. 过分警觉：表现为惶恐，易惊吓。

三、治疗原则

1. 药物治疗：苯二氮䓬类是广泛使用和有效的药物。对广泛焦虑障碍的躯体症状的效果较其他药物好。但长期大剂量服用可引起药物依赖和突然撤药时出现戒断症状。

2. 心理治疗：焦虑控制训练可减轻紧张和焦虑时的躯体症状。生物反馈疗法对治疗广泛焦虑障碍有效。

四、护理措施

教导患者放松技巧：鼓励患者以语言表达的方式疏泄情绪；督导患者进行放松调适；鼓励患者多参加文娱治疗活动。

第五节　强迫症患者的护理

一、临床表现

强迫障碍的基本症状是强迫观念和强迫行为。

(1) 强迫思想：表现为一些字句、话语、观念或信念，反复进入患者意识领域，无法摆脱。

(2) 强迫情绪：表现为对某些事物的担心或厌恶，明知不必要或不合理，自己却无法摆脱。

(3) 强迫意向：指患者反复体验到，想要做某种违背自己意愿的动作或行为的强烈内心冲动。患者明知这样做是荒谬的、不可能的，努力控制自己不去做，但却无法摆脱这种内心冲动。

(4) 强迫行为：是指反复出现的、刻板的仪式动作；患者明知不合理，但又不得不做。以强迫检查和强迫清洗最常见。

二、治疗原则

(1) 药物治疗：氯米帕明对强迫症状和伴随的抑郁症状都有治疗作用。一般在达到治疗剂量 2～3 周后开始显现疗效。

(2) 行为疗法：采用暴露疗法和反应防

止法。

三、护理措施

（1）满足患者的合理要求，赢得信任；在此基础上密切观察患者的症状表现及其情绪变化，耐心倾听患者对疾病体验的诉说。

（2）以预防法、自我控制法、阳性强化法等行为治疗理论为指导，帮助患者减少和控制症状。

第六节 癔症患者的护理

一、病因

精神紧张、恐惧等精神因素是引发本病的重要因素。情绪不稳定、易接受暗示、迷信观念重、青春期或更年期的女性，较一般人更易发病。

二、临床表现

1. 分离障碍：主要表现为急骤发生的意识范围狭窄、具有发泄特点的情感爆发、选择性遗忘以及自我身份识别障碍。

2. 转换障碍

（1）运动障碍：可表现为动作减少、增多或异常运动。

（2）痉挛障碍：常于情绪激动或受到暗示时突然发生。表现为缓慢倒地或卧于床上，呼之不应，全身僵直，肢体阵发性抖动，或在床上翻滚，或呈角弓反张姿势。但无咬破舌头或大小便失禁。大多历时数十分钟，症状缓解。

（3）感觉障碍：表现为躯体感觉缺失、过敏或异常，或特殊感觉障碍。

三、治疗原则

早期充分治疗对防止症状反复发作和疾病的慢性化十分重要。初次发病者，合理的解释，配合理疗和语言暗示，可取得良好的效果。病程已数周，有反复发作倾向者，宜根据病情制订精神治疗与药物和物理治疗相配合的整体治疗计划。

第七节 睡眠障碍患者的护理

一、失眠

（一）临床表现

1. 适应性失眠：也称急性失眠，起病与明确的应激有关，病期相对短，从数天到数周，在脱离或适应了特定的应激源后失眠即缓解。

2. 心理生理性失眠：是较高的生理性唤醒水平引起的失眠，伴随清醒时的功能下降。

3. 矛盾性失眠：也称睡眠感缺失，患者自诉有严重失眠，但无客观的睡眠异常的证据，日间功能受损的程度也和所诉的睡眠缺乏的程度不相符。

（二）治疗原则

（1）通过心理行为治疗帮助患者建立有规律的睡眠节律。

（2）镇静催眠类药物治疗：要按需间断使用，首选代谢半衰期较短的药物，连续使用一般不宜超过4周。

二、过度嗜睡

过度嗜睡是指日间睡眠过度，或反复短暂睡眠发作，或觉醒维持困难的状况，并无法用睡眠时间不足来解释，且影响到职业和社会功能。

对特发性过度嗜睡尚无特效的治疗方法。发作期间可给予中枢兴奋药。如哌甲酯、莫达芬尼。

三、护理措施

（1）对失眠症的护理要了解诱因，消除环境中的不良刺激。帮助患者建立良好的睡眠习惯，入睡前避免过度兴奋，夜间患者入睡后，尽量避免操作。

（2）对嗜睡症患者的护理中要注意观察患者的睡眠情况，记录患者的入睡时间，追踪患者的心理反应。针对患者的心理反应，做好心理护理，指导患者不要从事危险工作，避免发生意外。注意观察意识状态、抑郁情绪的变化。

第八节　阿尔茨海默病患者的护理

阿尔茨海默病（AD）是一种中枢神经系统原发性退行性变性疾病，病因及发病机制尚不清楚。主要临床表现是痴呆综合征。

一、临床表现

（1）记忆障碍：是AD的早期突出症状或核心症状。主要表现为短时记忆、记忆保存和学习新知识困难。其特点是记不住新近发生的事。

（2）言语障碍：表现为找词困难、用词不当、讲话絮叨、病理性赘述。

（3）失认和失用：失认是指感觉功能正常，但不能认识或鉴别物体；失用是指理解和运动功能正常，但不能执行运动，表现为不能正确完成系列动作。

（4）智力障碍。

（5）人格改变：多见。额叶、颞叶受累的患者常有明显的人格改变。

（6）进食、睡眠和行为障碍。

（7）神经系统症状多见于晚期患者。

二、心理学检查

心理学检查是诊断有无痴呆及痴呆严重程度的重要方法。我国引进和修订的国际通用的筛查工具有简易智力状况检查（MMSE）、长谷川痴呆量表（HDS）、日常生活能力量表（ADL）。

三、治疗原则

1. 促智药或改善认知功能的药物：目的在于改善认知功能，延缓疾病的进展。

（1）乙酰胆碱酯酶抑制药：多奈哌齐可改善认知功能；艾斯能是选择性地作用于脑皮质和海马的乙酰胆碱酯酶抑制药，可以延缓患者症状的进展速度；石杉碱甲对认知功能、日常生活能力有改善。

（2）促脑代谢及推迟痴呆进程：用二氢麦角碱治疗。

2. 对症治疗：针对痴呆伴发的各种精神症状对症治疗。

【考点强化】

1. 下列属于幻觉的是
A. 草木皆兵
B. 耳边总听到有人说傻瓜
C. 认为有人害自己
D. 看天上的云像仙女
E. 杯弓蛇影

2. 最常见的幻觉是
A. 幻视　B. 幻嗅
C. 幻听　D. 幻味　E. 幻触

3. “空气枕”这一症状常见于
A. 癔症
B. 抑郁症
C. 心因性精神障碍
D. 精神分裂症
E. 强迫症

4. 抑郁症患者可出现的症状是
A. 思维贫乏　B. 木僵状态
C. 愚蠢行为　D. 情感倒错
E. 意志增强

5. 妄想是
A. 顽固的迷信思想
B. 不能被说服的病理信念
C. 亚文化的群体信念
D. 不能被说服的个人病态信念
E. 个人理想的痴迷状态

6. 蜡样屈曲常见于
A. 抑郁症
B. 精神分裂症紧张型
C. 老年痴呆
D. 癔症
E. 阿尔茨海默病

7. 最常见的妄想是
A. 夸大妄想　B. 钟情妄想
C. 疑病妄想　D. 罪恶妄想
E. 被害妄想

8. 下列属于精神分裂症情感症状群的是
A. 情感淡漠　B. 焦虑
C. 情感高涨　D. 情绪不稳

E. 欣快

9. 遗传因素在发病中起重要作用的精神障碍是
A. 神经性厌食　B. 精神分裂症
C. 心因性精神障碍
D. 神经症　E. 抑郁症

10. 诊断抑郁症的核心症状包括
A. 精力丧失、睡眠紊乱、情绪低落
B. 精力丧失、情绪低落、兴趣缺乏
C. 情绪低落、兴趣缺乏、乐趣丧失
D. 情绪低落、睡眠紊乱、兴趣缺乏
E. 精力丧失、情绪低落、乐趣丧失

11. 抑郁症躯体症状的主要临床特点是
A. 晨轻暮重　B. 晨重暮轻
C. 昼轻夜重　D. 昼重夜轻
E. 昼夜一致

12. 焦虑症患者临床症状是
A. 脑力、体力容易疲劳
B. 记忆力减退　C. 关系妄想
D. 强迫症状
E. 焦虑不安并伴有自主神经功能紊乱症状

13. 强迫观念不包括
A. 强迫怀疑　B. 强迫回忆
C. 强迫计数　D. 强迫联想
E. 强迫穷思竭虑

14. 对癔症正确的治疗方法是
A. 精神治疗
B. 心理治疗与药物和物理治疗相结合
C. 胰岛素低血糖治疗
D. 药物治疗　E. 输液

15. 不属于睡眠障碍的是
A. 适应性睡眠　B. 矛盾性失眠
C. 过度嗜睡　D. 心理生理性失眠
E. 其他疾病引起的失眠

16. 患者经常面带微笑，似乎十分满意和愉快，这是哪种情感障碍
A. 情感倒错　B. 情感高涨
C. 欣快　D. 兴奋状态
E. 情感爆发

17. 阿尔茨海默病临床表现不包括
A. 痴呆为部分性的
B. 人格改变为典型症状
C. 起病隐渐，进行性发展
D. 以记忆障碍为早期症状
E. 脑CT检查可有弥漫性萎缩

18. 精神分裂症的幻听中主要是
A. 机械性幻听　B. 功能性幻听
C. 言语性幻听　D. 评论性幻听
E. 要素性幻听

19. 患者男性，57岁，发病时吃肥皂、喝污水、用头撞墙等，口中自语："我终于赎罪了"。这一症状很可能是
A. 作态　B. 罪恶妄想
C. 冲动行为　D. 意向倒错
E. 自知力缺乏

20. 患者男性，47岁，经常反穿衣服并表示自己"表里如一、心地坦白"，这一症状很可能是
A. 逻辑倒错性思维　B. 超价观念
C. 象征性思维　D. 夸大妄想
E. 思维破裂

21. 患者女性，28岁，突闻爱人在车祸中意外丧生后捶胸顿足、手舞足蹈、时哭时笑，该患者最可能的精神症状是
A. 记忆障碍　B. 情感爆发
C. 意识障碍　D. 假性痴呆
E. 情感高涨

22. 患者男性，25岁，近1年来对家人亲友冷淡，对个人生活不关心，对家里和周围发生的事情表现无所谓。这些表现属于
A. 情绪不稳　B. 情感淡漠
C. 情感低落　D. 情感迟钝
E. 情感脆弱

23. 患者女性，30岁，对医生讲自己的胃里、肠子里有虫子在爬，肠道被扭转，似要破裂，很不舒服，此症状可能是
A. 内感性不适　B. 感觉过敏
C. 疑病妄想　D. 虚无妄想
E. 内脏幻觉

24. 患者男性，40岁，发病时保持一个姿势不动，不语，不吃不喝，对刺激不做任何反应，口涎外流，尿潴留，表情呆滞，这一症状很可能是
A. 缄默症　B. 违拗症
C. 木僵　D. 蜡样屈曲
E. 思维中断

25. 患者男性，21岁，面带微笑地对医生说自己的母亲病危住院了。这一症状最可能是
A. 青春性兴奋　B. 作态
C. 情感暴发　D. 情感倒错
E. 情感失控

26. 患者男性，38岁，突然感到脑中不由自主涌现出大量异己的，无现实意义的，漫无头绪的联想，不能控制，这种表现是
A. 强迫观念　B. 强制性思维
C. 被控制感　D. 思维奔逸
E. 思维破裂

27. 患者男性，28岁，告诉医生“因为电脑感染了病毒，所以我要死了”。该患者思维障碍的类型是
A. 思维松弛　B. 思维迟缓
C. 思维贫乏　D. 逻辑倒错
E. 思维破裂

28. 患者女性，40岁，近期经常向家人抱怨，邻居倒土豆是要她滚蛋，以上症状最大可能是
A. 关系妄想　B. 夸大妄想
C. 强迫观念　D. 象征性思维
E. 言语性听幻觉

29. 患者男性，25岁，首次发作精神分裂症，经药物治疗后症状缓解，自知力恢复，护士嘱其在医生指导下继续服药的时间应为
A. 不少于1年　B. 不少于2年
C. 不少于3年　D. 不少于5年
E. 终生服药治疗

30. 患者女性，21岁，确诊为抑郁症，医生给予氟西汀治疗。家人咨询该药物的起效时间是
A. 2天后　B. 14天后
C. 28天后　D. 48天后
E. 半年后

31. 患者男性，20岁，同学发现其每次出门时，均将门上锁后，仍要再三反复检查多遍，该患者的症状是
A. 强迫行为　B. 强迫意向
C. 强迫联想　D. 强迫思想
E. 强迫回忆

32. 患者男性，19岁。因近5年来逐渐出现注意力不集中，不出门，不愿见人，生活懒散被动，不主动刷牙、洗脸、洗澡。入院诊断为精神分裂症。患者在治疗阶段的康复护理中，护理措施欠妥的是
A. 按时为患者进行更衣、沐浴、口腔护理等生活料理
B. 鼓励患者多与其他病友进行交流，增强治疗信心
C. 安排患者参加病房内一般性活动
D. 社交技能训练为主，为回归社会打下基础
E. 监管好患者，预防发生意外

33. 患者女性，42岁，下岗失业，常因不能挣钱补贴家用而自责，觉得自己无用，是个多余的人，渐对生活失去信心，进而出现失眠，且无法操持家务、照顾家庭。首先考虑的诊断是
A. 抑郁症　B. 精神分裂症单纯型
C. 适应障碍　D. 神经衰弱
E. 自理缺陷

（34～36题共用病例）
患者女性，40岁，公务员。同事发现其近期经常在办公室内来回走动，搓手顿足，坐卧不宁，注意力难以集中，其自述经常有心慌、胸闷、出汗、口干等不适。

34. 该患者最可能的诊断是
A. 焦虑症　B. 恐惧症
C. 癔症　D. 精神分裂症
E. 抑郁症

35. 该患者最主要护理问题
A. 受伤的危险　B. 睡眠形态紊乱
C. 焦虑　D. 恐惧
E. 个人应对无效

36. 若遵医嘱给予苯二氮䓬类药物治疗，应告知患者
A. 长期服药　B. 小剂量服药
C. 避免成瘾　D. 症状控制后停药
E. 症状控制后仍服药6周

（37～40题共用病例）
患者男性，25岁，总感觉手不干净，反复洗手，回家就要洗澡，洗衣服。不仅如此，还反复关门，关煤气，明知没必要，想摆脱摆脱不了。

37. 首先考虑的诊断是
A. 焦虑症　B. 恐惧症
C. 强迫症　D. 癔症
E. 抑郁症

38. 患者出现的表现为
A. 强迫怀疑　B. 强迫回忆
C. 强迫行为　D. 强迫情绪
E. 强迫性穷思竭虑

39. 可选用下列哪种药物治疗
A. 氯氮平　B. 盐酸氯米帕明
C. 锂盐　D. 舒必利
E. 氯硝西泮

40. 若选用上述药物治疗，指导内容错误的是

A. 治疗初期可出现口干、多汗、视物模糊

B. 肝肾功能不全者慎用

C. 不得与单胺氧化酶合用

D. 用药期间应按时监测心电图

E. 用药期间不影响其驾驶车辆

【参考答案】

1. B	2. C	3. D	4. B	5. D
6. B	7. E	8. A	9. B	10. C
11. B	12. E	13. C	14. B	15. E
16. C	17. B	18. C	19. B	20. C
21. B	22. D	23. E	24. C	25. D
26. B	27. D	28. A	29. A	30. B
31. A	32. A	33. A	34. A	35. C
36. D	37. C	38. C	39. B	40. E

第二章 中医基础知识

第一节 中医学的基本概念

整体观念和辨证论治是中医学的两个基本特点。

（一）整体观念

整体观念是中医学关于人体自身的完整性及人与自然、社会环境的统一性认识。

中医学认为人体是一个有机整体，构成人体的各部分之间，在结构上是不可分割的，在功能上是相互协调、相互为用的，在病理上是相互影响的。同时也认识到人体与自然环境、社会环境的重要关系和相互影响。这种内外环境的统一性和机体自身完整性的思想，即为整体观念。

整体观念包括人体是有机的整体、人与自然环境的统一性、人与社会环境的统一性。

（二）辨证论治

辨证论治是中医学认识疾病和处理疾病的基本原则。辨证论治分为辨证和论治两个阶段。证，也叫证候，是机体在疾病过程中的某一阶段的病理概括。辨证，就是将四诊所收集的症状和体征等资料，通过分析、综合，辨清疾病的原因、性质、部位，以及邪正之间的关系，概括、判断为某种性质的症候的过程。论治，是根据辨证的结果，确定相应的治疗原则和方法。辨证是决定治疗的前提和依据，论治是治疗疾病的手段和方法。

第二节 中医基础理论

中医基础理论的主要内容包括阴阳、五行、藏象、气血津液、经络、病因与发病、病机、防治原则等七个部分。

（一）阴阳学说

(1) 阴阳既可以代表两种相互对立的事物和势力，又可以代表和用以分析同一事物内部相互对立的两个方面。

(2) 阴阳学说是通过分析相关事物的阴阳相对属性，以及某事物内部矛盾双方的相互关系，从而认识和把握自然界错综复杂变化的本质原因和发生发展的基本规律。

(3) 阴阳学说的基本内容包括：阴阳的对

立制约、阴阳相根互用、阴阳的交感互藏、阴阳相互消长、阴阳相互转变、阴阳的自和与平衡。

（二）五行学说

1. 定义：五行指金、木、水、火、土五种物质及其运动变化。

2. 五行的特性

① 木的特性：为“曲直”，是指树木的枝条具有生长、柔和，能曲、能伸的特性。引申为凡具有生长、升发、条达、舒畅等性质或作用的事物和现象，均归属于木。

② 火的特性：为“炎上”，是指火具有炎热、上升、光明的特性。引申为凡具有温热、升腾、明亮等性质或作用的事物和现象，均归属于火。

③ 土的特性：为“稼穑”，是指土具有播种和收获的特性。引申为凡具有生化、承载、受纳等性质或作用的事物和现象，均归属于土。

④ 金的特性：为“从革”，是指金属具有刚柔相济并能变革之性。引申为凡具有肃杀、收敛、沉降等性质和作用的事物和现象，均归属于金。

⑤ 水的特性：为“润下”，是指水具有润泽、向下的特性。引申为凡具有滋润、下行、寒凉、闭藏等性质或作用的物质和现象，均归属于水。

3. 五行相生与相克

① 五行相生的次序是：木生火，火生土，土生金，金生水，水生木。

② 五行相克的次序是：木克土，土克水，水克火，火克金，金克木。

4. 五行制化与胜复

① 五行制化，指五行之间既相互资生，又相互制约，以维持平衡协调，推动事物间稳定而有序的变化和发展。

② 五行胜复，是指五行之中一行亢盛（即胜气），则引起其所不胜（即复气）的报复性制约，是一种五行之间按相克规律的自我调节。五行胜复的规律是“有胜之气，其必来复也”，“胜至则复，复已而胜，不复则害。”

5. 五行相乘与相侮

① 五行相乘，是指五行中的一行对其所胜之行的过度制约和克制。五行相乘的次序与相克相同。导致相乘的原因有“太过”和“不及”两种情况。

② 五行相侮，是指五行中的一行对其所不胜之行的反向制约和克制。导致五行相侮的原因有“太过”和“不及”两种情况。仍以木克土为例，则太过者即“木亢侮金”；不及者即“木虚土侮”。相乘与相侮，两者有所区别又有联系，故说“气有余，则制己所胜而侮所不胜；其不及，则己所不胜，侮而乘之，己所胜，轻而侮之”。

（三）藏象

1. 五脏：为心、肝、脾、肺、肾。

2. 六腑：为胆、胃、大肠、小肠、膀胱、三焦。

3. 五脏的主要生理功能

（1）心：心主血脉、主神志。开窍于舌，其华在面。心与小肠相表里。

（2）肝：主疏泄、主藏血、主筋；开窍于目，其华在爪。肝与胆相表里。

（3）脾：主运化、主统血、主肌肉和四肢；开窍于口，其华在唇。脾与胃相表里。

（4）肺：主气、司呼吸、主行水、朝百脉、主治节、主皮毛。开窍于鼻。肺与大肠相表里。

（5）肾：藏精，主人体的发育与生殖，推动和调节脏腑气化；主水液；主纳气；主骨，生髓；通于脑，下系二阴，其华在发，开窍于耳。肾与膀胱相表里。

4. 六腑的主要生理功能

（1）胆：有贮藏和排泄胆汁，促进饮食消化的作用，并主决断。

（2）胃：胃的生理功能是受纳和腐熟水谷。

（3）小肠：一是受盛和化物，二是分别清浊。

（4）大肠：主要为传化糟粕和主津等方面。

（5）膀胱：贮存尿液和排出尿液。

（6）三焦的生理功能：其总体生理功能是通行诸气和运行水液。

5. 五脏六腑的关系：脏与腑的关系，是脏腑阴阳表里配合、相输相应的“脏腑相合”关系。

（四）气、血、津液

1. 精

（1）精有广义与狭义之分：狭义之“精”，

即指通常所说的生殖之精；广义之“精”，泛指一切精微物质，包括气、血、津液和从食物中摄取的营养物质，故称作“精气”。

(2) 人体之精，是指禀受于父母的生命物质与后天水谷精微相融合而形成的一种精华物质，是人体生命的本原，是构成人体和维持人体生命活动的最基本物质。

(3) 人体之精具有繁衍生命、濡养作用、化血作用、化气作用、化神作用。

2. 气

(1) 气是人体内活力很强、运行不息的极精微物质，是构成人体和维持人体生命活动的基本物质之一。

(2) 人体之气，由精所化生，并与肺吸入的自然界清气相融合而成。一身之气的生成，是脾、肾、肺等脏腑综合协调作用的结果。肾为生气之根、脾胃为生气之源、肺为生气之主。

(3) 气运动的基本形式，可归纳为升、降、出、入四种。

(4) 气的主要功能推动作用、温煦作用、防御作用、固摄作用、气化作用。

(5) 气的分类

① 元气：又名原气，是人体的原始之气。由于来源于先天，所以又称其为先天之气。

② 宗气：又名大气。宗气是人体后天的根本之气，积聚于胸中（心肺），故称胸中为“气海”，又名“膻中”。

③ 营气：是循行于脉内具有营养作用的气。

④ 卫气：是循行于脉外具有保卫作用的气。

3. 血

(1) 血是红色的液态物质，是构成人体和维持人体生命活动的物质之一，血液主要由营气和津液所组成，所以具有营养和滋润作用。

(2) 血的主要功能气属阳，血属阴。气能生血、行血、摄血，气为血之帅；血是气的载体，并给气充分的营养，即血为气之母。

(3) 血液生成的物质基础是精和气。

4. 精液

(1) 津液是机体一切正常水液的总称，清而稀薄的称之为津，浊而稠厚的称之为液。津液，主要指体液，是构成人体和维持人体生命活动的基本物质之一。

(2) 津液的生理功能主要包括：滋润和濡养作用；化生血液，调节血液浓度；运输废物。

（五）经络

(1) 经络是经脉和络脉的总称，是运行全身气血，联络脏腑肢节，沟通上下内外的通路、感应传导信息的通路系统。其中经脉是主干，络脉是分支。

(2) 人体的经络系统由经脉系统、络脉系统及其连属部分组成。

(3) 十二经脉的走向规律是手之三阴，从脏走手；手之三阳，从手走头；足之三阳，从头走足；足之三阴，从足走腹。

(4) 奇经八脉是督脉、任脉、冲脉、带脉、阴跷脉、阳跷脉、阴维脉、阳维脉的总称，由于此八条经脉与十二正经不同，故称为奇经。

(5) 经络的生理功能主要表现在沟通联系、感应传导及运输、调节等四方面。

（六）病因

(1) 导致疾病发生的原因主要有六淫、疠气、七情内伤、饮食所伤、劳逸损伤、痰饮、瘀血、结石，以及外伤和虫兽伤等。

(2) 六淫是风、寒、暑、湿、燥、火六种外感病邪的统称。风、寒、暑、湿、燥、火，在正常情况下称为“六气”，是自然界六种不同的气候变化。

(3) 六淫共同的致病特点主要表现为外感性、季节性、地域性、相兼性和某种性质的转化等方面。

(4) 风邪：风邪是指其致病具有善动而不居、轻扬开泄等特性的外邪。风邪为病，四季常有，以春季为多见。治病特点如下。

① 风为阳邪，其性开泄，易袭阳位。

② 风性善行而数变。

③ 风性主动。

④ 风为百病之长。

(5) 寒邪的概念、性质及致病特点

① 寒邪是指其致病具有寒冷、凝结、收引等特性的外邪。

② 寒性凝滞，“凝滞”即凝结、阻滞不通之意。

③ 寒性收引，“收引”即收缩牵引之意。

④ 寒为阴邪，易伤阳气

(6) 暑邪的概念、性质及致病特点

① 暑邪，是指在夏至之后，立秋以前，

其致病具有炎热、升散，并兼有湿邪等特性的外邪。

② 暑为阳邪，其性炎热。

③ 暑性升散，耗气伤津扰神。

④ 暑多挟湿。

(7) 湿邪的性质及致病特点

① 湿邪是指其致病具有重浊、黏滞、趋下等特性的外邪。

② 湿性重浊。

③ 湿为阴邪：易阻遏气机，损伤阳气。

④ 湿性黏滞：一是湿邪为病，其症多黏滞而不爽；二是湿病多缠绵难愈，病程较长或反复发作。

⑤ 湿性趋下，易袭阴位。

(8) 燥邪的概念、性质及致病特点

① 燥邪是指其致病具有干燥、收敛等特性的外邪。

② 燥性干涩，易袭津液。

③ 燥易伤肺。肺为娇脏，喜润而恶燥。

(9) 火邪的概念、性质及致病特点

① 火热之邪，是指其致病具有炎热、升腾等特性的外邪。

② 火热为阳邪，其性延上。

③ 火易耗伤津液。

④ 火易生风动血。

⑤ 火易致肿疡。

(10) 疠气：指一类具有强烈致病性和传染性的外感病邪。疠气可通过空气传染，经口鼻侵入而致病，亦可随饮食、蚊虫叮咬、虫兽咬伤、皮肤接触等途径传染而发病。疠气的致病特点：发病急骤，病情危笃；传染性强，易于流行；一气一病，症状相似。

(11) 七情内伤

① 七情，即喜、怒、忧、思、悲、恐、惊七种情志变化，是人体对外界客观事物的不同反映。

② 喜、怒、思、忧、恐为“五志”。心“在志为喜”、肝“在志为怒”、脾“在志为思”、肺“在志为忧”、肾“在志为恐”。

③ 七情内伤致病特点：直接伤及内脏；影响脏腑气机；多发为情志病证；七情变化影响病情。

(12) 饮食失宜：包括饮食不节、饮食不洁和饮食偏嗜。

(13) 过度劳累：包括劳力过度、劳神过度及房劳过度三方面。

(14) 痰和饮：都是津液代谢障碍所形成的病理产物。一般以较稠浊的称为痰，清稀的称为饮。痰饮的致病特点：阻滞气血运行、影响水液代谢、易于蒙蔽心神、致病广泛，变幻多端。

(15) 瘀血：指体内血液停滞，包括离经之血积存于体内，或血运不畅，阻滞于经脉及脏腑内的血液，均称为瘀血。瘀血的致病特点主要是易于阻滞气机、影响血脉循行和影响新血生成，

第三节　中医四诊

(一) 问诊

1. 问寒热：是指询问患者有无怕冷或发热的感觉。

(1) 恶寒发热：恶寒与发热同时并见，多见于外感病的初期阶段。

(2) 但寒不热：只感怕冷而不觉发热。

(3) 但热不寒：患者只发热，不觉寒冷，或反恶热，多属阳盛阴虚的里热证。

(4) 寒热往来：恶寒与发热交替发作，为半表半里证的特征。

2. 问汗：注意汗之有无，汗出时间、多少、部位及其主要兼证等。

3. 问疼痛：问疼痛的性质，问疼痛部位。

4. 问头身胸腹

(1) 头晕：头脑有昏沉晕乎之感，病重者感觉自身或景物旋转，站立不稳。

(2) 心悸：患者经常自觉心慌，心脏跳动不安，甚至不能自主的一种症状。

5. 问耳目：问耳鸣、耳聋；问目眩、目昏、雀盲。

6. 问睡眠、问饮食与口味，问二便、问经带。

(二) 望诊

望诊包括：全身望诊（望神、面色、形体、姿态）；局部望诊（望头面五官、躯体、皮肤、四肢、二阴）；舌诊（望舌体、舌苔）；

望排泄物与分泌物（望痰涎、呕吐物、大便、小便等）；望小儿指纹。

（三）闻诊

闻诊包括听声音和嗅气味两种内容。听声音主要是用耳听取患者的语言、呼吸、咳嗽、呕吐、腹鸣等声音。嗅气味主要是用鼻嗅呼吸、口腔、分泌物和排泄物的气味。

（四）切诊

切诊就是医者用手触摸患者身体的某些部位，了解疾病。切诊包括切脉和切其他部位，以切脉为主。

（1）布指：医生下指时，先以中指按在掌后高骨内侧动脉处，称为中指定关，然后用食指按在关前（腕侧）定寸，用环指按在关后（肘侧）定尺。

（2）正常脉搏的形象特征是：寸关尺三部皆有脉，不浮不沉，不快不慢，一息4～5至，相当于72～80次/分钟（成年人），不大不小，从容和缓，节律一致，尺部沉取有一定的力量。

第四节 中医辨证方法

（一）八纲辨证

（1）八纲：为表、里、寒、热、虚、实、阴、阳八个辨证的纲领。

（2）表证：是六淫、疫疠、虫毒等邪气经皮毛、口鼻侵入机体，正气（卫气）抗邪所表现轻浅证候的概括。主要表现为恶寒或恶风发热、头身疼痛、脉浮、苔薄白等。

（3）里证：泛指病变部位在内，由脏腑、气血、骨髓等受病所反映的症候。其基本特点为：无新起恶寒发热，以脏腑症状为主要表现，一般病情较重、病程较长。

（4）寒证：为感受寒邪或阳虚阴盛，导致机体功能活动衰退所表现的具有冷、凉特点的症候。

（5）热证：为感受热邪，或脏腑阳气亢盛，或阴虚阳亢，导致机体功能活动亢进所表现的具有温、热的证候。

（6）虚证：指人体阴阳、气血、津液、精髓等正气亏虚，而邪气不著，表现为不足、松弛、衰退特征的各种证候。

（7）实证：指人体感受外邪，或疾病过程中阴阳气血失调，体内病理产物蓄积，以邪气盛、正气不虚为基本病理，表现为有余、亢盛、停聚特征的各种证候。

（二）脏腑辨证

脏腑辨证是在认识脏腑生理功能、病变特点的基础上，将四诊所收集的症状、体征及有关病情资料，进行综合分析，从而判断疾病所在的脏腑部位，病因、病性等，是为临床治疗提供依据的辨证归类方法。

（三）卫气营血辨证

将外感温热病发展过程中所反映的不同病理阶段，分为卫分证、气分证、营分证、血分证四类，用以说明病位的深浅、病情的轻重和转变的规律，并指导临床治疗。

第五节 中医治病八法与中药

（一）中医治病八法

所谓的八法，是指汗、吐、下、和、温、清、消、补八种

（1）汗法：运用发汗的方药，使患者出汗而逐邪外出的一种治法。

（2）吐法：引导病邪或有害物质，使从口涌吐的方法。

（3）下法：用通泻大便的方法，排除蓄积。

（4）和法：用和解的方法。

（5）温法：祛除寒邪和补益元阳的方法。

（6）清法：治疗热证，有清热保津，除烦解渴作用。

（7）消法：消散、消导，具有渐消缓散，破坚消积作用。

（8）补法：补益人体阴阳气血之不足或脏

腑虚损，以增强机体功能。

（二）中药

1. 中药性能：又称药性，主要包括四气、五味、归经、升降浮沉、毒性等。

2. 中药的四气：四气即中药的寒、热、温、凉四种药性。中药四气中，温热属阳，寒凉属阴。

3. 五味：是指酸、苦、甘、辛、咸五种味道。酸有收敛、固涩等作用；苦有泻火、燥湿、通泄、下降等作用；甘有滋补、和中或缓急的作用；辛有发散、行气等作用；咸有软坚、散结等作用。

4. 中药的服药方法：口服、含漱、滴鼻、滴眼、滴耳，通过皮肤、肛门、阴道给药，注射给药。

5. 不同中药口服给药时间

（1）峻下逐水药晨起空腹时服药。

（2）驱虫药、攻下药及其他治疗胃肠道疾病的药物宜饭前服用。

（3）对胃肠道有刺激性的药物、消食药宜饭后服用。无论饭前服或饭后服用的药物，服药与进食都应间隔1小时左右。

（4）安神药在睡前30分钟至1小时服用。

（5）缓下剂在睡前服用。

（6）涩精止遗药在晚间服用。

（7）截疟药在疟疾发作前2小时服药。

6. 汤剂的煎法

（1）煎药用具：首选砂锅，次之可用不锈钢、搪瓷制品或玻璃器皿，不能用铜、铝、铁等金属锅。

（2）煎药前浸泡：煎药前用冷水浸泡0.5～1小时，使水渗进药物内部。

（3）煎药时加水要适量：第一煎加水至高过药面3～5cm，第二煎加水至超过药面2～3cm。

（4）煎药用火：通常遵循“先武后文”的原则，即先用武火将药液烧开，再用文火慢慢地煎。

（5）煎药时间：一般药，第一煎于沸后煮30分钟，第二煎于沸后煮25分钟；解表药，第一煎于沸后煮20分钟，第二煎于沸后煮15分钟；滋补药，第一煎于沸后煮60分钟，第二煎于沸后煮50分钟。

【考点强化】

1. 中医学的基本特点是

A. 五脏为中心的整体观
B. 阴阳五行和脏腑经络
C. 整体观念和辨证论治
D. 望闻问切和辨证论治
E. 辨证求因和审因论治

2. 人是一个有机的整体，其中心是

A. 五脏　B. 六腑
C. 经络　D. 命门　E. 脑

3. 中医理论中阴阳的概念是

A. 代表相互对立的两种事物
B. 代表相互关联的两种事物
C. 中国古代哲学的一对范畴
D. 对事物矛盾双方的概括
E. 自然界相互对立又相互关联事物

4. “阴中求阳，阳中求阴”治法的理论依据是

A. 阴阳对立制约　B. 阴阳互根互用
C. 阴阳协调平衡　D. 阴阳相互转化
E. 阴阳互为消长

5. 阴阳交感是指

A. 阴阳二气的运动
B. 阴阳二气的和谐状态
C. 阴阳二气相互对立的状态
D. 阴阳二气相互感应
E. 阴阳二气在运动中相互感应而交合的过程

6. “寒极生热，热极生寒”指的是

A. 阴阳对立制约　B. 阴阳互根互用
C. 阴阳协调平衡　D. 阴阳相互转化
E. 阴阳互为消长

7. 肺的阴阳属性是

A. 阳中之阳　B. 阳中之阴
C. 阴中之阴　D. 阴中之阳
E. 阳中之至阳

8. 脾的阴阳属性是

A. 阴中之阴　B. 阴中之阳
C. 阴中之至阴　D. 阳中之阴
E. 阳中之阳

9. 五行中“木”的特性是

A. 炎上　B. 润下
C. 稼穑　D. 曲直　E. 从革

10. “见肝之病，知肝传脾”，从五行之间的关系看，其所指内容是

A. 木疏土　B. 木克土
C. 木乘土　D. 土侮木
E. 木胜土

11. 五行中“土”的特性是

A. 炎上　B. 润下

C. 稼穑　D. 曲直　E. 从革

12. 五行中，具有“炎上”特性的是

A. 木　B. 火

C. 土　D. 金　E. 水

13. 五行中，具有“润下”特性的是

A. 水　B. 火

C. 木　D. 金　E. 土

14. 五行中，具有“从革”特性的是

A. 金　B. 木

C. 水　D. 火　E. 土

15. 五行制化的含义是

A. 五行相生　B. 五行相克

C. 相生相克　D. 相乘相侮

E. 乘侮制化

16. 五行相生关系中，木的“我生”是

A. 木　B. 土

C. 火　D. 水　E. 金

17. 五行相生关系中，火的“我生”是

A. 金　B. 木

C. 水　D. 火　E. 土

18. 五行中“木”的“母”行是

A. 木　B. 火

C. 土　D. 金　E. 水

19. 五行相克关系中，金的“我克”是

A. 木　B. 火

C. 土　D. 金　E. 水

20. 五行相克关系中，水的“克我”是

A. 木　B. 火

C. 土　D. 金　E. 水

21. 五行相克关系中，金的“所胜”是

A. 土　B. 金

C. 水　D. 木　E. 火

22. 水的所不胜是

A. 木　B. 土

C. 火　D. 金　E. 水

23. 五脏共同生理特点是

A. 传化水谷　B. 传化水液

C. 储藏精气　D. 传导糟粕

E. 排泄水液

24. 具有“满而不能实”生理特点的是

A. 五脏　B. 六腑

C. 奇恒之腑　D. 脏腑　E. 经络

25. 具有“实而不能满”生理特点的是

A. 五脏　B. 六腑

C. 奇恒之腑　D. 脏腑　E. 经络

26. 中医的五脏是指心、肝、脾、肺和

A. 胆　B. 三焦

C. 小肠　D. 胃　E. 肾

27. 对血液运行具有促进作用的是

A. 心　B. 肺

C. 脾　D. 肝　E. 肾

28. 下列哪-项是肺的功能

A. 气之根　B. 气之主

C. 气之源　D. 气之海

E. 气之信道

29. 脾最主要的生理功能是

A. 运化水谷　B. 生成津液

C. 生成气血　D. 宣发肃降

E. 外举清气

30. “主治节”是哪个脏腑的生理功能

A. 肝　B. 心

C. 脾　D. 肺　E. 肾

31. 下列属于肾的生理功能的是

A. 主气　B. 纳气

C. 生气　D. 调气　E. 养气

32. 五体在五脏，下述哪一项是不正确的

A. 心在体为脉　B. 肺在体为毛（皮）

C. 脾在体为肌肉　D. 肝在体为筋

E. 肾在体为骨

33. 肺开窍于

A. 目　B. 耳

C. 口　D. 鼻　E. 舌

34. 肝其华在

A. 爪　B. 面

C. 唇　D. 毛　E. 发

35. 六腑生理功能的共同特点是

A. 传化水液　B. 传导糟粕

C. 传化水谷　D. 泌别清浊

E. 排泄水液

36. 由父母遗传的生命物质，称之为

A. 先天之精　B. 后天之精

C. 肾精　D. 水谷之精

E. 生殖之精

37. 气机是指

A. 气的升降　B. 气的变化

C. 气的运动　D. 气血津液互化

E. 气的运动形式

38. 所谓“气化”是指

A. 气的升降出入运动

B. 气的温煦作用使水化为气

C. 气能化水，水又能化为气

D. 气能生血，血又能生气
E. 体内精、气、血、津液等物质各自的新陈代谢及相互转化

39. 对人体生长发育具有促进作用的气是
A. 元气　B. 宗气
C. 营气　D. 卫气　E. 脏腑之气

40. 积于胸中，上出喉咙，下注气街的气是
A. 心气　B. 肺气
C. 元气　D. 宗气　E. 卫气

41. 具有营养全身和化生血液作用的气是
A. 元气　B. 营气
C. 宗气　D. 卫气　E. 谷气

42. 血液的生成与哪个脏腑的关系最为密切
A. 心　B. 脾
C. 胃　D. 肝　E. 肾

43. 下列不属于津液的是
A. 胃液　B. 肠液
C. 涕液　D. 泪液　E. 血液

44. 津液输布的主要通道为
A. 血管　B. 经络
C. 腠理　D. 三焦　E. 脏腑

45. 下列为六淫的是
A. 风、寒、热、湿、燥、火
B. 风、寒、暑、潮、燥、火
C. 风、寒、暑、湿、燥、火
D. 风、寒、暑、湿、干、火
E. 风、寒、暑、湿、燥、瘀

46. 风邪的性质和致病特点是
A. 风为阳邪，其性炎热
B. 风为阳邪，其性开泄
C. 风为阳邪，伤津耗气
D. 风为阳邪，易生风动血
E. 风为阳邪，其性炎上

47. 风邪伤人，病变部位不固定是由于
A. 风性数变　B. 风性善行
C. 风性主动　D. 风性轻扬
E. 其性干涩

48. 以“善行而数变”为致病特点的病邪是
A. 风邪　B. 暑邪
C. 燥邪　D. 湿邪　E. 热邪

49. 六淫中，称为“百病之长”的病邪是
A. 风邪　B. 寒邪
C. 燥邪　D. 湿邪　E. 热邪

50. 六淫中致病具有寒冷、凝结、收引等特性的外邪
A. 风邪　B. 寒邪
C. 湿邪　D. 燥邪　E. 暑邪

51. 六淫致病中，性属“黏滞”的病邪为
A. 风邪　B. 寒邪
C. 暑邪　D. 湿邪　E. 燥邪

52. 六淫中，具有“炎热、升散”特点的病邪是
A. 风邪　B. 燥邪
C. 火邪　D. 暑邪　E. 热邪

53. 六淫中易伤阳气的邪是
A. 风邪　B. 寒邪
C. 暑邪　D. 燥邪　E. 火邪

54. 脾在志为
A. 喜　B. 怒
C. 思　D. 忧　E. 恐

55. 饮食宜忌中，阴虚阳亢之体须禁忌
A. 辛辣类食物　B. 生冷类食物
C. 油脂类食物　D. 海腥类食物
E. 蔬菜类食物

56. 冬季气候寒冷，阴寒偏盛，应多食温热的食物，如羊肉，狗肉等，最符合三因制宜中的
A. 因时制宜　B. 因地制宜
C. 因人制宜　D. 因病制宜
E. 三阴制宜

57. 下列因素中，可影响新血生成的病因是
A. 瘀血　B. 痰饮
C. 结石　D. 积食
E. 血瘀

58. 下列不属于瘀血致病特点的是
A. 易于阻滞气机　B. 影响新血生成
C. 影响血脉运行　D. 病位较为固定
E. 易于蒙蔽神明

59. 中医四诊是指
A. 望诊、触诊、叩诊、听诊
B. 望诊、触诊、问诊、切诊
C. 望诊、闻诊、问诊、听诊
D. 望诊、触诊、问诊、切诊
E. 望诊、切诊、问诊、闻诊

60. 八纲辨证是指：表里、寒热、虚实和
A. 浮沉　B. 盛衰
C. 润燥　D. 正邪　E. 阴阳

61. 表证和里证的鉴别要点为
A. 咳嗽是否伴有咳痰
B. 寒热症状、内脏症候是否突出
C. 头身疼痛与否
D. 舌象的变化

E. 出汗量之多少

62. 下面属虚证的临床症状为

A. 体质多壮实

B. 精神委靡，声低息微

C. 声高气粗

D. 胸腹按之疼痛，涨满不减

E. 脉象有力

63. 中医治疗疾病的根本原则是

A. 调整阴阳　　B. 调理气血

C. 扶正祛邪　　D. 标本缓急

E. 三因制宜

64. 所谓中医治疗八法，是指

A. 汗、吐、泻、和、温、清、消、补八种

B. 汗、吐、下、克、温、清、消、补八种

C. 汗、吐、下、和、温、清、消、补八种

D. 汗、吐、下、和、温、泄、消、补八种

E. 汗、吐、下、和、升、清、消、补八种

65. 祛除寒邪和补益元阳的方法为

A. 汗法　　B. 下法

C. 吐法　　D. 温法　　E. 清法

66. 中药汤剂的质量与选用的煎药器有密切的关系，最好选用

A. 搪瓷锅　　B. 不锈钢锅

C. 铁锅　　D. 砂锅

E. 铜锅

67. 归经是指药物对机体作用的

A. 选择性　　B. 毒性

C. 趋向性　　D. 寒、热病证的针对性

E. 治疗作用

68. 具有发散作用的药味是

A. 咸　　B. 酸

C. 苦　　D. 辛　　E. 甘

69. 具有敛肺止咳作用的药物大多是何种药味

A. 辛　　B. 甘

C. 苦　　D. 酸　　E. 咸

70. 七情配伍中，可以提高药效的是

A. 相畏、相杀　　B. 相杀、相使

C. 相须、相使　　D. 相须、相恶

E. 相恶、相反

71. 七情配伍中，可以降低药物毒副作用的是

A. 相恶、相使　　B. 相杀、相反

C. 相须、相恶　　D. 相杀、相畏

E. 相须、相使

72. 七情配伍中，可以降低药物功效的是

A. 相须　　B. 相使

C. 相杀　　D. 相畏

E. 相恶

73. 关于解表药煎药时间，第一煎、第二煎每服药在沸后各应

A. 煮 30 分钟，煮 25 分钟

B. 煮 40 分钟，煮 20 分钟

C. 煮 20 分钟，煮 15 分钟

D. 煮 60 分钟，煮 50 分钟

E. 煮 80 分钟，煮 30 分钟

74. 关于服药描述正确的是

A. 凉服

B. 少饮水

C. 温服，服药后加盖衣被，使微汗出

D. 出汗后立即洗浴

E. 服药后可进一些冷饮

75. 消食药最佳服药时间为

A. 饭前服　　B. 饭后服

C. 睡前服　　D. 晚间服

E. 清晨服

【参考答案】

1. C	2. A	3. E	4. B	5. E
6. D	7. B	8. C	9. D	10. C
11. C	12. B	13. A	14. A	15. C
16. C	17. E	18. E	19. A	20. C
21. D	22. B	23. C	24. A	25. B
26. E	27. A	28. B	29. A	30. D
31. B	32. B	33. D	34. A	35. C
36. A	37. C	38. E	39. A	40. D
41. B	42. B	43. E	44. D	45. C
46. B	47. B	48. A	49. A	50. B
51. D	52. D	53. B	54. C	55. A
56. A	57. A	58. E	59. E	60. E
61. B	62. B	63. A	64. C	65. D
66. D	67. A	68. D	69. D	70. C
71. D	72. E	73. C	74. C	75. B